Through the mill

Personal recollections by veteran men and women Penicuik paper mill workers

Ian MacDougall

The Scottish Working People's History Trust

Scottish Charity No. SCO 20357

First published in 2009 by The Scottish Working People's History Trust
Dunarle, 112 High Station Road, Falkirk FK1 5LN
http:// www.swpht.org.uk   e-mail: hamishf@blueyonder.co.uk

ISBN 978-0-9559981-0-2

Set in Caslon at Stewarts of Edinburgh
Printed and bound in Great Britain by
Stewarts of Edinburgh

CONTENTS

	Page
List of illustrations	v
Map of Penicuik and district	vi
Introduction	1

The veterans:

Alex Smith	13
George Johnstone	31
John A. Law	49
Agnes Taylor	71
Isaac Palmer	79
Peg Mercer	101
Christina Thomson	111
David Wilson	123
Robert Weir	151
Charlie Peebles	177
William MacMillan	191
Helen Weir	205
Douglas Gordon	211
Joanna Gordon	233
William Robertson	257
Frances Parker	275
George MacGregor	287
George MacDonald	299
Charles McLay	321
John Y. Frew	347
Jack Menzies	359
John Blair	381
George Peaston	393
Alexander Ballantyne	411
Mary Bain	431
James Neil	445
Henry Haig	465
Joan Robertson	489
Jean Hannah	503
Keith Dyble	519
Eric Cobley	543
Jean Fairley	559
Ernest Atack	587

Notes	605
Index	641

ILLUSTRATIONS

Page

1. Esk Mills workers, 1920s.   30
2. George Johnstone and fellow machinemen, Valleyfield mill, late 1920s.   47
3. Workers tend 'super calenders' at Valleyfield mill, c. 1937.   48
4. Penicuik Territorial Army soldiers march off to war in August 1914.   69
5. Women (and four men) workers, Dalmore mill, 1930s.   70
6. Auchendinny village children, late 1920s.   78
7. Isaac Palmer and other Esk Mills workers, late 1950s.   100
8. Dalmore mill, Auchendinny, and the North Esk river.   122
9. Pomathorn, the huge extension, 1950s, to Valleyfield mill.   150
10. Alexander Cowan, 1863-1943.   175
11. Valleyfield mill, c. 1937.   176
12. Beaters at Valleyfield, c. 1937.   190
13. Bales of esparto grass at Valleyfield, c. 1937.   204
14. Helen Brown (Mrs Helen Weir), Queen of Harper's Brae Gala, 1927.   210
15. The huge paper-making machine at Pomathorn, Valleyfield mill, 1960s-70s.   231
16. The raghouse, Valleyfield mill.   232
17. The Concretes, some of Valleyfield mill's tied houses at Penicuik.   256
18. The Old Manse, part of Esk Mills' tied housing.   273
19. Esk Mills, c. 1950.   274
20. The salle, where women workers checked the paper, at Valleyfield mill.   286
21. Dalmore mill workers, c. 1920s.   298
22. Safety at work, Dalmore mill, c. 2000.   345
23. The North Esk river in spate at Esk Mills, c. 1920s.   346
24. 'Black squad' of engineers and other tradesmen at Esk Mills, c. 1930.   358
25. A and B. No. 2 paper-making machine, Valleyfield.   380
26. Valleyfield mill, c.1950-60.   391
27. The Cowan Institute (Penicuik Town Hall), early 20th century.   392
28. Esk Mills workers, late 1950s.   430
29. Esk Mills, 1937, and houses at Kirkhill.   443
30. A and B. Workers at Valleyfield, 1890 and 1893.   444
31. Bales of wood pulp at Valleyfield, c. 1937.   463
32. Veteran Valleyfield workers, 1898.   464
33. Joan Robertson and other Valleyfield mill office workers.   501
34. Esk Mills Bowling Club committee, c.1950s.   502
35. Jean Hannah and other Esk Mills office staff, c. 1950s.   518
36. A and B. Harper's Brae, Esk Mills' tied housing.   542
37. Eric Cobley with other apprentices and moulders, Penicuik foundry, c. 1948.   558
38. Penicuik, the papermaking town.   603

Efforts have been made to identify and contact copyright holders. The publishers will be glad to make good in future editions any errors or omissions brought to their attention.

MAP OF PENICUIK AND DISTRICT

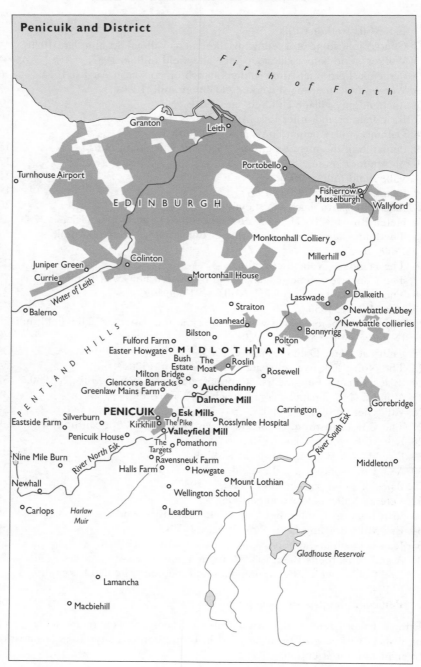

Penicuik and District

Firth of Forth

Granton
Leith
Portobello
Turnhouse Airport
Fisherrow
Musselburgh
Wallyford
E D I N B U R G H
Monktonhall Colliery
Millerhill
Juniper Green
Currie
Colinton
Water of Leith
Mortonhall House
Balerno
Straiton
Lasswade
Dalkeith
Newbattle Abbey
Loanhead
Newbattle collieries
Bilston
Polton
Bonnyrigg
P E N T L A N D   H I L L S
Fulford Farm
Easter Howgate
M I D L O T H I A N
Bush Estate
The Moat
Roslin
Rosewell
Milton Bridge
Glencorse Barracks
Auchendinny
Greenlaw Mains Farm
Dalmore Mill
PENICUIK
Esk Mills
Carrington
Gorebridge
Eastside Farm
Silverburn
Kirkhill
The Pike
Rosslynlee Hospital
Penicuik House
Valleyfield Mill
River North Esk
The Targets
Pomathorn
Nine Mile Burn
Ravensneuk Farm
Middleton
Newhall
Halls Farm
Howgate
River South Esk
Mount Lothian
Carlops
Harlaw Muir
Wellington School
Leadburn
Gladhouse Reservoir
Lamancha
Macbiehill

vi

Introduction

These spoken recollections by 33 veteran men and women workers, of their years of employment in one or more of the three long established paper mills at Penicuik, were recorded by the Scottish Working People's History Trust in interviews during 1996. In the summer of 2004, as this volume was nearing the final stages of its extensive preparation for publication, three centuries of paper making at Penicuik and district, indeed in Midlothian, came to an end with the closure of Dalmore, the last mill on the river North Esk.

These personal recollections by the 33 veterans are therefore, it is hoped, a timely and helpful contribution toward the recorded history of working people in Scotland and also of paper making as one of its traditional industries, so many of which have in recent years declined and disappeared as have now all the Penicuik paper mills.

These recollections do not, and do not claim to, constitute a comprehensive and systematic history either of the paper mill workers or of paper making in and around Penicuik, a town which formerly proudly described itself in its roadside signs as 'The Paper Making Town'. The recollections are spoken personal memories, expressed in the veteran workers' own words, of what it was like to work in these paper mills that are now gone.

Their recollections embrace a wide range of aspects and issues. These include what the raw materials were and where they came from, the production processes, relations between management and workers, working conditions, wages, hours of labour, holidays, trade unionism, strikes, short time working, the mills' principal customers (including not only British stationers, printers and publishers, of the two latter of which industries the nearby city of Edinburgh was formerly a leading centre, but also overseas customers), the division of labour between men and women, the employment in the mills of several members of, and indeed several generations from, the same families, accidents and industrial diseases,

1

paternalism and deference, the characteristics of the owners and managers of the mills (especially the Cowans at Valleyfield, the Jardines at Esk Mills, and the Wallaces at Dalmore), freemasonry, and the interconnections of the paper mills with several other local industries, such as coal mining, building, engineering, and iron and brass founding, in one or other of which some of these veterans or members of their families were at times employed.

The common core of these recollections is therefore work in the paper mills. But around that core is presented also a wide range of other experiences and recollections. Among them schooling and youthful ambitions (or their absence) are recalled; so is housing, where overcrowding, outside water supply, dry and shared toilets, the absence of baths and, in some cases, the use of paraffin lamps for lighting are described. So also are the many forms that contemporary recreation took, some of its facilities provided by the mills themselves, especially Esk Mills and Valleyfield. There are recollections also of church-going, employments in childhood or early adolescence, poverty, local courting traditions, ill health and premature deaths, comparisons between what seemed to some the two distinct communities in Penicuik of the paper mill workers and the coal miners, most of the latter of whom were employed at the nearby Roslin or Loanhead collieries. There is recalled, too, the sense of security provided in Penicuik's streets at night by the regular 24-hour daily production at the paper mills: 'If,' as Mary Bain, one of the veterans, says, 'you were out at friends in the evening you weren't so frightened to go home, because you'd say, "Oh, it's all right. There'll be somebody on the street. I'll get along with the men coming off the back shift, or the men going on the night shift." There was always a kent face on the road, always people coming from or going to work, and you weren't so frightened. That was a big feature.' The two World Wars, in one or other of which several of these veterans lost their fathers or brothers, and in the second of which almost half the veterans themselves served in the armed forces, the merchant navy, or wartime engineering, also cast their shadows among these recollections.

*   *   *

Of the three paper mills in Penicuik and district, Valleyfield was the oldest and the longest in production. Founded in 1709, Valleyfield, except for a few years in and immediately after the Napoleonic Wars during which it had become a place of confinement for French and other prisoners of war, continued to produce paper until its closure in 1975. Esk Mills, half a mile further down the North Esk river, was built in 1775 as one of Scotland's earliest cotton mills; but it appears from its outset to have produced also some paper which, after the Napoleonic Wars (during which Esk Mills, too, though only for a few weeks, was a prisoner of war depot, then for three years a militia barracks), became its sole product until closure of the mill in 1968. Dalmore Mill at the village of Auchendinny, a further mile down the North Esk from Esk Mills, was built between 1835 and 1837 and, as already observed, remained at work until 2004, when production was transferred to Guardbridge paper mill in Fife.

Varying in size, quantity of paper produced, and in the number of workers they employed, the three Penicuik mills occupied at least at times a significant place in the history of the industry in Scotland and of its workers. Valleyfield Mill, for instance, which had a paper-making machine as early as 1820 that replaced making by hand, was said to be by 1851 'easily the largest' mill in Scotland; by 1866 it employed 500 workers, by 1900 about 700 or 800. It was one of the first paper mills north of the Border to use esparto pulp in the production of paper. By the eve of the 1914-18 War, Valleyfield with four and Esk Mills with five were among only half a dozen paper mills in Scotland that had as many as four or more paper-making machines. At Dalmore, easily the smallest of the three mills, annual production increased from 3,900 tons in 1899 to 9,381 tons in 1987.[1]

Of the 33 paper mill workers who present their recollections below, 20 worked in only one of the three mills (11 only in Valleyfield, five only in Esk Mills and four only in Dalmore), a further eight worked in both Valleyfield and Esk Mills, another three in both Esk Mills and Dalmore, and one in Valleyfield and Dalmore. Only one (Alexander Ballantyne) of the 33 worked successively in all three mills. Rather more than a third of the 33 are thus able to make direct from their own personal experience some comparisons between the Penicuik mills in which they worked.

The number of years in which each of the 33 worked in those mills inevitably varied. Excluding in most of their cases service during the Second World War in the armed forces (or in Mr Law's case, in wartime engineering), fifteen of the men (Alex Smith, John A. Law, Isaac Palmer, David Wilson, Robert Weir, Charlie Peebles, William MacMillan, Douglas Gordon, William Robertson, George MacGregor, George MacDonald, Charles McLay, John Blair, George Peaston and Alexander Ballantyne) worked in those mills for between 31 and 46 years. George MacDonald, for example, who served from 1941 to 1946 in the RAF, had begun work at Esk Mills in December 1934 and retired from Dalmore in 1985. Four others among the men – George Johnstone, John Y. Frew, Jack Menzies, and Jim Neil – although not employed for such lengthy periods at the Penicuik mills, worked for varying numbers of years also at one or more paper mills elsewhere, including Fife, Aberdeenshire, Linlithgow, Cardiff, Rutherglen, or on the Water of Leith in or near Edinburgh at Colinton and Balerno. They are thus able from their own personal experience to compare one or more of the Penicuik mills with one or more of those others elsewhere. Of the other four men veteran workers two, Henry Haig and Keith Dyble, worked in the mills for about 28 and 24 years respectively. The remaining two, on the other hand, were employed for only a short period in the Penicuik mills: Ernest Atack, a skilled tradesman previously employed for 31 years with a local firm of housepainters and decorators, became at the age of 45 an employee at Esk Mills (where he was assured that, 'You're here for life really') in 1965, only three years before the mill closed down; and Eric Cobley, who had more or less completed his apprenticeship in the local Penicuik foundry before joining the RAF for three years, worked after that for only six months at Valleyfield before becoming a Post Office worker for the remaining 37 years of his working life. Despite the comparative brevity of their employment in the paper mills, both Ernest Atack and Eric Cobley nonetheless contribute to the substantial mosaic formed by the recollections of the other 31 veterans of work in those mills, their own distinctive and relevant accounts of their preceding occupations, connected to some extent as those occupations were with the Penicuik mills.

None of the ten women workers among the 33 veterans worked for such long years in the paper mills as did the longest serving of the men. In most cases the reason was that the women gave up work when they married. As Agnes Taylor says, 'Ye never worked after ye got married. Ah wis never back in Dalmore after ah got married.' Thus Agnes Taylor and Christina Thomson at Dalmore and Peg Mercer at Esk Mills all entered the mills straight from school at age 14 and worked for nine years until they married in the mid-1930s. Helen Weir, Joanna Gordon and Frances Parker worked a roughly similar number of years in Esk Mills or Valleyfield until they were married near the beginning of the Second World War, Jean Hannah rather fewer years at Esk Mills until her marriage after the war in 1953. Peg Mercer and Helen Weir were exceptional, however, as both returned after marriage (in Mrs Mercer's case, 23 years after; in Mrs Weir's, during and after the 1939-45 War) and worked respectively for a further ten and five years. Mary Bain, Joan Robertson and Jean Fairley did not marry and they worked respectively in Esk Mills, in Valleyfield and, in Miss Fairley's case, successively in Esk Mills and Dalmore, for no less than 25, 28, and 32 years. Among the ten women Mary Bain, Jean Fairley and, more briefly, Jean Hannah, were exceptional in that they had worked in other employments before their entry into the Penicuik paper mills: Miss Bain had previously worked for some 16 years from the age of $13^{1}/_{2}$ in the office of the Penicuik Co-operative Society; Miss Fairley, immediately after leaving school, for eight years in Auchendinny Laundry; and Mrs Hannah first very briefly in the office of an artificial limb maker's shop in Edinburgh and then for a couple of years in that of a grain stores-cum-grocer and ironmonger in Penicuik.

These recollections taken together cover at first hand almost three quarters of a century of work in the paper mills. It was in or about February 1923 when Alex Smith, the earliest of these veterans to begin work in the Penicuik mills, found employment at the age of 16 in the heated atmosphere of the coating department at Esk Mills. 'Ah didnae care for that at a',' he recalls. 'It wis the heat, the heat, oh, my goodness. Ye were goin' about wi' your bare feet and hardly anything on – jist your shirt on, to keep cool.' And it was more or less exactly 67 years later, in February 1990, that Jean Fairley, the last of these veterans to work in a paper mill, retired from Dalmore.

Although this volume is far from being a technical study of paper making, several of the 33 veterans describe the actual processes, unfamiliar perhaps to some readers, by which paper was made in the Penicuik mills. The making demanded distinct skills on the part of the workers, as well as substantial capital investment by management in the machinery employed. There is also, as already mentioned, discussion of the raw materials used and where these came from: esparto grass from Spain and North Africa, wood pulp from Scandinavia, and, in the case only of Valleyfield within living memory, rags. 'The pure rags,' David Wilson recalls below (and as head of the finishing department at Valleyfield his evidence on this and other aspects of paper making is authoritative), 'were got through rag merchants, the same as wood pulp merchants and esparto grass merchants. These merchants specialised in gathering the rags. Great big bales o' rags came in to the mill. Probably some rags would come from abroad. They were partly sort o' disinfected, too. They had tae be careful: they didnae pick rags off the street. . . . There was about a dozen women, ah think, in the rag house when ah started at the mill [in 1927], weedin' through the rags and sortin' them out. They were makin' sure there wis nae buttons on it, and eyes and hooks and things o' that kind – bones. The rags were already disinfected when they came to the mill, they werenae filthy. The merchants cleaned them. And then we dusted them again, and the women in the rag house cut them up into smaller bits, maybe six inches square, bits like that. So ye had the rag house where they sorted the rags, boiled them in the lime or caustic, and then they were put through the rag washers and broken up, dropped into steeps with bleach in them and left there till they drained out and they turned more or less white. That took about a week from beginning to end, and then they were ready to be fed into the paper.' Other veterans mention the bank notes which, for a time, were made from the superior quality rag paper at Valleyfield alone of the three Penicuik mills, the making of which notes appeared to some to explain partly the sense of superiority said to be detectable in certain quarters at that mill. As for the buttons cut off the rags, Helen Weir recalls that when she worked for a short time at Valleyfield during the Second World War, 'Sortin' the rags wis no' bad. It wis fun. The rags had tae go into the machine without any buttons on them. . . . The buttons werenae thrown away. Everybody in Penicuik in these days wid have a box o' buttons off the rags.'

In the mills certain tasks, above all in the production processes or earlier stages, were carried out only by men; other tasks, above all in the later or finishing stages, were done only by women. Thus, conditions in wartime partially excepted, no women worked on the paper making machines or at the beaters or calenders, and no men were to be found among the overhaulers who checked the finished paper for faults. The ratios of women and men employed in each of the three mills varied from time to time, just of course as did the total numbers of employees. At Dalmore, for example, in 1883, as the mill's official history shows, there were 86 men and boys employed and exactly the same number of women and girls; in 1929 there were 99 men and boys, and 79 women and girls; in 1986, 133 men and boys and 47 women and girls.[2] Changes in some processes and tasks and in machinery thus led from time to time to changes in the number of workers and in the balance of the sexes. George Peaston recalls, for instance, how his mother in the earlier years of the 20th century had worked at Esk Mills tying the bundles of paper, but that job later became one done by men. Conversely, at Valleyfield during the Second World War Helen Weir says she and other women till then employed in the rag house 'got shifted tae the men's jobs, wi' them bein' away at the war. Ah wis on the potchers. There were great big tanks. . . . They were thingmyin' roond and roond.'

Several of these veterans comment on the burdensome nature of some of the work done by women in the mills. Frances Parker, who went from school at the age of 14 in 1933 into working at Valleyfield, moved upstairs after two years into the overhauling salle or section, and found the work there '. . . wis heavy lifting, though. Ye had a lot o' heavy lifting. Ah mean, they brought in the big barrows full o' paper and you had tae lift as much as ye could, and sometimes it wis really heavy, back-breakin'. . . . And our doctor that we had wis the mill doctor, Dr Badger. . . . Ah don't know if he wis employed by the mill or jist that the girls went there. He knew when any o' the girls went tae him, he knew who worked in the mill. . . . Some o' the girls suffered from sore backs, some o' them did. Well, they say that the muscles were harder, ye know. Ah heard people say the girls when they got married had difficulty in child-bearing, oh, aye, they said it, because they were very heavy weights o' paper.' After leaving Esk Mills in 1967 and soon afterward finding a job at Dalmore, Jean Fairley recalls: 'Well, at Dalmore there was a big difference right away for women, because in Esk Mill the most a woman was allowed to lift was a ream of 500 sheets o' size o' paper 13 by 16, which we didn't get very often. It was mainly A4 sort o' sizes that we got there. So it was a big difference to walk in from tyin' 13×16 to tyin' 35×45 [at Dalmore]. It wis quite heavy. The union actually had a rule about that, that women shouldnae lift a ream any heavier than that. And they did adhere to that in Esk Mill . . . But the union wasnae very strong at all in Dalmore. And the women had always been used to doin' heavy work there apparently. . . . I don't know how they did it. . . . It was very heavy work.'

Accidents, including a few that proved fatal, happened from time to time in the mills. John Y. Frew, who like his father and grandfather before him, became chief engineer at Esk Mills, began his engineering apprenticeship there in 1935. In those years before the Second World War, Mr Frew says with obvious authority, '. . . the machines were not well guarded, so the workers were at risk from unguarded machines. You really had to be on the *qui vive* when you went near a machine – which in a way was a good thing, because you were aware of the dangers and kept well clear.' Inevitably, however, not every mill worker was constantly on the *qui vive*. 'There used tae be a sayin',' recalls Peg Mercer, who worked in Esk Mills from just after the General Strike in 1926 until her marriage in 1935, and then again for ten years from 1958, 'that ye werenae a paper maker until ye had a finger off or something.' Isaac Palmer, who, after leaving school at age 14 in 1925 and working for some months successively delivering milk and then assisting in the shop of a shoe repairer with a drink problem and to whose wife Mr Palmer, whenever the problem became critical, had to send a telegram stating 'At it again', received, as he puts it, the call to begin work in Esk Mills just before the General Strike in 1926. When he was only 19 years old Isaac Palmer suffered a grievous accident in the mill, which resulted in the loss of his left arm. '. . . ah wis in the Penicuik Harriers in these days.' he says. 'And they [the surgeons at Edinburgh Royal Infirmary, where his injured arm was amputated] said then that if ah hadnae been a fit laddie ah wouldnae have gotten over ma accident.' Two or three other mill workers recalled by several among these 33 veterans suffered even more serious accidents than did Isaac Palmer, and died as a result. One mill office worker even, who suffered serious damage to her health and an end to her spare time activity as a trained singer was Mary Bain. Not long before Esk Mills closed in 1968 she was on her way to work when, as she recalls, 'I looked down into the valley [and] everybody was running about in gas masks. Mr Hilton was the foreman. He said to me, "Miss Bain . . . you walked straight into an accidental escape of chlorine gas." The gas paralysed a vocal chord and I have no voice now.' As well as accidents, there was some danger of contracting industrial disease: 'A lot o' people,' Frances Parker says, speaking of fellow workers at Valleyfield, 'got dermatitis off the paper.'

Some passages in these recollections are therefore inevitably sobering or sad. But humour also keeps breaking through. Among numerous examples of the latter are John A. Law's account of his neighbours' concern about the height of a radio mast erected in his garden, Christina Thomson's memory of the reluctance of a Dalmore foreman to allow her and her friend one Saturday morning off work to visit St Andrews on the back of their boyfriends' motor cycles, and Joanna Gordon's recollection of her first encounter, on Mull, with the Valleyfield director R. O. Wood.

Most of the recollections include comments, some of them understandably bitter, on the decline and closure in 1968 and 1975 respectively of Esk Mills and Valleyfield, and concerning the very different jobs outside paper making that numbers of the 33 veterans made redundant by these closures had to find for themselves until they reached retirement age.

The degree of accuracy and reliability of oral recollections such as these depends of course on the memory of the recorded interviewees rather than on documentary sources such as minutes, correspondence, annual reports, wages ledgers, diaries, or newspapers. So how accurate and reliable are the recollections of these 33 veteran paper mill workers ? Where they are those of the veteran as eye-witness, presenting his or her own direct personal experience, then the recollections are likely to be at their most reliable, although of course no more infallible than any other single historical source. Of such eye-witness testimonies there are innumerable examples in the pages below. Moreover, between these testimonies comparisons can be made, given that numbers of these veterans worked in the same mill at the same period as others below. There are also surviving documentary sources concerning all three of the Penicuik mills, as the notes provided near the end of this volume indicate, which here and there help complement, elaborate, contradict or confirm at least parts of these oral recollections. The reader may feel that, in assessing the accuracy and reliability of the recollections, there may be some similarities with a court case in which a succession of witnesses provide their testimonies (even if, in the pages below, not under oath). The fullness, detail, and reliability of recollection inevitably vary not only within any individual veteran's testimony but also between the accounts of any two or more veterans. No one, whether a veteran recalling events and persons from the perhaps distant past or a writer of contemporaneous minutes, diaries, letters or other documentary sources, has a monopoly of truth. Successive witnesses of the same event may recall certain aspects but be oblivious or forgetful of others. Differing interpretations of the same event or of the character or motivation of a person are the stuff of history, whether based on documentary or oral sources. One example, among many others, of that truism occurs below in the accounts by Robert Weir and Douglas Gordon concerning the exhortation by the Valleyfield millowner Alexander Cowan and his wife during the parliamentary election in Peebles and South Midlothian in 1931 that workers at the mill should vote for the Conservative candidate Captain Maule Ramsay, later imprisoned during the Second World War under Regulation 18B for expressing his anti-Semitic views. As checks upon the accuracy of recall of the 33 veterans concerning at least certain aspects of work at the mills, the documentary sources surviving to one extent or another about all three Penicuik paper mills include published histories of the mills (scholarly and full, in the case of Dalmore, less or much less so for Esk Mills and Valleyfield) and of the paper making industry, as well as contemporary newspaper reports.

Some hearsay is also presented by some of the veterans in the pages below as they recall what their parents or grandparents or others told them about events, workers, managements, and other aspects of work at the mills. That such hearsay has not been eliminated from these edited recollections is because there must remain hope that, at least in some cases where such matters now stand outside living memory, further research in newspapers or other documentary sources may yet establish its degree of accuracy and reliability. Thus George Johnstone, born in 1904 and who first worked at Valleyfield from about 1924, presents hearsay when he recalls an accident that befell his Uncle John at Esk Mills 'aboot 1900'. 'Uncle John,' Mr Johnstone says, 'wis the only man that we a' roond here at Penicuik ever knew that wis hauled intae the [paper making] machine in the mill . . . holus bolus right intae the machine . . . between the felt and cylinder, right in at the middle. But Uncle John survived because it wis an old felt and it burst. And somebody had the sense tae get that part o' the machine shut down right away. . . . Uncle John wis left wi' his head hangin' out intae the pit. He wis severely burned. His face wis a' hurt and what-not. But he lived tae 82. And the men that Uncle John worked wi' said they couldnae ha' done withoot him because what he didnae ken aboot makin' paper on a machine wisnae worth listenin' tae.' If this volume therefore encourages more systematic, comprehensive and detailed study of the workers at the Penicuik and other paper mills in Scotland or elsewhere then it will be advancing the aims and objectives of the Scottish Working People's History Trust.

This is the sixth volume produced by the Trust of personal recollections by veteran working men and women in Scotland about their employments, as well as their housing, educational, recreational and other experiences. Founded in 1992 as a charitable body, the Trust began interviewing and recording such recollections in 1996. *Oh, ye had tae be careful*, its first volume, published in 2000, presented the recollections of 11 veteran workers at the former Roslin, Midlothian, gunpowder mill and bomb factory, which flourished from its foundation at the beginning of the 19th century until its closure in 1954. *Bondagers*, recollections by eight women former farm workers in south east Scotland, was the Trust's second volume, published in 2001. In the same year the Trust also had published *Voices of Leith Dockers*, in which seven veterans recalled their work at the docks between 1928 and 1989. The Trust's fourth volume, published in 2002, was *Onion Johnnies*, the recollections of eight Breton men and one woman who had all, at one time or another between the 1920s and 1970s, from bases at Glasgow, Ayr, Leith, Dundee, or elsewhere in Scotland, travelled on foot or bicycle or by van to make their living by selling onions transported from their homeland. *Lewis in the Passing*, the fifth Trust volume, the work of Calum Ferguson of Stornoway, an acclaimed Gaelic speaking writer, and radio, television, and film producer, and published by Birlinn Ltd in 2007, presents the recollections, several of them in both Gaelic and English, of 20 veteran Lewis crofters, seamen, women herring gutters, hotel workers, domestic servants, and other islanders. The next volume of recollections the Trust hopes to publish will be those of a score of veteran newspaper journalists throughout Scotland. A queue of other recollections already recorded is in various stages of preparation for publication. It includes those of miners, public librarians, Leith seamen, Peeblesshire textile mill workers, railway workers, Co-operative Society workers, Border farm workers, and Leith shipyard and women workers. Other veterans, including building trade workers, and farm workers other than those in the Borders, are presently being interviewed and recorded by the Trust. There is no shortage of work to be done. Few so-called ordinary working men and women ever write down their recollections of their working lives. If, therefore, their spoken recollections are to be recorded and preserved for present and future generations the work is both huge and urgent.

In editing the recollections below an attempt has been made throughout to preserve the actual spoken words of the 33 veteran paper mill workers, subject to some necessary transpositions and to deletions of repetitious matter. As over a third of the veterans worked in more than one of the three Penicuik mills, the order of presentation adopted is chronological order by the year of their first beginning work in the mills. It is indeed sad that 21 of the 33 have died before being able to see their recollections in print, or in some cases even to check these edited versions: Alex Smith, George Johnstone, John A. Law, Agnes Taylor, Isaac Palmer, Peg Mercer, Christina Thomson, David Wilson, Charlie Peebles, William MacMillan, Helen Weir, Joanna Gordon, Frances Parker, George MacGregor, George MacDonald, Charles McLay, Jack Menzies, John Blair, Alexander Ballantyne, Mary Bain, and Ernest Atack.

The cassette tapes and verbatim transcriptions of the interviews will be placed in due course for permanent preservation and public access in the

School of Scottish Studies at the University of Edinburgh, with copies also deposited, it is hoped, in the Local Studies section of Midlothian public library.

The Scottish Working People's History Trust is greatly indebted to all those persons and organisations that have helped ensure publication of these recollections. Thanks are due above all to the 33 veterans, without whose willingness to be interviewed and recorded this book would obviously not have been possible. For practical and other help thanks are also particularly due to the late Bill Young, former president of Penicuik Historical Society, and his widow Raeburn, who provided most of the names and addresses of the veterans interviewed; Bill Bruce, former secretary, and Sheila Findlay, present secretary, of the Society; Provost Adam Montgomery, Midlothian Council; Christine Milliken of the registration service at Penicuik; Jim Neil, who provided not only his own recollections but also his professional expertise in checking technical aspects of the recollections of veterans who had passed away; James and Margaret Neil, Bob Atack, Keith Dyble, Jean Hannah, and ex-councillor John G. Hope, all of Penicuik; Sheila Millar and Dr Ken Bogle, Midlothian Local Studies librarians, and their colleagues Ruth Calvert Fyfe, Neil Macvicar and Christine Todd; Andrew Bethune, Ian Nelson, James Hogg, and their colleagues in the Edinburgh Room, Edinburgh Public Libraries; John Weir, Edinburgh, and John Beveridge, Midlothian, Professor Sian Reynolds and Professor R. J. Morris; Grahame Smith, General Secretary, Scottish Trades Union Congress; Charlie Hickey and Summerhall Printers for their skills and their patience; and to my wife Sandra, for unfailing practical and moral support.

Its difficulty in finding a publisher for these recollections led the Trust to resolve to become for the first time its own publisher. It is therefore extremely grateful to all the following grant-giving institutions and other organisations and persons whose generous grants or donations have helped meet the cost of publication: The Carnegie Trust for the Universities of Scotland, The Gannochy Trust, The Nancie Massey Charitable Trust, The W. M. Mann Foundation, The Russell Trust, Penicuik Common Good Fund, Penicuik Community Council, Penicuik Historical Society, Penicuik Rotary Club, Midlothian Council – Education and Communities Division, David Hamilton, MP, Struan Stevenson, MEP, Sir Robert M. Clerk, Bt, Captain George Burnet, LVO, Professor Alexander McCall Smith, Ian S. McKay, Findlay Irvine Ltd, MacScott Bond Ltd, Midlothian Trades Union Council, Fire Brigades Union Scotland, GMB Scotland, Public and Commercial Services Union Scotland, Unison – Scotland, Unite – T & G Edinburgh District Committee, Educational Institute of Scotland, National Association of Schoolmasters Union of Women Teachers, Associated Society of Locomotive Engineers & Firemen, National Union of Rail, Maritime &

11

Transport Workers – Scottish Regional Council, Transport Salaried Staffs' Association, Associated Society of Locomotive Engineers & Firemen – District Council No. 2, Educational Institute of Scotland – Midlothian Local Association, North Lanarkshire Trade Union Council, Associated Society of Locomotive Engineers & Firemen, Motherwell Branch No. 137 and Edinburgh No. 2 Branch; and Robin Paul, owner and Finance Director of Curtis Fine Papers Ltd, Guardbridge Mill, Fife, who most generously provided paper on which these Penicuik paper mill workers' recollections are printed. There were also much appreciated offers of support in kind from Midlothian Council – Education and Communities Division, Glencorse Golf Club and Macsween of Edinburgh.

Whatever sins of commission or omission may remain in this volume are to be blamed on me alone.

Ian MacDougall
Research Worker
Scottish Working People's History Trust

Alex Smith

Ah cannae mind if it wis somebody actually came tae the house or whether ah got a note or anythin'. They came for me anyway. There was a job available at Esk Mill. Ah wis comin' up sixteen, just afore ah wis sixteen. Ah think it wis aboot February 1923.

Ah wis born 16 o' March 1907 at Whitefaugh. It's demolished now. It wis in Carrington parish, Midlothian, about two mile out from Rosewell. There wis 16 houses. They belonged to Whitehill colliery at Rosewell.

When ah wis born at Whitefaugh ah think ma father wid have tae be in Whitehill colliery. Ah think he wis a miner then. He must have been, because ye had tae work in the colliery tae get a house. At Whitefaugh they were tied houses, tied tae the colliery. Ah don't know so much about ma father's past but ah think he had worked in Rossleigh's garage in Edinburgh. He wis a bit o' a mechanic then ah think, he wis mechanically minded. Ah've taken after him. Ah don't know where he wis born but ah think ma father belonged to Edinburgh. But ah think he came to Whitefaugh from Edinburgh. Ah don't know what jobs he had done in Edinburgh, but he hadnae a trade.

Ah cannae remember what ma mother did at all for a living afore she got married – probably in domestic service. Ah don't remember her talkin' about her work: we never had many visitors at Whitefaugh. It wis so out the way there, ye know, two mile out o' Rosewell. There wis no transport.

Ah never met ma grandparents. They had died before ah wis growin' up.

There wis seven o' us in the family, five lads and two girls. Ah never seen ma oldest brother Willie. Ah think he died at two year old, before ah wis born. Then ma next brother Jimmy, well, ah wid be eight when he went away tae the army before he wis of age in the First World War. It wis the Royal Scots. They were a' Royal Scots aboot here. But later ah think he wis in the Highland Light Infantry. And Jimmy died a prisoner o' war in Germany on the 19th o' November 1918, after the Armistice. We were all lookin' for him home.

Then Peggy came after Jimmy. For a while she worked on the pithead – pithead lassie at Whitehill colliery durin' the First War, ah think. She worked in the Roslin carpet factory for a while. Ah think she did some domestic service, too. Ma third brother wis Jock. He worked in the brickwork at Whitehill colliery. Then he used tae drive coals for some o' thae coalmen, sellin' coal. And then Jock wis in the Moat colliery at Roslin.

I wis after Jock. There wis always two or three years between the whole o' the family. Then there wis Harriet – we ca'ed her Hetty – then there wis Tam. They died within ten days o' each other, in about their sixties. Hetty jist did a lot o' domestic service. Tam wis in the army a long time, in the Tank Corps most o' his time, at Catterick. He must ha' went away tae the army about '36, ah think. He wis in India and he came back on a ship jist after the Second War started.

Ah remember growin' up at Whitefaugh. There were 16 houses there and we were in three different ones o' them. Whitefaugh wis in two rows, ye see. There wis a big area between the rows, like two big dryin' greens in between, and a road – an old cart road – ran right through the middle. That took ye down tae Thornton. Ah think we started in No. 8, then we were in No. 3, and then we finished in the better side at No.16. The better ones were slated. Ours wis the old red tiles.

Ah wis born in No. 8. There wis jist two rooms. Ah think at Whitefaugh they were all two rooms. There wis outside toilets, dry toilets, away right at the end o' the garden. There wis no runnin' water in the house. We had tae carry it from a well. Ye turned the handle and filled your pail. How far away the well wis from the house depended where ye were livin'. There wis only one well. There had been one at the other end o' the row but ah think it wis done away wi'. But we were at this end anyway, and ye had tae go round the back o' the buildin'. The well wis nearer No. 3. That side o' Whitefaugh wis like a fender, there wis two ends on it, kind o' L-shaped. Well, there wis a vennel in the middle, to get to your coalhooses. The coalhooses wis at one side and the toilets at the back. O' the 16 houses there must ha' been ten on one side and six on the other. The better row they must ha' been the six houses, ah think. The ten were the older ones, and the six had been added at some later time. Ah think they were all stone. So, as ah say, we started off in No. 8 – two rooms, no water in the house, and a dry closet up the garden.

There wis somebody came to empty the toilets. We used tae put oor ashes from the fire at the end, at the back o' the buildin', and your toilets were at the other side. There wis a big area that ye threw your ashes in and they got all mixed up. It jist came tae a time when it wis gettin' sort o' filled up and they came wi' a horse and cart and shovelled it in, took it away, and they put it in the fields, ah think. Every house had its own dry closet, there wis no sharin' wi' another family. The closets were jist next tae each other – a row – and a door each.

It wis paraffin lamps we had. Ma mother did the cookin' wi a range. One o' our houses – ah cannae mind which one o' the three – ye could have hot water on one side o' the range. It had the oven at one side and the hot water boiler at the other. We used tae blacklead them

No. 3 and No. 8 were much the same. They were on the same side o' the row, of course, the older type. It wis a' paraffin lamps and ma mother did her cookin' on the fire there again. Ah'm no' jist sure how long we were in No. 3. Ah think we moved to No. 16 durin' the First War. It wis in No. 16 we got the news o' ma brother Jimmy's death in the war. No. 16 had the square tiles on the floors. It wis a wee bit superior to No. 3 and No. 8. As ah keep sayin', the floors were nicer, the tiles, the square tiles. But the three houses were a' the same size, only a room and kitchen.

There wisnae a fixed bath, of course. We had the big zinc bath in front o' the fire. But ah cannae mind o' havin' baths ! And there wisnae washhouses for ma mother tae wash the clothes. She washed the clothes in the house in a big tub. We had a wringer.

For sleepin' we had tae share – the three o' us in one bed, top and bottom; Jimmy wis away in the war, but Jock, me and Tam. They were end to end the damned beds. Ah remember ma faither pittin' the beds end tae end in this bed recess in the kitchen. There wis curtains between or round the beds, and ye had the valances, too.

Ah remember there wis one family there at Whitefaugh after we had flitted tae either No. 3 or No. 16. They got two houses, they were such a big family – there wis 13 o' them, includin' the parents. Well, they got two houses knocked into one.

What a hard life it was for the mothers. No privacy for anybody. But that wis common in these days, oh, by God, aye.

There wis a wee shop at Whitefaugh: Jessie Laing's, she wis a spinster. That's where oo used tae go for oor sweeties and everythin', it wis a general shop.

And at Whitefaugh they a' had hens and henhooses. There wis jist a dirt road in front o' the houses, and then everybody had hens jist at the other side. There were big gardens at the back. Ma father had a garden – tatties mostly. Ah remember when he dug it up first he called them lazy beds. Ye dug deep down and ye built them up, and then there wis a sort o' trench round about. There wis long grass but ye had turned it over so as it had rotted.

As laddies we used tae play on the green at Whitefaugh. But there wis a quarry we used tae play on, jist down past Broachrigg farm. Ah wis never away from the farm. Ah used tae be friendly wi' the farmer's son. But that

15

wis a great place the quarry. There wis a pond there and ah got a fright. It wis a' grassy, jist a slope in. Ah jist waded in and ah started tae float but ah struggled out.

Later on the houses at Whitefaugh were demolished, ah don't know when. There's no tracin' them now. There's a wee sort o' fir plantation on the site o' them. You wouldnae know there's been any houses there.

Ah wis seven but ah don't remember the outbreak o' the First World War, and ah cannae remember the Armistice either when ma brother Jimmy died. Ah remember ma father comin' home on leave in his uniform. He wis in the Royal Scots. He got wounded in the war in 1917, ah think it was, a big hole in his arm. Well, he wis discharged then. He had tae get light work when he did come home. He wisnae down the mines after that, but he wis workin' in Whitehill, the colliery at Rosewell, but ah think it wis on surface work

What ah remember wis durin' the war ma mother used tae work in the fields. It wis a hard life for her. And ah wis never out o' the fields either when ah wis jist a laddie. Every school holiday ye had tae go out and work.

Ah went tae Rosewell Public School. That wis the only one ah attended. When ye reached twelve year old ye wis Qualifyin'. If ye were a dunce ye'd tae stay back. Ah don't remember sittin' the Qualifyin' but ah passed it. Ah've still got ma merit certificate. Ah never heard anything aboot goin' tae a High School. Ah didnae like the school, well, no' awfy much, ah don't think. Ah liked geography the most. Ah didnae like history. Ah liked drawin' and paintin' but ah wisnae much good. Ah wisnae too bad at sums and wi' the compositions. Ah wisnae a bad reader and ah wis a good writer, too.

Tae get tae school we had tae go down thir paths. It wis along hedgerows, the edges o' fields. And we went through a step so as the cattle couldnae get through. We used tae call them turlies. It wis a v-shaped thing, two posts came tae sort o' narrower at the bottom and ye sort o' stepped through. Ye had three fields, ah think, tae go along, the edges o' them, where the paths were. And then ye met the Howgate road, this side o' Whitehill colliery. It wis two miles, ah wid say, tae the school – two miles there and two miles back.

We always took pieces to the school to eat at dinner time. On the pieces ye could have cheese mostly, ah think, or a boiled egg. Ah can't remember havin' anything tae drink.

Most o' the teachers at Rosewell school were spinsters, elderly anyway, the women. They were strict. Mr Nelson wis the headteacher. He wis very strict. But then there wis one came after the First World War – Mr Lee. He wis in the war, ah think he wis in the Medical. He wis very good and let us come doon tae the public park tae play football many a time. That wis things we never had before.

Ah very, very seldom got the belt but once ah got six. Another chap and I had had an argument or somethin' – fighting outside in the playground. Ah think he had a knife, a wee pocket knife, and he cut me on the wrist. Ah wisnae one that looked for trouble, ah never looked for trouble. Ah very seldom had the strap for anything. Ah always behaved maself ! But ah got the belt then a' right. Ah cannae remember having it any other time.

Ah wis footba' daft. Ah liked outside right. Ah had a half season wi' the Rosewell School team. A lad left, his time wis spent when he wis fourteen, and after he left ah got playin' the other half o' the season. Ah got a nice wee medal. We must ha' won the trophy. It had an eagle centre in it wi' a football player on it, and it wis inscribed on the back tellin' your name and what it wis for. Ah treasured that. But it's got lost.

It wis mainly comics ah read, ah think, ah didnae have any books out the public library: ah don't think there wis a library at Rosewell. Comics wis the only thing to diverse you. The cinema wis such a distance away at Bonnyrigg, ye see. We couldnae afford it. We jist had tae walk tae Rosewell tae get the bus tae Bonnyrigg. The bus terminus wis at the Whitefaugh end o' Rosewell right enough. Ah remember durin' the First War the buses used tae fill wi' gas, the top deck wis used for the gas. They filled up wi' gas at the terminus, that's where the gasworks wis.

Rosewell wis known as Little Ireland. The majority were Catholics, ye see. There wis a Catholic school in the village, St Mathew's. Ah dinnae remember any conflict. Ah cannae remember any Catholic families at Whitefaugh, ah think most of them were Protestants that lived in Whitefaugh. Ah cannae remember goin' down the road wi' any Catholic children from Whitefaugh.

We never attended the Rosewell gala day. We hadnae a gala at Whitefaugh. We used tae have a trip from Whitefaugh. But it wis only maybe away over by Carrington. It wis jist carts, horses and carts.

Ah went tae the Sunday School at Carrington for a while now and again. It wis the old church in Carrington where the Sunday School wis held. Ma parents went tae the church occasionally. It wis an awfy walk, och, it must ha' been a couple o' mile. It wis only if ma parents were at the church ah went tae the Sunday School. Ah went wi' them.

Ah would like tae have been a joiner when ah left the school. Later on ah tried Tait's the builder at Penicuik – but, well, if you didnae belong Penicuik. . . At Whitefaugh it wis jist ye had tae go for a job where ye could. The only thing you really got the chance o' a job wis the colliery or the brick work.

We jist left the school at fourteen. But ah must have left the school before ah should have, before ah wis fourteen. Ah must have been fourteen jist before the Easter holidays.

Ah got a job in the brickwork at Whitehill colliery. Ah must have gone down and asked for it. Ah got a job right away. And ah got a letter from the schoolmaster: 'If you don't come back from your holidays. . .' by the end o' that week ah wouldnae get ma merit certificate. So ma parents says, 'Oh, ye better go back.' Ah must have worked three days at the brickwork and then ah think ah went back tae the school for the Thursday and Friday to complete the term.

So it wis March 1921 ah started in Whitehill brickwork – the big patent kiln. The patent kiln jist went right roond. It wis unendin'. It was a new type. The old ones – there were a lot o' them there – the round kilns, were somethin' like 20 feet in diameter. And they were fed, stoked, jist outside, jist shovelled intae the holes in the bottom. They had tae be fired, ye see. The bricks were built up inside and fired. And then this new one they built wis right round about continuous – it would be maybe 60 feet in diameter, somethin' like that – and it wis fed frae the top wi' the coal.

Ah remember bein' up there and of course, March 1921 wis the miners' strike, the miners' lock-out. So the soldiers were guardin' the works, the pithead, well, it wis the brickwork part o' it. And they used tae sometimes give us beans.

So ah wis workin' durin' the miners' lock-out. The brickwork wis closed. But there were stock piles o' bricks, oh, twelve feet high and as long as this street – sixty feet, stacks, stacks o' bricks. They'd been standin' there long enough as stock. It wis only a handfae o' women and me that were workin' in the brickwork. Ah wis workin' a' the time o' the miners' lock-out.[3]

There were women workin' on this elevator. The women put the bricks on and they went up the elevator and dropped intae the railway waggon. In fact, that wis ma first job – in the damned waggon. And ah had tae jist keep stackin' up the loose bricks that were followin' in, stackin' them up, keep it a' sort o' even. Ah got ma hand cut wi' a brick. Ah didnae lose ma work though. But ah wis annoyed. Oh, ah didnae like that job ! Ah had that job for two or three days. Ah wis the only man that wis on the waggon, well, ah wis jist a laddie straight from school.

As a laddie ah wis not in a union then and ah think neither were the women maybe. But ah don't think there were any trouble. Ah cannae remember picketin' by the miners. But ah can remember soldiers bein' in the brickwork, guardin' the pithead and the colliery and so on. The brickwork wis on the top side from the pit. The pit wis nearer Rosewell and the brickwork wis maybe a field away, nearer Whitefaugh.

Ah cannae remember what ah got paid. But ah thought ma first job wis ma best pay. Ah think we got a cut in wages durin' that lock-out. Ah had less in the wage followin' the lock-out.

When ah got ma pay ah always gave it all tae ma mother. When ye were a laddie, before ye started workin', ye were lucky if ye got any pocket money ! But, aye, we did, and ah'll tell ye, we always had a penny on a Saturday before ah wis workin' at the brickwork. We always bought somethin' oot the wee shop at Whitefaugh wi' it. But when ah started workin' it would be more than a penny ah got ! But it werenae much anyway. Ah cannae remember what the wage was even. It werenae much.

Ah walked tae work at the brickwork every day. Ah cannae mind now when ye started in the mornin', it would be eight o'clock or earlier. It wis jist all day work, eight till five or six or somethin' like that. We did have a break for dinner.

There must have been about twenty workers altogether at the brickwork. There were about a dozen women and maybe half a dozen men and boys. There wis only one man that made the brick, one man that wis on the mill. The mill wis jist two big wheels o' sandstone, ah think. And then there wis a gratin' thing where it wis a' crushed. It wis stuff off o' the coal bings and what-not that made the bricks. Oh, that wis an awfy hot job, oh, it wis hot in there in the kilns. Ah've seen the bricks comin' out white hot. And there were people workin' inside the kilns. They had tae be in there. The women didnae make the bricks, they were outside.

Ma brother Jock wis in the settin', buildin' the bricks up in the kilns before they were fired. Ah think that wis Jock's first job. I'm no' sure. But he wis a while there.

Protective clothin' – well, we got hand leathers. Ye made them yersel'. Ye cut them out o' old uppers o' boots. And ye had a sort o' strap. Ye went through a lot o' them, because they usually threw two bricks at a time and ye caught two and threw them intae the waggon. The hand leathers wisnae a glove, it wis jist on the palm o' your hand and your thumb. Ah think ye must ha' had a wee strap for your thumb, keepin' them on your hand. Oh, the bricks were sharp, it wis awfy rough on the hands.

It wis quite a big brickwork, Whitehill. It wis owned by the colliery and that wis part o' the Lothian Coal Company. The bricks were stamped 'Whitehill'.[4]

Ah got different jobs at the brickwork and ah finished up pony drivin' wi' the bogies, that's takin' the finished bricks tae the railway waggons. Ye had a hundred bricks in each bogie. They were metal bogies wi' two wheels behind and one at the front, and ye guided it. There wis a chain from the harness o' the pony tae the front thing. Ye pulled the pulley and ye had tae guide this wi' the front wheel. The bogies were flat, they were steel, jist a floor and a back on them. And ye got a hundred bricks on that and ye had jist a wee corner tae sit on. And, as ah say, ah've seen them white-hot, the bricks. They used tae burn your jackets and everything. We used tae burn a lot o' jackets and that, the backs o' them, sittin' in the bogies. Ye used tae wear your boots, wi' this foot on the chain. There wis jist wee narrow tracks that ye had tae keep on. They had been built – concreted, wee kind o' paths. And they were a wee bit raised and ye'd tae be careful and no' go off the path or ye'd topple your whole bogie. Ah had trouble like that, topplin' off. Ye had tae jist put the bricks on the bogie again. But ah wis careful, ah very seldom did that.

We had tae go in tae the kilns wi' the bogies, jist in and oot again. Some o' the ponies were easier tae drive than others. There were some o' them dangerous, the way they turned sharp.

Ah never joined a union when ah wis in the brickwork. Ah never heard o' a union.

Ah wis a good while at the brickwork, round about a year. Ah didnae want tae leave the brickwork. What happened wis, well, ma father and ma brother Jock got their books. Ma father wis a bit o' a . . ., he widnae jist stand for any . . ., maybe bein' told tae do somethin' that he didnae think he should ha' been doin'. Ah don't know. Well, ma father could have been active in the union, ah think he could have been. He liked tae stand up for his rights. Ma father wouldnae stand for maybe bein' too bossed aboot or somethin'. And ma brother Jock maybe he wisnae up tae standard. They were both sacked at the same time.

So we lost our tied house as well at Whitefaugh. Ah think you only got a fortnight tae clear out. Ah remember the flittin' from Whitefaugh. Oo flitted by horse and lorry, a flat cart. All the furniture wis stacked on it. Ma father and ma brothers Jock and Tam and maself, we did that. Ah think the farmer that we hired the cart from would be the man that drove it. We had tae come by road wi' the furniture, jist from Whitefaugh away up the Rosewell-Howgate road. Oh, it wis some trek.

So ma mother and father, Jock, maself, Hetty and Tam all came with the horse and lorry tae Penicuik. Well, ah don't know aboot ma sister Peggy. Maybe Peggy wis married at that time. Ah think she got married when she wis fairly young. She married a miner, a Tarbrax man. Ma father wouldnae have a job to come tae at Penicuik at the time, ah don't think. But we got a couple o' rooms in Penicuik, in Fieldsend, from a friend' o' his who ah think had been a miner.

As ah say ah wis disappointed in a way tae leave the brickworks, because it wis a thankless job lookin' for work – all roond the farms, and ah even tried the Moat pit. And ah wis glad ah didnae get a job down there. Ah widnae ha' liked tae go down the mines and ah never did go down. Ah got a chance tae go down jist tae look, one night. Jock landed down on the pithead at the Moat. Ah used tae have tae take meals and pieces down tae Jock when he wis on the pithead at the Moat. And the man in charge o' the cage wis goin' tae take me down jist tae have a look but something happened and that didnae come off, ah didnae get down. Ah never felt attracted tae work in the pit. Ah wis thankful ah didnae.

Ma father put me off goin' back to the brickwork. He wouldnae let me cycle there from Penicuik. We had a cycle – we used tae run about wi' it, we a' used it – but he wouldnae let me cycle. Ma father says, 'No, ye're no' cyclin' tae the brickwork.' He jist thought it wis too far, ah think, for cyclin. It's a tricky road, too, ye know, down Roslin Glen. So ah think ah must have handed in ma notice when we had tae leave Whitefaugh.

It wis no' awfy long ah wis lookin' for a job when we came to Penicuik, because ah got a job away down at Oatslie Farm. That's nearer Roslin. Ah had walked round a lot o' farms lookin' for a job. Ah remember goin' tae one away up the hill outside Howgate. And the job had been advertised in the *News*.[5] Ah tried that – some hope. When ah went up there, 'It's been filled.' Oh, wis ah no' thankful ! Fancy walkin' up there from Penicuik every mornin' ! Ah had tried the paper mills first of all. Ah think ah had ma name in both mills, Valleyfield and Esk Mills. Ah tried Tait's the builder, tae get a job as a joiner.

But at Oatslie Farm the farmer he wis walkin' along jist on the road outside the stackyard and ah wis lucky ah met him. And ah asked him for a job. 'Oh, no,' he says. Ah says, 'Ah'm only wantin' 12s.6d. a week.' Aye, well, he cocked his ears then and ah got the job – 12s.6d. a week ! That's 62½ pence now. Ah'd be fifteen. The farmer's name wis Robert Paterson, and they used tae ca' him Banker Bob. He wis awfy tight-fisted.

Singlin' turnips – that wis ma first job on the farm, because ah had done a' that at Broachrigg Farm durin' ma school holidays. As ah've said, we had tae go out and work durin' the school holidays. But on Oatslie Farm ah did everything. Ah progressed there. Ah wis even on the leadin' in – the harvesting, buildin' the carts up wi' the sheaves. Ah had never done any o' these jobs before, buildin' things. That wis a skilled job. And then on the stacks, too, ah used tae help build them.

Ah cannae mind what time ah started in the mornin' on the farm. But we used tae finish at twelve o'clock on a Saturday. Ah've seen me standin' at Banker Bob's damned door about a quarter o' an hour waitin' on ma wages. Ye were paid weekly. He never come out and paid them, he never come out tae the field. Ah had tae go tae the farm house twelve o'clock on a Saturday.

On the farm there wis jist the one ploughman, ah think, and a laddie and maself. Banker Bob himself worked in the fields. And his brother wis alive then, and a sister, and his mother wis there then, too.

Ah got a rise in ma wages on the farm. Ah asked for a rise when the harvest came, because ah wis startin' tae do these jobs that ah'd never done before – buildin' the stacks up wi' the sheaves. Ah asked Banker Bob for a pound a week. 'You're a right Irishman you,' he says. That's what he telt me. That must ha' been what he thought o' the Irish ! So ah did get a pound a week. It must have gone against the grain' wi' him. But ah think ah got it right away.

Ah liked the job on the farm because ah done a lot o' farm work in ma school days. Ah wis never off the farms when ah wis at the school. Ah think ah would have been quite happy enough to remain on in farm work. But ah had ma name down in both Valleyfield and Esk Mills. It must ha' been ten months, somethin' like that, a bit less than a year, ah worked at Oatslie Farm, because ah wis in the paper mill before ah wis sixteen. Ah cannae mind if it wis somebody actually came tae the house or whether ah got a note or anythin'. They came for me anyway. There was a job available at Esk Mill. Ah wis comin' up sixteen, just afore ah wis sixteen. Ah think it wis aboot February 1923.

It wis the coatin' department, that wis where ah started in Esk Mills. Ah didnae care for that at a'. It wis the heat, the heat, oh, my goodness. Ye were goin' about wi' your bare feet and hardly anything on – jist your shirt on, to keep cool. Because ye had tae go away along where the heat was tae turn the folds – it wis a' in folds, ye see – wi' sticks and a chain, and it used tae travel along on these. And ye had sometimes tae go along and turn them, keep them from stickin' tae the sticks. Oh, it wis hot. There wis ventilators in between tae let the heat out o' tae dry the paper. Ah didnae like that job and eventually, after maybe a year or so, ah asked for a shift. Ah said ma health wisnae too good. Ah wis used tae workin' in the open air.

What ah changed to wis still on the coatin' side, but it wis calenders. The paper came from the webs down tae the calenders. It went through these calenders tae put a polish on it. It wis coated wi' a milky substance. When it went through the calenders it wis what they termed art paper – for catalogues and these sort o' things. Ah liked that job, it wasn't so hot there, jist a normal temperature.

Ah wis on that job right tae the end o' the mill in 1968. There wis six calenders at one time. But in the later years they were doin' away wi' the smaller calenders. They got this big super calender. Ah wis on one o' the big super calenders. Then they wanted me tae take another job, on puttin' the paper away. That wis the stampin' house where they stamped the paper and packed it and sent it away. Ah wis gettin' charge o' this. But ah said, 'No. Ah don't think ah have the memory for that.' So ah got tae stay on the calenders. So ah worked on the calenders all the time ah wis in Esk Mills, except the first few months when ah wis on the coatin'.

The calenders wis a nice job. Ye had tae keep your watch though, right enough, puttin' the paper through the calender. Ye had eight rolls, one on top o' each other – a steel roll and a pressed cotton roll alternate. And ye'd tae lead the paper through these. There wis guards on them right enough when they were in motion. But ye had always had tae be careful. Ah got ma finger nail pulled right off. Ooooh, it wis painful. That wis after ah had been a while at the calenders, ah think. But ye could get a squeeze. It wis the way ye had tae lead it. Sometimes some people led it wi' their thumb. The thumb's thicker than the tip o' your finger. There wis a guard along close intae where the rollers touched each other so it should ha' been safe. But ah'd missed the paper really. The paper wis apt tae stick more to the steel roller than the cotton roller, and ye had a knife or a scraper tae catch it comin' through your side from the calenderman. Ah wis an assistant calenderman at the time. Ah missed it and ah made a grab and ma nail wis pulled under the guard.

Ah never lost time at ma work though, ah don't think. Ye had the first-aid right enough. The head man in the paper-makin' department, where the machines made the paper, he had a pidge, an office place, and they had first-aid there. So ah went along there and he bandaged ma finger for me and then ah jist went back tae work. Ah had nae compensation. Ah wis green aboot these sort o' things. Ah had one or two accidents and ah never claimed any compensation. They didnae have anybody in the mill then employed to give first-aid. They had nurses latterly, but not at that time.

Ah joined the papermakers' union more or less, ah think, as soon as ah went intae the mill. Ah cannae remember if somebody came and asked me tae join. Ah remained a member o' the union a' the time ah worked in the mill. But ah wis never active in the union. Ah jist wanted tae be a member as a safeguard for ma wages. Ye needed somethin' because ye could have an accident maybe. And on the other hand ye were lookin' for money, more money. Ye were wantin' better wages. Ye thought ye deserved them. So ah wis all for the union. But ah didnae like some o' the actions that they took to strike. There was one or two strikes. Ah can remember one, ah can't remember what year it was. But we had a big do there. We had tae a' sign a book that ye wouldnae join a union or some damned thing. Ah think we met in the beater house tae sign this thing. We got a choice – if ye wanted tae be in a union or somethin'. Ah cannae remember how it went.[6]

Ah remember the General Strike in 1926 but ah don't think the workers were out on strike then at Esk Mill. Ah don't remember bein' out on strike then.[7]

Ah havenae a clue what were ma wages when ah started in Esk Mill. Ah think it wis more than on the farm, but ah cannae be sure aboot that. The hours ye started in the mill then, it wis twenty past six, ah think. That was the day shift. Then ye'd an hour for breakfast, ah think, and an hour for dinner, and ye finished at five. That wis a long day. Ah remember bein' on that shift for a while, twenty past six in the mornin'. It wis all day work. Ah think it wis half past eight tae half past nine ye got your breakfast. Ah came home for ma breakfast.

By then ma parents had got another house. After havin' the couple o' rooms at Fieldsend ah think we got a house fairly quick at Loanburn. They called it Mount Misery ! That wis the nickname it got. Ye see, the basement wis all gutted, because sometimes it got flooded because the Loan Burn runs past there. And if the burn wis high it came right across and intae the house and intae the basement. A lot o' the floors were lifted. Oh, it wis a mess. People lived in part o' the basement, even the side nearest the burn. It must have been a wee bit higher than the other part, because people lived in there. We had tae go in that entrance and up a spiral wooden stair tae away up on the top. It wis a three-storey house. And it wis good stone. We were up on the very top. Part o' it wis a sort o' attic at the back. There wis a skylight in the back room. We had three rooms – a kitchen and two bedrooms. There wis six o' us – ma parents, Jock, maself, Tam, and Hetty. Ma father and mother had the attic part where the skylight was. And Jock and Tam and I we must ha' been in another bed in the other end. It wis two wee bedrooms. Ah dinnae know where Hetty came in aboot ! 'Struth, ah cannae mind. Ah cannae mind how we a' slept in that house.

It wis paraffin lamps at Loanburn. There wis a sink, well, we shared it wi' the house on the same landin' as us. And it wis an awkward place tae have it, too, because there were three steps jist adjacent tae it. It wis a cupboard place – ah cannae remember if there wis a door on it or no'. Ah don't remember how the two households shared the sink. It wis awkward but we never fell out about it. We got washed there and drew the water for cooking. Eventually we got a sink in the back bedroom – ma father put up a partition and screened it off. And he put some shelves in it and so forth and the sink. It wis jist cold water we had. For hot water you got the kettle. Cooking at Loanburn wis on an open fire.

The toilets were down the stair and outside. They were all in the one row. We had a toilet to ourselves, we didnae share wi' another family. It wis a flush toilet. There wis a wee burn jist behind the buildin' It came from the Belmans, away up Cornbank estate. It actually goes under the road. It's a' piped now right up tae that estate. But then it wis jist open. The wee burn ran intae the Loanburn jist there.

It wasnae a row of houses, jist a block. There wis a few families livin' there. There wis one at the burnside and then at the other end there wis two families, and then there wis us in the middle. There wisnae anybody in the basement that we used tae get up the spiral stair. The floors had a' tae be lifted out. Ah don't think there wis much o' any part o' the floors left at all. It wis jist earth, ah think. It wis more earth than anything else, and water. It very seldom ever dried out. But jist on much the same level as you went through the close they actually opened it up again. There wis a family lived in there. Kemp their name, ah think it was. Ah don't think the father wis alive. It wis a widow, ah think, and a daughter. But the water mustnae have been gettin' as far. Ah think the burn had been dredged. Och, the basement wis rat-infested.

Ah lived in that house at Loanburn till 1940-1. Ah wis the only one that wis left. Ma mother died in 1940, ah think it wis, in January. Ah moved from there, ah got digs. That wis Kirkhill. And then ah got a house o' ma own. It wis the old manse, that's what they called it. It belonged tae Esk Mill. There was the old manse and a few wee houses beside it. That wis the first house ah had. Ah lived in the old manse itself for a number o' years. Ah wis there until the demolition order came on, then they gave me a council house in Windsor Square. Ah wisnae very long in Windsor Square – it wis months – then ah went tae this house at the top o' Kirkhill, a nice wee place it wis: four cottages in one row. They all belonged to the mill, so ah wis back intae a mill house again. Then ah came tae ma present house in 1971.

In the first years ah wis in Esk Mill, in the 1920s and 1930s, before the Second War, there was a fairly easy atmosphere in the mill. There wasnae any strict discipline. It wis the Jardines that were the bosses, the two brothers James and Edward. James wis the senior man, managin' director. Edward wis manager or under-manager, ah don't know what you called him. James died first and ah think Edward took his place as managin' director.[8]

The Jardines went round the mill most days. James wis more strict than Edward. Ye couldnae speak tae James jist like an equal. But Edward – we ca'ed him Ned – ye could approach him and have a talk wi' him.

Then under the Jardines there wis managers – foremen – for most departments. In the calenders we didnae have a foreman. Eventually the foreman from the coatin' department had tae pay us a visit on the night shift. Jabbie Ketchen – Jabbie wis jist a nickname – he wis foreman for a long, long time. Jabbie Ketchen wis the gaffer through the day. He took the day shift and part o' the back shift. He wisnae bad. He used tae go home for his breakfast and his lunch and in the calenders we sat down as soon as he was away ! He must have known. He wis a good gaffer. So there wasnae a feelin' o' bein' driven on all the time at Esk Mills, no' on the calenders. They used tae call the calenders the convalescent home, because we could sit doon for a while. But we could always sort o' make it up a bit if it was possible.

Och, a lot o' the departments were cushy. There wis quite a lot o' freedom on the night shift, too – forty winks wis fairly common in some departments. Quite a few departments would do that. But they couldnae do anythin' like that on the paper makin' machines. By God, ye had tae watch them.

The management knew about this, they knew. The like o' the Jardines knew a lot o' that. But after the Second War there were more watch kept. There wis stricter control. After the war ye couldnae have forty winks, ye couldnae do that. Before the war ye could read, too. But that wis a' done away wi', the readin'. After the war you had tae be much more careful. They brought in time and motion after the war.

Then after the war ah reckon the union got stronger. There werenae strikes at Esk Mills. But there were a lot o' threats o' strikes. Ah thought they were paltry reasons – the temperatures and things like that. Ah cannae jist think o' some o' the things that ah thought were really paltry.

As ah say, when ah started at Esk Mill just afore ah wis sixteen ah remember being on day shift for a while. We had a spell at at day shift, jist tae learn the ropes. Then ah think we were on the shifts at sixteen in the coatin' place. On the calenders it wis a' shifts. The day shift wis six till two, the back shift two till ten, and the night shift ten till six. It wis always eight hours. If ye were on day shift you finished at twelve midday on a Saturday. Then ye would come out at twelve o'clock on the Sunday night on night shift. Then when ye finished your week on night shift ye went on back shift. So day shift, night shift, back shift – that wis the order. Ye stuck tae that. Seemingly the reason for that was they went on tae night shift at twelve o'clock on a Sunday night because they knew where they had left off on the day shift, especially for the paper makin' machines.

Ah jist got used tae shifts. Some shifts ye preferred tae others. Ah think day shift, even gettin' up early, wis the best because ye had more time tae yourself. You were finished by two o'clock in the afternoon. Ah think the back shift would be the one ah liked least – although it wis the most restful really: ye had a long lie in the mornin'. Och, ah didnae mind the night shift, because ye had all day. Ah used tae go for a walk after ah come home from night shift from the mill. Six in the mornin' ye come home and ah jist went away for a walk before ah went tae ma bed. Ah didn't have any difficulty in copin' wi' the changin' shifts, no' really. Ah wis doin' that all ma workin' life in the mill. Ah wis 45 years in Esk Mill. Ye got used tae it.

Och, well, it did interfere wi' your social life, havin' three different shifts. The like o' your back shift ye missed out on your evening, missed out at bowlin' and that. Ah wis a keen bowler. Ah missed out on that. And ah wis a good walker, ah enjoyed walkin'. Ah always think that's the reason ah've lived as long ! Ah jist walked about Penicuik, and over the Pentland Hills on a Sunday. Ma mate and I used tae be regular over the Pentlands, right over and intae Balerno, Juniper Green and Currie. Sometimes we had wir tea at Balerno and back over the Colinton railway – away a' day, from two o'clock on a Sunday till maybe nine o'clock at night. It wis great.

Ah didnae do a lot o' cyclin' but ah had a bike. And football, we played that. Well, ah wis too thin tae strip. Ah could ha' been playin' for the juveniles but ah wis too skinny, not enough weight, too skinny legs. It kept me back from takin' part in some o' the juvenile teams. Ah did look after a football team for a while, helped and played, too – sometimes wi' ma trousers on ! Ah wis very self-conscious. It's been ma trouble a' ma days. Ah wis no' a bad player. It wis jist always in ma mind that ah wis skinny.

Ah wis never a reader, never been a reader. Ah never joined the library. Ah read ma *Evening News* every evening. But ah cannae stand readin' a book. Well, tae be honest ah read more when ah wis in the mill than what ah read at home ! We maybe sat doon a wee while there, ye know, when it wis quieter. We had our piece. We always stopped when we were havin' our meal, our piece. And ah read a bit in the mill, but ah've never been a book reader. It used tae be the *Evening Dispatch* ah read a long time ago. And the *Sunday Post* on a Sunday and the *Dalkeith Advertiser* weekly.[9]

There were a lot o' women worked in Esk Mill. They were half and half but there wis a big percentage o' the women. Ah mean, the weemen did a' the overhaulin'.[10] There were no men' doin' overhaulin' that wis the women's job. It wis a hard job, gettin' big bundles o' paper and then turnin' each sheet over. There wis some heavy stuff. Ah never heard that women paper mill workers had problems when they came to have children. But, well, it's possible right enough, because there were some heavy lifts. It could have affected their health.

There wis no women in the calenders. That wis a job purely for men. Some o' the jobs in the mill jist really employed men. They were mostly men that did the packin' or wrappin' o' the paper. Other jobs it wis just women – the overhauling. I used tae be sorry for them. And they used tae get a lot o' cuts. Oh, ah've seen their hands a' stuck wi' gum paper, ye know. They didn't have any protective gloves. Ah think some o' them did have wee rubber finger tips, that sort o' thing, for countin' maybe.

One of the main customers o' Esk Mill were Nelson's the printers in Edinburgh. Nelson's wis a big company. Oh, they were very friendly, the Jardines and the Nelsons.[11] Then Esk Mill used tae take quite a lot o' stuff through tae Glasgow. There wis a lot o' paper made for printing and publishing. They had the art paper for catalogues and magazines. They made a lot o' writin' paper, too.

Esk Mill was smaller than Valleyfield mill. Personally, ah always thought there wis a sort o' wee bit o' rivalry between the two sets o' workers. Ah used tae think that at Valleyfield they thought they were superior. At one time, ye know, they made bank note paper. They made them when it wis rag paper. But Esk Mill never made any rag paper. Maybe Valleyfield thinkin' they made the bank notes they thought they were superior. But ah think the workers in the two mills mixed quite a bit. We used tae have games o' footba' in the mornin', rival teams, but jist a kickabout. At Mauricewood coal bing there, there were a flat bit there and we used tae go down there on the night shift mornin' and have a game after the night shift. We'd get some exercise that way, it freshened ye up. There wis always a kind o' friendly rivalry wi' the Valleyfield workers. But there wis always jist that feelin' that they were better.

Esk Mill owned a lot o' property – houses. A' that Kirkhill belonged Esk Mill, and Harper's Brae, South Bank house and the old manse, they all belonged to the paper mill. So a lot o' Esk Mill workers lived in those houses. But Valleyfield had quite a lot o' property, too, housin' property.

There wasnae much contact between Esk Mill and the other paper mill, Dalmore. Dalmore, at Auchendinny, seemed out o' the district, further down the North Esk river. Esk Mill and Valleyfield were quite close together, whereas Dalmore wis a wee bit further on down the river. It's sad tae think there's only Dalmore mill left now. There must have been at least seven mills on the North Esk at one time – at Lasswade, Polton and at Musselburgh, too. And Dalmore's the only one left. Ah feel sad about it maself because ah spent ma life in the paper-makin' trade.[12]

Well, as ah say, ah worked in Esk Mill from 1923 till it closed in 1968. There were signs before it closed. There wis quite a few workers left before then. They seen the red light, ah think. There were a few lookin' for other jobs before it closed.

Ah think the problem wis the mill were gettin' a lot o' paper returned. Ah don't know if it wis dirty paper. But they had this quality control came in for the paper makin'. And ah don't think it wis any better than what they had been doin' wi' their hands. The paper-makin' machinemen and the beater men used tae take their hand in the pulp and that and squeeze it and test it. But these quality control things – there were wee machines – cost a lot o' money. It wis supposed tae test the paper better. Ah don't think it wis any better. Ah had always admired the men because they could gauge the quality. They jist took a handfae out the beaters, the pulp jist like porridge, and squeezed it. They made a round wi' the shape o' their hand and jist pencilled in the quality. Ah hadnae any idea what their marks were. But that wis it. And that went to the paper-makin' machine foreman and he passed it. So ah think when they got these quality control things in there wis a decline in the quality o' the paper.

But there wis a lot o' bad workmanship. Ken, they couldnae care less some o' them. Well, ah've seen them sweepin' up a floor and puttin' it in a broke box or whatever, and that wis goin' tae the potchers. The potchers crushed it up. Well, there wis dirt comin' off the floor. So ah thought the quality o' the paper wis deterioratin'. And some o' the returned paper had dirt in it, ye know. Ah think after the war the printin' people, Esk Mill's customers, were more particular. There wis quite a lot o' returned paper.

The problems at Esk Mill came on gradually. Ah don't think the closin' o' the mill was unexpected really. There had been a lot o' rumours goin' round for some time. Ah didnae seek other jobs maself. That wis comin' near the end o' ma time anyway.

Ah remember a meetin' in one o' the salles. We were a' told tae gather there. That wis when you were goin' tae take your redundancy and your superannuation. There wis a superannuation scheme. Ye got the choice, take your own money, leave it tae you were 65. Ah took early retirement. And that meant ah wis gettin' ma mill pension while ah wis workin'. Ah've got £13 a month, the mill pension. Ah think ah got a lump sum o' £800 something redundancy. Ah cannae mind. It wis £800 something. That was after 45 years at Esk Mill. Ah don't think ah got what ah should ha' got. But at Valleyfield – it wis closed only aboot four or five years after us at Esk Mill – they were gettin' thousands o' pounds.[13]

When ah heard Esk Mill wis closin' ah felt a bit sad right enough. Ah'd been in it so long. But ah don't think ah wis angry or bitter. We were expectin' it.

So ah left the mill when it closed in 1968. Ah waited till it closed. Ah wisnae in a hurry tae look for a job really, wi' gettin' redundancy. And ah felt if ah'd got a bit more maybe ah would ha' got a car and had a good wee holiday before ah looked for a job. Anyway ah got a letter from Valleyfield from the personnel officer there tae come down for an interview. Ah didnae apply for a job at Valleyfield, they sent for me. So they must have put in a good word for me at Esk Mill. And, oh, ah didnae want tae go tae Valleyfield. Well, ah widnae say ah dreaded it but near enough ! Ah had always had that feeling ah didnae care for Valleyfield because ah felt they felt they were superior.

Ah says, 'Och, ah better acknowledge the man's letter.' So ah went down and there wis two or three standin' at the entrance tae the pidge – the office where ye checked your cards and that. So ah seen the personnel officer and ah got the chance o' a job in the same department, the calenders. There wis calenders and rippers there. So it wis a ripper ah got. A ripper wis, they put the big reel o' paper off the machine on tae a trestle and it unwinds on the ripper and it cuts it. It's turnin' all the time, unwindin' and windin' at either side. Ah wis quite pleased wi' that kind o' work. And ah had one or two shots at the calenders when they were stuck or needin' somebody. So ah carried on doin' that till ah retired after three or four years in 1972. That wis about three years before Valleyfield shut down, tae. Well, ah wisnae surprised at that either, because things were slippin' there, too. There were problems wi' their Pomathorn mill. Ah don't know whose brainchild it was tae build a mill up there, because it's the first time there's ever been a mill built outwith a river. They're always on rivers. Pomathorn wis away at the top o' the hill. Stuff had tae be pumped up. They had their own turbine and that for electricity. But it was unheard of up till then. Then ah heard that the shift system, the continuous shifts, wis an option. But ah wisnae really surprised tae learn Valleyfield wis closin' down.

It wis sad. Between Esk Mill and Valleyfield there must ha' been about 1,000 jobs. Penicuik the paper-makin' town disappeared like that. Well, they were a bit late puttin' them up but they actually had signs: 'Penicuik, Paper-making Town'. They had one down at Mauricewood on the roadside, and they had one up the Peebles road. That wis after the Second War a while. They took a long time tae think about it: Paper-makin' Town.[14]

Well, looking back on ma work at the brickwork, on the farm and 45 years at Esk Mill, ah don't know if ah'd learned a trade. . . But ah think machinery would ha' been ma interest. Ah quite enjoyed the work ah wis doin' in Esk Mill on the calenders. But it got a wee bit much wi' this big super calender and you werenae gettin' very co-operative assistants. Ye felt ye couldnae trust them. Maybe they jist didnae like ma ways tae their ways. They didnae see eye tae eye wi' me. They wanted tae do things their way.

Esk Mills workers in the 1920s, around the time Alex Smith began working there. On right of front row is Colin Brown, uncle of Helen Weir (see below, pages 205-10).
Courtesy of Mr Robert Weir and the late Mrs Helen Weir.

George Johnstone

Ma father wis workin' in Valleyfield Mill and knew a man and he says this man had some influence in the staff in the mill. The man spoke tae ma father, he says, 'What's your laddie daein' ? Oh, he's up at the Penicuik House gairdens is he ? Hard work for him up there. Aye, there's a guid job goin' here and a' ye need tae dae is apply for it and ye'll get it.' So ma faither thought it wid be a good thing for me tae go intae the mill. So ah got the job in the mill and started at Valleyfield in the potchers. That would be about 1924.

Ah wis born in 1904, the 30th o' March, in Shottstown, Penicuik.[15] Ma father wis born in 1867 in Gattonside, about three or four miles from Galashiels. But much later on he wis workin' as a dairyin' manager in Edinburgh, and that's where he met ma mother. Then he came to Penicuik and got a wee house in Shottstoon. But he hadnae a job then. Eventually he got a job in Mauricewood pit. He was workin' in the pit one day and the ceilin' come down. By good luck he was with a man who had experience of that sort of thing. He jist calmed ma father and said, 'Give it an hour or two and we'll get out.' They got out the pit. But ma father got such a fright he says, 'Ah'll never, never go back into the pit again.' It wis a good job he didnae go back again because three weeks after that ye had the Mauricewood pit disaster.[16]

Ma mother wis born in 1875. Her father and mother died when she wis young. There wis three daughters and a son left, and they were put out to the care of people who weren't good to them. Later on, before she got married, ma mother was a domestic worker in Edinburgh with a professor of the violin. Ah think she would jist be more or less a housemaid.

Ah never knew much about ma grandparents. Ma granny Johnstone, ma father's mother, she had a wee hotel at one time in Galashiels. Eventually she landed in Penicuik and she had a wee shop there. But she lost her husband and got married again. She lived in Thorburn Terrace in Penicuik, and we lived next door tae her.

31

Ma mother's father, well, ah'm no' very sure if he wis a Penicuik man. He wis a cooper, he made barrels, a very skilled job. The barrels weren't for drink or fish, they had something tae do wi' the paper mills.

Ah had two older brothers, Jim and John. Jim was a baker tae trade. But he went away tae the First World War. When he came home he got back for a wee while into workin' at his trade. But eventually he got into the paper mills, too. John he wis called up in the First War tae the army. He wis taken in to the Argyll and Sutherland Highlanders, and he liked the army. He became a Regular later on and did a wee bit service in India and South Africa. Then he came home and he got intae the paper mill and before long he'd got a foreman's job in Valleyfield.

Ah started the school at five year old – MacGregor's School. Sometimes it wis called the Old Catholic School, sometimes Jackson Street School, sometimes John Street School. But when ah wis there it wis known as MacGregor's School.[17] Ah'm afraid ah wis a bit o' a devil at the school. Ah enjoyed it up tae a point. But ah wis affected with a sort of asthma. But Miss Dall, the teacher, wisnae very good tae me. She would say, 'Johnstone, come out here !' Ah wanted tae stand at the back and hold on to somethin' tae get a breath. But she called me out in front o' the class. So this day ah kicked up a row and ah wanted tae go home, and afore ah knew where ah wis ah clattered her. Ah had tae, ah had tae. Ah thought ah wis goin' tae die. Ah clattered Miss Dall and ah run away home. But the doctor seen tae a' that. He put it right and Miss Dall had tae leave me alone.

Ah cannae say ah wis much good at sums or anythin'. Ah could get through and that wis about all. What ah enjoyed awfy much wis singing. Another lad, Charlie Jones, and I were very good at singing. We were always chosen for the alto parts.

Well, ma father and mother were workin' away, like everybody else, just more or less existing. Then ma father wis ill and ma mother needed money. So they got me away from school at 13½ and ah got workin'.

Ah'll tell you what ah wid have liked tae have done at that age. Ma father had a cousin who was a professional teacher o' the violin and ah wanted tae learn tae play the violin. An uncle o' mine in Edinbury who knew this cousin o' ma father's says, 'Oh, it's far ower dear. Ah widnae send George there tae have any tuition on the violin or anythin' like that.' So the whole thing wis put aside.

Now ah wis born and brought up in the Salvation Army, ma parents were Salvationists. Jist after ah left the school ah jined the Salvation Army Band. Ah got a baritone. It wis one o' the bigger instruments. It wasn't a cornet or a trumpet or a flugelhorn, it wis a kind o' small euphonium. So ah learned tae play that in the Salvation Army Band. Ah remained in the Band till ah wis about 21. By that time ah'd got the euphonium and ah liked it better.

It's the smallest base instrument there is. Ah loved it, ah jist loved that instrument. Every chance ah got ah had that instrument in ma hand and goddiddiddid, goddiddiddid. Oh, ah wis daft on music.

When ah wis much older ah got ma opportunities tae become a professional musician. Ah went for lessons tae a great baritone teacher in Edinburgh, Philip Malcolm. One day he says, 'George, do ye never think o' professionalism ?' Ah wis in ma 'forties by then, and ah said ah wid. But ah had French tae learn, German tae learn, and a' this if ah wis goin' tae be professional. So ah turned that down. But, oh, ah wis daft on music, daft on it.

Anyway when ah left MacGregor's School when ah wis 13½ ah wanted tae help make money for ma mother and father. When they got me away from school ah got workin' in Jim Borrowman the barber's shop. Ma father knew Mr Borrowman. Mr Borrowman had been workin' in the paper mills, and this wis how a lot o' businesses started. He worked in the mills and he used tae cut men's hair at night in his spare time. And they got him tae start a shop. The shop wis down Bridge Street, jist opposite Thorburn Terrace.

Ah started at eight in the mornin' and finished at 8 pm. And then on Wednesdays, Fridays and Saturdays ye worked tae nine. It wisnae an enviable job. Ah got an hoor off for the dinner – ah had jist about 50 yards tae go home for ma dinner. Ah think it was one o'clock and ah went back and started at 2 again. You didn't get a break in the morning, but ah think we got half an hour or so for a cup o' tea in the afternoon. On Tuesdays ye got a half day. Ah wis supposed tae finish on Tuesdays at one o'clock. But sometimes Mr Borrowman used tae take dogs in and he had a different set o' instruments and he would cut their hair. Ah went and worked very often on the Tuesday afternoon tae hold the dogs while he wis workin' away at them.

So ah wis workin' 12 hours a day as a laddie o' 13½. That wis a time when men used tae work 12 hours a day and think nothin' of it. And ah wis enjoyin' it ! Ah wis shavin' the boss himself every day.

The work ah did wis, well, a lot o' the men that come in were private customers and they had their own cup there and their own brush. When you saw the man comin' in you knew what number o' cup he had. Ye put the hot water in and got the soap and soaped up his face, rubbed the soap in wi' the brush first and then wi' your hand, tae make it easy for the boss tae come and shave him. The minister, Rabbie Tamson, used tae come doon for a shave. By this time a cousin Jimmy o' mine had got a job as a soaper, too, puttin' the soap on. Rabbie wis an awfy blether, like a' the rest o' ministers he wis aye bletherin' aboot somethin'. And Jimmy ma cousin had the soap and wis gettin' ready wi' his hand when a' of a sudden it wis, 'Hoh !' – Jimmy's big soapy finger had went intae the minister's mouth. And, oh, that caused an uproar ! So the boss came tae me efter and said, 'Dinnae let Jimmy get near the minister again ! Dae him yersel' ! [18]

When ah started in the barber's shop at got paid six shillins a week. That wis a rare wage at that time, especially for a laddie o' 13½. Ma father at the hinder end he'd worked his way intae a foreman's job in the mill but he wis only gettin' paid a pound a week ! And ah wis gettin' six shillins ! Ma wage remained the same a' the time ah wis there.

It wis a busy shop. There wis always people sittin' there waitin' their turn. In the shop there wis the boss and his son Peter and myself. Jimmy ma cousin, he wisnae a regular worker, he came in jist an odd time. In those days it wis very common for men tae get a shave because there were very few men would trust to the old cut-throat razor. But they trusted the barber. And the barber gave them a cleaner shave because he knew how to set the razors, how to get the sharpest. It wis a skilled job. As Mr Borrowman said tae me, 'Now, laddie, ye see frae point tae heel, and ye sharpen frae heel tae point.' That wis one thing ah learned. I used the old cut-throat on myself for years and years.

But in the shop ah shaved very, very few men. One day ah wis shavin' a man and tae say that his face wis rough wis an understatement, because he had a' the knots and everything on his face. Ah started shavin' him and ah wis cuttin' a wee bit here and a wee bit there. 'Aw, for the love o' God, stop, stop !' And the boss came ower and shaved him, finished him hissel'.

Eventually Mr Borrowman's son Jim came back from the war. Jim had been restin' at the back o' the lines, the trenches, and a shell came across and took his right eye away. He had a big hole there and they couldnae put an artificial eye intae it. But Jim wis a good barber. One day ah wis shavin' him and ah'd never shaved a man wi' a bare upper lip before. So when it came tae shavin his upper lip ah thought ye pinched the nose and lifted it up. And Jim started tae laugh and couldnae stop. He said, 'That's no' the way tae do it. Take your fingers like that,' he says, 'and put one finger up one nostril. And let me breathe through ma nose. Dinnae clamp ma nose like that !' He couldnae breathe, the poor soul.

Borrowman's wisnae the only barber's shop in Penicuik. There wis another one – Ritchie, but Ritchie went away tae the war and Wullie Mair took over and kept the shop goin'. Ritchie's shop wis in Bridge Street, down from where Penycoe Press is now and the opposite side. It wisnae far from Borrowman's shop. Some in Penicuik had formed a sort o' likin' for Ritchie and some for Borrowman. The prices were a' the same.

Ah cannae mind what we charged for a shave, ah think it wis thruppence, ah'm no' sure. And a haircut wis a tanner or somethin' like that. But on a Wednesday night and a Saturday night we had folk wid wait tae the last minute. On a Saturday night they got a shave and this kept them clean tae go tae the kirk next day. But the beggars would wait till the shop wis about shut. Ah used tae be angry, so wis Peter, because ah thought we'd served long enough – thirteen hours. But ah never felt tired standin' all that time.

Borrowman wis a very good boss. Ah got on awfy well wi' him. Ah wis doin' well. Sometimes ah wis sorry that ah had left him. He wis sorry hissel' that ah had left him. Then his son Jim who'd been away at the war ta'en ower and they kept the shop goin' between them. The shop remained there for years.

Ah worked in the barber's shop for about a year after ah left the school. But ah had a friend Willie Inglis who was workin' as a gardener up at Penicuik House. So Willie says tae me, 'Och, that's no life you're livin' there at Borrowman's at a',' he says, 'a these men wi' their breaths and everything. Come up tae beside me and get the clean air. Ye'd get a job.' So ah went up and ah seen the factor there and ah got the job as a gardener.

When ah got the job in the gardens at Penicuik House ah was told, 'If ye take this job ye'll need tae go in for the scientific gardenin'.' The only scientific gardenin' ah got there wis hard bloomin' work. We'd tae start at seven o'clock in the morning. Ah had tae get out o' bed, och, six o'clock anyway, had ma breakfast then and walked up the road. So winter or no' we'd tae start then. We walked away up the Bog Road from Penicuik. We'd no torches in these days and sometimes we'd tae use a lamp. And we went in what they called The Tipenny, 200 yards up the road past the main road intae the Penicuik Estate. It took ye right into the gardens. They were big gardens, lovely gardens.

Ah think we finished work at five. It wis gey dark afore we finished in the winter. There werenae much difference in the hoors at a', summer and winter it wis seven tae five. You got an hour for your dinner but ah didnae come home for ma dinner. It wis ower far tae come away down. We carried a piece with us. We got a wee break in the mornin', the same in the afternoon, maybe ten or fifteen minutes. But ye always got a wee break wi' gardenin', because ye were sometimes on your knees weedin'. The boss – Jimmy Kirkhope, the foreman – wisnae bad. We worked from Monday mornin' right up tae Saturday about one o'clock. We never worked on Saturday afternoons or evenins or Sundays, no' that ah can mind o'. So the hours were shorter than in the barber's shop. Ah think ah got a bigger wage than what ah had in the barber's. It wis maybe seven or eight shillins a week, ah couldnae mind right what it was.

Ah liked the gardens up tae a point. Sometimes it wis hard work. When the spring wis comin' on and the light wis beginnin' tae show, ye had a good bit o' ground – the pair o' ye together – tae turn over, and turn over correctly. Ye did it wi' the spade. The only gardeners at Penicuik House wis Willie Inglis and I, jist us two laddies, and the head gardener, Jimmy

Kirkhope. That wis a' at that time. Ah think there would be aboot four foresters there, tae.

Ah jist came in contact wi' the domestic staff when ah went down tae see what the cook wanted brought doon from the gardens. Ye'd jist stick your nose in the kitchen and say, 'What d'ye want the day ?' And she wid say so many o' this, so many o' the next thing. Ma job wis tae take the vegetables down tae the kitchen.

In the gardens we grew 650 peaches and nectarines and tomatoes and things like that. Ma first job wis tae go and start waterin', because tomatoes take a lot o' waterin'. So did the peaches, too. Ah'd tae take the greens off, and a' that sort o' thing. They were in the glasshouses.

It wis a right healthy job. And it wis good, because when the vegetables were in season the boss used tae fill a basket o' vegetables for us – carrots and turnips and things like that. Ma mother welcomed them.

Ah used tae see Sir George Clerk o' Penicuik House now and again.[19] He had a big dog – a wolfhound. But it wis a mascot that belonged tae the Royal Scots regiment at Glencorse. As ah say, I used tae go down and see the cook at the House, tae see what she wanted brought down tae her from the gardens. And the first time ah went down this big hound – Gggrrrummphh ! Gggrrrummphh ! Well, it wis so big and ah wisnae a very big laddie – it got its head up on ma shooder and ah thought it wis goin' tae eat me. But the cook came oot. She said, 'It'll no' touch ye, son, it'll no' touch ye !' Ah says, 'It never said that !' She says tae me, 'Come in here.' Ah went in and she chased the dug away oot the road ! It wis jist bein' friendly but it wis fearsome at the time.

Ah wisnae long workin' at the gardens when the First World War finished. In fact, ah remember the outbreak o' the War, because ah wis ten year old. There wis quite a lot o' men in Penicuik in the Territorial Army when the war broke oot, and they marched away. They gathered up in front o' the Cowan Institute in Penicuik,[20] and the Salvation Army band and the Penicuik Silver Band gathered together, and they marched to Peebles to the 15th Royal Scots. Major Tait – o' Tait the builders in Penicuik – marched away with them. There were men from Glasgow that came in to Glencorse Barracks at that time. They had been in Salvation Army bands in Glasgow and different places, and while our band had been depleted through takin' away men tae be soldiers, these men from Glasgow came in and played in the Salvation Army band. The Royal Scots were in Glencorse Barracks when the war broke out. Some o' them went off to the war then. Now and again ye'd see a batch goin' away and that's where they were going.[21]

Ah remember men ah knew in Penicuik bein' killed in the War. Wullie Henderson, a great pal o' ma brothers, he went off to the army and he wis killed in France. There wis men that ah knew that had been gassed at the war, too. They came home and they lived for a wee while. John Thomson, a great cornet player in the Salvation Army band, he wis one. He died from gassing.[22]

Well, as ah say, ah wis workin' in the gardens when the War finished. Willie Inglis and I were in a field that belonged tae Sir George Clerk and we were getherin' sheep's purls. That wis Armistice Day. That wis the way we had our first knowledge o' the War bein' finished, when we were getherin' sheep's purls ! But we heard the guns fired in Edinburgh. Ye heard the boom, 'cause there were nothin' tae keep the sound from gettin' up the valley there.

The gardens wis hard work. Ah worked there about six year till one day ma father says tae me, 'Son, ah've got ye a job in the mill.' Ma father wis workin' in Valleyfield Mill and knew a man and he says this man had some influence in the staff in the mill. The man spoke tae ma father, he says, 'What's your laddie daein' ? Oh, he's up in the gairdens, is he ? Hard work for him up there. Aye, there's a guid job goin' here and a' ye need tae dae is apply for it and ye'll get it.' So ma faither thought it wid be a good thing for me tae go intae the mill. So ah got the job in the mill and started at Valleyfield in the potchers. That would be about 1924.

The potchers was the place that they put in so much o' the esparto grass and sometimes so much wood pulp, and it wis all churned about in the potchers. It passed through a block wi' long bits o' metal stickin' up and it used tae cut the fibres, chop them up, make them finer. Some esparto grass came from about Tobruk in North Africa – but it wis only pulled up and ye got roots and everything comin' from there. In Spain they grew far better, far finer esparto grass – and ye needed that for the kind o' paper that Valleyfield was making. Oh, it wis the best papers in the world: Silverburn linen, Cowan Extra Strong – high quality paper.

Well, the stuff went frae the potchers that ah worked on intae a big container that wis kept rotating tae keep it jist the same consistency. It wis put through what we called the presse pate. This wis a machine, no' unlike a paper makin' machine. But what it wis doin' wis takin' the water oot o' the esparto grass. You could handle it, jist like a big sheet. It run intae boxes. But it wis green. After that it wis put intae another potcher and bleach wis added to it and it wis made white.

There were six employed at the potchers – a man and a boy each shift, and ah wis one o' the boys to start with. But ah wisnae long at the potchers till ah wis promoted tae the beaters. The beaters were the place the paper was made. The beaters turned out the recipe for the paper. Valleyfield had the finest recipes for paper making in the world, ah would think. The beater wis somethin' like a potcher but smaller. Ye had this big circular thing rotating wi' long bits o' metal on it. The things that went in there wis the clay, size, allum, everythin' like that. The beatermen had tae get the fibre cut intae the right lengths. And a lot o' broke – waste paper – was added in forbye. Waste paper wis brought up intae the broke house and a lot o' it wis churned and put intae boxes and put in amongst even the best o' papers, because the broke covered up a lot o' the interstices left when it was comin' along the wire in the papermakin' machine.

Once the paper had gone through the beaters it went in the chests or big tanks. Then it was taken down and on to the machines proper and they started makin' paper as we know it – sheet paper. That stuff come up what we ca'ed the breast o' the machine and it run over a roller and on tae a wire, a continuous wire. Ah've seen them about 18 feet, and ah've seen them smaller than that. It would be shakin' all the time it wis goin' along. And this was shakin' the fibres, gettin' them sort o' merged intae one another. Well, it come along there, and then it run over a dandy. A dandy roll was made of wire mesh, very, very fine wire mesh. Sometimes the watermark wis put on the dandies, too – Cowan Extra Strong or Silverburn, something like that.

Then it was run on the same machine through felts, what they called the first pressed felt and the second pressed felt. And then it wis put over intae the cylinders, where it wis heated. What the machinemen had tae watch wis that the first cylinders it went into weren't too hot or they would melt the sizing. There were maybe twelve or more cylinders – some machines had aboot twenty. And there were felts on these cylinders, too, and the paper's runnin' between and the felts are pressing the paper up against the cylinders. Then it's run over a sort o' arch. Sometimes it wis rolled up then and taken away and sized somewhere else, or else it wis put right intae the sizer. Well, after that the paper wis dried – wi' big rollers, about two feet in diameter. Then it wis maybe taken away tae calenders where they put a gloss on it.

After the calenders the paper wis cut, taken into the cutters. The cutter lassies had tae sit and watch as the paper wis cut. As the paper come down the lassies kept it intae the right order, gettin' a wee bunch o' paper at a time and puttin' it up. Then somebody wid come and carry the paper away.

Valleyfield made a good lot o' coating paper, too. That wis used for magazines, where ye've got a high gloss, an art paper.

When ah started work at Valleyfield about 1924 ah think they had jist got on tae an eight hour day. There were three shifts: six o'clock in the mornin' tae two, two tae ten, and ten tae six wis the night shift. Ah worked the three shifts. Ye did six tae two one week, then the next week two tae ten, and then the next week ye started at 12 on the Sunday night and worked on tae six in the mornin'. They were regular weekly shifts. There wis always somebody there tae take over from you. Say you worked frae six tae two, there wis somebody come on and worked from two tae ten on the same job. It wis 24 hours a day production wis goin' on. That's the only way a paper mill can work right. You worked Monday tae 12 o'clock Saturday. The mill closed down on Saturday afternoon and Sunday and then ye started up again on the Sunday night.

Ah cannae mind at a' what ma wages were when ah began at Valleyfield. Your money went up once you'd passed a while in the mill. Well, the unions were startin' at that time and word wid go roond that you were gettin' a ha'penny an hour more. Now if you got a ha'penny an hour more a machineman or a beaterman got maybe 2½d. or 3d. an hour more. There were a lot o' dissension aboot the differential. And they were beginnin' tae cry out and say, 'Thae yins are gettin' too much money now.'

Ah wis workin' in the mill when the General Strike came in 1926. We were jist laddies. There wis only certain papermakin' machines goin'. They couldnae keep the whole lot going. They couldnae get the raw materials in because o' the transport strike. It affected the mill. We werenae called out on strike ourselves. Everythin' else in the mill wis goin' except the machines we had been workin' on, and they couldnae employ us a'. We weren't kept on at work. We were jist runnin' about the public park and what-not, playin' ourselves. Whenever it wis time for our job takin' up again they sent for us: 'You'll come down on Monday and start.' There wisnae any victimisation at the mill at the end o' the General Strike: we hadnae been on strike.[23]

The unions, as ah say, were startin' in the mill at that time and ah think there hadn't been much trade union activity until maybe after the First War.[24] The union man was Tommy Clapperton. Tommy kept on that job for a while. So the union – the Paper Makers' Union – wis jist beginnin' tae appear and in the mill they werenae able tae do things right on their own. They used tae send tae Edinburgh for a Mr Mitchell tae come out tae Penicuik. Ah mind Tommy Clapperton, efter Mr Mitchell had spoken, would stand up and these were Tommy's exact words: 'Well, ladies and gentlemen, ah think Mr Mitchell has made the case very clear.' Then Tommy wid sit doon. Ah took Tommy tae be the shop steward. Ah think he wis a very fair man, too, a very nice man.[25]

When ah started in Valleyfield about 1924 ah wid say four tae five hundred were employed there, countin' the women, too. Most o' them were men – maybe 300 men and 200 women.[26] A lot o' the lassies had tae be there tae overhaul – check the quality o' the paper. Ye always had tae have your women in a paper mill. And your women were very clever women. Ah'll tell ye what some o' these women could do. Ah had relatives that worked on the overhaulin' o' the paper and they could come and tell ye, 'There's a mark on your paper and it's comin' from your first press' – or your cylinder felts, or the second press, or a wire mark comin' ower on your paper. They could only say these things as a result o' experience, och, absolutely. These women could take a piece o' paper and tell ye, 'That's the top o' that paper, and that's the bottom o' the paper.'

The really skilled workers were men – the beater men and the machine men. Ah wouldnae say what the women did wis semi-skilled, it wis unskilled. They had tae look at every sheet o' paper that they passed away. And the Lord help them if they passed away paper that wis goin' wi' what we called stamps in it. Stamps wis a wee bit paper that had maybe stuck on the calenders as it wis goin' through. Instead o' the paper bein' up against the rollers it went through this wee bit paper wis makin' a mark. The least wee thing could throw the paper.

At Valleyfield when ah began there in the 1920s you never got any women daein' skilled jobs. Women were no' in the makin' o' paper, jist in the overhaulin' and that. So women didnae earn the wage rates that the men did, nothin' like it. But there were one or two forewomen in Valleyfield, and there were women went frae Valleyfield tae Inverkeithing paper mill and worked there as forewomen.

If anybody wis in the army and came tae get a job they got it at Valleyfield. Ma brother John that had been a Regular in the army had come back from the army he got a job. He wisnae long in the job tae he wis made a foreman.

The Cowans were the owners at Valleyfield, the general managers, and then under them were two other managers, one in charge o' the makin' o' the paper and the other o' the finishin'. The manager o' the makin' wis Mr Dickie, ah cannae mind his first name. Dickie stayed up the Peebles road. He wis in charge of machines, potchers, everything that went through until ye came tae the finishin', and then there were a finishin' manager.[27]

Ah had moved frae the potchers tae the beaters and then the boss – it wis Dickie himself – came tae iz and says, 'Ah want you, laddie, tae go down tae the machines.' And ah didnae like the machines. It wis awfy hot for one thing. And it wis a dangerous job, too. Ah felt ma hand goin' in once and ah wis gettin' pulled in between the felt and the cylinder.

One day ah wis workin' on the dryers that dried the paper. And there were no paper comin' across at the time. So ah wis sittin' readin' a book. It wis a sum book, wi' a' the answers at the back and everythin' Ah wis learnin' tae do ma sums wi' that. All of a sudden a hand came across and took the book away frae me. 'Very good, my boy, very good, my boy. But don't do it in the mill. Don't do it in the mill.' That wis Sandy Cowan, the big boss. Ah wis lucky. If it had been a story book, Buffalo Bill or onything, ah'd ha' been right up the road.

Ah wis so keen on the paper making that ah took money ah had and ah took a course from one o' the correspondence schools. Ah wanted tae go intae Edinburgh but ah couldnae get tae night school because o' the shifts at the mill. It wisnae handy on the night shift and the back shift. Ye couldnae ha' been keepin' askin' your mates tae let you go away tae night school. There wis never day release in those days. Ye jist had tae learn as best ye could in your own time. At the mill ye could learn if you went on wi' a good machineman. Ah remember the first machineman ah went on wi'. The manager had come down and told this machineman that he wis puttin' me on as his assistant. There wis a first assistant and then there wis a boy under you for carryin' away the broke and helpin' wi' other things. And this machineman came up tae me: 'Well, if the manager thinks that ah'm goin' tae learn you everything he's up the pole because,' he says, 'anythin' you learn in here ye'll learn yersel' because ah'll never show ye it.' So ah set up a wee chemistry place o' ma own in a hut ah had up the back garden. Ah remember ah wis makin' chlorine one day and here some o' the stuff that ah used had failed, and if ah hadnae run out the hut ah wid ha' been gassed, because the chlorine wis beginnin' tae come on. But ah wis so keen that ah had that wee hut o' ma own.

Valleyfield specialised in the best o' papers. There wis paper for printin' and for writin', well, they did a bit o' both. But they did this awfy good paper that people wanted who wanted tae be writin' letters – the folk that had money and wouldnae write on jist any kind o' paper but wanted high quality paper. And Valleyfield made a lot o' paper for that Kalamazoo firm.[28]

In the 1920s there wis three mills: Valleyfield, Esk Mill and Dalmore. Dalmore, at Auchendinny, wis a smaller mill. It wis a one-machine mill at one time. When ah wis at Valleyfield ah wid say Dalmore had jist 200 workers. At Esk Mill they did a lot o' paper for printing, too. But they also did a lot of coating paper. Ah think Esk Mill wis no' much smaller than Valleyfield. It had about the same number o' machines as Valleyfield and about the same number o' workers. Each of the two mills then was practically makin' the same range o' paper. But Esk Mill never made the really quality papers that Valleyfield did. When ah took a bit o' paper and looked through it – beautiful, beautiful. And then another time ye'd look at a paper and say, 'Far ower much water in there in front o' the dandy,' or somethin' like that. Ah wis thrilled when ah looked at a piece o' paper. Ah wis goin' tae be a paper maker by my way o't.

There wis another thing ah remember about Valleyfield. There wis French prisoners o' war there in the Napoleonic Wars. Well, when ye went down certain bits o' the mill ye seen prison bars: 'Oh, that wid be the French prisoners.'[29]

Well, ah wis about six years at Valleyfield, from about 1924 to 1930. And then ah moved tae Inverkeithing paper mill in Fife. That wis the worst thing ah ever done. What happened at Valleyfield wis, well, ah had been workin' on the machines and ah wis fond o' the machines. Ah could ha' run the first machine on ma own. But they'd put me off o' the machines because they wouldnae give me a bigger pay. There were 13 o' us on good jobs but the management wanted tae shift us on tae inferior jobs so as they wouldnae need tae gie us a bigger pey. They put me down to an inferior job in the green presse pate. And it wis an insult. Ah took umbrage at this and ah went away tae Inverkeithin'.

Ah had relatives workin' at Inverkeithin' that had worked in Valleyfield before this: ma first wife's sisters. Ah kent they were needin' somebody at Inverkeithin' mill. So ah went across tae Fife and ah got this job. It wis a prime job . Ah must ha' got it because o' ma experience at Valleyfield. But another thing was that ah was a good player in the band. And Auld Allison had shifted to Inverkeithing, too. In 1911 he came tae Penicuik and took over the band. He had a wee job in the paper mill but his special job wis tae lead the band. And then in Inverkeithin' when he got word ah wis leavin' Valleyfield he got his secretary tae come across tae Valleyfield and get ma signature. So ah went and practised and played a solo instrument wi' the Inverkeithin' band. But one o' the men ah wis playin' beside there he wisnae very pleased, and he says, 'I used tae play that.' So ah went tae Allison, ah says, 'That wisnae a nice thing tae dae.' And, as ah say, ah got a good job in the paper mill but other fellows in Inverkeithin' had had their minds on the same job. So ah wisnae received there wi' too great joy.[30]

At Inverkeithin' the Smiths were the managers. They had mills in Westfield in Fife, too. The number o' workers at Inverkeithin' mill wis jist aboot the same as at Valleyfield. They made a lot o' printin' paper – a lot o' Bible paper, a thin paper. But they also did a special paper for wrapping beef, ham and what-not in. One machine wis on that, and they had other three machines that were makin' the paper that wis asked for at the time. They didnae make much coatin' paper.

Ah found Inverkeithin' mill great. And ah asked permission tae be allowed tae come down and roam through the mill and pick up information here and there. Ah got permission to do that. When ma shift wis finished ah'd go intae a different department. Ah wanted tae learn a' ah could.

When ah first started at Inverkeithin' ah worked 13 hours a day. Ah did that for seven month. It wis three shifts again. What ah didnae like was ye had back shift on the Saturday and ye worked up tae ten o'clock on a Saturday night. But ye never started on a Sunday night, ye always started on a Monday. They finished on the Saturday night and then there wis a gap till Monday morning.

Ah worked wi' some very fine men in Inverkeithin' mill. The proportion o' men and women workers at Inverkeithin' wis much the same as at Valleyfield. Ah would say it's got tae be the same in every mill.

It wis a big Harland machine ah wis on. There wis four of us on it. It wis an awfy broad machine – as broad as this house, 14 or 15 feet – and runnin' at 500 feet a minute. Ye were goin' some.

Ah wis engaged tae ma first wife when ah left Valleyfield. She was a Penicuik girl and she wis in Valleyfield but she had left and wis workin' in a small printing works in Edinburgh. Ah got married at Inverkeithing and we got a lovely house there. Ah could lie in ma bed there and look out and you could see maybe a dozen ships o' the fleet comin' up the Forth tae Rosyth and they had a' their lights up. Ma wife did the same as a lot o' wives did at that time when we got married. The young women used tae give their jobs up when they got married. That wis the common thing.

Ah wis at Inverkeithing five years. Ah got the sack, because this man – oh, he wis a schemer – he'd touched things at the wire and felts and it put everything at my end a' wrong. He'd done this on purpose. He knew he wis gettin' me the sack. He wanted tae get rid o' me. Makin' paper depended on a high degree o' co-operation among the workers, absolutely, absolutely. He wisnae a nice man at a'. Ah got the sack. Ah didnae take it up wi' the union, ah didnae bother them. And ah knew ma wife wis keen tae get back tae Penicuik. So ah left Inverkeithing and ah didnae have another job and ah didnae know really what ah wis daein'. But ah knew if ah came tae Valleyfield ah wis fairly sure ah would get a job

So ah went down tae Valleyfield. Ronnie Cowan wis in the office: 'Oh, you've come back again ? Where did you work ?' 'At the machines.' 'Start on the first machine on Monday.' [31]

Well, the second time ah wis at Valleyfield wis when the Second War came on. The machines then bein' shut they put me up to a job that ah didn't care for at all. Ah couldnae stick this job. So ah left Valleyfield jist after the war broke out and ah joined the Home Guard full-time. Ma brother had got a job up there at Gladhouse reservoir. He says, 'It's guid and they're wantin' other men.' So ah went up there and ah wis employed in the Home Guard up at Gladhouse reservoir guardin' the reservoir. Oh, it wis a good job. Ah quite believe ah wis well paid.

Ye took day shift at the reservoir. That was from maybe early mornin' at six or seven o'clock up tae tea time about five o'clock. You did a week on day shift and then you changed over and you took your nightshift, a' through the night, for a week. Ah had a rifle and about 35 rounds o' ammunition but ah wis told no' tae fire any o' them ! There were five or six o' us Home Guards guardin' the reservoir and there were three o' us on duty at one time.

Ye didnae have tae go right round the reservoir. The main part that had tae be guarded was 100 feet deep, at the south end o' the reservoir. Mind you, the Germans tried tae bomb it. Ah remember bein' on night shift one night and the police come up and said, 'Hello. Have you had any bombs droppin' ? We've heard of bombs droppin' up here.' When ah went down to the hut one o' the men there he says, 'By Jove, we jist escaped. It's a good job we were down in this hollow here, because there's a big hole there now that would take a double decker bus.' The Germans were bombin' Clydebank when they saw the reservoirs glintin' in the moonlight and they came across to Gladhouse.[32]

Ah did that job at Gladhouse for a year or two. Then ah got the sack frae that an' a'. Well, our boss wis an awfy man. By this time the Newfoundland boys had came to work at Gladhouse, and they used tae call me over: 'Dinner's ready, George.' Ye want tae ha' seen the dinners they had ! So this day ah went across and ah wis gettin' a dinner and here ma boss came along. 'Hey !' – he beckoned ye over. 'Oh,' ah says, 'ah wis jist gettin' a bit bite o' dinner.' 'Ye're sacked !' [33]

So then ah got the offer o' three other jobs, nae bother, and ah took a job in Penicuik Co-op. That would be about 1941, 1942. Ah became a bakery van driver at Loanhead, drivin' a big black horse. Ah did a round there. Ah went there at six o'clock in the mornin' and delivered milk, then ah got ma bakery van and gien it a bit clean and ta'en bread and cakes and what-not out. Sometimes ah could get home at four or five o'clock in the afternoon. Ah finished at midday on Saturdays, well, more or less. Ah used tae take a feed for the horse so ah could finish ma round, then get the horse in and bed it and then get away home. The stablin' and brushin' o' the horse wis a' in the day's work. And tae start wi' wis ah no' feared for that horse ? But at the hinderend that horse would ha' done anything for me. Its name wis Darkie. When ah went on holiday nobody else could take Darkie. That boss says, 'Since you took over that horse there's not another person can touch it. It won't allow itsel' to be harnessed or anything.' And it wis true. When ah wis away on holiday it widnae work for another man. It went daft. They had tae get a vet tae come and kill it. Ah wis greetin'.

Then the Co-op asked me if ah wid do the ration wi' a groceries van. Then later on ah wis in charge at Penicuik o' the bread despatch, giving out a' the bread and cakes and everything to twa or three vans.

Ma first wife died in 1943. When ah wis put in charge at Penicuik o' the distribution to the vans that's when ah first met ma second wife Lizzie. She had worked at the Co-op since she left school. She wis in charge o' the money at that place in Penicuik and gave me a good hand there. We got married in 1947. The wages in the Co-op werenae awfy big, well, when we got married we had £5.7.6. a week.

The Penicuik Co-op wis a bit sleepy. Ma opinion wis the Co-op wis dynamically run for their ain sels, the boys that were in charge, the managers. Oh, the members were discontented.

Ah wis with the Store in Penicuik a long time, about 13 or 14 years. Lizzie and I had been married a few years when a man come up tae me and said, 'Ah've got a job for ye in Esk Mill if ye'd like tae take it.' So ah went down tae work on the labouring in Esk Mill. It wis 1955.

Now ma uncle John Crichton, ma mother's older brother, had worked at Esk Mill aboot 1900. Uncle John wis the only man that we a' roond here at Penicuik ever knew that wis hauled intae the machine in the mill. The paper passed through the smoothers and he wis puttin' it in tae the other bit between the felt and the cylinder when it gripped him and hauled him holus bolus right intae the machine. He wis hauled intae the machine and it took him right in between the felt and the cylinder, right in at the middle. But Uncle John survived because it wis an old felt and it burst. And somebody had the sense tae get that part o' the machine shut down right away. Wi' the felt bein' old it burst and Uncle John wis left wi' his head hangin' out intae the pit. He wis severely burned. His face wis a' hurt and what-not. But he lived tae 82. And the men that Uncle John worked wi' said they couldnae ha' done withoot him because what he didnae ken aboot makin' paper on a machine wisnae worth listenin' tae.

Well, the labouring work ah did at Esk Mill wis, the foreman labourer, Big Eck, would come: 'Ah want 20 bales o' wood taken down tae the potchers.' The bales were about a couple o' hundredweight. Well, there were two or three men o' ye tae lift them. But ah found oot that there wis a way o' doin' that. Then Big Eck wid come and say, 'Eh, ah want ye tae get gress down tae . . .' And ye'd tae go and get thir big bundles o' grass and take them down. Oh, it wis heavy work. And ah've seen Big Eck comin' in in the mornin' – oo started at twenty past six – and he wid jist say, 'The nicht.' 'The nicht' meant ye'd tae work tae nine o'clock at night. And ye were handlin' a' that heavy stuff. But, oh, ah wis never tired. And the biggest pey ye ever got there at the labourin' – ah wis gettin' overtime now and again – wis aboot £21.

But ah wisnae very long on the labouring and ah wis put on as a shunter. A' the stuff that wis comin' in tae the mill had tae go tae various places. There wis a man drivin' the pug engine but the head engineer came tae me and says, 'George, could you drive that pug ?' Ah says, 'Aye. It wis me that wis puttin' the heat intae it and startin' it off anyway.' So ah wis then drivin' this pug engine. Ah did turn ma hand tae everything.

Then they wanted me tae do a different job again. Ah says, 'I'm not having it. Ah'm leaving !' So then ah went back down tae Valleyfield again. That wid be about 1960. And what they were doin' at Valleyfield at the time wis office work – you counted their bonuses and a' that sort o' thing. When ah said ah wid like a job, they said: 'Do you know the decimal system ?' 'Aye.' 'Well, start the morn.' So ah went doon there tae Valleyfield and ah got a wee-er pey. Ah didnae have the overtime in office work ah'd had in the labouring at Esk Mill. But ah stood that for aboot five year at Valleyfield. By that time Esk Mills had closed. It closed in 1968.

They had a man workin' down there and he wis a great musician, Cameron Inglis. He played the accordion and what-not. He wis a great lad, one o' the finest men ah ever met. He said, 'Ah've got a job for ee. They're needin' a man tae go round the schools in Edinbury. Ye're the very man for it. Now get in and get that job.' The job wis teachin' them how tae play instruments, instrumental tuition. And ah got a haud o' a euphonium and ah went and seen the big boss in the Edinbury Education office. Ah says tae masel', 'This is ma chance tae let that man ken what ah can dae,' and ah went taaaaallllllllbbbbbbbummmmchukchukachuka. He wis a brusque man. Ah says, 'Well, ah'm ah gettin' this job ?' He says, 'What d'ye mean are ye gettin' the job ? Man, ye've got the job.'

Ah wis 65 when ah started that job and ah did it for about twelve years. As time went on ah got a wee bit o' reputation for teachin' brass. The schools ah did in Edinbury were Clermiston and St David's, and then there wis the Lothian Regional schools after 1974. The Regional man wanted me tae take over teachin' instruments at Penicuik High School, Musselbury Grammar School, Greenhall and Newbattle. So ah did. Ah says, 'This gives me the chance tae teach Highers.' Oh, it wis wonderful work.

Ah had started Penicuik Male Voice Choir about 1947 or 1948 through the Co-op. Ah conducted it. Then the Co-operative wanted tae stop the choir but they never let me know. It wis a woman on the committee says, 'George, they're goin tae dump this choir.' So ah went and telt the heidmaister o' the school. He says, 'George, keep on as usual. You'll practice at the same time and a' the rest o' it but ye're under me now, ye're under the schools.' And ah wis conductor o' the Penicuik Silver Band for nine years.

Well, when ah came 77 ah says, 'Ah think ah'm retirin'' – and ah did. But when ah retired frae the schools ah took over teachin' the youngsters for the Silver Band and ah did that up tae ah wis 83. Then ah retired frae everything. For ma 90th birthday there wis a big concert – Penicuik Silver Band. And they brought a prize band, Whitburn Burgh Band, and they said, 'Would you conduct this prize band ?' So ah says, 'Ah'll conduct them and taradeedadeedadiddideedeedee.' So there it was. That wis the end o' ma career. But there's a George Johnstone Trophy that's handed over to the band that wins the contest. It's a great tribute.

Well, Esk Mills shut in 1968 and then Valleyfield in 1975. In my estimation Valleyfield closed down because – well, after Reed took it over from Cowans for one thing, and because it wis a bad place for gettin' stuff in cheaply.[34] But Reed knew the kind o' paper Valleyfield wis making. They wanted the trade name. They kept Valleyfield goin' for two years efter that then they shut the mill. That wis the way ah and an awful lot o' folk looked at it. We really made great paper at Valleyfield. Ye felt when you come home after workin' there in the mill, 'Well, ah've done a job today tae ma best ability and it's good stuff.'

Esk Mill closed because they werenae gettin' the orders. Ah knew this frae the boss's secretary. Ma wife and me were both friendly wi' her. She had a letter tae send tae this great Labour man. And if they'd got permission frae thame for tae get this wee loan or something it wid ha' kept Esk Mill goin'. But they got the no. That wis it.

Dalmore Mill wis able tae keep goin' – American money and American machines.[35]

George Johnstone, extreme right, and fellow machinemen beside a huge paper-making machine at Valleyfield mill in the late 1920s.

Courtesy of the late Mr George Johnstone.

Courtesy of Midlothian Libraries Local Studies.

Workers tend the two 'super calenders' at Valleyfield mill, c. 1937 (see below, David Wilson, page 134).

John A. Law

So when ma sister left the school she went tae the local firm, Jardine, Esk Mills. She asked, 'Any chance o' a job ?' 'Oh, yes, we're lookin' for women, oh, yes.' And she got started right away. So ma mum says, 'Ye wouldnae have any work for ma son, would ye ?' 'Well, not really, unless he's quite willin' tae take a woman's job.' 'Oh, well,' she says, 'ah dinnae think he would do that !' 'Well,' he says, 'ah've got a job in mind,' he says. 'We've been tryin' tae get this woman off. She's gettin' on in years now. She started doin' it when she wis fourteen.' 'Oh,' ah says, 'what is it ?' 'Oh, it's sweepin' the floor.' 'Well,' ah says, 'ah'll sweep the floor.' So ah got the job tae sweep the floor in Esk Mills. That wis ma first job in the mill.

Ah wis born 23rd o' June 1909 in 14 Kirkhill, Penicuik. Ma father worked in Esk Mills, James Brown & Company. He wis on the calenders. He was a Penicuik man, but the family originally came from Linlithgow and I believe that ma grandfather Law had been a shoemaker in his day in Linlithgow. Ah don't remember him, he wis dead before ah wis born.

Ma mother ah think wis born at Netherton farm, up the Peebles road, near the Wellington School.[36] She wis a farm worker's daughter. And ah remember ma grandmother on that side. When her husband, ma grandfather, died she had to pack in the farm and she got a job in the rag house in Valleyfield. The rag house was a place where they separated all the various rags, cut off all metal materials, buttons, and anything that wis goin' tae be foreign tae the paper – velvet, ah think, wis a thing that wis discarded altogether, but ah'm no' fully sure. Well, ma grandmother worked in that. She lived in Croft Street in Penicuik for a wee while, in the attic. And when she got a little frail owing tae old age ma mother got her a single end up in Kirkhill, where we lived. When ma grandmother died I wis six or seven, about 1915 or '16. She's the only grandparent ah remember.

Ah had two sisters, Elizabeth and Kathleen, both younger than me. Ah wis the eldest by about two years from Beth and 14 or 15 years from Kath.

As ah say, ah wis born at No.14, Kirkhill, and wis brought up there. Ah played in a' the surroundin' district roond there, fields and birds' nests, and in the Esk – waded in it. And our parents, especially ma mother, used tae give us a right row for paddlin' in the Esk because the Esk wis dirty. It wis polluted by the paper mills. The pure water to supply good water for the paper came down the mill lade. Away up in Clerk o' Penicuik's estate the water from the Esk was diverted into the mill lade and it came right through Valleyfield, right down tae the outside o' Esk Mill. Then it went over the waterfall back intae the Esk again, jist no bother at all. The rest o' the water wis terrible, oh, dirty.

We had a man that worked in the mill, he worked in the sort o' recoverer o' muck stuff away down in the settlin' pond as they called it. He got on to the Water Board, and he wis able tae tell the mill when the inspectors were coming. And it wis quite a common thing for the mill labourer tae go out and brush the white stuff off the stones, tae let things pass when the inspectors were there. That same bloke was in charge o' a' this muck that went down. It got filtered through a bed o' ashes and then it wis shovelled off and put in a bing. If the water wis high – and, oh, the Esk's been very high – there were a part o' the thing they could open up and let it belt right intae the Esk. That's how it became polluted.

*   *   *

At No. 14 Kirkhill every room had a bed in it. We had two rooms – a living room and a bedroom. We had two beds in the living room, the two o' them wis built in, box beds. The one in the bedroom wis a bought bed. Ma parents and ma two sisters they slept in the livin' room. Ah slept in the bedroom when ah wis growin' up.

There were a wee bit off the bedroom that ye could peel your tatties in. Ye had a cupboard underneath that would keep your pots and a' that. And it had shelves on the side, like a wee scullery, a wee walk-in cupboard, and that's where ma mother prepared our food. Everything was done on the fire. The range – a cottage range, they called it – there was an oven on one side and a boiler for heatin' water on the other. You filled this boiler wi' water and ye could turn the tap and get hot water out o' it. But if it went dry or boiled dry it jist cracked and that wis useless in nae time at a'. But the oven wis quite all right for heating something up. Ma mother even baked scones in there. On the top wis a big swee and ye could hang a pot – a great big pot it was – on there. Well, ye needed that if ye were havin' a bath. The range boiler wouldnae hold enough water. Efter a wee while anyway it cracked and it couldnae hold water. And ye used tae toast bread in front o' the fire. There wis an apparatus made for hinging on – very up to date for that time !

When the crystal sets, the wireless, came on ah wis the wireless bloke. Ah built them and repaired them and everything. Ah had the bedroom wired up and the earphones on. Ma mother used tae come through on a Sunday mornin' and lift the phones off ma heid and then ah had ma breakfast in bed ! Later on, when ah wis on shifts at the mill, ye were on back shift. Ah detested it. Ye couldnae get up in the mornin' because your mother had a' the fireirons oot in the middle o' the floor, cleanin' them and black-leedin' them and everythin'. And she would gie you your breakfast in bed: 'Now ah'll tell ye when tae get up.' It kept you out the road, ye see, till she got it a' tidied up.

The houses at Kirkhill were lit by gas supplied by Esk Mill. But these houses that got supplied with gas by the mill didn't have a great deal o' pressure. Ye couldnae have a cooker in the house. Well, first of all ye had nae room for it, and secondly there were no pressure. Well, when the gas plant wis packin' in and finally gave up the ghost they connected all these houses tae the Penicuik gas company. After that we were able to get a gas ring goin' in the mornin, wi' your eyes half shut, for startin' in the mill at six o'clock. Before that you used tae put some paper on the fire and a huge amount o' sticks and put a match tae it and it would burn, and then you put the kettle on. Ye didnae get the luxury o' washin' in warm water. Ye washed wi' cold water. By the time ye got washed the kettle wis boilin' and ye made your cup o' tea.

The water situation of course up there at Kirkhill wis desperate. The water wis outside – outside taps. Ye had tae get the water in at night, because if in the morning you went up there and it wis frozen it meant gettin' a kettle o' boilin' water in the toilet. So you went for water at night. But eventually Cowan o' Valleyfield brought the water into Penicuik in his pipes, the whole town wis supplied, and that wis a good thing. Ah'd be very young at the time, quite possibly jist before the First World War. All the houses in Penicuik could get water and you could have a water closet. Whereas at Kirkhill – which wis high up – we didn't have a closet, well, we had a closet but no water !

At Kirkhill our toilet wis away out, ye had tae go round the back and up past the next house. They were human enough as to separate the males from the females. The females had a closet there, the males on this side. That wis general – Roslin, Roslin down the Glen wis like that, tae. Ah think it wis in 1925 the government put through a bill that all these things should be done away with. So Esk Mill got started and it wis somethin' like in '27 or '28 they built the houses wi' a bit on the outside, and they got toilets wi' a flush and water in the house.[37]

They didnae demolish the old houses, they built a bit in the front. It wisnae very successful for appearance. They camouflaged it a bit. The brick front and the stones sides wis annoyin' the Jardines, who were in charge o' the mill. So they got the local firm o' Guthrie tae harle the lot and they looked the same after that. Dunlop Terrace actually belonged tae the mill as well and they had tae have a different design. It wis tae be upstairs and downstairs there, houses up the stair, houses down the stair, separate houses. But they made a better job o' them. They had the same style down there – outside toilets. Imagine puttin' your coat on when you went to the toilet !

Ah remember at Kirkhill havin' tae go down tae the toilet on a winter's night sometimes. You'd take your candle and matches wi' ye as well. It wis terrible, terrible. And boys, a' the world over they do daft things. They'd be roond playin' in the garden and burstin' for the toilet. They hadnae the key for the toilet. So they jist burst the door open. The door wis broken. Somebody reported it the next day and the next day somebody sorted it. In the interval till we got it repaired ye went round tae the toilet and, especially in the winter time, the wind wis blowin' in there and ye scraped the snow off the seat before ye sat down. It wis a wooden top, ye see, a lower one for the children and a higher one for the adults and ye could see a' the burnt bits where the candle had burned right down tae the wood ! Oh, crude conditions.

And wi' it bein' a dry toilet a bloke emptied them every day. He wis employed by the mill. He had a contract wi' Esk Mill tae empty the dry closets. He had a farm, a dairy farm at the top o' Kirkhill. There were two brothers and one did the local contractin'. He had two horses and two carts and he used tae shift about. The other brother had the farm. He had only one horse and that pu'ed the cart. It went round wi' a' the stuff in it after he emptied the toilets. And that wis done daily. There were a shop up there at Kirkhill and he used tae go in and get a packet o' Woodbine. And he used to light one cigarette off the other. That would be for the smell o' the toilets, ah dare say.

What happened then was, as I told you already about the bloke that used tae get the stuff put intae the Esk, well, down there were huge sieves. There were about eight feet o' cinders in the bottom, and a' the muck frae the mill and everything roond about went in there. And he shovelled it off and put it intae a heap. Well, that's where the stuff went when this other farmer bloke emptied the toilets. It went on tae that heap and it got drooned wi' a' the stuff that came out the mill. The water from this filter system went into the Esk. But the rest wis shovelled off and put in this bing. It was in a big heap, wi' grass growin' on it – extremely unhealthy. But that wis what wis done.

Unfortunately, there wis at our house at Kirkhill a garden – steep, going down to the field. In these days with the wireless height was a great thing, for to get your aerial up. We had a pole 40 feet high at the bottom o' the garden tae let us get it in. Ah remember when we put it up, the worthies roond aboot – there were nothin' else for them to do – they would jist stand

and blether. And this bloke says about ma father, 'By God, if Law expects his wife tae hing claes up there he's expectin' somethin'.'

Housing conditions at Kirkhill were terribly cramped. There were fairly big families there. It wis amazin'. One family in particular, there were two boys and two girls, a husband and wife, and they lived in this wee house, underneath the stair further down frae me. Ma sister got one o' thir houses efter she got married, and ah papered it for her one Saturday afternoon. The person in it before her had taken the built-in beds out and made it look a wee bit more presentable. But when ah put ma sister's bed in the recess up against the wall and opened it out her feet wis in the fire. The bloke that wis in before her he couldnae shift the furniture, so he jist papered roond the bed. The houses were so small and cramped.

Isaac Palmer's family – there was Isaac, Donald, Willie, Nell, Bess and Jess, these six plus their parents – were livin' in a similar house tae what ah wis brought up in at No.14. In fact, Isaac wis brought up wi' a family down the bottom o' the hill there because there werenae enough room for him stayin' at home.

Ah started the school at Kirkhill School. That wis the old school. There were four rooms roughly, ah would say. Two o' the rooms were smaller. But the one ah wis in it wis divided wi' a partition. There were somethin' like 40-odd children in each room. The classes were big, right enough. You went tae Kirkhill School until you were eight, and then you walked down – I remember this, a' walkin' down in a body – to the Jackson Street School, better known as MacGregor's School. William Craig wis the headteacher when ah wis there. MacGregor wis a good bit before that. You walked down there and then you were educated there until you were fourteen, then we left there.

School had its up and downs. The first class oo were in at Kirkhill School, well, ye'd tae provide your own slates and slate pencil and jotters and things like that. It wasn't so bad. By the time we got on tae the next class, the teacher wis Miss Miller, the headteacher. She wis a wee hard case. We got supplied wi' jotters by that time, and she used tae rattle intae us aboot usin' too much jotters – and sometimes rattle you on the fingers wi' the belt for maybe the wrong thing. Of course, ye couldnae help it, ye annoyed her. But on the whole ah must say ah did enjoy most of it at Kirkhill School. We got it hammered intae us, the coontin' and spellin' and that.

But when ah went down tae the other school, Jackson Street School – MacGregor's School – ah had a teacher that wis a very educated woman. But she couldnae teach a bit. Her father wis the stationmaster at Auchendinny Station. Ah had her for two years and, my God, she wis terrible. Ah lost interest. Ah could always count, but her strong subject was English. She knew it from A to Z. She used tae write letters for people in the place, ye know, and a' thing. But she didnae get through tae me wi' it at all, she couldnae put it over.

It wis always arithmetic that interested me. Arithmetic wis ma best subject. Ah wis interested in the fractions and ah got carried away wi' them. Once a week at Jackson Street School we got woodwork and ah wis very, very keen on woodwork. Then when the teacher we had in the pre-Qualifyin' left they gave us a young girl fresh from college. And we did have a rise out o' that girl, we did. And instead o' gettin' placed up the school, a' us misbehavers were a' sat along the front. We embarrassed the young teacher that much she left. And they got a local teacher, Miss Quinn. She wis the daughter o' John Quinn, president of the Store board. She came in and she had a look at us a', and she shook the belt in her hand, and she said, 'Now ye'll pass the Qualifyin' in six weeks !' She never had tae use the belt – except on her brother, that wis the only yin in the class that got it. And we all passed. What a wummin ! She would roar at ye, ye ken, and deafen ye ! But an excellent teacher.

When ah first went tae school at Kirkhill School it wis 1914 and I remember the First World War startin'. When the war broke out Penicuik Silver Band went round Penicuik and collected all the volunteers – the Territorials. Willie Young o' Penicuik's got it on a slide – Major Tait, that's Tait the builder, walkin' in front o' the men. Well, they went right round and collected everybody. We – ma pals and me – were playin' football up in the park next to the cricket field at Kirkhill and we heard the band goin' along the Edinburgh road. And we got standin' up on the dyke and ye could see them a' – about 50 o' them – walkin' along tae Glencorse Barracks. That wis the start o' the war.[38]

Ah remember the war finishin' as well. Everybody had collected in the High Street, celebratin' the end o' the war. And what sticks in ma mind was the soldiers from Glencorse Barracks, they brought a tank – a British tank that wis along at the barracks – up tae the High Street. And ye could see the marks on the road a' the road up. They lifted a' the bits oot the road. Oh, the Council werenae chuffed at that.[39]

Ah remember some o' the men in Penicuik that were killed in the war. A bloke Logan, one o' the pals o' ma father, he was in a kilted regiment and he got killed durin' the war. And Sinclair, the father o' one o' ma pals, he was killed in the army.[40]

When ah came tae leavin' the school when ah wis fourteen in 1923, the only thing ah wis interested in wis ah wanted tae be a former pupil. That wis ma ambition – to be a former pupil. When ah got up tae that stage o' leavin' the school the mills in Penicuik were in such a bad state there werenae much hope o' gettin' work anywhere. Ah liked workin' wi' ma hands – tools, and that. Ah quite liked the idea o' engineerin'. Ah tried it when ah left the school but ah couldnae get in. Ma father actually got me an apprenticeship immediately on leavin' the school as an electrician from a firm in Edinburgh. But the wage wis ten shillins a week and it wis goin' tae cost me twelve and odds tae travel tae Edinburgh, and ah had tae get fed. And, as ah say, the mill at Penicuik where ma father worked wis jist recoverin': so it couldnae be done. Ma parents couldnae afford it. Well, ma father didnae want me tae go tae the mill. He had had a raw deal frae the mill – so he said. He wanted me tae go somewhere else. Ah said tae him, 'You get me somewhere else and ah'll go.'

Ah remember when we left the school there were a big number, somethin' like 20-somethin' o' us boys. The war wis jist no' long over and jobs were scarce. Every time there were a job everybody went in for it, of course. Somebody wis selected and there it was. Well, we went round and collected the potatoes on the farms round about Penicuik. That wis a' we did. There wis no buroo money, no nothin'. Ah wis unemployed really for about six months. But eventually we all got work. Ah think there were only about two o' us left when ah got work at last in January 1924.

Ma first job was milk delivery van boy. It wis Pomathorn dairy in Bridge Street, Penicuik. They got milk from Pomathorn farm down tae the dairy. It wis a bloke called Jimmy Bell. Him and his brother had a contractin' business. They shifted stuff – mostly for farms. Ma boss Jimmy Bell wis carryin' a two-hundredweight bag o' stuff and he jerked his back and he never really recovered from that. So he split the business wi' his brother Tom and he opened up this Pomathorn dairy. He had a horse and a cart still in use when ah wis workin' wi' him, but then he bought a 15-cwt Ford van. And he got enough money – we were advertisin' Golden Shred Marmalade on the side o' the van – as keep him on the road. And that's when ah got tae drive when ah wis only fourteen. Ah never had a drivin' test in ma life, and ah didnae even have a licence until ah bocht a motor bike when ah wis 21 in 1930.

When ah got the job on the milk delivery van ah worked seven days a week for seven shillins a week. Ah started work at seven in the morning and finished at eleven approximately, dependin' on how things went. Ah started again at three o'clock in the afternoon and finished at eight at night. You worked seven days a week, and the hours on Saturday and Sunday were jist the same. So ah wis workin' 63 hours a week as a laddie o' fourteen for a shilling a day. The pay wis based on what was paid by the Store. The Store paid 3s.6d. a week to its delivery boys for the mornin'. They were up early in the mornin' deliverin' the milk, say, seven o'clock until school time. Ah did a delivery twice and got twice as much pay, that's what it was based on.

But, oh, ah enjoyed the drivin'. Drivin' enticed me. That made me enjoy the milk delivery. As soon as we got out o' the middle o' the town at a' ah took over the wheel and ah drove. And when oo came in at eight o'clock nights, whenever we came tae the North Church, ma boss Jimmy Bell would say, 'Right.' We would change seats wi' the motor goin', ye ken, oh, nae bother. It wis a gravity feed wi' the old T Ford, and ye had tae make sure if ye were goin' up Pomathorn brae ye always had plenty petrol.

As delivery van boy there wis quite a lot o' walkin' or runnin' for me tae dae. Take for instance in the afternoon: we went up at three o'clock tae Pomathorn farm and collected the milk. He drove the motor down Pomathorn Brae then and ah jumped off when we came tae the big house in the middle there, and delivered milk and came oot again. He wid deliver the milk at the houses down the bottom. And ah got another dose o' milk frae him there and delivered it tae the houses round the front, where ye couldnae get roond wi' a van anyway, it wis too wee. Then we went up the Peebles road, and then back tae the dairy again for aboot ten or twelve cans o' milk. Ah delivered some along the glebe, which is Imrie Place. Then ah went ower tae Low Mill and up home for ma tea. Jimmy Bell came up after tea time and ah took over the motor again. Then we went right round Dunlop Terrace, up Harper's Brae, Auchendinny, the big house o' the Wallaces at Dalmore paper mill, and Milton Cottages and round in there.[41]

There werenae any other boys employed by Pomathorn dairy. Jimmy Bell had a family o' three girls. One wis slightly younger than me, one slightly older, and then a younger one. The younger one worked sometimes in the shop helpin' her mother. The oldest one wis sometimes in the shop, sometimes oot, dependin' on what wis goin' on. The milk delivery van supplied butter, biscuits, eggs, jam, things like that, too.

Ah worked for the dairy for about 18 months, until ah wis almost sixteen. It was then ma sister Elizabeth left the school and started work at Esk Mills. So, as ah say, that was when ah started in the mill there, too, about the summer o' 1925, wi' a woman's job, sweepin' the floor. Ah felt that it wis a job and ah wis gettin' more money than in the dairy. Ah got more pocket money, and that wis the only thing ah wis interested in. Ah gave ma parents ma wages every week and they gave me some pocket money – ah can't remember how much, but it wasnae very much. Ah'd got seven shillings a week wages at the dairy and ah think it wis 12s.6d. or 14 bob or 16 bob or somethin' like that ah got when ah went tae the mill. That wis a big increase, so ah got an increase in pocket money then an' a'.

Ah worked at the mill in what they called the Finishing Department. The paper wis overhauled there and it wis tied up in parcels, and a' the rest o' it. And it wis ma job tae keep the place clean, sweep the floor and any other muck roond about. Ah wis jist maself as a cleaner there. It was a dreary, boring job. But it wouldnae be a job for life, of course – sooner or later you would move on to somethin' else at the mill. But ah'll tell you what passed that time away. Ah'd sweep the floor then ah used tae help ma pal that wis foldin' wrappers and everything for the tiers. Sometimes the paper wis gettin' exported in cases, so he would say tae me, 'Away doon and bring thae cases in.' You'd bring the cases in for the tiers and we would tie some o' thae wee packets, we would tie for them. It wis practice: we were goin' tae be tiers when we got older, ye see. Ah wis keen tae learn. So ah did that for about a year. Then when ah became 17 ah got out intae the stampin' hoose.

Where the stampin' hoose got its name wis that every bundle o' paper had the government stamp – ah think it wis 46 – and they paid the tax on it. What ah wis doin' in the stampin' house was ah wis puttin' size and weights on with rubber stamps and paddin' – everythin' that went on. So the customer knew what he wis gettin' in the parcel.

Ah wis in the stampin' hoose for a year, then ah went down to the calender house. The calender's a machine like a mangle wi' aboot ten rolls in it – steel and compressed cotton. And there were a slight slip on each roll, the hard and the soft. The paper went through one then it went through another. And that wis it finished. Then it went up the stair and it got cut intae sheets. Well, ah wis there on the calenders until ah was 19. That wis a shift job on the calenders, so ah went on tae shifts. The shifts run from six in the mornin' tae two in the afternoon, two in the afternoon till ten at night, and the night shift wis from ten tae six in the mornin'. Saturday you started at six but you finished at twelve midday. Before the First World War they used tae work twelve-hour shifts.

After the calenders ah went up on tae the coating department. That wis where the paper got coated wi' a substance for polishin', like the glossy magazines, etc. – art paper, for printers, etc. Ah wis on there as an assistant for two or three years.

Then ah got the length o' bein' a machineman, a coatin' machineman. Ah wis a foreman after that. It wis a luxury trade this coated paper. It wis busy at a certain time o' the year. Then it tapered off. Now when it tapered off James Brown & Company didnae throw ye on the buroo. They got ye a job on the labourin'. There were always somethin tae do. And ah'll say this much for Esk Mill, they tried tae keep you in employment as much as they could. Unfortunately, your pay dropped. When ah wis an assistant ah wis gettin' a shillin' an hour and ah dropped tae 10d. and 5/8ths. If ah wis a coatin' machineman ah wis droppin' thruppence an hour. That wis quite a big drop. But when the Second World War broke out of course that department tapered down. So after the war broke out ah wis working outside doin' any sort o' jobs.

Then there wis a vacancy came back in ma own department, but not as a machineman but as colour mixer. And ah worked there for quite a bit, maybe nine or ten month. That job as colour mixer wis the turnin' point in my life. Ah thoroughly enjoyed that. Ah got it a' ma ain way and ah got it a' sorted oot and ah got a job for masel'. There were only two o' us.

* * *

Earlier in the 1930s, something like 1932, ah remember the mills were very, very short. The depression wis on. We were on the buroo for a fortnight every six weeks. I was gettin' financially embarrassed at that time so I had tae take ma motor bike that ah got when ah wis 21 off the road. Ah tried tae sell it but nobody had money. The bike had cost me £10; ah sold ma bike in Duncan's saleroom in Cockburn Street, Edinburgh – £2.10.0. Ah went right frae there, right tae Princes Street and ah got a suit o' clothes. Ah wis needin' one !

As ah've said they used tae work twelve-hour shifts before the First World War – long, long hours. Then the unions came intae force just after the First World War. Ah don't think there had been much trade union activity at Esk Mill before the war. Now what ah wis told after ah started tae work in the mill about 1925 wis that when the union started first that wis a big improvement, because in the past the people workin' in these mills were earnin', say, one wis £1 a week. In the same job, a different shift, another one wis 25s. a week. The excuse wis that a bloke wis there longer – service money.[42]

Well, when ah went intae the mill about 1925 ma father wis in the union, so ye automatically joined the papermakers' union. Ah remember the first union office in Penicuik was in Imrie Place, a small hall. It's the Masonic Hall now. And in this bit o' the garden the first labour exchange was there. But round the corner was the first union office. It wis a wooden hut. Andrew Sharp, a Penicuik man, wis the secretary there. That wis the Penicuik branch o' the union.

Now when ah joined the union in 1925 the men were allowed tae collect the union money in the mill. They went round durin' their shift tae collect it. The Jardines – the bosses – didnae complain about that. But when the national strike wis on in 1926 everybody wis out. Everybody has to have something oot a strike. The mill had tae get something out o' it. So they said, 'No more collectin' money in the mill.' So then ye had tae go tae the union office. We got wir jobs back again in the mill on condition that 'Ye won't pay any money over in the mill.'[43]

The union had no shop stewards. The only thing they ever had in the mill wis the collectors. If ye had problems you spoke tae the bloke in the hut, the union secretary. When the collector wis din away wi' efter the General Strike ye went up and paid your union dues at the hut. Andrew Sharp wis the man, and if ye had any complaints ye approached Andrew.

Then efter Andrew, George Smith was the man. Then Mackenzie, a friend o' George Smith; then Dougie Watt wis the last secretary there up tae the closure o' the mill.

Ah couldnae say how many members there wis in the Penicuik branch o' the union. It would go up and come doon a bit. Valleyfield wis the stickin' point. Now prior tae the General Strike there were a strike in Valleyfield in about 1920, ah wouldnae be dead sure o' the year. Ah wis a boy at the time. One man wouldnae join the union and the whole mill came out. And it lasted for several weeks. Of course, money wis scarce – they couldnae get peyed oot frae union funds when the union wis jist newly started. So they had tae try and get some money tae keep the workers' goin'. So they decided tae haud a concert and people wid go tae that. Now the only concert hall in Penicuik wis the Cowan Institute. And they were on strike wi' the Cowans' mill, so they approached the picture house and Scott, the manager, gave them the picture house tae have a concert. Efter six or seven weeks on strike they were right hard up. They had a meetin'. Somethin' had tae be done aboot it because they were short o' money. The bloke that wouldnae join the union wis given a job as a watchman, which wasn't in the papermakers' union. That satisfied them. And the other thing wis, as far as ma memory goes, they'd had a doctors' club in the mills and they were goin' tae start this welfare thing in Valleyfield and they'd pay so much, tae get the workers softened up so they would go back tae work. They'd have this sum and they'd give ye so much money if ye were off ill. It didnae amount tae anything at all. But what ah remember is the members o' the workers' committee that ran these concerts – not one o' them was workin' in that mill within six months.[44]

But when ah began in the mill about 1925 everybody joined the union. Everybody seemed tae see the sense in it. Ah can't remember any workers in Esk Mills that wasnae in the union. Ah would assume that everybody in Esk Mills wis in it from when ah wis a laddie o' 15 or 16 until the mill closed in 1968.

In the coatin' department, where ah worked as a boy, there were a disease called dermatitis. Now the union fought the battle for these people tae get compensation from the mill, which they did not get. But they tried. There were two desperate cases in particular, and what the union did for them wis sent them up tae London tae a clinic tae get cured. The union paid for this. Ah'd be aboot 20 when that happened – in the late 1920s.

One man that worked in the coatin' department he wis cured o' dermatitis and he came back. He wis on tae his own job again at six o'clock in the mornin'. Aboot eight o'clock they had tae shift him off. It wis the same stuff – highly alkaline. They had put him on the wrong job. When ah wis on this colour-mixin', there were a boiler there and ma mixin' mill wis there, and the caseine – this wis another adhesive – wis further up. Ah wis

59

carryin' two pails o' caseine tae put in this mixer and as ah passed – jagghh ! Richt on tae ma wrist, but ah washed it off and ah thought ah wis a' right. But ah got dermatitis on ma arms and ma hands. And they tried everything for that. I used tae paint ma hands wi' tar tae try and get rid o't. Oh, it wis an awfy job. But it jist went away, it jist went away.

So the union wis active in the General Strike: everybody came out in the General Strike.[45] And it wis active in helpin' members wi' dermatitis. But ah can't recall any other union activity than that. You could always get lawyer's advice through the union if ye wanted it. But it wasnae very active other than those things. Ye see, it wisnae necessary. We jist took it as it were. I mean, ye had tae be in the union, sort o' stuff.

The management at Esk Mills jist didnae bother about the union. They seemed tae accept the union wis a' right. They didnae complain aboot it, no' tae ma knowledge did ah ever hear them complain aboot it. There wis never a strike. When ah wis a foreman in the coatin' department sometimes ah had tae dae a wee fight for the men. Ah fought for them as mangement as well, of course. But if anything come up they never had any crib. They were quite willin' tae go wi' what ah said. Ah always kept within the union rules. The management were very sensible aboot it. Ye see, if ye get people's back up ye dinnae get the best oot o' them do ye ? Ye've got tae humour them.

In the paper mills the wages were fairly small and the hours fairly long. But it wis union rules. It wis union hours they worked. For instance, overtime: everybody got a fair do at the thing. Ye couldnae give somebody overtime the same time every week or it became a part o' the workin' week. Ah didnae have tae explain that tae the management. They knew that. They never cribbed at what ah did. An instance o' that was a bloke asked me if he could get away tae this funeral at two o'clock, and he wis finishin' at two o'clock. He says, 'Could ah get away sharp the back o' one ?' Well, the assistant and I agreed we would do that job for him. And he went away at one o'clock. He comes tae me the next day, 'Ah wis jist turnin' in,' he says, 'and the manager and the managing director were walkin' up the road there and they must ha' been conscious o' me turnin' in.' The first thing the manager said tae me when he came in, 'Did you let this bloke off . . . ?' 'Oh, aye,' ah said, 'the assistant and I did his work between us.' 'That's a' right,' the manager says, 'ah'm no' questionin' it.' See, they were quite able tae see both sides, they werenae pressin' on the workers.

*   *   *

When the Second World War broke out, as ah say, ah had got the length o' bein' a machineman, but of course that department tapered down and ah wis working outside doin' any sorts o' jobs. Well, in the interval o' becomin' a colour mixer ah volunteered for the RAF because ah wanted tae be a wireless mechanic. And there were a secondary thing, because by this time ah'd been playin' drums in a band. And a pal – he was the piano player in the band – and me decided we would go and get intae the RAF and try and get intae the band there. But ah failed the medical because ah had a perforated ear drum. Ah wisnae allowed intae the RAF at all, but he got in. He wis never away frae Leuchars. And when he came out the RAF he wis playin' saxophone as well !

But about 1941 the government were gettin' desperate for men. So they asked James Brown & Company how many men they could dae without – and ah wis one. So ah became an engineer durin' the war wi' Anderson Boyse at Motherwell, a civilian engineer makin' coal-cutters. Ah served ma apprenticeship at Springburn Trainin' Centre in sixteen weeks, then ah went doon tae Anderson Boyse three and a bit years. Ah went in early '42 and ah worked there till the war finished in the summer o' '45. By the end o' the war ah had a great ambition tae be an engineer. After ah'd been at Anderson Boyse that fired ma enthusiasm. And ah put it in practice when ah went back tae Esk Mill after the war. Ah did a lot on that line in the mill.

Well, when the war wis over ah got ma release from Anderson Boyse and ah came back again tae Penicuik. Ah went up tae see Mr Edward Jardine, the managing director at Esk Mill. Ah said, 'Ah believe that only men that've been in the Forces are gettin' their job back after the war. Ah want tae know where ah stand.' He says, 'Certainly, John, ah'll give you a job. You, if you've anythin tae say you'll say it tae me, not behind ma back.' Of course, him and I used tae cross swords. Anyway a bit later on, when this bloke lay off ill in the coatin' department on the colour mixin', Edward Jardine asked me tae do that job because ah'd been on it before the war. He says, 'You look after it. Sort it a' oot. You have the authority tae tell them what tae do.' As ah told you earlier on, when they put me on that colour mixin' job that changed my life. It did. Well, ah organised the whole thing. And after quite a bit Edward Jardine says tae me, 'Are you sure ah'm payin' you enough money for what you're doin' ?' 'Oh, aye,' ah says, the last money you gave me ah'm beyond the bracket and ah'm gettin' hammered wi' income tax.' Well, he looked after me.

And ah looked after that job a' the time. When the foreman retired ah got the job and ah looked after the department. And they did me well. Then when they started this new plant in the 1960s ah wis approachin' 59. So they gave me a job as stock keeper and progress chaser and a' the rest o' it. They invented that job for me because o' what ah had done for them.

Ah remember after the war when ah wis a foreman at Esk Mills some o' the miners frae the pit got jobs in the paper mills. But very few o' them made the grade. Ah wis the only man that ever said tae the management at Esk Mills, 'If that man comes doon for a job again don't start him.' Ah could sack them but ah couldnae start them. They always brought them across and introduced me tae whaever they were startin'. Ah cannae remember any miners comin' doon tae the mill before the war.

Well, the miners were a clique a' by their sel', they were a class, ye ken. They were different. There were miners at Shottstown in Penicuik. There wis no pit at Penicuik, the nearest one wis Roslin. Most o' the Penicuik miners worked at Roslin. Ah think there were one or two maybe down the length o' Loanhead at the Burghlee or Ramsay pits. But most o' them worked in Roslin. Oh, they were a separate community in Penicuik frae the paper workers, the miners kept theirsels tae theirsels. There wasnae much mixin' between miners and paper workers. The miners had a sort o' different life than us.

Ye maybe think ah'm a snob but ah really am not. But when ah used tae go intae Edinburgh tae the dancin' ah got on the seven o'clock train on a Saturday night and went right doon – Roslin, Bonnyrigg, Rosewell, right doon there. And at every station or near the station where minin' people lived ye could see a gamblin' school on a Saturday night, gamblin' the money away. Ye didnae get that among the paper workers. Before the war the miners had a week's holiday and the Carnethy roadhoose in Penicuik wis the biggest place for drinkin' in the toon. The miners were the biggest customers. After the war the miner's got a fortnight's holiday in latter years and the first week ye never saw one o' them. The second week they were sittin' on the wa' outside the Carnethy Inn. They had nae money left. Well, ye see, that didnae happen wi' the paper workers. No, they were different, they were different. Ye see, in Penicuik the paper workers and the miners didnae live thegither. Shottstown wis a distinct minin' community. Ah dare say miners' daughters would marry paper workers and vice versa. Ma auldest sister Beth she married a miner from Roslin, not one from Penicuik.

Ye see, dancin' wis the place where everybody met. Ye had a bigger chance as a young fellow at any time o' meetin' a partner in the dancin', efter the war or before it. Ye had two dance halls in Penicuik: the Cowan Institute, which wis the Palais de Danse, and select dancin' wis in the Masonic Hall across the road. Ye had dancin' at Roslin, Loanhead, Bonnyrigg, Rosewell – everywhere dancin'. That's where people met and, well, they selected a partner. That wis one o' the big things. Now the miners went tae these places. For instance, up in Penicuik there at the Palais de Danse or Cowan Institute, well, they a' came up there and the fights wis terrible. Oh, there were a battle. The miners wid fight wi' anybody. They were jist kind o' fightable, ye ken. At one time they had four Masters of Ceremony tryin' tae quietin' it. It wis kind o' bad. Well, Peter Black, the caretaker o' the Institute, he got tae hear about this bloke Norman Sinclair, champion boxer o' the navy. So Norman had a different idea: instead o' trying tae put them oot the hall he would knock them out and cairry them out. Norman quietened the hall doon. But the miners wid fight anybody, fight anybody. Of course, there were more paper workers in the hall than miners. The miners went across tae the pub first and they were steamin' when they came intae the hall, and the least thing. . .

*   *   *

In the mill there wis some accidents. Calenders were dangerous. They had guards on them but ye could get your hand in nae bother. Well, Isaac Palmer got his airm off. That wis one big thing. Then there wis another chap, Bill Cairns, he got a hand off. He wis leadin' paper through the calender. Take for instance these coatin' machines ah wis in charge o'. We got a new type of adhesive – caseine – and it had a bad habit o' frothin, and the open felt had a lot o' froth in it. So ah approached the manager tae do away wi' the felts. Ye had tae dangle the pounds in front o' him, it wis no use if ye didnae dae that. Ah says, 'Now ah can give ye a jacket. Shrink it on and there's nae room for the froth goin' in. And it'll be half the price because it's only half the size, and it'll last umpteen times longer.' It took me a wee while tae get him tae agree tae that. That roll lasted eleven weeks as against the four that the other yin wid do and it wis only half the price. But wi' doin' that it exposed the drive wheels on every machine. So ah said, 'Ye'll have tae get a guard on that machine.' So the guard wis put on but ah condemned it instantly. Ye could put your finger in the side. So ah complained tae the manager. 'Oh, well, ah cannae help it,' he says, 'the head engineer he says that's adequate.' Well, every machine that had got these guards on, ah complained. And the last one wis on only about a week when a bloke caught his finger and it lifted his finger. Of course, they got sides on them efter that.

Then they installed a fast runnin' machine, a tunnel dryer. And ye had tae work hard, ye were takin' a reel off, ken. Well, this lad, he wis 19 or 20, strong as a horse. He tackled this thing and he got it off and he swung it ower tae get it clear. As he walked away it slipped off the chain and it hit him on the leg right doon. It wis night shift, ah wis in ma office, and his machineman carried the lad up tae me. 'Right, dump him doon.' And ah emptied the first-aid box tae dae him up. His leg wis ok. He went dae the dancin' efter that and he used tae fight there every Seturday ! Ah had a certificate for first-aid, of course, bein' in charge o' the thing. But that wis the worst accident that happened in ma own experience in the mill, apart from the bloke that lost his finger.

There wis a trained first-aider on every shift in the mill. The Factory Act said that every department had to have a first-aid. The finishin' department they never had any accidents there. If anybody cut their finger there they used tae come up tae me or go doon the stair tae the makin' machine where they had a certificate as well. It wis mainly in the calender that accidents were liable tae take place, the calender wis dangerous. But lesser accidents would take place elsewhere from time to time, maybe slippin' or somethin'.

The proportion o' women workers in Esk Mills wis much the same when ah finished there in 1968 as when ah began about 1925. The thing that happened in latter years was that on the cutters – the machines that cut the reels o' paper intae sheets – it wis always young girls there that had jist left the school. That wis the first job they got. The reels came through in sheets and the girls jist made sure it went up, and any block we lifted it off and there it was. Now these were young girls, low paid accordin' tae their age. But in latter years, when the HMSO – Her Majesty's Stationery Office – and the railway company wanted this duplicator paper kept, the mill had tae employ men on the cutters and they worked at night as well. The cutters went day and night tae get this stock o' duplicatin' paper up. A man workin' at night, unsocial hours, etc., on this machine – he wis gettin' aboot twice as much as the girls through the day. But this couldnae be helped, that's jist how it went.

Then the overhaulin' wis a woman's job. They pulled the paper across and they looked at it – it wis an art, ah don't mind tellin' ye, an art. But in the coatin' department they pulled it across and turned it and went back tae see if both sides were coated. They had tae do that: woman's work, woman's work. The tyin' o' the paper wasnae a woman's job: they had tae lift, they had tae lift. Talking about lifting: there were the plain side, as opposed to the coating side. And there was built a new coating salle, they made a nice square building for these women. Now the practice at that time was you went in in the mornin' and there were a woman in charge o' weighin' out this paper. She had a stick and she weighed it so much to every weighin': it depended on the size and thickness o' the paper, etc. She knew what it was wi' practice. You went in in the mornin' and you started at the end o' the salle. She wid shout, 'Right !' And you came half the length o' that building and picked up this paper and went back again. Now tae make it fair somebody else took the other half, the short yin. They had tae sort o' divide it off. So after ah got a wee bit o' authority in the mill ah said tae the manager, 'Ah think it's stupid that. Why not barrae the paper up and say tae the women, "That's your barrae o' paper – overhaul it" ? She wid jist turn roond and lift it up.' 'Ah'll approach the management about that,' he says. Now on the plain side the building wis narrow and all the paper wis up the middle of the building: women on one side, women on the other side, which left very little room. It wis a wooden floor which wis hard tae move a wheeled vehicle on, and the middle had metal plates in it so that they could move a' these barraes aboot. He says tae me, 'Your idea's good enough but we cannae do it because if we did that wi' the coatin' side we cannae do it on the plain side. And that wid cause trouble.' So it wis forgotten. But when they built this new coatin' plant at Esk Mill that made them bankrupt, the one that made 50 per cent broke, etc., they took one of the bays that there wis two coatin' machines in and they made that the overhauling bay for the paper. And they brought barrae paper doon and they overhauled it. So they must have minded ma suggestion !

Ah worked at Esk Mill for aboot 43 years. One o' the places ah worked there wis in the grass mill, the grass dustin' plant. It wis a big drum wi' a revolvin' interior, wi' sticks stickin' up. The grass, esparto grass, came in bundles from Spain and North Africa. In fact, Valleyfield – no' Esk Mill – wis the first mill in Britain tae use esparto grass for makin' paper. Valleyfield also wis the first mill tae use dryin' cylinders tae dry the paper. And of course when Cowan wis usin' that stuff up there at Valleyfield he dumped the stuff in the Esk. It got doon the length o' Musselburgh. Oh, it wis terrible. So Cowan built Inveresk Mill at Musselburgh tae boil his grass. Later Inveresk Mill wis sold off tae somebody else.

Well, as ah say, the esparto grass was dusted. It wis boiled with caustic soda. It wis hand-howked, dug wi' tools, intae boxes wi' four wheels in them. They were shoved on tae a waggon and the pug – that's the wee train thing – brought them down tae the beaters and they were shoved off there and fed intae the beaters. In the same buildin' there was great big baths, bigger than the livin' room in ma house. There were a dividin' wall in it and there were a big thing worked round tae break it up: water and grass in one and the other one would be water and pulp. It wis mixed tae the specifications, dependin' on the type o' paper bein' produced. It went up the stair then and got concentrated. It got the water taken out o' it and concentrated. They took so much pulp, so much grass, tae make the paper. That wis pumped down and it went tae the machine eventually. When it wis on the machine wire, which wis held in with rubber straps about an inch wide, it wis 96 per cent water. It went along there and it wis surprisin' the amount o' liquid it lost in the length o' the wire. It wis maybe about 24 feet in length. There were pumps drawin' the water oot o' it through a copper wire. And then it went through a' the dryin' cylinders. By the time it got tae the other end it wis rolled intae a great big reel. A' that took jist a matter o' minutes. The wee-er machine that made the thicker paper went much slower. And when it finished there – they were great big reels – they could put it through a calender or take it to the rippers. The rippers made it intae reels.

Esk Mill's big customer was Nelson the printer in Edinburgh. Nelson wis one o' the big printers. But there were other ones Esk Mills had all over the country. But Nelson had special shelves for puttin' his paper on. We'd tae fit his machinery – he wis our biggest customer, as ah say. There were other customers but ah jist cannae remember them, it wisnae ma field.

Ah had worked on the rippers for the time ah wis oot o' the labourin'. Ye got shoved in for a wee job. Ah did that. And ah wis on another job for another two or three days, makin' size. Ye see, all the paper got sized tae a certain extent. Ye melted so many slabs – they were aboot a hundredweight each. They were melted in hot water, of course to a proportion. Then the other filler for paper-makin' is clay. Ah did that for aboot a week one time when a man wis off. And that wis put intae huge tanks and ye had water and ye dunked it until ye got it a' through and ye had tae fine it out. Then they took what they wanted in the beater houses. It wis a' measured.

In the coatin' department at Esk Mills, if we had a good week we had 90 ton o' paper off these machines. Mr Edward Jardine, the managing director, he liked so much per day. So every day the output figure went across tae him and he used tae moan if it wasn't up to a certain thing. And as the foreman before the Second War, ah had tae make sure if you were doin' heavy paper on one machine you put light paper on the other, jist sort o' level it off.

But after the Second War they built a big coatin' department at Esk Mills. They built a special plant for a big coatin' machine, tae do away wi' a' these machines – tae make one machine. And when it would go tae the coatin' department the equipment wis goin' tae put this reel through and get coated on one side, then turn and get coated on the other side and run back again. That had never been done before. They borrowed £500,000 to do that. Even before that they were in trouble financially, because the government, the railway company and somebody else wis customers for their duplicatin' paper and insisted Esk Mills had so many tons o' each size o' duplicatin' paper in stock, so they could get their hands on it when they wanted it. Now that was because James Brown & Company had joined some paper makers' federation or somethin' and the fee for that wis kind o' costly as well. Well, they had a' that money in duplicatin' paper, tons and tons, lyin' doing nothin'. So when they came tae daein' this new plant they were tryin' tae get intae operation they had, as ah say, tae borrow this money.

So they had this new machine. Then they had tae buy a wide calender tae suit the paper that wis comin' off that machine. Then they had tae buy a cutter tae cut that. A' that cost a lot o' money. Unfortunately, the big new machine wisnae goin' very well: it wis makin' 50 per cent broke – waste. Well, that wisnae payin' at all. We used tae have a foremen's meetin' once a month and ah made a suggestion it would be far better if they run the machine slow, then they could see what wis wrong and speed it up as things got sorted. 'Oh, no, we couldnae dae that': if it slowed doon it would never speed up again. They wouldnae have it. Ah could tell ye lots o' things that wisnae done right at Esk Mills then in the late 1950s and '60s.

Well, ah'd been established as a foreman for quite a while before that and it wis comin' near the end o' ma workin' life as a foreman. But that big machine had a lot o' trouble, a lot o' trouble. And they run short o' money.

And ah remember one time the accountant and some o' his side kicks went through tae Glasgow tae meet some government representatives tae try and get some money off them. But they didn't have any success whatsoever. So they were left with a big bill and no money tae pay it. That wis the end o' James Brown & Company.

Well, the government had put this Bill through parliament and you got redundancy money and they sorted it a' oot on a scale. It wis tae start from a certain time. Well, unfortunately for us at Esk Mills it wasnae really started when the mill closed. But James Brown & Company had a fund. And every worker in the mill got some money from that fund tae recompense us for losing the work. Ah got £350 for ma 43 years at the mill. Ah had done a world of good for them. Ah'd saved them a lot o' money and a' the rest o't. But that wis what we achieved. There were no redundancy money at that time. It jist started efter that.

Of course, ah thought at ma age then – 59 – ah wid never get another job. So ma wife said she would work. She got this job in the library as a library assistant. We were able tae help our two girls go through university and no' bother whatsoever. Our elder daughter she's a doctor, and the other one she wis aboot through the university then as well.

But ah got a job, ah got a job at Dalmore Mill. Ah had been a' over the place lookin' for work before that, of course. There wis a certain amount o' success, but they werenae payin'. Ah wis earnin' over £20 a week when ah left Esk Mill. Ah got tae the stage where ah knew the price o' a job before ah went. If it wis a production job ah wid get £X. If it wis workin' in a shop or somethin' like that, £12.10.0. Even a furnitur van job – imagine me, 59, humpin' furnitur – they wanted me tae humph furnitur for £12.10.0. That wisnae enough money for me. Ah wis unemployed a few weeks. Ah wis still gettin' ma money off the union, ken, augmentin' ma unemployment benefit. When the liquidator came tae Esk Mill he got me tae go as a night watchman doon the mill. So ah wis on there for two or three weeks and then ah got the chance o' this job at Dalmore. There were no' coatin' at Dalmore, ye see, and there were nothin' there for me at all. But a bloke workin' at Esk Mill lookin' efter the workers he spoke tae the management at Dalmore about me: 'Ye're needin' somebody up the stair. Well, that's the bloke for the job.' And that's how ah got the job at Dalmore.

But, oh, at Dalmore it wis murder at first. Ye didnae have tae be stupid tae work in Dalmore. But it helped. It wis awfy. They didnae question ye in any way at a'. Ye did away. But, oh, the stupid things that went on wis jist terrible.

The managers looked efter themselves. They thought they did all right. They were very progressive. Don't get it wrong. They had two paper makin' machines runnin' before the Second War. But after the war when they were startin' up full-time again they got this machine speeded up and they altered it and everything. Every modern appliance they could get their hands on wis there. They kept up tae date. That wis the main thing. They went on tae continental shifts, they worked right through the week-end: continuous production. It saved them £6,000 a week or somethin'. But us people when we were at Esk Mills we were on the day shift and went home at 12 o'clock on the Saturday and we came out again on the Monday mornin' at eight o'clock. But at Dalmore a' that paper wis lyin' there. It broke a' the rules o' the Factory Act and everythin'. But nobody said anythin', of course. That wis the big fault they had. But they were trying, they were trying, they were modernisin'. They progressed, they progressed. Now ye go doon there – it's a modern mill. Ye press buttons, ye dinnae work, ye press buttons and it works.

At Esk Mill we had four paper makin' machines. They've only one doon there at Dalmore. Well, they've got the wee one at the side, they dae it for small orders. But it's no' 100 per cent. The big machine they've closed in the sides, speeded it up and lengthened it – everything. Dalmore has changed wi' the times. When the customers demand change the machinery changes tae suit it. Ah'll say that much for them at Dalmore. But when we went doon there tae start wi', ah'm tellin' ye, ye hadnae tae be stupid – but it helped. It wis terrible.

For instance, ah laid the paper here and ah marked it wi' a holder foldin' the rubbers in, dumped them a'. Ah had a work card and ah marked a' the work card up and a' the rest o' it and ah took it down the stair tae the loadin' bay. Now some time there were a guillotine down there and they guillotined paper and they tied paper there. Ah had tae bring it up the stair, weigh it, mark it and take it doon again – which wisnae very good. But that wisnae all. Ah had a scooter, a transporter, for doin' this job. Ah left that scooter standin' there and went tae see aboot this paper comin' forward. When ah come back the scooter wis away. Somebody had taken it. There wernae enough scooters in the place. There wis a lot o' frustrations like that.

Now the women at Dalmore Mill they tied the paper and brought them tae me and the order wis a ton. They'd bring the paper heaped up on this barrow, a three-wheeled barrow wi' square wheels and a rope on it – boomp, boomp, boomp. And then they'd bring the remainder o' the paper on a barrae o' a different height. Inefficient ! So ah got kind o' tired o' this and ah said tae old Charlie Wallace, the managin' director,[46] 'This is stupid. Ye're short o' room here. Why no' dae away wi' these barrows and bring in the trays ?' 'Oh,' he says, 'that's a good enough idea,' he says, 'but d'you think you can manage that ?' Ah says, 'Oh, aye, providin' ye get some scooters. Do you know when we come in in the mornin' we've got tae search for thae scooters ? The machine hoose has got them doon the stair and we've got tae try and get the scooters back again.' 'Oh, ah'll see about that.' So we got two or three more scooters. But ah still had tae keep fightin' for ma scooters, mind ye. Somebody would come along and thae scooters would go doon on the hoist. When ah walked doon the stairs tae get the paper they went up on the hoist and took ma scooter away. Then the order wis so many reams o' paper. The head feenisher wid coont up and he'd say tae the lassie, 'Bring up 30 pieces o' wrapper.' She wid go away doon the stair and bring up 30 pieces o' wrapper. Somebody tore yin, so she'd go back for another yin that size. Ah mean, that wasnae sense. It wis weak management.

The workers at Dalmore were from Auchendinny. But there wasnae any sense o' rivalry between the Auchendinny workers and us who'd come in there from Esk Mills, no' really.

Ah wis in Dalmore six years until ah retired at 65.

Well, lookin' back now on all ma years in the paper mills, it had its good points in as much as it gave me a living. But what ah see now is that compared wi' modern stuff it wis very crude, very crude. It should ha' been sorted, these things that gave people trouble. It got sorted in later years, ah had a good hand in a' that. Paper is improved that much now. It's different a'thegither. And unfortunately Esk Mill didnae keep up wi' the times. That's what wis wrong. Ah went down tae work in Dalmore and, as ah say, ye had tae be stupid tae work there tae start wi'. But they were progressin' a' the time. And if ye go doon there now it's sense, sense. I agree wi' everythin' they've done. And Dalmore is the only paper mill in the Penicuik area that's survived.

Headed by Penicuik Silver Band, the local Territorial Army soldiers of the Royal Scots, led by Captain James Tait, march off at the outbreak of the Great War in August 1914. Note the two young boys with bare feet. (See above, John A. Law, page 54).   *Courtesy of Penicuik Historical Society.*

Women (and four men) workers at Dalmore mill, Auchendinny, by Penicuik, in the 1930s.

Courtesy of Mr Keith Dyble.

Agnes Taylor

Ah hadnae ambitions when ah left the school, jist thought, well, you were goin' tae the mill, ye know. For that's aboot a' there wis for ye tae do. There wis no' much jobs. Ah wis never keen on domestic service – ah never even gien it a thought. No, it wis the mill. Ah wis quite happy tae go tae the mill.

Ma father wis a machineman at Dalmore Mill at Auchendinny. He really belonged Chirnside in Berwickshire. But ah cannae tell ye much aboot that. Ah couldnae tell ye when he came tae Auchendinny, but he wid be pretty young, I would expect. He'd always worked in the paper mill. He wis aye quite happy there. Ah never heard him sayin' anything about his work in the mill, ah cannae say ah heard anything like that.

Ma mother wis an Auchendinny lady, ah think she wis born there. Ah couldnae tell ye if she worked in any o' the paper mills, ah think she would though. Ah'm no' sure what ma mother did for a livin' afore she got married. She didnae have a job when ah wis growin' up for she had quite a lot tae do, for ma granny and granda stayed in Auchendinny. She looked after her mum and dad quite a lot. Ah jist remember them a wee bit. They died when ah wis a wee girl. Ah couldnae tell ye if they had worked in the paper mill. Ah couldnae tell ye anything about them. They were dead by the time ah wis takin' an interest in things. And ah dinnae ken anything about ma father's father, ma grandfather Dippie. He had died by the time ah wis growin' up. Ah didnae meet him or see him.

Ah wis born 29th o' August 1911 at Auchendinny. Ma mother had a big family. She had a lot o' work at home. Ah had four sisters and a brother. Ah wis the oldest. Then Sarah wis next, and then the twins – Nell and May – wis next, and then Alex and then Lil. But Nell, one o' the twins, died quite young before she wis age for workin'.

Ah grew up in Auchendinny. We were in Evelyn Terrace, that's on the main road in the village. There werenae council houses then in Auchendinny. There wis jist Fountainhead and Evelyn Terrace. They were the mill houses then – Dalmore Mill. They were tied houses. If anybody lost their job at Dalmore Mill ah don't know if they would have put them out the house or no', but they were really mill houses. Ah can't remember anybody bein' put out their house.

At Evelyn Terrace they were terraced houses. Ah think there were twelve houses there. We were No. 8. We were almost in the middle. Ye see, there were downstair and upstairs. We werenae up the stair, we were down the stair. Another family lived above us. They were nearly a' families then in Evelyn Terrace.

At No. 8 we'd only the livin' room and then we had one bedroom. Ma parents slept in the livin' room. Alex, he wis the youngest, he had a wee bed tae hissel'. He could maybe have slept in the livin' room where ma parents slept. Ah cannae remember that. The girls were a' in the bedroom, so Alex must have been wi' ma mum and dad when he wis a wee soul. When he got a bit older there wis a wee bed closet as well as the bedroom, and Alex maybe wis in the bed closet.

Well, there were seven o' us in our house at No. 8. And then, ye see, ah had an aunt, ma Aunt Agnes, ma father's sister. She wisnae married. She stayed down the road in Auchendinny. Ah slept there wi' her maybe one or two nights a week. It wis really tae give ma aunt company and that, too. Ah maybe had ma tea wi' her and then stayed the night. Aunt Agnes, she wis younger than ma father, she never got married. She worked in Dalmore Mill, too.

The fathers o' the families in Evelyn Terrace they were nearly a' in the mill. For they were mill houses, ye see. Some o' the sons and daughters worked in the mill, too. But the wives never worked in the mill. They were always at home. It wisnae the rule that once they got married . . . But ye never hardly saw a married woman workin' then. That wis the case at Dalmore Mill.

The lightin' at Evelyn Terrace, well, there were paraffin oil lamps when ah wis young, then we had the gas in. Ma mother and them got the gas put in. Ah think it would be in the later years ah wis at the school the gas wis put in. It wid be after the First World War, ah think.

It was an outside toilet, a dry toilet. We had wir own toilet, we didnae share it wi' other households. You had tae go doon a wee bit tae the toilet, jist down in where oo stayed in the Terrace, and the toilets wis at the foot o' the Terrace. There wis a block o' toilets there, one for each house. That's how it was.

They had no taps or sinks in the houses then. We had the water outside. The well wis jist right outside, jist one well for all the Terrace and ye jist turned it on – a tap. There were never that much folk queuein' for water. Ee never thought nothin' o' it.

There wis no baths in the houses. Ye jist had tae do away, wash yersel' in the houses and that. There was a tub, ye took it in turns. It wis the only thing ye could do. It wis usually a Friday, a Thursday or Friday, for baths in the tub – keep you clean for the week-end ! Things havenae half improved since these days and they dinnae realise it.

When ah wis five ah started at Glencorse School. Ah wis there till ah wis fourteen. Ah liked the school fine. Ah liked anything that came. Ah wisnae a very guid drawer, it would be more sums and that. Sometimes ah quite liked compositions. We passed the Qualifyin' exam there but we jist all stayed on to a higher class at Glencorse. If we hadn't passed the Qualifyin' ah think we'd jist need tae have waited on the same class, I expect. There wis no question o' goin' on to a high school then. We never got asked anyway. Ah dare say if ye had wanted ye might have got put on. But we never bothered, ye see.

Ah mind a wee bit about the 1914 War, but no' much. Ah can mind o' the soldiers marchin' at Glencorse Barracks and that. Ye never thought much aboot it. Ye kenned the war wis on but that's aboot a'. Ah don't remember anything about the battles or the casualties. Ah cannae say ah do remember anybody in Auchendinny that wis killed in the war. Ah wis young then. Ah remember the end o' the war, Armistice Day, jist faint. Ah think we got a holiday from the school then. But ah wis seven years old then, ye cannae mind, ye forget thae things.

There were a lot o' kids tae play wi' at Auchendinny. The ones ah went tae school wi' – the ones that ah pal-ed about wi'- wis either in Evelyn Terrace or Fountainhead opposite. But there were children at Glencorse School from a' round about. They came frae Glencorse Barracks and up past the barracks way, and from Milton Bridge and up Glencorse, too, but not as far as Penicuik.

We went tae Sunday School every Sunday. It wis at Glencorse Church we went tae, we'd tae gaun away up there. Ma mother and father liked us tae go tae the church. Well, ma mother and that couldnae get very much tae the church wi' havin' the family and she had ma granny and grandad tae look after, too. Ma father he didnae go regular tae church, jist occasionally. But we always went tae the Sunday School.

As ah say, if ah'd had the chance tae go tae a high school ah wouldnae have liked tae do that. Ah left the school when ah wis fourteen. Ah wis quite pleased tae start and work. Of course, ah wis the oldest in the family. It wisnae because ma parents needed the money. We were never forced. That wis one thing. We were maybe a big family but we were never forced. Ma father wis always in employment at the mill, he wis never unemployed.

Well, ma father wis in the mill a' his days, and then we jist got started there whenever we left school. Ye went tae see about a job there and ye got one. Ah think ma father got us it and then we knew we had tae start.

We were told when tae start. Dalmore Mill at that time wis owned by William Sommerville & Son. That would be 1925 when ah started, jist before the General Strike.

Well, you had tae start what they called the cutters, ken, on the cutters. But ah never wis put on tae the cutters. Ah went on tae the other one where it wis the press, what we called the press. Well, that wis paper that wis gettin' sent abroad and everything, ye see. Ye had tae pack it and everything. And that's what ah wis on, the press. Ah never wis on the cutters. Sometimes ye were put up tae the overhaulin', up the stair. But ah wis never an overhauler. Ah wis on the press a' the time.

Girls like maself startin' in the mill they could move from one department to another. But it didn't happen in every case. It didnae happen in ma case. Ah wis always jist kept on there for the press. They jist kept us on that and then anybody else that came on ye learned them. Ah wis quite pleased ah wisnae on the cutters. Well, ye went tae the cutters usually and then sometimes ye got shifted tae the press. But they put me on the press right away and that's where ah remained. Ah liked it.

And then if you werenae at the press you went up the stair to what ye called the balin', the tyin' and the balin'. And that wis, ye know, the other things goin' out, too. And ye helped at the tyin' and the balin'.

It wisnae an awfy big mill Dalmore, when ah went there in 1925. Ah couldnae tell ye how many workers there were in the mill then. There could have been a hundred workers but there wouldnae be any more. There were girls and women worked in the mill and men. The numbers o' girls and women and o' men were much the same, ah think, about half o' each.[47]

The men wis like runnin' the cutters and that. There werenae women run them. Some o' the girls, as ah say, worked at the cutters but that wis jist for the paper comin' down. But it wis men looked after the cutters.

And the actual makin' o' the paper wis a man's job. No women were involved in that, none at a'. Ma father, as ah say, wis on that, the makin' o' the paper. Ah think there were only the one paper makin' machine in the mill when ah started there.

The women in Dalmore Mill were mainly at the end o' the process, checkin' the paper – overhaulin', up the stair. The overhaulers wis up the stair. As ah say, the girls usually started on the cutters, and some were on tyin' and balin'. Ah had some o' experience o' that, we din the tyin' and the balin'. There werenae women doin' any other jobs that those, no' very much, ah don't think.

We had an office at Dalmore. But it wisnae very big. It could be half a dozen anyway worked in the office. Some came frae Roslin village that worked in it. In the office there were the head ones. There were one o' the head ones for the mill and that, ah think it wis the general manager.

You used tae see him in the mill but no' very often. There were two or three others in the office – clerkesses – but there werenae many. It wis jist the general manager and two or three clerkesses, maybe a secretary, somethin' like that. These were the only office workers.

Ye jist checked your time as ye went in. Ye put your card in. There were a man, a timekeeper, there for that. Ah wis never late for work. It wisnae far of course from our house at No. 8 Evelyn Terrace tae the mill. Ah couldnae tell ye right what happened if somebody wis late for work, but they'd have tae check their card or that and they wid loss a quarter o' an hour, ah would expect. Ye said 'quartered': if you were two minutes late you got a quarter o' an hour taken off. But that never happened tae me, ah wis aye on time.

The majority o' workers in Dalmore Mill wis Auchendinny – out o' a hundred there might have been 60 or 70 from Auchendinny. The other 20 or 30 they jist came from round about – Roslin, frae Milton Bridge, and there could be some frae Penicuik, too. Oh, Penicuik wis another place a'thegither frae Auchendinny. Ye had tae walk or cycle tae the mill wherever ye were from. There werenae much transport in these days. Some o' the workers had bikes. These wid be the ones that didnae live in Auchendinny, lived outside.

All ma sisters and ma brother Alex went intae Dalmore Mill tae work as well. Ma sister Nell, one o' the twins, as ah said, ah think she died before she wis age for workin'. But Sarah, May and Lil, and Alex they all worked in the mill. That's the only place there wis really. Alex never wanted tae go down the pits, he preferred workin' in the mill. We had plenty friends that lived in Auchendinny and worked in the pits, ye know. The Affleck family, they were a big family and they were a' workers in the mines. They didnae stay in Evelyn terrace, they stayed doon in the middle o' Auchendinny. They had a sort o' big house, further down the road, near the bottom o' the Brae, before ye went on to the bridge. They worked in Roslin pit – the Moat. But there wis more men in Auchendinny workin' in the mill than what wis in the pits.

In Dalmore we were aye friendly, the girls, ken. Ah remember Jean Old. Her father wis one o' the head ones in the mill. She wis along wi' us. They had a mill house for foremen over at Auchendinny station. The foremen had better, bigger houses. There werenae many foremen's houses at Dalmore, jist about three or four, ah think. Frae Auchendinny you passed the bottom o' Graham's Road, and you were at Auchendinny station where the foremen's houses were.

The hours at Dalmore, now wis it eight o'clock we started ? And we finished aboot five, ah think. And ye got your break for dinner, jist aboot three-quarters o' an hour, ah think, half an hour or three-quarters. Ye went home for your dinner, och, ye wisnae that far away. Ma mother had your dinner ready for you. And ah think we got a break in the mornin' and one in the afternoon, somethin' like ten minutes, maybe no' as long. But ye got a wee break. Ye had a piece or somethin' wi' ye.

There werenae much holidays at the mill. There wis a week anywey, there were never any more than that. Ah don't think they closed the mill. Ye jist took the time off if ye wanted it. There werenae really holidays then. We had an aunt in Fife at Guardbridge and we used tae go through there. Her family worked in the paper mill at Guardbridge. She wis a sister o' ma father. Ma mother had only the one sister and she got married and then they emigrated tae America. Ye see, ma mother, as ah say, had tae look after ma granny and ma granda at Auchendinny. But when we went on holiday tae Guardbridge ah think we went wi' the train tae Leuchars, and then ye had tae walk from Leuchars tae Guardbridge. It wis a guid wee walk frae the station. It wis always ma Aunt Agnes frae Auchendinny, her that wisnae married, ah went wi' tae Guardbridge.

Ah cannae mind if ye got the public holidays then. But oo aye got oor holiday at Christmas.

Ah wis never active in a union at Dalmore Mill. There were somethin' we paid into, something like that. Ah cannae tell ye what it wis. It must ha' been somethin' like a paper workers' union. Ye jist paid your subscription. Ah think most o' the workers, more or less, were members o' the union.

Ah never worked shifts, it wis aye day shift. The men had shifts, maybe frae six tae two, two tae ten, and then frae ten tae six in the mornin'. Ma father wis on shifts. He worked a different shift each week. That wis the system. It wis day shift, back shift and night shift. It jist went on like that week by week.

When ah first began at the mill ma wages wis 9s.10d. a week. Insurance – well, for a' that ah had tae pey, it wisnae much. But 9s.10d., ah think, oo got. It wis every fortnight we got peyed. Ah gave ma wages tae ma mother, ah handed everything ower tae her. She gave me somethin' back, we aye got oor . . . Ah cannae mind what oo got but that wis yin thing, we were aye lucky. If oo needed onything we aye got it. Oo were aye well looked after wi' clothes. We were luckier than mony's a kid anyway. Ma father wis always in employment at the mill.

That wis one thing, oo wis well looked after. Ye never felt ye were poor when you were growin' up. Ye were never short o' food. And ma mother wis that good hearted. God, the people that used tae come tae the door, ken – tramps. Ye dinnae see tramps now. But long ago they jist knew which doors tae go tae. And they headed for ma mother's door, by God, aye. She wis guid. Ah cannae remember now any o' the tramps that came. They were usually men, in fact, ah never seen many women. But they jist kent. Ken, ye jist gien them a piece or somethin' and they were quite happy. Oor hoose at No. 8 Evelyn Terrace wis between a staircase for goin' up the stair, and many's a time ma mother gien tramps their cup o' tea and that and they sat inside the staircase and got it. They kent where tae come tae and they aye got it. They wid try the other houses, tae, likely. But, oh, ma mother wis too guid. She never turned anybody away. She wid never dae that.

Efter work, in the evenins or week-ends, we jist used to maybe go walks or something, ken, wi' some o' oor pals and that, if there were anything on. There were never very much on in Auchendinny. There were nae clubs in Auchendinny, they hadnae a Rural,[48] and ah don't think there were any workers' social club at the mill. But if there were onything on we aye went tae it. There might be some social or dance, but no' very much. There werenae many dances. But sometimes there were something at Milton Bridge and we went there, ken, whist or a dance, or something like that. We aye got tae that. There used tae be dances at Glencorse Barracks, ah think, but ah never went tae the Barracks. Ah never had nae notion tae go there. Oh, ye had a fairly quiet life, but ah enjoyed it. You had walks. Ah never had a bike: ah couldnae gaun yin or ah fell off it. Ah had nae notion for a bike. Ye jist had your right friends in the village that ye kept.

Ah never read an awfy lot – jist the papers. Ma mother always got a newspaper, a mornin' one, and they used tae get one at night an' a', like the *Edinburgh Evening News* and the *Daily Record*. There were weekly papers. Ah cannae mind the name o' them, but ye could get weekly papers. Ma parents read the papers, oh, they read the papers.

There were nae library, nothing like that, nothing at all. There wis maybe a library at Penicuik, at the Cowan Institute, but, oh, we never dreamt o' comin' there. Oh, as ah say, Penicuik wis a different place a'thegither. Ye yaised tae go up tae Penicuik but, ken, when ye were bigger. When ah wis a girl we had the comics, but, oh, ah cannae mind what comics we read. And we had girls' story books.

Well, ah wis there in Dalmore Mill frae ah left the school till ah got married in 1934. Ah'd be 23 when ah got married, so ah wis aboot nine years in the mill. When ah got married it wis a double weddin'. Ma husband and me, and his sister got married the same day in the same place. It wisnae the church, it wis the Masonic Hall in Penicuik and oor own minister married each o' us. In those days ye never got married in the church, it wis usually at the manse or in a hall. It wis your own minister married ye, but not in the church.

Ma husband wis a mill worker. He worked as a machineman in Esk Mill. Ah met him at the dancin' in the Masonic Hall at Penicuik. Ma friends and me we always went tae the dancin' on a Saturday, oh, a'thegither frae Auchendinny. It wis aboot a' ee could dae.

Well, ma husband worked at Esk Mill till it closed down in 1968. He wis about 60 then, well, he would be retirin'. They were disappointed right enough, because they liked their work and everythin' and they were used tae it, for they were never anywhere else. Ma husband wis there at Esk Mill a' the time. Ah think he started there when he wis fourteen. It wis a bad blow when the mills closed down. Penicuik wis a paper makin' town.

Ye never worked after ye got married. Ah wis never back in Dalmore Mill after ah got married. Married women gave up work then. Ye never worked. Ma husband and me had jist the one girl. And after the Second War ah used tae go round tae work at the school in Penicuik as a cleaner. Ah worked frae four o'clock tae six every night. And then in the mornin' ah wis out at half past six tae eight o'clock every mornin' bar a Saturday. Ah wis there for a long time. Ah liked workin' at the school.

After ah got married ah'd nae notion tae go back tae the mill. Ah liked ma work, yes. I enjoyed it. Ye missed the company at first. The company wis good and ye were mixin' wi' different people. And at Dalmore it was near hand home. But ah wis quite happy at home.

Auchendinny village children in the late 1920s.   *Courtesy of Miss Marion Bryce.*

Isaac Palmer

When ah left the school in 1925 ah had no ambitions. It wis the common practice in thae days that your parents put your name down for the mill. So ma father put ma name down in Esk Mills for a job. You waited your turn to get into the mill. It wis jist a question o' waiting till a vacancy arose – months usually.

I was born on 30 September 1911 at Kirkhill, Penicuik. Ma father was like other ones in Penicuik – it was the paper mill, James Brown & Company, Esk Mills. He wis always there. I understand he wis thirteen year old when he started work in the mill – basically like everyone else, right frae the school. It wis usual in families, especially in the Kirkhill area o' Penicuik, tae go in tae the mill, Esk Mills. Ma father wis born in 1881, so he must have begun at Esk Mills about 1894. Even before that he wis left an orphan, aboot the age o' eleven or twelve. So ah didn't know any of ma grandparents. Ah never heard ma father speak about his parents at a', he never spoke about his parents.

Ma father – who wis also Isaac Palmer, same as his father – wis latterly a foreman in the coatin' department at Esk Mills. He wis a great Christian Socialist and he wis a great Labour Party man. As we grew up it was always the Labour Party, Keir Hardie and old George Lansbury. As a boy efter the First World War every day when ah came home from the school for ma dinner ah picked up four *Daily Heralds* at Simpson's paper shop and took them tae ma father and he distributed them tae his three friends. It wis the four first *Daily Heralds* that ever appeared in Penicuik.[49] Ma father wis quite an active member o' the Labour Party. He never stood for the council. In these days there wisnae such a thing as Labour Party or socialist members opposin' the people that wis runnin' the town and the county council. There were none o' these Labour councillors in Penicuik in these days. The councillors were all people like millowners, well, mill shareholders.

Ma father was a keen reader. He encouraged the family tae be for education and goin' tae church. He wis active in the church, too – St James the Less Episcopal Church. Ah discovered later on that ma father had been one o' the early vestry members for St James the Less Church.

Ma mother was born and bred in Penicuik and she wis of a big family. Her family – her brothers – wis miners. One o' her younger brothers wis killed actually in the Mauricewood disaster. She always spoke about her brother Bill Fraser. He was a great whistler. He was fifteen year old when he got killed in the Mauricewood disaster. After the disaster there were seven bodies buried in a pauper's grave – in these days, of course, people were poor. Ma uncle Willie was one of those seven. I have checked this out at Kirkhill cemetery.[50]

Ma mother was 89 when she passed on. But she had a hard time. Before she wis married she wis in domestic service. That wis mostly the thing for girls that didnae get intae the paper mill. She wis goin' out cleanin' people's houses in Penicuik. That's what she wis doin' until she got married. She wasn't jist wi' one family.

Oh, she had a hard time before she wis married. But after she was married, many a time when ah wis at the school ah remember ma father maybe took ill and if there were any jobs goin' ma mother wid go out and clean houses jist the same. That wis the position in these days.

Ah didn't know ma mother's parents either. They were dead, ah didn't know them at all.

Our family was three brothers and three sisters. Ah came fourth in the family but ah wis the oldest boy. Ma oldest sister Helen worked in the Co-operative Store. Ma second sister Jessie, she later had eleven of a family. Ma other sister wis Bessie, then ah came next, then Donald and Bill. Donald and Bill worked in the paper mill from when they left school.

Kirkhill – well, it wis all mill, all the houses wis owned by Esk Mill and all the workers in the houses were employed in the mill. They were a' tied houses. Ma father wis a tenant o' a company house, a tied house. If ma father had lost his job at the mill they would have to get you out the house.

The managing director o' Esk Mill and the manager, they had houses in Kirkhill, tae – but bigger houses, of course, than what we had.

The other houses at Kirkhill were in a terrace block, but our house wis single storey and it stood by itself. The other ones were actually a' supposed tae be for foremen in the mill. But ma father wis late o' gettin' the job as a foreman, it wis later on he became one. There were three rooms in our house. I recall when we were in there in the early days there were built-in beds in the livin' room, built intae the wall. And then we had one small bedroom and another room – and that wis tae house the whole lot o' us, ma parents and six o' us brothers and sisters.

Ma parents and ma two brothers Donald and Bill slept in the livin' room. Donald and Bill were in the next built-in bed tae ma parents. Then one sister slept in one bedroom and the other two sisters slept in the other.[51]

When there wis a bath you had tae get the tin bath out, and that wis it. Usually a Friday night wis the bath night. As far as ah can recall it wis the girls had a bath one Friday night and the boys another Friday night, time about. Ye only had a bath once a fortnight. Ye were lucky gettin' a bath, because ye had tae heat a' the hot water. Ye had a coal fire and ye put kettles on. Ye had tae put kettles on and boil water because there were no question o' hot runnin' water. In these days ye had tae get coal and sticks and everything tae get hot water tae get a bath. It wis jist cold runnin' water.

See, the sink wis in the livin' room as well in these days, and that wis it. Everything wis in the living room – the sink and the fire and the cooking as well.

For cookin', ma mother had jist an ordinary fire. It wasnae a range, jist an ordinary open fire. Ye had tae put the kettles on the top o' that fire to get hot water. She didnae have an oven. Ah often wonder how we actually all survived in these days. That's no' only ourselves, but other families in Kirkhill. Well, ye grew up that way and ye jist accepted it. As I look back ah always think about how we actually lived in these days. Everybody that ah knew in that circle o' folk that we knew, wis the same in Kirkhill and Penicuik. Shottstown, the miners' place, wis the same.

At Kirkhill they had outside toilets. They were dry toilets, they never had flush toilets at Kirkhill in thae days. Each one wis supplied wi' pails by James Brown & Company, Esk Mills. Each two or three weeks you got lime or something to put in to the pails, and that wis it. And somebody used tae come and empty the pails once a week. He wis a man employed by hisself, a contractor. Andrew Paterson wis his name. He lived at Kirkhill. It wis a horse and cart he had for emptyin' the toilet pails. Well, at Kirkhill in these days there was part o' a farm where Andrew Paterson lived. It had fields wi' cows. Well, that's what he had. That's the kind o' job he did. A' that stuff frae the pails wis taken to the other side o' Harper's Brae and it wis tipped there – not in sewage or anything like that. It wis jist tipped up into where part o' the mill rubbish wis put in, the mill tip. It wis jist tipped up there. It wis a tip. It wasnae used on the fields. It wid eventually go intae the North Esk river.

But opphh ! The smell ! And the thing wis our house wis at the bottom o' Ainslie Place in Kirkhill and Andrew Paterson's cart wis always brought out at the bottom, jist in front o' our house. And all the pails frae about ten houses in one row used tae be carried down and he emptied them into this cart outside our door. It wis jist an ordinary cart he had, wi' open sides. And Andrew Paterson smoked Woodbine all the time. Oh, it wis a terrible job for him. After the pails were emptied intae the cart ma mother used tae take tubs o' water and slush the water down what we ca'ed in these days the Micky Brae. That wis tae flush the street. You slushed it and cleaned it away. There werenae any tarmacadam in thae days. Then some people objected tae the waste o' water. Later on in years, I don't know exactly when but I think it was about the late 1920s, as late as that, the bits were built on the houses to make indoor flush toilets.

Andrew Paterson's farm wis jist ca'ed Kirkhill, Paterson's farm. That's where most people got their milk frae. Annie Paterson wis Andrew's sister and she used tae take the cream off o' a' the milk before she sold it to the ordinary workers. There were one day ah wis sent up for the milk. Ye had tae go wi' your pitcher. Ah went intae Annie Paterson's dairy tae get it. So here she got this ladle put in the milk and there were a mouse in the ladle at the time. So you'll know there were no question o' hygiene in these days !

But it wis jist Annie Paterson that dealt wi' the milk, no' Andrew. Ah mean, it wid probably take him the whole week tae empty the different pails for every house in Kirkhill. That's what he had tae do in these days.

Well, most o' the Esk Mills workers lived in the company's houses. Ye were a' workers, ye were a' livin' there. Ye had more o' a community. You knew that Jimmy So-and-so did this job in the mill and his son did another job. After the Second World War of course it changed a bit.

Valleyfield Mill owned some houses down near their mill. Most o' their workers didnae live in company houses though. Ah don't think Valleyfield could ha' had very much houses. They wid jist have the Concretes, as we used tae call them, which are no longer there, and the houses in Valleyfield Brae, the road down tae the mill, which are also no longer there. Away back in the 19th century ah think there wis women workin' at Valleyfield that lodged in houses in Bridge Street ca'ed The Nunnery. Ma mother used tae speak aboot that place. But ah jist thought it wis always different wi' Valleyfield, ye know, no' the same sense o' community there as ye had at Esk Mills, oh, not the same thing.

Now ah mentioned Shottstown, the miners' place in Penicuik. Shottstown and Fieldsend wis really joined thegether. The street names there were named after the Shotts Iron Company directors. There were a Mission Hall in there at Fieldsend. And on one side it used to be a shelter. Somebody kept the shelters for kids that grew up in a shelter. Some o' them must ha' been adopted and were brought up in shelters, children's homes. They used tae ca' it shelters in these days.

Well, there wis a difference wi' the miners from the paper makers. They used tae always say that in the pubs on a Saturday night the coal and the paper wis a' gettin' mixed up together. The paper workers and the miners led separate lives. In these days they kept themselves apart. There wis no rivalry between them but they had separate communities. Ah mean, there were no recreation the same as nowadays. The miners had quoits, the paper workers didnae have that. The paper workers used tae have a curlin' pond attached tae the mill. It wis a cement thing down at Esk Bridge and in the winter time notice would go out: 'Curling tonight.' The miners didnae take part in curlin'. The only thing ah can recall the miners had wis quoits and of course whippets. The paper workers didnae have whippets.

Oh, there wis marriages, there were marriages between miners and paper workers. They werenae entirely separate. None o' the miners in these days when ah wis young had come through tae Penicuik frae the west o' Scotland. They were Penicuik born and bred. The first miners come through from the west jist when things were gettin' a bit bad in the west after the Second World War. Penicuik Town Council in them days brought 45 families through from the west. And then they had 45 families in Shottstown and there were 90 houses built at Glaskhill in Penicuik. And that wis a mistake that they made, that they put 90 miners all together in Glaskhill, some frae the west and some frae Shottstown. And sometimes they didnae jist get on. But Glaskhill's a different place nowadays.

But when ah wis growin' up at Kirkhill there wis always this community o' Penicuik miners that belonged tae Penicuik, were born and brought up there. They were local. They worked along in the Moat pit at Roslin. There wis no' minin' in Penicuik after the Mauricewood Disaster. Well, there wis a small mine up in Birkiewood on the Peebles road. It never came tae anythin'. It shut before the First World War. But ah can remember people goin' up there after it shut and bringin' coal down when they were short o' coal. It wis mostly the Moat pit the Penicuik miners worked in, because that wis the Shotts Iron Company.

*   *   *

As ah've said, ah started school at five year old at the Episcopal church school. The school wis adjoining St James the Less Church. So there wis a lot more emphasis on religious instruction. The school wis jist called St James's. In the old days in Penicuik it wis always known as the English School and as the Old Tin School. It wis an old corrugated iron buildin'.

There were four rooms and three teachers at the school. There'd probably be about 75 or 80 pupils. It wis from the infants up tae the first year, after you were 12 or 13. And then you went between the Episcopal school and Penicuik High School for certain subjects, because at St James's they had no teachers o' those subjects. So you went to the High School in Jackson Street for certain classes – for woodwork, technical drawin', science – and then you came back to St James's for the others.[52]

83

Ah didn't particularly like school. Ah felt that ah learned more when ah left the school than what ah did when ah wis at the school. Ah don't think it wis a very good standard o' education. Well, maybe it wis maself that wisnae very good. Ah wasn't a keen scholar. Ah managed tae get by. Ah wis quite good at sums. Ah liked writin' compositions. The teachers at St James's were all women.

As soon as ah wis fourteen ah left school. Well, ah had to leave. Ah don't think ah would have liked to remain at school if ah'd had the chance. Ah wis quite pleased tae leave school and start work.

As ah say, when ah left the school in 1925 ah had no ambitions. It wis the common practice in thae days that your parents put your name down for the mill. So ma father put ma name down in Esk Mills for a job. You waited your turn to get into the mill. It wis jist a question o' waiting till a vacancy arose – months usually.

When ah left school, well, the first job ah got wis deliverin' milk. It wis full-time. It wis what they ca'ed Bell's Dairy. It wis in Bridge Street, at the bottom o' Croft Street. You started actually at seven o'clock in the mornin' and you delivered milk in Penicuik until you got a break when you got to Kirkhill, about half an hour. Then you went right on from there tae Harper's Brae, Auchendinny, Milton Bridge. When you came back again that would probably be half-past eleven in the forenoon. That wis you finished till two o'clock again – two and a half hours. In the afternoon you started wi' the van and it took you up tae Brunstane Farm and ye got milk there. We came back tae the dairy in Penicuik and Mrs Bell put the milk through one muslin then another muslin. Then we went oot again tae deliver tae Bank Street, John Street, etc. Then ye got off a break for half an hour for your tea. Then you continued right round tae Auchendinny and Glencorse and Glencorse Barracks. It wis usually about half-past seven at night when you finished.

It wis jist an ordinary dairy. Jimmy Bell and Mrs Bell and their three daughters and maself worked there. Ah wis the only person outside the family deliverin' the milk. Well, the girls when they left school they met the van and delivered somewhere about Shottstown. There were two o' them left the school before me. The oldest one wis about two year older than me, the middle one was somewhere about ma age, and the other one wis two or three years younger than me.

So ah wis a laddie o' fourteen deliverin' milk and the pay wis ten shillins a week. Ah wis workin' Saturdays and Sundays as well for ten shillins a week. In these days ye worked right on Saturday, Monday tae Saturday from seven in the mornin' till 7.30 at night. Ye had the two half-hour breaks and two and a half hours for your dinner – three and a half hours a day. But there were less milk delivered on the Sunday: ye jist did the mornin's milk till about half-past eleven then that wis it finished. So ah wis workin' nine or nine and a half hours a day Mondays tae Saturdays and maybe four and a half hours on a Sunday a' for ten shillins a week. The boy that ah had took the job from when he gave it up he told me later on he had only got 7s.6d. a week for it.

In these days ah never used a cap, a bonnet, and ah still never have. But ah remember one time in Auchendinny when ah wis deliverin' the milk for Bell's Dairy. Ah went one mornin' deliverin' in the rain, and the water must have been drippin' right off me. And this old lady says tae me, 'Oh, sonny, have ye not got a bonnet ?' Ah said no. The next mornin' ah went there, here there's a split new bonnet for me. The old lady had bought the bonnet for me because she felt sorry for me. That wis it. Ah don't suppose ma mother could afford tae buy me a bonnet in these days.

When ah got ma wages from Bell's Dairy ah handed over ma 10 shillins tae ma mother. Ah think ah got a 6d. back as pocket money. It wis really tae get more money ah left that job deliverin' milk.

Ah must have worked for about six month there. Then there were a shoe repairer's shop next door tae the dairy and the shoe repairer, S.D. Silver, wanted somebody tae work in his shop. He had a notice in his window: A Boy Wanted. So ah went in and asked for the job, much to the annoyance o' the Bells. That caused a row between Bell and S.D. Silver, who took me on as a shoe repairer.

S.D. Silver wis a Jew and he actually belonged Edinburgh. In the shop ah wis really the finisher. Ye had tae strip the old herd laddie boots, old tackety boots, in these days. That was the thing. The old herd laddie boots were turned up at the sole and they were full o' tackets. You put them in the pail and slipped the sole off.

S.D. Silver wis a nice man, a very nice man. He was kind tae me. I got on wi' him, ah did very much. There were only the two o' us in the shop. He had a good shop and he wis a good shoemaker. He made boots as well. In these days of course some people wore private boots. Ah always remember S.D. Silver makin' a pair o' boots for Alexander Cowan, who became provost in Penicuik. The Cowan family owned Valleyfield Mill.[53] Of course, in these days ye could get boots and shoes made at the Wellington Reform School up the Peebles road. The boys at Wellington were well known in Penicuik for they used to wear the dark blue jerseys and the short corduroy trousers. Well, among other things that they learned at Wellington School wis makin' boots.

The hours in the shoe repair shop wis from 8 o'clock in the mornin' to dinner time. An hour off for dinner and ah finished at five o'clock at night. So they were much shorter hours than at Bell's Dairy. And ah had 15 shillins a week from S.D. Silver. That wis a big increase. That wis the reason ah had left Bell's Dairy, to get more money.

But S.D. Silver he went at times too much to drink. He went off the bend. And once every two or three weeks ah had tae go intae the post office next door in Bridge Street and send a telegram to his wife in Edinburgh. It wis telegrams in these days and ah had tae put on it: 'At it again.' That wis his wife's idea. She had come out to the shop and met me and she said, 'Now if my husband is ever in this state you send me a telegram.' The Silvers' address wis about Fountainbridge in Edinburgh. And she would take the bus and come out from Edinburgh and kind o' look after him. He went off the rails quite regular, about once a month.[54]

Ah think ah wis about three month wi' S.D. Silver. The reason ah left wis not because o' his drinkin' problem. It was because then ah got the call. Ma father, as ah said, had got ma name down in the mill and it was a job in the mill. That was it. Mr Silver jist said he wis sorry ah wis leavin', he would miss me, and if ah wanted tae go that wis it. Somebody else came tae work in his shop in ma place. Ah think S.D. Silver remained in the shop about three year efter ah left. Then the shop wis closed. He widnae be retiral age. When ah worked wi' him he'd be a man probably in his late 'forties. That wis the last ah heard o' him.

*   *   *

When ah started in Esk Mill in 1926, jist before the General Strike, ah wis comin' on for fifteen. Ah'd never been in a mill before. Ma father had never taken me in tae Esk Mill. So the first day ah went wis ma first experience. Ah wis on a labourer's job, like other ones that went into the mill first. Well, the mill made the paper wi' wet wood pulp. Wood pulp in bales – people would think it wis hard cardboard, and it wis a' different kinds – used tae a' come frae Norway, Sweden, Finland intae Leith docks. There wis an old pug railway engine at the mill and the waggons, and they shunted in and the labourers lifed the wood pulp and put it into the potchers. And esparto grass came in wi' railway, everything wis railway in these days. They used tae bring the esparto grass in by ship tae Granton frae Africa and then frae Granton right up tae Millerhill for the mill. It used tae be two ships a week roughly came intae Granton wi' esparto grass and of course that wis for paper mills all over Midlothian and Fife. Ye had a' different kinds o' wood pulp: soft woods and hard woods, eucalyptus pulp and bamboo pulp. The eucalyptus and bamboo pulp came from Trinidad. So one o' the jobs o' the labourers wis tae move that wood pulp and esparto grass intae the different departments at the mill. Ye worked 48 hours a week, and ah think it was somewhere about 6d. an hour ye got in these days.

Ah did about five month on the labourin'. Then ah got a job inside at the finished paper, what we called the calenders. Well, they made art or coated paper, that's a glossy paper. And it wis coated in this coatin' department wi' various kinds o' things. The calenders were really like rollers in cotton bowls, a cotton bowl and a metal bowl. It wis jist like a mangle. There were about six rollers on it. It polished up the paper. And sometimes it broke. Now ye had tae be there. There were a calenderman and a boy. The calenderman would put it over the top and then he would put the first one over and it would come through this roll and you would put it in. Mind, you were lucky that you never got your bloody hands up ! The reels o' paper went through that and it was glossed on one side and then glossed on the other. There wis another calender for the plain paper. Esk Mill specialised in that, they were well known for their art paper. It was an old fashioned method in these days. The glossy paper was mostly for printin'.

Ah got on tae shifts when ah worked at the calenders. It wis night shift, back shift, day shift. The mill started at 12 o'clock on the Sunday night. The night shift worked until six o'clock in the mornin'. The day shift come on at six o'clock till two, then the back shift come on two tae ten. The shifts were week about – every third week you knew you'd be on night shift. Well, it wis a' part o' life in Penicuik. Ah jist accepted the shifts, it wisnae awkward for me. Ye couldnae go tae evening classes.

We hadnae much recreational life at that time. Ye'd go tae the pictures up in Jackson Street – the Picture House it wis ca'ed. That wis your recreation. Then later on in years wis the dancin' at the Cowan Institute. They had the gallery there. Ye paid tae go intae the gallery tae watch them dancin'. It wis quite a popular thing. Then when ah wis a bit older ah went tae the dancin' maself. Then occasionally ah played a game at football – mostly a kick about in the park. But ah went in for athletics. Ah wis a member o' the Penicuik Harriers in ma teens. We used tae have a good club. We prided oorsel' on bein' fit in these days. It werenae a case o' goin' out drinkin' or things like that – and no smokin'.

Then there were a billiard hall in the Cowan Institute. Valleyfield workers had that benefit, because they could become members o' the Institute. Certain things at the Insitute were confined tae Valleyfield workers. For instance, there were baths there. The Valleyfield workers paid so much tae get in for a bath. There were a library and readin' room there. But these things werenae open to the public – only if ye were a worker at Valleyfield Mill. The Cowan Institute wis handed over by the Cowans as a hall for the town for concerts, dancin', things like that. Later on when the thing became the Cowan Trust or somethin' things were changed, and then as ah grew up ye were allowed tae join the Institute. It wis open tae a person tae join it. Ah went to the library there. Ah wis quite a keen reader when ah wis young.[55]

Well, ah worked about two and a half years at the calenders till ah wis about 18 year old. Ah wis gettin' more than 30s a week on the calenders.

It wisnae a particularly well paid job – shift work wisnae, no' for what the jobs you done. Then frae the calenders ah went on tae the machines.

When ah started work in Esk Mill jist before the 1926 General Strike there were probably somewhere about 400 workers, men and women, in the mill. It would be aboot half and half men and women. In these days the women wis mostly what ye ca'ed overhaulers – look for faults in the paper and take the faults bit out. The paper would come off the machine in one roll and it would go on tae the cutters and it wis cut intae sheets there. Now they probably knew that in one o' the rolls there were a fault. So the overhaulin' women would look for this particular fault and take it out. It wis hard work overhaulin', very hard work.

The paper makin' process wis – well, as ah say, the esparto grass used tae come in bales from North Africa. The grass wis very coarse. It wis put intae big vats, what we ca'ed tuns, and it wis boiled at pressure. And men used to have a fork and put thir sheaves down intae a hole down below, in what we ca'ed the duster. And there wis a rubber sheet thing and the men took as much dust out as they could. So much dust wis kept and wis sold for some other purpose outside the mill – ah think it wis connected wi' glue. That wis a small thing.

Then the grass would go up this travelling conveyor and then they had six big tuns, six boilers, on the floor. These tuns held five tons o' grass each. And when they were fillin' No.1 they would open this thing and the sheath would automatically fall into the tun. In store ye had lye and that consisted of caustic soda. Occasionally they put a drum o' caustic soda in it. After that you put the full pressure on – usually 250 lb. They put the big lid on this, bolted it down and they would boil it for about four hours. And from there the stuff wis blown by high pressure water across to another buildin', what we ca'ed the potchers. First, it went intae a process o' washin. It wis a dark subject, ye see, and they washed it and it went intae this potcher. There wis a wire mesh, so the dirty water came out and that water would go intae the river North Esk. So the stuff gradually got clean. It wis blown up then tae another department where bleach wis used. They made their own bleach in the mill wi' chlorine gas and lime. So that wis the esparto grass.

Now the wood pulp, it went intae potchers, big vat or tank things. There were big wheels and kept this stuff goin' round in a circle. When they put the sheets o' wood pulp in beneath this thing it gradually cut it up into small portions and it kept goin' round until it got mushed down like porridge. Then it went to the beaters.

It wis then the paper makers decided, if you're doin' such and such a paper there wis so much esparto, and so much wood pulp, and so on. And the same as at the potchers, you used a bale o' soft wood pulp and a bale o' hard wood pulp – it depended on what kind o' papers they were makin'.

At the beaters it wis ground down again and it a' came intae a thing like porridge. It went frae there intae tanks prior tae goin' tae the machine. By the time it reached the machine it wis like liquid, like milk.

When it came on the first bit o' the machine it came on to a wire. In these days it wis a bronze wire. It used tae be made at the United Wire Works in Edinburgh. This big long wire thing went round about continually and as the paper went in the shakin' meant that the liquid wis gettin' spread over evenly. As it got to the end o' this first shake it come to the first press roll. They were big rolls. They used tae be done in Bertram's, the engineers in Edinburgh.[56] It went in between the rolls and that squeezed so much o' the water out, and then it come tae a felt roll and that squeezed so much o' the water out again. Before that, if you were makin' a water mark in the paper, you had what you called a dandy roll and that was stretched across the wire and it wis marked – the paper mark wis on that. If it wis government paper it wid be marked 'SO' – for Stationery Office, and that would show up at the end o' the reel. By the time it came to the end o' this roll it went on tae the first cylinder. The cylinders were big and there was so much heat on each one. Then the paper wis led.

By that time it come off that wire and the water and everything wis a' out and it wis jist a kind o' soft stuff. It wis taken frae there and put on tae the roll. It wis led through thae big machines, big rolls – probably aboot ten big rolls, and there were felt in between each roll. So the paper wis in between the felt and the heated roller. By the time it came tae the end o' the machine it wis dry and it wis wound up on a roll. That's what ye ca'ed the rolls at the end o' the machine. That wis the finished paper.

Then it went frae there through cutters. They were women who cut it. Sometimes it wid jist be left in rolls for certain firms. Thae cutters were knives. They would start the cutter, the rolls were put on, and thae rolls would go on across and right over a felt and they were cuttin' in between. There were girls at the end o't tae tear out a sheet if it wis bad.

Then it wid go up tae the overhaulers. The women wid overhaul it – jist in case.

It wis then the guillotine's turn. It wis wi' the guillotines that the paper wid be made for such and such a thing. They would know what size wis wanted. The guillotines would be cuttin' sheets maybe thirteen inches by eight or twelve by fourteen inches, and a' this sort o' thing. In the first place the paper wid be planned so as there wid be less waste when it came tae the guillotines tae cut it up.

Then the paper went frae there to the packers and tiers. It wis a' in reams by that time. They were a' on piece work these men, the packers and tiers. So that wis the paper.

*   *   *

O' the 400 workers at Esk Mill when ah started work there early in 1926 – well, you would start wi' the labourers. You'd probably have in these days frae a dozen tae twenty labourers. They were a' labourers and boys.

Then ye had engineers, probably aboot 25 engineers in Esk Mill. Ye had a blacksmith wi' the engineers. And then ye had an electrician staff. I think there were ten o' them. Ye had maintenance men for lookin' after the property: there wid be about four or five. Then there wis three painters. They were all separate.

Ye had your potchers in three shifts, eight hours a shift. Paper makin' wis a continual process – and all the year round, tae. There would be eight potchers connected wi' what we ca'ed the towers, and there were six others. So there would be fourteen potchers a shift.

There were two special bleach workers – one o' them wis ma brother – per shift. Then there were four men altogether worked in the clay house – that wis the china clay that came in frae Leith, and water wis added and it wis put intae a tank and then they took so much out when they needed it.

The beater men were specialist men. In the whole lot there were probably about sixteen, divided into three shifts, four or five o' them per shift.

Another thing that wis put in at the beaters wis size, to help the paper gell thegither and to make the paper suitable for writing on with ink. There was one person, a size maker, did that.

Then there wis the machinemen. How many there were o' them depended on how many paper makin' machines there were. At Esk Mill when ah started there there'd probably be more than 30 machinemen all over, somethin' like that. There would probably be about twelve a shift, and three shifts – say about 36 machinemen.

Ye had four cuttermen. There were no shifts on that. That wis day shift only. And then ye'd probably have others on rippin' the reel intae a smaller bit. Ah've seen me rippin' maybe one roll intae two or somethin' like that, ye see. That wis shifts. Ye'd need about eight men altogther on that on two shifts.

And then the paper went tae the cutter house. In the cutter house ye had women. Ye had keppers, as we ca'ed them. It wis always a kind o' slang thing that. Well, the keppers sat at the end o' the cutter and as the sheet wis cut it came down a felt and on to trays. They sat at the end o' the tray and when they seen a bad bit they wid take out the sheet. There wid be two to each cutter. There wid be about eight girls altogther doin' that. It wis a day shift job that.

There were a lot o' women overhaulin' – there'd probably be about 50.

The paper had tae be counted into reams, and there were women used tae stand there and count the sheets. There wid be ten women counters, somethin' like that – a day shift job again.

The tiers or packers came tae lift the reams. That wis a day shift job as well. There'd probably be about eight tiers.

When ah first started Esk Mill had two very antiquated lorries. So there were two lorry drivers. Then there were two pug enginemen and a shunter, so that wis three. The lorry drivers and the enginemen and shunter were a' day shift. Ye had the stampin' house: ah think that went away back tae the Stamp Tax or somethin' like that. Well, ye had the stampin' house, because it wis quite a big job that. Then there were the office workers. In a' thae departments there were clerical jobs. The draughtsmen's office wis in one buildin' in a separate section at what we called the top end o' the mill. But that wis jist a wee thing and that wis connected wi' the engineers' shop. The office wis near the entrance to the mill. There would probably be about ten workers in the office, men and women. At the loadin' bank, where they were loadin' the paper, there wis a checker knowin' what wis goin' away. And then there were another two up there at the despatch. They needed a' these people, too, ye see.

Advertisin' wis a' done through the London office. Sales and salesmen – that wis a' London, too. Esk Mill had a London office. How many were in the London office ah never knew, but there'd probably be about three or four.[57]

So roughly that's the 400 workers when ah started at Esk Mill. Ah suppose there'd maybe be two-thirds men. There were no women before the cuttin' stage. The first o' them would be when it came tae the cutters. The women were in the later stages o' the production process.

When ah started the ages o' the workers wid range from boys and girls o' 14 and 15, startin' from school, right up tae – well, some o' the older women, ye know, they didnae last so long in these days. Ah don't think many o' the men or women workers lived tae 65. Ah think in these days they could work on till they dropped. Ah don't remember any quite old workers particularly. But ah remember as a boy seein' a stretcher bein' carried up the Kirkhill brae. Ah believe that that man wis dead and they were carryin' him up there on a stretcher. He had dropped down dead in the mill. He wis a Mr William McRobbie. He wis a great friend o' ma father's and wis about the same age as ma father. He would be a man of about 40 then.

*   *   *

As ah say, ah worked on the calenders for a couple o' years until ah wis about 18, then ah went on tae the machines. Well, ah must have been on the machine just about a year, ah think. And it was then ah had ma accident.

Well, it was these cylinders ah wis tellin' ye about, when ye were leadin' the paper when it come off the wire and through the felt. By that time it wis like a bit paper but it's wet. And ye put it on this big heatin' cylinder, and it went round about and you gripped the other one. It wis then some way or other ah went in. Ah wis leadin' the machine and ah wis drawn in between the felt and the big cylinder. Ah went right in, all ma left side. But somebody had run and stopped the machine. They had tae dismantle some o' the machine. Ah dinnae mind anythin' aboot that. Well, ah remember goin' intae the machine. And that wis it.

The next thing ah remember ah wis in the Royal Infirmary in Edinburgh and it wis late at night. Sittin' at the side o' ma bed wis ma mother and her next door neighbour. Ah wakened up and ah turned sick. It wis a' blood that wis comin' up. What had happened wis, when ah wis drawn intae the machine it burst the main artery in ma arm. But it wis then when ah wis in the Infirmary it burst. Ma mother and the neighbour shouted that ah had turned sick. It wis lucky that there were a surgeon there jist at the time. Apparently ah wis rushed away. As far as ah learned later they did an emergency operation and tied the main vein intae the arm. But that meant there were no blood could get into the arm. And ah can remember ma arm bein' black. It wis bruised blood.

Ah wis there in the Infirmary maybe about a fortnight when they'd come along and said, 'We're goin' tae take a bit o' your hand off', or somethin' like that. Ah wis jist 19. There were that much bruised blood in ma body they couldnae sew up the . . . They took the arm off but they couldnae sew it up. It wis left tae nature to heal itself. Ah wis well looked after by the doctors there in the Infirmary, ah must say.

Ah think it wis probably about six or seven weeks, somethin' like that, ah wis in the Infirmary. Then ah got home and the doctor looked after me. He used tae come in practically every day. It wis about a year before the arm healed up. And that wis that. As ah said, ah wis in the Penicuik Harriers in these days. And they said then that if ah hadnae been a fit laddie ah wouldnae have gotten over ma accident.

Ah wis off over a year. Then ah had tae go back tae the mill and get a job. As a matter o' fact ah had been courtin' afore ma accident and here Chrissie and I we got married about a year after ma accident. Chrissie wis an overhauler at Valleyfield. Ah wis 20. Ah had tae get a job. Ah wis gettin' compensation – not very much. It wis 25 shillins a week. Ah got £500 for the loss o' the arm. Well, the union took it up. It wis jist settled in court.

Ah think, in ma time at Esk Mill, ah'd be the only one that really had a really serious injury. There wis nobody killed in the mill. There wasnae a great lot o' accidents there. A lot o' them used tae be fingers – guillotine men, things like that, or maybe, well, labourers gettin' hurt.

Well, after ma accident, which, oh, well, affected ma life, ah had tae apply for a job at Esk Mill. Ah had tae go in. Ma father had went in and asked would ah get a job. Ah went in and got a job in connection wi' the railway mostly, the railway and the raw materials in the mill. It wisnae such a big job in these days. Ye ken, ye used tae look at the waggons. Ye got so many days tae empty a waggon. The waggons used tae lie so long and ye had demurrage if a waggon stayed too long. So ah wis checkin' the waggons. We had tae check a' the waggons on your sidin' every mornin'. Ye had tae check it and make a return tae the station. Then at the end o' the month they would charge ye so much for demurrage.[58]

Then the job began tae grow and ye were in charge o' this department. Ye had tae go tae the potchers. Ah had tae know what everybody wis usin' for raw material. So ah wis in charge o' a' raw material. Ah had a separate office. Ah knew the estimated time o' arrival o' the boats at Granton. Then ah had tae go and tell the labourers there were so much o' this stuff comin' in. Hardengreen railway goods yard near Dalkeith wid come on the phone and say, 'We've got 30 waggons o' esparto grass up frae Granton. How much are ye goin' tae take ?' And ah'd say, 'We'll take 10.' 'Oh, ye've got tae take more than that.' And they would send up 20 waggons o' esparto.

And then ah had tae arrange for supplies o' coal comin' up tae the mill. We used tae get the coal frae Ormiston in East Lothian a lot, or Newbattle. Ah had tae keep a record o' how much coal wis burned, and then how much esparto wis used. Then they had the different kind o' pulps due intae Leith. Well, the Baltic ports used tae close up at a certain time o' the year – frozen. Ye had tae watch that. They used tae say, 'Look, Palmer, what about your pulp for such and such ?' Kataani, they ca'ed one o' the pulps. 'Have ye got enough o' this pulp ?' Ye had tae make sure there wis enough tae cover the winter months.

Ah found that interestin' work. That wis part o' ma life really. It wis more interestin' work that ah had done at the mill before ma accident. But, ye see, ah wis grown up by then. And the thing grew – the mill expanded. No more hand boilers – it wis Thomson's boilers, the movin' grates. Then there wis automatic jiggers emptyin' the coal, and a' this sort o' thing. This wis right on from the 1930s till it a' packed up in 1968. Oh, Esk Mill wis developin'. There wis no' an awful lot more workers bein' employed. There wisnae much difference there. Later on, after the Second War, motor lorries began tae take over frae the railway waggons.

Ah had the books tae keep, ah had the stocks tae keep as well. Ah wis the raw materials stock clerk. If, for instance, they had used up tae 500 tons o' coal and there were jist 195 tons o' paper made ah'd get phone calls: 'What's this ? There's something wrong wi' your books.' And ah wid say, 'No, there nothing wrong wi' the books at a'.' 'Well, ye better arrange tae get a coal test done.' And ah had tae go down tae the lab and tell them. They tested the calorific value o' the coal. There'd maybe been certain seams o' coal that wis comin' in. But it wisnae squarin' right at a'. We were burnin' too much coal for the amount o' paper produced. So that's how it worked. Ah wis in charge o' raw material. A' those years – it would be about 38 years – ah wis in charge. Ye see, every bale o' wood pulp that wis used wis a different kind and a' different weights. Ye had tae work that out and then ye had your stocks in the shed. They were different kinds. And you had tae make sure when ye were comin' near the end o' the thing that your stocks wis right. Then ye had waste paper and your china clay that wis used, and your mineral white, your chalk. Well, ah had a pile o' books like that every week. Ah wis the only one doin' that particular job. Ma wife Chrissie used tae say tae me, 'Ah don't know why ye stayed in Esk Mill a' these years.'

Well, ah stayed on, ah suppose, because it wis that you were like the rest o' them. It wis a way o' life. Ah got on well wi' the other workers at Esk Mill. There wis a friendly atmosphere. They used tae always say about Esk Mill that ye didnae get much money but ye got a lot o' laughs. Oh, ye got the union rates o' pay. But paper mill workers never wis, until recent years, well off. It wisnae a well paid job.

After ma accident, when ah'd lost ma arm and ah went back tae Esk Mill – ah wis married by then, of course, and Chrissie ma wife had given up her job when we got married: that wis the usual thing in these days – ma wage wis about 25 shillins a week, and we had our first daughter. Ah remember goin' tae Jimmy Jardine. He wis the manager. Ah says ah wis findin' difficulty and ah wanted tae see if ah could get an increase in pay. And ah always remember that so-and-so Jimmy Jardine sayin', 'Look, Palmer, you got compensation for the loss o' your arm.' That's the kind o'. . . Ah could tell you the story o' the Jardines but ah'll no' do it ! Ah better no dae it ! Ah'd be had up for . . . ! Later on we had another daughter. Well, as time went on ma wage got up a wee bit. The union rates went up a wee bit. Ah think in these days ye'd be lucky if ye got about £2 or £2.10.0 a week. It wis terrible until the war years.

Ah remember after the war, the 1950s ah think, ah happened tae be taken away tae hospital wi' ma appendix and ah wis in there a fortnight or somethin'. Ah had jist come home the day before and ah wis in ma bed when the phone rung. This wis the secretary o' the firm, Johnny Wright. Everything wis mixed up at the mill wi' the books and they couldnae understand them. Could he send the books home tae me tae do them ? He'd send a van down and a' the books for a' the departments. Ma wife Chrissie wis annoyed aboot that. Monday mornin' didn't the phone ring again. It wis Mr Wright. He'd send a van down at lunchtime for the books. So ah think ah did that for three weeks or a month then ah went back tae work at the mill. Ah hadnae been long in ma office when the phone rung. 'Isaac, Mr Wright speakin'. We're very grateful for what ye've done for us.

But that'll no' do. Somebody's got tae learn this job o' yours.' Ah says, 'Well, there should ha' been somebody learnin' it afore. You know now the amount o' work ah've been doin'.' 'Well,' he says, 'we're very grateful for what you've done. But when you were off work ye got your wages. But ye get your insurance money. You've got £1 a week. Ah wonder,' he says, 'if you'll repay that National Insurance that ye got ?' So these were the kind o' people that for a' ye done a' these years for them . . .

Oh, the Esk Mill management were tight-fisted. Durin' the war years they reverted to straw instead o' esparto grass for makin' paper. Now that wis quite a big thing, straw. They couldnae use barley straw. But the straw used tae come frae all over the country, and of course there were more tae do then. If new straw came in maybe the end o' August or September the first lot came frae East Lothian, because that wis about the quickest. The phone rung this day: 'Palmer, that straw that came in the day down there,' Mr Jardine says, 'ah noticed them passin' the window. It's green lookin'.' Ah says, 'Yes, but it's new straw.' 'Ah, well,' he says, but we paid for water in that. Ye'll have tae see about that.' Ah says, 'What do ye want me tae do ?' 'Well, he says, 'ye better test it and see.' So that wis another job. Ah had tae go and take a sample oot o' so many bales o' the straw and take it doon tae the lab tae test for water content. Then ah had tae calculate that on the weight wi' the lorry load o' straw that came in. So ah'd maybe get six or seven hundredweights on. They were pleased as hell because they got six or seven hundredweights off the price o' that lorry load o' straw. Ah did that a' the war years, tested.

There were nae strikes at Esk Mill in ma time there. The managin' director, the old one, William Jardine, he used tae come frae Edinburgh, but he wis dead when ah wis in the mill.[59] Then James Jardine wis managin' director. However, he passed away and then there wis this other brother Edward Jardine or Neddy, as everybody knew him. Neddy wis the managin' director. He used tae come intae the mill before breakfast in the mornin', ferried aboot the mill and then back up for his breakfast. Then ah'd get a phone call: 'Palmer, that black smoke's comin' out the chimney. Ye'd better go and see them. That's a waste o' coal, jist a waste.' And ah'd go intae the boiler house and ah wid say tae the boys, 'Neddy's been on the phone aboot your black smoke.' 'We'll so-and-so black smoke him if he comes in here !' What it wis, the boilerhouse worked at 250 lb pressure. Well, the man that wis on it – he did it deliberately – he didnae put one ton tae boil at a time. He wid wait tae a certain time at breakfast time and he'd put two on tae boil, jist for devilment. And the result wis that the boilermen wid be sittin' havin' their breakfast and they would see this head of steam goin' away back. And of course when that happened you lost your steam. Ye had tae go and put more coal on tae it.

Ah remember there wis two big fires in Esk Mill durin' ma term there. It wis the pulp shed twice. One fire wis before the war, the other one after it. Now the fires caused me tremendous work and worry – the stocks there – because the question came in about compensation for the insurance.

*   *   *

Well, the paper trade flourished a' these years and Esk Mill did as well. Actually, when the end o' the Second War came Esk Mill they had too much money. They didn't tell the workers that. But they even bought Springfield Mill, further down the North Esk water, and that wis tae be used as an experimental mill. Ye couldnae buy a paper mill jist for two or three thousand pounds. That wis one thing that never came out. But Springfield was bought.

But durin' the war at Esk Mill they had built up, and they did actually start up a superannuation scheme. They paid so much money back into the Scottish Widows tae start a pension scheme. But you had tae pay – ye were payin' superannuation after that. And in ma case ah wis payin' 18 shillins and odds a week back in 1950, which wis quite a lot o' money then.

Well, as ah tell ye, the paper trade wis flourishin' then. Then in about the early 1960s Britain joined the European Free Trade Association. Before that there wis a tariff o' 17½ per cent on paper comin' intae this country. But when we joined EFTA the tariff wis diminished over five years. So the result wis that paper mills like Esk Mills they had tae look to the future. The directors in their wisdom or otherwise thought that the future wis in the art paper.

Now at Esk Mill they embarked on a three-quarters o' million pounds machine. It wis the first machine o' its kind in Britain. They had big new premises built for this new machine. It wis tae take paper right from when it came off the paper machine right on and coat it. It wis tae produce a quality art paper cheap. This wis tae combat competition from abroad, the European countries.

Unfortunately, Esk Mill couldn't get the paper goin' right. They brought a man frae England up and then they sent him away. And then there wis somebody else. The result wis that they were goin' on and on and they were sendin' paper away tae customers and it was bein' rejected and it wis comin' back. Then they started givin' 30 per cent off, and then the next one paid 20 per cent off. The result wis they were sellin' paper cheaper tae what they could produce it. That wis the surest way tae go bankrupt.

Ah saw it comin', because every month part o' ma job wis to put ma initials on invoices for stuff that come intae the mill. They would bring me down invoices: 'Would you sign that one, Isaac ?' – maybe China Clay, St Austell, maybe £3,000. Then you had something from the chlorine gas and Swedish pulp: 'Oh, £15,000. Oh, don't sign that one.' Then another would come up – esparto grass. That wis £3,000 or somethin': 'Don't sign that one.' Even wi' ma knowledge o' finance, it seemed tae me it wis goin' tae end.

And then one particular week – that wis 1968 – the girl that wis the secretary wi' them she came down. She wis tae make up a statement tae see if the mill could get a bridgin' loan frae the government. Ah had a lot tae do wi' her makin' up the statement, because materials were used and a' this sort o' thing. And she worked on this statement for days. She worked on the Saturday night and even the Sunday night on it. So the van wis tae take this statement tae the man that wis kind o' one o' the managers at that time, and he wis waitin' at Edinburgh airport tae take that statement down tae Downin' Street. The wanted a bridgin' loan, actually £500,000. About three days later comes the reply: 'Dear Sirs, So-and-so. Yours faithfully, Harold Wilson.' The government refused to give the bridgin' loan. So that wis the finish of Esk Mill.

The notice went out that in a day or two, on the 25th o' April 1968, they would go intae liquidation. That wis ma time at James Brown & Company ended after a' these years – 42½ years.

But the liquidators needed somebody tae set up these things. So they came and asked me if ah would work wi' them for a year or so: 'You're the man that could. . .' Ah had nowhere else tae go for a job, so ah says, 'Right.' So ah worked wi' the liquidators for a year. The liquidator said tae me, 'Ah'll give you another £20 a month on to your wages.'

Well, Esk Mill wisnae the only paper mill that went up in the air like that. When we joined the European Free Trade Association, that wis the finish. It wis not jist Esk Mills but all over the country. Ah think at one time there were 185 paper mills in Britain. Ah made a few notes between 1965 and 1981, and this wis the paper mills in Scotland that closed: 1965, John Todd & Sons, Lasswade – the same family that owned Springfield Mill; 1966, Henry Bruce & Sons, Kinleith, Currie; 1967, William Todd, Jnr, Ltd, Polton Mill; 1968, James Brown & Company, Penicuik; 1971 – Clyde Paper Ltd, Glasgow; Inveresk Paper Company, Musselburgh; Lovell & Company, Linlithgow; Dalshell Paper Company, Glasgow; Craigs & Sons, Glasgow; Trotter & Sons, Chirnside; and Scott, Mossy Mill, Colinton, Edinburgh; 1972 – John Galloway & Company, Balerno; 1975 – Alexander Cowan & Sons, Penicuik; 1976 – John Collins Ltd, Glasgow; 1981 – Culter Paper Company Ltd, Peterculter. These mills closed then; there were others closed since then.

Here in Penicuik ah've heard them say, 'Now why did Esk Mill go and embark on buildin' a coatin' machine ?' Well, the directors in their wisdom or otherwise they thought it would be well worthwhile. Well, the new machine at Esk Mill the paint wis hardly dry on it when it wis dismantled after the mill closed. It took sixteen lorries and trailers tae take it down tae Leith docks. And it wis shipped across tae Norway. Within two months it produced the finest art paper in Europe. So the Norwegians were able tae do what James Brown & Company hadn't been able to do. And then at Valleyfield they had the big new mill that they built at Pomathorn. But the real cause o' a' the paper mills closin' wis when Britain joined the European Free Trade Association. If ye look at a' thae holiday brochures and catalogues they produce now they're a' fine quality art paper and lovely printin'. If Esk Mill had been able tae make that paper and get intae that market. . . !

Well, ah worked for the liquidator at Esk Mill for a year, from 1968 tae '69. Then ah got offered a job at Valleyfield. Valleyfield were gettin' dodgy of course at that time, but ah got a job there tae do wi' the finished paper. The work wis in connection wi' tiers' wages and things like that in Valleyfield. The tiers tied the reams o' paper and they got paid accordin' tae what it was. Ah wis there for three years and ten month.

Ah found at Valleyfield the atmosphere wasn't the same as Esk Mill. Ah don't know what it wis. Maybe it wis me, because in ma previous job at Esk Mill ah wis used tae goin' through all the departments or sections o' the makin' department. Ah knew a' the men in Esk Mill and ah wis on good terms wi' them a'. Ah had tae know what they were doin', ye see. At Valleyfield it wis a different job. Ah wis grateful for the time ah got tae work at Valleyfield but. . .

Ah knew when ah went intae Valleyfield it widnae be for long. Ah couldnae see how they could keep goin' there. They had big markets – maybe a bigger market than Esk Mill had. But it still affected Valleyfield, tae. Ye see, the price o' wood pulp went up, too. When the wood pulp people knew the Europeans were gettin' more for their paper they were takin' advantage and puttin' the price o' wood pulp up. So the price o' wood pulp wis goin' up jist when this tariff wis comin' off.

When ah went tae Valleyfield in 1969 it wis a bigger mill than Esk Mill. They must have had well over 600 workers. Two o' the Valleyfield machines wis bigger – Esk Mill hadnae as big machines as what they had. But they hadnae the same coatin' that we had in Esk Mill.

At Valleyfield some bits were more modern than at Esk Mill. They had modernised a wee bit more than Esk Mill. And ah think actually the male wis more dominant at Valleyfield than at Esk Mill.

The Cowans when they controlled Valleyfield, well, they were a different type o' people altogether. Well, it wis more like, 'We are the boss', ye know. Old Sandy Cowan he bcame provost o' Penicuik. Well, Esk Mill wis the same but, ah mean, Jardine the manager he'd say, 'Right. You'll have tae see aboot this.' And ah could go up and say tae him, 'Look, this is a' right.' But ah don't think the workers in Valleyfield could say things like that tae their management. Ah mean, ah think the management in Esk Mill wis more approachable, even if they were a bit tight fisted. Ye could go in and argue your case, oh, that wis one thing. Ah think there wis more o' a divide between the Cowans and their workers than between the Jardines and the Esk Mill workers. Valleyfield wis a bigger company, a bigger mill. Ah suppose that had somethin' tae dae wi' it.

When ah wis young Kirkhill come intae it a lot. Ye were a' workers at Esk Mill, ye were a' livin' there and you knew that Jimmy So-and-so did this job and his son did another job. Ye had more o' a community at Esk Mill. After the Second War of course it changed a bit.

Valleyfield owned some houses down near their mill. But ah don't think there wis a community sense there as there wis at Kirkhill. Most o' the Esk Mill workers lived in the company's houses. Most o' the Valleyfield workers didnae live in their company's houses. Ah jist thought Valleyfield wis always different, ye know, from the sense o' community at Esk Mill. It wisnae the same thing.

There wis some rivalry in the old days between Esk Mill and Valleyfield – but it wis between the workers in these days, it had nothing tae do wi' the business. Esk Mill had their Edinburgh markets – Chambers and Nelson – publishers. They did a lot o' these things. Valleyfield had quite good paper, a lot o' good writin' paper. Some o' their paper wis very good quality. But they had other rubbish as well that wisnae necessarily for a particular market. Nationally, Esk Mill and Valleyfield were competing for the same market – the publishing and printing trade. But Esk Mill had a bigger market locally, that wis about the style o' it. At one time we used tae have an export market at Esk Mill. Ah remember for a long time the paper goin' away tae Buenos Aires, and they used tae send paper tae Australia – New South Wales – away, away back at first, ye know.

There wis some rivalry or competition away back between the workers at Esk Mill and Valleyfield for football matches, and there wid maybe be gala tournaments or somethin' like that. It wis good natured. You would hear them in a pub on a Saturday night. They would produce a bit paper, ye ken, and ye would hear them arguin' aboot what paper they made. Esk Mill they did buy old Kirkhill School for recreation. They made that intae a place for indoor bowls – not on the floor but on a table. Ah'll say that aboot them, and they did build a bowlin' green eventually for the workers and a tennis club. Then they had puttin'. That wis away about 1926-7. It wis a' their ground, ye see.

In thae days if you started tae work at Esk Mill you tended to stay there. After the Second War it became a bit different – more exchanged, there wis more movement. But away back, no. Before the war people tended to work either at Esk Mills or at Valleyfield all their days. Ye were a' part o' the thing, ye see.

Well, Valleyfield wis bought over by the Reed Group, publishers, before ah went there. But the policy o' Reed's became more for publishin – their directors must have decided there wis more in publishin' than in makin' paper. Valleyfield wis closed down in 1975. But that wis after ah left Valleyfield.

As ah say, ah worked at Valleyfield for three years ten month. Now when Valleyfield wis payin' their first workers off they were giein' two weeks' wages for every year they'd worked there. Ah worked for three years ten month – but ah only got two weeks' wages for each o' the three years !

Well, ah worked at Esk Mills for 42½ years and at Valleyfield for nearly four years. And for ma pension ah got £11.19 a month. That wis ma life's work. At the finish up ah got £11.19 a month !

Ah suppose lookin' back ah didnae enjoy the last four years in the mill, but as far as work is concerned really ah suppose ah've no regrets. Even suppose ah had ma accident ah've no regrets really about workin' the 42½ years at Esk Mill. Ah made many friends there in Esk Mill. Unfortunately, at ma age they're all away or goin' away now. And the only paper mill that's left on the Esk now is Dalmore at Auchendinny. That wis saved by American money.

Isaac Palmer, wearing a tie, is at the left of the front row of this group of Esk Mills workers in the late 1950s. George Johnstone (above, pages 31-47), driver of the pug engine shown, is at the back, to the right of the man wearing a cap.   *Courtesy of Mr Keith Dyble.*

Peg Mercer

As a girl leavin' the school ah jist wanted tae go intae the mill. Ah dinnae ken why. We jist a' went intae the mill. Ma whole family worked in the mill – Esk Mill.

Ah wis born on the 20th o' April 1912 at Harper's Brae, Penicuik. Ah had three brothers and two sisters. Ah wis the youngest. Ma oldest sister Maggie she died when she was a baby like, before ah wis born. Then there wis ma brother Chairlie and Jimmy and Wullie, and ma sister Jean. Jean wis five year aulder than me. They a' worked in the mill.

Chairlie and Jimmy wis in the First World War. Jimmy wis hardly the age for goin' in. He wisnae really 18 or whatever it wis. Then ma youngest brother Wullie died the time o' the awfy 'flu, at the end o' the war.[60]

Ma father wis born in Rosewell about 1871 but they stayed in Penicuik, they must ha' shifted tae Penicuik. His father, ma grandfather, wis an insurance collector. That's a' that ah really know about him. Ah dinnae remember him. He must have died by the time ah wis growin' up.

Ma father wisnae away in the First World War. He wid be about 43 when the war broke out, so he would be too auld tae be called up. He worked in Esk Mill a while. That wis his first job after he left the school. And then of course, wantin' bigger wages, he went intae Edinburgh tae the carryin' o' the coal and that, sort o' coal carter, ye ken. Then he went tae Glasgow for bigger wages and when he went tae Glasgow whae wis it that wis there but this same coal merchant. Ah cannae think right o' his name, but Paul runs in ma mind. Well, that wis at the time o' the First World War. Then ma father came back after the war tae Penicuik and he went back intae Esk Mill mill. He wis jist on the labourin', ah think.

And that's when ma faither had his accident in the mill – somethin' aboot the waggons backin' and they must ha' catched him between the buffers. He lost a' the power in his airm – well, his airm wis like that, he couldnae straighten it or anything. So then he wis the watchman in the mill. That wis before ah went intae the mill.

Ma other grandfather – ma mother's father, well, he worked in Esk Mill. But ah cannae say ah can remember him. And then ma granny, ma mother's mother, died the day ah wis born. So ah don't really remember any o' ma grandparents at a', jist what ah've heard about them, that's a'.

Ma mother she belonged down Southbank way, at the top o' Harper's Brae at Penicuik. Southbank wis a big house, it belonged the manager o' the mill, and then they made it intae so many houses. That wis a' Esk Mill. Ma mother stayed there before she wis married because her family were there a' their days, as far as ah ken like. Ma mother worked in Esk Mill until she wis married. Ah dinnae ken whether it wis there at the mill that ma parents had met. Ma faither used tae have tae dae wi' the ex-servicemen's club, somethin' tae dae wi' that when they had the dances or somethin', he used tae help or somethin' wi' that, so maybe they met at the dancin' at the club. But ma mother didnae work in the mill after she wis married. And then they were in Edinbury a while, when ma father worked sort o' coal carter.

As ah say, ma father went through tae Glasgow for bigger wages. That wis the time o' the First World War. Ah cannae remember us goin' through from Harper's Brae tae Glasgow, no' really, but ah remember about bein' there like. We were in a sort o' yard like place. It wis where stables were. The horses and the carts wis a' kept in that. That's where ma father worked. The street we stayed in, the first place, there were a big engineerin' work at the bottom o' the street. Ah think it wis St James Street or James Street. Then we went tae what they cried Lancefield Street.

Ah wis five when ah started school in Glasgow. Ah cannae tell ye the name o' the school. What runs in ma heid is we used tae have a dog in the yard, and if it run away it used tae come tae the school and wait on me and gaun hame wi' me as if it had been meetin' me. So the school mustnae have been that far from where ah lived, but ah jist cannae mind. Ah'm no' shair o' how auld ah wis when we came back tae Penicuik. But then ah went tae the school in John Street in Penicuik. Ah went there till ah wis fourteen.

Ah liked the school in Glasgow and in John Street but ah wisnae a keen scholar. Ah cannae say about essays or sums but ah liked the school a' right. Ah walked tae the school in John Street frae The Pike.

When we came back frae Glasgow we got a house at The Pike. The Pike cottages were before you come to Loanstone, on the high road to Howgate. It wis quite a long way to walk to the school. It wis about a couple o' miles or so. But then there were a lot o' us frae the Loanstone and The Pike. We walked down thegither every day. Ye didnae go home at dinnertime, ye ta'en a piece wi' you and carried your cocoa wi' you. You went to the janitor's room and got hot water for your cocoa.

The house at The Pike didnae belong tae the mill. Well, it wis jist a room and kitchen. That wis a'. But it wis a' ma father and mother could get when they came back frae Glasgow, till we got one frae the mill again. There were four of us there at The Pike, ma two brothers Chairlie and Jimmy and ma sister Jean and me, as well as ma mother and father. So there wis six o' us in this room and kitchen. Well, there would be two beds, thae fixed-in beds, maybe in the livin' room, and there wid be ma mother and father in yin and ma sister and I in the other. The brothers slept through in the room.

At The Pike there were five houses in yin row and aboot four or five on the other. There wis no runnin' water in the house. There wis a well outside. Ye had tae carry in the water. The whole lot o' the families at The Pike shared the well. There wis jist the one well. There wis never a queue at the well and ye didnae have particular times when a family went tae the well, no' that ah ken o'. Ye went for your pail o' water jist when ye needed it. Ah didnae have tae go for the water, ah wis too young then when we wis at The Pike. It wid be ma brothers likely that wid go. The only time ah mind o' cairryin' pails o' water is when ah wis at our next hoose at the Old Manse.

The lightin' at The Pike wis paraffin lamps. Ma mother did her cookin' it wid be on the open fire. It wis jist an open fire, no' a range, and she had pots and pans on the open fire.

The toilet at The Pike wis a dry lavatory, jist like a wee hut thing at the bottom o' your garden. It wis pretty horrible.

We wisnae long at The Pike. It wis jist till we got another house. Then we moved from The Pike down to the old manse. Ah wid be aboot eight or that, ah should think. The manse houses belonged tae the mill, a' o' them were owned by Esk Mill. At the manse there wis three separate blocks o' buildins. The first wis the single cottages. The second wis what had been Bridgend Church – it wis converted intae three houses. And then ye had the manse itself. It had been the manse o' the United Free Church. The manse itself had two storeys and there were five families there. We started at the top o' the manse. It wis single storeys and we went intae one o' the cottages. It wis the big one. We had the big yin because we had the two sons, ye see, Chairlie and Jimmy. It had a room and kitchen an' a'. It wis a really nice wee cottage. The other two cottages were only single end. We were right at the end, and then came the old manse itself where the minister had lived, and then there were the other houses.

It wis only Esk Mill workers that lived in the houses at the manse. Well, they were a' in the mill, except for one o' the hooses. It wis what they cried the railway hoose and that wis kept for whoever worked at Esk Bridge station. They lived in that. That wis the dearest hoose in the manse, because it wis put up, ye see, wi' the mill for the station yins. Ah think the rent o' our house wis £10 something a year, and the railway yin wis £12 something. And the big hoose that wis the minister's hoose – Mrs Henderson wis in it – it wis only £6 a year, because she had tae take in lodgers. Whenever any workmen came tae the mill she had tae take them in. That's where they lived. It wis a much bigger house than the one we lived in. There were three ends in it and they had a runnin' toilet, ye ken, and everythin' in it.

When oo shifted frae the top down tae the bottom o' the manse we had nothing – no toilet at a' ! The folk that wis in it before us ta'en everything away, includin' the coal hoose and the dry lavatory and everything. They jist took the whole lot away wi' them. Ma father went tae the manager o' the mill and said tae him, 'It's a' right the men goin' ower the tip. But,' he said, 'ye can hardly ask the women.' And so the manager gied ma father doors, big slidin' door things for them tae build a hut and a toilet place. That wis efter we went intae the hoose. At the back there wis an oothoose and ye'd the two sections tae it. Ma father had the wee bit where he kept his garden tools, and that wis the dry lavatory.

At the manse we had a washhoose o' wir own. And we used tae boil up the boiler and have a bath in a tub. Ah cannae mind o' havin' a washhoose at The Pike. When you were havin' a bath in the washhoose ye had tae have it through the day, while it wis light or that, ye ken. We never got a bath put intae the manse. Ah never had a fitted bath till long efter ah wis married. Ah never had a bath in the hoose till ah came tae this hoose in 1953. Ah lived at the manse until ah wis married in 1935 when ah wis 22.

There wis no lightin' in the washhouse at the manse. It wis later on before we got the gas doon intae the manse. It wis paraffin lamps tae begin wi'.

As ah say, the manse wis on its own. It wis all mill houses jist. When ah wis at the school the manse wis nearer the school. We hadnae The Pike wood tae come doon through. That wis the difference.

There were a good two or three children lived at the manse, so ah aye had plenty o' friends tae play wi' when we were young. Ye had the Harper's Brae crowd, they were there an' a'. The manse houses were pairt o' the Harper's Brae community. At the Harper's Brae gala, any events that were takin' place, the manse and them were one. But at the manse ye werenae in Penicuik, sort o' style !

There were a lot o' us frae the manse and Burnside and that, and we yaised tae a' play thegither – kick the can, and hide and seek and a' thae kind o' things. We were never stuck for anything. Ye had skippin' ropes, hoops, things like that. As children ye didnae go intae Penicuik, and tae Edinbury, well, it wis a shillin' in the train return and you maybe went tae Portybelly. Ye jist went doon on a Saturday tae Portybelly, it depended on the weather. We went there quite a few times in the summer. By that time, when ah wis growin' up at the manse, ma brothers and ma sister they were all workin' and ah wid be the only one that got tae go tae Portybelly. Ah don't suppose they'd go when they were children. They wouldnae be able tae afford it then. Ah benefitted because ah wis the youngest in the family and they were workin'. It wid be efter ma sister started workin', when ah wis nine, ah went tae Portybelly in the summer efter that.

Then ye had Maggie Barr's shop in Harper's Brae. She had jist her hoose, jist a room and kitchen in Harper's Brae. She bought a' her stuff oot the Store and then she selt it in her shop. And ye jist went in and she wis maybe daein' her fireside but she wid jist gaun and get whatever ye'd want ! But, mind, for a' she had as much dividend off the Store there were certain ones that jist depended on gettin' everything there – and when it came the dividend time she gied them so much. She wis very good that way. Dave Barr, Maggie's man, he worked in the pit, the Moat. That's where the Shottstoon yins a' worked, tae.

As ah say, as a girl leavin' school ah jist wanted tae go intae the mill. Ah dinnae ken why. We jist a' went intae the mill. Ma whole family worked in the mill – Esk Mill.

So ah went frae the school straight intae the mill. Ma father wid speak for me. He wis in the mill. He wis a watchman at the mill by then. Well, that's how ye got intae the mill, if ye had somebody in it. Ah mean, it wis jist natural that ye jist went an' a'. Most folk had relatives already in the mill. Ah suppose there would be some folk started workin' in the mill who didnae have relatives in it. But there wis aye somebody in it, ye know, maybe a neighbour or a friend wid speak for them.

It wid be the summer o' 1926 ah began in the mill, because ah didnae get away frae the school – ah mean, at the Easter ah wid be fourteen, but ah didnae get away frae the school then. Ah had tae go on till the summer. Then we'd get a wee holiday likely, but ah dinnae ken, ah'm no' sure. But ma father spoke for me and ah made a start.

Well, the first thing ye done in the mill wis carry the shavins, the bits o' paper that wis cut off, the trimmins off the end o' the reels. Ye had tae take the shavins up, and ye went up through the machine hoose and up tae the potchers. Ye carried them in bags, hessian sacks. Ye had tae fill the sacks. They had thon nails on the wall and you had a big iron cleek thing and ye pu'ed the shavins oot frae under the cutter and put them intae this bag. Ye didnae crawl under the machine, well, the machine, the cutters goin and that, ye couldnae. It wis too dangerous. Ah never saw anybody else crawlin' under, no' that ah ken o'.

Ah can aye mind o' ma sister Jean when she started in the mill and she wis on the shavins. She wis cairryin' her shavins. She hadnae a bag so she had them rolled up in a big lump o' white paper. And she ws cairryin' them up tae the potchers. The manager wis watchin' her comin' up. He waited till she come oot o' the potcher hoose and he says, 'Do you know you're trailing all the dirt of the mill behind you ?' She had had a big trail o' shavins ! That's what she got.

Ah wis only a fortnight on the shavins when they started other yins, and that wis a' that ah had on the shavins. But that's the job ye went intae. Then you went tae what they cried the keppin'. That wis the sheets comin' doon that wis cut and they come intae like a box thing and ye jist kept them a' even.

And then ye went frae there up tae the enamellin' side, the coatin', the enamellin' cutters. Ye were at the keppin' that they cried it there. There were nae shavins there, it wis jist right thingmied.

And then ye went frae there tae what they cried the SOs – His Majesty's Stationery Office. The mill had a big contract wi' them. Ah think that's how it got the name and the name stuck.

And then ye went tae the overhaulin'. Naebody went straight tae the overhaulin', no' that ah ken o' anyway. Ye went frae one job tae the next, learnin' as you went. The overhaulin' wis the best job, the sort o' last job, for a girl or woman. Oh, well, they had the coontin', tae, right enough. That wis coontin' sheets o' paper for tae make it intae a ream. It wis a' counted. But ah wis never on the coontin'.

But afore ah went tae the overhaulin' ah wis assistin' on the guillotine – the man that worked the guillotine. Ah wis helpin' him tae lift the paper on and cairry it away. Ah cairried it away after it wis cut. It wis really heavy work in a way, but it wis jist maybe, ye know, wee thingmies that they were piled up tae maybe aboot twelve in the thingmies. There wis quite a pile o' them tae cairry. But ah didnae find it heavy work, no' really. Ye got used tae it. Ye didnae have a barrae tae cairry it, ye jist had tae get a way o' grippin' it and jist carry it ower.

As ah say, ah worked aboot a fortnight on the shavins. How long ye worked on these other jobs jist depended, ye see, on whae come in tae the mill, how many they started. But ye were quite a while on the keppin'. Ah'd been a while on the overhaulin', aboot three or four years, afore ah got married. Ah wis 22 when ah got married. Maybe frae 14 tae aboot 18 ah wis workin' on the shavins, the keppin', the SOs and the guillotine, then efter that on the overhaulin' till ah got married.

When ah first began in the mill ye started work at twenty past six in the mornin'. And then ye were home for your breakfast and then home at dinnertime. Ye finished at five. It wis half past six till five. It wis a long day but that wis what it wis. Then after ah'd been two or three year in the mill it changed tae eight o'clock when ye had tae go out in the mornin'.

Ah cannae mind when ah got up in the mornin' but ah didnae get up very quick anywey ! It wis nae length tae walk tae the mill because ah wis stayin' at the old manse then. Ah mean, the manse wis at the foot o' Harper's Brae, near the mill, maybe ten minutes' walk. Ye had no distance tae walk tae the mill.

When ye started work at twenty past six in the mornin' ye went home for your breakfast, ah think it wis half past eight. Ye jist would get half an hour. And ye'd be back for nine and then on till one o'clock. Then ye had an hour for your dinner and back at two tae the mill, and finish at five. Ye didnae get a break in the afternoon. Ye didnae get a cup o' tea or anythin', you jist worked on. It wis quite a long day. But ah dinnae remember feelin' tired at the end o' the day. Ah didnae go tae bed early, but ah wisn't that late, of course. Well, it wid be aye nine or half past nine, ah wid say. Ye had tae be up in the mornin' half past five, quarter tae six. And, ah mean, it wis jist a cup o' tea and away tae the mill then when ye started at twenty past six, because ye got your breakfast when ye came home at half past eight.

On Saturday ye worked tae twelve o'clock. Ye were really workin' aboot 52 or 53 hours a week when ah started at the mill. It wis quite a long week. But ah think we went tae goin' oot for eight o'clock in the mornin' no' long efter ah started in the mill.

Ah started at Esk Mill jist efter the 1926 General Strike but ah can't really think much aboot the Strike. Ah think ma sister Jean and that they used tae gaun away up tae the wids for tae get sticks and that durin' the Strike. And there wis coal got oot at the Firth wid – outcrops o' coal. But ah don't remember much aboot the General Strike, no' really. Ah wis still at the school then.

Ma wages when ah started at the mill it wisnae much mair than ten shillins a week, ah think. Then ah wid go up by your age. It widnae be very much but you would get an increase. By the time ah got married you wis on piece work at the overhaulin' and it depended on how much you done. But ye could make quite a good thing then. Ah cannae jist mind what ma wage wis then, but it wis a lot more than ten shillins. You were gettin' away in £2 or somethin', ye ken. It wis really quite a good wage for a young woman then.

Ah never joined the union in the mill. It wisnae necessary, ah dinnae think, for ye tae join. For ah used tae go every week tae pey ma brother and that's union dues and that, and naebody ever said anything tae ye aboot joinin'. They never did say. And ah wis never in a strike or a dispute at the mill, no' that ah ken o'.

Ah wis never in an accident in the mill. Ma husband wis. He fell off a railway waggon. They were thingmyin' bales or something and the cleek slipped and it fell doon and thingmied his shoulder. He wis off work a while wi' that. It wis railway waggons in ma father's accident, tae, as ah've said.

107

Ma brother when he wis workin' on the guillotine he had his thumb and half o' a finger sliced off. Ah can mind he use tae place a ruler across the stump o' his thumb, half o' that finger, and the top o' that one where they'd been sliced off by the guillotine. He wisnae a young lad at that time. The guillotine wis a skilled job. Of course, the safety on the guillotine in these days werenae what it is now. A' ye had wis a bar which wis mechanical. When the knife wis comin' down or when the clamp wis in it it wis supposed tae spring out and knock your arms clear. But it wisnae foolproof because your arms could be in all sorts o' positions. Ah remember ma brother havin' that accident efter the First World War. Ah cannae remember a time when he didnae have this injury. And it wis maybe because o' the shock, he had jist wrapped his hand in his apron and went away tae wherever it wis ye went tae then in the mill tae get attention for this. They had a place doon at the machine hoose, a sort o' medical or first-aid room there. And ma brother – that same yin – got his arm broken. The roll o' paper, ken, for goin' through the cutters, jumped oot and he got his airm broken. But in these days it wis finger injuries wis very common because ye had sae many rollers in the mill, the calenders, and the dryin' cylinders and things like that. In fact, there used tae be a sayin' that ye werenae a paper maker until ye had a finger off or somethin' !

And ah remember Isaac Palmer got his airm off in Esk Mill. He wis only aboot 19 when it happened. Ah wis in the mill at that time and ah mind o' him gettin' that accident like. He wis drawn intae the machines.

*   *   *

Efter ah started in the mill, well, in your spare time you did knittin' and that, socks and things like that, and ye jist went tae the pictures in Penicuik – the Penicuik Playhouse. It wis jist usually a Saturday night ye went. Ah didnae go tae dancin' very often, ah wisnae keen on dancin'. Ah wid rather go tae the pictures. The pictures and the dancin' cost aboot the same but ah preferred the pictures.

Then efter the mill put up a' the bowling green and the tennis courts at Kirkhill ah played tennis. Ye didnae get women in for bowlin' in thae days.

Ah didnae have a bicycle. And ah didnae go intae Edinbury, no' very often, jist if you were needin' anything that ye couldnae get in Penicuik – clothes or anything like that. It wis jist a shillin' in the train – ah think it wis 1s.6d. on the bus – tae Edinburgh but ye didnae go in very often. The railway station at Esk Bridge wis jist near us and it didnae take long tae go intae Edinbury.

Ah wis never a keen reader as a girl. Ah didnae join the public library. But we aye had some o' thae women's papers that came in. Ah've had the *People's Friend* for years. Ah read it as a girl, and ah mind the *Red Letter*. Ma mother and father aye jist got the *Edinburgh Evenin' News* and the *Daily*

Record. Mrs McLafferty stayed at the back o' the manse and she used tae get the papers when they came up wi' the train and she thingmied them oot there and we got them.[61]

When we were young we went on a Sunday night the Edinburgh Road. We used tae walk frae Penicuik right tae Roslin road end. They a' went there, Penicuik, Loanhead, Roslin yins. That wis aye the place you went on a Sunday night. A lot o' young people promenaded up and doon there. It wis where ye went tae meet other yins. It was winter and everything, no matter the weather.

Well, ah got married when ah wis 22 in 1935. Ma husband belonged Shottstown. His father worked in the mill but ah think he wis on the farms before that. Ma husband went tae work in the fish shop before he got intae the mill. He'd tae wait tae get intae the mill. If there wisnae a vacancy ye jist had tae wait. He had a guid wee while tae wait afore he got in. It wid be the mill when we first met. When he got intae the mill he worked on what they cried the Satin White. That wis used in makin' art paper. That's when he got his dermatitis.

Ah got married in the Masonic Hall in Penicuik. That wis quite a common thing in these days tae get married there. Ah wis a member o' the church then – St Mungo's, the parish church. That wis the nearest church tae where we lived at the old manse. We'd had to go tae Sunday School as children, ye had tae go. Ah jist went once on a Sunday, but ma husband when he wis a boy he went tae different yins on a Sunday.

When ah got married ah gave up workin' at the mill. Well, ye didnae get back in then. A' the women had tae stop work when they got married, unless like there wis anybody that had lost their husband or that. Ah think they got back in to the mill. But that wis aboot all. Ah knew if ah got married ah wid have tae leave the mill. Ah think they could aye get plenty others tae fill in jist and that. That's how it wis then, that wis the wey o' it. Ye expected that tae happen. We jist knew that ye had tae go. Ah wisnae really disappointed at losin' ma job in the mill, no' really. Oh, ah liked the work right enough. But ah'd jist as soon looked after the hoose and ma husband.

When the war broke oot ma husband went away tae the army. He wis called up. It wis quite early on in the war. He wis in the Service Corps. He didnae go abroad till D-Day or jist efter it in 1944. By then we had one son, and because o' havin' the bairn ye werenae cried up for war work. But doon in the mill there were a heid finisher and he kent somebody that wis lookin' for yins that had been at overhaulin', yins for mixin' the rationin' coupons for clothes, ye know, the big sheets o' them before they went tae the guillotine. And we went in tae Edinburgh, doon at Broughton wey – ah think it wis McCorquodale's – tae work full-time. Ma mother and ma sister Jean looked efter the bairn, ma sister gied him his dinner frae the school. Ah cairried on wi' the coupons tae roond aboot the end o' the war then ah gave up that job.[62]

For a good while ah wis jist a housewife again. Ma husband came back jist efter the war. Then the mill wis lookin' for some workers and ah went back intae the mill for roond aboot nine or ten years till it shut in 1968. They had a machine for wrappin' the paper and we were jist at that, loadin' it and things like that. That wis a full-time job. Ah went oot in the mornin' at eight o'clock but ah came hame aboot maybe twelve tae have the dinner ready for ma husband and ma son. Ma son wis married by that time and him and his wife came for their dinner. Ah made it the night before. And then after the dinner ah went back to the mill in the afternoon. Ye didnae think nothing aboot it.

We were sort o' expectin' when the mill closed. There were signs – there were the kind o' managers that wis comin' in for tae run the mill ! Ye felt that anyway for they were nothin' like the Jardines. Everybody knew the Jardines really – Jimmy, Wullie and Neddy, they were the three brothers. They were aye in the mill when ah wis there before ah wis married. And then there were the young yin, John Jardine. He wis there tae the end.[63] The Jardines taen ower Springfield Mill and some o' the managers at Springfield came tae Esk Mill.[64] Well, they didnae dae the same wey as the Jardines, put it that wey. Ah didnae feel they were as competent as the Jardines. The men, the workers, didnae enjoy the work as much in the last few years o' the mill. Well, ye were lookin' for it in a wey when the mill closed down. It didnae jist happen like that.

After Esk Mill closed ah went tae the cooncil offices in Penicuik, jist cleanin' them. And then ah landed in tae the Town Hall, cleanin' it. Ah wis nine year there. Ah wis 65 in the April and ah retired in the September. That wid be 1977.

Well, lookin' back on ma workin' life ah enjoyed a' ma jobs really. But I enjoyed doon at the cleanin', ah liked it, ah liked it. Of course it wis only part-time. But ah felt happier doin' that than maybe workin' in the mill.

Christina Thomson

Well, ye had tae get a job then. Ye just left the school and started in the mill. I jist wanted tae work. My friends were starting to work. We a' jist ended up in the mill.

My mother's parents, Andersons, they were Auchendinny. My grandfather Anderson worked in Dalmore paper mill. I used to take his dinner down when I was at the school. We used to take the dinner down for him at one o'clock in a handkie. The dinner was soup in the bowl, and on top o' the bowl was put a plate wi' stew and potatoes and vegetables. And a puddin', and a pitcher wi' tea. It was a cooked dinner – three course. I was just a wee girl, but old enough tae go doon tae the mill wi' the piece. He ate it in the mill, just where he worked. There was no canteen then. He ate it and we used tae get a taste o' it. It was awfy good. And sometimes it was a tea we went wi', jist a tea piece – a sandwich and a pitcher wi' tea – if he was workin' on. Ah just cannae mind what my grandfather did in the mill. He seemed to be a furnaceman, stoking the furnaces. Did they call it the fires or something ? When he came home he was no' really black – grey, greyish. You knew he'd done a shift !

I was born in 1912, 30th of June, in Auchendinny. I had two sisters, May and Joey – Joan, but she got called Joey. I was the second oldest. May was first, then me, then Joan. There was two years between May and me and six between me and Joan. May was away in the hospital for nine month with TB when she would be 17. She wis workin' in Auchendinny laundry and she took this. But nine month and she was back home, as clear as you and I. But I lost my younger sister Joan when she was seventeen. I can always remember her haemorrhagin'. Of course in thae days ye didnae have the things that there are nowadays. Joan died before I was married.

Ma father was a miner. He worked in the Moat pit at Roslin. From leaving school he worked in the pit. He stayed at Shottstown in Penicuik as a young fellow. I suppose they would be a' miners then. He worked in the pit till he had a wee spell in Dalmore paper mill – not very long. Oh, he was

111

only weeks, I think, in the mill when he stopped and he went back to the mines. I think I was in the mill then as well, so it would be maybe late 1920s.

My father's father, my grandfather Alex Stevens, he was a stonemason. I can remember him fine. He did some work on the Cowan Institute in Penicuik. And I remember when my granny Stevens died. I think they came from – well, they used tae talk a lot aboot Thurso. I wouldnae think my father ever went to Thurso. Once you were in Penicuik that was you, I think, ken. My father didn't go up to Thurso for holidays. There were nae holidays in thae days ! My father wis a miner and we never had money. So there were no holidays.

My mother was Auchendinny, born and bred there. She worked in Dalmore mill till she got married. And my grandparents Anderson, as I say, were Auchendinny.

At Auchendinny we lived in Ramsay Gardens. That's where I was born. They called it The Close then. It wasnae a mill house. It wis further up than the mill houses. It was nearer the middle of the Brae at Auchendinny. The landlords, Mr and Mrs Dundas, stayed at Glencorse – Woodhouselee, I'm sure it was Woodhouselee. They bought property and that's the property we stayed in.[65]

Our house in Ramsay Gardens was just a room and kitchen. Well, I'm sayin' a room and kitchen – it was a bedroom and a livin' room. The houses were one up and one down, we were above. There was a neighbour lived below us. It was a terrace, terraced houses, the houses were joined together. It's still the same yet.

I remember the end house wis No. 13. We were at the other end. I cannae mind what our number wis.

We had two double beds in the living room and one in the bedroom. My parents they were in the living room. My older sister May and the younger one Joan were in the next bed. It used to have a white valance, ye know, in between. But my grandfather Stevens he was an invalid, he had rheumatics. And we had him stayin' wi' us. He had that bedroom. So us three girls were together in the livin' room. I slept in a bed chair in the livin' room. There was a bed chair put out at night for me. Then my father's sister Joan – my sister was called after her – she was there with us, too. Where did my auntie Joan sleep ? It doesnae believe thinkin' o' how we lived. How in the name o' goodness did we . . . ?

My auldest sister May, as I said, was away in the hospital for nine month with TB in thae days. It could have been sort o' that my auntie Joan was living with us when May was in hospital. I can remember when my grandfather Stevens came tae us. He wis tae be so long with us and so long with another son in Bonnyrigg. But he was with us for a time. He ended up in Queensberry House in Edinburgh. That's where he died before the Second War.[66] I got married in 1935 and our family wis jist together when I got married. My auntie Joan got married before me, and we were on our own, the family wis on their own. Then my sister Joan died about then, too, before I was married. Maybe grandfather Stevens and my auntie Joan lived with us after my sister Joan died. It could have been that. I jist cannae mind.

There was no running water in our house at Ramsay Gardens. We had tae go to the public well on the Brae for water. The well wis in the middle o' the Brae, at Ramsay Gardens, and that's where we went tae get the water. Everybody came tae that well with pails and buckets. And in the dark, dark nights you lit a paper tae show ye the way round the corner ! It wis dark, no light. Ah remember going for water myself. You carried a bucket. Ye jist used the well at any time, mornin', noon and night. We had two pails with water in the house. As soon as they were used you went for mair. We werenae made tae do it but I did go to the well for water. My father went, everybody helped tae get the water in.

Baths – it wis the zinc bath in front o' the fire, Friday night. Friday night was bath night, you got your hair washed. As far as I can mind we didn't have more than one bath a week. How did we live ? We were washed a' durin' the week. But the bath wis Friday night. Ma mother had to heat the water. Well, it wis jist the fire and pots o' water. It wis a long job for ma mother wi' three girls. Ye cannae believe it. Ye cannae realise how ye lived in these days.

And then there wis the midden, the midden where ye put the ashes out the fire, and dry lavatories. Well, the dry lavatories they were opposite the houses until Mrs Dundas, the landlord, changed them. They were right opposite the houses at the back. And the midden was at the side o' the toilets.

In fact there was an old woman, Mrs Affleck, one o' our neighbours, kept hens at the back as well. There were a lot o' Afflecks in the village. She lived in Ramsay Gardens, too, and she had hen hooses jist across frae the houses as well ! Imagine that. This was at the back of the houses. If ye were goin' down the Brae ye wouldnae see them. The hens and the toilets wis over at the back, 'down the close', they used to call it. I cannae imagine how we lived ! It's really unbelievable to think that . . . But that's how you grew up, you didn't know anything other than that. If anyone wis tellin' me I lived like that I would tell them they were tellin' lies !

At Ramsay Gardens it wis paraffin lamps. We didnae get the running water until after Mrs Dundas took over the property. I think we got the gas then as well. I can remember us gettin' it, I can see it a' happenin', but I cannae remember the dates. It wis a long time after the First World War that we got gas lightin' in. Ah think we had the paraffin oil lamps a' the time I was at school, so it must have been after 1926 before we got the gas lightin' in. All the houses in Ramsay Gardens then got gas lightin', everybody wis the same.

So Mrs Dundas improved the houses, oh, definitely. She put in the gas lightin' and water in the houses. But no bath. There wis two big tubs, the one for your dishes and things and then the big tub at the side for washin' the clothes, and a boiler at the corner. Before that ma father had built a wee hut outside for ma mother washin' the clothes. Ma mother's sister lived there with my uncle in Ramsay Gardens as well, jist two doors or so between – their name wis Delaney, and they built a hut tae do the washin' in, instead o' doin' it in the house. Before the hut wis built, dishes and washin and everythin' got a' done in this one room. We slept there as well. Everything went on there !

*   *   *

As soon as I was five I went up to Glencorse School. Ma older sister May wis already there, so we went up together to the school. I liked the school and the teachers. Miss Bryden was my first teacher, she had taught my mother as well there. Miss Bryden wis an old teacher but, by Joves, she wis awfy kind. There used tae be a fire goin' in the classroom when ye went in in the winter mornins. I can remember that fire in the infant room yet. And Miss Bryden would have her overall on. And we used tae get tae button her overall ! She had black, black hair and it wis up – you know how they used to wear it in the olden days. And she would sit you on her knee and talk tae ye. She was fond of the children. She wasnae strict and didnae shout at you. I can always remember Glencorse as a good school.

There were four rooms at the school, two up the stairs and two down. And then there wis this big room at the end o' the corridor, it wis more or less the gym room. It wasn't a class room. The rooms were full, there were a lot o' pupils. All the children from Auchendinny went to Glencorse School. There were some children from Glencorse itself and then up at the hills, the Howgate way, Easter Howgate. There were quite a few came, too, from Glencorse Barracks. There wis a mixture: Auchendinny, Easter Howgate, Milton Bridge, and the barracks. They a' came to our school. So there were quite a lot o' pupils.

I went home for my dinner at midday, got a plate o' soup and a plate o' semolina ! And half an apple tae go up the road wi'. We didnae take my grandfather Anderson's dinner down to him at the mill when we were at the school. It must have been the school holidays jist.

At the school I liked the cookin', I always liked the cookery days – a Friday. That wis my favourite subject. I wisnae very clever at sums ! I think I was too dozy to sit the Qualifyin' exam, well, I would maybe sit it but I didnae pass. So I didnae go on to the High School. My cousin David Delaney did, though. He went tae Dalkeith High. They always went to Dalkeith from Glencorse. David wis clever. It wis a sacrifice for his parents tae let him go there. They had to pay something for uniforms or something in thae days. After he left the school David worked in offices and then the brick work at the Moat pit. His father, ma uncle, wis a miner at the Moat, the same as my father. Of course, ma uncle had an accident in the mines and he died through it.

There wisnae many went from Glencorse School tae the High School. There wis only two or three a year, if there wis that. It wis quite an honour tae pass on tae the High School.

At the school what was I aye wantin' tae be ? I just cannae think what I wanted tae be. It wouldnae be workin' in the mill anyway ! But I didnae want to stay on at the school. I wanted tae leave. I jist wanted tae work. My friends were starting to work. We a' jist ended up in the mill.

I left school at 14 in the summer o' 1926. But I didnae get a job right away. They must ha' been scarce then. I must have been about 14½ before I got a job. I wis unemployed, I can remember bein' off. It's great bein' off ! I didn't have a job at all. My name wis in the mill but ye jist had tae wait till your turn came. It would be my parents likely that put my name down in the mill.

But I can remember just before I started in the mill I got a bike. I had a great time wi' that bike. It's a funny story. My mother needed a wringer for the washin' day. So in these days there were sale rooms in Edinburgh, and of course bein' a minin' family we didnae have money tae lash oot on things. So my parents went tae this sale room wi' an aunt and uncle in Edinburgh to see if there were any wringers goin'. They didnae get a wringer but they came oot wi' this bike ! It wis a girl's bike and it wis a bargain. I was fair away wi' myself ! The bike wis for the family but my older sister she didnae bother wi' it much. But I cleaned that bike, I cleaned it and polished it. It wis a Royal Enfield, a nice bike. So that became a great interest, to get on the bike and cycle off. If my mother wanted a message at Penicuik away I would go up the Graham's Road. It was just round about the doors in Auchendinny and Penicuik to the shops, we never thought aboot goin' away for long runs to the Pentlands or down the road and into Edinburgh.

I got a job in the mill after I got the bike. But before I started in the mill, I remember the General Strike in 1926. It was just before I left the school. There's no' much I remember about the Strike. But I can remember the Valleyfield workers comin' and havin' a march through Auchendinny. I wasnae interested in it then but I can remember that Strike. I remember the marchers. I don't know if they came down Graham's Road, I don't know where they came frae. They maybe came Milton Cottages way, down

115

through the village. I jist remember them a' in Auchendinny. They were marching through the village. There wis quite a lot o' them, men and women. They were frae Valleyfield.

So it wis six months after I left the school I got a start in Dalmore Mill. I think I just got word to start and I just went. My auntie Meg, my mother's sister, lived down the stair from me and she worked in Dalmore. And she took me down to the mill because she worked there. She wis up in the salle, as they called it then, at the overhaulin'.

I started on the cutters. Girls didnae start on the overhaulin'. That wis when ye got older. As your age went on you got moved up the stairs tae the overhaulin'.

There were two different kinds o' cutters. One was a – what do ye call it ? – self-guide or something. The paper came intae them but ye jist watched in case it stuck or anything. Then the other one ye caught the paper as it came off the felt tae dress it – jist tae keep it tidy and ready tae go up the stair for tae be overhauled. I liked that work, I quite enjoyed it. I wis on the cutters quite a while, maybe three or four years.

I got 9s.10d. a week when I started, well, ten shillins but there wis 2d off for infirmary and something else – insurance. Ye got your pay jist rolled in wee folder things, a pay packet. I gave all my wages to my mother, handed her the pay packet unopened. I got pocket money – 6d. Well, chocolate wis only 2d. a bar in thae days, so you could get a variety o' chocolate. And in thae days ye jist didnae get away tae the dancin'.

In the summertime ye started at twenty past six in the morning. Ye stopped at nine for breakfast. Ye went up home tae Auchendinny for your breakfast. Then back to the mill at ten o'clock. And you worked tae one and you got home again for your dinner – an hour. Back at two, and when you went back at two in the summertime you worked tae five o'clock. So it wis twenty past six in the morning tae five o'clock at night, with two breaks of an hour each.

In the wintertime ye started at twenty tae seven tae twenty past five at night, or somethin' like that. It wis a different finishin' hour at night. Winter and summer wis different hours. I can remember there were two different times. Twenty minutes later to start in the winter and twenty minutes later to finish, that's what it wis. The same hours for meals.

There were no tea breaks. Ye had tae work on. Saturdays it was twenty past six start in the summertime and twenty to seven in the wintertime and finish at twelve o'clock. Oh, it couldnae come quick enough, twelve o'clock Saturday ! It wis jist tae get out o' it a wee while. We never complained aboot the hard work because we jist knew we had tae work for our livin'. It wis quite a lot o' heavy liftin, heavy paper, dependin' on the paper. The cutters wisnae the liftin', it wis the overhaulin'. You're liftin' paper there.

We were quite a happy crowd at Dalmore Mill. I knew quite a lot o' the workers when I started. Many o' them lived in Auchendinny. A lot o' Auchendinny folk worked in the mill. Then there wis Roslin and Loanhead and Penicuik and Bilston folk as well worked there. People came from all over tae work, it wis a bit o' a mixture.

In Auchendinny it wis mill houses, ye see, and everybody had jobs in the mill that had the houses. Our house in Ramsay Gardens, down the close, wisnae a mill house – as I say, it was a private house: Mrs Dundas. Up in Evelyn Terrace a' thir wis mill houses. They all worked in the mill. I suppose that would be a rule, that if you lived in a mill house but changed your job you would have to leave the mill house. I suppose in thae days it wid be. But ah cannae remember anybody in Auchendinny gettin' tae move or that.

Dalmore Mill wis where I met my future husband, Davie. Davie wis on the machines at the time and he used tae come across and speak tae us. I didnae know him before I started in the mill. He wisnae in Auchendinny a' his days. He lived at Pomathorn at the time and before he worked at the mill he worked on a farm. He came to there from the Jewel Cottages in Edinburgh. His father was a miner there. Then they moved out to Pomathorn.

So ye worked on the cutters for maybe two or three years before ye went up tae the salle tae work, tae the overhaulin'. I was about 18 when I went to the overhaulin'. I think I found overhaulin' more interesting work than the cutters. At the overhaulin', well, the paper comes up from the cutter house on pallets, piled up. And once it comes up the stairs we used to have a measure for the paper and we all took the same measure and carried that on to your table. The measure wis, well, jist a bit folded paper. And we a' took the same measure. And we all overhauled it till we were finished. And then the boss at the time used tae say, 'Collect. When ye're finished, collect round the tables.' So if somebody wis finished before you they could come and take paper off o' your table. And then they made more money than you, because they were working more quickly than you were. Ye jist sort o' felt, 'Well, I mustnae be workin' as hard as her', or something like that.

Mind ye, that didnae go on for long. They were quite a good crowd o' workers, because we all used to take the same amount o' paper. The measure for the paper wis used as a kind of ruler to decide the number o' sheets o' paper you were takin' for overhaulin'. Ye'd put the measure against the pile o' paper and ye'd say, 'We'll a' have that each.' And it was measured down the paper. Ye really used the measure as a ruler. Ye'd say, 'Right, I'll take two inches o' paper', or three inches o' paper or whatever it wis. We'd a' take the same. We thought it wis a good idea jist tae all take the same amount o' paper. I mean, ye got the odd one that wis a wee bittie greedy –

wanted more. It wis a question o' bein' greedy or no' bein' greedy ! Ye didnae want to compete against each other. Ye wanted tae be countin' the same amounts o' paper. I mean, the boss wis a' for this collectin' – let them that's doin' the work get on with it. But the girls, we kept the same measure. We didnae want tae be competin' against each other, while the boss wanted us tae speed up and reward them that were quicker. I mean, we werenae keen to compete against each other. We preferred jist to get roughly the same wages, even though at the overhaulin' ye were on piece work. Mind you, it never came to quarrels or anything. But ye did get an odd worker that would try and be a wee bit greedier. We were younger ones of course, we were a wee bit younger again than the experienced ones. But it wasnae common for girls or women on the overhaulin' tae be greedy, it wis jist an odd one that would do that. In a way there might be resentment against that person but, as I say, in thae days it didnae worry ye. But that wis the purpose o' the measure, to try and make sure ye were doin' roughly the same amount o' work and ye werenae competin' against each other, while the boss was tryin' tae get ye to bid against each other. But, as I say, that didnae go.

Your wages on the overhaulin' varied from week to week. But it was more than you got on the cutters. I just havenae a clue now how much my wages wis on the overhaulin'. I still gave my mother my wages – but on the overhaulin' we were gettin' decent pocket money ! It wis more than 6d a week by then ! We were quite happy wi' it. I felt a bit better off. I wis able tae get two or three bars o' chocolate and a shillin' a pair o' stockins ! There wis a Lisle stockin' came in. That's what the price wis anyway. If ye could buy your stockins for a shillin' you were great.

Ye jist couldnae go made wi' make-up because it wis expensive. I didnae have heavy make-up. I think I was older in life when I started yaisin' it. It wasnae the fashion in thae days to make up heavily. A cream we used tae yaise wis Valusi, Valuti, or something. It wis tae smoothe your skin but I dinnae ken what it did ! [67]

I never smoked or drank. There were no drinkin' or smokin'. Ye didnae go out regularly as young girls do now, oh, nothing like it. I mean, at New Year ye took a glass o' sherry and that wis about it. Ye didnae go to pubs. You brought the New Year in in the house and went round the doors to your neighbours first-footin'. And that wis it. Ma mother and father didnae have drink in the house. As I say, at Christmas and New Year wis the only time: a bottle o' port and a bottle o' whisky, and that wis it for another year.

I wis never keen on the dancin'. Later on, when I wis older at the mill, I didnae go dancin' up in Penicuik Town Hall, the Cowan Institute, very much. Ye'd go to the Tryst at Milton Bridge if there wis anything on, a gala dance or that, but I didnae go there very often. I was never a dancer.

There wis nothing much tae go tae in thae days. I did like walks. I never went walks to the Pentlands, jist round aboot Auchendinny. That wis oor life in these days.

I never went into Edinburgh very often. Well, we jist never had money. We were poor. I can remember payin' 2d. on the bus frae Glencorse tae Penicuik. So it wis much more to go into Edinburgh and ye didnae have that sort o' money. We didnae go into Edinburgh till we got older and then we went a Saturday maybe, gettin' away for an afternoon into Woolworth's and you bought a gramophone record ! I liked music. We had a gramophone at home. It had always been there. The music I liked it wis, ye know, the records that were on the go at the time, jist the music o' the day.

Then my future husband got a motor bike, and then we got away on that. It wis jist a bike wi' a pillion, no' a side-car. We jist used tae go away wee runs, maybe a week night, maybe a Wednesday. Mind, the roads were quiet in these days. But we didn't go very far. We had to be back half past eight, nine o'clock. It was jist a case ye couldnae go very far. But I remember goin' tae St Andrews one day wi' this other couple. The four o' us used tae go on the motor bikes and we went this day to St Andrews. Well, my future husband and his friend had worked on the farm when they were young, before they went down to work in the mill. And then of course when we got friendly the four o' us went thegither on the motor bikes. But before we went tae St Andrews we had tae ask our boss for the Saturday forenoon off from the mill because we were goin' away early. Well, wi' our boss in these days, we had to pick up a lot o' courage to ask to get away. Ye had really tae be brave tae ask. So we asked. We got the boss this day – the foreman in the salle, we jist used tae say Old Watson. We were sort o' quiet. My friend Daisy she said, 'Mr Watson, we're goin' away tae St Andrews tomorrow and would it be a' right if we didnae come out in the mornin' ?' We had tae explain tae him what wis a' goin' on. He says, 'Ye'd be far better savin' up your money for your house when ye get married instead o' wastin' money on the tailend o' a motor bike.' This was what he said. Ye ken, we wondered if we were gettin' away. We did get away, we did get away. But when ye think o' it now, nowadays they jist say, 'I'm goin' !'

As I say, there were nae holidays in thae days. I never had any holidays at the mill, none at all. Well, ye got New Year's Day. That's the one – jist New year's Day and back the next day. You didn't get Christmas Day. I think we must have got paid for New Year's Day. You didn't get summer holidays. You could take unpaid holidays. But I never got them because my father wis a miner and we never had money. So there were no holidays. I worked in Dalmore Mill for eight years and I had no holidays at all, I never had a week's holidays. Davie, my future husband never got holidays either. He was a machineman in the mill. He ended up on the cutters, he went back on tae the cutters – I think it wis for health reasons. When we started – after we were married – gettin' holidays it wis great, a week's holidays. That would be just after the Second War.

I worked in Dalmore Mill for about eight years. I think in these days there'd maybe be about 200 workers there. There wis a lot o' men and women, ken. Well, there could ha' been more women, because there were more women's jobs than men's jobs, I would say. Of course, ye didnae see all the men because the men worked shifts. The women didnae work shifts, jist regular day shift.

I wisnae in a trade union in the mill that I can mind. I never joined, nobody asked me to join, no' that I can mind o'. The union wisnae very active in the mill. It did go on in the mill, but. . . It wis jist called the union, jist the mill union. Davie, my husband, wis in it. He used tae be quite interested in the union after we got married. At the end he wis quite active in the union. I remember a man who was known as the union man – wis it Smith o' Penicuik ? I'm sure he had an office in Penicuik.

Davie, my husband, had an accident in the mill once – I'm sure it wis his hand – and I think he claimed through the union for that. That wis after we were married. When I worked in the mill I remember a cutterman got his hand through the rollers. He had tae be taken tae hospital. There werenae a lot o' accidents in the mill, it wis uncommon. I always felt quite safe in the cutters. See, they were feedin' the machines wi' paper – the likes o' that cutterman. Mind ye, there wis another man, Falconer, he got his fingers off in the machines. He lived in Auchendinny. But that's goin' back. I think he had that accident before I went in the mill. I jist heard about it. I can always remember him wearin' the glove or something. Then there wis one woman lost a finger in the cutters. Her name wis Affleck. But in these days there were nothing. Of course, there were no unions in that day when she got that. I felt the cutters were well guarded at the front, where we really were. I wouldnae say there wis much danger o' us having an injury at work if ye took reasonable care.

I remember a Mr Birrell, he wis washing his overalls. It must have been before I went in the mill, I think. They used to live at Maybank. I think that's where he was at the time. I'm sure he wis killed, or he died through the accident anyway. I don't remember any other fatal accidents at Dalmore.[68]

Davie and I were courting for a year or two before we got married. There were four years between us. I was 22 when I got married in March 1935. I left the mill when I got married. Ye had tae leave and be a housewife. It wis jist an understanding you left when you got married. None o' the girls stayed on after they were married, no' really. I don't remember anybody staying on. I don't remember any married women workin' in the mill when I was there, no' really. They got married and left. Ye just accepted that you left when you got married. I wouldnae rather have stayed on at the mill. I was quite happy just to lay in and be in the house and make the dinner for the man comin' home ! I think you felt that gave you more freedom.

When we got married we stayed in Bell's Row in Penicuik. It wisnae a mill house. It wis opposite the foondry, Ferrier's foondry. And that's where we took up house. And it wis Graham the baker at the time that wis the landlord. We had the house three month before we were married, and Davie decorated it frae top tae bottom. We felt we were lucky to have a house before we were actually married. In these days, well, dependin' on how long you wanted to wait for your house, it wasn't too difficult to get a house. If ye looked about ye could have got a wee place, a wee but and ben, whatever you wanted. In Bell's Row it wis jist a room and kitchen. We had water in the house, and a toilet outside – it wis on the landin' inside, and ye didnae have to go out. There were two houses, mine and the one opposite, and they shared that toilet. It wis a flush toilet. And then you'd the water in the house. It wis gas lighting, and we had a coal fire. It wis jist one stair up and it wis jist nice. It wis a step up for us wi' the toilet.

Well, we were two and a half years in Bell's Row then we went back tae Auchendinny tae a terrace – Evelyn Terrace, carryin' in water again. There wis still no inside water and no bathrooms. It wis outside dry toilets and a man frae the village used tae empty them every Friday mornin'. Fancy goin' back tae Auchendinny efter bein' in Penicuik ! It must ha' been because I was brought up in Auchendinny. I think that wis the only reason. My husband wis quite happy. It wis a mill house and a cheap rent and nearer to work. That wis the attraction. And then the washhouse: we used tae go to the washhouse, jist at the end o' the Terrace, a brick hut, two double tubs at each side and boilers. That wis for the tenants o' the Terrace. It wis there a' the time in Auchendinny. I cannae believe I did that when I think o' it ! There wis no water put into Evelyn Terrace nor flush toilets till after the war. We were lucky: we were in the middle o' the Terrace and the well wis down below. I can always remember Dr Badger at the time, he says, 'I wonder how long this is goin' tae go on, people carryin' water up and out ?' He got it goin', Dr Badger. It wis the mill that owned the houses We were in Evelyn Terrace about twelve or thirteen years, right through the war and for five or six years afterwards, then we got a house in Penicuik about 1951.[69]

Once my family were up a bit I had a part-time job. I used tae go tae Howgate Inn and wash the dishes, and up tae the Golf Club and clean oot the Golf Club sometimes – wee cleanin' jobs.

Well, I look back on my time in Dalmore Mill as happy days, because we had a nice time, a nice bunch of workers beside us, kindly and cheery and friendly. We used to have some great laughs and that. I cannae mind o' bein' hard driven at work. Ye knew ye were there tae dae your day's work and that wis it. I never had any notion tae return to work in the mill, no' really.

DALMORE PAPER MILLS.

8805.

Dalmore mill, Auchendinny, by Penicuik, with the North Esk river at bottom left, and Auchendinny itself just beyond the top of the photograph. Copyright Aero Pictorial Ltd, No. 3805.
Courtesy of Midlothian Libraries Local Studies.

David Wilson

Ah wis to start at Valleyfield on the 1st o' August 1927. And then ah got a letter to say, 'Start on the 8th.' And ah think, from memory, that wis the first year the mill had holidays with pay. The first week in August was the holiday week and the whole mill closed down. So they told me not to come then.[70]

I was born in the parish of North Leith, 32 Albany Street actually, on the 1st o' July 1912. Albany Street's no longer there. They changed the name to Portland Street, I think, because there is an Albany Street in Edinburgh.

My father was a potato merchant and he had a fruit shop as well in Great Junction Street, Leith. He belonged to the Borders – Kelso direction. My grandfather Wilson, I think he'd been a ploughman but he got on a bit. I can only remember them talking about a farm called London at Crossford near Dunfermline in Fife. So my grandfather had moved from the Borders to a farm in Fife, and that's all I can tell you about that. But when they came out of their farm my grandfather and an aunt they took what ye call the dry dairy in Ferrier Street in Leith. A dry dairy was where ye went wi' your jug and they filled it up wi' milk for ye. They didn't deliver the milk, you had to go and collect it. That was the old style.

I just remember my grandfather. I would just be probably four when he died. He died during the First World War, about 1916 or 1917. He was just a shadowy figure to me, a wee lad. My grandmother Wilson was dead. I think she was a Borders woman, too, because there was a lot o' relations in the Borders. My father had an aunt and uncle in Kelso and she had a milliner's shop there – I can just vaguely remember it – when hats were hats ! That's something that's gone now. They dinnae even wear hats tae the kirk noo.

My mother was born in Leith, I think. My grandfather on my mother's side – his name was Wardlaw – was a miller, in Tod's flour mill. But I think they had been in Fife at one time. I think he came from Culross.

I've no idea what my mother did for a living before she was married.

My parents didn't discuss these things. She must have done a bit o' clerical work, because she looked after the books in the shop, my father's potato merchant business in Leith.

My father lost the business when he went away to the '14-'18 War. He was called up in 1916 or 1917. He was in the Royal Artillery. I can vaguely remember him disappearin'. Oh, my mother was upset about him bein' called up. That wis a lot o' work, too, for her because she had tae go and work in the shop. My sister Minnie, who was about 18 month younger than me, and I were kind o' farmed out then on an aunty through the day till ma mother collected us at night.

Ma father survived the war. I have heard him talkin' about he was on a naval type gun which had a range of about ten or twelve miles. That's all I can tell ye. But he came back anyway from the war. And then of course, being brought up on the land and what-not, I think he got fed up not having his horse and lorry going round all the wee back street shops in Leith and chip shops, supplying them with spuds and onions and carrots and things of that kind. He wanted back to the land. I remember him being at Lanark looking at some o' these fruit farms and things o' that kind. But we finally finished up at Sir John Clerk's estate in Penicuik in 1921. We had the walled garden and greeenhouses as a market garden.

I had started the school in Leith. Ah wis at the school in 1917 before the end o' the war. I went to Trinity Academy primary department. I liked the school there. I wis quite keen but I jist cannae remember very much now. Ah wis no' very great at sums, kind o' medium. Ah wis no' very great at composition either. I would jist say sort o' medium. But I enjoyed the school and got a lot o' satisfaction out o' it. Then when ma father came to work and live at the market garden at Penicuik estate I went to the school in John Street-Jackson Street. There wis jist the two schools then, John Street and Kirkhill School. Well, there wis an English School, too, actually up beside the English kirk. It wis a tin hut, the Tin School.

At John Street School there wis no uniforms. Uniform had been compulsory at Trinity Academy, and ye had a bunnet wi' the 'T.A.' on it, and a blazer. At John Street ye jist wore your ordinary clothes. I suppose it would be jist a jersey with the buttons on the shoulder.

I got on all right at John Street School. Of course, staying up at Penicuik estate there was quite a few o' the workers on the estate had families and there was quite a few folk from Silverburn. So there was quite a gang of us walkin' up the road to the school. The estate wis a wee bit over the mile from Penicuik, jist outside the town. I soon got to know the others going to the school. I sat the Qualifying exam at John Street and passed it. I jist remained at John Street. Some of them who wanted to go further on, or if people pushed ye on, ye went down to Lasswade High School. I wasn't keen to go to Lasswade, I didn't want to go ! I didn't see myself as a scholar. But I didn't want to work in the market garden, oh, I wis quite clear about that. My father didn't try to coax me into the market garden work. But my mother pushed me out. She wasn't keen for me to work in the market garden. Well, ye had lean times and fat times in the market garden. If you were kind o' lean you would probably just get a few bob in your pocket. You would never get a regular wage. So my mother wanted me to go out and get a job outside and earn a steady wage and be independent.

My sister Minnie and I as kids we helped my father in the market garden. On holidays we pulled fruit and did all sorts o' things, hoed and helped and a'thing. Ye got some pocket money for that – 6d. Ye delivered stuff tae folk in Penicuik. If ye got a thruppenny bit for deliverin' fruit or something, ye ken, ye thought ye were well off ! But ye certainly more or less helped in the market garden on the Saturdays and in the school holidays. But you werenae tied – if you wanted to go and play football or something like that my parents didn't say no. They were quite reasonable about it. But generally on a Saturday you were working in the market garden part o' the day. Well, ah used tae have a basket, delivering bunches o' flowers and odds and ends tae Penicuik. You walked down and back. In the summer ye worked in the market garden in the evenings, pullin' fruit, that sort o' thing, jist an hour or so at a time. But it wasn't a life ah fancied. Ah wanted to try somethin' else.

I wis quite keen to leave the school and get out and work and earn some money. I had no particular ambitions, well, I had an ambition to drive a car and things o' that kind. We did get a car when I was about eighteen and I could actually drive before we got the car, because sometimes the chauffeur at Penicuik House would give ye a wee bit birl round.

We were just a tenant o' Penicuik House for the market garden, the same as the farmer. Any surplus that was made over the rent ma father retained it. We never saw the Clerks o' Penicuik House. At that time they were very hard up. I can just remember the present Sir John's father, Sir George, and his mother was still there. But they went away down to North Berwick. They had a house down there and stayed there for a number o' years, and Penicuik estate was let tae a man called Sanderson, of Sanderson's Mountain Dew Whisky, one o' that family. That wis while I wis growing up. The Clerks came back during the Second War.

I've heard my mother-in-law speaking about the disastrous fire at Penicuik House about 1900. She was a lassie in the mill at the time, and they a' scampered up tae see the blaze. The Clerks were an old established family. Well, they had part o' Loanhead, quite a bit o' land at Loanhead, and Mavisbank House there as well and then they had Barony House. And there were some kind o' brainy folk amongst them. Ye had the Clerk Maxwell. I was at the coming of age o' Sir John Clerk, my parents and I, up in the Cowan Institute in Penicuik. He's a wee bit younger than me. He was away in the navy during the war and had quite a distinguished war record.[71]

Well, my childhood on the Penicuik estate wis a happy one. We had the whole o' the estate to run about on. There were three gamekeepers and as long as you didn't do anything daft nobody said a word. And the old factor Charles Buchanan stayed next door tae us practically. There were about half a dozen houses on the estate. As a boy, well, we collected birds' eggs, we went fishin' on the Esk – outdoor pursuits. I had a bike and got around the countryside. And we used to have a gird as well. We had these iron girds wi' the cleeks.[72] And then of course my mother had two sisters in Edinburgh and their families were out to see us at Penicuik estate. They were walkin' over the Pentland Hills and we were a fine stoppin' off place. They could pop down tae get the bus. We were up on the Pentlands ourselves quite a lot. At Silverburn of course there were families there and we used to challenge each other at football, things of that kind, five-a-side or seven-a-side, depends how many ye could get !

Ah wis fifteen when ah left the school. I don't know why I stayed on an extra year. My parents jist told me to stay on probably. And then I got a job in the office in Valleyfield Mill. Somebody told my mother that they were looking for a young laddie tae start in the mill. And ma mother spoke tae a Mr Scott, who was the boss in what we called the paper room at the mill, and I got the job. And they spoke to the headmaster at John Street School, ye know. There was a great thing in these days: if they knew your mother and father, this sort of thing, it wis a kind o' reference. The Cowans o' Valleyfield Mill were English kirk, and they used tae say anybody from the English kirk just walked down to the mill and walked in and got a job. Well, they said that. In a way I think there wis some truth in it. But it was a case o' they sort o' looked at ye: 'Well, what's your folk ? Oh, aye, ah know them. Oh, yes. You're so-and-so.' Ah did the same maself years later when ah took over the finishin' department at Valleyfield. So it was done on that sort o' basis, if you were known, or known to the bosses, you had more chance of gettin' in. It helped you to get a job, there wis no doubt about that.

After ah left the school ah think I was about a month off before I started in the mill. Ah wis to start at Valleyfield on the 1st o' August 1927. Then ah got a letter to say, 'Start on the 8th.' And ah think, from memory, that wis the first year the mill had holidays with pay. The first week in August was the holiday week and the whole mill closed down. So they told me not to come then. They had never had holidays with pay before. In fact, ah think that they only really had had like the fast days, if you know what ah mean. I don't think they even got Christmas Day then. They were maybe off at New Year. That was it. That was not uncommon in Scotland then. And of course the Factory Acts came in: turbines had to be stopped and looked at, and steam boilers and things of that kind.

So I started in the office as office boy at Valleyfield. The hours were nine o'clock till five, but I've seen it some nights half-past five before ye got away. Ye didnae get paid overtime ! That was Monday tae Friday, and then Saturday ye worked nine till twelve. Everybody worked Saturday morning then. Even the shift workers on the Saturday, the mill shut – well, they pulled the plug at eleven or half past eleven, but by the time they cleaned and washed up and everything ye'd see them dribblin' up as late as three o'clock in the afternoon. But they got paid overtime for that, ye see. But the Second War brought a change: after the Second War they pu'ed the plug, everything wis shut off, and they walked out the door – a different attitude.

My wages when I first started as office boy were £25 a year – 10 shillins a week, ye could say. But I have a hazy recollection they reduced it later on, because there wis quite a number o' lads came in to the office after me and ah'm sure their pay wis reduced a wee bit. My pay wisnae reduced but they got less than I did. I think the mill was passin' through a hard time then and they were trying to economise. My wages as office boy went up I think it was £10 a year. And then after five years in the office you became a clerk.

When I started there wis Wullie Black, whose grandfather and father kept a' the records in Penicuik, who had started five years before me as the office boy.[73] I kind o' followed him in. The department o' the office ah wis in there was like six there: a Mr Scott, a Mr Hislop, a chap Conwell, Wullie Black and maself, and Ella Gordon the typist. In the cost room there was Wullie Black's father and a chap Mitchell, with his right arm off in the '14-'18 War. And then there was the mill manager, Philip De Tree. He was French extraction. Then in the wages room there was a Mr Gordon and a Mr Hamilton. Then there was the cashier Mr Quin, a Mr Stoddart and a chap Crerar, a fellow Hewitt, and a Miss Williams, a typist. Then there was a Miss Dickie, who was the manager's typist. That was really the office then – about 16 or 17 people.

Mr De Tree wasn't himself a Frenchman, ah think he was Scots. He must have been in the paper trade. He spoke wi' more an English accent. But I didnae see much o' him, he was too elevated for me as the office boy.

Ye did the messages. You took the letters and that in and what-not. You were a gofor, checkin' the day books and things o' that kind. And then the other two juniors, Willie Black and another chap, were the invoice clerks. These days ye did copperplate. They had tae write so as everybody could read it. In due course that's what I had to do, tae. Oh, they were well behind when ye think back. And they had ledgers, big ledgers. Ye did the extensions, ye know, somebody priced it for you, then you did the extensions and then another chap checked it for ye. Extensions meant, well, we wrote out the invoices and so many reams o' paper and what-not. It was so much a pound. Well, ye had the weight o' this total and ye had tae extend it. Ye multiplied to get the charge. I enjoyed that work and found it interesting. Of course, ye had all the fancy names o' the different types o' paper and everything. It kept your interest. Ye were learning all the time. There was quite a bit tae learn. It wasn't really a job I had thought about doing. It just came through my mother's contacts. But I had no regrets about starting in the mill. And then of course, most o' the lads you were at school with gravitated towards the mills.

When I began at Valleyfield in 1927 I would think there must have been about 500 worked in the mill. It was easily the biggest in Penicuik. And of course it was very labour intensive then – which was part of the trouble. And of course the old mill, I reckon, they built a machine after the old hand paper thing and then they would build another one when they got on a bit. And I'm sure old Sandy Cowan would come out wi' his bowler hat and his umberella and shout up tae the team: 'John, come here. We'll build another buildin' here for another machine.' And they scratched it out and there was no thought of runnin' parallel or together. It was just built piecemeal. If you look at a lot o' the small country towns and the fishin' towns ye've got gable ends tae each other, sideways, at right angles. That's what happened in the paper mills. There was no planning, not then, not when I began.

At that time old Sandy Cowan was the chairman at Valleyfield. His brother, Mr Robert Cowan, stayed in Inveresk village at Musselburgh. He came up to the mill. And then there was two Miss Cowans, sisters o' Sandy and Robert, they stayed in Woodslee, overlooking the mill. Woodslee, like Valleyfield itself, is away and they've got five bungalows in there now.[74]

You got a good training at Valleyfield, when I think back. I remember the paper room. It was auld fashioned desks all round. As the office boy I had a big desk in the far corner myself. In the centre there was a couple o' tables. All the mail, the paper mail, wis brought in there in the morning and Mr Scott, who was the head man there, discussed certain things in the mail with Mr Sandy Cowan, Mr Robert Cowan and sometimes Ronnie Cowan – Ronnie was a son o' Sandy – and Mr Robert Cowan's son-in-law, an R.O. Wood. They were directors and supposed to be lookin' after different parts o' the mill. But R.O. Wood was more a huntin', shootin' and fishin' type. He was Captain Wood, ex-Royal Scots. Anyway they discussed the mail there and ye could hear all this goin' on. You picked up a lot.[75]

And of course Cowans weren't only just paper makers in Penicuik. Ye had Alexander Cowan (Australia) and Alexander Cowan (New Zealand) and they had selling warehouses, agents, also in South Africa. But they were all part of the mill. The registered office then was in Register Street in Edinburgh. But in ma time they shut it down and they came out to Penicuik – extended the

office in Penicuik and brought the sales people from Edinburgh out to
Penicuik. That wis tae economise. They would get something for the buildin'
in Edinburgh. It wis quite an ornate buildin' and it's still there. Ah think it
was No. 34-38 in Register Street.[76] And then there was also Craigside
Envelope Works in Arthur Street in Edinburgh. That belonged to the
Cowans, too. That was where they made envelopes and stationery and did
bookbinding. So Cowans wasn't just making paper, it was these other things
as well. They didn't have retail shops, they were manufacturers.

And then Cowans had a big place, an office and a warehouse and they
did envelope making there, too, in London in Upper Thames Street. In
the office there they had a fancy window that kind o' hung out over the
river Thames and there was quite a famous artist – ah can't remember who
it was – he used tae sit there and do his painting.[77] Valleyfield was the
Cowans' only paper production place.

We had an agent in South America in Buenos Aires or Montevideo – it
wis either the one or the other. I can always remember his name: Enrique
Munro. He was Scots. I maybe did see him. They did come to Valleyfield
occasionally. And then we had another agent – either in Buenos Aires or
Montevideo, I get mixed up – JoseÒ or Giuseppe Castiglione. I don't
know whether he wis Italian. I never met him. When ah took over the
finishing house after the Second War we were still sending paper over and
ah had tae get labels printed with Giuseppe Castiglione's name on it when
we despatched paper. Ye remember a' these things.[78]

And then of course Cowans had an office in Johannesburg. The man
out there wis Peter McKerchar and his brother-in-law, a man Robertson,
wis out there in South Africa as well. We used to send paper out in bales
there and we still did it when ah took over the finishin' department at
Valleyfield after the war.

We had a place in Adelaide and Melbourne, and in Sydney and Perth
in Australia. It was an agent in Perth, ah think, but we had warehouses in
the other ones. And then we had Wellington and Auckland and
Invercargill, we used tae send paper there. Oh, Cowans' was a big
business. They had a helluva an overseas business.

So in ma early years in the office I sat in my corner desk with ma ears
open. It wis a great experience. Ye heard the business o' the firm being
discussed. They had regular directors' meetings. It wis more often than once
a week. Once they came out from the registered office in Register Street in
Edinburgh the mill manager's room at Valleyfield was the directors' room
and they held their meetings there. That was in the 1930s, something like
1934, 1935, 1936, ah couldnae jist tell ye which year it was.[79]

Before that occasionally the people came out from Edinburgh to meet in
the Valleyfield office. There was a Mr Comrie Cowan, Sandy's son, quite a

young man, a brother tae Ronnie Cowan. Comrie wis in charge o' the London office and he had one leg off – the '14-'18 war. And it wis that short – the stump wis right up – he couldnae get an artifical leg. He walked wi' the elbow crutches. Ah think Mr Robert Cowan lost a son or two in the war. Ah think the '14-'18 War kind o' upset the balance o' the Cowans, if ye know what ah mean. Maybe some o' the abler members o' the family never returned from the war. Then there was an Alastair Cowan – ah think he was a cousin – used tae come from the Borders in an auld Sunbeam car and it wis a' yon rid dirt off the Border roads, ye know. Ah think he had a farm or an estate somewhere down there. But he wis a director and he used tae come up occasionally at the meetings. Mr Robert Cowan wis the eldest o' the two brothers, him and Sandy. Mr Robert lived down at Inveresk. He kind o' lost the place a wee bit latterly. He wis an old man, of course.[80]

Then East Side farm, up in the Pentland Hills, going along towards Walstone, between the Kips, belonged tae old Sandy Cowan. He had the hills there. It went right over the back as a sheep farm – a hobby, ye see. So he owned land as well as Valleyfield Mill. And they actually owned Pomathorn farm. They would buy that off the Penicuik estate for water rights.

We got water from East Side. There were a wee pond that they called East Side – Braidwood Farm, on the north side of the road there. The mill labourers used tae go up when the mill shut and cleaned the ponds out and tidied them up. And then we had a spring up in Pomathorn there we used tae get water from. Ah think they had tae make sure there wis sufficient water went down the North Esk river to supply Esk Mill, Dalmore, and the other mills further down. And we hadnae tae pollute it, of course, as well !

Oh, pollution was a problem. It did happen from time to time. And of course whenever there were a flood everybody clapped their hands and all the sluice gates were opened and all the vats. All the paper mills did that, of course. Everything they could get away was sent into the river. After the Second War there was much stricter regulation. Well, they had tae build – they must ha' spent thousands down at Valleyfield. They built new filter beds and a big filter, tae. Oh, they spent a helluva money. They couldn't get away wi' practices that went on before the war. We jist had cinder beds and they filled them up and they drained away and they dug them out and filled them again. All the mills were the same, of course. Well, ah think over on the Water o' Leith they run their effluent into the sewer. They would pay for that. The sewers were big enough – but the sewer never was big enough at Valleyfield. The surplus wis jist all put into the river. There was no fishing, nothing below the mill, not a thing. There wis bleach seeped in and there wis caustic and a' thing seeped away. Nothing could live there in the river. I suppose it had gone on for a couple o' hundred years. And then occasionally they got a bit o' pollution from this iron pyrite thing oozin' out intae the Esk – there used tae be a coal pit up in Brunstane Moor. Oh, the North Esk was a pretty filthy river when I was a young man. When ah stayed at the market garden on Penicuik estate there were plenty o' fish in the Esk there. We used to fish there. You were all right further up the river there, the pollution was just down the river frae Valleyfield mill.

Valleyfield, Esk Mill and Dalmore Mill jist worked as three separate mills on the Esk. There wasn't any keen rivalry between them. Ah don't think there was much relationship actually between Valleyfield and Esk Mill. The owners didn't have a Penicuik Paper Makers' Association. Well, they were in competition in a way, but ah think with us in Valleyfield having our overseas connections things were a wee bit different. Esk Mill and Dalmore hadnae the same set-up. They were smaller mills and smaller companies than Valleyfield. Well, ah reckon that Valleyfield was a wee bit step above them – maybe a slightly different class o' paper we made, a wee bit higher quality.

Ah think Esk Mill gave up the rag business before we gave it up at Valleyfield. Latterly Valleyfield was the only mill that made paper with rags. That meant a higher quality o' paper. And then of course man-made fibres started tae come in before the war. The cause o' it was Courtaulds: they built a big rayon factory, British Rayon, down in the Borders at Jedburgh. We used to get off-cuts at Valleyfield from the shirtmakers. Ye know, they cut a swatch and we got the cuttins. Well, they started puttin' man-made fibres in these things and that killed the makin' o' paper wi' rags. Ye needed the pure rags for that.

The pure rags were got through rag merchants, the same as wood pulp merchants and esparto grass merchants. These merchants specialised in gathering the rags. Great big bales o' rags came in to the mill. Probably some rags would come from abroad. They were partly sort o' disinfected, too. They had tae be careful: they didnae pick rags off the street. Ah've seen us gettin' ex-army equipment at Valleyfield, like belts and webbin', which wis cotton.

There was about a dozen women, ah think, in the rag house when ah started at the mill, weedin' through the rags and sortin' them out. They were makin' sure there wis nae buttons on it, and eyes and hooks and things o' that kind – bones. It wis a wee bit dusty a job that but it wasn't too bad. The rags were already disinfected when they came to the mill, they werenae filthy. The merchants cleaned them. And then we dusted them again, and the women in the rag house cut them up into smaller bits, maybe six inches square, bits like that. The tables were on what they called a wire mesh grill for the dust to fall through and what not. And then we mechanically dusted them as well ourselves. So ye had the rag house where they sorted the rags, boiled them in the lime or caustic, and then they were put through the rag washers and broken up, dropped into steeps with bleach in them and left there till they drained out and they turned more or less white. That took about a week from beginning to end, and then they were ready to be fed into the paper.

Rag papers were mostly used for ledger book papers and Cowan Extra Strong, fancy letterheads and things like that, special, high quality, durable paper. They had a lot o' use in the legal profession, firms that dealt wi' the courts were principal customers, and solicitors and advocates. They did a lot o' that fancy paper, much stronger quality than normal writing paper. And then ye had the big sheets o' paper for these big ledgers and that. They were mostly all rag, for handling. Ye know how they turned them over, they got a lot o' handling. At Valleyfield we made the paper even for the bookbinding before the loose leaf ledger came. That was a firm called Kalamazoo that came in, and Twinlock. We dealt with the factory in Birmingham. It was Morland and Impey before that. It was an American firm of course that came over. I think their head office was in Kalamazoo – was it in Michigan ? Well, Valleyfield sent a lot o' paper to Kalamazoo.[81]

Valleyfield's principal customers were, well, there was quite a lot o' printers in Edinburgh. We made coated paper as well, the glossy stuff. Among customers I can remember Morrison & Gibb the printers, R. and R. Clark, Hunter & Foulis, the map folk – Bartholomew, McFarlane & Erskine. We didnae do much with Nelson's – Nelson dealt quite a bit with Esk Mill. But those others were long standing customers. Firms didnae move their contracts about. They stayed there – as long as you looked after them.[82]

Ah remember, too, when changes came the rag paper was too dear. That was before the Second World War and then durin' the war. The changes began before the war. Ye see, at that time a lot o' wee folk – a small printin' business and that – they would want their own watermark paper. So you made maybe two tons but they only wanted half a ton, cut a certain size. Valleyfield kept the rest – which was a bloody waste o' time. Ye had tae store this and of course ye had tae manhandle it, and every time ye manhandled it ye tore it and bashed it. When it got a bash ye had tae tear off half an inch o' bloody paper. And another thing, these firms had tae buy their own dandy roll for their own watermark. Well, the mill would buy it but every time we made paper for them we charged them so much tae offset the price o' the dandy roll which put the watermark on the paper. The dandy roll wis made of wire. The roll depended on the diameter, the width of your machine, and it ran on the top of the endless wire that they took o' the web material that sits on the top. You had your impression – say, Craig's, Woodslee, Monksburn, or whatever it was – and that left the impression on the top side o' your paper. Ye had tae store all these watermark papers and ye had tae store all these damned dandy rolls as well. There was a helluva lot o' money tied up in that. Well, the watermark paper jist gradually died out, too.

When ah started at Valleyfield all the processin' plant wis down at Low Mill at the far end o' the mill, the north-east end, nearer to Esk Mill. They boiled the grass down there. And that was where the caustic recovery plant wis as well. Ye boiled esparto grass in the caustic soda and ye drained it off and ye dried it off. The esparto grass came up there. They had a wee pug engine, a couple o' waggons, shunted back and forward day and night bringin' the grass up tae the mill. When ah started in the mill they were actually building new grass sheds and new wood pulp sheds. Jist before ah started they'd installed new Babcock & Wilcox mechanical boilers – no' shovel – and a new turbine. They shut Low Mill but left the soda recoverer there and put the grass boilers and what-not up at the other end o' the mill. Ye got your grass boiled and they shovelled it at Low Mill. We had a high powered water jet. They cut the grass up and it went out through the perforated bottom o' the boiler into the grass washer, a huge tank with a feather down the middle – a dividin' thing. And ye had a big roller that went round and broke it up a bit. And ye had a screen, a wire-covered drum, which scooped the dirty water off when it ran through the centre of the shaft and it ran away, till you got it clean. And then that wis sent into a tower with bleach till it wis white. That was then pumped over to the beater house.

The grass washer and the rag washer was a' the same but at the beater house they had a roll in them with phosphor bronze bars. And ye had a bed plate underneath with phosphor bronze bars but they were shaped sort o' v-shape, not exaggerated very much. So when ye lowered your roll down ye got a scissor action tae cut the fibre up. Ye had tae cut the fibre up tae suit the type o' paper ye were on.

Then that wis fed to the paper makin' machine. By the time it came through there we had about one per cent fibre and about 99 per cent water before it went on to the machine wire. That wire – an endless belt – wis fastened at this end, and at that end it oscillated jist a little bit. That wis to make your fibres knit, otherwise it would be all pointin' one way and ye would have no strength in the paper. But then you had the dandy on the top. Then ye had felt coloured rolls and granite rolls tae squeeze out moisture.

Then ye had your steam dryin' cylinder. Ye had felts on there and it was like a figure of eight. Ye led your paper over the top and down, so that you were drying your top side. And then ye had one or two calenders at the end which were chilled steel rolls, to put a shine on. And that was it. That was MF – machine finished – paper, as ye called it. The other type o' machine – Valleyfield hadn't one – wis the chrome cylinder and ye called it MG – machine glazed. It wis rough on the top side, smooth on the underside. The

MG was a specialist thing. As I say, we hadn't one o' these machines at Valleyfield. But at Denny there wis one and there wis one at Fife Paper Mills at Markinch that ah've seen – ah think that would be the nearest.

And then if it wis a fancy paper, we had two big super calenders at Valleyfield. That wis cotton rolls wi' steel rolls and ye ran it through tae get the finish. And ye could put weight on and all that sort o' thing tae suit the type o' paper you were wantin', to vary the quality, and so on.

And then ye sent it tae the cuttin' machines, which chopped it intae sheets. But ye also slit it, tae make the sheet run down. Ye had two knives: a circular knife tae make it intae individual webs, and then ye had a fly knife – a revolvin' knife – that went round. We had one at Valleyfield. Ye had a dead knife, another revolvin' knife, that would give ye a scissor action again and cut the sheets.

Then when ah went tae Valleyfield first we used tae make a lot o' envelope paper. We called them angles. Not so much nowadays, but if ye opened the old style envelopes there were peaks, they were diamond shape. Well, ye could alter your knife on a gantry thing on one o' the special cutters tae suit the peak o' the envelopes. And then we had another long sheet square – we used tae call them coffin lids ! And then ye had ripping machines: if the paper wis goin' out in reels ye cut the big reels, then the small ones. Really the start o' that wis Kalamazoo. We used to make paper for Kalamazoo but we sheeted it all and we tied it up in wrappers. We had tae put string in the gum tapes, and ye pulled the string and that slit the gum paper. But Kalamazoo were one o' the first that went over on to paper on reels. They wanted tae convert it themselves. It was cheaper maybe for them to do that. So things were changing according to the demand of Valleyfield's customers.

In these days paper makin' wis a highly skilled operation. It was craftsman, skilled. But now it's not. They're a' sittin' now in wee boxes wi' keyboards. When ah think back, ye let the steam intae your dryin' cylinders and ye would jist watch the dampness, ye know, the steam comin' off the cylinders. You run your hand over the paper. You had tae gauge it jist by experience, touch and sight. And then of course if ye got it too dry you got static electricity and ye got a kick and all sorts o' things.

Sometimes mistakes were made, and there was waste. Makin' the paper wis a team effort. Ye were all involved. But people weren't sacked if there was a lot o' waste. I don't remember anybody getting sacked – unless it was malicious. I don't remember a case o' that. But ah've heard o' silly things happenin' and things bein' covered up. Occasionally somebody pulled the wrong plug. Instead o' the paper goin' tae where it should ha', it went doon the drain. It could happen wi' maybe a wee bit o' stupidity or lack o' concentration, oh, that could happen.

Ah can remember the production o' paper at Valleyfield bein' up tae about 350 tons a week. That wis when we were goin' at full capacity. Ah suppose Valleyfield wis one o' the bigger paper makin' mills in Scotland. Guardbridge in Fife wis much the same, but Tullis Russell at Markinch wis bigger. And then you had the Clyde: they made newspaper as well as ordinary paper. Donside and Mugiemoss up in Aberdeen wis a big mill. Ye had Wiggins Teape up there. There were a helluva lot o' paper mills then. There were a lot o' bigger mills in England, of course: when ye think on the Helmsley crowd, the ones down the Mersey, the newspaper mills and that there, and the bigger ones down on the Thames, oh, big, big mills.

At Valleyfield we did one or two specialist things. We made the base for the Scotch Boy tape, that tape wi' the gum. We more or less started tae make that at Valleyfield. We also made a cast coater, which was the fancy sleeves for these music records and all that sort o' thing. That wis made through a licence from S.D. Warren in America. We made the coated paper, and then during the war there wis the Watman's mill at Maidstone in Kent that made the filter papers and all that sort o' thing. They got damaged and Valleyfield took over and made a lot o' things for them. That wis an ill wind in the war that did Valleyfield some good.

Valleyfield wis never bombed in the Second War. The only thing Penicuik had wis up Cuiken way they had the incendiaries dropped. And then there wis the bomb dropped at House o' Muir farm. Ah think they were maybe jist off-loadin' their bombs comin' back frae Clydebank.

In the paper mill of course ye had tae watch for the danger o' fire. There wis two fires at Valleyfield, but ah wis away in the army at the time o' one o' them durin' the war. And it was after the war we had one in the broke house. There wisnae an awful lot o' damage done but we a' mucked in.[83] Valleyfield had its own fire brigade composed o' mill workers. They were volunteers, they got paid an honorary fee, though. They got it in a lump sum, ah think, at the holiday time, tae help the holidays. We used to hold fire drills in the mill of course, and we had to close doors and evacuated them all in time and everything, and keep a record for the Factory Act folk. It was a constant hazard, well, it could happen – carelessness, of course: buggers wi' fly fags. There were smoking areas in the mill and others, oh, no smoking at all under any circumstances, none at all. The fire durin' the war when ah wis away in the army that wis No. 4 machine. It burnt out.

When I started at Valleyfield in 1927 there were four paper-makin' machines. They were jist known as No. 1, No. 2, No. 3 and No. 4. No. 1 and No. 3 were the two oldest machines, No. 2 wis the newest. The plate on it said '26 but ah think it wis roughly 1927 before it actually started. It wis built by Bertrams, Leith Walk, in Edinburgh. Ye had the two Bertrams in Edinburgh – two separate companies – Bertrams, Leith Walk, and Bertrams in Sciennes. Then No. 4 machine wis supplied by Bertrams of Leith Walk as well.[84] There were never more than four machines at Valleyfield. No. 4 wis replaced after it burnt out durin' the war. After the war the fire in the broke house didnae affect the paper-makin' machines. Then later on, a good few years after the war, we scrapped No. 3 machine. This wis after Pomathorn started, about the late 1950s.

*   *   *

So ah was in the office and ah wis learnin' all the time. It wis an interesting job. When ah first went to the mill you didn't have to attend evening classes. You went off your own bat. As soon as ah started work in the office I enrolled in evening classes at the old school in John Street-Jackson Street in Penicuik. It wis book-keepin' ah took there. Ah cannae mind if it wis one evening or two. And then ah went intae Heriot-Watt College in Edinburgh and ah took one or two chemistry classes. Ah took paper making chemistry and paper makin'. Ah went there two nights a week. Ah did that for ah think it wis three years. Well, ah got certificates tae say ah'd passed this, that and the next thing. But ah never went on. Ah kind o' reneged. Ah found the load a bit too heavy. Ah enjoyed some o' the evening classes, but I found it a bit heavy after a day's work. In these days there was no day release, and the firm didnae pay your fees or anything like that. It wis all purely voluntary goin' tae evening classes.

And then unfortunately ma father took a stroke and it kind o' upset the balance at home. I had a bigger load at home, too. I had to keep an eye on ma father. But he didnae retire from the market garden. Well, ah don't think he could afford to actually. He was paralysed down his right hand a wee bit, but he could manage with his left hand. Ma father retired eventually durin' the war and ma mother and him went to stay at Silverburn. When ah got called up durin' the war to the army ma father came out o' the market garden.

But long before the war, ah would be about nineteen, ah think, so it would be about 1931, when ah'd been in the office at Valleyfield for about four years, ah transferred to the lab. Ah think there were a wee bit o' pressure in a way tae shift around jobs so you could learn a bit more. Ah wis in the lab for maybe about seven or eight years, until the outbreak o' the war in 1939.

There were jist two of us in the lab at first, and then latterly there were three or four. After the war there wis more than that, because they extended after the war. They had a Dr MacBean and a Dr Ross doin' experiments. Ah think it was grossly over- . . . That wis my opinion ! Not Dr MacBean. I admired him. I think he got his Ph.D doing the work for the extension of the plan tae clean up the mill – the filter and that, the effluent, the sewage and that goin' into the water. But that wis after the war.[85]

Before the war in the lab it wis paper testing mostly I did. I didnae have any trainin' as a chemist, of course. Well, ye checked the stuff from the beaters going in and you checked the caustic soda plant making the right solutions, and ye checked the china clay department tae see that there was the right twaddle and things o' that kinds. Ah think that wis the origin o' the word twaddle. I wis goin' round the mill inspecting the work in these various places. And then somebody would send in a sample: 'Could you make ten tons o' paper similar tae this ?' Well, if it wis big enough ye'd get them tae test the tensile strength, tear, see if it wis tub-sized or engine-sized – which was gelatine or rosin – and Mullen, burst, and a' sort o' things o' that kind. I found that interesting and I enjoyed it. In a way I wis glad o' the change from the office to the lab. It was something else. And I had a lot o' guidance and instruction from my senior colleague in the lab, Mr Arthur. Well, he wasn't there long then it was a Mr Walker that came. He had been in India. Mr Arthur and Mr Walker were trained professional chemists. Ah don't think they were actually graduates but they gave me trainin' anyway. And then near the beginnin' o' the war, maybe '37, '38, '39, Dr MacBean came, and he started kind of experimental work and things o' that kind. He was the chief research chemist at Valleyfeld. Ah wis just a lab technician.

And then ah wis back in the office again. Well, when the war came they'd cleaned out the clerks, there wis a shortage o' clerks, and wi' me havin' experience I was asked tae go back intae the office. I didnae volunteer but ah didnae mind too much. Well, you said to yourself: 'Well, ah hope tae make a career o' the paper in here. Ah dinnae want tae make maself bloody awkward,' you know what ah mean.

However, it worked out all right, because by this time, the beginnin' o' the war, some o' the Cowans had kind o' vanished. The chairman, old Sandy Cowan, he had died. And they brought in a Mr Harrison, who was an accountant, ah think. But anyway he wis appointed a director. And then Sir Hugh Rose – that's Rose the paintmakers – he wis on the board for a while. He wis on the British Linen Bank and the Bank o' Scotland, and a' that sort o' thing.[86] Ah think it wis through him Valleyfield started makin' the bank notes again. That had stopped for a time – there had been no bank notes made in ma time at the mill. The bank notes which were made in Bank Mill – that's how it had its name – they were made then in the days when they were handmade with moulds. It wis all rag paper. And then after the Second War we started to make the pound notes and fivers.

And then another thing jist before the war, we got a new mill manager, a Mr Eric Taylor – A.E.R.T. was his initials but he aye got Eric. He came from a big mill down in the Thames Valley – Croxley, that's Basildon Bond. There had been really nobody after Mr De Tree went away somewhere else long before the war, there wis a kind o' blank. We had had no real manager then. Ah think it wis maybe a measure o' economy.

Mr Ronnie Cowan and R.O. Wood kind o' ran things, and ye jist had the head paper maker and the head man in the coatin' house and the head man in the finishin' department, and they were the sort o' mid-management. R.O. Wood wisnae a businessman, he was definitely a huntin', shootin' and fishin' man. He'd mair nonsense than he should. He married a daughter o' Mr Robert Cowan. R.O. Wood's father wis the chairman of the BSA – Birmingham Small Arms company. And ah think they were related tae Barnato, Woolf Barnato, the South African. Anyway R.O. Wood had been a Regular officer in the Royal Scots and he was called up as a reservist immediately the war broke out.[87]

There wis quite a lot o' ex-Royal Scots in the mill. Ah'm goin' back in history as well here again. The Royal Scots were based at Glencorse of course. A lot o' them, single men and married men, when they finished their time in the army they came up tae the mill even though they didnae belong to Penicuik. Well, they came from the Wellington Reformatory tae the army, that sort o' thing, ye know what ah mean. They hadnae hames half o' them at the Reformatory. It wis a case o' goin' frae one place tae another place where they could get a bed wisn't it ? Of course, there was a connection wi' R.O. Wood, he would know some o' them. They knew him, ye see, and that was it, you were in. And ah heard there were some o' these old soldiers when they finished down there at Glencorse they would walk up to Valleyfield and, 'Right, ye want a job ?' They would be given a job and, 'Who's your doctor ?' The old soldiers would mention Dr White. 'Dr White ? Never heard o' him.' White wis the barman in the local pub ! But, oh, they were good enough workers, ah'm not sayin' against them. Well, two o' them were sergeants and there was a man Elliot, ah think he had been a sergeant, too. Oh, they were able and responsible men.

Ah remember at the beginnin' o' the war there wis quite a few chaps like that at the mill called up as reservists. There were a chap called Davie Stewart, he was a quartermaster sergeant or something, he worked at Valleyfield, and there were one or two others.

Well, as ah say, ah wis back in the office again after the war broke out. It wis much the same as when ah'd left it for the lab about 1931, it wis more or less the same buildin' anyway and the same number o' folk in it. Well, ah got married in '42 and then ah wis called up in '43. Ma wife was a Penicuik girl, she worked in Wilson's grain store – cake and all that sort o' thing, fibre, ye know, feedins. They had two big lorries that went round. She wis in the office there.

Ma father took a stroke before ah wis married, and then ma wife's father took a stroke as well about the same time. Ma wife had to more or less support the house durin' the war. She didn't give up her job when we got married, she wis in the office in Wilson's still. Durin' the war she couldnae give up her job: if she had given up she would have been whipped away into the ATS or somethin'. So it wis quite a strenuous time. Ma wife had to look after our parents as well.[88]

When ah wis called up in '43 ah went into the army – Reconnaissance Regiment. Ah didnae volunteer for it, ah wis dumped there. Ah'd never heard o' it before. Ah tried tae get in the Air Force, just ah thought it would be easier, rather than what would be a lot o' square bashin', ye know what ah mean. But the Air Force wouldnae have me. Ah wanted tae get into the air crew. Ah passed everything but ah wis too old by this time. Ye had a' these kids comin' out – Air Cadets. They were up to date. Ah wasnae.

When ah wis called up ah went to Fort George, where ye did your square bashin'. Ah wis posted tae the Reconnaissance Regiment from Fort George and then finished up at Catterick. I was sent there to the D. and M. wing – driving and maintenance. You got bren gun carriers, armoured cars, half-tracks. And while I was there I got recommended for a drivin' instructor and things o' that kind. When we finished our training I and another bloke were told we were going on the D. and M. permanent staff. 'Oh,' I says, 'I'm no' wantin' tae go there.' Ah says, 'Where's the other lads goin' ?' They were goin' out to Egypt. Ah says, 'Ah want tae go wi' them.' The sergeant said tae me, 'Ye're married aren't ye ?' 'Yes.' He says, 'You're about 32 comin' up now ?' 'Yes.' He says, 'The war'll be finished. There's nae use o' you bein' daft. Do as ye're told.' There wis one or two chaps my age. Some o' them did get posted abroad. But most o' them got jobs – one o' them got a store job there at Catterick – rations and all that sort o' thing, and older fellows got semi-permanent jobs. So ah stayed at Catterick as a drivin' instructor. Ah didnae go any further. Well, we used tae go down tae a camp at Whitby occasionally and did a bit o' drivin' instructin' wi' bren carriers and armoured cars on the moors and that sort o' thing. But that wis all. We got leave and occasionally you could sneak off home for the week-end even – Darlington was the nearest station. We were part o' the Armoured Corps, of course. Oh, they had all sorts o' things up there at Catterick: the donkey wallopers and all the rest o' it, and dragoons occasionally. We had a lot o' Dutchmen for a while, trainin' them.[89]

Ah wis demobbed from Catterick at the beginnin' o' '47. Ah'd been late in goin' in tae the army and ah wis about the last tae come back, ah think. Ah wis only too pleased to get out the army, ah didnae fancy that sort o' thing. We were lucky, of course. On the D. and M. ye could do a bit o' dodgin' – ye learned ! Ah mean, ye made a friend or two. Ye did help each other right enough. There wis a bit of a spirit. And then bein' on the permanent wing ye got intae a room where ye were more or less a' permanent and ye got tae know each other, ye see. But the army didnae push me in a new direction, it didnae give me a great new interest or anything like that – anything but. The only thing that wis worryin' me was what wis goin' tae happen when ah came back tae Penicuik.

Ah knew ah would get a job – which job was the question. But ah got a better one than ah thought. When ah came back Eric Taylor, the manager, well, he wis a director by this time, and of course, somebody had told him ah wis bein' demobbed. So Taylor sent for me. A Mr Louden, the head o' the finishin' department, wis overdue for retirement. He'd stayed on durin' the war years, and ah think he had kind o' recommended me. So then ah took over the finishin' department. That wis quite a senior job in the mill. The title was head finisher. The finishin' department wis the biggest employer of labour. It must have had about, countin' the shifts and a'thing, comin' up for a couple o' hundred workers, if no' more – two-fifths o' a' the workers in the mill. Ye had a lot o' women in the finishin' department. Ye had the two salles, the salle for the overhaulin' o' the plain paper, and the salle for the overhauling of the art paper. Then ye had a forewoman there and an assistant and another forewoman in the salle, and then in the cutter house ah had three shift foremen.

When ah had started in the mill in 1927 out o' 500 workers there wis about two-thirds men and boys. It was much the same when ah came back after the war. But in the finishin' department there would be a few more women than men – maybe 60 per cent women and girls and 40 per cent men. Then we started tae reduce a bit in the salle. We got a mechanical sorter when Pomathorn started about 1960.

The finishin' work in the mill and the earlier paper-makin' processes were both skilled works. And the one was not much different from the other so far as it was lighter work or heavier manual work. But really, half o' the trouble in the mill wis we were scattered. We hadnae everything all in the one house as it should have been. This wis the bloody trouble. The mill had been built in a sort o' piecemeal way, a bit here and a bit there, and that sort o' thing. In ma department there were folk spread about all over the place. It was difficult to control. Ye had a bit of walkin' tae do and what not. It wis a bit frustratin' and time consumin'. Well, you were expected to go back and pace around, jist to see how things were going, anything new and what-not. And then of course ye got wise to a lot o' these things. The foreman would have a wee bit bother and he would send up, 'We're havin' a bit o' trouble.' So ye had tae educate them and say, 'Get on wi' the bloody job yourself.' Ye've got tae learn that quick.

Ye no longer had the regular nine-to-five hours once ye became head of the department. At first it wis actually quarter tae eight tae half past five, and then we got eight till five. Oh, it wis a long day. Ye had an hour off in the middle o' the day. Occasionally ye were called out, not very often, maybe once or twice a year, if there wis a crisis or somethin'. And then of course ah got sent away occasionally, well, quite a few times. Ye got complaints from customers about the paper and delivery dates and things o' that kind, and at that time we hadnae a sort o' complaints department or a pet flunkey, if ye know what ah mean. Well, ah did quite a few journeys wi' that and what-not. Ah had tae go and discuss things and try tae solve them. Well, ah wis travelling all over England as well as Scotland: Birmingham several times, and Manchester, Leamington Spa, High Wycombe, and North and South Wales. A bottle o' whisky sometimes cured a lot ! Ah found that interesting, ye learnt a lot, ye met a lot o' people, though of course ye couldnae get on wi' your work at the mill when ye were away like that.

The first time ah went away like that Mr Taylor had said tae me, 'Ye're in trouble. What have ye done ?' So ye had tae go away tae Birmingham. Ah went on the plane, an old Dakota from Turnhouse tae Glasgow, and then ye got the plane from Glasgow down to Birmingham. There was no direct flight from Edinburgh in these days. Ah'd flown before – at Ravensneuk farm at Penicuik before the war. Somebody's circus came, ye know, one o' these flyin' circuses. They were flyin' from Ravensneuk. They had the old twin De Havilland Rapides and things o' that kind. Ye paid five bob or something. Ye got a tour round Penicuik and bumped doon again. So ah quite enjoyed goin' away tae customers wi' complaints. But ye had tae be very diplomatic.

Competition wis fiercer after the war than before it. Then there was more specialities, too. We made the base for that white plastic on buses and trains and carriages in trains and what-not. It went to a firm in North Wales – Caernarvon way. Ah remember goin' there, too. So paper was for industrial uses, too. And at Valleyfield we made the paper for the 3M stationery firm. We done all that.

* * *

Ah never joined a trade union. Staff werenae allowed, and another thing – the paper workers' union hadnae a staff branch at that time. If they'd had a staff branch ah might have joined. Ah've nae idea if the union had a staff branch in later years. There wis nothing laid down by Cowans that staff werenae allowed tae join a union. It wis just an understanding, ye know what ah mean. There was no tradition of trade unionism among the staff, so nobody among the fifteen or so Valleyfield office staff wis a member o' a union as far as ah knew. But ah wasnae asked tae join a union. When the war came ah'd never been in a union and after the war ah wis never in a union.

Ah think most o' the mill workers were in a union – the paper makers' union – 'cause they had a strike in the mill before ah joined it in 1927. Was it 19. . . ? Now ah'm not sure. It wasnae the 1926 General Strike. They had their own strike at Valleyfield about that time – 1923 was it no' ? Anyway the workers at Valleyfield were out on strike then for quite a while. Ah knew about it just through the talk in the town, because ah wis only a laddie at that time. Well, ah occasionally seen a parade or something, that wis all. Paper making at that time didnae convey anything tae me, ah had no background o' that then. Nobody in ma family had worked in a paper mill.[90]

Anyway when ah started in the mill most of the workers, men and women, were in the union. Ah don't remember the management and the union falling out. We had one or two wee spats – silly wee things that happened – but ye sorted them out. There wis never a strike at Valleyfield, not in ma time there. Ah don't think there wis ever any threat o' a strike. The only thing that kind o' annoyed the management wis in the late 1950s or early 1960s when we started Pomathorn we wanted it on the four-shift system. But the crowd in the mill, the workers, didnae agree to that, which wis a mistake. They were a' at the stage by then when they finished on Saturday at twelve and they had all their week-end – their fitba' matches and a'thing. Changin' wis something new, drastic, tae them, ye know. They'd been accustomed to the three-shift system. It wis more or less human nature's resistance tae changes. In a way it had a bad effect on the mill and the company. Well, we had tae work tae about Friday every week before we made any money, and if ye worked over the week-end ye were makin' more money. Ye see what ah mean – your costs and everythin'. The first five days o' the week ye were jist coverin' your costs more or less.

Wi' the four-shift system ye had days off. Your days off could be Monday, Tuesday, Wednesday. It wis a five day week, but on a four-shift system, the same as Dalmore Mill at Auchendinny. The four-shift system wis because o' the continuous nature o' paper makin'. Not all the workers worked shifts – well, ye had the tradesmen, the barraemen and what-not, jist the labourers and workers o' that kind, and the women of course didnae work shifts. But in the actual paper makin' the workers worked shifts.

With the three shifts we started up on Sunday night – the night shift resumed production then – and we stopped at twelve o'clock on a Saturday. There wis never any workin' on a Saturday afternoon or a Sunday unless we were busy. Occasionally we worked through week-ends. But ye had tae ask the union or ask the workers. And then sometimes in my department, the finishin' department, dependin' on the load, if ye had more sheets and more reels and what-not, well, it put a bigger load on the salles. So ye had tae ask them to work sometimes at night, ye know, a couple o' nights or three nights a week. There wasnae any difficulty, ye jollied them into doing it. There wis give and take on both sides, so industrial relations at Valleyfield were generally good.

The paper workers' union was quite a strong union but they werenae militant or anything. There was a full-time union official in Penicuik. He had a wee office o' his own all the time ah wis at Valleyfield. He had a wee place at Imrie Place, and then he was along in John Street. It was always just the one full-time official and he looked after the three mills, Valleyfield, Esk Mill and Dalmore. There wis fewer workers at Esk Mill – maybe 350 or 400 – than at Valleyfield, and Dalmore wis smaller again, maybe somethin' like 150 workers, much smaller than the other two. So ye're really talkin' about 1,000 workers altogether. And ah suppose the more workers or members the union official had the more his pay was. He didn't work in the mill himself. There was a chap called Dougie Watt latterly. He was the last of them. Ah think that the chap that wis before Dougie Watt had worked in Esk Mill before he became a full-time union official. Then there wis some union collectors in the mill, too, maybe one or two for each department.

Ah never came across any o' the mill workers that were politically active, and ah can't say there wis any discrimination against anybody because they were maybe members or believed to be members o' political parties, not in ma time. Ah can remember two girls who worked in the mill whose father – he wis a miner – wis a Communist in Penicuik. But these two girls they had nae grievance, they were jist workers in the mill as far as ah wis concerned as head o' the finishin' department.

Ah mentioned a miner there. The miners in Penicuik were a distinct community from the paper mill workers. But they all got on, because a helluva lot o' the miners' families worked in the mill too, ye see. Ye got some o the older generation o' miners, well, their children worked in the mill, and some o' the older mill workers, well, their sons worked in the pit. There wis a bit o' both o' that, it worked both ways. But there were families that were a' in the pits, and others that were a' in the paper mill. But there wis no animosity between the two communities. The miners lived in Shottstown but there wis folk stayed in Shottstown that worked in the mill.

David Cowan, old Sandy Cowan's son by his second wife, wis on Penicuik toon council, ah think, for a wee while. He used tae go down and spout to the miners. They thought a lot o' him although he wis in the Conservative and Unionist Party. The Cowans were Conservative. Old Sandy wis the provost o' Penicuik at one time. That wis jist a means tae an end, well, he could control things a bit, ye see, as the provost. If they wanted anything, ye know, they could make sure there wis nae objections. Ye know what ah mean. That wis the usual, businessmen gettin' themselves on the council. But Sandy wis never a parliamentary candidate. His time wis taken up wi' the mill. And then Captain R.O. Wood he had nothing tae dae wi' it, he wasnae politically active.[91]

There wis a kind o' sayin' that if you were an Episcopalian you'd be all right at Valleyfield ! But ah wis never aware o' any kind o feeling against Catholics in Valleyfield. Quite a lot o' them wis Catholics in Valleyfield. Your career didnae suffer because you happened tae be a Catholic. There wis never any sectarianism o' that sort. I can remember the chapel wis in John Street on one side and the priest's wis on the other. And ah can remember some o' the old men that were in the mill when they passed they doffed their cap. They were Catholics these old men and they did that out o' respect for the priest. You didnae find that wi' Church o' Scotland or Episcopalian workers in the mill. Well, the minister they had they nodded tae each other, but they didnae doff their caps. Ah think there wis a closer bond between the Catholics and their priest than there wis between the Church o' Scotland members and their minister. I often thought the minister wid have liked tae have the same power !

And ah remember when the Catholic schoolchildren passed the Qualifyin' exam some o' them came to our school in John Street. They didnae go down tae Dalkeith. So there were mixed religions in John Street School. And the English School as well – they came to John Street after the Qualifyin', till things improved. There wis never any rivalry among the children, not to ma knowledge. Ah can remember, though, in the school football team we used to play Rosewell, Bonnyrigg, and these places. Of course, Rosewell wis known in these days as Little Ireland. Well, ye know, ye got safely on the train after the football game and then ye used tae shout, 'Tae hell wi' the Pope ! Up wi' Harry Lauder !' But if they could get a divot they heaved it at your head. But in the mill ah don't remember anythin' like that, there wis no bigotry or sectarianism there.[92]

Ah mentioned some o' the old Catholic men doffing their caps, and ah remember there were some very old people worked in Valleyfield when ah wis there at first. There wis some had passed 65. There was one old man called Law Hislop – his first name wis maybe Lawrence. He was a batchelor and ah think he worked on for years. I can jist vaguely remember him. He wis there in the late 1920s and ah think he wis over eighty years old. And ah've heard the story, ah don't know if it was actually true or not, that salle lassies used to contribute and they rigged him out wi' underclothin', his long johns and his semmit, at Christmas time every year.

Then ah remember other characters in the mill. Another man, they called him Poker Ellis. He must have had a stroke or something at one time, and his face wis twisted a bit. And then there wis Coalie Cairns. He wis a greaser and he carried lumps o' grease in his pockets ! After the Second War there wis a German worked in the mill. He'd been a prisoner o' war here at Woodhouselee. There was a prisoner o' war camp there. Wee Hans we ca'ed him. He wis a batchelor. Ah think he went back to Germany after the war but his folk had been wiped out and his town had been wiped out. He came back again tae Penicuik and got a job in the mill. He worked in the mill for a good number o' years, about twenty years anyway. And then he finished up, ah think, in Dalmore. Then at the beginnin' o' the Second War there was two or three came – ah think they were Lithuanians or Estonians or some o' these Baltic people – and they worked on the machines. But ah think after the war they went away tae Canada. As far as ah know they lived in digs in Penicuik. There wis one or two Poles arrived after the war in Penicuik, and we had a Pole in the office at Valleyfield, Steve Kay. He wis in the Polish army durin' the war. His son later on became the boss of the Inveresk Paper Group.

The workers at Valleyfield didnae live in particular parts of Penicuik. But the mill did have odd houses in the town. There wis houses up at Pentland View, which is now St Mungo's View. And a block o' houses in the High Street belonged to the Cowans, and they had two wee houses next to the Town Hall, and they had Parkend down in Bridge Street. It wis the same architect built Parkend as built Penicuik South Church and the Barclay Kirk in Edinburgh. Parkend wis built for single women workin' in Vallyfield that didnae belong tae Penicuik. Ah think it had a kind o' nickname at one time away back: The Nunnery. And then they had from Park End right down tae the mill. And, as ah say, they had odd houses about Penicuik as well.[93]

We had girls in ma time that came tae work in Valleyfield from Loanhead, Gowkshill – Gorebridge latterly. And there was one or two men maybe came from there. But more women than men came from outside Penicuik. We used tae bus them in, a bus load, jist the one bus. And then after a while they stopped it. They had tae pay their own fare.

* * *

Valleyfield mill had been there for nearly 300 years when it closed in 1975. Well, we werenae in the red, not exactly – but gey near it, ah think. If ye'd had any money it would have been wiser tae have put it in the Post Office than tae put it intae Cowans.

One o' the reasons for Valleyfield closin' – this is my opinion – wis we built this bloody paper mill up there at Pomathorn about 1960. Well, we had tae pump steam up, we had tae pump water and electricity up from Valleyfield. We were on the main from there but we run it from our own turbine most o' the time. And when they started they had no means of finishing the paper. The paper came off the machine in rolls at Pomathorn and came down here, and ah had tae handle it as head o' the finshin' department.

There ws a lack o' consultation to start with. We could have told them a lot. But the two men responsible for Pomathorn they never asked anybody on the lower level down at Valleyfield about anything. Ah think the idea to build the mill at Pomathorn it wis old man Taylor's, Eric Taylor. He wis the managin' director at the time. Ah think he wanted tae change so that he could build a bloody paper mill on the tap o' a hill ! Ye know why they built mills in valleys ? It was tae get the water power and the water. Well, that doesnae matter now. Ye can build them anywhere. And let's face it, they built Pomathorn and the machine Mr Taylor put in he had far too many of his old ideas. If he had come or listened to some o' our younger fellows we could have told him a thing or two. But they were maybe short o' money, ah don't know. But it wis all done from the top. We were jist told, the managing director told us, he didnae confer wi' us. He would confer on jist certain things. He played his cards very close to his chest. So there wis a lack o' consultation that ah would say proved disastrous.

Ah don't know how much Pomathorn cost. But we could have done it all down at Valleyfield at much less cost. I mean, ye could ha' knocked a hole through a roof and put a big girder in and built a big roof over the whole place and started from scratch. But up at Pomathorn they had tae do a bit o' piling – it's kind o' sandy there. Ah think that wis a cost that wisnae thought of beforehand. But that wis certainly a nail in the coffin o' Valleyfield.

The paper makin' industry wis also becomin' much more competitive. And then that paper makin' machine they built up at Pomathorn – it wis a big enough machine, right enough, but it wisnae goin' fast enough. Ye see, ah suppose Taylor wis limited tae his cash and he had tae jist build it for so-and-so. Ah mean, we did spend cash down at Valleyfield. We converted our No. 2 machine. We used to buy paper from Tullis Russell – twin wire, that's two sheets stuck together – for our coating department to make coated board. Well, we converted our own No. 2 machine to twin wire. That wis a big step and a help. Well, that improved the drive and all the rest of it. But ah didnae get much in the way of extra machinery as head o' the finishin' department. Ah got a ripper, ah think it was. That wis about a'. And we improved one o' the cutters to sort it mechanically, but it wisnae a very great success. And ah don't think Mr Taylor had the money, because ah can remember ah wis a tenant then in the house ah live in still, and when ah got the title deeds ah found it had belonged to the Clydesdale Bank for a while ! And ah think the overseas places and a' the other warehouses and a'thing had been mortgaged to the Clydesdale Bank for quite some time. And then it came back again to the mill, they got it back again. But ah think they hadnae enough money then tae do it properly.

And then there wis a firm called Spicers down in Cambridge. Spicers, an old family, were a smaller mill than Valleyfield but they were the same qualities o' paper. They were like the Cowans, they rose up from small beginnins and developed over a long time. Well, Spicers were taken over by Reed a few months before Reed took us over at Valleyfield and they amalgamated our selling houses: Spicers-Cowans.

Well, we heard rumours about Reed takin' us over. There was two firms, ah believe, after Valleyfield. Ah never found out who the other firm were. When ah heard the rumours ah had a friend Jimmy Lawson, a Penicuik lad, who was in Wiggins Teape. Ah remember tellin' him about the rumours and he spoke tae the head ones at Wiggins Teape. But Wiggins Teape were really competitors o' Valleyfield in the same market. Jimmy Lawson thought we would have been better under their management or umberella rather than under Reed's.

We were never really consulted or informed about Reed's take-over of Valleyfield right up tae the time it happened. It was pretty well a bolt from the blue. As ah say, we'd heard rumours. But Mr Taylor, the managin' director, never informed me as a head o' department. It wis funny. And unfortunately he had a motor accident, and when a lot o' this wis goin' on he wis kind o' pushed aside, too, ye see what ah mean. The Cowans had all gone by then – died off or pushed aside. There wis Mr Taylor and there was a Mr Elton, Mr Harrison, and then a Mr Jordan who came as a middle manager, and Dr MacBean, the scientific adviser. I think that wis all. These were the men that took the decision. Then Dr MacBean, a very nice man, a son o' the manse, took over as mill manager and what-not for a while. I got on well wi' him. But he wis too gentlemanly, ye know what ah mean.

Then there wis a gang came up tae Valleyfield from Reed's, includin' a paper maker, an engineer, and another fellow. I don't know what they were. They stayed in the Craigiebield Hotel in Penicuik. The bill was sent down tae Valleyfield. They went round the mill pickin' folks' brains and stickin' their nose in here and there. They spoke tae me but, ye know, ye had tae watch what ye said. Then all of a sudden they sent a man called Seaman. He had been wi' Spicers at Cambridge, a gentlemanly man, a nice man. He came up with an ex-personal assistant of Cecil King and we were sent for. Ah wis told, 'It's a' right, Mr Wilson. Meantime carry on wi' your duties.'

Well, Mr Seaman got pushed out eventually. Then there wis one or two others came to Valleyfield whose faces didnae fit and they were pushed out, too. This wis goin' on over months, maybe six months early in 1975. Well, we had the feelin' that, ye know, it wis swingin' and the end wis gettin' nearer and nearer. We could see it. Reed's hadnae any interest in Valleyfield. We still had a good order book. But ah think Reed were tryin' tae get out o' paper makin' as well. And they saw that they were better off sellin' off Valleyfield and makin' some bloody money out o' it. Well, they sold Craigside Works in Edinburgh. We had actually been goin' ourselves tae move out o' Craigside. We had a piece o' ground at Kirkliston, west o' Edinburgh. We were goin' tae transfer everything at Craigside out there tae modernise it. Then they had all the assets at Valleyfield. They had the houses and what-not and all that sort of thing.

There was a meetin' at Valleyfield. They arranged it in the salle, which wis the biggest place where they could get the crowd o' workers in, well, them that were available, that could get off the job – maybe less than 300. And then they had a big meetin' up in the Cowan Institute in Penicuik. Of course all the big shots were there. They painted glorious pictures right enough. They werenae sayin' anythin' about closure o' the mill. They were sayin' it wis a good thing, ye know, takin' it under the wing o' Reed an' a' that tae start with. And then jist gradually old man Taylor wis pushed out, then the man that followed him, who wis his personal assistant, he wis pushed out latterly.

So the final blow fell. Ah think it wis jist by word o' mouth. It went round the whole mill. And then the staff had a meeting in the canteen and there wis folk up from Reed tellin' us about our pensions. We were worried about that, and all that sort o' thing. Cowan had a pension scheme, well, it wisnae a pension, it wis an annuity. And it's still the same amount twenty years later as the day the mill bloody well shut in 1975. It has never increased. The Cowans were good in a way, up tae a point. They started the pension scheme in about 1932, ah think it was. It was the Sun Life of Canada; the overseas ones probably offered better terms. After two or three years they changed from Sun Life to the Standard Life in Edinburgh. They had an annuity from there. Of course, they jist called it a pension, ye never thought about it.

However, Reed took us under their scheme. Ah scored there ! Ah suppose ah wis one o' the luckier ones from the mill. Ah had 48 years service in by 1975, and most o' it at senior level as head o' the finishin' department. There wis a chap called Yester. He had the 50 years' service practically tae the day. Ah think he wis the only one that had 50 years. Ah think ah would be about next.

Well, in a way ah wis extremely upset at the way Reed's took over at Valleyfield. The end o' the mill wis an historical thing: it wis nearly 300 years old. Of course, it wis a very, very serious blow for Penicuik. Valleyfield wis the biggest employer. Esk Mill had already gone in 1968. But it was amazin' how they all got other jobs. There was a surprising lot went to the sort o' social work: a lot o' them finished up workin' in the Princess Margaret Rose Hospital and Liberton Hospital in Edinburgh. And there was quite a few chaps got jobs in the museum in Edinburgh Castle as custodians, attendants, and things o' that kind. Oh, they were very different jobs from those they'd been accustomed tae in paper makin'. Then there wis one or two went to Dalmore Mill. Ah wis in Dalmore one day two or three years ago and there wis two women there that used tae be in Valleyfield. Ah went over and had a chat wi' them. I apologised to their forewoman for keepin' them back, but as sombody said, 'Ye made their day.' Then there was quite a few got jobs at the pithead and things like that, ye ken. One or two o' the engineerin' folk from the mill got jobs in Precision Engineering at

Newtongrange and at MacTaggart, Scott at Loanhead, and there were some got jobs at Edinburgh Crystal in Penicuik, ah think. So there wasn't a great mass o' people without work for very long after Valleyfield closed.

Maself ah did get another job. Well, ach, ah wis jist in the wife's bloody road a' the time at home ! Ah had applied for one or two jobs. But ah wis 63 by then and ah learned not tae put ma age down of course. Anyway tae cut a long story short an old chap came tae see me. He worked at a garage at Loanhead. 'There's a job goin',' he says, 'it's jist an odd job.' 'Fine.' So ah walked down and got a job there. So ah wis the odd job man, swept the floor, assisted the panel beaters, helped them tae clean up in the paint shop, and all sorts o' things. Ah didn't feel humiliated – why should ah ? The main thing wis to feel that ah had a job of any kind. Ah didn't want tae go intae early retirement, and of course ma old age pension wasnae due for another two years. Then they found out ah could drive. So ah helped them and took new cars into the showroom in Edinburgh. So ah quite enjoyed that job. A' ma responsibilities in the mill were over: ye walked away there at Loanhead at five o'clock at night and that was it. Only once ah kind o' shot out ma neck. All these bloody panel beaters and mechanics in the garage used tae sit on old tyres and have their piece. And there wis a drum there wi' a black plastic bag ah had there for them tae throw their scraps in. But the buggers were too lazy – they dropped them at their bottoms, ye see. So one day ah got fed up. They were all sittin' there and ah had a few words tae say tae them: 'Ah'm no' your bloody servant. Ah've got tae sweep up after you. There's a bloody bucket there and ye're too so-and-so lazy tae so-and-so.' Ah says, 'Ah'm no' quarrellin' wi' ye, ah'm jist advisin' ye.' So there wis no problem after that, we got on fine, no bother.

Well, ma world at Valleyfield had come to a sudden end. But ye've got tae adjust. Ye've jist got tae make up your mind. And another thing about Valleyfield – ah'd seen other mills close before us. They were all goin'. Esk Mills had gone in 1968, Valleyfield lasted seven years longer. And then practically all the mills on the Water o' Leith went. Well, Balerno lasted for a wee while longer and then there wis one below them. Then there wis Mossy Mill and then Kinleith.

Ah worked at Valleyfield 48 years. Ah've no regrets ah entered paper makin', none at all. Ah thoroughly enjoyed the work. Ah've often thought, ye know, what would ah have done if ah'd stayed on in Leith as a boy. Would ah ha' went tae sea, which a lot o' folk did ? Ah had an uncle went tae sea. He wis a chippie – a carpenter – and a diver when they had the brass helmet and the heavy boots. And his brother he wis a chief engineer on the Ben boats.[94] Ah might have gone tae sea. But ah've no regrets that ah didnae, no regrets that ah entered paper makin'. Where would we be without paper ? Ah do have regrets about the way Valleyfield came to an

149

end. However, we saw that the way it was it wis kind o' hopeless. Ye see, nowadays they build a mill and the preparation plant, the machine, the finishin' – it's all in a line. At Valleyfield it was really bad management and lack of keepin' things really up to date. It wis the same at Esk Mill. They were content tae make a profit and make a guid livin' oot o' it. They got a very up to date coatin' machine – it wis tae cost over £1 million. That burst the bubble for them. Ah don't think it ever really got intae production. And it wis dismantled and went away tae Norway, Sweden, or some o' these places. It alarmed us when Esk Mill closed down in 1968. Some o' the mills on the Water o' Leith had gone by that time, too. They were smaller mills – Kinleith, ah think, wis only two machines.

Penicuik is a very different place now – a dormitory town.

Well, ah started work at Valleyfield on the 8th o' August 1927 and the mill closed on the 1st o' August 1975, a date ah'll never forget.

The huge extension to Valleyfield mill built nearby in the 1950s at Pomathorn.
Courtesy of the late Mr Alexander Ballantyne.

Robert Weir

Well, when ah left the school at Penicuik in 1927 ma father, a miner all his life, says – well, ah didnae know this at the time – but ma father says tae ma mother, 'Eellen,' he says, 'ah'm wantin' one oot the pits. They're a' in the pits.' He said, 'Ah'm wantin' one oot. And ah'm wantin' him.' This wis me. 'And,' he says, 'ah'll see what ah can do for him.'

Ah wis born in Glasgow – Giffnock, south side, on 2nd October 1913. Ah had five brothers and five sisters. Ah wis the second youngest o' the family. Andrew wis ma oldest brother – well, there were one died before him, he would ha' been the oldest and he's buried at West Linton. Then there wis Minnie, John, Ellen, Jeanie, Agnes, George, Lily, maself, and Davie. Andrew, John and George a' became miners. Lily worked in Valleyfield paper mill.

Ma father, as ah say, wis a miner all his life. He wis born in Leith about 1868, second youngest o' his family, ah think. There were five or six o' them. His father, ma grandfather Weir, and ma father's three uncles or four uncles were all stonemasons in Leith. Ma grandfather wis workin' on a scaffold at the Chambers Street Museum in Edinburgh and his hammer seemingly had slipped and he tried tae catch it and he wis killed there. Ma father wis only a wee laddie when his father wis killed. Ah don't think he remembered him. Ah remember ma father tellin' me that his father had made a wee cradle, a crib, from wood that he brought home from the Museum. That's the only thing ah mind o' that, him sayin' that.

Ma granny Weir had tae leave Leith then because in thae days there wis no help whatever. She had tae leave. Well, her father wis Davie Ross and he came from Ross-shire. He wis the cobbler in the Pend in Penicuik. So ma Granny Weir had tae come there. She had five or six o' a family and she had two that had jist died when her husband wis killed. Well, the two had died o' somethin' wi' a nice name – ah cannae mind what that name was – but it was starvation. So Granny Weir wis in low health, she had tae come tae her father Davie Ross and he helped tae get her intae Bell's Row in Penicuik. And she got intae Valleyfield mill and worked there.

Ah couldnae say how old ma father wis when he came wi' his mother and family tae Penicuik. But he wis jist a wee laddie. Ah remember him tellin' me he wis in digs at fifteen years old, sleepin' wi' other miners – five in a bed. He went tae school in Penicuik. Then he worked a wee while, maybe two or three years, first wi' Geordie Henderson, the butcher. He was delivery boy wi' Henderson. Ma father said ye'd tae do everythin' walkin. Henderson had an old bicycle but it wis hardly worth it, ye were better walkin' as cyclin'. He says, 'Ah remember once Henderson sent me away up tae the top o' Mauricewood, a big house like, and it wis a roast tae take away up there.' When ma father got there the woman o' the house says tae him, 'That's not very nice the top of that roast. You take it away back and tell them ah want another one.' Well, ma faither says tae himself, 'Ah'm no' goin' back wi' that. So,' he says, 'what ah done wis ah went doon tae the wee burn that came doon the side and ah got ma knife oot and ah fuzzed it.' Ye know what ah mean, wi' the fresh water, fuzzed it a'.' When he went back the woman says, 'Now couldn't ye have sent that roast in the first place ?' He'd taken a wee while goin' up there so when he went back tae the shop old Geordie Henderson got hold o' him. 'Where have ye been ?' And ma faither says, 'Dinnae you start,' he says, 'ah've been away up there.' And he's tellin' Henderson aboot the roast. 'Ah,' says Henderson, 'that's jist the thing tae dae, that's fine, that's fine.'

So that wis ma father's first job. He'd be thirteen or fourteen when he had left the school. They had tae work right enough, wi' the state his family wis in. Ah mean, in thae days ye had tae get work as quick as ye could mair or less. After that he went tae the minin' at Macbiehill, a wee pit – no' a pit, a mine – jist off o' the road tae West Linton. Ah always remember ma father sayin' he worked his whole life in the pits. 'But Macbiehill's the greatest pit ah ever worked in,' he says. 'Ah wis workin' down the bottom there and ah could hear the larks whistlin' through the day up in the moor up on the top.' Macbiehill wisnae very deep, and there wis only the two o' them workin' there, the owner and ma father, jist a young man then.

When he was at Macbiehill ma father was courtin' ma mother. Ma mother came frae about Lanark way. She wis in service most o' her young time. And she came tae Penicuik and she wis workin' as a maid for Major Craster, a good man, they reckon. He stayed the first house on the left where ye go through Penicuik park, where the monument is. Major Craster wis the superintendent o' the Wellington School, and that wis Craster's house wi' the Wellington. Ma mother as a domestic servant wis livin' in there of course. Well, ma father on a Friday he walked tae Penicuik frae Macbiehill tae see his mother. That's a good stretch – well, there were nothin' else but tae walk in thae days. Of course, ma father would see the boys an' a' and have a drink at Jean Easton's, the pub in thae days. Well, they wid imbibe and have their night and he would leave, oh, it must have been late, after midnight likely, and walkin'. This is him goin' back tae his work, Saturday mornin'. Well, what he done, he came down tae Wilson Street in Penicuik then he used tae go round the back o' Craster's house, where ma mother as the maid slept in the side room. But she wis waitin' and she had a big piece rolled up in paper a' ready for him. He wid throw some gravel up tae her windae and up came the windae and oot came this piece. And that wis him walkin' away tae his work up at Macbiehill pit.

Ma mother and father got married in 1890-somethin', at Newlands, jist past Ninemileburn, on Auld Year's Night. They lived at Macbiehill in a place ca'ed The Bents. Ye could go roond the other road and come oot at Carlops, well, the Bents is jist round there. In these days at Macbiehill he wis workin' in this wet workins and he took ah think it wis pleurisy. He wis that bad they had tae take him away tae Edinburgh Infirmary. He wis away there for a good while and ma mother wis left hersel'. There were no help and no neighbours near at hand. So she had tae do away herself. And then they brought ma father back by railway from Edinburgh tae Leadburn or Macbiehill station and tae their little house at The Bents. Ma mother said he wis that weak when he come back he couldnae dae anythin'. 'Well,' she says, 'ah wis workin in the fields for a local farmer and your father came but he wis that weak, but at least he helped and he sat in the hedge wi' the baby and looked after the baby.' The baby wis ma brother Andrew. When it wis time for a break ma mother jist went tae the farmer and she got a turnip. By that time ma father had a wee fire goin' and a pot on it, and the turnip wis cut up and boiled. That wis their dinner. Hard, hard times.

Ah don't know how long ma father worked at Macbiehill pit, maybe aboot eight or nine years, maybe less. Well, ye know what miners were in these days, they jist travelled all over the country. He wis everywhere workin'. He wis at Bonnyrigg and then he wis over in Fife and the Calders in Midlothian and Glenbuck near Murkirk in Ayrshire. He worked at Mauricewood at Penicuik. Well, what he told me was he wis waitin' on a new place at the coal face at Mauricewood. The place they had been workin' in had been worked out. But he went tae see the colliery manager. 'Oh,' ma father says, 'ah'm thinkin' on shiftin'.' The manager says, 'It'll no' be long, Andrae, till ye have a place.' 'Och,' ma father says, 'ah've waited long enough.' 'Ah'll tell ye,' says the manager, 'there's always something we wanted tae do. What aboot you and the men that's workin' wi' ye drivin' a mine down Mauricewood tae the Pentland Hills ? We're jist wantin' tae see if there's coal there.' Ken, a' the coal lies startin' frae Loanhead, that's a' the coalfield. 'But,' the manager says, 'we're wonderin' if there'd be anythin' goin' up the wey ?' 'Oh,' ma faither says, 'a' right.' So he started and they worked aboot a month. Well, it wis only a rabbit warren. They were cuttin' through. 'But,' ma father says, 'we didnae get awfy far in when we ran on tae pure gravel.' 'Oh,' the manager says, 'jist shut it up then.' So they knew then there were no coal that way to the north. So ma father left Mauricewood and he wis in Fife, Cowdenbeath ah'm sure it wis, and he wis doon tae the pub for his pint o' beer. 'And,' he says, 'this laddie comes runnin' in wi' the news. There'd been a disaster at Mauricewid.' He telt ma mother, 'Ah'm goin' hame.' But, oh, it wis a year after he came back home and they started pumpin' Mauricewood pit dry then. 'God,' ma father said, 'ah never seen anythin' as lifelike.' And he wis mentionin' their names. A man – ah don't know if it wis Dempster or no' they ca'ed him – he had a big black beard. His two sons had gotten away up as far as they could go in the pit till it wis no use. And they had their piece boxes, ye ken, wi' the names o' some o' them. 'When we went doon there when it wis a' pumped dry,' ma father says, 'they jist looked as if it wis yesterday. But when ye put your hand on the beard it came off in your hands. And then,' he said, ye had tae be carefu' efter that.' Ma father, ah think, knew all the men that were killed and laddies an' a'. There were a lot o' laddies killed, fourteen year old, ye know. That wis the end o' Mauricewood. Well, it wis opened again later, but further up. But it didnae go very long, maybe aboot seven year, and that wis it finished.[95]

Well, ah thought the world o' ma father and ah liked tae listen tae him. And ah says tae him, 'Dad,' ah says, 'ye were jist a slave. Ye were a slave. 'Oh, no, Robert, no, no, no' a slave, son.' And ah mind o' ma father wi' ma older brother John when he worked in the pit. The gas in the pit got ignited and ye could hear the noise and ye could feel the heat comin'. And ma father wis workin' wi' John and John wis jist a laddie. So he jist had time tae fling John doon between the rails for the pony, and he got what they ca'ed screen cloth – it wis used for hingin' up – he got enough o' that tae fling over John and he lay on the tap o' John till it passed over. John's back wis a' – well, it wisnae badly burned, but it jist showed ye.

Then ah remember ma father when he got older and he worked wi' ma brother George. George wis a great guy, he wis always wantin' tae go ahead, ye see. So George says, 'Ah'm goin' tae start contractin', dad.' 'Well,' ma father says, 'ye can please yersel', son. But ye have tae have your ain stuff for that.' Well, George raked it up and he started contractin'. Well, ye know the miners' way on a Friday was they come in for their meal, and while ma mother wis makin' oot the meal the pays were put on the table – every one o' them. Ah mind o' ma mother sayin', 'Look at Geordie's wages.' He wis well up on ma faither. And ah aye mind ma faither sayin', 'Eellen' – that's what he ca'ed her, Eellen – 'he'll learn the hard wey.' In these days in the pit ye got paid so much a ton. 'Well,' ma faither says, 'ah've seen me goin' doon the pit there and ah'd work frae seven o'clock or eight o'clock, say, tae maybe eleven. That wis me finished for a' day. Ah could ha' put a lot mair coal oot. But,' he says, 'ye had a man sittin' up in the manager's office and when your pays came up wi' what ye were earnin' a ton, well, when they see Geordie's pay, it'll be, "Take a ha'penny off his ton." ' A ha'penny wis a lot then. Well, Geordie and his men worked a wee bit harder – and another ha'penny came off. And they kept daein' that till Geordie wis workin' like a beast and the men wi' him, tae. And luckily at that time they got a whiff o' what they called damp – deadly fumes that come up. And that affected Geordie badly and he wis off work for a while. And ah always remember him sayin', 'Ah'll work for no one frae now on.' And he worked on his own – he had his own motors and everythin' on the road. He said, 'Ah'll never work doon a pit again.'[96]

As ah say, ah wis born at Giffnock, Glasgow, when ma father wis workin' in the pits there. Ah started school at Oatlands School there when ah wis five in 1918. Ah remember in the school a' the teachers were runnin' up and doon. Big partitions shut off the rooms and they were opening up the partitions. Everybody wis shoutin' and, ah, there were a great stramash. And the next thing there were a boy come in wi' a barrae and they must ha' had it a' ready and they had mugs, tin mugs, wi' ribbons on them. It wis the end o' the war, the Armistice. We thought this wis great, they were pourin' this lemonade into a' thir mugs.

Well, ma father left Giffnock in 1922. He had all o' us by then, the family. A' heez relatives stayed in Penicuik, so he left Giffnock a year before us and he came to work at the Moat pit at Roslin. He stayed with his sister in Fieldsend in Penicuik and walked tae work at the Moat. Heez sister kept what they termed The Shelter. She had a house and her family wis in it, but she had one room for anybody that wis down and out and maybe ill – tramps or anythin'. They went tae the police and the police brought them down tae her and she had tae put them up and feed them at The Shelter as part o' her house. She got paid a wee bit for that. That's who ma father stayed wi' until there were a house became empty in Shottstown in Manderston Place and he got it. Then ma mother and the rest o' us left Giffnock and came to Penicuik in 1923. So ah came tae Penicuik when ah wis ten and ah went to John Street School – MacGregor's School, as it wis termed. Ah stayed there till ah left when ah wis fourteen.

In Manderston Place we had a livin' room and one bedroom. By that time the older ones in the family were courtin' or married. They came through tae Penicuik jist for a wee while. They wouldnae stay in Penicuik after bein' brought up in Glasgow. Penicuik wis dead for them, so they went away and they ended their lives in Glasgow. There were never any o' them came back. There wis John and Geordie and Dave and I, Lily and for a wee while Aggie in Manderson Place. Aggie went away though. So then, wi' ma mother and father, there wis seven o' us. In thae days it wis what they called boxed-in beds. Well, naturally ma father and mother slept in the kitchen, and Lily, the one sister that wis left. She worked in Valleyfield Mill and she wis late in life gettin' married. John, Geordie and Davie and I slept in the room. We had two beds in the room, two in each bed. That wis the usual arrangement.

But we were the only houses that had runnin' water in. Oor front door in Manderston Place faced right intae the front door o' the roadhoose or inn at the Carlops road junction. Seemingly that front row o' houses that faced the roadhoose wis used for what they would term the gaffers, ye know, pithead, or maybe journeymen or tradesmen or somethin' like that. And there were a big house at either end and then the wee houses. And it wis one o' the wee houses we got, and it wis a stone floor in the scullery, but luckily enough ye had water. Ye had a cold water tap in the kitchen. The rest at Shottstown, the whole o' Shottstown, there were a well at either end and they jist filled their water there. Oh, primitive conditions.

We had an outdoor toilet but it wis a flush toilet. The toilets were studded down the middle o' the houses, twenty yards from the houses. They were studded – there'd maybe be one, two, three or four – and that accommodated the rows o' houses that went up either side. Ye shared the toilet wi' a lot o' families, maybe a dozen families anyway. It wis a brick buildin', of course, they were built wi' brick. There wis two sections, two compartments, in the toilet, and you had a key for tae . . . Sometimes ye'd tae wait a long time tae get in. There wis queues. Ye jist had tae knock on the door or wait. Sometimes ah watched when they were goin' tae the toilet, if it wis awfy heavy rain ye sometimes had tae – well, ye'd be better wi' an umberellae or wi' somethin' on. Oh, God, they were leakin'. And in the winter, too, goin' away out there on a cold night. . .

There wis no bath in the house. Well, if anyone wanted a bath they'd go up what they called the bine – a Scots word for the tub, ye ken, the widden tub. And they a' washed in that, bein' miners. It wis a' ready there on the stone floor and they jist kneeled doon, ye ken. Ma mother put somethin' on the floor and ma father and ma brothers they kneeled doon and they jist washed a' their body and everythin'. Well, they wid dae that. But what ah done frae ah left the school: they used tae play billiards and stuff like that up in the Cowan Institute, up the town. But ma great night out wis, ah could go up there every Friday and ah paid it wis either a penny or tuppence and ah could get a hot bath and a towel. And ah thought that wis great. There were this wee thingmy, cubicle, and ye went in and ye got your bath and that. And that's all it cost, a penny or tuppence. And that's where ah went, and ah thought it wis great then. Ma brothers didnae do that. Ye see, they were miners. They were washin' every day.

And then the miners werenae allowed tae go on a bus, well, the buses widnae allow them wi' their dirt on them. They had either tae walk home or cycle home. The Shottstown miners worked mainly in the Moat colliery at Roslin. Maybe one or two worked at Loanhead – Burghlee, some o' thae places. Watson, the farmer doon there at Ladywood, he had an eye for business. He seen a' these miners all waitin' and wantin' their shift. So Watson wis one o' the first men tae get a motor in Penicuik – a Ford. It wis jist a wee clutch, ye jist shoved the clutch in and ye were away in first and ye let it oot. That wis you in second. Well, Watson got that and he done a lot o' work for the town of course, and he done a lot o' work wi' that malt that comes off the breweries. He delivered that to the farmers. And he got a cover rigged up on his motor and he got seats put in it. When we were boys at school we used tae run aboot Watson's farm, and when he wis gettin' ready tae go away wi' his motor he used tae get the laddies tae dae a' this – get the seats and put them in and put the haps away, let them doon. Well, it wis 2d. tae go doon, 2d. tae come back frae the pit. That's what the charge was – a lot o' money then. Watson done the farm work through the day, and he had his sons there, the three o' them, workin' on the farm, too, and drivin' the motor, 'cause he got another motor tae supplement the first one. Well, he wid run umpteen loads o' miners, and that wis miners ro'ed up tight. Watson'd go down on the back shift and he'd bring men up on the day shift, and then he would have another load down. He would take the night shift down and he'd be bringin' the back shift up. In the mornin' he wis away at five o'clock, and, well, he wis makin' a lot o' money. So that's how the miners travelled – eventually.

The miners at Shottstown showed themselves as separate from the paper mill workers in Penicuik. Ah mean, all the miners then came tae what ye ca'ed the corner. There would be certain corners – outside our house in Manderston Place, and the big house at the corner – where ye got a' the men, and they wid stand there and they were talkin' aboot pits. It wis coal, coal, coal, the miners talked aboot. They seemed tae be a close knitted group from what ah remember o' them. They were miners that went fishin' and miners that went poachin'. They were always thegither. They hadnae much time for the mill folk. If ye asked them, 'Do ye no' want tae get a job in the mill ?' – 'Whae wid work doon there ?' No way would a miner work in the mill. Oh, they were contemptuous o' the mill. They thought that wis too soft a job, too easy. And their pays in the mill were wee-er too, of course, than the miners' – of course, it's only a shillin' ye're talkin' aboot. But this wis quite a difference in these days – £3 then wis a huge wage. The miners and the paper mill workers were two separate groups.

As ah say, the miners went fishin' and they done a lot o' quoitin' up in the park. And then the younger yins used tae be away doon the burn and that, jumpin' hennies, as they ca'ed it, ye know, hennies – broad bits o' the burn. They'd all line up – and this wis men that were workin' – and they would jump and, oh, it wis a great thing. Ah can mind o' seein' them. The miners were interested in athletics and keepin' fit. They made their own sports in their own time. The paper mill workers, well, ye got a lot o' the paper mill workers playin' tennis. They didnae go in for quoits, nothin' like that, it wis more carpet bowling, things like that they went in for. Oh, the miners and the paper mill workers were two distinct communities, they were certainly, oh, different people altogether.

But it wis nothing like Glasgow. The scenes ah seen there when ma family lived there ah cannae repeat them. Ah wis only a young laddie then. Oh, bigoted ! Even frae ah wis young ah seen it wis a' wrong. The Orangemen used tae come along our street there – Caley Road – flutes and great bands goin', and the black marias one on either side, and the ambulances at the back. They used tae come right down Caley Road. Ma mother of course locked ye in the house. But ma older brother Geordie, he wis a great lad, a wild lad. He wis three or four year older than me, and one day he says tae me, 'Come on, come on, ah'll show ye them. Come on doon.' So Geordie brought me doon and we went roond by where oor school wis. Well, the Orangemen used tae come marchin' right roond there, and the Catholic Street – Lime Street, they called it – went up there intae Cumberland Street. The Orange march went up past there and past the Catholic school, Hayfield, past there. Well, ah can see it tae this day. Geordie took me in the back o' a place called Cheap Jones. It wis a shop and it wis oot the road o' them. He says tae me, 'Watch. Dinnae let ma mother see us.' The tenements wis four storeys high and they had a' these effigies oot, ken, Catholic effigies like, the ones that they worshipped and that – the windaes up and the effigies a' oot on their wa's and everything. And thir Orange boys comin' doon bang, bang, bang. There were some walkin' wi' them and they had a' their pockets fu' o' stones, and they started beltin' a' this effigies. And Geordie and me oo're standin' wi' our mouths open. And then the folk in the tenements wi' the pails, ye know, full o' the excreta and urine. Ah can see it a' yet. Ah didnae know what it wis at first. What wis it they used tae say – Gardyloo ! They were shoutin' doon 'Gardyloo !', ye ken. And this is as sure as ah am sittin' here: thir Orange boys wi' the flutes, playin' away, and a' this runnin' doon their faces. Ah says, 'People ? Savages !'

But there wis nothing like that in Penicuik, jist a slight Orange element. And ah'll tell ye, it wis more after the Second War. Everything changed then. That wis when the influx came through frae the west. Ah had seen it there in Glasgow and it wis in ma mind always. It widnae be in the mind o' people that wis born in Penicuik. But it wis in ma mind. There wisnae much Orange in Penicuik when ah wis growin' up here after the First War, but after the Second War ye got the advent o' the west comin' in. Well, after the Second War Shottstown more or less died away and a' this housin' schemes up the top o' Penicuik – Cuiken, right away roond, Glaskhill and a' that – they a' came from the west. They worked in the Moat tae start wi', but then Bilston Glen, Loanhead, Monktonhall later on. There wis no Orange influence among the paper mill workers, no' tae any extent. They maybe spoke about it. But ah seen it in Glasgow and it was imprinted, especially when you're five or six years auld. And that never leaves ye.

Well, ah always thought the paper mill workers in Penicuik thought theirsel' a wee bit above the miners. Tae me, the miner wis more treated as a sort o' lower, ignorant man. But the miners had a contempt for the paper mill workers. This is what it wis. Oh, ah don't think it came tae anything, there wis no fights, nothin' like that. It wis jist a feelin' that wis there that the paper mill workers thought theirsel' a wee bit . . . Ah could see things, because ah wis a member o' a minin' family but ah worked in the paper mill. Even when ah wis young the miners would say, 'Are you a mill dumper ?' Ah mean, that would be a reflection that the miners thought that the mill workers thought theirsel' that wee cut above: 'Ah widnae be a miner.' Ye know what I mean ? Ah thought the miners were more or less treated as lower and a wee bit ignorant, which wis wrong. They were good people, good people. And they were doin' a job that thousands wouldnae do.

Ma father wis a member o' the miners' union, the Mid and East Lothian miners' union. He wisnae active: he paid his dues and that wis it.[97] He wisnae politically active but he voted Labour every time. Ah can always remember when we lived in Glasgow the man that ma father always spoke aboot wis John Maclean. We used tae sit in the hoose and ma father wid say, 'Now what's that song ah taught yeez ?' And we used tae sing:

Vote, vote, vote for John Maclean,
Vote, vote, vote for John Maclean.
And we'll buy a penny gun
And we'll see the scettles [?] run
And we'll never see them any more !

Ah don't think ma father attended any o' John Maclean's classes o' lectures.[98] Ah think ma father wis on the left o' the Labour Party. Ah mean, ye couldnae be in Glasgow and no' be Left if ye were a miner or a worker. Glasgow wis pure out and out. . . But ma father wis never a member o' the Communist Party. He never joined any party. He read the newspapers and that wis it. He wisnae a great reader o' books.

We went to the church, but it wis fear when ye went tae the church. Ma mother made me go. But that's no' worshippin', that's fear. It maybe didnae do any harm, but that shouldnae be. Ye shouldnae go tae the church in fear.

It wis the Church o' Scotland ah went tae. Ma mother wis a churchgoer, but no' ma father. He never mentioned religion.

But the whole thing was wi' ma father he never struck any o' us. He never struck any o' us, for a' we were a big family. Ah can see it yet – ma mother runnin' daft, wi' a big belt in her hand. And ma father wid be sittin' readin'. And then ma mother wid stop: 'Andrew, can ye no' do something ?' And he wis jist deliberate. He took his glasses off: 'That'll be enough.' The hail hoose wid be quiet then and ma mother put the belt away. Ah thought the world o' ma father, ah aye did.

*　　*　　*

Well, as ah said, ah went tae John Street School in Penicuik from ah wis ten till ah left when ah wis fourteen. Even when ah wis still at school ah could read anything in history. Ah liked it. And then ah liked essays. Ah got Excellent, ah remember, for writin' essays. Ah remember writin' one on Robert the Bruce and De Bohun before the battle o' Bannockburn. Ah read a lot – Westerns and that sort o' stuff, and then ah went on tae history books.[99]

Provost Wilson gave two bursaries for higher education, well, ah got one. Oh, ah wis keen at the school. But wi' bein' a big family ah had tae go tae work right away. The other lad that got a bursary wi' me, he never took it either. Ma parents couldnae afford tae let me stay on at the school. It wis jist circumstances at the time. Ah liked the school – but ah still wanted tae work. Ah never thought about tryin' tae stay on at the school, even though ah had got a bursary. Ah wisnae disappointed at havin' tae leave, ah jist accepted it. Ah wis young then and disappointments didnae come intae ma life much at that age. The funny thing was ah wis quite keen at the school but ah wis keen tae leave it, too.

Ah didnae have any particular ambitions about work. Ye went wi' what your parents . . . That wis it. Well, when ah left the school at Penicuik in 1927 ma father, a miner a' his life, says – well, ah didnae know this at the time – but ma father says tae ma mother, 'Eellen,' he says, 'ah'm wantin' one oot the pits. They're a' in the pits. Ah'm wantin' one oot. And ah'm wantin' him.' This wis me. 'And,' he says, 'ah'll see what ah can do for him.'

Ma father used tae go up tae the Royal Hotel in Penicuik, as a' the miners done in these days on a Friday night. Well, there were a chappie went up there, a Mr Charlie Gordon, and he wis a clerk in the pay office at Valleyfield. His failin' wis he would drink. But he wis a nice man. He had that situation on the staff at the mill and he kept it till he died. Him and ma father got on fine. So ma father says tae me, 'Ah'll ask Chairlie.' So he telt Chairlie, he says, 'Ah'd like yin oot the pits, Chairlie.' Mr Gordon said, 'Aye, ah'll see what ah can dae, Andrae.'

Ah left the school jist about the Christmas holidays 1927 and New Year 1928. And ma father came tae me. He says, 'Ah've got a job for ye.' I says,

'Oh, where aboot ?' He says, 'Valleyfield.' He wis quite happy, ye know, tae get me in there. Ah says, 'Ah'm no' goin' there, dad.' He says, 'What d'ye mean, ye're no' goin' there ?' Ah says, 'Ah want a black face. Ah want tae work in the pits.' He says, 'Ye're gettin' nae black face,' he says, 'ye're goin' doon there.' Ah says, 'Ah'm no' goin' doon there.' He wis, oh, awfy angry at me. But it a' hing away.

So ah went doon tae the Moat pit at Christmas time and it wis the wintertime or ah started. Well, ma father had had a bad accident tae his leg. He wis goin' aboot but he jist couldnae go doon the pit. There were a chap McKinvey, he stayed in Shottstoon, tae, and he wis the gaffer on the pithead. But he wis off, awfy ill. So they asked ma father if he would take this what we called ham and egg gaffer job on the pithead, directin' the men and that. So ah says, 'Faither's the gaffer here, ah'll be a'right,' ye ken. Ah remember him standin' when we started: 'Oh, you two'll go doon tae here, and you two'll go there.' And ah'm still standin'. 'Eh, Rab,' he aye ca'ed me Rab, 'away ower the bing there.' It wis where they ta'en a' the auld redd. 'Away oot there and you thingmy it.' It wis the wintertime and ye had nae shelter or nothing. Ah wis feeezin'. And of course it caused a row between ma mother and faither. Well, he carried on like that. Ah aye thought the world o' ma faither but ah wis beginnin' tae detest him. He sent me tae different jobs, always outside. And ah telt ma mother and of course she got on tae him. Ah'd been there six, seven month, it wis comin' in the summer. We walked home and it wis always aboot seven o'clock at night afore we got home frae the Moat as laddies. Then ye had tae wash yersel' and everythin' afore ye got your tea. That day ma sister Lily wisnae workin' at Valleyfield, she wisnae too well. Ma mother says tae me, 'There wis somebody at the door for ye. But they'll be back efter you've finished your meal,' So bang went the door later on and here's a girl ca'ed Jessie Gennon. She says wi' ma sister no' workin' that day Johnny Blair the foreman at the mill had came tae her. He says, 'Lily's no' workin' the day. Wid ye tell her brother that he's tae start tomorrow. There's a job for him.' Ye see, ma father had been at auld Chairlie Gordon again and telt him what had happened. 'God, Andrae,' Chairlie says, 'ah dinnae ken if ah can . . . But we'll try.' So when Jessie Gennon says tae me, 'Bob, ye've tae start in the mornin' in the mill if ye want tae,' ah says, 'Jessie, ah'll be there !' Ah said tae ma mother, 'Ah'm stertin' in the mill tomorrow, mother.' 'Oh,' she says, 'that's guid.' Ma faither never said a word. But he wis fair happy, ye ken. Right frae the start he'd tried tae seecken me on the pithead at the Moat. That wis his way o' gettin' me out o' the pit.

So ah remember ah went down tae the mill in the mornin'. Ma sister Lily went down wi' me. Ah had tae go in and see the boss, a big old soldier, R.O. Wood they ca'ed him. He always went aboot wi' plus fours and three or four dugs. He wis a big man, aboot six feet. He had a great big rid face, ye know, a big daft soldier he wis. He wis an officer, a major or something. That wis in peacetime in India. A lot o' the local chaps that were in the army then at Glencorse stood aboot Penicuik. They were under R.O. Wood when he wis in India. They says, 'The number o' times he got us lost when we were oot compass-readin',' ye ken. 'He's a first class idiot.' He got in wi' one o' the Cowans' daughters and the Cowans had no time for him. So ah went intae the office and he wis marchin' in wi' his dogs on either side. Ah can see him yet. 'What's your name ?' 'Weir, Robert Weir.' 'If I give you a job will you work ?' 'Ah ken what ah'm there for,' ah says. 'Right, away ye go.' Ah never forgot that and the wey he spoke when he said it tae me. Ah hated that man every day ah seen him efter it, hated him, because he knew nothing. He knew nothing and he wis only tolerated because he wis o' the Cowans, a son-in-law o' the Cowans.

Anyway ah certainly was pleased tae get away from the Moat pithead and get intae Valleyfield Mill. Well, ah wis employed first on what ye call runnin' the cutter – fillin' the cutter. They had the cutters where two women sat catchin' and the man drove the machine. They put the paper in maybe five reels at a time and cut them. Ah wid go away round and ah wid left a web – a roll o' paper. The web went frae 20 inch up tae 40 inch – up tae 40 inches wis the broadest they wid get. There wis a shell in the middle o' the web where a spindle went through. It wis fitted on and away it went. Ah wis in what ye called the coatin' department in the mill ma whole life – that wis paper, art paper, for glossy magazines and things like that in the printin' and publishin' industry.

Then ye were on tae reels – that wis plain paper again where it wis made. And these were reels that were cut down intae webs for us. They went intae a different machine altogether. So ah worked on that, loadin' three cutters. That wis quite heavy work for a boy o' fourteen. Ma feet, ah could hardly wear shoes they were that sore wi' the cement floors. But there were a lot o' big iron plates on the floors at the time, 'cause ah remember Mr Johnny Blair, the first foreman ah had, a nice man he wis, he used tae always stand wi' his hand up his sports jacket when he wis speakin' tae the other men when he come doon in the mornin'. He always chewed tobacco and he always looked for the nearest o' these iron plates on the floor, and spit on it. Ye see, it would seal under the cement floor.

Well, ah done that in the mill till ah wis about sixteen. Then when ah wis sixteen they said tae me, 'We're goin' tae shift ye on tae the calenders.' That wis the rolls. It's a cotton roll, steel roll, cotton roll, steel roll, cotton roll, steel roll. And when the paper wis plain it went intae the coatin' machines. They put a coatin' on it – brushes that went back and forward all the time. That brushed the coat on. And it went away round and hung in folds – what they called the faulds. It wis taken roond slowly, right roond. It's a slow job, right round, till it came when it wis dried out. And then it wis reeled on another machine. And then it came frae there tae the calenders and you led it over these calenders and down, watchin' ye didnae mark the roll, because the least wee mark on thae rolls showed on the sheet. Ye put your weight on the rolls and started it up and ye took a strip oot tae have a look. And ye had a sample, ye ken, for finish, eye finish. If ye saw it wis a' right ye let your boss see it and – 'Carry on.' That wis quite a skilled job, because ye needed judgement on the quality o' the paper.

So ah worked on the calenders for a long time, more than ten years. When the war period come in ah had tae leave the mill then. But it wis 1938 or 1939, jist before the war, at the time they were expectin' the war – it wis the time o' the black-out before the war began, and everything wis blacked out, the windaes were painted black – well, the paint mustnae have covered some o' them. Well, a German wis there at Valleyfield buildin' the new machine. He wis wantin' away. He jist finished and got off his mark jist in time, ye ken, tae avoid bein' interned. Well, ah wis one o' the first tae go on that machine for tae try it a' out. A marvellous machine it was compared wi' the old stuff that wis there before. Well, the old machine, ye put it on and ye'd maybe be goin' at so many feet – not many, ken, slow, it wis takin' a long time. A big felt, a revolvin' felt, brought the paper doon tae the two girls that were catchin' it and it wis placed into a barrow. When the barrow had aboot two feet o' paper on it it wis taken away. Later on it went on tae boards. Well, on this new machine the German built there wis jist a board aboot six inches from the ground and it wis fixed intae a special thing that kept itself, instead o' the two women doin' that.

Well, ah wis the first yin that started on that new machine – the Haubold. The rest werenae sure o' it and they were kind o' afraid o' it, ah think. When ah wis runnin' full out wi' it ye could hear it all over the place – bang, bang, bang, bang, bang. They used tae come frae the office and everythin' tae see it runnin'. It wis fully automated. The knife wis goin' very, very quick. Thae sheets were jumpin' out quick. They jumped on top o' one another. There were tapes took it intae the cutter. There were only maself supplied the whole mill wi' paper, whereas before they had had these three cutters, and there wis an old one outside and sometimes another one. The workers that had worked on the old machine they were put on other jobs. The new machine wis time-savin', fantastic.

As ah said, the German that built it jist got away afore the war started. But then things were slackenin' on the machine and when the mill engineers were comin' jist tae tighten the bolts up, the tops were comin' off the bolts. Then we found oot of course when the war wis proceedin' why that wis: the Germans were puttin' a' their stuff intae their war machine and this wis cheapjack rubber, soft stuff he'd gien us. The mill engineer had tae go over that whole new machine and replace every German bolt and nut. The rest o' it wis jist a lot o' . . . but the cuttin' part wis perfect.

When ah started at Valleyfield in 1928 the machines were old and out o' date. They had failed tae invest. But that wis Scotland all over: it wisnae jist Valleyfield, Esk Mill wis even worse. At Valleyfield, the paper had tae come away from the bottom o' a vennel – ye had tae go away down tae where the makin' machine wis makin' the paper. They wid run a reel as broad as ma house, and they wid ask men for tae work overtime for tae bring it up tae what they called the ripper. That's what split the paper up for us tae coat. Well, it wis such a windin' place: you had bad corners tae come round wi' it bein' a listed buildin, and the men were pullin' it round and they were hittin' the edge and burstin' it maybe two or three inches deep. So that paper had tae be torn up – a fantastic amount o' money wasted. This wis goin' on every day. They were burstin' paper. This wis wi' bein' old fashioned. If they had streamlined and electrified the whole thing from the machine right up – which could ha' been easily done – what a boon that would ha' been.

Long before the war – ah'll tell ye, ah've never forgot this – ah'd only be workin' maybe a couple o' year and ah'd be about sixteen, when the mill went on short time. In fact, before the war for lack o' orders the mill'd be shut doon for maybe aboot four weeks every year. It varied frae year tae year. But ye expected to be off maybe aboot a month every year right up tae the war. And then maybe the next year or part o' that year that ye were off ye'd be workin' overtime week-ends, Sundays. Because when the likes o' the Buenos Aires, Argentine, orders came in – huge orders, regular orders, it must have been a' the years before the war. These orders came in till men went over from our mills. They went away and ye never heard o' them again. But they were workin' there in the Argentine and they got good jobs. And the engineers, from Bertrams in Edinburgh and so forth, they went over and built paper makin' machines over there. And then after the war the orders started fallin'. We had been cuttin' our own throats really.

Bertrams were the main machine buildin' firm in Scotland. They made that last machine – the fourth machine, we ca'ed it – at Valleyfield that went on fire durin' the war. It wis burnt out when ah came home from the war and Bertrams were startin' tae rebuild it.

The paper makin' machines at Valleyfield were numbered first, second, third, fourth. The first machine wis small – ye could almost get it into the house here. But this wee thing, by God, it wis dead slow but it could make specialised paper. It wis the last machine tae run rags, specialised paper, as they called it. Then number two machine wis the Big Machine, as we called it. In ma time at Valleyfield there wis always four paper makin' machines.

As ah say, the fourth machine went on fire durin' the war. Fires werenae common in the mill. There wis a fire in the grass shed, but it wisnae bad. Of course, ye werenae allowed tae smoke in the mill. A lot o' them done it on the fly, ye know, as anywhere. But the rule wis no smokin'. Ah don't think anybody wis sacked for smokin', no' that ah know.

Stealin' wasnae common either. It wis no' stealin' paper, it wis wee things, ye know what ah mean, for the house and a' that sort o' thing – what goes on everywhere. If you were caught it wis too bad. Well, ah remember there were one takin' a lot o' paper out. And then there were one or two caught when they were makin' banknotes. They had tae build a cage latterly in the salles, and a' the women were put in there and they overhauled the paper and that cage wis locked and opened for them goin' out and in. There were a banker came and walked beside that right up, right up.

Long ago, before the war – och, ah'd jist started in the mill – there were a young chap got a job there as a labourer to the joiners. Ye ken, joiners, engineers, plumbers – they a' had their labourers in the one section down at the bottom o' the mill. And a thing that wis always done wi' mill workers in these days was everybody had a coal fire. If there were any bit wood – there werenae much lyin' about – they used tae get it tae chop up. That wis the fire kindled in the mornin'. They nearly all din that. So this young lad came up wi' the joiners this day wi' a barrow wi' nice lengths o' wood on it. Well, at half past ten in the mornin' the bell wid ring and that gave ye ten minutes if ye wanted a cup o' tea. Everybody got that. Well, the joiners wis wantin' tae dae a repair job in the rag house, where the women thingmied the rags for the paper, and they went in there. Well, naturally, the men frae the surroundin' potchers, beaters, all these different machines, they were always watchin' anythin' like that. Of course, they seen the young chap comin' in wi' the barrow and the wood in it. So he wis jist in and the bell started ringin' and he went away for his tea brek and left his barrae wi' the wood in it. Of course, the boys jist cleaned the hail barrae o' the wood. The young chap of course when he come oot he wis in a state. 'Ah left the barrae there,' he says. The joiners told him, 'Ye better see the auld heid engineer.' So the lad went away doon tae him and of course, knowin' everythin' that wis goin' on, he says, 'What happened ?' 'Well, when ah came back,' the young chap says, 'there were nae wid there.' The auld engineer says, 'And did ye get your barrae ?' 'Aye, ah got that, Mister.' The auld engineer says, 'Ye're no' bad at that.' So that put it in a nutshell !

Ah've seen men doin' things and ah've seen something happenin', even when, well, later on ah wis made on the staff at the mill and ah seen somethin' happenin'. If they were a freemason nothing happened. Tae me it wis glarin'. Oh, freemasonry wis quite strong in the management but, well, no' a' the workers. They couldnae afford it, most o' the workers. Because if

you couldnae afford the drinkin' sessions that went on then in these days . . .
Two or three prominent men aboot Penicuik ah wis amazed at what they got
away wi' – ruined thousands o' pounds o' paper. And you could see the wey
they carried on. But if you made a mistake and you wisnae in the masons
you wis more likely tae be disciplined. Ah expect Sandy Cowan himsel' wis a
freemason.

Before the war ye always got a packet o' writin' paper from the
management. Everybody got that. As ye were goin' out on your summer
holidays it wis handed tae ye. We used tae say that wis made out o' the
old broke paper that they would ha' pulped. But they kept so much and
they made it up and they parcelled it up in a wee white parcel – maybe
200 sheets, somethin' like that.

In these days before the war there were that many characters in
Valleyfield. There wis one called Charlie Smith. Everybody had
nicknames in thae days. They used tae call him Charlie the Boar: why ah
don't know, ah never found out. Charlie wis a wee bit simple. But, oh, he
wis an awfy character. Everybody knew him. And he jist always wheeled a
barrow or cleaned up round about what we called the pidge – when ye
come intae the mill, where ye checked your ticket through. In these days
the dam came right down the side o' Valleyfield road and intae the mill,
jist where this pidge was. Well, a lot o' the men used tae stand at the
pidge before they went intae their work. And there wis one man he always
wis standin' clippin' his moustache and he could speak and Chairlie never
knew it wis him that wis speakin'. One day Chairlie wis goin' across wi'
his barrae, makin' for this plank tae cross the dam. Everything wis quiet
and we could jist hear this voice: 'Chairlie the Boar.' Chairlie turned roond
and wis shoutin' a' the insults, and he started walkin' on again and he wis
jist goin' ower the plank and here's 'Chairlie the Boar' again. Chairlie
turned roond again – and he went intae the dam ! Ye ken, ye got a lot o'
that everywhere, ah think, in these days. Ah mean, the work wis hard and,
well, a lot o' the work wis uninterestin' but, ah mean, it wis made up wi'
jokes and bein' cheery.

Ah mind o' another old worker. He wis still workin' when he should
ha' been retired. That wid be after the war, he'd be in his 80s by that
time. He used tae always come at his dinner hoor and sit beside me. He
had worked in Esk Mill till it shut then he came down to Valleyfield. So
he must have started workin' in Esk Mill before 1900. Ah liked tae hear
what he had tae say o' long ago. He used tae jist sort o' sweep the floors
and that at Valleyfield. He didnae live long after he retired frae the mill.

Ma aunt, ma father's sister, Agnes Weir worked in Valleyfield and she
wis 97 when she died in the 1950s. So she must ha' started workin' in
Valleyfield roond aboot 1870. Her daughter had a shop at Crewe Toll in

Edinburgh and they bade there in these bungalows. Ma aunt Agnes always came out tae Penicuik tae see how ma dad wis gettin' on. Even in her 'nineties she come oot herself in the bus tae see ma dad in Shottstoon. He wis the youngest or second youngest o' their family. She used tae say tae me, 'Bobby, when I worked in Valleyfield ah got 2s.6d a week.' That would be for twelve hours a day, ah expect, six days a week. 'And,' she says, 'ah had tae hand ma 2s.6d. tae ma mother.' There were no father, as ah said before, he wis killed in Edinburgh. And wi' her mother bringin' up all that family Aunt Agnes had tae hand her mother her money. 'And,' she says, 'off o' that 2s.6d. ah paid a lady a ha'penny for bringin' a roll for tae eat. And ah had a ha'penny tae pay the lady that cleaned the toilets oot. Cowan didnae pay for that. You paid for it.' And it wid be dry toilets in the mill then.

Ah remember even maself – and ah'm no' goin far back, ah can only go back tae 1928 – ah got the shock o' ma life when ah went intae Valleyfield then. As a laddie ye had tae go the messages, too. If there were anything that the machine needed you'd tae get it. You walked doon tae the engineers' shop and you put it in there and they repaired it for ye and ye waited and ye brought it back. Well, ah remember the first time ah went doon. Jist where ye went out there wis one o' the lums, chimneys, that had been taken away a year or two after ah wis there. And at the bottom o' that chimney was a tin sort o' corrugated shed. This wis the smokin' room. Ah wis haein' a bit smoke at the time at that age, ye know. So ah says tae this boy, 'Can ah come in here and have a wee bit smoke afore ah go intae the mill ?' 'Aye.' So ah went in and ah got the shock o' ma life. The shift men had jist had their breakfast and they were a' sittin' jist on a long seat, eatin' their bread and smokin' and a' this. And here's the toilets – nae doors or nothing on them, ken, jist like that, right along. And it only consisted o' a sort o' big tin basin, curved. And there were nae cover, jist a seat tae sit on. And they were sittin' smokin' an' a', sittin' on the seats. The foreman wis sittin' there, too, in the toilets. They werenae flush toilets. A stream came from the embankment, jist past the monument tae the dead French prisoners o' war in the Napoleonic Wars. The stream had a name – the Mungo Well, ah think they ca'ed it, after the parish church. And that stream must ha' run doon there, always fresh water and runnin' hard, and it run a' the way down tae the Esk. Everything went intae the Esk then. And ah'm lookin, young an' a' as ah wis. Ah never went back there again. Ah thought it wis terrible. There were flush toilets further up the mill when ah started work in the mill. But no' at that bit there. They still used that auld toilet. Oh, terrible conditions.

Well, it must ha' been, ah think, in 1931 at the time o' the general election. Ah wis goin' down tae the mill on backshift, 2 till 10. Ah wis goin' down cairryin' ma piece box and ma can, ye know how ye walked then. And ah wondered when ah saw the crowds at the gatehouse. As ah walked down they said, 'Ye better stop.' 'Oh, what's on ?' And some o' the weemen said, 'Aw, the maister's goin' tae speak.' The maister wis Alexander Cowan, him that bade up the toon at the big hoose at The Pend – a man that done nothing for Penicuik. He done nothing for nobody. He took part in nothing. He left nothing tae the toon. His forebears maybe did, ken, wi' the water and different things, the Cowan Institute and that. But Alexander Cowan wis a man that din not a thing. A' he lived for wis when a big review came up frae London tae Edinbury wi' the dancing girls the whole lot o' them came out tae Penicuik en bloc in a bus and they stayed the night up at that big house at The Pend there, drinkin' and flauntin' and gallantin'. That's the only time that man done anything. Then at the dancin' at the Cowan Institute on the Saturday night he used tae come, and he had big splay feet, ye know, wi' his patent shoes, and he would come in and he would have a dance. But he widnae make himsel', ken, company wi' you. There wis one woman he always danced wi' her. Ye see, this wis his style: women, women, women. He wis a bit o' a womaniser. He done nothing for the town.

So as ah said, in 1931 when this crowd gathered at the gatehouse – 'The maister.' Ken, they were all lookin' at the maister – some o' them had another word for him that kind o' rhymed wi' that, ye ken. Well, we were a' standin' roond and ah remember o' that day he came walkin' oot and they had a box thing – a soap box – put up on the middle o' the road. It wis jist at the pidge, where ye went in and stamped your ticket. There wis a big square bit, the railway wis on the right hand side as ye came doon. And ah can remember that's a' he said. 'Well,' he said, 'I've not got much to tell you. But,' he says, 'if you people vote for Joe Westwood I'm afraid I'm going to shut the mill.' So that wis them, the mill folk, a' votin' en bloc for Maule Ramsay. That wis the type o' people a lot o' them were.

Alexander Cowan wis a Tory, well, that's what he said anyway. Maybe his forebears were Liberals or Whigs but he wis a Tory. When ye think o' it, it wid be fear – fear o' the people: the wee wages they were gettin', it wis the fear o' gettin' nothing. And he played on that fear. It wis easy for him, it wis easy. He didnae need tae be a clever man. He jist needed tae be a cruel man. And that's what he done. And Maule Ramsay walked in wi' a big majority. And that's when Joe Westwood, the Labour man, a miner himsel, said, 'Right. Ah'll never come back here again.' And ne'er he did.[100]

So, ye see, the miners here in Penicuik voted en bloc for Joe Westwood. The Shottstoon miners were strong Labour. Whereas the mill workers werenae so politically minded. There would be anythin' up tae aboot 700 people workin' doon there in Valleyfield Mill then. It wis fear, ye lived in fear. And that wisnae a nice thing, never a nice way tae live.

When ah wis young ah thought Joe Westwood wis a great wee man. It wis great in these days listenin' tae the hecklin' and things like that. Ye took a bigger interest, everybody did. Well, ye got the miners en bloc for Joe Westwood. But ah can remember fine when thon Maule Ramsay got in. Ah mind the posters, the traitor.

Ah joined the paper workers' union as soon as ah started at Valleyfield in 1928. But the mill union in comparison wi' the miners' union wis nothing at all. We were the poor relation tae the printers always. Long ago, when ye were in for a rise ye were in for 3d. an hour – a big rise, which ye knew ye werenae goin' tae get. Ye usually got a ha'penny or a penny. But the printers never would go' wi us, for a' we were in the same union – printers, bookbinders and paper workers. And, ah mean, it wis hopeless goin' against the printers. They had bigger wages than us and that wis always what they moaned about down in Valleyfield or in any mill. The printers never ever took sort o' on your side, ken, didnae back ye up in anything. They more or less were separate from us, but at the same time we were all still in the one union, the National Union of Printing, Bookbinding and Paper Workers.

It wis sort o' automatic ye joined the union as soon as ye started in the mill. They wid come and ask you, 'Oh, d'ye fancy joinin' the union ?' An Auchendinny chap, Bob Dickson, he wis the union chap right tae the end. Well, ye seen him. Any delegation that wis goin' down tae England – they usually went down to England if there were moans or anything like that – and Bob Dickson wis a boy he would help tae get everything arranged. And then ye would go tae him if ye were wantin' tae go a holiday tae the union homes at Filey, and things like that. He seen tae these things. Bob wis jist a worker in the mill but he wis known as the union man. Ye went tae him wi' your first complaint and he wid see somebody else that wis higher up in the union, an actual official o' the union. But there were two or three union men like Bob Dickson in the mill. Duncan McGavin wis another one, and there were others. There wis a union woman, Miss Scorgie. She wis a union woman most o' the time ah wis in the mill. She wis for the salles of course – the cutter women and things like that. She went tae delegations. If any woman had a complaint or a question she wid go to Miss Scorgie, no matter what department she worked in. So the union woman looked after the women in the mill.

Tae give you an idea how ah didnae think it wis such a strong grade union, a new machine wis brought to the mill. There wis only another one built previous tae that shortly before in Macclesfield. The same machine started up in Valleyfield. Well, in the old cutters there would be anything up to thirteen or fourteen people employed, women and men, round these cutters. They were that slow they werenae competin', and when they shut them down this big cutter had tae take over itself. Now there were only a man and a boy on it – that wis maself and an assistant tae start with. And then naturally, when ye thought things out and a' these people were away, I asked Duncan McGavin and Bob Dickson. And Bob Dickson says, 'You're right enough, Bob. We've found out that that machine in Macclesfield through the union are gettin' 6d. an hour more than what you're gettin'.' That wis a vast amount then. 'If you leave it with us,' Bob Dickson says, 'we're goin' down tae a delegation. We'll find out if that's authentic.' So they went down and they seen about it and came back and said, 'Yes, it's right enough.' So they seen Mr Eric Taylor, the head director o' Valleyfield, and Duncan McGavin it wis that came tae iz. He says tae me, 'Bob, we cannae do anythin' about it.' Well, ah mean, for a union it wisnae strong at that. Ah says, 'Well, ah'm goin' round tae see Mr Taylor.' So in these days ye had tae get this and that afore ye could see a director. So eventually ah went intae his office and ah explained the whole thing to him. 'Well,' he says, 'Mr Weir, I pay the rates that your union agrees on.' 'Oh,' ah says, 'Mr Taylor, ah don't want tae hear that. What ah'm talkin' about tae you is merit.' So he held his arms up – that's all he done. So ah jist had tae walk out o' there. So tae me the union wis extremely weak. It could only be the people, it must have been them theirsels, the union representatives. If the workers were strong enough minded they could have got rid of that and got somebody in as a better delegation for tae lead them. But they jist seemed tae carry on. And it wis always they were cursin' the printers: 'We cannae get nowhere for them.' The paper mill workers were more led by the master, as most o' them called him at Valleyfield. They had a big photie o' him up in the salle even and on it was 'The Master' – Alexander Cowan. Tae me it wis the peasant and the master. And that wis the feelin' ah always had, they hadnae the strength for tae fight for tae put it through.

As ah say, ah wid join the union in 1928. Well, in these days ye were always gettin' weeks idle, maybe a fortnight idle. They always said it wis owin' tae a shortage o' orders. Ye always got this. Well, ye went up tae jist opposite the Cowan Institute and there wis jist a wee wooden buildin', more or less a hut. There wis a cobbler in the one bit, and in the other bit wis Andrew Sharp, the first secrtary ah knew in the union, and that wis the union office. Ah think Andrew worked in Esk Mill at one time. Well, when any o' these weeks that we were idle came ye went up tae this wee office and ye drew so much money off the union. Ah've never forgot this. Ah'd only be maybe workin' a couple o' year or a year – ah wis about sixteen – when the mill went on short time. Ah wis tae get three shillins, 15 pence, for the week ah wis off. Ah remember goin' up wi' another lad, John Melrose, we both started thegither, we baith went up tae the union hut thegither. Ah mind o' goin' in and auld Andrew Sherp wis there. 'Yes, son ?' Ah had the line for the three shillins wi' iz. 'There nae money left,' he says. Ah got nothing. What could ah say ?

Who could ye appeal tae ? Ye couldnae appeal tae the union. It wis too weak. Ye jist had tae live off your parents.

* * *

After the war broke out and when that new machine wis in the mill they kept me back frae goin' tae the army. They got that reserved occupation for me. So ah had this for about nine month or that. Well, ma war service, tae tell the truth, it's five year ah dinnae like talkin' aboot. Ah didnae volunteer, ah got ma call up papers. Ah wis young. And then when ma mates were . . . This is it, ye see, ah wanted tae go, too. It wasnae anything oot o' bravado or anything like that. Ah liked workin' in the mill and it wasnae that ah wis fed up workin' there. Ah wisnae bothered where ah went, but it wis the army preferably. Ah joined in January 1941. They sent me to the King's Own Scottish Borderers, 2nd battalion. Ah wis down in Ulverston in Cumbria about seven month, then to Norfolk and then ah went tae Africa first. We were six month in Africa – in Durban for a while – then we went tae Ceylon and then intae India. Ah got my eyes opened in Durban – how the people were treated. Ah couldnae believe it.

We went tae Madras and sailed up tae Chittagong. But the Japs invaded India at Imphal and Kohima. The monsoons wis jist hardly away and everything wis water. So they had tae fly us up. This wis gettin' serious up north – tryin' tae rush men up there and the monsoon jist finishin'. The very next mornin' a flight o' seven RAF planes came and loaded up wi' men. We a' got off. We only lost one plane when we were goin' ower the hills. Ah seen it. Ah don't know what happened it. It wisnae fired on. But we seen it goin' doon in flames.

And ah landed at Imphal. We jist had tae run anywhere, because there wis shells burstin a' ower the place when we came in tae Imphal.[101] Well, ah wis a year and a half in action – unheard o'. They'd naebody tae put in your place. Well, it wis a' patrol work. Ye're walkin' through the jungle, not a sign o' anythin'. Suddenly a machine gun opens up in front o' ye. Your whole stomach turns. Everybody's stomach turns. Ye can only stand that so often. Well, we werenae gettin' anybody tae relieve us and, as ah say, ah wis a year and a half.

And it wis malaria – a' the diseases. Ah had malaria ten times. It wis everything that attacked ye. Well, there were boys gettin' killed, there were boys gettin' wounded. Ye were supposed tae work wi' a section: an nco and ten men. Well, there in India ye're talkin' aboot twelve hours daylight and twelve hours darkness. Ye had that long night. Ye were scrappin' through the day, ye were walkin' through the day, and ye've a long night tae divide up between ye till six in the mornin' again. That's a long time if ye're only workin' wi' one and four, one and five at times. There's so much casualties wi' health alone. Like ye're walkin' along jist wi' your sleeves up and ye maybe scratch your arm against somethin'. And in seconds there's a mass o' flies jist like fruit cakes. It wis the same when we were eatin'. Jist takin' a wee piece and jam afore ye went up the line – it wis a fruit cake afore ye got it tae your mooth. Neither wonder there wis disease. And then a' your feedin' wis from the air and you were starvin'.

Ma wife has a letter there yet from me, where we got surrounded when the Japs broke through the second time at Kohima. They took us by surprise. Naturally there ye walk along the valleys, but instead o' the valleys the Japs – battalions o' them ! – came over the mountains, an unheard o' thing. And that wis the start o' the real terrific war. We were fightin' the Regulars o' the Japanese army, the boys wi' the emblem o' the wolf jumpin' through the hoop. They had been fightin' for seven or eight year them. We were waitin' tae go over this pass and here the Japs started on it. Well, we had a go. The next mornin' our own Red Cross boys got the stretchers and away they went. The Japs killed every yin o' them. That wis the start o' it. They killed every yin. And then we got chased frae the pass. We had the hospital there and when we got the Japs shoved back we seen our boys a' lyin' bayoneted in their beds. Ah wis comin' up the side o' the wee defence trenches ootside when ah seen the feet stickin' oot. This wis the doctor, wi' his thingmy in his ears. Ye cannae describe it. That wis the crowd o' Japs that come in. They killed everything: maniacs. Ah wis aye dead scared ah got caught, God, aye.[102]

Ah wis out there for four and a bit years. Ah wis home once in that time, when the war wis jist aboot finished. It so happened all our ncos were killed. Things were gettin' desperate and they were flingin' anybody in. There were naebody tae gie ye. It wis a shame, flingin' them intae the infantry especially. That's how as many were killed. But anyway them that had been oot a year and half, they were goin' tae send them home, maybe one or two frae each thingmy, that wis a'. We'd jist come oot o' action and we were makin' down the Burma Road tae Rangoon. We knew it wis jist aboot finished. This sergeant says tae me, 'Ah think you're laughin'. You're a Penicuik man aren't ye ?' 'Aye.' 'Aye,' he says, 'the commanding officer wants tae see ye.' So the CO says tae me, 'You've a lot of service here, Weir. You're like me.' There were only 25 o' us left that had went ower. He says, 'I'm sending you home.' So ah came hame for a month. Ah had got married in 1940 before ah wis called up. When ah went back tae India the war wis jist finishin' and ah came back hame in 1946.

Ah went back in tae Valleyfield Mill. When ah came back in 1946 ah wis that fit ah didnae need tae open the gate. Ah could jump ower the gate. Well, ah started in the mill again and they were dyin' tae get me on tae this new machine. But ah took a brekdoon, jist like that, aboot seven month after ah started again in the mill. Ah spent the worst four years o' ma life from then, jist broke like that. Everything went – ah lost confidence, ah lost everything. Ah couldnae walk straight ootside. Ah went masel' and didnae speak tae anybody. When ah wanted a smoke in the mill ah went away tae a corner and smoked. Four year ah spent, sittin' wi' ma wife and her mother in the house. A nicer couple ye couldnae get, great they were tae me. But ah'd be sittin' and that feelin' come ower me. They used tae put ma tea on a wee table and ah kicked the table and everything up. It wis jist nerves – nerves and everything went.

Ah went tae Dr Cowan. He wis a soldier. He says, 'Weir,' he says, 'ah've tried everything. Ye're physically fit. Ah'm afraid ah cannae do any more. It's up tae yerself.' He told ma wife about it and he told me, 'Ye've got a grand wife, a nice house, ye've got everything.' But he told ma wife, 'Try and get his pals.' She says, 'He'll no' go wi' them.' He says, 'Get them tae try and take him.' And they got me started bowlin'. Ah didnae want tae – but ah won a lot o' bowlin' trophies. So ah had great difficulty settlin' down after the war, a right breakdown it was. And it was ma friends they took me tae carpet bowlin' and that and ah jist gradually. . . It took a long time. For four year ah wis bad. But after that ah used tae always say tae maself, 'Ah'll be all right tomorrow.' And that worked. Dr Cowan, he couldnae be nicer tae me. He told ma wife, 'Ah wis always waitin' on him stoppin' workin' at the mill.' But ah kept workin', against the grain. Dr Cowan says, 'That's what saved your life, Weir. What happened wis ye've been too long in action in the war.'[103]

The war affected ma attitude in the mill. After a' ah went through ah said, 'There's no men in here'll tell me this and tell me tae dae that. Ah'll no' be big wi' them but ah'll never do what they done tae me.' Like up on the Penicuik estate there: ah used tae love that estate, but ye werenae sure o' no' gettin' fired on when ye were a laddie. Old Cleghorn and them a' wis the gamekeepers. There were four and five o' them up there then. Of course, they got paid pennies in thae days like everybody else. But if you jist ventured near the estate ah believe they'd even fired at ye. If Cleghorn even caught ye dookin' in the burn in the estate he used tae creep roond and lift your claes and take them away, and ye were bare naked and ye had tae crawl up and mair or less bow and beg tae get your claes back. Oh, no, ah said when ah came back frae the war, 'Efter that ah bow tae nobody.' The war changed the whole face o' the nation didn't it ?

Ma whole life ah've loved workin'. Ah worked tae ah wis about 75 – no' in the mill like but jist daein' other jobs and that. Ah loved workin', always did. In fact, when after the war Valleyfield started the bonuses ah wis top bonus earner doon there for a long time until ah went on the staff. Well, as ah say, paper mills went down like that when they started bonus work and a' this sort o' stuff. That's when quality flew oot the windae. Ah wis on the staff at the mill by then. Bein' used wi' bein' so particular about finishin' and anything like that ah couldnae let it go and ah would send for the office: 'Ye'll have tae let it go.' This is when Reed took over Valleyfield.

But a' this new papers and a' that happened efter the war. When ah wis on the staff ah wis gettin' samples sent frae Germany on the quiet, wi' different magazines, a' these big books that a' these superstores send ye oot. Well, we'd do it at Valleyfield in the old fashioned way where the Germans had new ways o' doin' it. It wis a' German paper – beautiful, and ah don't know how many times cheaper than we could turn oot. They commandeered the whole market. And then wi' bad management and bad foresight, that's why Scotland went doon – no' just in paper, in everything, ah think – went doon wi' bad management, and down it went.

There wis definitely the failure tae invest in new machinery, and employin' too many men wi' bein' auld fashioned. At Valleyfield a reel should have been jist lifted off the paper makin' machine and put intae the ripper not far away that wis goin' tae rip it up. Instead o' that, as ah say, they had tae employ maybe four men, pay them four hours' work, tae take an old barra and go away down there, and wi' an old hand taickle, ken, dig it out – ye see, there were no room. They would get this up and they were wastin' a lot o' paper. They were hurlin' it up and they were bangin' the walls comin' up – more waste. Everywhere wis waste, waste, waste through auld fashioned methods.

Ah went down tae see a mill at Aylesbury near London. They had six or seven paper-makin' machines. We had only two or three at Valleyfield and they were all over the mill, where they should have been thegither like the six o' them in that mill in England. And the six there were goin' like bombs – and ah couldnae see nae men there at them ! Ye couldnae see a soul – it wis all done electronically. Well, at Valleyfield ye seen laddies pullin' barraes and men a' ower the place.

As ah say, ah got on tae the management side at Valleyfield efter the war, in the 1950s, '60s. Ah wis unfortunate. Cowan always made good paper – ah'll say that much – because they were particular. Ah'll give you an idea how particular they could be. We used tae run paper for Duncan's Chocolate. Well, inside the chocolate box there wis a nice creamy yellow paper. Well, when ah wis doin' that paper it wis coloured at the coatin' machine – and the money that wis wasted wi' chaps no' gettin' the right shade. Ah said, 'Does it matter aboot the shade ? Even though it's a wee bit off why tear it up ? Do you think a person'll buy a box o' Duncan's Cocolate and take a' the chocolates oot tae see if the paper's the same shade o' yellow ?' Now that's hoo they carried on at Valleyfield, which to me wis stupidity. And they wasted tons and tons o' money jist on that. Before the war, oh, Cowans were efficient. But after the war, when Reed Group and a' that started and then they started bonuses everything flew oot the windae.

And then after the war Mr Eric Taylor, the managin' director, he wis the man at Valleyfield that built the mill at Pomathorn – a white elephant. It wis £1¼ million. It wis supposed tae be for a paper which was a specialty, what they ca'ed Duplimat paper. We were led tae believe Valleyfield wis the only mill that wis goin' tae have it. Oh, Mr Taylor said, we were goin' tae commandeer the whole world wi' this thing. Well, it wis still in its infancy and ah run quite a lot o' it and cut a lot o' it. But it never got oot the bit. Then it wis suddenly found oot that Japan and Italy wis supplyin' Europe ! And we were still only sort o' testin' it ! Pomathorn wis a white elephant. It should never have been built.

ALEX COWAN, Esq..

Alexander Cowan (1863-1943), chairman and managing director of Alexander Cowan & Sons Ltd, 1920-1943, and provost of Penicuik, 1929-1938.
Courtesy of Penicuik Historical Society.

Valleyfield mill, c. 1937. The entrance to the mill is to the left of the centre of the bottom of the photograph, between the small steeply roofed building with the bell tower, which was built in 1829 as the mill school, and the railway sidings. Penicuik railway station is to the right of the sidings, with the North Esk river flowing to its right. Penicuik lies unseen to the left of the photo, Esk Mills beyond the top toward the right.
Courtesy of Midlothian Libraries Local Studies.

Charlie Peebles

Well, ah liked tae make things out o' wood. But there werenae many o' thae jobs goin' aboot when ah left school in Penicuik in 1927. The likes o' the mill, ye couldnae get a trade. It wis mostly the gaffers' sons that got the trades. There were electricians, joiners, a blacksmith, plumbers, and the painters in the mill, and engineers. Ah would like tae have been an engineer. Ah wis fourteen. Ah got a job wi' Dick the grocer in the High Street in Penicuik.

Ah wis born on the 24th o' April 1913 in Oswaldtwistle, that's in Lancashire, no' far from Blackburn and Accrington. Ma father wis a shift foreman there in Oswaldtwistle at Whiteash paper mill. He wis born in 1876 in Kirkhill in Penicuik, jist up abune Esk Mill. He wis a machineman in Esk Mill then, well, he must ha' got a better paid job at Oswaldtwistle.

Ma mother belonged Edinbury. She used tae live in Glengyle Terrace, at the Barclay Kirk. But she died when ah wis very young, about three year old. Ah don't really remember her.

Ah had two sisters. One, Blanche, wis older than me, the other one, Mina wis younger. Blanche died very young an' a', when ah wis about three or four, and ah don't remember her either. When ma mother died at Oswaldtwistle ma father brought us back tae Penicuik and we lived wi' an auntie, ma father's sister, at what they ca' Soothbank, Herper's Brae. Ma auntie had aboot five o' a family hersel but one wis married and one worked in domestic service at the big hoose at Beeslack and lived in there. So at Soothbank there wis me and ma sister Mina and two o' ma boy cousins and one girl cousin.

Well, ma father brought us back tae Penicuik then he went back tae work at Oswaldtwistle. We were at Soothbank a while, maybe for a year or two durin' the First World War – it widnae be long – then ma father must ha' got a housekeeper and we were ta'en back tae Oswaldtwistle. Ah mind o' seein' a cousin o' mine comin' home, he wis in the army. It wid actually be the finish o' the war. So it wid be jist efter the war we went back tae Oswaldtwistle.

At Soothbank we wis up there on a road at the top o' the hill, Herper's Brae. Ah don't know if it wis originally a millowner's house, but when ah stayed there there were aboot fower or five hooses in it. It wis jist a wee hamlet.

In the hoose at Soothbank, well, there were pretty big rooms. There wis what ye ca'ed the livin' room and your cookin' room, and two bedrooms, ah would say. But they were pretty big. Ma aunt and uncle they slept in the livin' room. It wis a pretty fair sized livin' room if ah mind right. Us three boys – ma two cousins and me – we shared one bedroom, and the two girls were in the other room. The toilet – ah cannae mind much aboot that at a'.

Then ma auntie flitted frae Soothbank up tae Kirkhill. Well, we had an auld granny there, ma aunt's and ma father's mother. Well, at Kirkhill the house had three rooms an' a' – a livin' room and two bedrooms. The livin' room wis used as a bedroom an' a' for ma uncle and auntie. So ma sister and oor girl cousin slept wi' ma granny in one bedroom, and me and ma two cousins in the other room. They had an outside dry toilet there, jist at the top o' the garden. That wis fairly normal in Penicuik at that time, well, especially up Kirkhill way.

Ah started the school at Kirkhill. Ah cannae mind much o' Kirkhill School at a'. Ah wisnae there long and then we were ta'en back tae England for a while when ma father got a housekeeper at Oswaldtwistle. We stayed there for a year or two and then the mill at Oswadtwistle shut and we came back again tae Penicuik. Ah wis bound tae be about twelve year auld when we came back. I'm an awfy yin wi' dates. But ah can mind o' the 1926 General Strike. Ah can mind o' stayin' at Kirkhill then and there were a crowd o' workers frae Esk Mill marchin' down the brae and they were shoutin' at a laddie. He wis a pal o' mine, Dan Anderson. He stayed in Kirkhill but he worked in the mill. He wis what they ca'ed a postboy. He went doon tae the post office and collected the mill letters and ta'en the letters doon frae Esk Mill tae the post office an' a'. But they were ca'in' Dan a blackleg. He wis on the staff at the mill so he wis still at work durin' the strike. But the other workers were out on strike. He wis jist a young laddie about fourteen, maybe a wee bit older than me but no' much.[104]

After we came back tae Penicuik the second time aboot 1925 or early 1926 ah went tae that school they ca'ed MacGregor's Schule in John Street – John Street School. Ah wis there about a couple o' year until ah left school when ah wis fourteen. Ah wis in the Qualifyin' and had a bit o' argument wi' the heidteacher. 'It's a better education in Scotland,' he says. 'Ah'm goin tae keep ye back a year.' Ma father never din anythin' aboot it. But in the Qualifyin' ah feenished up top o' the class. Efter the Qualifyin' there were two subjects: commercial and technical. Well, a' ma pals were goin' tae technical and ah wanted tae go wi' them. This heidmaster – MacQueen they ca'ed him – says tae me, 'Ye'll not go in technical, Ye'll go in commercial.' Ah mean, efter a' ah had only another year tae do. So ah had tae take the commercial course. If ah mind right, the only difference wis ye got this French and science, geometry, algebra, and a' this. Ye didnae get shorthand till the second year in commercial, ah think. In the technical course they got technical drawin' and woodwork. Well, ah wid ha' preferred tae go wi' ma pals.

Ah had no chance then tae stay on at the school. Probably ma father couldnae afford it, tae be honest. Had ye no' tae pay something in these days tae go tae the likes o' Lasswade High School ? Well, ma father never pushed it that ah can mind o'. Ah never thought aboot it maself, goin' tae Lasswade. Ah preferred tae leave school and start work. Ma father wis a kind o' easy goin' man. Stayin' on at the school wis never discussed wi' him.

As ah say, well, ah liked tae make things out o' wood. But there werenae many o' thae jobs goin' aboot when ah left school in Penicuik in 1927. The likes o' the mill, ye couldnae get a trade. It wis mostly the gaffers' sons that got the trades. There were electricians, joiners, a blacksmith, plumbers, and the painters in the mill, and engineers. Ah would like tae have been an engineer. Ah wis fourteen. Ah got a job wi' Dick the grocer in the High Street in Penicuik.

Dick the grocer wis on the corner, the other side o' the road frae the Town Hall. Ah used tae get up in the mornin' and go for orders frae customers, then deliver them messages. So ah took the orders frae customers, went back tae the shop, collected the messages and took them tae the customers. Ah started about eight o'clock in the mornin' and ah worked till it wid be six o'clock anywey. That wis Monday tae Saturday – an hour later on a Saturday night, tae six or seven o'clock. Ah got an hour for ma dinner and a half day on a Wednesday. Ah got paid six shillins a week. Ah wis wi' Dick the grocer from aboot 1927 tae 1928.

And then ah got a job in Valleyfield mill. Ah wis fifteen or comin' on for fifteen then. Ah wis doon and put ma name doon. That wis the usual practice. Ah put ma name in Esk Mill an' a'. Most o' ma friends worked in Esk Mill then. Ah didnae know a lot then that worked in Valleyfield. But ma father worked in Valleyfield by then, after we came back frae Oswaldtwistle. He worked in what they ca'ed the stampin' hoose. That wis where they dispatched the paper. He worked there tae he wis ower 70, ah think, efter the Second War.

Ah started on the potchers. And ah went through different jobs: wid potchers and size makin', and on the concentrator and then eventually on the rag washers. That wis treatin' the rag paper, makin' it intae pulp, washin' it and bleachin' it. And that carried on. Then much later on they closed the rag washer doon, maybe in the 1960s, and then ah went back tae the size-hoose again. That's where ah feenished ma time when the mill shut in 1975. Ah wisnae away durin' the Second War. So ah must ha' been workin' in Valleyfield for 47 years till it closed doon.

Well, when ah started in 1928 ah would say there wid be aboot 250 workers in Valleyfield mill. About a third wid be women.[105] The women worked on the overhaulin', and there wis quite a few women worked in what they ca' the raghouse. That wis where they used tae buy the rags in and the women ta'en the buttons off them. Sometimes we used tae get overtime on a Saturday afternoon cleanin' what we ca'ed the backside o' the machine. That wis where a' the drive wis. So we used tae go up the raghoose and get what ye ca'ed a korsecky tae keep our shirts clean. A korsecky wis jist an old jacket that wis white or any colour.

Ah couldnae tell ye where the rags came frae tae the mill. Ye've probably seen the candlewick bedspreads: ye used tae get loads o' that in. That wis what they ca'ed cotton. And they got other rags – linen. And they used tae get raw flax in an' a'. It wis a' boiled in caustic. They were boiled separate – the linen and flax. Then they wid lift it oot the rag boiler. Ah jist cannae remember how much rags the rag boiler held. There were some vertical boilers. There were two that revolved all the time, kind o' oval shaped. And it wis ta'en frae the rag boilers tae the rag washers where it wis washed. The rag washers were a big oval tank wi' what we ca'ed a roll wi' iron bars in it. And ye could lift this up and doon. It worked on a plate which the roll went doon and it made a cuttin' action and chopped them up intae pulp.

And frae there they went tae a drainin' tank, jist like big rooms. There were a perforated floor on it. And there were a windae ye put boards in. The rags were emptied intae there and they drained through the plate. And when they were needed the boards were ta'en off and the stuff wis quite dry. And it wis put intae beaters and chopped up again tae a fine pulp. And at the beaters there were what they ca'ed size added. That wis tae make it ink proof. The likes o' sheen blottin' paper, well, it wid have no size in it tae absorb the ink. But other paper wid be sized. And then there were alum put in it. That wis tae keep the size in the paper – size and china clay added. Oh, the makin' o' the paper wis a long drawn oot process.

Ah don't think there'd be much rags frae locally, because they came intae the mill in bales. The only thing that ah can remember that were practically new were bedspreads – candlewick. Of course, it wis jist a cotton. Ye got the likes o' sheets off o' beds and things like that, cotton and linen. As ah say, there were women employed tae take the buttons off the rags. Ye yaised tae have loads o' buttons. Ah don't know what happened tae the buttons. Ah think they were just thrown out. Maybe some folk wid take them away and yaise them. There were quite a lot o' rags. It wis a constant job. They made quite a lot o' rag paper in Valleyfield. That wis the only difference wi'

Valleyfield and Esk Mill: Valleyfield used rags, ah don't think Esk Mill ever had rags. They jist used wood pulp and esparto gress, whereas Valleyfield used wood pulp and esparto and rags.

At Valleyfield we made thir rag paper – wid it no' be for ledgers and what not ? And for a while they made the paper for the bank notes for the Bank o' Scotland. It wis recognised as quality paper. Ah mean, Esk Mill were probably jist more the printin' paper, ee ken. But the likes o' rag paper that wid go doon for ledgers. Then that Windsor & Newton drawin' paper, well, they bought a lot o' paper frae Valleyfield, what they ca'ed drawin' cartridge. It wis a strong paper, made mostly wi' wood pulp, for drawin' in schools and that. That wis a speciality at Valleyfield, to make paper for drawin' and paintin'.

When they made the bank notes – that wid be late on, in the late 1950s and early 1960s – there were boys frae the Bank came oot and followed it roond the mill, in case anybody snaffled them ! Ah dinnae remember any goin' missin' ! But efter it wis overhauled by the weemen, ken, maybe paper wi' a blemish on it or somethin' like that, it wis sent up tae the rag washers tae me. And there were a Bank official stood by me while ah pulped it. Ken, they jist threw sheets intae the rag breakers and it broke it up again. He wis there a' the time. Security wis very strong ! Ah widnae could dae much wi' it anywey !

But the first week ah started in the mill on the potchers in 1928 ah worked night shift. Ah started on a Sunday night at twelve o'clock tae six. And that week we put in twelve hours a day. That wis workin' frae six at night tae six in the mornin' that week. And my pay for workin' thae 66 hoors wis 18s.6d. We got quite a lot o' twelve hoors shifts on that job in the potchers. Ken, if they were needin' a lot o' wood pulp they put us on twelve hoors. The other shifts wis six tae two and two tae ten. And ah wis only fourteen then in 1928. They wis long hoors for a laddie o' fourteen. And sometimes if they were exceptionally busy they worked the week-end an' a'. Well, Saturday ye worked Saturday mornin' from six tae twelve. And the ones that were on backshift worked from six at night tae six in the mornn'. And the ones that came off o' night shift worked from six on Sunday mornin' tae six on Sunday night. And the ones that were on six tae six on Saturday came oot at six o'clock on Sunday night and that put them on their right shifts. It wis three shifts then, what they ca'ed day shift, back shift and night shift. Well, did they no' change it for laddies ? Ye couldnae work was it night shift until you wis eighteen. That wis changed a guid bit efter ah started.[106]

Wi' paper makin' ye had tae be goin' constant. The likes o' when they were shut at the week-end the pulp wis jist left in the beaters. Ye didnae need tae empty everything. For when ye started up there were plenty o' water in it and it mixed up easy. But the mill wis normally workin' frae twelve on Sunday night tae Saturday at twelve. But, as ah say, sometimes if they were busy they worked the week-end. The hours wis long for a laddie like me, but, oh, ye managed. Ah cannae think o' bein' exhausted anywey.

Ye couldnae go tae evenin' classes when ye worked shifts. Well, ye jist missed one class when ye were on backshift. And sometimes ye could get your mate tae change shifts wi' ye. The mill allowed ye tae dae that as long as ye got somebody tae cover for ye. Well, ah went for a while tae a wireless class. That wis ma interest then efter ah wis started in the mill. Ye yaised tae fiddle aboot wi' wirelesses then. There were a magazine ye used tae get *Scott Taggart – ST*. He brought oot sets, ken, home built. Ye bought the parts in various wireless shops and made them up. The ST-300 wis the first yin ah built. And he made the Scott Taggart Star and they brought oot another yin, the ST-400. By then the commercial sets were comin' oot and the Cossar – the Cossar Melody Maker they ca'ed it.

Ah used tae dae a lot o' fishin', tae. Ah fished what they ca'ed the Black Burn – ye jist ca'ed it the Blaik. Ye wisnae allowed tae fish what ye ca'ed The Targets then, for Cowan – Sandy Cowan, the millowner at Valleyfield, kept sheep there. Ye had tae go up tae the top end o' The Targets on the left hand side, beside the road tae Peebles, jist as ye go oot o' Penicuik. Ken, the sojers came up there frae Glencorse Barracks tae practise shootin'. That wis why it wis ca'ed The Targets. Well, ye could start fishin' at the end o' The Targets, for Cowan threatened he wid sack ye if he caught ye disturbin' his sheep. Ah mind ah used tae go tae him for a permit tae fish Loganlea reservoir. Ye'd go in, ye peyed a shillin'. And he telt ye: 'Now,' he says, 'if ye're caught fishing bait ye'll get the sack immediately.' It wis supposed tae be bait wisnae allowed on reservoirs because it wis reservoirs. Ye could fish there wi' fly, that wis a' we were allowed tae fish wi'. Ah dinnae remember anybody gettin' the sack for fishin' at The Targets. Then for the likes o' Glencorse and Gladhoose reservoirs ye went tae the Edinburgh Corporation at the bottom o' Cockburn Street, peyed a shillin' for a day's bank fishin', and ah think it wis half a croon for the boat. So ah wis a keen fisherman efter ah left the school.

Ah think wirelesses and fishin' wis jist an interest ah developed masel'. Ah remember gettin' an old crystal set – what ye ca'ed the cat's whisker – frae ma uncle Eric. Ah cannae mind what kind o' crystal it wis. But ye slittered aboot wi' this cat's whisker on the crystal until ye picked the station up and increased the sound wi' a kind o' flapper thing.

In these days, tae, ye split up for a tanner ba' tae get a bit kick at a ba' in a public park. And ah remember on the back shift night we were playin' cuddy loup. Well, three o' ye got doon on your . . . ken, close thegither. Ye didnae go as far as your knees, ye jist bent over. And maybe another three jumped on ye. And ye steyed there till the cuddy collapsed and then they ta'en a shot. Ah mind yince a policeman arrived – this wis after the back shift, in the summertime – a policeman arrived and we jist a' stood. He ta'en a' oor names, and two or three days efter it word got around that we were report tae this policeman. So a pal and I seen him up the High Street and he telt ma pal that he'd ta'en oor names. The policeman says, 'What did ye no' run away for ? Ye didnae think ah wis goin' tae chase ye a' ower Penicuik ? Oh,' he says, 'everything's a' right. But the next time ye dae that, please stop the shoutin'.' For somebody had phoned in aboot the noise !

As a laddie ah went tae the Sunday School and tae the Bible Class. Ah joined the church when ah think ah wis 18. Ah went every Sunday or near enough tae the church – St Mungo's, what they ca'ed the auld kirk then, next tae the Town Hall, jist above Valleyfield. Ah wis never interested in joinin' a political party. Ah voted but ah wisnae politically active. The only thing ah jined in Penicuik wis the Silver Band. Ah started on the cornet and then ah went on tae the horn and then the tuba. Ah jined the band in the 1930s, when ah wis in ma twenties. Oh, well, ah suppose it wis jist maybe somethin' tae dae at night. Ah had tae learn the scales and what-not. Well, when ah wis in England as a laddie ah had a few lessons on the pianae. That wis all. Ah didnae play an instrument until ah jined the band.

Then at Valleyfield they always had an anglin' club, and they had a carpet bowlin'. Then there were tennis courts built. If ye worked in Valleyfield ye got the membership cheaper in the Cowan Institute. There wis billiards and snooker in the Institute and, ah think, a readin' room. Then ye had your dancin' maybe yince, twice a week – Saturday night.

Ah wisnae in the mill long when they started peyin' ye for your holidays. Ye got a week's holidays then, usually in August. Later on we got a fortnight. Then oo had tae work Christmas Day when ah first went. Ah think oo got New Year's Day off, but ah cannae remember. But later on ye got New Year and Christmas Day an' a', ah think.[107]

*   *   *

When ah started in the mill it wasnae any kind o' apprenticeship ah had. Usually that wis your first job – the potchers. And then efter that ye either went tae the machines or the beaters. And that wis a sort o' apprenticeship if ye were lucky. Ken, there wis usually three on each job: a beaterman, an assistant, and a laddie. The laddie yaised tae dae a' the cleanin' up – odd jobs. There wis a kind o' trainin' – ye worked your way up tae a beaterman. Then efter that some beaterman usually got the foreman's job. There wis what they ca'ed the big machine then at Valleyfield – that wis the second machine. There were four on it. But the other yins, there were jist three: a beaterman, an assistant – a first assistant, ye ca'ed him – and a laddie.

The beatermen jist tested the pulp – what we ca'ed the stuff. They yaised tae mix it up in a hand bowl tae see if the fibres were closin' thegither. It wis din by the beaterman: he could adjust what he ca'ed his roll, his beater roll, on tae this metal plate. Ken, if it wis gettin' too soft, well, he wid lift the roll off it. On the beaters it wis phosphor bronze bars in it, which the mill engineer replaced every so often. That wis tae prevent rustin' or brekin' metal up. It went doon on this plate. The plate wis metal strips in it, ken, they were at an angle, so as when the roll came doon it caused a cuttin' action and flattened the fibre oot. That wid take a bit o' experience, ah suppose.

Efter ah worked in the potchers ah went tae the size hoose, well, ah went tae what they ca'ed the concentrator. Efter the stuff wis boiled it was put in a potcher and washed and it wis put intae big towers and bleach added. A potcher wis a big vat, a big oval pot, oh, a great big thing it wis. Well, efter the stuff wis bleached it wis pit through the concentrator. The paper run through what they ca'ed sand traps – a lot o' troughs. Stuff run plenty water on it. And then thir sand traps: there were bits o' felt, ken, that wis auld machine felt, wi' lead bars on it, and it run ower that. And the sand, or anything that wis left in it, sunk doon on tae this felt which wis washed oot periodically. And it wis run through the concentrator. This wis a kind o' box thing, wi' three wire drums in it. They screened most o' the water oot o' it, it dropped intae what we ca'ed a tower, and it wis pumped from the tower right roond the beaterhoose in pipes. And a' they din then wis pull a rope and that opened a valve. They pit so much esparto grass and so much pulp intae the beater. They had tae judge that. The other beaters everything wis what they ca'ed hand-filled, ken, ye put so much rags in or so much pulp or so much esparto grass and so much waste paper – well, waste paper that had been pulped. It wis a pulper thing, jist like a big long mincer. The dry paper wis fed in and there were steam and water added, and this churned it up and it came oot sort o' pulp and it wis shovelled intae beaters.

The size and the alum wis put in at the beaters, and they maybe added the silicate o' sodae. Certain fills got that – what they ca'ed fills, that wis on a list ye had been told tae put in the beater, a kind o' recipe. The pulp went tae big tanks, machines. Then the machineman had tae adjust – he had a thing that wis marked and he opened it so far tae let so much stuff in. He added water and it run through the sand traps again tae clean it. Then it went intae what they ca'ed the breast box and it was pumped there and it run up and run on tae the wire. The machineman had tae get his spread right – ye ken, there were gadgets that he could let so much stuff oot. He could see along what they ca'ed the vacuum boxes. This wis boxes wi' bars in them, connected tae a pump, and that drew the water oot. By lookin' along that he could see if the water wis goin' oot evenly. There wis usually two or three sets o' thir boxes.

Efter that it wis carried on an endless wire. And there were what they ca'ed a coucher – a roll covered wi' felt. It wis renewed so often. When it wis renewed it wis cut off and a new yin put on, and the felt wis shrunk tae the roll wi' boilin' water. It kind o' spread the paper oot. Then efter that it went on tae a felt and through another set o' rolls and probably another set. Then it went on tae dryin' cylinders. A jet o' water cut the paper and it wis led ower a strip o' aboot six inches. Somebody pushed the jet slowly till it went the full length o' the paper. That wis done when it wis on the wire.

The mills then used tae work maybe an 80-inch wire. Eventually the big machine in Valleyfield wis 120 inches broad. That wis how they got it ower the machine. They led it ower in a strip and the boy went up that wis leadin' it, and he led doon cylinders wi' felts on them. The felts were tae help the dryin' process. Well, the folk used tae buy the cotton felts for coverin' their hut roofs and they used tae tar it. The woollen felts were yaised for underlays for carpets: we've got yin in oor back bedroom. And the couchers were used for soles for your clogs. Nothin' wis wasted !

Ye worked mostly wi' clogs. Ah don't think welly boots were right oot then. But the clogs were because o' the water. They wore clogs mostly on the beaters and the rag washers. Wi' the rag washer there wis quite a lot o' water fleein' aroond. The clogs had leather uppers and the edges o' the soles and heels were wi' iron like a horse's shoes. When ah wis on the rag washers ye got supplied wi' clogs, 'cause ye worked wi' a lot o' bleach and sometimes ye had tae put hydrochloric acid in tae help bring the colour up. Ye got this acid oot a big glass – a carboy. Ye were supplied wi' gloves and goggles, tae.

Efter it left the machine some papers were re-sized again wi' gelatine size – jist certain papers, ken, the likes o' ledgers. That wis what they ca'ed tub-sized. It went through a tub that wis filled wi' gelatine size. The gelatine wis made oot o' animal bones, cattle bones. It wis a kind o' glue and there wis alum on it added tae preserve it. It went through this tub and up and through a roll, and over an air dryer. It wis a long machine wi' sparred drums wi' a fan inside and underneath wis rows o' steam pipes, and these fans used tae birl inside the drum. That dried the paper. Efter that it usually went tae a calender. It wis a big stack o' rolls aboot, och, eicht or nine rolls. Ah believe it wis compressed paper they were made wi' and a steel yin here and there. And the paper wis led through there tae give it a gloss.

The calenderman yaised up what wis ca'ed nips 'atween the rolls. Ye could adjust it tae so many nips so it wouldnae be too high a finish. Usually the customer sent a sample oot tae the mill and the calenderman had tae go and compare the sample tae it. Ye looked at it under light tae see if the gloss wis right. The other papers, enamel papers, they were used for high quality printer papers – art paper – tae bring up the colour.

Ah never worked in the coatin' hoose. That wis enamel paper. The paper wis led through a machine. It wis mostly china clay that wis added. It went through calenders an' a' tae give it a high gloss.

Then efter that it went tae the cutters. There were some papers cut singly. The customer wanted the dandy roll tae put a name on the paper. The dandy roll stamped the watermark on the paper. They wanted them what they ca'ed cut tae register. Ye had tae cut them all the same. And a' the cutters they jist put three or four rolls on and cut it all at once. The cutters usually ta'en jist a narrow strip o' paper off the edge, off what they ca'ed the deckle edge, tae get rid o' that rough edge.

And then the guillotines: there wis cutters cut it a wee bit bigger and the man on the guillotine put a ream up and he set his machine. He turned a handle and there were a tape come along and it telt him the size and the weight. He put a plaque doon first, then he stamped on a pedal and down came a knife. It worked at a kind o' angle and cut through.

Then efter that it went up tae the overhaulers. That wis women stood at a long table and a bit rubber finger grip on their finger. They used tae pull the paper ower and ony dirty or scarred bits they took it oot. They were checkin' the paper for quality. Some o' the coatin' wis jist coated on one side. Wi' the double coatin' papers the girl when she wis overhaulin' it had tae flick the paper ower and dae the other side.

Efter it wis overhauled it went tae a woman finisher. She coonted the paper wi' her fingers intae reams. Some papers, the high quality paper, if ah mind right, were 480 sheets tae a ream, the others were 500. She coonted it up the edgin'. Then she put it in another pile and put a strip o' paper between each ream to mark it off.

And then it went tae the boys that tied it, the tiers. They were men. They tied it up in parcels wi' brown paper. Ah think they usually tied it wi' tape, a kind o' grey colour some o' it. And some they yaised gummed paper.

Other papers, ken, a roll o' paper wis put through a ripper. It cut it intae different sizes and it wis rolled up again intae smaller rolls.

Then the paper wis taken away by lorries. Some o' it went by train but not a lot, mostly it wis lorries. When ah first started at Valleyfield the railway wis yaised quite a bit. Well, they used tae get a' their esparto grass, wood pulp and coal comin' in on the train from Leith docks. The wood pulp wid come frae Norway, Sweden, Denmark or thereaboots. Esparto grass came frae North Africa and some came frae Spain. The Spanish wis supposed tae be better and stronger. They didnae use an awfy lot o' Spanish grass. Ah think it wis Newbattle Colliery that Valleyfield got maist o' their coal frae. Then the railway station wis closed before ah left the mill, ah think. They used tae get everythin in then wi' lorry. The paper goin' out tae customers wis mostly sent by lorries. The mill had their own lorry and van. When ah started in the mill they had jist the one lorry. Then when they got this order frae Kalamazoo – they made mostly ledgers – they got a lorry o' their own tae take the paper doon tae in aboot Birmingham. It usually went doon in reels.

Kalamazoo wis a big customer. Then there wis Windsor & Newton, the drawin' paper company. Ah cannae mind if Valleyfield had a printer or publisher customer in Edinbury. Ah think Esk Mill sent a lot o' paper doon tae Nelson's the publishers in Edinbury. But Valleyfield had a warehoose in Edinburgh, up West Register Street. Somebody telt me it wis an old church, at the back o' Woolworth's.

But ah wisnae involved wi' sellin' the paper. Ah wis in the makin' department. There wis a makin' department and the finishin' department. There wisnae a distribution department, no' that ah ken o'.

In the makin' department the only women were them that worked in the rag hoose. There wisnae an awfy lot o' them there, aboot a couple o' dozen. But the rag makin' gradually closed an' a', it gradually died oot after the Second War, maybe two or three year afore the mill closed. The other women in Valleyfield were in overhaulin' and in finishin'. Well, there some young lassies started their work on the cutters. Ah think there wis aboot six cutters so there wid be two or three lassies on each cutter – so aboot 20 a'thegither. Ken, the sheets came doon a felt intae a box. Well, they had tae keep it frae goin' a' ower the place, they had tae catch it. Then the lassies as they got aulder and mair experienced they moved up tae the overhaulin'. They got taught up there. So there wis a kind o' trainin' – frae cuttin' tae overhaulin' and then tae finishin'. There were a lot o' overhaulers but no' many finishers. There were two overhaulin' departments: the coatin' and the plain. There'd be between 40 and 50 women on the overhaulin'. Then there wisnae many women in the office – mostly men in the office. So in Valleyfield a'thegither there wis bound tae be aboot 100 women, near enough. The other 200 were men and boys.

As ah say, there wisnae any formal apprenticeship for boys or lassies. Ye jist stepped up, sort o' style, if a vacancy arose. Maist o' the workers at Valleyfield stayed there a' their days. Ye didnae get folk comin' and goin' every year or two. Maist o' the workers came frae Penicuik. It wis jist latterly in the mill that ye got them frae ootside. They used tae put a special bus on for them.

*   *   *

Ah wis in the paper makers' union as soon as ah started in Valleyfield. Sharp wis the name o' the union branch secretary then. He had a wee office up Kirkhill Road. It's knocked doon now. Then ah think it wis Smith that ta'en over efter that. They used tae ca' him Count Smith. Ah wis never active in the union, ah never attended any o' thae meetins at a'. Ah wouldnae be interested, ah jist ta'en it for granted. Ah wis a member till the mill closed.

At Valleyfield Sandy Cowan wis the law, ye'd put it that wey. Ah suppose ye jist put up wi' it. He usually had his walk roond the mill every day. When he wis comin', or ye kent he wis about, ye had tae get off your hintend. If ye were sittin' at your job ye had tae get up and pretend ye wis daein' somethin', sort o' style. Sometimes, dependin' on the job ye were doin', things were mair hectic than other times, well, ye had tae keep an eye on it and see if everythin' wis runnin' a' right. But Sandy Cowan wis the boss when ah started in the mill. He had a brother, Robert Cowan, he visited the mill noo and again but he didnae stay in Penicuik. Sandy had two sons, Ronald and David, ah think. Ronald wis in charge until Reed took over. David hadnae a lot to do wi' the mill.

There wis never a strike at Valleyfield in ma time, no' that ah ken o'. Before ah started in the mill there were a strike. Well, accordin' tae what ah've heard – it's jist what ah've heard o' it – there were a bit o' an argument wi' a man ca'ed Jock Ellis, the gatekeeper at the mill. They built an effigy o' him ootside his hoose doon Bridge Street. It wis jist doon below where ah used tae stay. Ah cannae mind o' this incident at a', because ah wisnae doon there in Bridge Street then. It's jist what ah've heard. They built an effigy o' Jock Ellis and set fire tae it ootside his hoose. And ah think there wis one or two got the seck from Valleyfield efter that because they'd been active in the strike. That's a' ah mind aboot it.[108]

As ah say, when ah came back frae Oswaldtwistle the second time wi' ma father and ma sister and the housekeeper we went back tae Kirkhill for a while, till ma father got this house in Bridge Street. And ah wisnae long in Bridge Street when ah left the school and got the job in Dick the grocer's when ah wis fourteen. It wis jist a two-room house in Bridge Street. Ma father and me slept in one room, and ma sister Mina and the housekeeper slept in the kitchen. Ah cannae mind if we had thae built-in box beds. The toilet in Bridge Street wis shared, ken, ye went in what ye ca'ed the lobby. There were a hoose opposite us, ken, the doors were opposite in the passage, and the lavvy wis up twa or three steps. We shared the toilet wi' the other family, well, there were daist two – a woman and her mother. Ah steyed in Bridge Street till ah got married in 1943. Then ma wife and me were still in Bridge Street – oor hoose wis up the street a bit, where the post office used tae be. Then we flitted frae there intae John Street, opposite Tait the builder. Frae there we came to live in oor present hoose aboot 1957.

Then aboot that time, ah cannae jist mind when it started, Cowans built this new mill up at Pomathorn. It had bigger machines and faster machines.

But it only run for aboot five year.[109] Then the Reed Group ta'en over and they gradually worked Valleyfield out. The only thing ah heard aboot why Reed shut the mill wis they were efter the mill order book. Valleyfield had a good order book. There were four paper makin' machines at Valleyfield and one up at Pomathorn, five a'thegither. When they shut the mill at Valleyfield ah can remember one machine went tae India. That wis the machine, the first machine, they made that maskin' tape on. It wis a sort o' crepe paper. Ah think it wis yaised maistly in the motor industry. Another machine – the big machine, it wis – went through the west somewhere. And another machine – what they ca'ed the third machine, Reed ta'en doon tae England. In fact, ah think Reed took two machines. For the fourth machine it wis scrapped when ah wis at Valleyfeld and a new machine put in. They ca'ed it the fourth machine and ah think it went tae Reed's an' a'. Then an old machine, what they'd ca'ed the third machine, it wis scrapped, ah think.

When Valleyfield closed in 1975, well, ah jist wondered when ah wis goin' tae get another job. Ah dinnae think ah wis upset when the mill closed, ah dinnae think sae. Well, ah probably wis upset right enough, but cannae mind much aboot it. It jist closed and that wis it. Ye didnae get much warnin' that it wis closin'. Ah think it wis very sudden. As far as ah knew Valleyfield had a good order book. The workers thought it wis daein' well. I mean, there were nae short time or onythin' like that. It closed in August at their holidays, that wis the last o' it. Ye never went back efter the holidays.

Ah got redundancy – aboot £6,000 or somethin'. That wis efter 47 years. It depended on your wages. Ah still get a pension yet. The pension ye got wis – the office workers and the foreman a' had pensions from the mill. But the workers – if ye did your 50 years ye got 10 shillins a week. Seemingly Reed's were goin' tae stop this and there wis a bit o' an outcry and the union stepped in. So Reed's gave them this fund. Ye get an increase every year in your pension. Cowans jist gave ye a flat 10 shillins a week, but Reed's increased it. Twenty years efter the mill closed ah'm getting £25 a month.

When Valleyfield shut in 1975 ah wis 62 and went tae the Edinburgh Crystal factory in Penicuik. Ah worked there about a couple o' year. Ah wis 65 when ah retired.

Well, ah wisnae away at the Second War, so ah worked 47 years at Valleyfield. Ah had no regrets about workin' there. I enjoyed the company – pit it that way. We all got on well thegither.

Beaters at Valleyfield, c. 1937. From the beaters the porridge-like mixture of esparto grass, wood pulp, and other ingredients passed to the paper-making machines.
Courtesy of Midlothian Libraries Local Studies.

William MacMillan

Ah wis wantin' tae work as soon as ah left school. When ah left school that wis enough, ah didnae want any more school. Ah couldnae leave quick enough. It wis everybody, 'Go and get a job.' Ah wanted tae work, tae start tae earn money. Ah'd like to have been a footballer ! But ah didnae try to become a professional footballer. Ah wisnae strong enough anyway. Ah wis shoved aside, ye know. Ah couldnae run intae anybody – ah stotted off them. Ah wis not very heavy. When ah started tae work ah wis 72 lbs – five stone two lbs. Ah wis jist a wee thin lad. 'Wee Scoot', they used tae ca' me, 'Ye wee Scoot.' So ah started off 22nd o' April 1930 in Valleyfield Mill as a despatch clerk, because ma father said ah wisnae strong enough tae day anything else except wield a pen.

Ah wis born 23rd o' December 1915 in Edinburgh, St David's Place, along Fountainbridge Way. Ah wis two year old when ma family come tae Penicuik, No. 23 The Square. Ma father wis a stonemason and he come frae Dundee. When we come tae Penicuik he worked in Rosyth Dockyard. Ah can always remember when ah wis a wee laddie goin' wi' ma mother down tae the post office in Penicuik for tae collect the wages that ma father sent frae Rosyth on a Friday. Ma father wis in a union of some kind, 'cause ah remember – oh, ah wis jist a wee, wee laddie – a chip o' whatever he wis daein' at Rosyth Dockyard had went intae his eye and damaged his eye. His union fought his case and got him compensation. Ah can remember him comin' home and giein' ma mother the money that he got, oh, an awfu' lot o' money that day. Ma mother right away – new claes, we a' got new claes, everybody got rigged oot. Well, ma father wis workin' in Valleyfield Mill as a stonemason when ah started there. He had left Rosyth Dockyard in the 1920s and started in Valleyfield. Ma father was never idle, never unemployed.

Ma mother wis an Edinburgh woman, a domestic servant she was. Ma mother wis bothered with asthma and she had tae get away from Auld Reekie, and Penicuik was the most healthy place that wis recommended. That wis in 1917 when ma family moved out to No. 23 The Square. Ma

191

mother's health wis pretty poor wi' asthma. Ah can remember at No. 23 The Square if ah went tae the Store wi' her, gettin' doon tae the bottom o' the stair ah used tae have tae run up again and get the Hinkman's Asthma Cure. It wis jist powder. Ye pit some in the lid and ye'd bring the matches. Ye set a match tae it and the fumes they used tae be ower the top o' it. Ah had tae run up and doon the stair umpteen times and get the key and open the door and get the Hinkman's – ah knew where tae get it – and the matches. She could never ha' got up the stair but she could efter that. Oh, it wis a terrible thing asthma. Ah wis jist started two month in Valleyfield Mill in 1930 when ma mother died.

Ah havenae got a clue about ma grandparents. Ah think they were dead by the time ah wis growin' up. Ah don't remember them at all, and ma parents never discussed them. As ah say, ma father come frae Dundee and he had brothers up in Dundee, and a brother in Guinness's brewery in Dublin eventually.

Ah had the two older brothers. Jock wis born in 1908 and Steve in 1911. Both worked in Valleyfield Mill. And then Steve eventually went tae a paper mill outside Dublin, and then he went frae there tae South Africa. And then he come back tae Penicuik and stayed wi' ma brother Jock and got a job in Valleyfield. So he feenished his days in Valleyfield where he began. Jock and Steve were both cuttermen in Valleyfield.

Ah grew up at No. 23 The Square in Penicuik and ah wis there until ah got married in 1939. No. 23 belonged tae a grocer, Henderson. Henderson's shop wis at the bottom o' the Store brae at the corner o' West Street. At that time Wilson's Stores wis right opposite where we lived. At No. 23 we had the kitchen and what ma faither ca'ed the livin' room and then the wee bedroom. We had a built in bed in what we ca'ed the kitchen, where we cooked and everything, and we had a bed in the wee room. Ma parents slept in the kitchen and us three boys were in the bedroom. At first ah did sleep in aside ma mother and father, ye ken, until ah got a wee bit aulder and then ah wis in wi' ma brothers. All three o' us were in the same bed tae start wi'. Ah wis jist a wee laddie at the schule. Ma brothers wis on shifts at the mill and they had it arranged that they were not on the same shift at the same time. So one went oot and the other come in, sort o' thing. They slept more easily that way.

There wis gas mantles for lightin' at No. 23 The Square. For cookin' ma mother had a gas ring and an open fire. It wis jist an open coal fire wi' a range, the wee oven wis on the left hand side. There wis no hot water boiler, we had tae boil the kettle. There wis runnin' water, the sink wis next tae the fire in the kitchen. We didnae have a bath, we had a tub. We had a flush toilet downstairs outside. We shared it wi' the next door neighbour. Well, next door there were three at one time but the oldest son got married.

There wis never any difficulties about the use o' the toilet. When ah wis a wee laddie ma mother used tae take me doon tae the toilet. We used tae burn a candle in the toilet, the candle wis burnt for me. At that time ah wis a bit nervous because ye had tae go down and across the backgreen.

Our house at No.23 was one floor up, then there was a house above and there were Jimmy Livingston's shop below. He wis a sort o' grocer-cum- . . . and he sold fishin' tackle.

For washin' the clothes ah mind ma mother used tae have a big tub. Then down the stair, next tae the toilet, there were a shed where Jimmy Livingston kept his oil and what-not, and they had a mangle in there that he allowed them tae use for the washin'. Ma brothers used tae go down and caw the mangle. Ma mother wisnae able tae dae that. There wis no outside wash-house and ma mother did the washin' in the house and hung it out in the green, well, it wisnae a green, it wis jist a' dirt, jist a dirt green. They called it a back green but there were no grass. She shared that wi' a' the neighbours: two families above us, and our family and the next door family.

Ah went tae Kirkhill School tae start wi'. I'd be five, that would be aboot 1920. Kirkhill School wasnae far away but it was past the old kirk cemetery, that wis the only thing. Ah wis a bit nervous. Of course everybody used tae make stories up about the cemetery. Ma mother used tae take me at first tae the bottom o' the brae and then it wis jist up the brae. Of course, she couldnae climb the brae wi' her asthma. And then ah went frae there tae John Street School and that's where ah finished. Ah liked the school. Ah got on a' right at the school. Ah never had any bother goin' tae the school. Ah wis the youngest and the smallest. Ah wis the waif. The teachers were a' very good. They were all local women that ma mother knew. Ah think ah wid be eight when we come doon tae John Street School.

At school ah liked arithmetic. Ah wis quite good at sums. Ah passed the Qualifyin' exam. At that time we didnae have any chance o' goin' on tae Lasswade High School. The only ones that their fathers could . . . they went tae George Heriot's in Edinburgh and what-not, private schools. But there was no Lasswade High then. Ah don't remember anybody in ma class at John Street School that went on tae Lasswade High School. We were a' in the same class till we left John Street.

When ah passed the Qualifyin' exam ah went intae the commercial side at John Street. That's shorthand and typewritin', and book-keeping. It must ha' been the school that decided that, well, they wid probably see more than me, ye ken. The other fellows did woodwork – the industrial course, they called it, and the girls did cookin'. By the time ah left the school ah could type and ah could write shorthand, but ah havenae got a clue what speed ah could do in shorthand or typin'. It's too far back. And when ah started in the mill there were no typewriter, ah never seen a typewriter there.

As ah say, ah wis wantin' tae work as soon as ah left school. It wis everybody, 'Go and get a job.' Ah left John Street School when ah wis fourteen in December 1929, and ah started in Valleyfield Mill on 22nd o' April 1930. Well, ma father worked in the mill and coming home one day he says, 'Ye've tae go doon tae the mill and get an exam.' The cashier that wis in the mill, John Quinn, it wis him that gien me the exam paper. It must ha' been a questionnaire or somethin' ah had tae fill in. So ah got started in the despatch department at the mill as a despatch clerk, because ma father said ah wisnae strong enough tae dae anything else except wield a pen ! Well, ah felt all right but he must have had different ideas. And when ah did get started ah had tae go tae night school for typewritin'. John Quinn, the cashier, made me go tae night school twice a week. But when ah started in the mill, as ah say, there were no typewriter there, ah never seen a typewriter. And ah never used shorthand after ah left the school.

The man that wis in charge in the despatch department, Jim Alison, ah worked wi' him. He showed me what tae do in the despatch department. It wis a wee office. There were a stock-keeper, two barrowmen, ah think, that went and got the paper out o' stock and ready for despatch, and ah think there were four packers, and there would be maybe four or five loaders, loadin' the lorries. And that wis the staff o' the despatch department. And then of course they had two women that used tae sew the canvas on the bales that were tae go overseas tae a' the different countries. They sewed it up by hand wi' big strong needles. They were older women, women that wis past overhaulin'. The younger women wis a' overhaulin'. The two women sewed the bales when they were balin', and when they werenae balin' then they were up the stair puttin' the labels on the wrappers. For when they wrapped the paper Cowan's label wis on it, and the two women done that. It wis a job near the end o' their workin' lives.

When ah started ah used tae run a' the messages, of course. Ah did jist that and copyin' o' shippin' notes. Ah wrote the shippin' notes. Of course, the man told me what tae dae. And then ah went tae the office and copied them in wi', ken, the blottin' paper underneath and then the wet sheet. And then ye put it in the letterbook, ye clamped it doon, screwed it. And then there were a copy left in the book. And ah ta'en that and the shippin' note went intae Leith, where they were shipped doon tae London. Well, that wis mainly it, what ah done, and then ah wis tae go and take up the stair a message tae so-and-so, maybe the man that wis in charge o' the finishin' department or what-not, oh, jist different things.

The despatch department wis on the first floor o' the mill. Ah think later on, but not at that time, the coatin' salle or the stock hoose or somethin' wis above. And then there were overhaulers above that. And the cuttin' wis down below, and a stock room, and the machinery – calenders and what-not

– wis the floor below us. Well, it's very hard tae explain. But the buildin' we were in wis the stamping house.

The stampin' hoose, where the despatch department wis, wis away at the back, at the monument tae the French prisoners o' war. There wis a railway line that run at the side o' the despatch office, 'cause the railway line wis next tae the bankin'. The mill wis on the left o' the railway, and the railway run right up tae the gatehouse. They used tae shunt the waggons across the road. They'd stop a' the traffic, and the train o' the railway company picked it up there. The railway station wis on the right before ye come tae the mill. The Valleyfield spur line went right roond, right tae the Low Mill. When the esparto grass used tae come in they used tae load the trucks at the bottom and they wid come right roond the mill. The empty trucks wis shunted oot into the railway yard. The engine had tae pick them up and take them back again.

Well, comin' straight frae school the work in the mill wis a bit complicated. But ah did that, message boy, for about two or three years. It wis jist a wee cubby hole we had tae start wi'. And then of course the firm expanded, we got more business and we had a bigger office built for us. They moved us upstairs tae a bigger office. It wis the usual thing: they expanded a bit, and then the man left and they wanted somebody. So ah begun tae be assistant despatch clerk. Ah got more tae do on the books sort o' thing, ah got tae learn what tae do. Ah wis about seven years an assistant despatch clerk.

As ah said, Mr Quinn sent me to John Street night school two nights a week for three year for shorthand and typin', which ah didn't need. But Mr Quinn kept me off the streets ! Well, ah'd say that wis the reason wi' ma father. Ah don't suppose ah'd be what you'd call a strong lad. Ah never yaised shorthand or typin' at a'. Ah never had a typewriter. It wis pointless, but ah'm sure that wis the reason o' ma father, tae keep ye off the streets. Ah didnae like it, ah didnae feel good at a' about it. But ah went. Of course, that wis part o' the job at the mill, that wis one o' the conditions o' the job. So it wisnae a case whether ah liked it or no' – ah jist had tae go. Ah wis the only one from Valleyfield goin' to those classes that ah can remember.

When ah started at the mill ah had tae go round tae the main office tae dae the copyin'. The office faced the river Esk, when ye went doon the mill brae there were the gatehouse and the gates. Ye went straight doon, past the canteen, which wis an old school, straight doon and past the openin' where everybody went intae the mill, and the buildins past that wis the offices. The river Esk wis on the right and the mill offices wis on the left.

When ah began at Valleyfield ah jist went tae the one bit o' the office. There were a head clerk there and three others. There were Willie Black in the office. He wis the clerk. He used tae be the organist in the North Kirk in Penicuik. The head clerk wis in a wee room tae himself, and the three others were in one room. They were all men. There were other places in the office, in the main part o' the office, where the typists and what-not wis. Ah never had any contact wi' them unless it wis jist a special occasion. Ah wis jist in this one bit. Of course, in these days there were no men typists, and shorthand – that wis a job for girls.

The hours when ah started in 1930 wis quarter to eight tae half past five. Ye got three-quarters o' an hour for your dinner. Ah went home for ma dinner when ah wis No. 23 The Square. It wis jist up the road. On Saturday it wis quarter tae eight tae twelve. Ah wis always on day shift. The cutters and the calenders and what-not they were a' shifts, but not our end o' the finishin'.

When ah first started ah think ah got eight shillins a week. It went up annually. When ah got married in 1939 ah had £2.2.0. or somethin', ah think it was.

Afore ah wis married there were six o' us friends at the mill went tae Aberdeen for a holiday and stayed all in the one room in Union Street. We only got a week's holiday at that time. Ah think it wis only ten shillins each for the digs for the week. We shared beds, two on the floor and what-not. Everybody ta'en a turn tae go doon for the baps in the mornin'. Ye were wi' the lads ye worked aside. That wis the furthest ah'd been frae home at that time. And this wis jist one week. Ye always got a week's holiday frae the mill afore the war. When ah first started ah don't think ye got paid for the holiday. Ah cannae mind if oo got peyed for them or no'. Oo used tae save up for the holidays for a year, so ah dinnae think we got peyed for them. We maybe got peyed for three days, ah think. But we did get peyed eventually for the holidays. Then after the war ye got a fortnight, ah think.

When ah wis at school ma mother and father used tae send me tae Dundee for aboot four weeks' holidays wi' ma father's brother in the Wellgate. Well, ma uncle wis across at Dublin in Guinness's brewery, but ah stayed in Dundee wi' his wife and family. Ah went tae Dundee on the train. Ma oldest brother Jock took me to the Waverley and put me in the train and told me tae get oot at the first station after it crossed the Tay Bridge. Ma cousin Jackie wis at the station tae pick me up. It wis the same vice versa comin' hame. When ah wis younger ah spent a lot o' ma school holidays doon the Dean Village in Edinburgh. Ah had an auntie, ma mother's sister, stayed in Dean Village and ah used tae go there for three or four weeks at a time. Ah went on the bus frae Penicuik and ah wis met on the bus in Edinburgh. And ah remember ma mother and father and me went on a trip tae Burntisland once in the school holidays on the old paddle steamer the *Wullie Muir* frae Granton. But ma mother and father couldnae go holidays, well, ma mother couldnae go anywhere. Her health wis pretty poor wi' the asthma. Years later, after ma mother died and efter the war, ma father had friends down at Shoeburyness in Essex and he used tae go tae Shoeburyness for a fortnight every year. But he didnae go holidays before the war. That wis when he wis workin' in Valleyfield, 'cause he used tae work when the mill shut. He always took his holidays in September.

As ah've said, ah wis always keen on football. Ah played ootside right for the school team when ah went tae John Street School. Ah didnae play regular, ah got a game now and again. Ah wis quite a fast runner but ah wis too wee. They shoved me oot the road. When ah wis a teenager ah played along wi' ma brother for a long time for Glencorse Amateurs. Ah played ootside left, ma brother wis left half. Ah played until ah got married in 1939. Ah never tried tae become a professional footballer. Ah wisnae strong enough anyway. Ah wis shoved aside, ye know. Ah couldnae run intae anybody – ah stotted off them ! And then on a Saturday frae the mill we used tae go tae Tynecastle and Easter Road on the train tae see the Hearts or Hibs. There were a train left the station at twelve o'clock but we finished at the mill at twelve o'clock, so they used tae hold the train tae two minutes past twelve. It wis a shillin' return intae Edinburgh.

When ah wis a boy ah had a bike. We used tae go and make them up oorsel'. There wis four o' us used tae cycle every Sunday mornin' doon tae the indoor baths at Portobello and got a swim there. Then we used tae cycle doon wi' the local football team tae Peebles and Galashiels, Innerleithen. We never cycled any further than that. We didnae cycle in the winter, jist in the summertime. We did get around.

Before the war the mill built tennis courts at the Low Mill. R.O. Wood wis the manager o' the mill. He stayed up in a house at Pomathorn. He wis Cowan's brother-in-law. R.O. Wood wis a great army man and he wis a great tennis player. He wis a captain or somethin' in the army and he wis at Glencorse Barracks. He used tae employ a' the old soldiers from the barracks in the mill. The locals werenae gettin' employed at a'. In the stampin' hoose where ah wis there were five ex-army. R.O. Wood got them in the mill some place or other. Most o' them were from Edinburgh. They come out on the bus. Some o' them wid be English and there wis Irishmen an' a'. There wis some o' them married local girls, of course. Oh, well, ah dare say there wis some resentment among the Penicuik men. We wouldnae hear aboot it but there wid be.

And then we went dancin' regular at the Cowan Institute. Every Friday night there wis a late dance. Well, there wis a' the girls frae the mill and a' the lads frae the mill ! A' the girls had their evenin' dresses on. It wis cheap, ken, it wisnae very expensive. Oh, they come from all over – Edinburgh and a' that, to the dances at the Institute. They used tae camp at Penicuik. And of course ye didnae drink at that time – a half pint maybe. Ah think ah met ma wife at the dancin' actually. Well, we were both at the same school, and it wis only a small village in these days and everybody knew everybody else. We were both employed in Valleyfield. She worked up in the coatin' salle. And ma wife says most o' the things in her wardrobe when she wis young wis long dresses for the dancin'. Ah wis a keen dancer maself. Ah mean, we hadnae wages in these days. But the dancin' wisnae dear. A Friday night wis the main night. They come frae Roslin and Loanhead, tae, and even a lot o' lads and girls used tae come frae Edinburgh. They a' knew each other because there wis dancin on a Saturday night, too, in the Town Hall.

And then every Sunday night we walked oot the Edinburgh Road, past the cemetery, maybe jist tae the Roslin road end, and walked back again. And the lassies used tae dae the same. That's where ye met members o' the opposite sex ! Ye would have a chat, that wis all, a blether. A lot o' young people got tae ken each other through that. The young ones frae Roslin and Loanhead they come the other way.

And the mill used tae have an annual social and dance in the Cowan Institute for the workers. It used tae be free – and a bag of buns ! At one time the workers performed at the social. It wis them that did the whole show. There were some good talent. Ye see, at the Cowan Institute ye had cards, ye had snooker, ye had everythin' in the Cowan Institute. Ah used tae play snooker and billiards a lot. Three tables there wis. Ah wis never a reader. But there wis a library up the stair in the Institute. There wis books and papers. But ye couldnae speak up there, ye werenae allowed tae speak.

*   *   *

Ah wis 23 when ah got married in 1939, and ah wis 24 when ah wis called up. Ah went straight frae the mill intae the Forces. It wis February or March 1940 ah wis called up. Ah think ah should ha' been away in February but ah got a month deferred. They couldnae get any longer. The mill tried tae get me released, but no. Well, it wisnae what they called a special job, a despatch clerk. They could get anybody tae despatch paper ! Ah didnae know what tae expect in the army. Ah wis put in the RASC – the Service Corps. Ah'd been a clerk, ye see, ah wis never anythin' else. Well, ah went first tae register in Edinburgh in the Music Hall in George Street, and ah got a medical there. Ah must ha' passed the medical. Ah jist got word – the RASC, and that wis it.

Ah went tae Bulford Camp, Salisbury Plains. Ah'd never been oot o' Penicuik, except on holidays tae Edinburgh and Dundee when ah wis a boy, and tae Aberdeen wi' ma friends frae the mill. Ah wis trained as a clerk at Bulford Camp. Ah wis there for quite a bit. Ah wis there when they were at Dunkirk, 'cause clerks and everybody, the hail Bulford Camp, ye got dished oot overalls, picks and shovels, and we dug trenches doon nearer the coast for the invasion, waitin' on them comin' ower, and we were a' covered in white clay.

Then we wis posted frae Bulford tae Catterick Camp. Ah wis a clerk, ah didnae do typin' or shorthand in the army. Ah wis a fortnight at Catterick and then ah wis posted tae York. Ah wis at York for, oh, two year and then we moved offices tae Leeds. It wis still the Northern Command. Ah went doon in 1942-3 tae Steventon in Berkshire, near Abingdon, and ah wis there until ah wis posted overseas tae India at the end o' '43, comin' up for '44. India wis not very nice. We landed at Bombay and ah went tae Deolali, and at Deolali ah ta'en dysentery. That wis a good start there. And then ah wis posted frae there up tae New Delhi, and then ah wis in Calcutta. Ah didnae like India at all. It wis too hot tae start wi', and, och, they were dirty, they were filthy. Nae pavements, nae roads, everythin' wis a' the same. They were a' jist lyin' doon, they jist put a cover doon and lay doon. Oh, poverty. And cattle walkin' up and doon the streets a' over the place.

Ah wis sent up tae Comilla, where they assembled for the push through Burma. Ah wis wi' the 14th Army up at Comilla. Ah wis never in Burma itself. Ah wis a clerk and we done a' the radio and droppin' the supplies. Ah had a shot at droppin' supplies from the old Dakotas over the fightin' areas tae the 14th Army forces. Ye flew wi' the Yanks. Well, ah went twice. Ah jist went for the experience, tae tell ye the truth. It wis only because ah wis the clerk that done the paper work. It wis an experience. Ye only got aboot thirty seconds when the pilot said, 'Now watch for the green light.' When the green light comes on, 'Kick like hell !' And ye kicked the supplies oot the plane. And then the red light come on and he jist zoomed up again and then roond. Three times he dropped and it wis all dropped off, nae parachutes or nothin', he wis goin' that low. He wis jist above the jungle. They had a space made oot – a DZ, dropping zone. Ye dropped the stuff in that. It wis only maybe aboot a hundred yards and less, the space that ye had tae kick it oot intae. That's why he went three times. He couldnae dae it a' in the one. Ye had a strap that ye haud on tae. But ye wis more or less sittin' doon, ken, and kickin'. Ye were quite safe unless ye were stupid enough tae go oot along wi' the supplies ! It wis food and supplies and cigarettes and what-not, but mainly tinned foods – corned beef, maybe tinned fruit and everythin' an' a', because it couldnae damage. But, oh, it must have been murder doon there, oh, murder it wis. 'Cause we had a' the radio messages. Ye had tae arrange the supplies tae be dropped at a certain place at a certain time. It wis an awfy organisation.

Then ah went frae India tae Ceylon, then frae Ceylon by sea tae Singapore. That wis jist efter the Japs surrendered. We were stationed in Changi Jail. The Japs left nothing. They'd pulled oot a' the electric lights, they pulled a' the cables oot and they smashed up a' the toilets and stuck their helmets in for tae block the toilets. The Jail wis a' empty, the prisoners had a' been taken away by then.

By then ah wis a staff-sergeant. We were under canvas and a' wi' candles. It wis still the Japanese cookhouse they used. It wis very different frae Valleyfield Mill, and very different from home a'thegither !

Ah could ha' stayed on at Singapore. Ah think ye wis gettin' £200 or somethin' and accommodation eventually for your wife and family — eventually — if you became a Regular. Ah wis tae sign on for so many years, ye see. But ah wis glad tae get home. Ah widnae take ma wife oot tae thon anyway. If ah had been single ah probably widnae ha' come home. Or even if ah'd been in Ceylon and got the chance tae stay ah probably wid have got ma wife oot tae Ceylon. But not tae Singapore.

The war didnae affect ma political views. Ah wis never a member o' a political party. Ah still am not a political man. Ah wis struck by some o' the conditions in India. Ah mean, the wey they ate wi' their fingers and everything. Ah dinnae think ah've had rice since ah come hame. You'd see them a' washin' in the river. The funerals, they were pittin' them in and jumpin' in and dumpin' them in the river Ganges, ken, the bodies. Different customs a'thegither. The war wis an experience, not one ah wid like tae go again, tae be truthful.

Ah wis out in the east three year and never got home in that time. It wis too far away, too far away. Ah wis demobbed in '46, February or March. Ah'd been away in the army six year. Ma son wis three month old when ah went away. He was at the school when ah came back: 'Who's that man ? What's that man doin' here ?'

Ah must ha' felt sort o' unsettled and restless when ah come back tae Penicuik. Ah cannae mind, tae be truthful. But ma wife says ah wis never in efter ah came home, ah wis oot every night, oot every night. Well, ah wis married wi' a family, ah mean, ah had tae come home tae work. But it wis an awfy change tae come back intae the mill again ! It ta'en iz as long tae get intae the swing o' things again when ah come back. But, well, ma job wis there. That wis one thing, ah wis guaranteed ma job wis there. So it wis better tae come home. Then we were in a Valleyfield Mill house at Pentland View. It wis two shillins a week. We were jist in that house in 1939 afore ah went tae the army. We were in it aboot 10 or 11 years then we moved tae the Concretes, and ma daughter wis born there. But we were in the Concretes jist about three year. Ye were under Peebles Road there, ye couldnae see nothin'. And the other windae you looked doon intae the mill. We seen enough o' the mill withoot lookin' oot the windae at it !

At the time ah wis called up frae the mill in 1940 the man that wis despatch clerk wis off and ah wis doing actual despatch clerk then, sort o' acting despatch clerk. When ah come back from the war there were another man in ma job but he wis an old man and he wis a sick man. He wis off oftener sick. His legs used tae fill up wi' waters and that. So he retired jist after ah come back and ah got the job o' despatch clerk. Ah wis in charge and there were two other clerks workin' wi me. So ah had got started and had time tae settle in again.

When ah come back from the war early in 1946 at the finishin' side o' the mill there were more women than men. That wasnae the case before the war. There were women tiers and what-not efter the war but there were nothin' like that afore ah went away. It wis a' men afore the war. Even afore the war, well, if they werenae equal men and women there'd be more women, ah would imagine. There were an awfy lot o' women overhaulers. There were two salles, ye see, a plain salle and a coatin' salle, and then they employed an awfy lot o' women. And then before the war the machines and so on didnae need as many men as they needed women for the overhaulin'. So afore the war if there were mair men they wid jist be a few mair than women. But then there were more o' the women left the mill when the men come back from the war. The women were maybe engaged tae a fellae afore he went away then when he came hame they got married. So maybe from 1946, '47, ah wid say there were more men than women, and that wis it till the mill closed.

And then efter oo come back frae the war the hours shortened. Exactly the year ah couldnae say, but they didnae work on a Saturday eventually.[110] And it wis from eight till five, instead o' quarter tae eight tae half past five. And we got an hour for wir lunch. Wages increased, oh, they did improve, but wages still werenae much higher. Ye felt ye were slightly better off efter the war. Of course the foodstuff wis dear and it wis still short efter oo come back. Ah worked a lot o' overtime. That's a' ah could make off ma wages. Ah wis dependent on overtime tae make a decent pey. Ah used tae go sometimes frae six in the mornin' tae nine at night. As ah say, the old sick man that wis despatch clerk when ah come back frae the war wis off for a long time and ah had tae work overtime at least twice a week. There were naebody else tae dae it, ye see. And ye had tae dae it for tae make a livin' wage. And ah used tae work in pubs and what-not, ah worked in the pubs at the week-end. Ah worked at Roslin Hotel on a Sunday night and ah worked a couple of nights in the week. So efter the war the mill wis still no' a well paid job, but it wis a steady job. Ah mean, everybody thought it wis a job for life until Reed's come along and shut it ! Again, ye see, efter the war your business had tae build up, because ye lost a lot o' customers durin' the war. It ta'en a wee while afore ye got back tae pre-war.

When ah first started in the mill in 1930, well, ah had no idea who were the main customers. But latterly, efter the war, one o' main yins wis the University Press, Cambridge, and Kalamazoo: the Morland and Impey or

Kalamazoo works in Birmingham. That built up in the 1950s and '60s, when the mill got the Kalamazoo contract. They used tae make a' the different coloured papers and what-not. They went doon in reels tae Birmingham. The University Press wis a' done in loose, not wrapped up, it wis a' in pallets and loose sheets, for tae feed intae the printin' press. Oh, Cambridge University Press and Kalamazoo were big customers. And there were the printers in Edinburgh: Morrison & Gibb and Pillans & Wilson, and Neill, Causewayside. A' the big Edinburgh printers, we supplied paper frae Valleyfield – but no' Nelson's: Nelson's wis the contract for Esk Mill.[111]

The mill van used tae go. Ah used tae sometimes go in tae Edinburgh wi' the mill van, jist have a run roond them. When ah started in 1930 there were jist the one lorry and it jist went back and forrit tae Leith docks. And then there were an internal lorry wi' the old solid rubber tyres. They took the smalls tae Penicuik station. He wisnae licensed for the road, only tae drive within the mill. He wis allowed tae go tae the station 'cause he wisnae oot – still wis on the premises, sort o' thing.

The lorry that went tae Leith wis takin' paper that mainly went doon tae London, Cowan's had a big place in Paul's Wharf, London. Ah always remember that address for a' the thousands and thousands o' times ah wrote it. That paper went by sea frae Leith docks – it wis the London & Edinburgh Shippin' Company. Cowan's never had their own ship but they had their own port in London, Paul's Wharf. The paper wis a' delivered there.

Oh, Cowan's wis a big company – and overseas: Adelaide, Melbourne, Wellington, Toronto, Montreal – Montreal wis, as think, the main one. Cowan's had warehouses there. There wis a big place in Ireland – Belfast. We sent the paper frae Stranraer tae Larne and then on to Belfast. That wis a' done in lorries, ken, they were put on a trailer. We addressed paper tae Johannesburg as well. We used tae send the stamped paper tae the South African government, and tae New Zealand – postage stamps. It wis a' gummed paper and the cases it went in wis a' lined wi' aluminium. That wis done at James Tait, the builder, at Penicuik. They lined them and then our own mill plumbers come up and sealed them tae take them overseas. That wis afore the war and efter the war. Cowan's were worldwide, oh, they were.

As soon as ah'd started work at the mill in 1930 ah'd joined the papermakers' union. Oh, they were at ye an' a', as soon as ah started. And a' the mills were in it. You paid your weekly . . . They had a union representative, ah think it wis a fellae ca'ed Jim Thomley at the time. He enrolled ye and got ye in. Then they had the main office where everybody used tae go. A' the mills – Dalmore, they a' used tae pay their union fees in at the one office. Ah believe there was a collector in Valleyfield that collected your dues but ah went tae the union office. Them that wis peyed weekly it wis paid weekly. If ah remember right in later years it wis ta'en off the wages. Ah wis a member o' the union a' the time ah wis in the mill, even later on when ah wis on the staff as well. Ah think nearly all the workers in Valleyfield wis in the union, as far as ah know. Efter the war, ah think the union wid be stronger, because it wis the union that got increases o' wages. Mind, the increases werenae great. Ah mind afore the war the women used tae get a farthin' and the men got a half-penny and the shift workers got a penny.

Ah can remember when ah'd only be a wee laddie there wis one man that wisnae in the union. Whaever he wis he stayed down Bridge Street, and a' the union yins, that wis a' the strikers, used tae go doon and shout at his door at the hoose and everything. Ah cannae remember his name, but ah knew him at the time. Everybody kent whae he wis. He wisnae in the union, well, he wis workin' all the time.[112]

Well, as far as anybody in Penicuik wis concerned if ye got intae the mill that wis your job for life, unless ye wanted tae go elsewhere. Ah carried on workin' until the mill shut at Valleyfield the 31st o' July 1975. Ah wis sad, sad indeed, sad indeed. It come fairly quick, fairly sudden. We had a letter it wis goin' tae shut. Ah wis on the staff by that time, ken, ah wis on monthly wages. Ah wis still the despatch clerk when it feenished.

As ah say, it come fairly quick, fairly sudden. We didnae really have any suspicions, no' really, tae begin wi'. But we did when they closed Pomathorn. They closed Pomathorn tae start wi', and then everybody began tae small a rat, because Pomathorn was a new mill. Esk Mill closed afore us. Ah never looked for other jobs afore Valleyfield closed, ah never thought aboot that.

But when Valleyfield closed ah got a job in Edinburgh District Council. They started up their own labour squad, the Direct Labour they called it. And ah got a job as a stock clerk. The mill stopped on the Thursday and ah went in tae Edinburgh on the Friday and got interviewed and started tae work on the Monday. Ah wis there till ah retired. And the man that got me the job had a car, so he picked me up every mornin' in Penicuik and brought me home at night. Valleyfield closed in the July and ah wis 60 the followin' December. Other than that ah would never ha' got in tae the Direct Labour, because ah had tae work five year tae get a pension in the District Council. Ah wis very fortunate.

Well, ah liked ma mill job and ah had no regrets about workin' in the mill. Ah mean, we had a guid social life before and efter the war in the mill. Ye kenned a' your workmates, it wis a friendly atmosphere. Ah'm no' goin' tae say it wis a pleasure tae go tae work there but it wis cheerful, ye know. Ye didnae feel like sittin' in the hoose or that. Ye ken, ah liked tae gaun tae the mill. Ah enjoyed ma work.

Bales of esparto grass at Valleyfield mill, c. 1937. Valleyfield had been one of the first mills in Scotland to use esparto in the making of paper.
Courtesy of Midlothian Libraries Local Studies.

Helen Weir

When ah left the school at 14 ah jist thought ah wid have a try at domestic service. And ah got a post in the town, Edinburgh. It wis Coates Crescent, well, a nursing home. Ah wis a domestic, goin' tae be. And when ah landed there ah says, 'Oh !' And the next mornin' ah wis early up, had ma case packed and wis off. Ah waited on the bus and ah came hame again tae Harper's Brae. That wis it. Ah didnae last a day ! Well, ah had left the school in the summer holidays and ah got that wee domestic job, and then ah didnae get started in Esk Mill tae the Christmas. That wis 1930.

Ma father had worked in Esk Mill. But he wis killed in the First World War. He wis killed in 1918, near the end o' the war. Ah wid only be two jist. Ah wis born jist adjoinin' Penicuik, it must have been Harper's Brae, May 26, 1916.[113]

Ah think ma father had worked in Esk Mill a' his life. He started in the mill as a boy when he left school. So did his brothers. They were in the mill a' the time. He wis conscripted in the war. Ah don't know if it wis a Labour Corps or something. Ah still have his medals. But he wis killed by a shell in France when ah wis jist a baby. Ah had one older brother, Alex, aboot two year older than me. Ma mother wis left a widow wi' two very young children.

Ma mother didnae go out tae work till later on. We stayed in Harper's Brae right up tae ah wis about 18, ah think. Ah think the houses at Harper's Brae were tied houses that belonged tae the mill. Ma father had worked in the mill and had got the house. Once we moved from Harper's Brae up tae Penicuik ma mother took a wee job then. We moved tae The Glebe first and we were six month there and then we moved tae Bank Street. When ma brother and me were young ma mother got about £2.40 pension a week after ma father wis killed. That wis the pension she got. That wis for the three of us. And the government, they gave her a sewin' machine for takin' in work. When ma brother started workin', ten shillins wis taken off her pension. And the extra 40 pence, that wis taken off ma mother because she wisnae forty years old. She got that 40 pence back when she wis forty. Then it wis the same wi' me when ah started workin': ten shillins wis taken off her pension. And ma father died for freedom an' a'.

But we always had something tae eat. Ah never felt we were short o' food or clothes. It wis good times. Ma mother, well, she must ha' been a good manager. Once we came up tae Penicuik – that wid be about 1934 – she took a wee job then. It wis in the picture house, she cleaned it, a cleaner in the picture house. It wis a part-time job.

Ah started the school at Kirkhill. That wis the school we went tae. And then we shifted tae Penicuik School when ah wis ten or twelve, somethin' like that. Oh, the school wis good. Ah don't know whether ah wis interested in the lessons or no' in these days ! Ah enjoyed readin'. When ah went tae Penicuik School ah wis in the commercial there but ah cannae mind right what oo got. And then ah left the school when ah wis 14.

Ma first job ah wis wantin' tae go tae domestic service. Ah jist thought ah wid have a try at it. And ah got a post in the town, Edinburgh. There must ha' been an advert in the paper and ah wrote in for it. Now it wis Coates Crescent, a sort o' nursing home. Ah wis a domestic, goin' tae be. When ah landed there ah says, 'Oh !' And ah went away doon thir stairs. Tae me it wis awfy, ye know. Ah wis supposed tae be livin' in. And when ah got ma meal it wis scraps, ye know. And the next mornin' ah wis early up, had ma case packed and ah wis off. Ah waited on the bus and ah came hame again tae Harper's Brae. That wis it. Ah didnae last a day ! Oh, it wis enough. Oh, ah didnae like it.

Well, ah had left the school in the summer holidays and ah got that wee domestic job. And then ah didnae get started in Esk Mill tae Christmas. That wis 1930. Ma brother Alex wis in the mill. He wis two year older than me. He ended up tyin', tyin' the bundles o' paper. He worked in Esk Mill tae it closed and then he went tae Valleyfield.

But the likes o' Esk Mill in these days when ah started ye had tae have somebody – family – tae speak for ye. It wis a close knit firm, ye know, James Brown & Company. In these days it wis a' families that wis a' in the mill. And they had been there maybe for years and years, generations. That's what it wis, a kind o' family place, workers went in families, fathers, sons and daughters.

Well, ye always started carryin' the paper shavins up tae the potchers. That wis your first job. Then you moved on tae the cutter. And then you moved from the cutter maybe up to the SOs – His Majesty's Stationery Office – or somethin'. We cried it the SOs. And then up tae the salle. And that wis it.

Ye got experience as ye got a bit older and in the salle ye made your own wage. Ye had piecework in the salle at the overhaulin', the checkin' o' the paper. That wis the usual steps for a girl startin' in the mill. Ye finished up on the overhaulin'. Ye could work at that for years and years. Ye wouldnae go back tae thae other jobs. The overhaulin' wis a sort o' best job for women because ye were makin' your own wage. Ye could make more money at overhaulin' than at the other jobs in the mill.

When ah started in the mill in 1930-1 it wis fortnightly wages and it wis £1 for the fortnight, and your insurance and that off it. That wis your wage. So ye were makin' about ten shillins a week, wi' your insurance off that. Ah handed a' ma wages tae ma mother and she gave me pocket money. Ah think it wis about half a croon pocket money. Half a croon then, well, ye could do as much off o' that, ye know. So wi' the insurance off ma wages ah gave ma mother about 9s.6d. and she gave me back half a croon.

In the mill we started early enough, because we started at six in the mornin'. And then we got stopped for wir breakfast. Ah went home for ma breakfast because ah wis only at Harper's Brae then and Esk Mills wis next tae it. And then you went out for the forenoon and then back home for your dinner and then out again till teatime. That wis when the mill started as early as that, six in the mornin'. Ye started at six till eight, then ye got home for your breakfast. Ye got an hour for your dinner. Then ye finished at five o'clock. It wis a long day from six in the mornin' tae five at night for a girl o' 14. But that's what it wis. Ye just had tae do that. It wis jist a half day on Saturday. Ye finished at dinnertime on Saturday. So ye were workin' about 60 hours a week. It wis quite a long week. But ah didnae feel tired at the end o' the week, no' really.

The work in the mill wis interestin'. But interestin' or no' we were gettin' the money for it. The work ah liked the most wis the salle, the overhaulin', and makin' your own wage. When ye were overhaulin' ye were lookin' for marks on the sheet, any flaws on it, and ye put them tae the side. Sometimes there were a good lot o' sheets wi' flaws on them. Ye had tae pey attention and look out for them. Then there were an overseer used tae come in.

All the overhaulers were women, all women. Some jobs in the mill only women did them. It wis the jobs ah did, except the cutters: ye got some men there and some women. The men were runnin' the cutter and had an assistant. And the girls, we were either takin' the paper away or cairtin' it or keppin' it – catchin' it at the bottom, when the sheets wis gettin' cut through.

The women didnae get equal pay wi' the men ! The women got less. Even if they were doin' the same job as the men it widnae make any difference. The women in these days still got less. Oh, ye got a smaller wage than the men.

Ah got on well wi' a' the women, and wi' the men and boys, tae. Everybody knew everybody else. As ah say, there wis a lot o' families workin' thegither. Really there were no strangers in it. Ye knew everybody. Ah can mind o' some characters among the women but ah cannae mind their names.

When ah started in the mill it wis the Jardines, it wis them that run it. Ah seen them often. They came round the mill a' the time, they were always walkin' round the mill. Neddy Jardine, he spoke tae everybody. He wis the general manager. He wis quite friendly. He knew the workers by their first names. The mill wis quite a friendly place. The workers came from a' round about Penicuik and Kirkhill and Harper's Brae.

In ma spare time ah wis a dancer. We were dancin' every night. We went dancin' in the Town Hall or the Masonic Hall. And there used tae be a band, most o' them were from the mill, and they yist tae practice in the readin' rooms up on the top o' Kirkhill – Dublin Street. And the mill had gien them this and they used tae play snooker and that in it. And the band used tae practise there. And we used tae be up there dancin' every time they were practisin'. Ah wis a keen dancer from when ah left the school. Ah met ma husband at Loanhead – dancin' ! Ah didnae meet him in the mill because he worked at Valleyfield, no' Esk Mill.

Ah wouldnae say that the workers at Esk Mill and the workers at Valleyfield never came much in contact wi' each other. But Esk Mill had their own social life – bowlin', tennis. The YMCA buildin' belonged tae them in these days. There were tennis, puttin', bowlin'. That wis their social life – them only at Esk Mill. They had their own social life compared tae Valleyfield.

Well, ah wis 23 when ah got married in 1940. Ah'd been workin' in Esk Mill nine year. Ye had tae give up the job when ye got married. Ye had no choice, that wis the normal. As soon as a girl got married she gave up her job. There were nae jobs in the mill then for married women. Practically a' the women in the mill were single, unless they were widows maybe. The manager didnae come and say tae ye, 'Ye'll have tae give up your job'. Jist that ye knew. And if ye asked for a job after ye were married they wid jist say, 'Well, ye'll need tae wait and see.'

And then it wis aboot a year when ma husband wis cried up tae the army. Ah wis a married woman but there wis a shortage o' workers. And ah got a job in Valleyfield. Ah jist went and spoke tae them aboot it and that and got started. It wis in the rag hoose. Ye had tae thingmy a' thir papers and everythin' and rags oot and a' the different things oot, separate it a' oot for tae make the paper. We hadnae used rags in Esk Mill, no' that ah know of. But there were a crowd o' us there at Valleyfield. Oh, we used have some fun, rare fun. Sortin' the rags wis no' bad. It wis fun. The rags had tae go into the machine without any buttons on them. Ma mother always had buttons from the rags. The buttons werenae thrown away. Everybody in Penicuik in these days wid have a box o' buttons off the rags.

And then we got shifted tae the men's jobs, wi' them bein' away at the war. Ah wis on the potchers. There were great big tanks and ye had tae work then, ye ken. They were thingmyin' roond and roond. When we were lettin' them away they filled up thir other big tanks wi' esparto grass, wood pulp, and that sort o' stuff, and then rags of course.

Then ah did so long at Valleyfield there and it wis a' right. And then ah wis cried up. We were jist told we wid be workin' in an engineerin' factory. We didnae join the ATS or the WAAFs. We were married, ee see, and that wis the job we got, unless ye had wanted tae dae that, join the ATS or the WAAFs. But what we got kept us in the yin bit at home. Ma cousin Ella and I wis cried up thegither and we had tae go tae Portybelly tae that place for learnin' – Ramsay Technical College. We were takin' a course for the engineerin'. We went for so long there and then we were sent tae work at MacTaggart's, the engineers at Loanhead. We were put on a lathe. Ah wis a' right but ma cousin Ella wisnae ! She stuck it for so long. But she couldnae dae it – nerves. We were workin' a lot o' night shifts. We were there for a long time, because Ella and I used tae aye be on the same shift. Ah've seen it twelve-hour shifts, maybe six at night tae six in the mornin', somethin' like that. This wis on war work wi' MacTaggart. It wis a' for boats. Ah liked it, ah liked anything. But it wis ower much for Ella. Ah dinnae ken, her nerves wis mair. . . . But she stuck it, ken, for a guid long while.

Well, we got away from MacTaggart and ah says, 'Oh, ah'll get ma job back in the mill.' It wis there for me. But, alas and alack, it wisnae. It wis the laundry ah had tae go tae. Ah wis directed tae go tae Auchendinny Laundry. And, ye know, the ones that wis tellin' me where ah wis tae go wis younger than me. And ah wis mad because ma job wis there for me in the mill at Valleyfield. But ah had tae go tae the laundry. Well, the laundry wisnae bad. But it wisnae ma cup o' tea. Ah wis checkin' the clean stuff. Well, ah stuck it for about a year and ah says, 'Oh, ah cannae take this.' So then ah got back in the mill.

It wis aboot the end o' the war then, because ah wisnae that long back in the mill on the overhaulin' at Valleyfield when ma husband came back from the war. Then after he came back ah did part-time at the mill. That wis when married women started tae work in the mill, after the war. Ah worked the same shifts – if ma husband wis on day shift ah worked like that. Well, ah wisnae that long in the mill. Ah had tae leave because ah had ma son efter that. He wis born in '48. Ah wis 32 when ma son wis born. So ah'd worked full-time in the mill for maybe about a year, then it wis part-time. Ah'd been workin' for 18 years in all sorts o' jobs.

Ah never went back tae the mill efter that. When ma son wis a guid bit older at the school ah worked jist part-time wi' the Penicuik Co-operative, cleanin' the shops.

Well, lookin' back on ma work in the mills ah really enjoyed it. Ah've no regrets about workin' there. But ah had no regrets about givin' up work in the mill when ma son wis born. Oh, ah wis glad ah'd given up domestic service ! That wis a joke. Ma mother jist had tae let me go tae see what like it wis. But she knew ah wouldnae like domestic service.

Helen Brown, aged 11 (later Mrs Helen Weir), seated centre of front row, crowned Gala Queen at Harper's Brae Gala, 1927.
Courtesy of Mr Robert Weir and the late Mrs Helen Weir.

Douglas Gordon

I wanted to be a baker ! I always thought . . . I liked cookin'. I'd like to have been a chef actually. So I left school at fourteen in 1928 hoping to become a baker or a cook. I managed to get employment with a baker in Penicuik, but not as a baker. I had to go out with a little trolley and sell cakes and buns round the doors. And then I wasnae turnin' in enough money. After about eighteen months I got the sack. Well, it was a shock. I was unemployed about six months. And there were one day I was standin', just shelterin', well, it wasn't heavy rain but jist shelterin', in a doorway at the corner o' Bridge Street and West Street, where the Penicuik Town Council chambers were. And this Bible class teacher – I'd left the Bible class by that time – happened to pass. And she came back, she says, 'Aren't you employed ?' And I says, 'No, I can't get a job anywhere.' She says, 'Have you tried everywhere ? Have you been to Valleyfield ?' 'Och,' I says, 'I go there every week.' And she says, 'Well, go down on Monday mornin'. I'll have a word.' The Bible class teacher wis Mrs Cowan, the wife o' Sandy Cowan, the mill owner. So she must have spoke to someone. I went down to Valleyfield on Monday mornin' and they gave me a job.

I was born on 30th April 1914 in Croft Street, Penicuik, in a house that was part o' the Episcopal Church hall. Well, ma family moved to Penicuik from Dundee before the First World War, and my mum and dad were caretakers in the Episcopal Church. They belonged to Dundee. My mother had worked in the jute mills in Dundee and my father was a salesman for Singer's sewing machines. I think my parents were Roman Catholics before they came to Penicuik but they changed to the Episcopal Church. I had a sister, who wis the oldest o' the family, and three brothers, and I was the youngest. We were all brought up as Episcopalians. I sang in the church choir and all my brothers and my sister did as as well.

I don't remember my father at all. He had been a Regular soldier before the First World War. He must have been out the army for a long time though. He wasn't recalled to the army as a reservist. He was a conscript in

211

the First War and was taken away to the war and he was killed at the battle o' the Somme, I believe, in 1916. So within a few months he'd been called up and killed. I was only two or three year old then so I don't remember him at all. He was in the Royal Scots, I've got pictures of him in Royal Scots uniform. He was a sergeant, too – that must have been his previous experience when he was so soon made a sergeant.[114]

It was my father had got the job of caretaker at Penicuik Episcopal Church. But when he was killed of course my mother had to carry on as caretaker. As I say, she had worked in the jute mills in Dundee. She used to say it was a tryin' time in the jute mills and it was long hours, and her knuckles got sore and they had to work changin' spindles. She didn't speak much about my father, it was too painful a subject for her and she brushed it off. My mother didn't speak much about her life at a'. She never did say what age she was when she had started work in the jute mills. When my father died, ye see, she was left wi' five children, and a hall and a church to take care of. They employed a man to do the big garden at the hall. But my mother had to do all the physical and the mental work as well, because she took bookins for the hall and all that sort o' thing. The Episcopal Church itself was up Broomhill Road, but the hall was down in Croft Street and, as I say, part o' the hall was the house where I was born.

The house, a tied house, was two-bedroom, and a lounge and kitchen and livin' room. The two bedrooms were upstairs – attics wi' coomed ceilins – and the other rooms were on the ground floor. There was a flush toilet but not a bathroom. There were a big coal house wi' an outside hatch where they could put the coal in, well, later on in years they did away with that and turned that into a bathroom. My mother had her own bedroom, a tiny little bedroom wi' a single bed. We had two double beds in the biggest room, and the four boys . . . Of course when I was only a baby I slept wi' my mother till I was about four year old. And then I was transferred to sleep wi' my three brothers. But I cannae remember where my sister Catherine came in at all ! She must have slept downstairs. I must ha' been about ten before my sister got married. There was a garden, oh, an enormous garden, 40 feet square, and we got the job of lookin' after a' that. Eventually, after my brothers left home, I was left wi' the whole lot myself. I lived there in the church house in Croft Street with my mother until I was about seventeen. Then we moved to a council house in Carlops Crescent, and I lived there wi' my mother until I got married in 1940.

A curious point was that when my parents came to Penicuik as the caretakers they were told they werenae to have any more children. And then I appeared out o' the blue ! The rector it must have been who'd told them. That was my mother's story and it came down through the family. Well, it was such a busy job and it would ha' meant she would be neglectin' her duties, because they had to work in those days. I think she was runnin' a late pregnancy. My parents got a free house wi' the job, and I think that was it. So my mother'd no rent to pay for the house. I don't think she got very much in payment as caretaker. In fact, I don't think she got anything. She got a free house. She had her pension from my dad bein' killed. She got ten shillins a week for that. I believe she got something, a commission, for lettin' the church hall, something like that – I jist cannae remember.

We were very, very poor. My eldest brother Lawrence told me that the family was sometimes short of food even when my father was alive. But that's what he told me, 'Sometimes we went short o' food. Your dad wasn't a very good provider.' My eldest brother says, 'Your dad' – he didn't say 'My dad', he said, 'Your dad', though he was the same dad. Lawrence knew all about it.

Ma sister Catherine was the eldest of the family – she was about ten, twelve years older than me – then Lawrence, John, Frank, and me. Ma sister worked in the local Co-op in Penicuik. They had a shoe shop forbye a cobbler's shop and she worked as an assistant behind the counter. Lawrence was a moulder, served his time at the foundry in Penicuik and after that he went into cement mouldin' and he secured a job as manager o' a cement mouldin' firm down in Wolverhampton and he was in that till he died. John worked in Esk Mill until the beginnin' o' the Second War. He knew he wouldnae be called up because he was disabled. He'd had polio and his leg was shorter than the other one. In fact, he had a double sole and a double heel on one shoe to level him off. So when the war came he wanted a different job and he got into Leith docks, in the electricity side. Where he got the trainin' I do not know but he got on well. He finished up in the *Daily Express* in Fleet Street, London, as a foreman electrician. Then my other brother Frank he got killed in the Second War. Frank trained as a gas fitter in the Penicuik gas works, and he became the manager o' the gas works at Stow. He got fed up with it, came home and got talkin' to the rector – the rectory was next door to us – and the rector says, 'Why don't you join the Air Force ?' So Frank was in the Air Force for a good seven year before the war and then he was discharged. When the war came he was called up. In the evacuation from France – it wasn't Dunkirk, it was further south – they all piled on to a ship and it wis just goin' out the harbour when it was bombed and the whole ship went down. And I was jist called up tae go to the army at the same period. So I was in the Royal Scots – the same as my dad – and home on leave when my mother got word my brother Frank had been killed. Oh, it was a terrible time for her.

*   *   *

I went to the Episcopal school up beside the church when I was five. It was known as the English School locally and the Tin School. It had a tin roof and if it rained too heavy you couldn't hear what the teacher was sayin'. Well, you stayed there and you went right on till you were 14. There were no secondary school. That's where I got all my education. There were about a hundred pupils there, I would say, divided into five classes. In the centre was a huge room – there were about four classes in the same room. Then there were another room for the final year for the 12s to 14s. And then there were a room that was never used – well, we used it for medicals and things like that. There were three teachers in the school, well, two and a headteacher who took the final year. They were a' women. Miss Bell wis the junior teacher. She mairried a beaterman in Valleyfield. And there were another teacher married a printer in Penicuik, but I forget her name. Miss Duncan wis the headteacher.

So the poor teachers would have one section doin' one thing, and another section doin' another. And in the middle o' this big room there were a pot-bellied coal stove. It used to get red hot in the winter. A chimney pipe went straight up through the roof. In the winter ye had tae be near the stove to be nice and warm: it wis surrounded by wet jackets and wellinton boots, they were right roond it. And there were a guard right roond aboot it to keep you away.

I sat the Qualifying exam. Well, that was it, I just stayed there in the Tin School. For the last two years you went to the public school, John Street School, in the town for various things – technical stuff: woodwork, science. But there were very few periods you went away to John Street. We carried on having maths and English and gymnastics and everything else in our own school.

Ah didnae like the school very much at all ! Och, it didnae interest me at a'. And then there were four different classes and two teachers a' in the one big room, each wi' two classes to supervise, and different ages. It was distractin'. But the teachers managed it. They managed to get quiet ones when there were loud ones necessary, they managed it. They must have had the syllabus goin' for the two o' them. The classes were fairly small, about twenty or two dozen in each of the classes.

I always came home from the school for my dinner. It wasn't far to come. But there were one day a week, a Friday, I think it was, they got spotted dick, plum duff, at the school dinners in this middle room, and soup. I always went that day to the dinners. It was 2d or something for the dinner.

Well, one thing that interested me at the school was English mainly. I enjoyed readin', I never stopped readin'. I was a very keen reader as a boy. I used to read in bed wi' a torch. We had gas lights in the Croft Street house and if I switched the light off they used to know downstairs, because the light downstair jumped. Or if you put it on it went down downstairs. They could tell when I went to bed whether I was readin'. So I had to put the gas light off in the bedroom and I had a torch under the blankets. My mother would know probably but she never said anything.

Och, it was adventures stories I read. I was a keen member o' the library even up to I was married – in fact, most o' my life. The library in these days was in the Cowan Institute. We used to go and get library books quite regularly. That's where I got my education really, from books. I used to lose myself in books. That was my main interest as a boy.

I attended my local church Sunday School and I eventually finished up in the Bible class, and I was in the choir. I used to go to the early morning service at eight o'clock, and then choir boys at ten o'clock, Sunday School at eleven o'clock, Bible class. And then I was in the evening service choir boys. My whole Sunday was taken up in the church. But later on I lost a great deal o' my religious beliefs durin' the war. But as a boy, too, I was roamin' in the woods. And we were out tattie howkin'. That was to earn money to give to your mother. It was the natural thing to do. You never thought twice about it. That was what you were doin' it for. You gave the money to your mother. Oh, my mother wasnae well off, no way. She had a free house, that wis a'.

I left the school as soon as I was fourteen, that would be in 1928. I wanted to be a baker. I always thought . . . I liked cookin'. I'd like to have been a chef actually. So I left the school hoping to become a baker or a cook. As I say, I managed to get employment with a baker in Penicuik, but not as a baker. I had to go out with a little trolley and sell cakes and buns round the doors.

But when I left school first I applied for a job as a baker in the local Co-op. The Co-op had a huge bakery, they were the biggest bakers in Penicuik. I was unsuccessful. I got an interview but I didnae impress them at all ! Everybody was in for that job – all my schoolmates. It helped if you had somebody worked in the Co-op. Well, I did have my sister Catherine but she had married by that time and had left the Co-op. I had no relatives in Penicuik at all. I was a stranger in Penicuik, an outsider, an incomer. Although I was born in Penicuik our family was outsiders in Penicuik for many, many years.

Well, there were very few jobs going. I was unemployed for some months. Well, unemployment was very difficult. I went round all the pits, all the mills. Oh, it was a constant job. That was my employment, goin' round everywhere every day tae try and get a job. I felt depressed at the time. Well, I was livin' wi' my mother and my brothers. I wasnae very popular, to tell you the truth ! But it wasn't my fault. I just couldn't get a job. And I did odd jobs here and there, anything I could – liftin' potatoes at Black's farm.

The other main baker in Penicuik was Leiper, a German whose parents were interned durin' the First World War. Well, I knew a man who had served his time there wi' Leiper and then branched out on his own as a baker. Johnstone was his name. Jimmy Look-up he wis called: his eyelids only opened so far and he held his head back and looked along to see. And I was employed by him. His baker's shop was next to Cowan's pend, leadin' down to Cowan's house at Valleyfield. I got ten shillins a week from Jimmy Look-up for trundlin' a' round the doors wi' this little trolley. It was just a barrow with four wheels, and wi' slidin' drawers all the way down, about five drawers. It would be maybe four feet by two, wi' his name Johnstone written on the side. Ye pushed it, it had a little protrudin' bar across. It wasn't pneumatic tyres, it was solid rubber.

Runnin' on level ground the trolley was ok. But I used to have to go away up Kirkhill, then Harper's Brae – a very steep one. I had tae do all that. Oh, it was heavy goin' for a young laddie. Oh, I was sweatin', you know, my armpits were really . . . Penicuik's a hilly place, especially in that area. And most o' my clients were in that area, because it was far away from the shop, ye see. I had tae go that distance to get the trade. And Jimmy Look-up Johnstone used to do quite well.

It just was mainly biscuits and cakes, pies and buns I went sellin' round the doors wi'. Quite often I came back to the shop wi' quite a lot, mainly biscuits, chocolate biscuits. But the other stuff, I only sold about a pound's worth in a day. If I was very lucky I would ha' sold that. I didnae sell a great deal. At dinnertime I had to fetch the barrow back to the shop and then I went out in the afternoons, usually wi' the remains o' what was left from the mornin', to see if I could get rid o' it.

My customers were just people like myself, working class people, mainly Esk Mill. The main customers was that end o' the town. In the other end o' the town I had to go along to Shottstown. That was a far part o' Penicuik – and miners' rows. I used to go up and down a' the miners' rows and I had quite good customers there. That was a lower class, the Shotts Iron Company miners. You were despised if you came from that end o' the town – well, you werenae despised, you were the other side o' the fence, the wrong side o' the tracks. The paper mill workers looked down their noses at the miners – well, no' tae a great extent. But it wis jist the general impression. Well, the miners used to come back from their work and they were filthy, and they used to sit in the bus and the place was all coal dust where they were sittin'. They didn't have baths – well, eventually they did get a bath. But they used tae come into the buses and they were absolutely filthy. They were allowed on the buses, and all their clothes were a' coal dust and their faces were black and their hands were engrained wi' coal dust. Maybe that was what caused the impression. And the miners lived a hard life. They appeared to be heavy drinkers – and rows and fights, Donnybrooks and a' this sort o' stuff, as compared tae the other end o' the town, which was more respectable and cleaner. Well, the miners might ha' looked down their noses at the paper mill workers, I don't know. But there were no discrimination. I mean, we played wi' the children jist the same. We all mixed.

As I went round sellin' wi' Jimmy Look-up's barrow I found nobody was well off, but there were people better off than others and there were very, very poor people. You didnae go to villa houses, middle class houses. I would never have dreamt of goin' down to the Cowans' house at Valleyfield. That would be outsteppin' your class. They wouldn't buy bakeries from a boy at the door ! It was just regular customers I went to. After a period I knew who would deal wi' me, and they were actually expectin' me and waitin' for me comin'. Occasionally I went to try someone else if my sales were down. That was left to my own initiative. Sometimes the mills were idle, or the miners were maybe on strike or out o' work, and my sales went down. Well, Jimmy Look-up used to say to me, 'You havenae done well this week have you ?' And of course I never argued. Well, he expected a good day's work for a good day's pay – a shillin' a day ! He was fair enough as an employer. He was very religious in his own way but he never tried tae convert me or anything like that.

I remember there was one lady down in the miners' row. I'd be only about fifteen. I was well built and tall. And this woman was always reluctant to let me go ! She kept talkin' and talkin'. Some mornins she came to the door in her dressin' gown. And I was very naive in those days. I never thought anything about it. She was one of the well-off miners' wives. They were overmen and shot-firers and foremen. I think she was givin' me the eye ! But I was far too young and naive.

Wi' my customers you were always kept at the door. You were never invited in. I just stood at the door and I usually had an umbrella with me and a raincoat, of course. On the trolley there were a shelf at the top you could pull out, and the other ones came out and it sheltered the shelves from the rain when you were sellin' the goods. But there were one lady away at Harper's Brae where a newspaper boy and I did much the same route, and one cold winter day this lady says to us, 'Would you like a plate o' soup ?' She didnae exactly invite us in, she kept us in a little hallway. And we actually sat on the floor and supped the plate o' soup. It was magic !

On cold days I had mittens on, I was well wrapped up. The cold did affect you. We wore shorts in those days but no' when I was doin' that job. I got my first longs from my elder brothers' hand-downs. I was left the school before I got them. But all my schooldays we always had short trousers, we were out in all the cold weather wi' short trousers and think nothing of it. But pushin' my trolley – going up a hill I was sweatin'. I was cold on the outside but warm inside.

My wages were ten shillins a week. So I was sellin' a lot more than Jimmy Look-up was payin' me in wages. I was fetchin' him in £6 or £7 a week. I started about eight o'clock in the mornin', and that was me till five. I got about an hour for my dinner and I went home, it was just down the street. I didn't get any breaks other than the dinner hour. I got a half day on a Saturday from twelve o'clock.

On Saturday I just worked in the bakehouse in the mornin'. I didn't go out wi' the trolley on a Saturday. Jimmy Look-up didn't have a horse and van as well, I was the only outlet apart from the shop. There were girls in the shop selling the produce, and in the week mornins I was down in the bakehouse cleanin' pans and all that before my trolley was ready to go out. I was employed in the bakehouse as odd job laddie as well as cleanin' all the dirt out, doin' the dirty pans and helpin' to make the pies and what-not – but not as an apprentice baker.

Jimmy Look-up's business was gettin' bigger and bigger and he was needin' tae employ someone. And I was there. I asked Jimmy Look-up, I pleaded wi' him to give me the job as apprentice. I wanted to be a baker. That's what I wanted to do. But Jimmy Look-up belonged to the Salvation Army and there were a young boy about my age wanted the job. He was in the Salvation Army and he got the job as an apprentice baker, which I longed to have. I was very, very disappointed. I was the wrong religion, obviously that was why I didn't get the job. Because this young lad was in the Salvation Army he got preference to me, because Jimmy Look-up needed me to go out wi' the trolley. If that boy hadn't been in the Salvation Army I would have got the job in all probability, and I would probably have finished as a baker – which I'm glad now that I didn't get !

And then after about 18 months or a couple o' years Jimmy Look-up decided tae do away wi' ma job o' sellin' wi' the trolley. It was a shock. Well, I knew it wis comin' because I knew myself I wasnae doin' as well as I should ha' done. I wasnae givin' him the turn-out. Whether it was slack time in the mills – sometimes they were only workin' three days, sometimes they were closed one week and open another week. Maybe it had something to do wi' that. Anyway I got my books. I'd probably be comin' up to seventeen then.

I was unemployed about six months. And there were one day I was standin', just shelterin', well, it wasn't heavy rain, but jist shelterin', in a doorway at the corner o' Bridge Street and West Street, where the Penicuk Town Council chambers were, and this Bible class teacher – I'd left the Bible class by that time – happened to pass. And she came back, she says, 'Aren't you employed ?' And I says, 'No, I can't get a job anywhere.' She says, 'Have you tried everywhere ? Have you been to Valleyfield ?' 'Och,' I says, 'I go there every week.' And she says, 'Well, go down on Monday mornin'. I'll have a word.' The Bible class teacher was Mrs Cowan, the wife o' Sandy Cowan, the mill owner. So she must have spoke to someone. I went down to Valleyfield on Monday mornin' and they gave me a job.

The fact I was Episcopalian probably made it easier for me to get a job in Valleyfield. The Cowans were Episcopalians, and they belonged to our church. Previously they had been in St Mungo's, Church of Scotland, and then they changed to our church. So it was Mrs Cowan who actually spoke for me. At Valleyfield if your father worked in the mill you were practically sure o' gettin' a job. It was mostly relatives: if you had a father, an uncle, it was usually the sons got in the mill. Your father could speak for you: 'Oh, my son's needin' a job.' 'Oh, send him down.' It definitely helped if you got somebody to speak for you. Oh, ye had to have. When I was unemployed I was going down every week to Valleyfield: 'Oh, there are nothin' for you.' But Cowan's wife said I had to get a job. That was it clinched. But there were no religious bias in Valleyfield. It was nothing to do wi' religion. The fact that I got a job there may have had something to do wi' it because Mrs Cowan knew who I was. I had been previously in her Bible class. I never had the impression at all that if you were an Espicopalian you could get a job more easily in Valleyfield. There was no bias.

I was walkin' on air when I got a job at Valleyfield. I had been unemployed about six months. And there weren't many jobs to be had. I was goin' to the pits – everywhere: the Moat pit and the Loanhead pits, Burghlee, all the pits I went to. I even went to the place in Straiton where they had shale mines, Clippens lime kiln.[115] I would have taken anything to get a job. There were no jobs to be got anywhere. So I was lucky. I got where there happened to be a vacancy. I was lucky Mrs Cowan'd spoken for me at Valleyfield. And I was employed there for the rest o' my life.

It would be 1931, I believe, when I was about seventeen, I started in Valleyfield. Well, I was jist a young lad and what I did when I first began was what was called the presse pate. I think it's a French word, presse pate. Anyway it wis the raw material. Further back from where I worked they brought in bales of processed wood pulp. It was in sheets, and before it came to me it was processed into a soup mixture. We had a huge vat, bigger than this house, full o' liquid wood pulp, and it used to be run on to this machine I was on. There were a man in charge of this, and there were two boys. This liquid was fed through pipes and it came on to an endless wire mesh, which rotated along. The water dropped through and the wood pulp was left and formed a sheet on top o' the mesh. It went through various presses on its road till it came to a felt, just like a blanket, that was run in a circle on various rollers. That carried the damp sheet o' pulp up a shute, and it dropped off the end into square metal boxes wi' four wheels. It was my job to catch it and pack it into these boxes. It reminded me o' my baker's barrow days – I was back to square one !

Well, when this stuff came off this revolvin' felt in a sheet we could actually fold it intae the boxes. It was damp but it held together. It was a bit like folding a sheet or a blanket, and we piled it up to almost the same depth as the metal box. Then we jist broke it off, put another box in to catch it, and shoved the first box along to what we called the beaters. The beaters was as big as this room – there was various sizes, but as big as parts o' a house. The beater was oval shaped, with a division in the middle. The division stopped about two or three feet from each end. Outside it there was a revolving wheel with a belt on it going down below which drove this wheel on a spindle into the other side o' this division, which was like a lawnmower, this huge circular wood drum which had wooden slats in it. And in these slats were inserted metal bars. Some o' them were sharp – some beaters had sharp teeeth, others blunt teeth: it was a' for the different processes. Anyway this belt drove this spindle which drove this huge drum wi' the teeth round and round in this vat. Underneath this revolvin' metal drum wi' the bars in it there was a steel plate which had bars inserted in wood again to match the bars in this revolvin' one. But that remained stationary. So ye could raise or lower this huge drum by means o' wheels, and that ground the stuff to the requirements of the man in charge, the beaterman. He had a set o' maybe half a dozen or a dozen o' these revolvin' things. These huge boxes o' stuff that I took to the beaters was put in to this revolvin' thing. It had a sink at one end where the water was run in to this huge revolvin' beater and they put in the wood pulp.

Another process I went through in my job was esparto grass. It was the very same thing – I propelled it in boxes and took it to the beaters. Then there was still another process but it wasn't involved with my machine – rags. They used to buy in rags. It was interesting to see the rags that came in. There were clothin' from hotels, linen jackets o' hotel workers, cooks' hats and a'thing, jackets and aprons and trousers and everything. All that was good linen material. There were flax and linen and cotton. You didn't use wool. But they were a' kept separated into their own class and they went through various processes.

Adjoinin' the place where ah worked there were a downstairs dungeon area, and there were a long corridor and on each side o' this corridor there were little rooms that had perforated floors. The floors, roof and the walls were a' tiled, but the floors were perforated. And there were a process similar to these beaters I've already described. They were on a smaller standard than these beaters but the same principle applied to them. It wis rags that wis put into them.

But previous to that stage there were huge boilers where the rags were put into and boiled wi' steam and bleach and various other chemicals. And they had to dig it out o' these boilers often – there was a huge door on the front o' these big vats – and put it into trolleys similar to mine and take it to these smaller rag beaters. Then they pulled the plug from the bottom o' that and that stuff went down to these various rooms in this long corridor. They drained off there and left a solid mass of rags, which was a' bleached and cut to a certain extent – well, the fibres were in various lengths, it all depended on the previous treatment it had had. That was taken to the beaters as well. The beaterman was like a cook (which I had intended to be): he had so much wood pulp, so much esparto grass, so much linen and cotton rags. He was supplied with a recipe and he had to read that and put his proportions in. He had two assistants to help him. Then a' the various chemicals had tae go intae that beater. So that wis just a small part o' what went on in the mill.

I found that work I was doing very interesting. Well, it was a bit borin' wi' this pullin' these metal boxes. I used to wear clogs because it was metal floors wi' metal plates on them. They were always wet. I used to practise tap-dancin' wi' my clogs on ! There was a lot o' noise in the mill wi' the machinery. But we used to sing and whistle.

We were bare armed – our sleeves were rolled up. Ye tried to keep your arms dry. But ye tended to get them wet and your arms turned red. Well, there were nothing you could do except rub them wi' fat or something when you went home. Ye learned not to let the back o' your hands get wet.

So I would be three or four years on this thing. There was all sort o' jobs goin' on a' round about me. There were waste paper comin' back frae the other end o' the mill, and it went through big things like a sausage machine or a huge mincer. The waste paper wis put in at one end and it came out a mixture. That was put in boxes and that went to the beaterman as well. So he used up so much rehashed paper into his recipe as well.

The workers could cause waste if they were careless. The like o' sweetie papers: through sheer ignorance they would maybe just drop a sweetie paper, which was usually plastic, in among the waste paper that went through that process. And when it came on to the paper machines there would be bits o' plastic, which would cause havoc throughout that whole mix. Years later, after the war, when I was a foreman I fetched that very subject up and it was made part o' the lecture before any new employee was started. That was one of the main points: do not drop anything into . . . There were boxes all over the place for the waste that was comin' off the various machines. There were guillotine machines, cutter machines, calender machines for puttin' polish on the paper – there were masses o' machinery. They all had waste and all that waste was collected. But they had to be selective, because there was enamelled paper which wouldn't be viable to go in among the normal waste. Everything had to be separate, and that had to be drummed into new employees – not to mix any o' the materials together. The foreman had to have eyes like gimlets and he had to be absolutely strict and ruthless. I mean, the foreman was a god when I was a boy !

Then I gradually went through all the various stages in the mill. I really had a great time. I was learning a' the time, and later on after the war I went to Esk Valley College. I'd to do it in my own time. It was mainly at night. I didn't get days off. We had a man used to come and take classes in the paper mill. I did that for three years and I eventually sat an exam and got a City and Guilds, with a distinction if I may say so ! [116]

Well, from my first job I went to become the junior one of two assistants on the beaters. Then I got to be a senior and finally to be a beaterman. Oh, that took years ! I was a junior beaterman before the war, and then when I came back from the war I got a senior assistant's job, and many years later a beaterman's job. I was a beaterman for a number of years in Valleyfield. And then, about the 1950s Valleyfield opened a mill up in Pomathorn and I was transferred there. I was the beaterman in charge at Pomathorn. Well, there were three beaterman there and we worked in shifts, night shift and day shift. We made the mix for this huge paper machine, one o' the very latest. I was there for a great number of years, and it was durin' that period I was studyin' at Esk Valley College. I had just got my City and Guilds and then I got an inklin' there were a foreman's job goin' in Valleyfield. I got the job so I had to come back down to Valleyfield. I was supervisor over these beaters. There were four beaterman and each o' these beaterman had from seven to twelve beaters to look after. And there were four paper making machines and they all made different processes. I was responsible for seeing that each one did what they were supposed to do, and a' the stuff making its way towards the beaters and from the beaters to the machines, and then from the machines out again to a' the various processes throughout the mill, to eventually finish up either as cut paper or to go away from the mill in huge reels.

One o' my main responsibilities was the colourin' paper. I had constantly to go round the four machines and just snip a bit off the end. We had a little dark room and wi' this scrap o' paper I had a sample and had to match the two and get as near the sample as possible. I had to go to the man in charge of the set o' beaters for this particular paper and say, 'I would like another quarter o' an ounce o' such and such a dye' or whatever. I'd watch him and keep an eye open to see he was puttin' in what I wanted put in. And it was not only colour. I had to do that wi' various chemicals, add a little o' this or o' that. I was just a supervisor or a cook ! Anyway I would match that paper and then I would wait about fifteen minutes – it a' depended on the speed o'the machines. Then I would take another bit paper off and take it back to this little dark room and match it again. More times that not it was near enough, but 'near enough' wasn't enough. So it had to go back in again and either subtract or add just a little more. It came that ye just knew what to do. Oh, it was a very skilled job. Well, by then I'd been in it for years and years. It was just second nature.

*   *   *

So I was workin' in Valleyfield from about 1931 when I was about 17 until 1940, when I was called up. It was just before Dunkirk. I was dragged in and loathed every minute o' it.

But before I was called up I got married early in 1940. My wife was born in Armadale in West Lothian. Her dad was a miner, well, a contractor. He had a squad o' men under him and he sold his take in a bloc. He got a huge sum o' money and actually paid his men. Well, he got a better job down in Yorkshire and his family went down there with him. This was long before I met my wife. She went into domestic service to work and came up to Edinburgh. She'd been in service for a number o' years and became a sort o housekeeper cum cook to an old lady and her husband in Ferry Road, Edinburgh. Now bicyclin' was my main hobby before the war. I'd been savin' for a bike for years and when I was about 17 I bought a bike, about much the same time I started at Valleyfield. It only cost £5 from a bicycle shop in Penicuik. We had a club, Penicuik Cycling Club. It was Penicuik and Roslin, the reason we got Roslin into it was because there was some nice girls in Roslin !

Well, if ye worked in the paper mill there were hundreds o' girls workin' there. You struck up an acquaintance wi' one. You had a different one every time you went out ! You played the field ! Sunday evening you went down the road from Penicuik, oh, it was the thing to do. From Penicuik, Roslin, Loanhead and Howgate, all round about there, there were hundreds o' young people and they were all marchin' one way and then marchin' the other way, always on the left hand side o' the main road goin' towards Edinburgh. It usually started about where the Countryside Inn is and it went right down to Loanhead road end. We all marched out from Penicuik and went right past Glencorse Barracks, through Milton Bridge. The crowds all stopped round about the top o' Milton Bridge, very few came towards Penicuik. They a' marched on the main road frae above Auchendinny down towards Roslin road end and back again. They jist went back and forward. They were just all young poeople and it was always on a Sunday night, never any other night. Ye had tae do that if ye wanted to meet members o' the opposite sex.

But in the Cyclin' Club we a' used tae bicycle a' over the place. We used to have small bivvy tents and we used to go away for week-ends in jist the summer mainly and camped. We had strict rules when we were cyclin'. There were about 16 to 20 o' us, a convoy, we kept our distance, no overtakin', you must stay behind the leaders all the time, oh, we had strict rules. We cycled usually, och, 20, 30 miles. We went to Peebles, Innerleithen, St Andrews, and once we went to Aberdeen.

Anyway ah met my wife cyclin' but that wasn't in the cyclin' club. I was due to go on night shift at the mill on Sunday night so I decided not to go wi' the club, and I went out on the bike with a baker lad I knew. There were only the two of us, and we passed thir two girls in a lay-by and they were havin' trouble wi' their bikes. And of course, bein' gallant lads we went back: 'Can we be of any assistance ?' And the one I got talkin' to her chain had come off and I turned her bike upside doon and showed her how to put it back. So that's how it all began and eventually we got married early in 1940.

Well, I was called up about April 1940 and I was in the Royal Scots, the First of Foot, same as my dad. They never even asked me what I wanted tae go in. I had no preferences. I didnae want tae go in anything ! I was dragged in. I was away six years. That was a long time in my life. Well, they said I was to go to the army. We went into George Street in Edinburgh, pee-ed in a bottle, and had a rudimentary examination that tested your eyesight. I didnae think I would pass the medical 'cause I was very poor in the left eye and never learned to see. If it had been vice versa I maybe would never have been in the army. But I had excellent sight in the right eye. I had a good right eye, I could shoot a' right, and they accepted me in the infantry.

I did the basic training at Dreghorn Barracks, Edinburgh, then we went up to coastal defence at Fraserburgh. We were just billeted there in Nissen huts and halls. Initially I was in the 12th Holdin' Battalion. Then the 2nd Battalion Royal Scots were captured at Singapore in 1942 so we became the 2nd Battalion. We were one o' the elite regiments after that. We went down to Northumberland, a' round the Warkworth, Alnwick, Amble, Long Horsley area. The whole battalion were a' spread a' over a' these wee villages, mainly on the coast, doin' coastal defence, waitin' for the German invasion. After that we went away up to Thurso for almost a year, then we came to St Andrews. Then we were told we were goin' abroad, so we did our trainin' for abroad, were issued wi' tropical kit – pith helmets and what have you – and we all marched into a boat on the Tail o' the Bank on the Clyde. As soon as we set sail they told us we were goin' to Gibraltar. I felt very relieved. Wi' the tropical kit we thought it was Burma or somewhere like that. Oh, we were delighted.

We were about 18 months at Gibraltar, doin' fancy soldierin', gettin' dressed up and marchin' up and down there wi' our own pipe band. It was really marvellous, we had a great time. And of course we were doin' defence work as well, physical work in the tunnels wi' the engineers, diggin' tunnels, manning guns and searchlights and what-not. These tunnels at Gibraltar were immense. There were hospitals, picture houses, huge warehouses wi' the food that fed us a' the years. They put in the fresh stuff at one end and took the expirin' stuff and fed it to the troops at the other end. We were always scarce o' water and in one half o' the rock we had a catchment area where a' the rainfall fell and that water was led intae vats inside the rock. We did get some water from Spain. But a' the German spies were at the other side o' the border in Spain. We werenae allowed tae go into Spain. Senior ncos were allowed in very, very occasionally, and officers occasionally under supervision.

After that we went into Italy and landed in Naples. Oh, the squalor. Ye saw immense wealth and the most wretched deprivation there. It was really horrible. We thought we were poor but, oh, nothing compared to the people there. And then the huge palatial houses, a' marble statues and fountains everywhere. Of course, a' the rich people had gone. These huge houses were all turned into barracks and canteens for the troops.

They were just south o' Cassino when we finally went in to action. We were the relief to hold territory that had been captured. There were German patrols comin' in and we had to fight them off. We lost, oh, a great deal o' men. We were constantly under mortar bombs. Ye never got respite. It went on continually day and night. On many occasions a mortar bomb would drop into a slit trench and everybody was killed. And there wis snow and mud and rain up there in the mountains, it was really horrible. To go through that again, oh, no. I'd go to jail first. I would ha' been a pacifist if it had happened again. I had pacifist views efter the war. Even in ma married life after the war I would have went to jail first. I never would have went through it again. That was the effect of my war experiences. One o' the best friends I had – I went a' through the army wi' him – he got killed by one o' these mortar things. Another one he got a sniper bullet right through his forehead. I was standin' beside him, tae.

We were attached to the Eighth Army and we went forward wi' them. When one part o' our battalion was attacked we went to their assistance and threw off the Germans. That happened on numerous occasions. By this time the whole battalion was lined up to go forward as a man to take this hill, and this was just in front of Cassino. But that never took place. We pulled back for some reason – which I was very grateful for ! Our battalion was only at fifty per cent o' its strength, we were losin' men all the time. Every time we went into action we lost quite a number o' men. I was very fortunate, I was never wounded. But right, left and centre they were gettin' killed, wounded, and I was carryin' wounded galore back to the first-aid posts. Ah wis a full corporal but ah wis classed as orderly sergeant, well, a junior lance sergeant, but I never got the three stripes. Well, every time we were in action I was helpin' to evacuate people. But I led a charmed life and I went through the whole campaign like that, 'It'll never happen tae me.' I had that built-in attitude. And it never did.

When we got down to fifty per cent o' our battalion strength we got moved out and we went tae Palestine. We landed in Haifa. Cassino happened in that period. We were glad to be in Palestine. They lost whole regiments o' Poles and English and Scotch at Cassino.[117] In Palestine we got a' made up tae full strength. I had a platoon o' my own and we worked wi' the Palestine Police. We were patrollin' the beach to stop illegal immigrants comin' in. We had actually tae shoot out to sea tae the boats comin' in. We got patrol duties at night to stop all traffic and inspect everybody that was in. I got a general one night in a car, he had flags flyin' and everything, but I insisted that he stopped. I still held him up and had a good look inside tae see that there were naebody sittin' beside him wi' a gun at his side – which could happen. No matter who it was they had tae be searched – in the car boot and everything.[118]

Then we went up from Palestine to Egypt, to Alexandria. We were doin' extensive trainin' in there – we were probably goin' back tae Italy – when the atom bomb dropped. And, oh, Jesus, that wis great the atom bomb ![119] Our battalion eventually went back to Italy but I think the battle was all over by then, the Germans had capitulated. I'd been demobbed by that time. I was demobbed early '46. I'd been away six years.

I went back intae Valleyfield. Well, it wis a job and I had a wife, and by then my son born during the war, to support. The mill was three shifts and indoors workin'. I'd been outdoors for five or six years and I was used by then to the outdoor life. So I kept lookin' around for outdoor jobs. I could ha' got a skill – went into bricklayin' and carpentry and things like that. But I knew at the end o' the war I had a job to go back to, and I knew I intended to progress in what I was doin'. I liked my job, I was really keen on my job. Because I made up my mind I was goin' to study and further myself, because there were jobs goin' abroad and all over Britain – there were paper mills all over Britain and there were always promotion in the offin'. But it was very, very hard to settle down. But the job at Valleyfield was security mainly: I had a job and the wages weren't too bad. They were a lot better than what I left. And the union had a solid grip and the wages after the war went up and up and up. In fact I was gettin' a good livin' wage before I retired, a very good wage.

It was really better at Valleyfield after the war. When I started there when I was 17 in 1931 it was shifts, six in the mornin' tae two in the afternoon, two tae ten at night, and ten at night tae six in the mornin'. You would have thought that you would have went morning shift, afternoon shift and night shift, but ye didn't. You went mornin', night, and afternoon. The reason for that was if you had a job that was continuous process you left the mill at twelve o'clock on the Saturday and you went back to it as *you* left it. So that was midnight on the Sunday. Well, periodically they did work week-ends if there was big demand o' orders – maybe three or four times a year. The mill had to be very busy to work week-ends because it was expensive for them. Of course, it was a godsend for us workers – double time. Well, double time on a Sunday, and time and a half on a Saturday.

You just accepted shifts as a norm. I mean, it was the thing to do. There was very little in Penicuik. After all, there were about 500 others there in the mill beside you. At Esk Mill and Valleyfield and Auchendinny everybody worked shifts practically. When I look back at it now I say, 'I've lost a third o' my life actually.' Your social life was no' good. I could read at any time, of course, but it was really horrid workin' shifts. You were working to ten o'clock at night. Even come Christmas you worked on Christmas Day. It wasn't a holiday. When I started in the mill the holidays were – none. Well, you got New Year's Day. But before the war there was introduced what they called one week's holiday – one week. And if I remember rightly I think we did get a pay, one week's pay. But I think it was the union that really got that for us.

When I first started in 1931 my wage was only about a shillin' an hour, about £2 a week. On a full week we'd get £2.6.0 or £2.10.0, and then afternoon shift you only got £2. Two o' the three shifts you had 46 hours, but one o' the shifts – the afternoon shift – you didn't work on a Saturday. So afternoon shift you had only 40 hours. So you only got just over £2 for that week. Well, that was to start with, but after the union really got a grip on the trade the wages went up and up and up.

In its heyday, in the 1930s, there would be approximately 700 workers at Valleyfield. That was my impression anyway. And then because o' intense competition it was gradually goin' down and down and down even before the war. Esk Mill and Valleyfield, we a' had the same slack periods and busy periods. We were a' much the same. It was competition, I think, abroad. There wis paper comin' in frae abroad. Sometimes you worked two or three-day weeks. Slack time was the bugbear in those days.[120]

I was only at Valleyfield about a year or so before I joined the union, the paper makers' union, the printers and bookbinders. Printers were a lot better off than we were. I wasn't forced to join the union. There wasn't a great deal o' pressure on you to join. Before the war I think there were people on the union committee and they just sort o' recruited members: 'When are you thinkin' o' joinin' the union ?' Every time there were a rise due: 'D'ye no' think ye should jine the union ? We've got a rise, ye know.' They had a public meetin' every now and again and I used to go there, but I was never active in the union. After the war eventually they had to join the union, it was automatic. There were a union office in the mill eventually after the war. They actually had a man in the mill then wi' his own office, and he collected your union dues from your wages. He had a room to himself and he was consulted in everything by the management. But it was a long time after the war before the union was officially recognised as anything.

But long before I worked at Valleyfield the union had been strong enough to have them all out for twenty weeks. I think most o' people were in the union then. That was in the 1920s, long before I was there. I was a boy, I was still at school, but I can remember that about the strike. We a' used tae march up and down the street, singin' songs and marchin'. Well, they had the trade union backin'. I think it was everybody then had to join the union. I think that was the main reason for the strike. But there were one man stood out from the strike, a blackleg, one man – Ellis. They used to call him Dargie Ellis. And we used tae carry effigies and burn them a' and that sort o' thing. He had very strong views about everything. And he knew he would have a job for life, well, most people did have a job for life in the mill in those days. But he knew if he stuck out he would be ok. And maybe that's why he did it. Ellis was the only one that was against that. He remained at work. He was paid his wages and everybody else was out on strike. Oh, he must have been a strong willed man to stand out against that. He was despised. In those days, as I say, the mill employed as much as 700 people. Can you imagine 700 people and one man against them ? Well, they stayed out for twenty weeks, that's a long, long time. But they had to go back eventually. They all had to go back on their hands and knees. Well, they all went back and they accepted a lower wage or somethin'. I think they had been fightin' for a higher wage and had come out on strike because they didn't get it. My brother John worked in Esk Mill at that time. I don't know if Esk Mill was out on strike or not. But Valleyfield was on strike.[121]

As I said before, the foremen were the gods in the mill before the war. The foremen ruled wi' an iron rod: 'You'll be up the road if ye don't mind your ps and qs.' Ye got a warnin' but the second warnin' ye were out, because there wis always somebody waitin' ready tae take your job. If you misbehaved you were out. But very few were actually sacked, because everybody in the mill they were a' good livin' people. You had to do something really outrageous or not comin' oot to your work. But after the war, well, it was a great deal later before I became a foreman but when I was a foreman it was a different story altogether. By then the foreman had to be friendly with the men. In those days, when I was a foreman, everybody had a job. You couldn't threaten a man with the sack. You had to go through a rigmarole wi' the union before you could actually sack a man. It just wasnae worthwhile ! And they had workers' committees, and even the shopfloor workers went in and had communication with the management, etc. Well, the management had to be approachable and listen to what you were saying, they had tae be. Before the war they used tae be remote and distant but no' after the war.

I think Sandy Cowan was still there for a number o' years after the war, but I'm no' too clear about that.[122] One thing I remember before the war about Mrs Cowan, the owner's wife, who had spoken for me to start in Valleyfield. Mrs Cowan didn't work and she had nothin' to do wi' the paper mill. She only came round durin' the elections to try . . . In fact, they said she had threatened the mill would close if we didn't vote Tory. She actually told the workers that. I was a young man at that period, I'd be about 19 or 20. Captain Maule Ramsay was the parliamentary candidate and it was then, I think, that Mrs Cowan jist came round to speak to the workers at their job and said we had tae vote for Maule Ramsay otherwise the mill would close down. We wouldn't get the trade. It was Mrs Cowan herself, not Sandy Cowan, who came round. She says, 'You must vote Tory, you must vote Tory. Otherwise the mill'll close. We won't get the orders if the Conservatives don't get back in.' She wasnae threatening workers, she was just saying, 'Take my advice and vote Conservative, otherwise we won't get orders.' The mill would close. She would be losin' her livelihood as well. I mean, they wouldnae do it deliberately. They were only showin' us what would happen if the Conservatives didn't get in. There wouldn't be the orders going. It was later on, when Maule Ramsay was in, when the war started he got arrested.[123]

After the war there wis various managers, Cowans was bought over wi' Mr Taylor. He had big sideburns. Valleyfield were completely private but it had a huge warehousin', all over the world we had warehouses. We bought and sold paper. Valleyfield was only a small part o' the business. Taylor's business wis worldwide. He had warehouses and representatives all over the world. We supplied a minimal amount o' paper, but they bought and sold paper. That wis the main business. We were only a sideline at Valleyfield. But we made very high quality paper. And about, oh, seven or eight years before we went redundant Reed bought Valleyfield over.[124] They bought Taylor out. They made him a director for a year or so then he was pushed out. And Reed squeezed us dry, took in a' the know-how and a' the skill and technique. Everything wis a' taken down, computer-recorded and a'. We had tae go tae lectures. They had people comin' round listenin' tae how we communicated wi' the workforce and a' that. Everything wis a' recorded and eventually they got everything they could out of us. They kept us goin' for a year or two. But they did very little maintenance. For the last three year Valleyfield wis allowed tae run down.

It was very sad. The workforce was gettin' smaller and smaller and smaller. They were closin' down various departments. One machine would close and another machine would close. I think there were only two runnin' at the finish. About two years before they closed Valleyfield down they had a big clear-out. A trouble shooter came from Reed's and he closed down department after department. I forget his name. He lived in a hotel in Penicuik – the Navaar or the Craigiebield, one o' the two. He was absolutely ruthless. He said tae me, 'If you want tae be a foreman here we want some results.' And he was makin' people redundant wholesale. Oh, it was fearsome.

Ah wis there tae the end. Ah'd been there 45 years by then but that didnae matter. Two year before the mill shut doon this man from Reed even went through a' the supervisory staff and I got the chop then. Most o' them were sacked but I managed to get another job at the mill. They sacked a beaterman and he gave me the beaterman's job. They sacked a man to give me that job. But I held on to my staff house, thank God, a posh house, down where the South Church is – Palm Place and Beech Place, the whole block belonged tae the mill. Oh, a' that was a depressing experience, tae see the mill run down. Whole families grew up that had worked there. That was their whole life, the paper mill. I was devastated when the word came that we were closin' down.

The effect on Pencuik was very serious. It jist became a dormitory town. Everybody had tae go out o' Penicuik tae find work. A lot o' people went to Auchendinny paper mill. But it was a small mill: one machine. Esk Mill had had three machines, Valleyfield four, well, four and then another one up at Pomathorn, which turned off more paper than the four down at Valleyfield. It was a huge machine at Pomathorn. But it was losin' money, accordin' to Reed, and they shut it down. The workers at Pomathorn were all made redundant a year or two before Valleyfield closed. If I hadn't got the foreman's job at Valleyfield and had stayed in Pomathorn I would have been out then, earlier than in fact I was.

But I was lucky, I did well out of it. I was left with a staff house which I got the chance to buy at a sittin' tenant's rent. I sold the house later on. And I got quite handsome redundancy – had the redundancy, supplementary pension and a' that sort o' thing. I had both the suprannuation and the mill pension, plus the house. I couldnae have been luckier. I was a very fortunate person.

Well, I was made redundant at Valleyfield when I was 61, so I had almost four years to go before I was due for retirement. Well, I got two jobs. Initially I got a job in Edinburgh parks department. I was drivin' a little Mini van, goin' round all the parks, jist supervisin', seein' there was no carry-on, jist lookin' at the parks. I did that for about a year and I got very disillusioned wi' the job. Then I saw this summer job was vacant in Edinburgh Castle – the museum and the War Memorial. You got a flat cap to wear and you had to read up quite a lot about history and make yourself knowledgeable. I was just an assistant warden. It was mainly security, ye had tae watch mainly for pickpockets. I did that for about three years. I was employed for seven months' o' the year, and it was seven days a week – we got one day off alternate: Monday one week, Tuesday the next, and so on.

We had double time and a half, etc., for workin' at the week-end. I got quite a decent wage up there at the Castle. There were about half a dozen o' us did this every summer.

So I was fortunate to get two jobs after leavin' Valleyfield, I was very, very fortunate. And durin' the four or five months each year I was idle I got dole money. You did in those days.

Oh, I enjoyed my whole workin' life. Oh, aye, I really had a great time.

The huge paper-making machine at Pomathorn, built as a nearby extension to Valleyfield mill in the 1950s.
Courtesy of the late Mr Alexander Ballantyne.

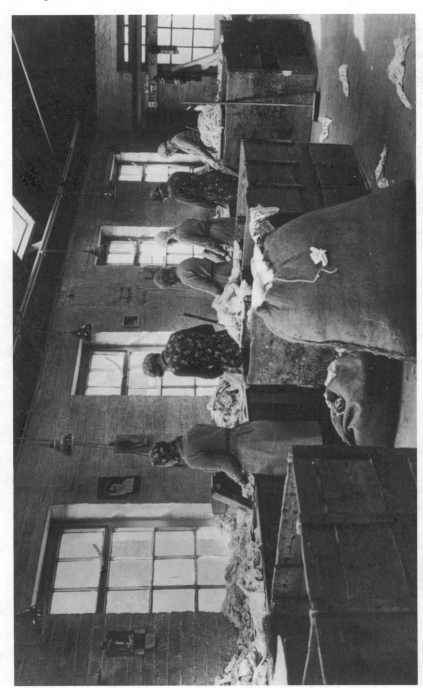

A corner of the raghouse at Valleyfield mill, with women workers sorting out linen and cotton rags, which contributed to the mill's specially high quality papers, including those used for banknotes.
Courtesy of Midlothian Libraries Local Studies.

Joanna Gordon

Oh, ah liked the school. Ah wis awfy good at ma science things. I wanted tae be a chemist. Ah wid ha' loved tae remain on at the school. But, well, ye see, the family were a' workin', a' them above me were a' workin'. And ma mother thought that if ah didnae take the chance tae get intae the mill – ye ken, when ye left the school they used tae take on so many at a time. And here they were goin' tae take us. She thought that ah wid lose ma chance.

Ah had four brothers and three sisters. Ah wis the second youngest. David wis the oldest, and then there wis Jeannie, George, Janet, Joe, Annie, then me, and Peter wis the youngest. David wis in Esk Mill, in the enamelin' hoose. George and Joe were baith chimney sweeps: there wis two different firms in Penicuik did sweepin' chimneys and they were one in each. Actually George and Joe got fed up wi' bein' oot in the wet. It wis always so wet. They were always soaked. They used tae come in every day their claes wringin', and they decided that they were goin' tae try tae get intae the mill and they got jobs in Esk Mill. Then of course the two o' them were away tae the Second War. When Joe came home from the war he went tae Valleyfield. He didnae want tae go back tae Esk Mill again. George married an English girl, he stayed doon in England and he never came back. Peter, the youngest, he worked in the mill jist a very short time. He wanted tae go tae the war when he wis awfy young. He put his name doon tae go and said he wis aulder than what he wis. However, they sent letters tae ma dad tellin' him that Peter wanted tae get away tae the war. However, Peter wis only 16 and he had tae come hame again for another two years ! And then when he did go tae the war he wis a naval commando and, oh, he loved it – until they went abroad. And that feenished him a'thegither. It wis terrible. It wis his nerves. He went away a young man and he came back like a wee laddie. He wisnae jist the same person. Peter married an English girl and settled in England.

Ma oldest sister Jeannie, she wis in the Store – Co-operative in Penicuik. She went in there when she left the school and she left the Store tae get married. She never worked in the mill. Then ma next sister Janet, she wis in Esk Mill and she got married frae the mill, then she went tae Valleyfield Mill durin' the war, jist a wartime thing. Then Annie she went tae service, she wis in domestic service maist o' her time. They widnae take her intae the paper mill because they telt her that her eyes werenae good enough. Ye had tae go and get your eyes seen tae before ye went in tae the mill. And they told her that she widnae could see properly. And, oh, she wis awfy mad aboot that. She wanted in the mill. But she went intae service in Penicuik. She worked wi' Mr and Mrs Dick for a long time. He wis the provost Dick.[125]

Ah wis born ten days efter the First World War finished – 21st of November 1918, at 7 Ainslie Place, Kirkhill. There's no Ainslie Place now. It's jist all Kirkhill Road. So that's ma birthplace scooted oot.

Ma father served his time as an engineer in Valleyfield Mill when he wis a young man. And then he shifted tae Esk Mill when his time wis oot. In thae days ye had tae move. Ye had tae find a job for yersel' elsewhere. So he got intae Esk Mill. They were told when they went intae the mill and took a job like that that whenever their time wis oot they had tae go and look for another job. Ma father wis 64 when he died about 1950, and he wis goin' tae be retirin' on the Friday o' that week.

Ma mother wis born in Glasgow. But ma mother lost a' her family, the whole lot o' them, she wis separated from them a'thegither. They didnae have any room in a home in Glasgow for her so they brought her with her youngest brother intae Edinburgh. She wis taken by an auld lady in Auchendinny oot o' the home that she wis put in in Edinburgh. This auld lady took ma mother and ma uncle and brought them up. When she left the school ma mother went tae work tae the headmaster o' Glencorse School. Then when she left there she went doon tae work in Dalmore Mill. The man that wis her boss in Dalmore Mill wis an awfy funny man. She couldnae get on wi' him, she jist couldnae get on wi' him. He wis always tellin' her off aboot something. She'd stuck it till she couldnae stick it any longer. So she said tae him one day, 'Well, dinnae you forget that a' the smoke disnae go up Dalmore Mill.' And he sacked her, sacked her on the spot. This was cheek, ye see. So she jist put her coat on and walked oot, went right away doon the hill frae Dalmore tae Roslin and got started in the pooder mills there. It'd be before the First World War and before she wis married. She got away frae the pooder mills as soon as she married and they came to live in Penicuik.

Ma grandfather, ma father's father, he worked wi' the joiners in Valleyfield Mill. He wis a Penicuik man. He lived tae a good age and, by Jove, he lay in his bed for nine years. He wis away in a wee world o' his ain. It wis really jist auld age that wis his problem. Ma grandmother wis ma grandfather's second wife. His first wife died when ma father's brother wis born. Ma granny came frae Edinburgh, ah think. Then ma grandparents on ma mother's side, there wis a sad story there. Ma grandfaither worked for the gas works in Glasgow, that's what he did. Ma grandmother and ma grandfather separated. They had quite a big family and ma grandmother tried tae keep them a'thegither. But she couldnae, she couldnae. She jist didnae make enough pay at the laundry she worked in in Glasgow. So, as ah say, ma mother and her youngest brother were brought up in Auchendinny.

The house ah lived in at Ainslie Place, Kirkhill, we lived in it a' our days till we got married. There wis a livin' room, well, the kitchen there wis a back door and a front door, a wee lobby frae the back door intae one bedroom. That wis when ah wis born, but then they took the coal cellar intae the hoose and built up the coal cellar on tae this bit at the other end and made another little room. It wis jist a wee room, a kind o' pantry, that ma mother used tae keep a' her jam in when she made her jam. The wee room wis too narrow tae put a bed in. Then there wis this other bedroom where the four brothers slept. But one o' them, Peter, wis jist a wee tot. Ma mother and ma dad slept in the livin' room. And ma three sisters and maself slept in this wee bedroom. It wis an awfy wee bedroom. Well, ma mother had a big sized bed, double bed. I slept on a bed thing on the floor for many years, and it wis so uncomfortable. Then one day ah says tae ma mother, 'If ah don't get a bed in here ah'm goin' tae flit tae somebody else's hoose.' So ah got a bed, a small bed they got made for me, jist tae fit in tae this wee bit wall that they had.

Then they put the toilet into the back lobby. Tae start wi', when ah wis a girl, the toilet wis an auld fashioned thing ootside. It wis a dry toilet. And it had two seats in it. It had a big seat, and a wee seat for the bairns, and a wee sort o' windae in the roof. Ye went oot the back door and then ye came tae the coal cellar door and then the next door wis the toilet. We didnae share the toilet, that wis our own.

Mr Paterson came and emptied the toilet once a week. There wis a wee sort o' farm him and his brother had. It wis jist known as Paterson's farm – Andrew and Joe Paterson. The brother worked the ferm, and the other yin went roond once a week emptyin' a' the toilets. And it wis a' cowped oot intae the field, spread on the field. They went roond a' the hooses. And this puir auld horse wis aye hingin' half-deid, he had tae stand as long. Ye'd see the horse at a' the different spots through tae the kirkyard. But he got scrubbed every night and put oot tae the field. Mind, they were guid tae their horse. That's a' the horse did. And then the other horse had tae dae the ploughin' and what-not. They worked very hard thae men. The cairt wis an ordinary cairt, and he built bits up the sides, ken, tae . . . That's what it wis like. Oh, my God, what a pong it had ! But Mr Paterson wis faithful, he wis faithful.

We shouldnae have stayed in Ainslie Place, but when ma dad flitted up tae Kirkhill there wisnae a hoose for him. So they gave him Ainslie Place, and they cried it Gaffer's Raw. That's what they cried it, 'cause every man that wis in it except ma faither wis a gaffer. As ah've said, we steyed in there for years and years. Ma dad tried tae get the schoolhoose when it wis emptied, because he wanted mair room for his family. They tried tae get him the hoose for us but the school widnae gie him it. So we jist had to stey where we were in Ainslie Place.

We kent everybody at Kirkhill, everybody knew everybody. And when ah lived at Kirkhill there wis naebody locked their doors at night. They didnae need tae, 'cause there wis naebody bothered ye. Ye ken, we had a boy that lived at Fieldsend, and he wisnae very happy there. His people hadnae very much money. There had been a big family o' them and there wisnae enough money tae go roond tae feed them a'. The faither wis never workin', and the boy used tae run away. And you know what he did? He used tae come up tae Kirkhill and come in oor front door and sleep between the gless door and the ootside door, because he knew that ma mother would gie him his breakfast in the mornin'. Ma mother used tae say tae him, 'Puir wee sowl, come away in and get your breakfast afore ye gaun away tae the school.' There wis one night ma dad had tae get up because there wis a windae bang bangin', and when he went ben the hoose this laddie wis lyin' sleepin' across the fireplace in the front room. Our four laddies couldnae take him intae their bed because there wis only two beds in the room. Later on that boy – he wis older than me – he went away tae the navy and he got on smashin' in the navy.

At Ainslie Place when ah wis a wee lassie there wis nae other wee lassies and ah played wi' two wee boys, George Brown and Walter Clapperton. Well, George and Walter went tae Kirkhill School when they were five. Ah wis still four but ah decided ah wis goin' wi' them tae the school. And ah wis up in the mornin' and wis dressed and ready tae go tae the school. And ma mother's aye sayin', 'But ye cannae go. Ye're no' old enough tae go tae the school.' Ah said, 'Well, they're goin' so ah'm goin'.' So ah went along tae the school wi' them. The headteacher sent me home. So ah jist stood oot at the gate until somebody came oot the door and then ah slipped back intae the school and went intae this room and got a seat tae sit on. Well, that went on for two or three mornins. I wis determined ah wis goin' tae be at the school. So in the end they gave in and ah got tae stay at the school.

Oh, ah loved the school, ah loved the school. Ah liked everything aboot the school. Ah liked the teachers, ah liked the lessons. Ah wis so interested in things. Miss Milne wis the headteacher and when ah went in in the mornin' she lifted me up on tae a chair and she used tae say, 'Sing tae me.' Ah used tae get up there and sing her a hymn every mornin'! She wis bound tae be seeck hearin' it!

It would be three years ah wis up at Kirkhill School, and then ah went doon tae the big school in John Street when I'd be aboot seven. Ah wis a year ahead because ah'd started when ah wis four instead o' five. Well, they wanted me to sit the Qualifyin' two years runnin' and ah widnae dae it because ah had passed ma Qualifyin'. Ah had tae repeat the last year at the school but ah didn't do any lessons that year. Ah wis the gofor: ah went for everything they needed, messages tae this room or that room. And then there wis an examination for a bursary came up where if ye passed it ye could go tae Skerry's College in Edinburgh. Ah passed the examination and ah went home and said tae ma mother that ah had passed this exam and ah wis goin' tae Skerry's in Edinburgh. And she says, 'You are not. You're goin' tae work, the same as the rest.' So that wis it. Ah won the bursary but ah never got tae go. Ah wis awfy disappointed. And even Mr MacQueen, the headteacher at John Street, came tae me and says, 'Are ye sure that ye couldnae get your mother tae let ye go ?'

Ah wid ha' loved tae remain on at the school. Ah wis awfy good at ma science things. I wanted tae be a chemist. That's what ah wanted tae do. Ah wis always top o' the class wi' a' that because ah wis awfy interested in it. And there wis an elderly man lived in Kirkhill and he wis a chemist, and he gave me his chemist's scales in a present because ah wis interested in it. But it wis goin' tae take an awfy lot o' money tae make me a chemist. Ma mother and I spoke aboot it efter and she said, 'Ah ken ye wanted tae dae somethin' like that but,' she says, ' we cannae afford tae pay for ye tae go and learn a' thae things.' And ma dad says, 'Ah'm very sorry, Jock,' he cried me Jock, 'but ye'll hae tae gaun and work the same as the rest o' them.' And, well, ye see, the family were a' workin', a' them above me, were a' workin.' And ma mother thought that if ah didnae take the chance tae get intae the mill – ye ken, when ye left the school they used tae take on so many at a time. And here they were goin' tae take us. She thought that ah wid lose ma chance. So ah ended up workin' in the mill. And ah didnae want tae go tae the mill.

Ye jist left the school on a Friday and ah went doon tae see this man that lived in Dunlop Terrace in Penicuik, and he says tae me, 'Start on Monday mornin'.' So that wid be the end o' 1932 or the beginnin' o' 1933. Ah started in Esk Mill at twenty past six in the mornin'. Ah came home at half past eight for ma breakfast up tae Kirkhill. Then back tae the mill again. Ah think it wis jist three-quarters o' an hour that we had for that. It wisnae a hail hoor in the mornin', because ye had tae go up, ken, tae get home and get back within the hour. Then ye got finished at one o'clock. That wis for your dinner. Ye got frae one to two. Ye were tae be back in the mill at two o'clock and then ye worked till five.

237

Esk Mill wis the awfyest mill for gettin' ye tae work late. But they didnae want tae pey ye, sort o' style. Ah can remember bein' in the mill one night till six o'clock. Ah wis so tired and so hungry ah couldnae walk up the road. So ah never did it again. Ah wis too tired. Ah mean, it wisnae compulsory. It wis jist ah thought ah wis daein' a guid thing. Ah wis goin' tae get an extra hour's wages but ah didnae.

What ah did in the mill when ah started wis ah carried the shavins. Oh, it wis heavy work, so it was. Ye collected the shavins oot frae underneath the machine. Ye had a long stick wi' a hook on the end and ye drew them oot and ye packed them intae great big bags. Ye had tae make so many o' thir bags and ye kept them next tae your ain place. Ye'd tae walk frae there right up a stair, along the machine hoose, up another path, right roond what they cried the lie – that wis where the wee engine came that ran back and forrit. Ye went roond there and ye went up tae what wis cried the potchers. And ye jist dumped your bag there and the man used tae shake a' the things oot. Then ye went a' the road back doon again and started fillin' the shavins intae the bags again. And that wis a' ye did frae mornin' till night, till ye were so sick ye could ha' run away. Oh, it wis terrible.

Ah can remember what wages ah got when ah started in Esk Mill. Ah got seven shillings a week – and it wis paid once a fortnight. Now wait till ah tell ye. The man that paid us his name wis Scott. Now he would not listen tae ye if ye had a mistake in your wages. And ah had a mistake in mine one day. So ah went back wi' it. What they did, they gave ye your wages, ye got them in a wee dish, and ye tipped your pay oot intae your hand. Ye walked away frae the pidge where ye got the money handed tae ye and ye stood and counted it. If it wisnae right ye had tae go back intae the queue again and Scott would look at it. Well, ah went in and said tae him that there was a mistake in ma wages. He says tae me, 'I don't make mistakes. Go away home for your dinner.' So of course ah jist walked oot the door. So this man had seen what happened and he came oot behind me. He took me by the hand away up past the door o' the pidge. The man says tae me, 'What wis the mistake in your pey ?' Ah says, 'He gien me too much. Ah get fourteen shillins for the fortnight, seven shillins a week, and,' ah says, 'he's gien me twenty-one.' The man says tae me, 'Ah heard you sayin' he had made a mistake and he told you tae go away home and have your dinner. So jist go home and have your dinner.' Well, ee ken, ah couldnae take ma denner. Ah wis fair ill aboot this money. So ah says to ma dad, 'What ah'm ah goin' tae do ?' He says, 'By rights ye should take it back tae him. But,' he says, 'ah don't know.' So ma mother says tae me, 'Tell me again what happened.' And ah telt her. She says, 'Well, forget it. He can put it in hissel', seein' he's sae cockshare.' And ah never took it back. So that wis an extra week's wages ah got. Ah never forgot that.

Well, ah cannae remember how they worked your wages – whether it went by your age. Ah think it wis your age and then they gave ye a few more pennies. Ye got pennies, pennies – 5d., 6d., that's how it went up. They were miserable, right enough. Ye never got a shillin' extra in your pey ! But then that wis the wey it went.

They never asked ye tae join the union in Esk Mill, nobody asked ye. Ah believe there wis a union but it wisnae very active. The aulder men, they had a' somethin' tae dae wi' the union. But, ah mean, they never spoke aboot it. It wisnae a thing that they tried tae get ye tae join, naebody said anythin' aboot it. There wis never a strike when ah wis in Esk Mill.

Mr Jardine – Neddie Jairdine – Edward, he used tae come roond every day. He wis the managin' director. There wis an aulder brother James Jardine. James wis the sort o' boss that jist comes in once in a blue moon, ye ken. He didnae have an awfy lot tae dae wi' the mill. Ah dinnae think he wis interested in it, that wis ma idea. It wis Neddie Jardine that ran the mill. If ye wanted anything done – if ye needed tae get off for a wee while – ye always went tae see Mr Edward. And he wis very fair, ah can say that, oh, aye, he wis very fair. He wis quite friendly tae the workers, because we used tae have a sing-song on a Seturday mornin'. We'd a' gaun tae the dancin' at night, ye see, so we had a sing-song in the mill at oor work afore we went tae the dancin'. We were a' that close tae yin another. And Mr Edward wid come along and he would look ower and look doon and he wid see us a' singin'. And ah think he fair enjoyed it. Then he wid go up and see the men up in the machine hoose, and then he came back doon tae see us. But he always came in, he wis very friendly, ah'll say that much. And then he lived quite near us at Kirkhill. It wis quite a big hoose he had, it wis a nice hoose, tae, it really wis. Ah used tae pop in and pop oot the kitchen there quite a lot tae speak tae the wife, the cook, that worked in the kitchen.

Esk Mill wisnae too bad a place, it wis quite friendly. But there wis a crowd o' men that worked on the machines, further along frae the cutters. And these men used tae fa' oot an awfy lot. I used tae go doon tae wash ma hands at this thing and I used tae say tae them, 'You buggers a' fa'in' oot again !' And they used tae say, 'Aw, away you go, go on, get away.' Ah used tae say that every time ah passed them. They'd be fightin' and squabblin' and roarin' at yin another. It wis jist that maybe somebody had shifted somethin' that one man had been workin' wi, ye see, and put it away another bit. And then they wid start roarin' at yin another. But it wis a' in guid sport really, there wis naebody fell oot.

Well, ah worked in Esk Mill for aboot six month. Ah wis still workin' on the shavins when ah left the mill because ah wis so tired o' it. Ah wis sick o' it. Ah couldnae stand thir beasts, ah wis covered wi' thir beasts every day when ah went hame. They were what they cried flaes. It was a flea, but the folk in Penicuik cried them flaes. And they bit ye. They bit intae your skin and ye got great big red marks on your skin. Ah wis covered wi' them. Every day ah went hame wi' them frae ma work. And that sickened me a'thegither.

It wis the dirt in the mill, the heat and the dirt in the mill. And the flaes jist kept comin' and comin'. Ah used tae go tae the dancin' on a Saturday night, and believe it or no' ah used tae have a scarf up roond ma neck tae cover all the flae marks. Itchy ? Were they no' ! Ah wisnae the only one tae suffer. People carried them home frae the mill and got them in their beds. Ye see, they were a'thegither and they were a' people that worked in the mill. Well, some folk would go tae the chemist and see if they . . . But the chemist never had anythin' tae help ye. So ye had tae dae it a' yersel'. Ah used tae take ma clothes off when ah got home and throw them ootside and get an auld skirt and a blouse tae put on.

Gradually the flaes got less and less and ah thought that ah wis never goin' tae see anythin' like that again, until ma third brother Joe married this girl and he got a hoose along the Glebe. It wis an old lady that had been in this hoose for years and years. The old lady died and ma brother got the hoose. And, ye ken, when we went intae it underneath her bed wis dirty milk bottles. Ye could smell them, tae. We had tae go doon and clean the hoose frae top tae bottom. We had tae disinfect it and fumigate it. The place wis movin' wi' fleas. They were jumpin' a' ower the place. Ah wis covered wi' them. And ah'm sayin' tae ma mother, 'Oh, no. Ah thought ah wis never goin' tae see thir again.' We had tae go hurryin' up tae Kirkhill, get intae oor hoose, grab ma claes, run oot the back tae the washhoose and tear off a' the claes that ah had on, because they were covered wi' thir fleas. Ma mother jist put ma claes in the fire.

Then in the mill there was a lot o' dust, tae. There wis never time tae clean a'thing properly. Ye jist cleaned a bit here and there, in between them loadin' the machines, sort o' style. But there never wis any time tae do it right. And of course ye jist lifted a lump o' paper, ye squeezed it up, ye dipped it in a pail o' water and you jist wiped everythin' like that. It wis never really cleaned.

And then Esk Mill wis an auld, auld mill. Esk Mill had used tae be a mill that made cotton. And there was the machinery for makin' the cotton still in Esk Mill. It wis covered in. Ma father discovered it when he wis workin' on a job one day. Bein' the engineer he had tae work a' ower the mill. This wis a' covered in wi' wood, ken, and he wanted tae find oot what wis below it. There was one bit that he stepped on when he wis workin' below the mill, and it used tae move. Well, he said tae somebody, 'Could ye tell me what's underneath that ?' And the man says tae him, 'That's a' the machinery they had for makin' the cotton.' It had been there for years and years. They never took any o' it away. They could have taken it away when they were alterin' the mill but they didnae. They made it mair secure so as it would last in there for a while longer.[126]

But, oh, Esk Mill wis dirty. Well, the whole thing wis there wisnae enough places tae wash yoursel'. Ye would go away tae get ready tae go up the road. Ye washed yoursel', your hands and face, in an old big barrel thing when you were finishin' your work. First of all ye would wash a' the muck off your hands, then oo cairried things in oor pockets for washin' oor faces. And then ye brushed your hair. It wis the same thing every day, day in, day oot. It wis jist a pipe ye were washin' in, and it wis runnin' ower the edge o' this big vat thing intae a syver. That wis it. It wis the same for the girls as the men. They a' washed oot the same barrel. It wis terrible. Ah wis digusted wi' it.

Ye see, paper makes an awfy lot o' stour. It disn't matter how ye're workin' wi' it there's always this dust comin' off it. And it would lie underneath the things and it would never be swept oot for weeks on end. And then all of a sudden somebody wid shove a brush in and draw oot the dirt – and, oh, everything wis covered wi' it again. It wis so silly, it wis stupid. But that's how it was, that wis the way it worked. They had done that at Esk Mill for a' thae years and they werenae startin' tae change it for me or anybody else, sort o' style ! Oh, Esk Mills wis really terrible. And ah can always remember Mr Jardine sayin' tae me, 'Why are ye leaving, Joanna ?' And ah says tae him, 'D'ye want me tae tell the truth or a tell a lie ?' He says, 'Tell the truth.' I says, 'The place is filthy.' He says, 'I know that.' He never said any mair and neither did I. No' many girls left the mill, unless tae get married. Everybody steyed on because there wisnae many jobs tae get oot at Penicuik. But ah wisnae content tae sit and let the world go by. Ah wanted tae get oot and see what wis goin' on and what we could dae and a' this sort of thing. So six months at Esk Mill wis enough for me. And then ah went tae service.

Well, there wis a notice in the *Edinburgh Evenin' News* sayin' that the Erringtons o' Beeslack House at Penicuik wanted a kitchen maid. Ah jist walked wi' ma mother right along tae Beeslack when ah left Esk Mill. There wis nae buses along in thae days, ye had tae walk. It wis Mrs Sanford, Mrs Errington's mother that had a' the money and lived there as well, that wanted the kitchen maid. But here Mrs Errington hersel' came tae speak tae me and then she put me through intae this room and there wis Mrs Sanford playin' an organ. Oh, what a beautiful player she wis, tae ! Mrs Sanford asked who ah was and where ah'd came from, and she says, 'Well, ah'm very, very sorry but,' she says, 'ah've just given that job to one of the girls that stays at Glencorse Barracks.' Ma face must have fallen like a sack o' coal. But when ah came oot Mrs Errington stopped me and she says tae me, 'Would you consider coming with me up to the island of Mull ?' And ah jist said, 'Aye.' Ah didnae ken what it wis goin' tae entail but ah jist said, 'Aye.'

Ah wis only fourteen. But ah went away up tae the island o' Mull wi' Mrs Errington. Ah wis only temporary, ah wis only there for the summer months, frae June tae the end o' September. We went from Penicuik in the Errington's car. The chaffure drove us. There wis three o' us servants, Penicuik girls, went: Meg Mackay, the cook, Jean Louden, the maid, and masel'. Jean Louden wis really the nanny for the Errington's children but she didnae do that work because the Erringtons took the wee nurse wi' them when they came up the next day, and Jean Louden worked as a maid. She attended tae a' the food and everythin', tae see that everythin' wis laid oot properly. So the three o' us went up tae Mull the day before the Erringtons and got the place a' ready for them comin'. So we went up by car from Penicuik and then we sailed from Oban, right doon tae Dervaig in Mull. The Erringtons had an estate there, Queenish estate it wis cried and, oh, it wis lovely.

But that wis the first time ah'd been away frae home and ah wis so homesick it wisnae true. Ah didnae ken what tae dae – how tae hide it so that the other girls that were there frae Penicuik, ye know . . . But there wis also a young lady came frae one o' the homes in Glasgow and every year she went up there tae Mull wi' Mrs Errington. She wis the hoosemaid. She did like jist cleanin' the places we worked at and that the Erringtons slept in and that. She wis sich a quiet person it wisnae true: she never had any name, she never said what she wis. She wis a Catholic and there wis nae Catholics roond aboot, ye ken, and ah think she felt kind o' isolated. And ah used tae go and sit wi' her at night time, jist for the sake o' bletherin' tae her. Ah bet she wis seeck o' me bletherin'.

When we got tae Mull we had a terrific thunderstorm and the place got struck wi' lightnin'. It wis the kitchen that got it and the wash-hoose. It wis a metal chimney they had on it and it got struck. Oh, my God, it wis a terrific storm ! And of course we were a' terrified. Major Errington come fleein' up the stair and he's shoutin' tae us, 'It's all right, girls ! We've been struck with lightning but we're not on fire and there's not very much been damaged.' But he didnae tell us what had been damaged until we got oot oor beds in the mornin'. Oh, my God, ye couldnae see the place for soot ! It had come right doon the chimney. And the fire place wis blewn right oot on tae the flair – everything wis oot. Oh, what a mess ! However, the Erringtons had a farm there and they brought up the fellaes frae the farm and got them tae clean a' the mess up.

Well, at Queenish estate ah started workin' at six o'clock in the morning. Ah used tae get up aboot half past four or so. We really had great weather. It wis so lovely at that time. Ye jist couldnae believe it, and ah couldnae resist it. And ah wis in ma bed every night before nine o'clock. Efter we had our supper and we washed up the dishes and everything ye could go to your bed then.

Ah never got any pay, for the simple reason there wis no shops there tae spend your money in, and Mrs Errington said she would look after ma money for me and if ah wanted anythin' ah wis jist tae tell her and she would see that ah got the money. So ah got back intae ma hand at the end o' the summer a' the money that ah made and they gave me a fiver over and above. So that ah think ah had about £16 or somethin'. So that wis quite good, ah mean, that wis nice o' them giein' me that money. But in among that there wis some other money – the Major's brother came and stayed and he had left money for me when he went away. If ah'd been workin' in Esk Mill wi' ma seven shillins a week ah'd ha' had tae work nearly a year tae get £16. When ah got that money frae Major Errington in the boat when we were comin' home ah thought tae masel', 'What ah'm ah goin' tae dae wi' a' this money ?' Ah mean, ah hadnae seen sich a lot o' money. Ah'd never had more than seven shillins before that.

Ah remember one day on Mull ah met R.O. Wood o' Valleyfield Mill at the Erringtons. Ah answered the door at the big hoose one day and here he was standin' on the step. Ah'd never seen him before. But anybody that knew Mr R.O. Wood knew he aye had an auld jaicket thing on. So ah went in and ah says tae Mrs Errington, 'There's an auld tramp at the door and he wants tae speak tae you.' So she says tae me, 'Ah don't know any tramps.' Ah says, 'Well, ye better go and see whae it is because ah think he kens ye.' So she went oot tae the door and she says, 'Oh !', and she's shakin' hands wi him. 'Ye know,' she says tae him, 'my kitchen maid has described ye as an old tramp.' R.O. Wood says, 'Well, ah'm not surprised.' He looked ower at me. Ah wis tryin' tae get away as quick as ah could oot the road.

Ah had went away frae Penicuik nice and slim and genteel and ah came back frae Mull as fat as an ox. That wis the good food. See, the Erringtons had the farm there and there wis loads o' milk, loads o' cream. Workin' on Mull wi' the Erringtons wis a rare experience. Ah'd never been away holidays. Ma father did get holidays but he didnae have tae take them unless he wanted tae. And he only took a week's holidays. We never got away. Ma mother and him went on their own. Ah'd been intae Edinburgh, and we got the train frae Penicuik tae Portybelly.

When ma job wi' the Erringtons came tae an end ah got a job in a Hotel on Mull. They wanted somebody tae cook. Ah wis only fourteen but they were prepared tae take me on as a cook. Ah had no experience o' cookin' except what ah had got frae Meg Mackay at the Erringtons. Ah mean, ah helped Meg in the kitchen, and at home when ah wis younger, ah mean, ma mother had let us cook away. But really and truly ah didnae have the experience tae be on ma own. Later on when ah telt ma mother she says, 'Oh, good God,' she says, 'ah could jist picture your dad havin' tae go up tae Mull and trail ye home !' But ah had wanted tae stay on Mull because it wis

243

so nice, it really wis. But then ah hadnae spent a winter there and ah didnae know what it wis like in the winter. But Mrs Errington came doon wi' me tae the hotel and she says, 'I have to take this girl home with me. I brought her here so I have to take her home.' So she says tae me, 'You are not staying here. You're coming home with me.' Ah jist had tae dae as ah wis telt.

But when ah come home frae Mull ah had a' the confidence in the world. Every day in the boot hall we cleaned a' the boots and everything oorselves. And ah'd worked on the farm and for Major Errington. He vaccinated a' his sheep and ah had took the things doon for him, then ah came back and put in the syringes and biled them a', rolled them up, and went away back tae the field wi' them. Oh, it wis a new world tae me. It wis great, especially after Esk Mill.

Ah went tae work in Peebles at Kingsmuir Hall efter ah came back frae Mull. They used tae send me tae walk intae Peebles tae the shops and it took me bloomin' ages tae get there. But ah liked Kingsmuir Hall as well, it wis quite fun there as well. Then after that ah took umpteen jobs jist for a wee while. There wis a friend o mine, Minnie Black, wis workin' in Buckless's shoe shop, a wee shop in Bridge Street in Penicuik. Minnie wis a girl ah'd been at school wi', but she had tae go intae hospital. When Minnie wis in the hospital ah went intae Buckless's shop and ah kept her job open for her till she came back tae work.

It wis jist efter that ah started doon in Valleyfield Mill. Ah went doon tae the mill jist tae ask them tae put ma name on their list, tae keep me in mind if they had any jobs goin'. And this character came in and he says tae me, 'Ye're lookin' for a job, Missus ?' Ah says, 'Ah'm no' Missus. Ma name's Joanna.' He says, 'Well, ah'm lookin for a lassie tae go in there and work on the cutters and,' he says, 'we're awfy needin' her. When can ye start ?' Ah says, 'Ah thought ye were supposed tae go tae the doctor and get a' this examination and everything afore ye go intae the mill ?' 'Aye, but,' he says, 'ye could go there the day. Ah'll write ye a wee note and jist take it along tae the doctor.' And that's what ah did. Your eyes wis the thing, that wis the maist important thing. Ye could have a' sorts o' other things wrong wi' ye but your eyes had tae be right. And that wis why ye went for the exam. So ah started in Valleyfield the next day. Of course, ah already had a load o' ma relations workin' in Valleyfield. Ma aunty and ma uncles were a' there. And Jean Louden, that had been on Mull wi' me, her father wis a foreman in Valleyfield. So it wis nae problem for me tae get a job in Valleyfield.

Ma first job in Valleyfield wis on the cutters. Ah sat doon at the cutters. There wis three different kinds o' cutters in the place. Ah had a shot o' a' the cutters, 'cause they used tae come and ask me tae go special tae this great big yin, because it wis heavy, heavy work on it. There wis three o' us girls: Annie Groves, Isa Withnell, a great big tall girl, and masel'. Isa wis a rare worker. She wis big and she could get the paper up. We threw the paper up high, ye see, tae get it piled up afore it went tae be coonted. Ah loved the cutters, because ah kent how they were worked. Ah wis an awfy person tae get intae the guts o' everything jist tae see how they worked. The boss, Mr Louden, he cried me Johnny and he used tae say, 'Johnny, dae this', 'Johnny, dae that.' Ah says tae him, 'Ah'd like tae ken how the cutters work.' He says, 'Ye're no' needin' tae ken how they work, jist as long as ye can work them.' 'Ah, but,' ah says, 'if ye ken a' aboot it it makes a' the difference.' So of course ah got this bloke tae come and tell me how it a' worked. And Mr Louden used tae say tae me, 'Ah never kent anybody like you that had tae get intae the guts o' everything.' 'Ah jist feel,' ah says, 'that a little learnin' sometimes it's a bad thing.' And the things that ah did tae that man, but he never took any umbrage. Half the girls were terrified for him. But ah never wis, a' the time that ah kent him.

Ah stayed on the cutters and worked wi' the man on there for years, Will Shaw. Then ah wis shifted frae place tae place. If you were any good at your job ye werenae long or you were shifted. Ah went on tae the overhaulin' efter the cutters. Ye got higher and higher and ye got a little mair added on tae your wages and it wis quite a guid wey o' workin'. It wis a routine: as the lassies left one part and they needed somebody else, the other girls were moved up intae that job. Some o' the older women wid retire, and the young girls got married. When girls got married ye had tae leave the mill and re-apply for your job if ye wanted tae go back. Ye could go back but ye had tae re-apply. But efter ah got married ah never got back because ah couldnae get on wi' Aggie Taylor. That wis the heid wumman in the salle. Ah jist couldnae get on wi' her.

Aggie Taylor wis an awfy wumman. She wis a lot aulder than me. She wis a wumman that couldnae haud her tongue. She had a tongue like a clapper gong. Workin' wi' her ye sin got tae ken her faults. Later on Aggie got merried and went tae Edinburgh tae stay, so ah never heard any mair aboot her.

The overhaulin' wisnae really a heavy job, no' once ye got intae the swing o' it. When ye went up the stair up tae the salle tae work, ye got pushed aboot. Ye'd be daein' that kind o' paper the ae meenute and this paper the next. Aggie Taylor wis aye shiftin' ye roond aboot. That wis the only job Aggie did, lookin' over the women, ken, keepin' us a' goin'. And, oh, God, she had an awfy tongue ! Anywey she couldnae help it. But ah worked wi' Aggie and there wis lots o' things happened and it didnae matter how it happened, how it wis done, she always made it oot that I did it deliberately. Well, we were workin' at this great big bench, and we had a great big sheet tae dae, and ye had tae lift your airms up when ye were workin' it and lift it.

It wis heavy work. So this day she thought she wid come and give them a hand. But what she wanted tae dae wis somethin' lighter than the heavy work. So she carried wee bundles o' the paper frae the one end o' this table tae the other end. Ye put bricks a' roond aboot your paper, the shape o' your paper, and ye pulled the sheets o' paper frae that side intae thir bricks and it piled up and up, ye see. And then ye wid fold it, a bit that wey and a bit that wey, and then lift it. Ye had tae know how tae lift it, tae get it up ower your shooder, and then ye had it took away and put it ower right behind ye at a lower level. Well, this brick kept comin' oot the back o' mine. And tae get the damned thing in again ah had tae jump up on tae the edge o' the bit where the paper wis and turn masel' roond and lean ower and push the brick right in. And did Aggie no' decide tae come along wi' an airmfu' o' paper at that time. Well, ah couldnae see her comin' – she wis away that wey when ah'd seen her last – and ah jumped doon off the table and knocked her on her back, paper and everythin'.

Well, she telt me that ah had done it deliberately. She wis goin' away tae report me tae Mr Louden and see if she could get me kicked oot the mill. Ah says tae her, 'Well, jist go and tell Mr Louden.' So away Aggie goes doon tae get Mr Louden and brings him up frae doon the stair. And a' the weemen are standin' waitin' tae see what ah wis goin' tae dae. And ah'm sayin' tae masel', 'Ye've din it this time, Joanna.' However, ah telt Mr Louden what had happened. 'Ah couldn't see her and,' ah says, ' she couldnae see me. But,' ah says, 'she took the paper and folded it in half and put it up in front o' her face when she wis walkin' along.' 'Ah, well,' he says, 'you couldnae see her and she couldnae see you. So we'll jist put it doon tae something that had jist happened.' Ah says, 'Ah'm very sorry, Aggie, that ye landed on the flair. But if ye had even sung a wee song when ye were passin',' ah says, 'ah widnae have knocked ye doon.' She thought that wis cheek, and she says tae Mr Louden, 'That's the wey she speaks tae me.' However, as time went on, Aggie came back tae me and says, 'Ah've come tae apologise. Ye couldnae see me and ah never seen you. So we were baith tae blame.' It wis never spoken aboot again.

There wisnae really a lot o' accidents in the mill, no' really. There wis quite a lot o' things happened but they were aye jist silly wee things, somebody daein' somethin' daft, ye ken. Ah dinnae remember any o' the girls or women being injured badly – cutters, guillotines, everythin' had guards on them. Ah never felt there were dangers aroond me.

And ah can remember goin' tae what they cried the SOs. It wis where they did the paper for the government. It wis folded intae paper and it had 'SO' and a crown on it – Stationery Office. We used tae have tae be awfy perjink wi' this paper. It had tae be really good. We worked at that for a long, long time.

Ah wis in the overhaulin' about as long as ah wis on the cutters. Ah went intae the new salle when it wis built jist before the war. It wis a great thing for them tae have this great big salle. We stood in rows. Some o' them wid stand along the windows, and we got in behind. And we were placed that we were sort o' between two. They would be standin' at that angle there, and we would get in there at the back, tae get the light, ye see, for workin'. There wis plenty light for workin'. It wis smashin', it wis lovely and clean.

When ah started work at Valleyfield they asked ye tae join the union. Ye werenae forced intae it. They jist said tae me, 'Ah think it's a guid idea.' Well, I worked in Valleyfield jist for a very short time when they came tae me one day and asked me if ah wid go on the committee. They were wantin' a lot o' things and the persons that had been before me in the job were feared tae go and ask. And d'ye ken what the thing wis ? There wis not a drinkin' water thing in the place. There wis an old broken doon tub thing and they filled it every mornin' wi' water. It stood there a' day till it wis almost bilin' wi' the heat in the place. And there never wis a tap. But the old committee were feared tae ask for decent water, jist a glass o' water. Ah says, 'Ah'll get ye water, supposin' it's the last thing ah dae !' And when ah went in it wis this guy, an awfy nice man that came from Edinburgh that wis there. Ah kent what ah wis talkin' aboot and so did he. Ah says tae him, 'Now that is not right. There's no water for anybody tae drink. There's pails sittin' on the windae sill tae keep them cool and,' ah says, 'that shouldn't be. There should be a tap in all the departments so that everybody can go and get a drink.' Paper-makin' wis a hot atmosphere, ye see. And he says, 'Well, there isnae any water in the place.' Ah says, 'Well, ye'll jist have tae get it put in, won't ye ?' He says, 'You're right there.' So they got taps in all the departments. And they came and asked me what kind o' tap ah wanted. Ah says, 'Ah want one that ye press down wi' your thumb like that and it scoots up. That's what ah want.' And that's what they got.

So when they seen in the other departments that didn't have water a' this gettin' din they decided they wanted it as well. But nane o' them wid go and ask. So when ah went tae the meetin' the next time – they had a meetin' once a month – there wis this wumman, she wis really good, she used tae spur me on wi' everything. And she says tae me, 'Ah think ye're goin' tae be gettin' them frae the other departments comin' tae ask ye how ye went aboot gettin' the water.' So here they came doon tae where ah worked and they asked if ah wid ask for taps for them and the different departments. Ah said, 'What's tae hinder you frae goin' and askin' yourself ?' And this man says, 'Oh, but we've no' got enough gab.' 'Oh,' ah says, 'thanks very much.' The man says, 'Ye see, if they refused me ah wid jist turn and walk away. But if they refused you,' he says, 'ye wouldnae dae that.' Ah says, 'No, ah widnae.' Ah went away and got haud o' this wumman and ah says tae her,

'You take that over and tell them that they want new drinking taps and another run-in o' fresh water.' So she did tell them and they got it.

The workers were feared for their jobs, ah think. And they didnae need tae be. Naebody wis ever dismissed at Valleyfield, no' that ah ken o'. Ah think they must have had somebody that had been a holy terror at one time, but he wis away by the time I wis there. Ah never heard o' anybody gettin' dismissed unless they had misbehaved in some respect. They must ha' done something really bad before they lost their job. Although, mind, they had a sayin' that if ye did anything they would stop your holiday pey. Now ah wis in the mill a' thae years and they threatened four times tae stop ma holiday pey. They never stopped it, they only threatened tae stop it. One o' the times somebody had pinched ma flask for ma tea and put it away up high, and ah went and got a ladder and climbed up and got it doon. But ah got caught and Mr Louden, the foreman, telt me that that wis ma holiday pey stopped. Ah wis told never tae touch the ladders again and not tae try climbin' up anywhere, and that if there was anything tae be got doon the men would get it doon. Ma holiday pey wis never stopped. Ye always got your pey.

Ah dinnae ken whae it wis the workers wis afraid o'. But it wisnae R.O. Wood, that ah'd seen at Mull visitin' the Erringtons. He wis a perfect gentleman. When ah wis at Valleyfield years later here this swing door opened and this man came in – and he had the same damned auld coat as at Mull. Ah jist looked at him and ah said, 'Help ma God ! He's still got the auld coat on !' He looked ower and he said, 'Hello-o.' Ah nearly collapsed. He must have remembered ma face. Anyway ah think it must have been some previous manager that had frightened the life oot o' the Valleyfield workers. They were feared for something, but it gradually wore away. But, oh, they widnae ask for decent drinkin' water. They were feared, they were terrified in case they wid be telt they widnae get it. But they got it, they got it.

Of course, the man that looked efter Valleyfield wis Sandy Cowan. And he wis a right devil. He wis an awfy man. And he wis weemen daft. He used tae bring a' the dames, the chorus girls, oot frae Edinburgh at the theatre tae Penicuik. He yaised tae come up tae ma mother's hoose and ask ma mother if she wid allow Annie, ma sister, tae go and entertain them. She wis a singer, ye see. Ah wis a singer tae, but he never asked me because ah yince cheesed him off aboot that. Efter ah wis in the mill he came in and he wis lookin' at me as if he wis lookin' ower a horse, ye ken: 'Oh, aye, oh, yes,' Ah wis so mad ah thought, 'Another meenute and ah'm goin' tae hit ye atween the een.' Ah didnae ken at the time whae he wis or ah might no' have said it. But it didnae stop me frae gettin' intae his mill jist the same ! But anyway then he says, 'What is your name ?' Ah says, 'Purves.' 'Oh, yes, ah know all your people.' And away he went. Ah found oot later it wis jist that he wanted tae know if ye were related tae anybody that wis in the mill. Ah had ma grandfaither, two uncles and ma aunty a' worked in the mill. If ye had any relations in the mill and Sandy Cowan knew them then ye were a' the road. So ah wis a' right. But they must ha' done that wi' everybody. Sandy Cowan knew everybody's relations and he kent a' your pedigree. He didnae like takin' on anybody that he didnae know about. Ken, he wis an awfy man.

But him and thae chorus girls, well, there wis girls frae two theatres that he used tae bring oot tae Penicuik. He used tae bring thir girls oot in motors. He must have sent the cars in for them. But they used tae go doon the pend, ye ken, on the High Street, where his hoose wis, away doon there. Ye used tae see the motors goin' doon and a' the girls dolled up sittin' in the cars. Ah used tae say tae ma mother, 'Where'll they be goin', mother ?' She wid say, 'Oh, ah dinnae ken, hen.' And she never let him down ! She never telt me that they were a' goin' doon tae Sandy's hoose. They used tae go doon there and they wid have a meal and then, God knows why, he wid try tae find oot a' the singers or dancers in the toon tae go along and entertain them. He wouldnae be carin' a damn what they were seein' ! It wis a funny situation. Ah never got anything oot o' ma sister Annie when she used tae go -and she wis doon two or three times. And he wis so good tae her: he used tae pay Annie for goin' doon. Sandy Cowan wis married and had a family, and his wife wis there. He wisnae daein' it on his own. She wis there when he wis entertainin' a' the girls. It wis jist this once in a while he yaised tae bring a' thir women oot, and then it a' stopped. Ah mean, ah wis quite young at that time but ah still used tae wonder aboot it, ye ken.

They used tae have mill dances at Valleyfield. Sandy Cowan had sons and the sons couldnae keep their hands off o' the weemen in the mill that went tae the dances. There wis one and he pinched ma handkie. Ah had a long, beautiful handkerchief ah'd got for a Christmas present, and he pinched it oot o' ma pocket and he said he wisnae goin' tae gie me back until ah said ah wid go hame tae his hoose wi' him. Ah says, 'Don't you think it, son.' Ah said, 'If ah get that handkie back ah'll pit it roond your neck and choke ye.' So ah got ma handkie back, nae problem !

But ma father wis the bandmaster in Penicuik, ye see, and there wis a lot o' dances and things that we used tae get invitations tae go tae. But ma father wis always with us tae see that we were a' right, ye know. He looked efter a'thing. He used tae keep an eye on us. Ah can remember goin' tae the Christmas party in the Cowan Institute. There wis top and bottom in the Institute: ye sat up the stair and ye watched the dancers doon the bottom. Well, that night ah had three dances frae Santa Claus. Nobody knew who Santa Claus wis: that wis the done thing, they never told. And Santa Claus never spoke, he jist answered yes or no every question or anything ye said. And ah'm aye sayin' tae ma sister Annie, 'Ah feel ah ken whae that is, but ah cannae pit a name tae him.' And it wisnae until ah wis dancin' roond wi' him jist aboot the end that he took off his glove and that wis the rock he perished on. It wis ma dad that ah had been dancin' wi' a' night ! When he took his glove off he had only half a finger on one hand. Ah says tae him, 'Ah could see right away. Fancy me dancin' wi' you a' night and no' recognisin' ye.'

So ah worked in Valleyfield frae aboot 1933 until ah wis 21, when ah wis married. Ah left Valleyfield Mill then. The war had jist started when ah got married. And ma man wis jist waitin' if his papers would come, sort o' style – hopin' they wouldnae come. Ma husband Jim wis in Valleyfield frae when he left the school. He lived in Penicuik, too, and we met in the mill. Ah'd never seen him before in ma life, for a' that ah lived in Penicuik.

Of course, on a Sunday night the young folk in Penicuik used tae walk along the Edinburgh road. That wis the done thing. And oo cairried oor Bibles. Oo'd gaun tae the service in the kirk, and then we came oot the kirk and we walked right along tae we came tae Roslin road end. And we used tae meet a' the Roslin boys comin' up frae their church. It wis a sort o' courtin'. And then ye'd see them a' at the dancin' the next week, they'd come up tae Penicuik dancin'. That went on for years and years.

Ah loved dancin', as ah've said. Ah went tae the dancin' until ah started walkin' oot with my husband. He wisnae a dancer. So we had tae go tae the pictures. There wis nothing else. That's what we used tae dae – Saturday night, the pictures. And then on a Sunday we walked ower the Pentland Hills. And ma husband wis a rugby player and he played cricket. He wis a good player, ah think his name's up in the pavilion for rugby.

The night before ah got married Lord Haw-Haw said the streets in Britain would be flowin' in blood. That's what he said that night. And ah'm standin' at the back o' the door greetin' ma een oot. Ma mother says, 'What's the maitter wi' ye ?' Ah says, 'Oh, did ye hear that that man said the streets in Britain wid be flowin' wi' blood ?' She says, 'Oh, in the name o' God, ye dinnae believe that dae ye ?' Ah says, 'Well, ye never know. It might be true.' It must ha' been the beginnin' o' the Blitz.[127]

Ma husband Jim wis a special constable in the police force, and then he wis called up – he didnae volunteer. There wis Jackie Broon and ma husband and another guy, they all went for their medical intae Edinbury tae the Music Hall. They were away frae the mornin' and they were never comin' hame, and of course we wondered what had happened tae them, there wis no sign o' them. It came tea time and suddenly ma husband appeared. Ah says tae him, 'Where on earth have ye been ?' He says, 'Ah've been in the Music Hall since after twelve o'clock today, sittin' wi' Jackie

Broon and this other lad. We couldnae get away.' Well, he says Jackie Broon wis gettin his medical and he wis tae give them a sample of his urine and Jackie says he couldnae. He sat at a tap, they turned a' the taps on tae start him, but it didnae work. So they left him for a whilie and then they gave him tea but it didnae work. So they gave him beer – and that didnae work. Ma husband said tae him, 'Now, Jack, ye'll hae tae hurry up because ah'll need tae get hame. Ah'm wantin' ma tea.' The other fellae says tae Jim, 'Ah'll tell ye what we'll dae wi' Jackie.' He went ower tae Jackie and he jist started pourin' water ower his feet. Jackie shouts, 'Oh, God Almichty ! – and he got off his seat and away like a shot. Jim says, 'Why the hell could we no' have thought on that ages ago ? Oo could ha' been hame by noo.' Jackie often used tae tell me aboot that. 'If it hadnae been for your man and the other fellae ah dinnae ken what ah would ha' din.' Ah says, 'No, ye had drewn it a' up tae your neck like the hens and ye couldnae get rid o' it !'

So Jim wis called up and then he went away tae the war. He went intae the navy. He worked in the naval control at Methil in Fife. He worked on the convoys, and he wis hame for so long and then away on another convoy. They went oot intae the Atlantic and met the convoys comin' frae America and escorted them in. Jim wis never twice on the same boat, he jist went in wi' the convoys. They got an awfy batterin' a few times. But he aye managed tae get back again jist the same.

As ah've said, when ma mother left Dalmore Mill she worked in the pooder mills at Roslin. That wis before the First World War. Well, durin' the Second War, ah wis married of course and the people like Jim and me that didnae have any babies the wife had tae get oot and work. Ye had tae jist go where ye were sent, sort o' style. But if ye could get a job for yersel' that wis ok. So didn't ah get the chance o' goin' tae work in the Roslin pooder mills. I had tae go intae Edinburgh and sit examinations and ah went through a' the examinations. Ah had tae be sworn in tae work in the pooder mills. Ah wis tae look efter a' the young people that came in the mills and tae train them tae go through intae the actual mill itself. Well, when I had been through a' this carry-on I went up tae Kirkhill where we lived tae tell ma mother. And ah wis so chuffed wi' maself because ah wis goin' tae get an enormous wage for this. Ah says tae her, 'Ah jist came up tae tell ye, mother, ah'm startin' in the pooder mills the morn.' 'Over my dead body,' she says. ' You're no' goin' tae nae pooder mills.' Ah had forgotten that ma mother had worked at the pooder mills. And she wouldn't let me go. Well, ah had tae go and tell this man at the labour exchange. 'What a chance ye're missin',' he says, and he tried me a' weys tae go. Ah says, 'No, ah cannae go against ma mother. She worked in the pooder mills and she kens what it's like. She has said she would lock me in the hoose if ah tried tae go.' Ma mother had been in the pooder mills when there had been an explosion, and she never forgot it.[128]

So ah decided that ah must dae something. Ah couldnae jist sit on ma backside. Ah had tae dae something onywey because ah didnae have any children. So ah decided tae go over tae Methil where Jim ma husband wis and dae something there. As ah say, ah lived at Kirkhill tae ah got married, then Jim and I were in Cranston Street for a time till we shifted doon intae a mill hoose in the Concretes in Bridge Street. They were cried the Concretes because they were all made o' concrete. The Concretes belonged tae Valleyfield Mill and as you went doon Bridge Street they were on the left hand side. We were in the very top hoose in the buildin' and ah can remember at the beginnin' o' the war the army came doon past oor hooses and they put mines under the bridge, it wis a' mined. And they built a thing for an air raid shelter for us. It wis an awfy lookin' thing and naebody wid go intae it. Somebody said, 'Och, it's jist like an auld shunky !' That wis it. Naebody wid go intae it.[129] But that wis where ah stayed on the top at the Concretes. There wis three hooses. There wis the lobbies and there wis three houses on each side o' the lobbies.

Well, efter ah had decided tae go and work at Methil ah wis sittin' one day in ma hoose in the Concretes when this lady jist walked in the door. She opened the door and walked in and she says tae me, 'And when are ye goin' tae shift your furniture ?' Ah says tae her, 'Jist a meenute,' ah says, 'start again ?' She says, 'When are ye goin' tae shift your furniture ?' Ah says, 'What furniture ?' She says, 'All this. When are ye goin' tae take it out ?' Ah says, 'What in the name o' God for ?' She says, 'Because ah've got your house.' 'But,' ah says, 'ah havenae gien up ma hoose.' 'Oh,' she says, 'I heard that you were going away tae work in Methil.' Ah says, 'Yes, so ah am. But,' ah says, 'ah'm not givin' up ma house. This is the house that ma husband's tae come home tae when the war's finished, and where ah'll come to as well. So,' ah says, 'don't think ye're goin' tae get it, for ye're no.'. 'I was told,' she says, 'I went down to the mill and I saw them in the mill and they told me that I would get your house.' I said, 'Right, come on, hen, we'll go doon tae the mill and we'll see what they say tae me.' So when we went doon tae the mill this man says tae me, 'Oh, there ye are, Mrs Gordon. What about your house ? When are you moving ?' Ah says, 'Ah'm not moving and ah'm not moving ma furniture. Ah'm going across tae Methil beside ma husband for a wee while.' 'Oh,' he says, 'so you're not giving up your house ?' Ah says, 'No, indeed I am not.' 'Well,' he says, 'ah'm very sorry but ah've told that woman that she's goin' tae get your house.' 'Well,' ah says, 'ye can jist untold her. She's standin' oot at the door there. Ah'm not givin' up ma house for anybody.' That worried me for a long time efter that. Ah thought maybe behind ma back when ah wisnae there they might jist shift oot ma furniture and let the hoose. However, there wis a man in the mill wrote tae me and he says, 'Don't be worried about it because they can't do that. That's your house and your furniture so they can't do that.'

Ah did lots o' things when ah wis over in Methil. Ah started off workin' in a place where it wis a' children and the mothers were a' gettin' jobs – a kind o' day nursery. It wis a' voluntary, ye didnae get paid for it. And this bloke says tae me, 'Ah don't think you'll get away wi' that. You'll have tae take a paid job o' some kind.' So ah ended up workin' in the Wemyss Arms Hotel in Methil, doin' the cookin'. Ah stayed in Methil wi' a man and his wife till their two wee boys were too big tae sleep thegither. Then ah wis tae move next door tae this woman and her husband. He wis supposed tae go oot on duty at night as a night watchman wi' the navy. But he didnae want tae dae this work – he didnae want tae work, period. He wis a middle aged man. One day I stood and watched him frae the windae. His wife wis standin' next tae him. He took the aixe and he chopped his fingers off his left hand because he didnae want tae go and work wi' the navy. When ah went doon of course he wis lyin' out for the count. I says tae his wife, 'What do ye dae wi' a man like that ?' She says, 'That's the type o' person he is.' They had a daughter and ah think she wis half daft. She worked on the buses and she lived in the attic o' their house. She widnae live wi' her mother and faither, so she lived in the attic. They had tae take him intae the infirmary, of course. Ah didnae want tae go away and leave the wife so ah stayed wi' her. Ah says tae her, 'Ah'm no' very keen tae come now but ah'll come. Ye're goin' tae have an awfy job when he comes oot o' the 'ospital.' Well, she did, right enough. He thought she wis on her own and he wis goin' tae kick up an awfy shindy because she got the doctor tae come and see him. Ah says tae him, 'Now ah'm in here, so don't start.' His wife wis terrified for him, absolutely terrified. Well, ah didnae remain there. Ah wis only there a week and then ah went intae the hotel and jist carried on workin' there until ma daughter Sheila wis nearly born and then ah had tae come hame tae Penicuik. Sheila wis born the last year o' the war, 1945. So ah wis away three years in Methil.

After he came back frae the war ma husband Jim went back intae Valleyfield. He wis there a long time. Then he wis made redundant. He wis among the first tae be made redundant for a' that he had been the longest in the mill – 42 years, from the age o' fourteen. Jim had never been off his work: if he wis able tae crawl doon tae Valleyfield he wid go. It wisnae because he wis active in the union, he never had anything tae dae wi' the union. There wis somethin' aboot it ah couldnae fathom it oot. Ah can remember meetin' one o' the men and he says, 'Your man wis too honest, that's what wis wrong wi' him.' Jim felt he had been victimised, oh, definitely. Of course, he wisnae in the Masons. If you were in the Masons at Valleyfield you got a' the road. Now Jim's gaffer wis a big man in the Masons and the other man that worked wi' him wis high up in the Masons. But Jim widnae jine the Masons because his own father had been a Past

Master, and his father used tae drink a' their money. They never had any money. The auld man wis the pey clerk in the mill and he always got Jim's pey and his brother's if he could get his hands on it, and he used tae drink it along wi' his ain. And it wis a' this gang o' Masons that went wi' him tae the pub and helped him tae drink it.

Well, when Jim left Valleyfield there wis a' that crowd that were made redundant wi' him. Normally when anybody left their work efter they'd been in at the works for a long time, the men used tae give them a' a gift, ye ken, or they wid have a collection for them. But they never got anything oot o' Valleyfield, nothing, not a thing. And Jim got only a small amount o' redundancy money – £1,200 or somethin' like that. They didnae have the big amount at that time. He wis fair broken-herted aboot it. One o' the high heid yins in Valleyfield says tae me somethin' aboot ma man and ah says tae him, 'Don't you speak tae me aboot ma man. I wis very, very angry ye never even gave thae fellaes somethin'. Fifteen o' them a' got peyed off and,' ah says, 'ye've jist put them oot the door. And they've worked a' thae years for ye.' Well, Jim went tae work in Edinburgh Crystal at Penicuik until he retired.

After the war we moved frae the Concretes tae the first o' the new hooses in Dick Terrace – Mr Dick that wis the provost o' Penicuik, him that had the shop in the High Street. And the hooses were lovely. Ma son wis born in 1947. Ah took a wee job wi' Mrs Baldwin, the wife o' the doctor, where ah wis a sort o' home help. Ah only gave her two or three hours in the day and only twice a week, a wee cleanin' job, jist enough tae keep me goin'. And then, ah think in the 1960s, Dr Baldwin – he wis an awfy grand doctor, there's nae two weys aboot it – says tae me, 'How wid ye like tae come and work in the surgery ? The person that's there is leavin' and it needs somebody like you that can talk and arrange the appointments an' a' that sort o' thing.' At first ah didnae want tae dae it. Ah says, 'Oh, no, that's too much work.' Ah never knew what the wage wis goin' tae be. But ah knew that ma rent there would be free, and that wis a' that ah knew aboot it. And like a silly ass ah said yes, ah wid go. And efter it ah wis vexed ah had said it, because the rent wis a' that ye got and ye got £1 a week – for any hoors that ye wanted tae work. And they knew that ah would never refuse if it wis somebody that wis ill.

So ah moved frae Dick Terrace tae live in the surgery in John Street. It wis great big rooms up the top, a beautiful sittin' room, and there wis two big bedrooms, a smaller bedroom – in fact, it wis a dressin' room for a big hoose. And the bit that went tae the back wis made intae the kitchen. Eight years ah did it. And every week ah kept on sayin' tae them, 'Och, ah'm goin' tae leave. It's no' worth ma while.' Do you know ah had tae find mair money tae live in that place than what ah made in it ? Because ye had tae keep their fires goin'. They didnae have any central heatin' and ah used tae keep their fires goin' and the coal came oot o' ma coal cellar. Ah peyed for it. So there wis this day in particular that the doctors a' got a big rise in their wages. Ah can remember ah wis doon on ma knees washin' the flair jist ootside the bit where the people stood when they came in, for it wis in such a mess wi' the rain. And Dr Baldwin came through and he says tae me, 'We're giving you a rise in your wages.' And ah says, 'Oh, that's nice.' He says, 'We're going to give you five shillings.' And he put his hand in his pocket and he took five shillins oot and he says tae me, 'And that's your first rise.' And – this is the God's truth, may ah never rise off o' this seat – ah says, 'Dr Baldwin, you take that back, son, because you'll maybe need it before ah do.' He never said a word. He took it and he went away. Ah knew he wis very annoyed. But he wisnae as annoyed as what ah wis.

So they carried on payin' me the £1 a week. Then they decided about a year or 18 months before ah left that they were goin' to give me another £1, so that ah wis gettin' £2 a week. Then ah got word ah'd got a council house in Cuiken Terrace. So ah jist went through and said tae Dr Baldwin, 'Well, ah've got a house and ah'm goin' tae flit. So ah'll jist hand ma notice in now.' Well, ah wis only in the hoose for a fortnight when Dr Baldwin came doon and he says tae me, 'Joanna, will ye come back ?' Ah says, 'I am not comin' back. I think I have done very well,' ah says, 'I have given ye eight years. I am not comin' back.'

Well, lookin' back on ma workin' life ah dinnae ken now which job ah enjoyed maist. Ah never met anybody that ah worked wi' that ever did me a bit o' herm. Ah seemed tae get on happy wi' everybody Ah jist enjoyed maist o' it. The worst yin wis Esk Mill. That wis the one ah couldnae stomach at a'. But ah enjoyed masel' in Valleyfield. It wis only because ah got married that ah left Valleyfield, and ah wid have been back there if Aggie Taylor hadnae been such a crab. Ah enjoyed the domestic work in Mull but ah wisnae tempted tae take up domestic service permanently. Ah liked it well enough, though it wis long hours but ah preferred tae get hame at night tae ma ain hoose. So ah think Valleyfield wis the job ah liked most, because, ah mean, ah knew maist o' the men that were at work in Valleyfield. Ah knew sic a lot o' them through ma dad bein' the bandmaster and a lot o' them wid come tae the hoose tae the music learners' classes, and ah think it wis an awfy happy time for everybody that. Mind you, what we put up wi' there wi' them learnin' tae play instruments ye've no idea ! Ma mother used tae come through wi' cups o' tea tae get them tae stop, and she used tae say, 'Thank God we get peace for five meenutes !'

CONCRETE BUILDINGS, PENICUIK

Looking up Bridge Street, Penicuik, with, at right, the houses known as The Concretes, owned by Valleyfield mill and in which some of its workers and their families lived.

Courtesy of Midlothian Libraries Local Studies.

William Robertson

We had lots o' ambitions but it didnae arise. And it wis a case o' when ah wis fourteen – get a job. Well, in these days it wis the mills. So ah left the school, that would be 1932, ah left at Christmas and ah started in January in Esk Mill.

Ma father, he worked in the paper mill. He wis a stoker in Esk Mills. He stoked the furnaces. Ah think he wis born in Harper's Brae. The old granny, ma father's mother, she stayed up in Harper's Brae so ah think the family on ma father's side had always lived there. Ah never knew ma grandfather Robertson, he died before ah wis growin' up. Ah can't remember if he wis a mill worker, ah never heard ma father say anythin' about what ma grandfather had done. Ma father worked in Esk Mill quite a few years. Well, what he used tae do was when the mill shut on Saturday afternoons and Sundays they didnae get paid but they used tae work on cleanin' the flues and that out o' the boilers. They were all coal fires, ye see. While he wis employed at the paper mill ma father worked also at Auchendinny laundry, he cleaned the laundry chimney flues there as well. He could make a wee bit extra money there. That wis a kind o' spare time job and it only happened maybe about once a year, when the laundry shut for a week. The mill itself had a week's holiday but they didn't get paid for it. Ma father wisnae away at the First World War: as a stoker he wis in a reserved job. Ma father died before ah left school. That wis why when ah wis fourteen it was just a case of, well, 'Ye've got tae get a job' – the circumstances we were in at home.

Ma mother belonged Auchendinny. To tell the truth ah can't say that ah heard ma mother sayin' anythin' of what she did before she wis married – probably worked in Dalmore paper mill, either that or in domestic service, somethin' like that. But ah can't recall her discussin' it. The old granny there, ma mother's mother, she stayed in Dalmore Cottages. They were mill cottages belonging to Dalmore Mill and they were down at the foot o' the hill at Auchendinny. Ma grandfather, ma mother's father, had been a worker in Dalmore Mill all his life, as far as ah know. Ah can't remember much o' ma grandfather, ah knew him jist when ah wis quite a young boy. But ma granny wis there quite a while and ah remember her a' right. Ah think she came originally frae Glasgow, that area. Ah couldn't tell you how ma grandparents had met

Ah had two older brothers, John and Jimmy, and an older sister, Jessie. John and Jessie worked in Esk Mill. John wis a machineman. Jimmy worked in the post office – telegraph boy and then a postman. Between Jessie and masel' there were a good few years, 'cause ah think it wis the First War that sort o' intervened. Ah wis born on the 15th o' October 1918 down at the Old Manse at Esk Bridge, Penicuik.

The Old Manse wis – well, the North Church o' Scotland in Penicuik seemingly they couldn't get a site in Penicuik from the landowners, the Clerks. So the Inglises in Auchendinny gave them a site as near Penicuik as possible. The buildin' near the top o' the road wis the church itself, which wis turned intae houses as well, and the manse wis further down, wi' the stables round the back. Well, the Old Manse, the old minister's house, wis broken up intae parts. They were jist but and bens. There were one up the stair. And downstairs on the ground floor we had a room and kitchen – the kitchen-livin' room and a bedroom off. There wis no runnin' water in the house, and it wis a dry toilet. We had tae go outside for water. That wisnae put in until 1926. They put the toilets in then and run water intae the house. Before that we had a well just outside the Old Manse. The water may have come from the Bonny Well spring at the top o' Harper's Brae, I'm not sure. The cottages at the top o' the hill they called them Bonny Well Cottages. So before 1926 we had tae walk quite a distance tae get water. What the mill done was they put in a tank there and they had one at Boghead which fed this place. It wis a spring, and it wis led by gravity down the hill. At the foot o' the hill they had a pump that pumped it tae the top o' Kirkhill. They had a big tank up there, and after that that supplied the older property by gravitation.

The first light we had at the Old Manse that ah remember wis a paraffin lamp. Then the firm at the gas works led a pipe through the fields and across the bridge and they put gas into the house. That wis slightly before the water wis put intae the house. For cookin' we had a big range, and ye had the fireplace in the centre, a place at the side with the oven in that, and the other side was a boiler. It wis all heated off the fire. You had a wee fire below the oven. So ma mother did her cookin' on the range. Ma mother got a gas cooker once the gas light wis brought in.

At the Old Manse ma father and me slept thegither in the livin' room. Ma mother and ma sister Jessie they slept in the livin' room as well. We had the two beds in the livin' room, me and ma father in one, and ma mother and sister in the other. It wis the livin' room – the kitchen part o' it wis jist actually a table. The fire and range wis in the livin' room. That wis the only heatin' we had. Ma eldest brother John, ten or twelve years older than me, he got married in the 1920s some time and left our house then. Till then he and ma other brother Jimmy slept through in the room. We don't know we're livin' now ! There were fairly big families in the other houses in the Old Manse. Up the stair it wis a cousin' o' mine that stayed, but they didn't have a family.

The Old Manse, the Harper's Brae houses and Eskvale Cottages up the road a bit, they all formed a wee community. There wis a Harper's Brae gala formed in the 1920s. A Mrs Brown and Mrs Fife, ah think they were sort o' cousins, and they formed the gala. But we were all sort o' included. It wis the children and parents in Harper's Brae, the Old Manse and Eskvale Cottages that formed the core o' the gala. Ah remember goin' tae the Harper's Brae gala and takin' part in it. It was for the children in the area. It wis after the main Penicuik children's gala, so that wid be intae July.

When ah started the school – ma sister Jessie ta'en me actually – it wis up the top o' Kirkhill, Kirkhill School. Ah stayed there till ah wis seven or eight, then we went down to Penicuik School in John Street. Ah remained in John Street until ah left school.

Ah liked goin' to school, ah wis quite keen. Ah liked history and geography, well, the general subjects, jist as they came along. Ah wis no' sae keen on some o' them. Arithmetic wis all right, but when it came tae algebra and that it wis a wee bit different ! Ah wis always a reader, och, ah read anything and everything. We got the comics: *Comic Cuts* wis one, and then we went on tae the *Adventure* and the *Rover*. The *Rover* wis the one ah used tae get and then your pals got the *Adventure* and ye swopped them over. Ah liked them.[130] Penicuik Library wis in the Cowan Institute, now the Town Hall. But ah never went there, it wis a bit far from the Old Manse. Of course, you used tae get books from the school. They had a library within the school at John Street. Ah borrowed books from the school library. Ah read Robert Louis Stevenson's books – *Kidnapped* and these ones, anything wi' adventure in it. Stevenson wis one o' ma favourite authors. Ah always wis a keen reader. Ma father in these days used tae get the *Edinburgh Evening Dispatch*. We didnae get a morning paper, but he got the *Sunday Post*. Ah still get it yet.

At John Street ah think there were about four classes. It wis quite a small school. Most o' the children were the sons and daughters o' mill workers. And then of course they had the English School and the Catholic School within Penicuik. Ah mean, in these days the population wis only 2,500, somewhere about that. The English or Episcopal School wis jist a sort o' tin hut, and then they came down intae Penicuik to a new buildin' in Bog Road. But they sort o' all amalgamated when the new Penicuik High School wis built. The Catholic school, quite a small school, was next to the chapel, and they had a sort o' door in the wall that they could come through. There were some Catholic boys and girls in ma class for certain subjects, maybe woodwork and science. One o' the things ah did really like wis science.

At John Street ah sat the Qualifyin' exam and, well, ah passed – just ! Ah made it. Ye could have went tae Lasswade High School but ye had tae be up among the duxes. Ah can't really think o' anybody in ma class at John Street that went tae Lasswade High, though ah'm sure there were some went there. One o' them that wis in our class at John Street wis Mr MacQueen the headteacher's daughter. Ah think she went tae a private school and she became a schoolteacher, the same as her dad. Ma parents never discussed wi' me goin' tae Lasswade High School. As ah say, ma father died before ah left school. Ah think ah would have liked tae have went on at the school. Ah think about it now ! But ah didn't think about it much then. As ah say, it wis just a case of, 'Well, ye've got tae get a job.'

There were sort o' hard times then, 'cause, ah mean, people then didn't get dole or that. They were on what they called the Means Test or something. They went and signed on and they got their card marked and that. That wis about it.[131] There wis plenty o' poverty. A lot o' ma schoolmates wis in Shottstown. That wis part o' the pit properties, and they were worse off than us in these days. Ah cannae really remember any o' ma schoolmates comin' tae school without boots or shoes. But it wis usually sort o' burst shoes they wore in the summertime. And their clothes might have been a bit ragged.

When ye wanted a job at the mill ye had tae go and see the manager, Mr James Jardine at that time. Well, jist when ye were leavin' the school ye went in tae the mill and seen about a job there. Mostly it wis the parents, well, there were parents that worked in the mill like, and ye thought, 'Well, may as well go there. We'll maybe have more chance o' gettin' it,' ye know. As ah say, ma father had worked in Esk Mill quite a few years and he'd be well known in the mill. In most cases to get a job in Esk Mill ye had tae have a relative or a friend or a neighbour workin' there tae speak for ye. That wasnae a condition o' gettin' a job, but it helped. At that time, ma father wis dead but ma brother John worked in the mill. But ah think it wis a watchman, Mr Smith, who spoke for me. But ah had tae wait a wee while, two or three weeks anyway, ah don't know why that wis. One or two o' us laddies started at that time.

What ah started on in Esk Mill wis the different types o' paper ye had and it wis a different formation o' wrappers that ye had for them. Then the other boys they were comin' up and gettin' the wrappers and takin' them down tae the tiers, ye see, for wrappin' the papers up. Ma wages wis ten shillins a week, that's what they started at. We worked a 48-hour week. Ye started work ah think it wis maybe half past six in the mornin', and then we had a break at nine o'clock – a breakfast hour. Then we worked tae one o'clock and got an hour for dinner, and then ye worked tae five o'clock. Saturday ye worked tae 12 o'clock.

When ah began at Esk Mill in 1933 ah couldnae say exactly, but ah wid reckon, countin' the shift workers and the girls in the salle – because in these days they hadnae the machinery tae count the paper and they were countin' it a' by hand – there'd be roughly about 250 or 300 workers. As a laddie o' fourteen then, of course, ah wisnae a' through the mill and ah didnae see everybody, because there were workers on shifts. The workers were never a' there at one time. Ah didnae work shifts till ah wis sixteen.

The job on the wrappers wis borin'. Ah didnae like it. Ah wis only on it for a few months. After that, there were an old boy he used tae make boards. They got the wood in frae Tait's, the builders in Penicuik. And ye had tae order that for the sized paper. The office worker he used tae come down and give ye a sheet and ye had tae order so much, ye ken, o' what ye wanted – rope and canvas for the balin', and that sort o' thing. And that wis quite a' right, ah liked that. It wis a big table wi' a metal top ye had, and ye knocked the wooden boards thegither. It wis jist a board on the top and a board on the bottom and they were wired together. They had a press, ye see, the press come in wi' the wire on. That wis the stuff they used tae bale for goin' overseas, and that meant by railway.

Well, that wis an old man's job and ah wis only doin' it a couple o' month. Ye were still on ten shillins a week for wages. Ye got a yearly rise. Then after the boards, ah went up the stair, up intae what they called the clay house. Actually, it wis above where they mixed the clay, the satin white and that for the enamelin' house, the enamelin' department. What ah wis doin' there wis breakin' up rosin and puttin' it in this boiler. So much o' the boiled rosin went intae the mix tae make satin white. That wis the coatin' for the paper. That job wis a' right. It wis a bit dirty, of course. We'd wear sort o' dungarees. The mill had no baths or showers for the workers; eventually they did have, but not then. Well, when ye finished work ye took your overalls off and left them at your work. The dirt didnae get through your clothes tae your skin, nothin' like coal dust. Well, ah wis at that job for about six month, ah think.

After that they sent me along to the enamelin' house. They brought this material across tae the enamelin' house and they had a big press and ye screwed it up thegither and the stuff – the satin white, ah suppose – wis pumped in there and then it wis left so long tae sort o' form, and then this wis opened up and ye got scrapin' it off intae big trucks or metal things. Ye scraped it off into them and they were shoved through tae the enamelin' machines and that wis put on tae the mix for the coatin' department. Ah didnae enjoy that work. It wis mucky ! White, white – it wis your hands and that. And it wis borin'. Och, ah wisnae long in that and then ah wis put down tae the enamelin' calenders.

The enamelin' calenders wis a good job, ah liked that. There wis some dangers wi' the calenders: ye had tae watch your fingers. But ah never had any accidents, no' at that time. Ah dinnae remember anybody havin' any accidents at the calenders. Ye set it away slowly and ye got the paper over. Ye had tae put it through and ye had tae watch how ye put it through, because if it got doubled it made a mark on the calender, because they were cotton rolls, ye see, pressed cotton, and in a steel roll and then compressed cotton. And this was tae put the finish on the paper. Ah enjoyed that job. Ah wis on that for about five year until ah went intae the army in 1939.

On the enamelin' calenders ye worked your three shifts. That's when ah started workin' shifts in the mill. And that wis an increase in your wages. That was hourly work, and ah cannae remember what ma wages were then. Ah think at that period of time the top wage in the mill wis – well, we had more than the labourers and they were gettin' 10 and 5/8ths o' a penny an hour actually ! So for us it wid be about a shillin' an hour or somethin'. So for a 48-hour week it wis less than £2.10.0 or £2.50 a week. So ah wis buildin' up tae that wage from the age o' sixteen.

For your wages they used tae have, well, a tin, a wee cup, as they called it. They had wee compartments like that that your wages wis put intae and they came round wi' this. It depended which department you were in. John Wright he wis the cashier, he used tae come intae the different departments and your name wis shouted out and stroked off. You all had your wages for that department. Ye signed for your wages, and they wis in this paper. When you opened it out it wis all listed, what you had worked, insurance and a' the rest o' it. Later on, after the war, the wages were in wee envelopes and we used tae go up and get them up in the pidge. When ah wis young ah took ma pay home and gave the whole lot tae ma mother. And she gave me somethin' back – about 2s.6d. a week ! Ma mother depended on ma earnins, because ah wis the only one by then still at home. Ma brothers and ma sister were married by then.

In ma spare time what ah loved doin' wis cyclin'. Ah had a cycle, ah think it wis jist after ah started work ah got it down at Lyall's at Roslin. Ah walked there tae get it but cycled back. Ah had saved up ma money and ah got the cycle on the never-never, a shillin' or two a week. The cycle was a Sheffield Dunelt, jist an ordinary bike wi' the dropped racin' handlebars. Ah used to go away on a Sunday, away round by Galashiels and up through Peebles and away to North Berwick. Ah hadnae been to those places before. Ah hadnae been away much from Penicuik before. Well, ah had been at Burntisland and down at Portobello and suchlike.

It wasnae the Sunday School picnic that went tae Burntisland or Portobello. In these days when ah wis at Sunday School it wis Mr Thomson in charge. And he had taken people away one time and some o' them had got into an accident gettin' on the train. So after that he never went out o' Penicuik. Ye used tae go up the High Park and up the Daisy Dell up by Flotterstone on the Pentland Hills. But we didnae go away frae Penicuik on the train wi' the Sunday School picnic. It used tae be a farm cart or something that Mr Thomson ran, no' a train. Then when the other minister, Mr Landale, came he decided he wis goin' tae take us a wee bit further afield – doon tae New Hailes, just outside Musselburgh. They took us there right down on the train.

It wasn't the Sunday School ah went tae Burntisland wi', it was wi' ma family. When ma dad wis alive he had a holiday from the mill but it was unpaid. But ma brother paid for us tae go tae Burntisland. He and his wife treated ma parents and ma other brother and sister and me. We were at Burntisland for a week. Ah'd be eleven or twelve year old then. And then we used tae go tae Portobello, get the train down there frae Esk Bridge station. Ah went tae Portobello wi' ma parents before ah left the school.

But apart from Portobello and that holiday at Burntisland ah hadn't been away anywhere till ah got ma bike. The bike gave me a great sense o' freedom. It let me see what the rest o' Midlothian wis like. Ah went cyclin' wi' ma pals and ah've seen me goin' maself, ye know. I used tae love gettin' on the bike on a Sunday mornin' and gettin' anywhere and back such and such a time. Ye'd get tae, say, Galashiels – ah didnae go there and come back the same way, ah used tae go right round. And then when ye got tae Galashiels ye maybe went down where the Gala Water runs into the centre o' the town and have a sandwich, a bottle o' lemonade or somethin' wi' ye and have it there. It wouldnae cost anything. Once you'd bought your bike it wis jist the price o' your sandwich and the bottle o' lemonade. So ah got away on the bike every week-end when the weather wis good. Ah didnae have a cyclin' cape; if it came on rain it wis too bad. Ye got wet ! Some o' ma pals went tae camp up at Innerleithen one time, so a couple o' us decided we would cycle up and see them. They went tae this place at Traquair, jist down frae the Bear Gates. So we stayed wi' them overnight in a tent and came back home on the Sunday. And then of course some Sunday nights ye'd start night shift at the mill, but night shift or not ye'd go away durin' the day on the Sunday on the bike. We were maybe tired the next mornin', but it wis jist the one night.[132]

But as a rule we didnae stay out overnight on a Saturday. We used tae go up and see Penicuik Athletic at the football on a Saturday. Ah wasnae maself in an organised team. But we used tae play practically every night. The farmer he gave us a bit at the top o' the hill on the braes at Penicuik:

263

'Right, ye can play football there tae your heart's content.' So we had a kick-about there, and then get the different workers from Valleyfield and have a game wi' them maybe in the public park or down at Roslin, down the glen below the castle. And we used tae go and play the boys at the Wellington School as well. They never came tae Penicuik but we used tae go up tae the Wellington School and play them. Ah played jist in whichever position wis on the right hand side o' the field !

Then on a Saturday night we used tae go up tae the cinema in Penicuik, the Playhouse. Ah've seen us takin' the bus down tae Dalkeith. They had two cinemas down there, the Playhouse and the Pavilion. That wis our entertainment every Saturday night. Ah never bothered much goin' tae dancin' and that before the war.

Ah remember the promenades by the young people every Sunday night at Penicuik. That wis through the winter mostly. We used tae walk up intae Penicuik and we'd go right out to Roslin road end and along where the cemetery is there. They used tae promenade back and forward there. And usually we'd come back down intae Auchendinny. John Campbell had the shop there and we bought a big bottle o' tomato sauce for our chips – we were regular there on a Sunday night ! But ah think the object o' the promenades wis so that young lads and girls could meet members o' the opposite sex. Well, ye had the shop girls, ye had them that worked in Dalmore Mill, in Valleyfield Mill, and in Loanhead – they all used tae collect there. Ah mean, there wis a much bigger choice o' girls than jist the ones that worked in Esk Mill ! It wis tae chat them up, ah suppose, and date them if ye could. There were quite a lot, ah think, that met there and got married from that. Well, that wis the case before the war as long as ah can remember. After the war it sort o' disappeared. But that wis where everybody went on a Sunday night. Ah went wi' a' ma pals and chatted up the girls. Oh, it wis like Princes Street on a Sunday night out there ! They came frae Bilston and Roslin, Loanhead, Penicuik, Auchendinny, they a' seemed tae congregate there on the Edinburgh Road.

At Esk Mill before the war ah got an annual increase in ma wages and the hours remained the same – unless you were on short time, of course. We didnae have much short time. It wis usually at the beginnin' o' the year, about March or so, there were a lull in trade then and there wis short time. It wis maybe a fall in demand for paper after the Christmas season – maybe they'd had enough for Christmas tae carry them over ! But there always seemed tae be short time for four, five, six weeks in about March to April, and then it picked up again. Ah never knew anybody bein' discharged for that at Esk Mill. You were just put on short time. Actually, I've heard them sayin – well, this wis years later on, when ah wis on the paper-makin' machines – the management used tae tell ye tae slow them doon tae keep it goin'. 'Cause it wis more beneficial tae them tae keep the machine goin' as shut down and start again, 'cause, ah mean, tae start up the makin' machine from the beginnin' you were an hour, and you were doin' it harm by heatin' the cylinders on it. So it made more sense tae keep the thing going.

Ah joined the the papermakers' union as soon as ah wis sixteen. Esk Mill wasnae a closed shop. There were some workers, a few, not very many, that wasnae in the union. But most o' the workers were in it. That applied tae the women as well. Ah cannae remember really any ill-feelin' against workers that werenae in the union. But ah suppose there must have been. Ah didn't give it much thought in these days when ah wis still a young lad.

*   *   *

Ah remember the outbreak o' the Second World War. It wis a Sunday aboot eleven o'clock in the mornin'. Ah wis in the house so ah heard like on the radio. But ma mates they were up in Pepper Lamb's, the barber's. The barber's wasnae open on a Sunday, they jist used tae go in and see him in the back o' his shop. His shop wis on the right hand side when ye're lookin' at the pend that goes down tae Valleyfield House. Pepper wis a great friend o' oors, so they used tae go up there. Pepper wis his nickname, Jimmy wis his name. So that's where they'd heard about the war. Ah hadnae got up there in time.[133]

Well, ah wis called up. Ah wis second militia. Ah wasn't called up before it wis announced that the war had began. But we had got a letter sayin' that we had tae go at a certain time. Ah think it wis some time in September 1939 that we'd tae join up. Ah think it wis the week followin' the outbreak o' the war that ah had tae to go the barracks along at Glencorse. The first militia had been called up a few weeks before the war began. Ah wis in the second batch.[134] Ah wis in the Royal Scots. Well, ah never thought nothin' about bein' called up. What the papers were tellin' ye it widnae last long, and a' this sort o' thing. Actually ma sister Jessie she'd married one o' the soldiers that wis along in Glencorse Barracks before the war. He wis in the physical trainin' staff at that time. And ah wis in the depot before the war. Ye could walk in and out free and easy then, ye know. So ah'd been in the barracks two or three times before the war, visitin' ma brother-in-law. And when we went along after we were called up they didnae treat ye like soldiers. They jist treated ye like the militia. Ye got your bit o' cake in the mornin' and your cup o' tea. That didnae last long ! But it sort o' gave ye a nice start tae it, ye know. They were quite gentle wi' ye at first.

We did our basic trainin' at Glencorse – weapons, square bashin', a' that sort o' thing. When the Germans came over in October 1939 tae raid the Forth Bridge we were daein' the Bren gun up on the top square in the barracks. That wis when the planes came over the Forth Bridge. Ah remember seein' the planes.[135] We went tae Penicuik after that and we were up in the Store hall and ah seen this sergeant. Ah just said, 'Look, sergeant, ah stay in Penicuik. It's daft me havin' a bed. Ah could sleep in it.' Ah didnae tell him ah stayed a mile away frae the Store hall ! 'Well,' he said, 'report tae me at eight o'clock in the mornin'.' So ah used tae go home every night !

So one day ah came in to report tae him. He says, 'Your troop's away.' Ah says, 'Where are they away tae ?' He says, 'They're away tae Glencorse Barracks.' Ah said, 'Oh, aye. Were they marchin' ?' 'Aye.' So ah got on tae the bus and ah got off at the barrack gate. When they came along ah jist stepped intae the blank file and walked in !

Well, between Glencorse Barracks and Penicuik we were there aboot six month. Then we went through tae Bonhill, an auld paper work or printin' work near Dumbarton. We werenae long there. Frae there we went away south, ah think it wis Liverpool we went tae, then right across tae France. We were in a place outside what they called the Bull Ring, outside o' Rouen. And that wis when the Germans broke through at Arras. They came round the Maginot Line.[136] And we started walkin' back. We walked back tae a place called Elbeuf. We had a break, then on to Bernay – next day back to Elbeuf. Well, we walked frae Rouen down there. It wis a long way, it wis a forced march, too. There were nae stops. Ye had tae walk a' the way. Half o' them were fa'in' oot a' over the place. We landed there anyway, stayed the night, and then we came back up tae this place, a sort o' twist in the Seine, and we got on tae a train there, back through this place and then came right up to Cherbourg and across the Channel and we landed in England. We were lucky tae get away frae France. When we'd been at the Bull Ring outside o' Rouen they asked for specialists – that wis like signallers – tae lay lines. Well, ah wisnae a specialist, ah wis jist in the ordinary soldiers at that time. Well, them that went away then, as far as ah believe, went by train and up tae lay lines and such like. The train wis bombed – the Stukas.

Ah cannae mind the place now we landed in England. Anyway ah remember the boy in the kiosk, a ticket box, in the thingmy: everybody that came off that ship got a five Woodbine and a box o' matches. So we came back and we landed at Gateshead. We were stationed at this Nuns' Lane School, and the Vickers Armstrong works wis across the road. We were there about a fortnight or three weeks and they decided we were goin' back intae France. We got the length o' Doncaster and they stopped us and brought us back again. Then they sent us up tae Redford Barracks, Edinburgh, and frae there we finally ended up in the Highland Division. The Division wis reformed, they had got decimated at St Valery. So we went up tae Aberdeen and ah went intae the Gordon Highlanders. Ah wis jist told. Ah retained ma own army number. So ah wis wi' the Gordons till the war finished.[137]

We were sent out in '42 tae North Africa. We went right round the Cape o' Good Hope wi' the big convoy from Tail o' the Bank, called in at

Capetown, had three days there, then came up intae Suez. We landed in a place in the Sinai desert. Frae there we came through, well, we went past the pyramids, eight miles out in the desert, tae dae desert trainin'. Ah think it wis aboot a week later we went up tae Alexandria and went straight out tae take over frae the Australians. They were gettin' sent back home then, when the Japs were comin' down near Australia.[138] So we went through the North African Campaign then. We were at El Alamein. They were doin' the same there as they did wi' the Gordons at the battle o' Waterloo – goin' on the back o' the tanks. But instead o' goin' in like them at Waterloo they run intae a minefield, the tracks came off the tanks, and they had tae stop ! [139]

After North Africa we went intae Sicily, right through Sicily. We were one o' the first to land, at Cape Passero, right at the bottom o' Sicily. When we left Malta, God, ah thought, 'We'll never get there.' The boat wis comin' oot the water and whacking down again. However, it wis a' right. We didnae even get our feet wet when we landed. We jist walked on tae the rocks and that wis it. And there were nobody there. They were expecting us, ah think, on some other island. So we were lucky there. But we didnae go to Italy. We were up on the top o' the cliffs overlookin' the Straits o' Messina, then we were sent home tae go on tae the Second Front.[140]

Well, it wis the evenin' o' D-Day when we landed in Normandy – Arromanches we went in at. They were in aboot ten mile even by that time. They sent us along tae the other end, where the paratroopers had come doon. And we were away in front, ye know.[141] They had word the Germans were goin' tae attack and we were away out in a pocket, so they brought us back tae straighten the line, and the Germans did attack. Well, ten or eleven days ah wis in there and then ah got wounded. Ah wis lucky. This shell came over and got me on the knee there. It ta'en about three inches off but it wis jist the skin it came out. So that wis that. They sent iz back home. Ah wis in Britain the rest o' the war. We were one o' the first lot tae be demobbed, because we'd been called up first in the militia. We landed at Ayr finally, that wis a sort o' camp there that ye went tae for gettin' demobbed. It wid be the end o' 45, ah wis home by Christmas.

Ah didnae go straight back tae Esk Mill then. Ah had about a month off. Ah felt a bit restless and unsettled. When ah came back ah thought, 'We've lost our youth. So we're goin' tae have it now !' That wis the reason it wis about a month or more before ah went back tae work, ye know, tae make up for lost time – which ye never could do. The Jardines were still there at the mill but Mr Davers – he wisnae the managin' director, but he wis the manager then. And Mr Davers had seen ma brother John that worked on the machines and wis askin' when ah wis comin' back. So ah thought, 'Well, ah better make a start some time.' In the army ah wis in the signals and ah wondered whether tae go tae the post office telephones or somethin' like that, ye know. But ah never gave much thought tae workin' anywhere else than in the mill. They sent down word, 'There's a job on the machines for ye.' Ah thought, 'Ah will jist go and see.' Well, that wis me then until ah retired practically – well, until Esk Mill wis shut in 1968.

Ah felt the war had changed ma attitude tae workin', oh, a long way. Well, you felt that instead o' sayin', 'Yes, sir, no, sir', that ye could go and talk tae people and if they didnae like it, well, it wis jist too bad. Ye werenae goin' tae put up wi' any o' the old nonsense. Mind you, there had never been bullyin' or intimidation at Esk Mill, oh, never. That wis the best mill, Esk Mill. Ah'll tell ye what, in Esk Mill ye could approach management direct, on the floor ye could approach the management. They were good, very good. After the war, the director mostly wis Mr Edward McDougall Jardine. It used tae be the McDougalls that started the mill: Esk Mill went away back tae the cotton mill. But Edward Jardine, oh, ye could approach him, no problem. He wis the managin' director. There were his brother James Jardine, but he died durin' the war. James was the top one before then, he was managin' director before the war, then Edward took over as managin' director durin' the war. Edward wis approachable, he wis open tae questions and suggestions, ye could approach him on the mill floor, no problem. One thing they wouldnae do: they wouldnae come and dress you down in front o' the workers. They went tae the foreman, and the foreman would come and get on at you. But actually they were very good the management, definitely.[142]

So after the war ah wis on the machines, runnin' the paper-makin' machines. Well, ah wis first assistant first and then ah got on tae run it. Ah wis machineman. You were in charge o' the paper-makin' machines. That wis about as high as ye could go in the mill as a workin' man. Other than that it would have been a gaffer – foreman. Well, foreman wid have been a' right if the job had come along but it never did. So ah wis on the machines right up till the mill closed.

After the war the hours wis down to 40 a week. Ye still worked the three shifts. Your shift changed round each week. If somebody happened to be off ill you'd be in for a twelve hours' shift. After the war ah didnae go in for cyclin', no' so much ! Ah'd seen a bit o' the world by then. But ah still had the bike. And ah didnae find workin' shifts affected ma private life, no' really. You had your week-ends off. Ye were off most week-ends, unless of course ye had tae go oot on the night shift on a Sunday night. Saturday you finished twelve o'clock on your day shift. If it wis back shift you finished ten o'clock on Friday night, then ye had the long week-end. And then there werenae an awful lot o' your mates that were still single then. There were another one came home frae the war and he wis single and we jist sort o' pal-ed aboot thegither. Ah got married in 1951, ah think it was. Ma wife wisnae a mill worker, she worked in Patrick Thomson's store in Edinburgh and then she went intae the City Hospital tae work.

After the war Esk Mill was expandin'. The machinery, well, it wis old machinery, and it takes an awful lot o' money tae put in new papermakin' machines. Ah think they had aboot £3 million in the kitty. And if ah mind right they were undecided whether tae get another makin' machine or a new enamelin' machine. So they decided on gettin' this new enamelin' machine. They built a new place for it in what used tae be the gardens o' the foremen's houses. And that wis supposed tae take the whole web off the fourth machine that made the enamel paper. And they ran it through and it wis tae go through at quite a rate. The dryin' wis a lot quicker. Ye had no barrows or anythin' tae put it on tae the calender. It wis jist a tackle off the machine straight on tae the calender. And it wis all automatic as well. And then they knocked a hole in the wall and it wis jist right up through intae the cuttin' house. So it wis jist like that, tackles a' the way, and it wis in the cuttin' house. And in the cuttin' house wis the sortin' and everythin' parcelled and that. And that wis it out the door. So it wis a big improvement – if it had went a' right tae begin wi'.

But there were aboot three different companies. Ah think Simon Carver wis the name o' one o' them. It wis Simon made different parts o' it. The problem wis that things didnae go as they should ha' went exactly there. And they were jist gettin' intae it then but they had no money left tae spend. Nobody would give us any orders for the thing. The week the mill wis shut we got two 100 ton orders. That wis for these catalogues. We couldnae supply them because we hadnae the stuff. It wis tragic.

Well, ah don't say it wis a mistake tae invest a' that money in that new machine, because it wis a good machine. The thing wis if it had run. There wis a lot o' German people there doin' it, ye know. Ah think in these days the Germans were the leaders in coatin' machines. And if it had run exactly as it wis stated tae run immediately it wid ha' been a' right. But it wis goin' over week efter week and they werenae gettin' the produce off it, ye see. That wis it. There were too many problems. Well, that machine wis sold tae Sweden efter the mill closed.

But they had done, ah think, a stupid thing at Esk Mill. As far as ah believe, Mr Edward Jardine he wouldnae entertain takin' over Lasswade Mill. It wis shut. But when he went off the management o' Esk Mill – because o' age, ye know, he wis gettin' on – the new management took over Lasswade. And ah suppose we took over the debts and everythin'. That would be aboot 1966, '67. So they had problems wi' the new machine and debts from Lasswade Mill. Ah'm only surmisin' that's what happened. That's what ah heard goin' about it at the time. Ah wisnae at any management meetins, of course. But there wis rumours goin' round the mill.[143]

269

Apart frae that we had some people came over frae Sweden and they laughed at us – what we were doin' and what it wis costin' us tae make paper. It wis high class paper we were makin' – other than the SO. We made a lot o' Stationery Office paper, and that wis lower grade paper. They jist used tae put it on tae the typewriters tae send bills oot, ye know. But they had an SO stamp on it. Well, the Swedes were sellin' us pulp tae make the paper. But they could make paper cheaper than what they were sellin' us the stuff tae make it with ! Ah think there were about twenty machines shut that year by closure o' paper mills all over Scotland. But that wis what ah heard that the pulp that we were gettin' from Sweden, they could make paper out their own pulp cheaper than we could buy the pulp from them tae make paper. So ye couldnae compete wi' it.

Quite possibly Esk Mill and other mills in Britain couldnae or didnae bring themselves up tae date in time tae compete wi' the Swedes and others, 'cause there wis old machines. And the problem wis these machines cost a tremendous amount o' money. And it wisnae big machines we had, ye know. Esk Mill had four machines but compared wi' some o' the bigger mills in England it wisnae a big mill.

Valleyfield they bought a new paper mill up at Pomathorn but actually their machines wis older than what ours wis. The kinds o' paper Esk Mill and Valleyfield made wis jist much the same – jist different customers. The main customers at Esk Mill wis Nelson the publisher, they were shareholders in Esk Mill. Arnold the publisher, they did a lot o' school books.[144] So Esk Mill wis producin' a lot o' high class paper for publishers, and a lot o' the coated paper, ye know, for different things. Valleyfield were makin' good quality paper as well. But the two mills werenae competin' wi' each other – they had different customers. Valleyfield had Kalamazoo, that wis a big one. Valleyfield had big warehouses in other countries, but wi' Esk Mill no' so much other countries, it wis mainly down in England. They had a big place down in London – offices for overseas trade. We used tae send a lot tae different places like India and that. And they were comin' intae paper-makin' an' a'. They were buildin' up after the war.

Before the war ah mind they went out frae Esk Mill tae Trinidad and it wis tae see if they could make pulp out o' the sugar cane, instead o' burnin' it. And they came back but they had a terrible job bleachin' it tae make it white. They could make paper with it, right enough, but tae make it white – that wis a problem. And then durin' the war they made paper frae straw. But it yellows quickly. And the other stuff we made – but ye couldnae get the quantity – was wi' esparto grass. That made a good quality paper. It wis a soft bristle, whereas wood had a hard bristle. It wis mainly the south o' Spain and North Africa, ah think, we got it from. Well, ye had an amount o' wood frae Canada, Sweden and Norway, what have ye. So the pulp frae there that's what it came tae, instead o' esparto grass.

As ah've said Esk Mill wis the best mill at Penicuik. We were 5d. an hour above Valleyfield on the machine. But where in Esk Mill we had two big machines thegither theirs wis spread around. And instead o' havin' six men on the machine Esk Mill had only five. But ye got more wages. The work between them wis shared: the machinemen and the assistants on each machine could help each other. And then you had the middle assistant who wis gettin' a bigger wage that could take the broke away up tae the potcher house. So we were actually better paid than the Valleyfield machinemen, definitely.

After the war, wi' the union there wis only one thing. This Andrew Simson, his father wis a shareholder, came in and took over Esk Mill frae the Jardines. They were goin' tae reduce our wages to the same wage as the Valleyfield workers got. And a lot o' the workers were goin' tae go on strike. We walked out that day. We said, 'We're no' havin' that,' and walked out ! So anyway that wis stopped. We a' said tae Andrew Simson, 'Well, you're the managin' director. There ye are. Ye can dae what ye want wi' it.' And he gave in. That wis jist afore Esk Mill shut. But otherwise, after the war there wisnae much change wi' the union. We didnae have any quibbles about the management. And apart from that one day there was never a strike at Esk Mill. Oh, it wis a good mill tae work in.

It wis a blow when we learned the mill wis closin'. I mean, there had been the rumours about such things happenin' all over the country at the time. They put it to us. They said that they jist couldnae keep goin' – like we knew quite a few weeks beforehand. Well, ah worked in Esk Mill frae 1933 till it closed in 1968. Actually ah shut down the last piece o' paper off the makin' machine. That wis it.

Ah went then tae Valleyfield. Ah got a job there right away. Ye had tae go and see them. So ah went up there. 'Aye,' he says, 'ye can start on Monday.' So at Valleyfield ah wis assistin' the machines. Well, ah mean, ye couldnae put the people that were on the machines off tae let me in. They couldnae do that. That wis obvious. Valleyfield wis a different mill a'thegither frae Esk Mill. Oh, as far as the management wis concerned ye couldnae approach them. Ye had tae go tae the foremen. Even the attitude o' the foremen in it weren't the same, ye know. They were less friendly and approachable. But the one that wis the chief foreman at Valleyfield, Bob Dempster he wis some man. He wis a good foreman. He wis the paper maker. He told the management what he thought. Bob Dempster wis a man ye could go and talk tae. Ye ken, he would talk tae you the same. So ah got on a' right there then. But ye could see that the same thing wis goin' tae happen at Valleyfield as at Esk Mill. Ah wis there about a couple o' year and ah thought, 'This place is goin' the same way as Esk Mill.' So ah said, 'Ah'm gettin' out o' this.'

Ah did think o' goin' tae Dalmore Mill. But that wis before they went on tae four shifts. That wis seven days straight off. Ye never knew when it wis goin' tae be, ye know. It could ha' been the week-end, it could ha' been any day through the week. 'No, no,' ah thought, 'ah dinnae fancy that.' Anyway he ta'en ma name. And some that had been at Dalmore said, 'Oh, we're no' workin' there.' So ah said, 'Ok.' So Dalmore never sent for me. Ah said, 'Right. Ah'll go doon and see what they're sayin'.' 'Oh,' he says, 'ah forgot about ye.' Ah said, 'Fair enough.' So ah forgot all about Dalmore.

So Thyne's started tae build the extra place in Penicuik. That wis in the plastics. So ah said tae ma wife, 'When that buildin's up, ah'm goin' along there tae see about a job.' So ah did. It wis a' night shift though. And ah thought, 'Well, fair enough. It's a job and it's only a couple o' minutes round the road.' So ah started at Thyne's. It wis makin' different things – plastics. Ah quite enjoyed it along at Thyne's. But Wullie Thyne left Penicuik and he went away tae Livingston and opened a factory there.[145] Marden Packagin' took over. And they used to pay low wages. Twelve or thirteen steps ye had tae go up tae the top wage then. We thought this wis nae guid. They hadnae any union. We got a union in, but it had tae be a union o' the management's choice, no' the yin we wanted. It wis a packagin' union, ah cannae mind the name o' it – National Union of Boxmakers, somethin' like that.

We were on the machines. They were big machines makin' the big plaques and everythin'. And then there were a job came up where you went in sortin' the machines, puttin' the moulds in – mould change ower, as they called it. So ah got a job on that. But eventually ye had tae look after the boilers. They were a' automatic but ye had tae watch it, ye know. When a mould change came on ye had tae go and see that the mould wis the exact mould that they wanted and a' this sort o' thing. And it wis quite interestin'. And then they closed in 1981 when ah had a year tae go till ah retired. So we were off and ye couldnae get a job in these days at that age. But when ah came 65 and got a pension ah got a job in Hamilton Tait's, photographers, in Penicuik. Well, ah wis wi' Hamilton Tait a long time but ah wis only workin' part time. And ah had another wee part time job at The Bush estate, where they had the hill farm. That wis interestin', too.[146] So ah've had a varied career ! Ah wisnae stuck at one thing. If they wanted me to do it, fair enough, I'll have a go.

Well, lookin' back, ah wis in Esk Mill frae 1933 till it closed in 1968, other than durin' the war, when ah wis away six years, then aboot two years in Valleyfield, and twelve at Thyne's. Ah think the job ah enjoyed most, well, eventually wis in Thyne's. Ah got a lot o' satisfaction there, ye ken, on the mould changin'. Ye were more on the engineerin' side. Ye werenae an engineer. But ye had tae do it and it wis quite good. Of course, if anythin' really went wrong ye had tae go tae the engineers and get them tae sort it. But as far as puttin' moulds in ye had tae make sure that these guns were really in, that they widnae come out, and that sort o' thing. And it wis quite interestin' and ah really enjoyed that work.

But ah would have remained at Esk Mill. Ah wisnae becomin' bored or restless there. Ah wid ha' been happy tae remain there till ah retired. But it didnae work out

And o' the three paper mills only the wee-est one is left – Dalmore.

The Old Manse at Eskbridge, Penicuik, where William Robertson was born and grew up, and which was among the tied housing owned by Esk Mills.

Courtesy of Midlothian Libraries Local Studies.

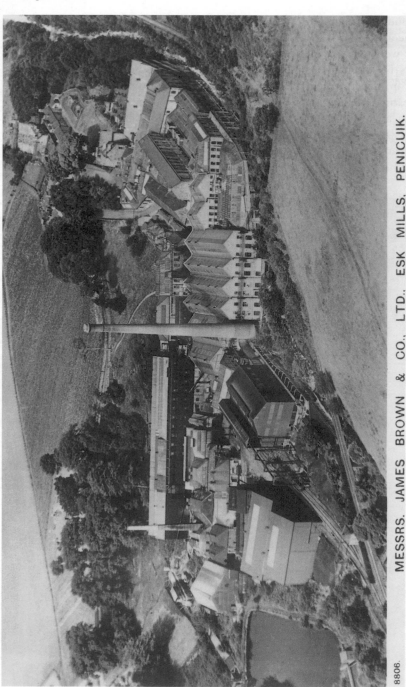

8806.

MESSRS. JAMES BROWN & CO., LTD., ESK MILLS, PENICUIK.

Esk Mills, c. 1950. The North Esk river is at top right, with the railway to the right of it. Kirkhill, where many Esk Mills workers lived in tied houses, lies out of sight on the left, near the top of the photograph, the road to it barely visible behind the trees. Copyright Aero Pictorial Ltd, No. 8806. Courtesy of Mr John Y. Frew.

Frances Parker

When ah left the school ma father wanted tae send me to Skerry's College in Edinburgh to learn shorthand and typin'. Oh, ah wouldnae go. Ah wis kind o' timid and frightened. Ah said, 'Oh, no, ah'm no' goin' away tae Edinburgh.' Ah wouldnae go ! Ah wis goin' tae the mill wi' everybody else, ye see. That wis silly really. So ah jist went right intae the mill. Ah started at Valleyfield in 1933.[147]

Ah wis born up in Imrie Place in Penicuik in 1919, 23rd of March. Ma father, he wis English and, well, he wis a regular soldier. He was in the army from bein' a boy. He'd been in the Royal Scots all through the First World War. He would jist be out the army when ah wis born. Ah didnae know any o' ma father's people – ma grandparents on his side, ah never saw ma grandfather or grandmother. Ah know ma grandfather got the Freedom of Norwich city. But ah don't know what he did. Ah knew aunts, ma father's sisters, who used tae come up tae Penicuik, but ah didn't know ma grandparents. Then after ma father came out the army he did school attendance officer. We couldnae skip the school at all: he wis always ready !

Ma mother wis Penicuik. She worked in a baker's shop in Penicuik and she sold sweets and everything. She stopped workin' when she got married and she travelled, ken, tae India and abroad wi' ma father when he wis in the army. Ma sister Clover wis born in India and ma two brothers and ma other sister Elizabeth they went out tae India with ma mother. Ma mother died quite young.

Ma granny, ma mother's mother, wis a Penicuik woman. She worked wi' the Cowans, she wis in service – domestic servant – tae the Cowans o' the paper mill until she got married. Her husband wis killed in the Mauricewood pit disaster. He must ha' been quite young when he wis killed. Then ma granny married again – Lindsay. She wis everybody's granny in Penicuik ! Ma granny did a lot o' the cookin' in the brosie at Valleyfield mill after she left the Cowans. There wis jist the one cook in the Valleyfield brosie, and she wis the one. That wis before ah started in the mill. Ma granny lived till

275

she wis 89 and died about 1942. Ma mother died before her, and ma boy wis jist a baby when ma granny died.

Ah had two brothers and three sisters. Ah wis the youngest o' the family. Andrew wis the eldest and then Harry, that wis named after ma father, then Elizabeth, Clover, Doris, then me. Andrew died quite young, too. He had – not multiple sclerosis, they called it disseminated sclerosis. He'd been an invalid since he wis 21 and he died when he wis jist 34. Elizabeth wis a nurse. Clover worked in the rag department in Valleyfield . She had tae get specially inoculated and everything, 'cause they lifted up the rags and that, ye know. There wis a danger o' disease there. Ah don't know what it would be, what it would be against, but they had tae get special in the rags. Ah mean, one day a woman picked up a mouse ! But, ye see, they had all the dirty rags. Then ma other sister Doris she wis in a baker's, but she came tae the mill at Valleyfield later on.

We lived in Imrie Place till ah wis married when ah wis 21. Well, the house had only a kitchen and what they cried the parlour – a sittin' room we would call it now -and one bedroom at the back. In the kitchen there wis two box beds fixed intae the [wall], ye know. Well, ma brother Andrew, that's him that wisnae well, had tae get the bedroom most o' the time. My sister and I were in this bed in the kitchen, ma mother and father in the other bed there. Ma other brother Harry wis stayin' wi' ma granny, ye see. We took turn each o' that. And then ma other sister Elizabeth wis away at nursing. Ma brother Harry wis married before me and he wis away then from Imrie Place. Ma sisters got married after me. By that time ma mother had got a new house along John Street. She got it because by that time ma father was a kind o' invalid, too, and he couldn't get out. So she got him that house in John Street, a ground floor house.

Imrie Place wis ground floor, too. But the garden wis away round the back and up. It wis gas lighting in Imrie Place – but the lobby wis so dark we had tae put a paraffin lamp in it. But where the shopping centre is now in Penicuik wis jist a park called Hay's Park. When the fairground shows came tae Penicuik they were in Hay's Park and it lit up our house. It saved us fillin' the lamp. We never had tae put a lamp in the lobby then ! We were quite pleased, 'cause we a' took a turn o' puttin' the lamp in the lobby, ye know. And at Imrie Place ma mother had a gas cooker right enough. Some things she would cook on the open fire, the range, but it wis a gas cooker she had. We got the job on a Friday tae blacklead the range. Ma sister took ages tae clean it ! And ma brother Andrew that wis the invalid wis sittin' in the chair, of course, he had tae get a push back, and he used tae say tae ma sister, 'Och, you're only wantin' a heat.' And then we wis fightin' who was goin' tae toast the bread, because ye toasted it on a big fork. It wis good, it wis really good toast – unless ye were in a hurry and ye burned it against the ribs o' the grate.

The Imrie Place house had running water from the tap in the kitchen. It wis an outside toilet, a flush toilet, but it wis right round the back. The toilet wis for four tenants. Ah remember ma father wis a wee bit proud, and he used tae send you round first tae the toilet tae see if there wis nobody in ! He didnae like tae go round and .... it wis beneath his dignity ! And then when you went at night tae the toilet – he wis wise when ah think o't – he wouldnae give us a torch 'cause that wis money for a battery. He would give ye a candle. Ye jist got round the corner and the wind – wwwwhhhhh – blew the candle out. He'd method in his madness ! On cold wintry nights – oh!

Ma grandmother got a sort o' new house before ma mother did. So that wis a great do. We a' run down tae ma granny's new house in Bank Street tae get a bath ! Everybody wis goin' tae granny's for a bath ! There wis no bath in the Imrie Place house. You jist had a bath in front o' the fire in a big tin or zinc tub. Bath night wis once a week or so, ah cannae remember what night it wis.

Wi' the washin' ma mother used tae go away round tae the washhouse round the back early in the mornin' and light the boiler fire. Then she would come back and get our breakfast. We'd go off tae school. And then she would go out again and boil the clothes for washin' and put in this blue. She had a big rubber apron on. When ah think of her now – what a carry-on they had, when you think o' it. The washin' wis a big operation. She had a tub and a mangle. She used tae wash the clothes wi' the washin' board, put them in the boiler, bring them out, put them in a dolly blue – what a carry on ! The dolly blue wis a blue dye ye used tae put them in. It whitened the clothes. And then ye used tae put them through the mangle – the wringer first, then the mangle. The mangle wis good, though, it ironed the clothes. The difference between the wringer and the mangle wis the mangle wis big. Ye put them through the mangle after they were dried and it pressed them very good.

The dryin' green wis at the back. Ma mother had a special day there, too – the same day as the washin' day. Ye hung it the same day. We didnae have a pulley in the house for dryin' clothes. Ma mother had a big clothes horse. She used tae put them on that in front o' the fire. It wis the same when it came the summer. When they did the blankets she had tae have a' your beds – all the beds went outside, all the mattresses were put out on chairs and all the blankets were washed and hung out in the garden. When you think of it, what a lot o' work they had compared with now. Nowadays they'll get sore fingers but they'll never get sore knees.

The washhouse round the back wis shared by the four tenants – takin' a turn each. Ma mother had a particular day, maybe a Monday or a Tuesday. Oh, she'd be a long time wi' the washin', because we used tae come home from the school at dinner time and we used tae grumble. When ah think o' it now. We'd the dishes tae dry, because she wis busy, and we used tae grumble ! Later on when we were workin' ma mother still had tae dae the washin'. But we all helped wi' the ironin' at night time.

She had these irons you put on the fire and spit on. But somebody gave her a gas iron. Oh, ah don't know how she could do it. Ah remember seein' that flame – and the smell that came off it ! We were always sayin', 'How can ye iron wi' that ?' It wis an awfy smell off it. Ah don't think she kept it very long.

*   *   *

Ah went tae the English School in Penicuik – the Episcopal School up the lane next tae the church. Ma father wis a member o' the Church o' England, so it wis the Episcopal Church we were. It wis a small school. Ye called it the Tin Tabernacle – it wis made wi' corrugated iron ! It wis jist a wee place, because there wis one stove in the middle and that wis tae heat everybody. That was what we called the middle room – but there wis rooms off it, maybe about three rooms. There wis a class in each room. There wouldnae be very many pupils, ah think maybe less than 100. You shared classes wi' older pupils. Ah've got a feeling Miss Duncan wis the headteacher, and ah always remember Miss Bell. Ah think there'd be about three teachers.

Ah enjoyed the school, och, it wis a' right. Ah wisnae that brainy. Ah didnae feel ah wis a scholar. Ah liked when we first got Nature, and that wis a long time after. Ah liked gettin' outside in the fresh air and seein' things. But, mind, ah used tae like history. Ah liked cooking. Ah didnae like maths !

And then we moved from that school. They built a new school in the Bog Road, past the police station. Well, that wis the new Episcopal School they built for us. Now it's an electronics firm or something has it.[148] Ah'd only be about nine or ten, ah think, when ah went tae the new school. The Tin Tabernacle school closed and we all went there. That new one wisnae very big, but big by what we were used to. And then ah think when they built the other one, the new High School, they eventually all jist went tae it. It jist got built before the Second War. Ah never went to Penicuik High School. But ah sat the Qualifyin' exam at the English School and ah passed, but that's a' ! Well, ah don't know if ah could have gone to Lasswade High School or not, 'cause ye had tae have a big high score for tae go tae Lasswade. Lasswade wis well thought of then. But ah carried on at the school till ah wis fourteen, and ah jist left when ah wis fourteen.

Ma interests when ah wis a girl were, well, we were in the Brownies first then ah went tae the Girls' Friendly, a sort o' church organisation. It wis very good. It wis like the Guides, the Guildry, something like that. It wis jist called the Girls' Friendly. I remember I got picked tae go down tae London for the coronation o' George VI in 1937. Ah'd be comin' up for 18. That wis the first time ah'd been away from Penicuik, 'cause ah said when ah won, 'Oh, ah'll no' go. Ma mother'll no' let me go' – 'cause goin' away down to London, ye know. But it wis a nice experience.

Ah didnae have a bike. We went tae Keep Fit, we had a lot tae do wi' the Keep Fit. The Keep Fit wis a chap and his sister that came and that started it. She wis the first Hunter's Lass in Penicuik.[149] We had a lot to do wi' them, we used tae go different places wi' them, to give displays o' the Keep Fit. Ah quite liked that, and ah wis quite interested in athletics. We used tae take part in all the sports. At the school we used tae go tae Loanhead for the sports. It wis an annual sort o' gala. All the schools had different teams and we had tae compete. Then later on, when ah wis older, ah went tae the dancin' in the Cowan Institute. We went tae the Institute on a Saturday, every Saturday. That wis long after ah left school, Even when ah left school first ah wisnae allowed tae go tae the dancin'. There wis a balcony in the Cowan Institute and we used tae go up there and watch the dancin'. Ye were allowed that. Ma sisters used tae be down in the dancin', but ma pal and I didnae get tae go down and we had tae go away home early, 'cause we were younger. We had tae be in at 11 o'clock anyway. We werenae late. But ma mother and father knew when the dancin' came out, and Imrie Place wisnae far from the Cowan Institute. Ah wis maybe aboot seventeen or eighteen, and had been workin' for aboot four years, when ah wis allowed tae go tae the dancin'. And if we had anything on in the church hall, which wis in Croft Street, we used tae run whist drives and that. We used tae get a dance there.

That wis the main thing for young people in Penicuik at that time – dancin'. There wis pictures, right enough. Ah went to the pictures once a week maybe – it would be a Saturday night. If ye were going ye could go to the first house o' the pictures. Ye could come out the first house o' the pictures and ye could go tae the dancin' then. It wis only 2d. and 4d. then, ah think, tae get in tae the pictures. But we couldnae afford tae go tae the two – pictures and dancin'. We had the one or the other. You must mind ah only got a shillin' for ma pocket money up to ah wis married when ah wis 21. It wis only 2d. to get intae the balcony at the dancin', of course. And it wisnae dear tae go downstairs tae the dancin'. A shillin' went pretty far !

When ah wis young, well, ma father did get summer holidays but, oh, well, we went – granny and everything – we all went to Portobello and that wis aboot our dead strength. Ma mother couldnae afford tae send us away on holidays. We could have been down south but we jist couldnae afford it. As ah say, there wis always someone used tae stay with ma grandmother. Ma brother Harry stayed first. Then when he got married ma sister took a turn. We a' took turns, then it wisnae sae much for ma mother.

Well, when ah left school ma father wanted tae send me to Skerry's College in Edinburgh to learn shorthand and typin'. Oh, ah wouldnae go.

Ah wis kind o' timid and frightened. Ah said, 'Oh, no, ah'm no' goin' away tae Edinburgh.' Ah wouldnae go ! Ah wis goin' tae the mill wi' everybody else, ye see. That wis silly really.

Tae go tae Edinburgh seemed quite a distance in those days. Ye didnae go in tae Edinburgh very often. We went to the pictures in Penicuik. Ah wis hardly ever in Edinburgh – unless your mother wis takin' you in for anythin', ye know. But ah didnae go myself or wi' ma friends. Maybe we were jist frightened tae venture that far. Ah remember ah went once with ma sister tae a chip shop across the road from the dancehall in Penicuik, and the man that had the chip shop his wife took ill one night and ma sister says, 'Oh, ah'll do.' She just gets the pinny on and helps. From then on she sometimes worked there, and we a' took a turn o' workin'. Well, the chip shop folk had a wee boy and ah remember ah ventured in tae Edinburgh and took that wee boy intae Woolworth's with me. And that wis a big step !

So maybe ah would have liked tae have had a commercial course but ah wouldnae have went away tae Edinburgh for it. Ah jist thought ah'd go follow the rest o' ma friends. Ah wanted tae be the same as them. It wis silly, when ah look at it now and see the education that they get now. But ah didnae really want to become a shorthand typist then anyway. So ah jist went right intae the mill.

Ye jist went down yourself tae the mill and ye jist put your name in. Ma sister worked in the mill then but ah don't know if she spoke for me. But everybody knew one another then and they a' sort o' spoke for one another. Ye went down to the pidge – a check-out place at the mill where ye checked your name in, and ye jist asked there to have your name put down. So ah started at Valleyfield more or less as soon as ah left school in 1933.

When ah began first ah wis in what they called the SO department, where the paper wis cut into parcels. And we rolled the parcels up. Where the guillotine used tae cut it intae squares we had tae parcel them up and send them off. Ye jist had tae wrap the papers, ye sealed them wi' sealin' wax. Some ye got tied wi' string and some wis wi' brown sticky paper. When ah saw this SO, and when ah think aboot it now ah don't know why, but we says, 'We're in the SOs.' That's what they always said. The paper went all different departments.

They had different kinds o' paper, ye know. We had bank paper – it wis a thin, thin tissue paper. And then we had paper for the Prudential Assurance. Ye hadnae tae cut any names off, ye know. If that name wis cut off the end it got put in tae the side. It wis quite an interestin' job in the SO department. Ah worked there two years anyway. Then ah went up to what we called the overhauling.

When you went upstairs to the overhauling you were on your own, making your own wage. You were on piece work, whereas in the SOs down below you were on hourly rates. Ah don't know if girls would go straight to overhauling from when they went in tae the mill, ah don't know if they did or no'. It wis maybe a job that needed a bit o' experience in the mill first. It wis heavy lifting, though. Ye had a lot o' heavy lifting. Ah mean, they brought in the big barrows full o' paper and you had tae lift as much as ye could, and sometimes it wis really heavy, back-breakin'. It wis heavy goin'. Well, we found it heavy, we all did, because ah remember ma mother's doctor tellin' us. And our doctor that we had wis the mill doctor, Dr Badger. Him and his son were both doctors. Ah don't know if he wis employed by the mill or jist that the girls went there. He knew when any o' the girls went tae him, he knew who worked in the mill. It wis heavy on your back and that, ye know. Some o' the girls suffered from sore backs, some o' them did. Well, they say that the muscles were harder, ye know. Ah heard people say the girls when they got married had difficulty in child bearing, oh, aye, they said it, because they were very heavy weights o' paper. Ah never suffered from a sore back myself. Ah wis perfectly fit myself, but ah found the work wis heavy – not in the SO, that wis quite a' right.[150]

The hours o' workin when ah began at Valleyfield in 1933, ah think it wis quarter tae eight in the morning. And then quarter tae one you got your dinner, and you'd go home and back down by quarter tae two. There wis a bell rung at half one and then you were tae be in by quarter tae two. It wis five o'clock you finished. We got a break in the mornin', ten minutes or so – a cup o' tea and a biscuit. We didnae have a break in the afternoon, jist in the mornins.

There wis a canteen in the mill. Ye used tae go up and get a biscuit for your cup o' tea, ye know. Most o' people took a flask, because it would be too dear for tae get it in the canteen – a biscuit would be bad enough. You didnae have tae take your tea and biscuit at your place o' work, there wis a canteen. That's not what they called it, because we always wondered about this word brosie. My granny used tae work in the brosie and she called it the brosie. As ah said, ma granny did a lot o' the cookin' in the brosie at the mill after she left the Cowans.

Ah never worked shifts. Ah know a lady that worked shifts – durin' the war she worked shifts. She took a man's job durin' the war and worked shifts. But women didnae work shifts in peacetime, it wis jist the men: six tae two, then two tae ten, then night shift. We worked overtime once when ah wis in the overhaulin', after ah went upstairs. And the mill got intae trouble. We were too young for tae work overtime and we shouldnae been allowed tae work so many hours. There must ha' been a regulation. Ah don't know what age ye had tae be tae work overtime – maybe 16 it would be. Ma sister got tae work overtime 'cause she wis older than me, ye see.

For ma wages ah got 13s.1d. when ah began when ah wis 14. That sticks in ma mind. That's what ah got for a week. I don't know why we got the penny. It would maybe be after insurance wis taken off. That'd be what ye took home – 13s.1d. Ah handed ma wages over tae ma mother. It wis in a wee packet. And we got about a shillin' back for pocket money. What we had tae do wi' that shillin' ! But ma parents would be a wee bit better off by the time ah started workin' in the mill, 'cause ah wis the youngest o' the family. Well, ma sister Elizabeth that wis a nurse she wis away in the town nursing. She didnae live at home. But ma parents were better then, oh, aye, it made a difference then.

Ah worked about four or five years in the overhaulin'. You made your own wage there. If you made £2-odd a week it wis a big wage. Some o' them worked like anything and maybe made more. But it all depends how hard you had worked, or what your luck wis with the bundle o' paper you got up. Ah mean, they made them into reams o' 500 sheets. And then the girls came and counted them, ye see. And then you got so much – maybe 2½d. or somethin' for a ream. It all depends what kind o' paper it wis. Cowan's had a nice paper.

There wis two different departments for the overhaulin'. There wis what ye called the Enamel Department. That wis like for gloss paper. And then there wis the other department for ordinary paper. And then there wis the SOs. It's hard tae tell ye how many girls and men worked in the SOs. There would be aboot six or eight anyway at the one table. There wis jist the one table. There were only aboot six or eight at a time in the SOs that ah can remember anyway. There wis a lot in the overhaulin'. There'd be maybe about 20, 30. It's hard tae tell, ah cannae remember.

It wis quite an interestin' job, when ye think of it now, and if ye went right through the mill it wis interestin' tae see it all. Ah went through the mill from time tae time. If you went messages or anything you went through tae where the paper wis made. It wis interestin'. Ah mean, ye jist kept your ears and eyes open. But there wis no trainin' about the rest o' the mill. Ye were never taken round the mill and things explained tae ye. There wis nothing like that. Unless ye went down yersel' and had a look ye would never have known how the paper wis produced or anything. They were quite content there.

In the SOs and the overhaulin' we all got on well thegither. They were mainly women. There wis men worked on the guillotine, cuttin' the paper. And there wis the boss, George Louden. Mr Louden wis the boss, the foreman. He wisnae very well liked. Well, he came right through the SOs, too, and the overhaulin'. And he used tae wear big rubber soles. We never heard him comin' ! Ye had tae be careful what ye were up tae ! Oh, he wis strict. He wis always shoutin', 'Ye'll get up the road. Ye'll go up the road.' And he wisnae really an educated man, and he would say, 'Ye'll get a' put up the road.' If we did anything wrong we were a' goin' up the road ! Ah cannae remember what sort o' things we'd be doin' that were wrong. Well, ah remember we did one thing. It's not nice tae say, but we were jist young girls, ye ken. We were writin' doon the names o' a' the fellows in the mill and a' the girls' names beside them. And 'Who would ye like tae go out wi' ?', and a' this, ye see. We were all busy doin' this. And a hand came in at the back o' us – and picked the paper up and took it. And it wis him, Mr Louden. And we were killin' wirsel' laughin'. Ah bet he had a good laugh at it, tae. We were goin' tae get suspended – but we didnae !

Ah dinnae remember anybody bein' suspended, no' beside me anyway. Ah didnae remember anybody being sacked – except in later years there wis somebody sacked for stealin' something. But that wis after ah left the mill, it wisnae when ah wis there. Mr Louden might threaten but he never did anythin' and nobody wis ever sacked. Mr Louden wis jist a harmless old man, when ah think o' him now. But then we were petrified for him ! When we did blottin' paper, for instance, we a' took a bit home. Well, ma father went daft ! 'I'd no right tae take it, that wis stealin'.' And he made me take it back. Nowadays they would jist thrown it over a wall. But ah took it a' the road back.

And we always got writin' paper yearly, we always got it. Ma mother wis well off, 'cause there wis three of us in the mill ! Ye never needed tae buy writin' paper. That wis your Christmas bonus ! Oh, ye got a good lot o' paper, a couple o' hundred sheets maybe. And then ye got shelf paper, white paper for to put on your shelves, instead o' a' the fancy stuff. If ye wanted shelf paper ye could buy it. But it wis cheaper, ye got tae buy it cheaper. That would be the broke, the old stuff, ye see. We had what ye called retree and broke. Well, ah don't know if it was called retree or retreat. They called it that anyway. That wis wi' maybe a wee spot in it. But broke was if it wis torn or there wis bits rotten. That wis the bits. Retree wis less damaged paper than the broke.

And then at Christmas, oh, they gave us a big social, a dance. Every year we had this big concert in the afternoon in the Town Hall, and the dance at night – all from Cowan's. They paid for everything, ye didnae have tae buy a ticket. That's what ah'm sayin', they were good that way, aye, they were good. It wis a big do that. Most o' the workers went.

There wis a manager under Cowans. Like the Cowans didnae appear very often at the mill. In these days there wis Sandy Cowan, we called him Alex Cowan. He wis the eldest one. And then there wis Ronnie Cowan. That used tae be Ronnie Cowan's house round there at the Navaar House Hotel. Ah go there now for Country and Western with ma daughter, that's what keeps me goin'. And Alex Cowan, he lived down at the Pend, in the mill house, a big house. But the Cowans were a' right. We didnae have

283

much dealins wi' them. Well, they were very good tae ma grandmother, ye know, she worked with them. And, well, after she wis ill – ah would be maybe jist 15 – they would send along a rabbit and different things wi' the chauffeur for her, ye know. Ah got left wi' the rabbit, tae clean it !

Some o' the managers came round the mill, some o' them did. There wis a man Taylor, he lived away up in the country there. He wis jist there at Valleyfield before ah left, that Taylor. It wis jist before the war that he came. But before that there wis – ah wis tryin' tae think o' the one before him. But they didn't come round to keep an eye on us very often. That wis up tae Louden, the foreman. He kept you on your toes. He wis a' right.

It wis quite a happy atmosphere at the mill. People werenae worried about their jobs or about the management. It wis jist that man Louden that used tae worry us ! And then when the bell rang, oh, you were out like a shot when the bell went. We really knocked one another over tae get out ! By the time it came five o'clock . . . ! We didnae know anything else. It wis quite tiring work. Ye had tae concentrate at the overhaulin'. Ah think it affected a lot o' people's eyesight. Ah wisnae bothered but it did a lot o' them. Maybe ah didnae work long enough there to affect ma eyesight.

Ah think there wis one or two got their fingers hurt in the mill. But we didnae put anything down tae that. We didnae worry aboot it. But, oh, we got a lot o' cuts on our fingers. That wis common. When ye were bringing the paper ye had a rubber on your finger and you brought the paper and it used tae cut a' the palms o' your hands, ye were all cuts in there. A lot o' people got dermatitis off the paper. Ah never suffered from that but ah did have a lot o' cuts. It wis sore in the winter. They were wee, wee fine cuts, ye know. People don't realise that paper cuts you. We didnae have gloves or protective clothin'. As ah say, we had tae use a rubber on wir finger tae draw the paper over. We jist called it a rubber – it wis a thing like a finger stool. But it didnae prevent you from gettin' cut fingers. Well, ye see, where the paper hit – as you were bringin' it in you kept it in your hand and that would come in and ye got cut at the base of your thumb and the palm of your hand, rather than the fingers. Oh, it wis sore but ah wisnae ever off work wi' cut fingers. A lot o' them went tae the doctor wi' the dermatitis, right enough.

Accidents at work, well, ah still can mind o' one girl. It wis the machine – she wisnae supposed tae do it, well, we did. We had tae sweep the floor and round about it. This wis where the paper come down and got cut. There wis a man in charge – Davie Ronaldson wis his name, he worked in the cutters where the paper came and it wis rolled into big reams and put away – and he took the guard back and this girl went in and swept. And the machine wheeched her in, took a' her clothes off her. The belt jist drew her in. What a fright she got ! And the rest o' us, tae, that were there ! But she wisnae badly damaged. Oh, we had a rare laugh about it after, because she wisnae hurt. She could ha' been badly hurt. If he hadnae been there on the spot she would have been. We had tae switch a' the machine off. But, ye see, she shouldnae have went in, she shouldnae have went in behind the guard. And from then on that man did it hisself. He did it a lot. But ah don't remember anybody else havin' an accident in the mill.

Ah never joined a trade union at the mill. Ah think latterly before ah left they were talkin' about it, but ah never joined a trade union. When the girls got into trouble for workin' late, ah think then they spoke about joinin' a union, ye see. But ah wis never approached tae join a union. Ah wouldnae really be interested in it. Ah don't know if ma sister Clover wis ever in it.

Ah cannae remember a strike in the mill – not when ah wis in it. Ah don't know if they had any after ah left; ah don't think so.

As ah say, ma father wis Church o' England. We went tae church, the Episcopal Church. Ah wis christened up in that church in Penicuik. Ah wis confirmed wi' the Episcopal Church, and ah wis married up in that church. We used tae go tae the Bible class and everything when we were young. But in the mill ah don't remember anybody ever sayin', 'If you're an Episcopalian ye'll no' get promoted here', never. Ah never heard anybody say promotion in the mill went tae freemasons. Ah heard that in latter years but ah never heard it when ah wis young. Ma father wisnae a mason and ah know fine there wis a lot o' men got jobs that he should have got. And they said that because he wisnae a mason he didnae get it. But that wisnae in the mill, that wis outside the mill. He didnae have the handshake, he didnae have the handshake. Maybe in the mill they did say about masons gettin' on well, maybe they did when ah think of it. But ah didnae put anything down tae it then. That wouldnae interest me likely at the time.

Ah remember the war startin' in 1939. Because ah mind the first sirens we had tae go and we went across tae an air raid shelter. They had an air raid shelter for us. They kept the machinery goin', but we had all tae go out tae the shelter.

Ah worked seven years at Valleyfield. Ah got married when ah wis 21 in 1940. Ah stopped workin' then in the mill. Ye see, ah went away tae live in Edinburgh. Ma husband didnae work in the mill, he wis an electrician in Edinburgh. We met at the dancin'. He had a caravan, camping out there, and he came in for the dance to the Cowan Institute.

But young people in these days all walked from Penicuik right along tae about Milton Bridge, ye know. They all walked along tae see how they could meet somebody. People would come frae Loanhead this way and you would go that way. When ma mother moved house from Imrie Place ma father, as ah said, wis a sort o' invalid, and he sat at the window and he called it the monkeys' parade. He said, 'Here's the monkeys.' It wis mostly a Sunday night, and he would say, 'Here's the monkeys' parade.' You went with your friends, two or three of you, ye wouldnae go yourself. Ye walked right along tae Milton Bridge and then walked back, and then they would go back a second time. A parade, that's what they called it ! We used tae jist stand and chat and maybe if you fancied someone or he fancied you they'd make a date tae go another day. And it used tae be round, well, a wood, the Bog Wood, round the back o' the Craigiebield Hotel. And that wis the favourite walk. And then when ye met on the Monday at the mill ye would say, 'Here, ah saw you in the Bog Wood wi' so-and-so,' ye ken. And they used tae tell ! Sometimes ye walked as far as The Den, it's the high road. That's when you were really goin' wi' them, then ye wid go a walk, a right walk. We used tae go really walks. We used tae walk up the Peebles road, up tae the Wellington School, across tae Howgate, or away up tae Leadburn. We thought nothing about that. That wis a Sunday walk. That wis wi' ma friends. But ma husband and I before we were married we used tae do a lot o' walkin.

Well, as ah say, when ah got married in 1940 ah stayed in Edinburgh for 54 years. I had four of a family. Ah didnae have a thought about goin' back tae work at all, so ah never went back into the mill again.

A corner of the huge salle at Valleyfield mill, where girls and women like Frances Parker overhauled (checked) the paper for faults. *Courtesy of Midlothian Libraries Local Studies.*

George MacGregor

My first job when I left school at Galashiels in 1923 was clerk in a sheep skin works. Well, I heard that there was a vacancy in the office and I went there and got it. There had been a boy at the school and he had left at the Easter and got a job there. And it was through him that I heard about this vacancy and I went there and got this job. I wanted an office job rather than a manual job. The name of the sheep skin firm was Sanderson & Murray Ltd, fellmongers they called them. There was probably about only one or two in Great Britain at that time.

I was born in Galashiels, in a street called Halliburton Place, on the 22nd of May 1908. My father was a woollen pattern weaver, quite a skilled worker, in a Galashiels mill. He was born on the 23rd of May 1868 and he belonged Alva in Clackmannanshire. He served his time as a baker and ah rather think he would have to leave the bakin' trade because he was bothered with asthma. I don't know how long he worked as a baker, but probably not long if he was bothered with asthma. My father was just an ordinary weaver in the mill in Gala. We didn't feel ourselves to be better off than other folk. I don't remember my father ever being unemployed, he could have been but I don't remember. If he was ever unemployed it couldn't have been for very long. I think ma father wis a member o' the Labour Party. That was his leanins anyway. He was definitely a Labour voter. He was very keen on the Galashiels Co-operative Society, well, he served his time on the committee o' the Galashiels Store. Ah don't know if ma father was in a trade union, ah don't remember any discussions at home about that. I think he was 76 when he died about the end o' the Second War.

My mother wis born in Stow. As far as ah know she was a domestic servant in Galashiels, ah think, before her marriage Ah think ma parents met in Galashiels. After she was married she never went out to work, she looked after the house and the children.

About my grandfather MacGregor I know not a thing. I never met him, he had died before I was born or when I was growing up, and I don't know

287

if he lived in Alva or what he did for a living. I don't know anything about my mother's father either, other than that he worked in the tweed mills. I remember seeing him only briefly, he died when ah wis probably about nine or ten. Both my grandmothers had passed away before I was growing up.

I was the second oldest o' the family. Well, there was Margaret, maself, Robert, who died when he was five years old, and Nannie or Agnes, and James, who was the youngest.

Ah went to school in 1913 in Galashiels: Glendinning Terrace Primary School. Ah liked the school. I suppose arithmetic would be my best subject. I passed the Qualifying exam when I was 12 years old and then I went to Galashiels Academy, which was the secondary school. I remained there until the age of 15. I took French, science, maths and English and so on. Well, funnily enough I found French to be jist like that – a snap o' the fingers. And I actually won a prize for French. I don't know why, but French didn't bother me in the slightest, I jist had an aptitude for it. I hadn't been to France – and I still haven't been to France.

As a boy at school I didn't have any particular ambitions about a job. I don't think I would have liked to remain on at school. I liked the school, I wasn't fed up with it. Ma parents didn't try to encourage me to remain on, not really. It's possible they weren't able to afford to keep me on at the school. I don't remember them discussing with me whether I should stay on or leave. At that time there were comparatively few, very few, that stayed on to the sort o' stage o' goin' to Edinburgh to a college or the university there. Most of my classmates left when I did. I was quite happy to leave at 15 at the end o' my third year at the Academy. I suppose I just wanted to go out and earn money at a job.

As a laddie my interests were jist the usual things. I read quite a bit. But eventually as ah got a wee bit older it wis golf. Well, when ah wis a boy ah caddied at a club at Torwoodlee, which wis up the road frae where we stayed, on the Edinburgh side o' Galashiels. Well, we stayed at Buckholm, and ah caddied there and that would foster ma interest. And then ma father bought me four old clubs and ah went up to Galashiels course. Ah wis still at school then, maybe about 13, 14. Ah wis quite a keen golfer but ah didn't enter competitions, not at that time. They didn't have much o' that in Galashiels at that time. Now ma son's chairman o' the selectors for Great Britain and Ireland in the amateur golf field, well, he got awarded the OBE for his services to amateur golf.

I cannae remember goin' to Sunday School. I used to go to the West Parish Church of Scotland in Galashiels wi' ma father practically every Sunday morning. Ma mother and father were both members but ma mother wasn't a regular attender because the church was a fair distance away. Ma brother and sisters went as well as they grew up.

I joined the Boys' Brigade in Gala when I was a boy and, well, when ma time was up as a boy I wis out, and then I went back in again as an officer. And I spent some very happy times at Boys' Brigade camps. We used tae go down as far as Bamburgh and camp there. We went there a year or two and then later on, in the 1930s, I went tae a camp at Black Rocks at Gullane. A lot o' prominent Border folk and rugby players were in the Boys' Brigade. I never played rugby maself, but ma brother played for Gala on the outbreak o' the Second War. Well, I was helpin' tae run the Boys' Brigade in connection wi' the West Parish Church, and the minister and his elders werenae very happy about the way the Boys' Brigade wis bein' conducted. So they said they were goin' tae close it down. So ah says, 'Right you are.' They said to me, 'What'll you do ?' Ah says, 'Ah think there'll be room for me in another company of the Brigade.' So I joined the 2nd company and I said tae the minister there, 'I'll join the church here.' He says, 'Right-o.' So ah joined the church down in Galashiels, ah forget what the name o' it wis. It wis opposite the fountain. It's demolished now.

I vaguely remember the outbreak o' the First World War. Ah wis jist a wee lad, jist starting school. I remember fellows being killed. We had nobody killed in our family. I had an uncle who was in Regular service, joined the King's Own Scottish Borderers before the war at Berwick-on-Tweed, which was the depot at that time, and he was in France. But he survived the war. One recollection I have was when we stayed in Magdala Terrace in Galashiels. There was a family there up the same stair as us and my vague recollection is there were about three daughters and one son, and their name was Sanderson. And the son was killed in the war. And ah remember the old mother when she got word about it, goin' about, moanin' away and shoutin', sayin' tae herself, 'God is cruel, God is cruel.'[151]

I don't remember my parents moving from Halliburton Place, where I wis born, to No. 13 Magdala Terrace. They must ha' moved when I must have been a toddler. The house at Magdala Terrace jist had a scullery and a big kitchen and a bedroom, jist the one bedroom. Ma parents slept in the kitchen and the children in the bedroom – well, as families got bigger there were two beds in the kitchen. Depending on the age or how many boys and girls there were, the boys might sleep in the kitchen with the parents, other times it might be the girls that were there with the parents. It was gas lighting at Magdala Terrace. The toilets had been built on outside. There were a bit o' ground at the back, a sort o' dryin' green and a' that, and one o' my vague, vague early recollections – oh, it would be before ah went tae school – is the dry closets bein' taken down and additions built on to this block at the back for lavatories, one lavatory servin' so many houses. They were flush lavatories. Galashiels got the reputation, I've heard it said, o' bein' the last town in the Borders tae have flush lavatories. And in Hawick they ca'ed a fellah frae Galashiels a pail merk – that wis the mark o' the pail in the dry closet on his bottom. Then in Magdala Terrace ye had a bath on a Friday night in a big zinc bath – the boys first and then the girls. Of course, everybody had the same conditions then. There wis nothing uncommon in folk having no fixed bath wi' running water.

When ah wis at work, a year or two at work – ah'd be something like 16 or 17, so it would be about the middle 1920s – we moved from Magdala Terrace to No. 25 Bristol Terrace at Buckholm. It wis actually the last house in Galashiels on the way out to Edinburgh. It wasn't a mill house, jist a private landlord. There wis four in the block and we were the first on the ground floor. But there wis a kitchen-dining room and two bedrooms and a toilet. Oh, it wis a fairly sizeable house at that time. I think the houses above had bathrooms, we didn't. But we had a flush toilet inside the house. I think it would be a better house than the houses most Galashiels mill workers' families lived in at that time. Ma father would be among the better paid mill workers at that time, well, he wouldn't be the lowest, but I don't know how much he was paid. We had running water in the house, but just a cold tap, no hot water. The lighting was gas – that was common throughout Galashiels at that time. There was a Galashiels Gas Light Company, ye see. Well, ah lived at Bristol Terrace till ah left Galashiels in 1933.

As I say, my first job when I left school at Galashiels in 1923 was clerk in a sheep skin works in Buckholmside. Well, I heard that there was a vacancy in the office and I went there and got it. There had been a boy at the school and he had left at the Easter and got a job there. And it was through him that I heard about this vacancy and I went there and got this job. I wanted an office job rather than a manual job. The name of the sheep skin firm was Sanderson & Murray Ltd, fellmongers they called them. There was probably about only one or two in Great Britain at that time.

To begin with I was just a sort o' gofor, running messages, did the post, and helped wi' the wages. Then gradually I got on to more advanced work, working with ledgers and that sort o' thing. I didn't write letters though.

The Gala Water run through the sheep skin works. The works were on one side o' the river, and the offices were on the other side, on the south bank. There was a bridge across, lorries, etc., had to go across. It was a two or three storeys buildin', quite a big works. There would be a few dozen workers employed there, oh, there could have been maybe 40. In the office there were five or six. It was a limited company, ye see, so there was a secretary, and there was two clerks and me, and there would be a typist and another female.

But in these days tweed mills were boomin', ye see. And in this place they stripped the wool off the sheep's skin and sorted it into different grades. That was the skilled part o' it, because the wool on a sheep's back –

290

it's a different texture on different parts o' its body. And the men sat there wi' the skin on their knees and they pulled it off. Of course, first of all the skins were hung up and steamed tae make the wool come off easy. And they pulled the wool off and threw it intae an arrangement o' boxes in front o' them. Each box took a certain grade and then that wool wis sorted after that and baled up and sent tae the mills. So the work at Sanderson & Murray was really the first stage in the making o' tweed.

They imported sheep skins from Australia and New Zealand. We didn't take Borders sheep at all. They didn't take local sheep because mainly the sheep from Australia or New Zealand was merino, which is much finer wool than the coarse Scotch blackface. So it was the finest wools our works were dealing with. Then we sold the wool to all the mills in Gala and beyond. I think the wool got sold in the Borders and to Yorkshire and elsewhere. I remember invoices coming in or going out. It was a thriving business at that time when I joined it. But it's flat now. There's nothing left of it, wi' the decline o' the tweed trade. Well, in Galashiels there were six or eight woollen mills then. I don't think there's one today.[152]

I had contact for a time with the manual workers at Sanderson & Murray, because I used to go and work in the mornings tae know what it wis all about. I started at eight o' clock in the mornin' till ten, and then ah left the works and went and got washed up and started my work in the office. That was part o' my training to find out what the men were actually doing. I found that interesting. But I had no wish to do that work permanently myself, oh, heavens, no. It was a bit dirty as a job. But there was no occupational disease or hazard connected with that work. The men didn't suffer from chest complaints or anything like that through handling the wool.

I don't know how that place got on during the 1914-18 War. But certainly there was men there that had been in the army in the war. They didn't speak much about their experiences. Of course, I was only there maself in the works for a couple of hours for maybe a few weeks or months, until I saw how the work went on. The work in the office I found interesting. I was really quite pleased I'd decided to seek work as a clerk.

In the office we started at nine o'clock in the morning and we finished at five – but it could be any time at night. It depended on how busy you were in the office. You had mail to attend to and that. You were usually finished between five and six. You worked on a Saturday morning till 12.30, ah think. I forget. You never worked on a Saturday afternoon. You got an hour for your dinner. So you were working 42 hours a week. As a laddie of 15 I worked the same hours as the adult workers.

I worked at Sanderson & Murray about six years. I can tell ye what wage ah had, but ah don't know if this was when ah started or when ah was near finished. But ah had ten bob a week. We used tae get paid by cheque: £2.3.4. a month. Ah think that was maybe nearer the time ah finished ah had that rather than when ah started at 15. That was what ah had. Ah sometimes choose that as a quote when you're speakin' about wages and salaries. Ah didn't have friends who were clerks in other offices in Galashiels, ah didn't have anybody that ah could discuss the wages and salaries with.

Ah didn't join a union when ah was at Sanderson & Murray. There was a National Union of Clerks at that time but ah didn't know about it then and ah had no contact with trade unions, nothing like that. Ma father never encouraged me to join a union. I don't think there would be anybody else in the office at Sanderson & Murray who was in a union. I couldn't tell you if the sheep skin workers were in a union.

Well, I'd been there about six years and I was agitatin' tae get more money. I think it'd be to the secretary I spoke. He wis a chartered accountant and he came from Glasgow. He wasn't at all sympathetic. And they said that ah had served ma time as a clerk and ah could go. So ah wis paid off. Well, I got the impression ah wis paid off for asking for more money. But they didn't tell me that of course ! So I got my books.

I was unemployed then for I forget how long, oh, a good few weeks, a good few weeks. And then ah got a job as chief clerk in a tweed mill office – P. & R. Sanderson. They were nearly a' Sandersons in Galashiels. There were several families o' Sandersons, it wis a common name in Galashiels. I worked in the office doing just general clerical work. It wis a small place as tweed mills go, smaller than Sanderson & Murray had been. P. & R. Sanderson wis a partnership and there wis the cashier and the chief clerk and then a junior, and that was all. This fellow that had been chief clerk he was leaving and I must have heard about this. When I went and saw them they said, 'Right, start.' So I got on then. I was the sort o' chief clerk there. So it wis an ill wind at the sheep skin works that blew me a bit o' good.

The office hours at P. & R. Sanderson were again nine to five. We never had tae work beyond time there. You always stopped dead on five o'clock. Again it was an hour for dinner, and I went home for my dinner. You worked on Saturday mornings till 12 o'clock or 12.30, I forget. So it was just the same hours more or less. I cannae remember now what my wages were there when I started. I was paid weekly.

I can't remember how many mill workers there were at P. & R. Sanderson. But it was one of the smaller mills in Gala. They were making tweed. Their tweed was sold all over the country – Edinburgh, Glasgow, London, and so on. I think the partners did a bit o' travellin' for the firm. I was never involved in that side o' things.

I enjoyed the office work there. I'd be about 20, 21 when I started there, roughly about 1928-29. I don't know if I'd be there as long as six years, it would be something like three or four. Again, I wasn't in a trade union in the tweed mill office. Nobody asked me to join a union. Ah don't think it was normal then for office workers to be in a union. The manual workers in the mill would be in a union, but not the office workers.

P. & R. Sanderson, as I said, wis a partnership. But they jist dissolved the partnership and went intae liquidation and the mill closed. There'd probably be close on a hundred, I would think, lost their jobs. There were somewhere about 90 mill workers and half a dozen office workers all lost our jobs. That wis in 1933.

I was unemployed again then possibly eight, nine, ten weeks. There were quite a lot o' unemployed people in Galashiels then, Oh, the Labour Exchange wis a busy place. I signed on there myself. It wis hard times. You had difficulty in making ends meet when you were unemployed. Well, of course, your wants were few then. And my father was still working, he wasn't unemployed.

Well, it was then I went to William Sommerville & Son, papermakers, Dalmore Mills, Auchendinny. How I came to get that job was William Sommerville's managing director, Mr Wallace, had a sister married in Galashiels to R.P. Adam, head of a firm of drysalters there. In Dalmore Mills the secretary, Robert Old, fell across the desk one day and died like that: a heart attack. It was quite a small office at Dalmore. Robert Old's brother James was the chief clerk, and there were about four or five girls and a typist. They needed somebody quick and they put an advert in *The Scotsman* straight away. I saw it, because I used tae scan the papers for jobs every day in the local library in Galashiels. And I just dashed away a reply to this number in *The Scotsman*. They must ha' got it at the mill a couple o' days later. Anyway when they saw ma name and Galashiels, Mr Wallace, the managin' director at Dalmore, phoned his nephew in Galashiels and asked him if he knew me. And his nephew says, 'Yes, I think I know him.' This nephew used to travel round the mills, drysaltin', you know, chemicals, and a' that. Mr Wallace says, 'Well, ask him if he can come up here today and see us.' So this nephew came up to my house at Bristol Terrace in Galashiels and said, 'You applied for a job the other day ?' Ah says, 'Well, ah apply for jobs every week.' He says, 'Ah, well,' he says, 'you've applied for one in ma uncle's mill at Dalmore at Auchendinny. Can ee get up there today ?' He says, 'Ah think you'll probably get the job.' So ah says, 'Right you are.' So ah got a bus up tae there and went down to Dalmore Mill and saw Mr Wallace. And eventually he says, 'Well, when can ee start ? Can ee start on Monday ?' Ah says, 'Aye, oh, yes, aye, ah'll come.' He says, 'Right. Come up on Sunday night.' He says, 'Ye'll need tae get accommodation. Well, go and see Robert Old's widow and see if she can give ee accommodation.' So ah came up on the Sunday night and stayed wi' Mrs Old and started at Dalmore on the Monday mornin'.

Robert Old's brother James wis appointed secretary at Dalmore, and I was the chief clerk. I lodged, as I say, with Mr Robert Old's widow. They had a daughter Isa who worked in the office at Dalmore, and Isa and I got friendly and we eventually got engaged. Well, everything went along all right until 1939 came. James Old, the new secretary, had two sons and before the war broke out one o' them, Hugh, joined the Territorials and so did I. We joined the Lothian and Border Horse, and we were called up about ten days before war broke out. There were so many fellows volunteered they had tae make two regiments, the First and Second Lothian and Border Horse. He was put into the First and ah wis intae the Second. He went tae the south o' England and then they went tae France and he wis taken prisoner at St Valery.

Well, ah wis away doon in the 2nd Battalion, down near Bristol, I think it was, when I took a duodenal ulcer. It was really bad and I was whipped back to Tidworth, to the military hospital. Ah wis ten weeks there and I got a medical board there. I can remember bein' marched in and the officers sittin' round the table and the colonel at the top o' the table. 'Take a seat,' ye ken, and blah, blah, blah. The old colonel says, 'Did you read in the papers the other day, MacGregor, that the army marches on its stomach ?' Ah says, 'Yes, sir.' He says, 'Right,' he says, 'we don't think you've got the kind o' stomach the army can march on. Dismiss.' And that was me discharged out the army. So of course ah came hame straight away and got married shortly after in 1941 – and back to Dalmore Mill of course to work.

And come 1945 and Victory over Japan. Ma wife's cousin Hugh Old, the son o' James, had been a prisoner all this time. When the word came out that there were goin' tae be two days' holiday for the end o' the war, Mr Wallace, the managing director at Dalmore, and Mr James Old, the secretary o' the mill, had said, 'Well, we'll go and make arrangements about closin' the mill', because the mill worked continuously, of course. So they went to the mill and saw the men and said, 'Right, closing at six o'clock tomorrow mornin'.' And Mr Wallace says, 'Right, we'll go up to the village and see the night shift foreman and give him his instructions about shuttin' down the mill.' Well, the pair o' them jist got up to the top o' the mill brae on the Peebles via Howgate road and they stopped and lit a cigarette. Then they walked along about 200 yards to Dalmore Cottages, belonging to the mill. And Mr Old, the secretary, ma wife's uncle, he jist dropped at Mr Wallace's feet. He'd had a heart attack. Mr Wallace told me after, he said, 'Do ye know this, George,' he says, 'when ah realised what had happened ah bent down. The cigarette wis still in his fingers, still burnin' in his fingers.' And of course they sent a messager down tae me and ah had tae come up tae Auchendinny and sort things out. Mr Wallace says tae me, 'George, get his keys and ah'll see you in the mornin'.' And that wis how ah came tae be secretary the next day.

It wis a very simple set up at Dalmore Mill. Mr Charles Gordon Wallace wis the managin' director. Well, there was him and the lawyer and some other – ah forget who else wis on the board o' directors then. So the next mornin' Mr Wallace came in, and he says tae me, 'Right,' he says, 'ye're the secretary now.' And ah jist wis made secretary like that. It wis confirmed of course at the next directors' meetin' immediately after the war finished, at Victory in Japan. And that wis me until ah retired in 1973. Ah wis chief clerk at Dalmore from '33 until '45, then secretary from '45 until '73. So altogether ah wis 40 years at Dalmore.

Well, when ah began in 1933 as chief clerk the office hours were nine to five, and Saturday mornings till 12 o'clock. Of course, ma pay there wis considerably more than in Galashiels. Ah found the work in the paper mill more interestin' than in the tweed mill or sheep skin works. Ah got more involved in the paper mill work because we were importin' esparto grass, for instance, from North Africa, and lots o' different chemicals. And then ee saw the startin' wi' esparto grass, then ye had the finishin' department, where the women were sortin' sheets o' paper. I had to learn the whole process more or less. Oh, it wis all strange to me at first. Ah'd never been in a paper mill before. There were no paper mills down in Gala, Chirnside in Berwickshire was the nearest one, and ah hadn't been there. But I think it didn't take me long to learn about paper making, because if you're through the mill every day you were seein' it all the time. If you went round the mill once or twice a day you saw different happenings. So as chief clerk I used tae go round, not really to learn the processes – you had to go out and see a foreman about a certain matter, so you just learned as you went along. The firm didn't give me a month or so to train myself, I jist picked it up as I went.

When I started in Dalmore in 1933 there would be roughly about 150 workers, ah think. The number remained fairly constant right up to the war. It didn't fluctuate from one year or month to another. If the mill wis runnin' it took all these people tae carry the thing on. Between 1933 and 1939 production was fairly steady. Occasionally, but, oh, just very, very rarely the mill had to shut down or cut back maybe for a week or two. It was fairly constant, steady work.

Ah suppose the papers Dalmore made before the war wis approachin' high quality. It wis mainly writin' papers, envelope papers, papers for music publishin'. Some o' the big customers the mill had was a firm Andrew Whyte & Son in Edinburgh, they were envelope makers; and there was a firm Andrew Levy, they made angle papers for envelopes, well, the paper instead of cut square wis cut in an angle tae get the maximum blank for the envelope; and McDougall's Educational Company, the mill made paper for them – school jotters and so on.[153] I don't remember us doing anything with

Nelson, the publishers. And then of course you had paper agents, too, in Edinburgh. They weren't employees of Dalmore. They would go round different places lookin' for business for paper, like other places in Edinburgh, and then any orders they got they would send to the mill to be made up. And then oo had oor agent in London, of course. He was an employee o' the mill.

As ah say, Mr Charles Gordon Wallace wis the managin' director o' the mill. Then later on his son, who was also Gordon Wallace, was appointed managin' director but he died suddenly and his son, who is also Charles Gordon Wallace like his grandfather, was appointed. So there have been three successive Wallaces as managing director. When I started at Dalmore in 1933 it was William Sommerville & Son Ltd. Mr Sommerville – the last Sommerville – died in 1935, just after I'd gone there. Mr Charles Gordon Wallace had been managin' director since 1913. Ye see, William Sommerville, who started in about 1880, had quite a family. He had a son William who emigrated to Bristol and started a mill there. And one of his sons eventually started another mill down in Devon, and I think there was another son who started a mill at Lasswade but it only lasted a year or two and folded. Oh, the Sommervilles were an important family locally.

When I came first to Dalmore Mill there weren't paid holidays. The mill ceased makin' paper for one day per year – New Year's Day. That was the only holiday. The workers could have their holiday but they would get their mate to work for them. They were workin' eight hours but they would get a mate on each side, ye see, to work twelve hours for them. The mill didn't close for a week for holidays: as long as there were orders there to be made the mill jist ran on – continuous production. The three shifts ensured continuous production, week-ends, too. You kept your regular hours in that way.

I always thought Dalmore wis a very nice place tae work. There was a lot o' bickerin' and everything went on in the mill as goes on everywhere, ye know, but there was never any major industrial dispute or anythin' like that. Well, there was the 1926 General Strike, though that was before ma time there. But ah heard something about that when ah went to Dalmore. The men went on strike in 1926, and while they were on strike of course the engineerin' squad – ye see, in a place that's runnin' continuously there's wear and tear on machinery, etc.: ye've always got tae have a maintenance squad – and while the mill wis on strike the maintenance squad were doin' repairs. So the men eventually came back and said, 'The strike's over. We're startin' work, Mr Wallace.' Mr Wallace says, 'Ye decided tae go on strike ?' 'Yes.' 'Well,' he says, 'ye'll restart when it suits me. The repair work's not finished yet. So,' he says, 'ye can jist wait until I say when ye can start.' They had tae wait, oh, just a few days. If they were goin' tae start, say, maybe on a Thursday or a Friday he would say: 'The mill'll start on Sunday night.'

I didn't have much contact with the trade union at Dalmore. Actually, I don't know if the union was active at all in the mill after the strike. It was never very active in the 40 years I was there. The papermakers' union wasn't a strong union. There was a fellow George Smith was the agent, who was employed, I think, in Esk Mills. I don't remember seein' him at Dalmore Mill. If there was a shop steward at Dalmore I don't know who it could be, but to work with or negotiate with the union wasn't part of my responsibility as chief clerk or secretary. That was the managing director who did that.

Below the managin' director there was a head paper maker, the head foreman, and he was the boss o' the paper makin'. And there wis a foreman on each shift. When I went into mill there wasn't any other director of sales or personnel or anything like that. It wis jist the managin' director. The head paper maker wasn't a director.

Then the mill owned quite a bit o' property. They probably had upwards of 30 houses in the village of Auchendinny, and over at what they call Wester Haugh there's houses up on the right there that were mill houses. They've been sold off and they're a' privately owned now. But then there was a sort of tied house there for the secretary. The managin' director himself lived in Dalmore House, just along on the left from where the road goes down to the mill. Well, a good deal o' the workers employed at the mill lived in Auchendinny, one or two up in Milton Bridge, some in Roslin – quite a number o' the girls in Roslin worked in the mill and they walked frae Roslin. There wis no bus services then. It wis quite a long walk.

Dalmore was a private limited company at one time then it went public. And after ah retired in 1973 it was bought by the James River Corporation, an American company, and that was when they started disposin' o' the houses they had owned. The people that were in them got the chance to buy them.

When ah retired as secretary at Dalmore in 1973 my wife's cousin, Mr James Old's son Hugh, who was a prisoner of war from St Valery, he succeeded me as secretary. Hugh came oot tae play golf on Glencorse one night and he had driven off at the fourth hole and was walkin' along the fairway and he went like that – same as his father and his uncle. My son became the secretary. So the managing directorship has been in the family of the Wallaces, and the secretaryship has been in the families of the Olds and the MacGregors, for many years.

I must say I thoroughly enjoyed the work in the mill both as chief clerk and later as secretary. I got a lot o' satisfaction out o' it. Now Dalmore is the only paper mill of the three in and near Penicuik that survives. I felt like

everybody else about the closure of Esk Mill and Valleyfield Mill. I felt
very sad because it meant there was comin' up for about 1,000 workers
affected, you know. And it meant, well, to a certain extent, the death o'
Penicuik, because Penicuik's a pretty dead place. It used tae be known as
The Paper Makin' Town. They had signs at the entrance to the town. And
it was yon George Smith that I told ye about was the union organiser. He
was the great man in Penicuik Town Council. It was him as a councillor, ah
think, that was instrumental in gettin' those signs put up. Of course, they
had to go and take them down when the last mill went in the town.

Dalmore never came in contact much at all with Esk Mill or
Valleyfield. We were caterin' for different markets. We had an agent in
London but none overseas. Valleyfield they didn't have only agents, they
had offices. They had Alexander Cowan & Son in South Africa. I know
one fellow that worked there. He's back home now years ago.

I don't know why Dalmore is the only mill of the three that has
survived. I think it was maybe because Dalmore was catering for a
different market. Then they're linked up to Guardbridge mill near St
Andrews. Guardbridge is James River Corporation, too.

But a lot of other paper mills in Scotland have gone, and it's sad to
think of the skills involved in paper making jist bein' lost really in so
many cases, never to return.

*Some Dalmore mill workers, c. 1920s. Photographs of men and women actually working are less
common than those of posed groups such as this one. When the photographer appeared, work stopped
and workers sat or stood in ranks with folded arms.*   *Courtesy of Mr Keith Dyble.*

George MacDonald

Ye had tae leave the school. It wis still hard times. Ma parents were quite keen for me tae leave the school. Ah mean, they couldnae get ye away quick enough. In a way ah wid liked tae have stayed on, but then ah wis guided by them, ye see. Ah wis practically oot the school and intae the mill. Ah left the school as soon as ah wis fourteen and ah started in Esk Mill between Christmas and New Year 1934-5.

I wis born on the 6th o' December 1920 in old Penicuik, when there wis only 2,000 people there and a main street. Ma father wis a cement worker, but he jist had tae take jobs when and where he could in Penicuik. There wis a company called Ferrier's – they did a lot o' engineering and workin' wi' steel and that – and he wis a labourer there in Ferrier's.[154] There were no work anywhere. As a matter o' fact, ma faither worked wi' a farmer Watson in Penicuik, jist at the back o' the North Church. It wis jist an ordinary farm – wheat and corn and a' these sort o' things. Ma faither wis jist a jobber. And, as ah remember it, he then went intae Esk Mill, James Brown & Company, ah think it wis about 1926, about the time o' the General Strike. And from then on till he retired he worked in Esk Mills as a cement worker.

Ma father wis born and bred in Penicuik, him and all his family, ma grandfather MacDonald, and all ma family, too. Ma father wis born in 1896 and there must have been seven o' a family there: he had three brothers and three sisters, he wis the second youngest. Even when ah wis young they used tae have a sort o' concert in among themselves if they were in that sort o' mood. But they a' liked their pints. And of course when ye'd had twa or three pints. . . And then of course the McGarvas would come in and you'd have a packed house. Ma father's sister – ma Auntie Nell – wis married on a McGarva. And the McGarva family were the same as ma father's: there were aboot eight o' them an' a', and they actually had two rooms. The father McGarva, a Penicuik man, wis blawn tae bits in the First World War. He never came back.[155]

Ma father wis in the First World War. He did have a big photiegraph wi' his uniform on. Mind, he wis a smart man in his uniform. But there's a bit o' a laugh aboot that, this could be true, it could ha' been jist a joke. But they were a' wailin', ma granny and that were a' wailin' because Dave, ma father, had got his papers, he'd been called up. He wis called up right at the end o' the war. They had went in tae the Waverley Station in Edinburgh tae wave him goodbye, and he said: 'Ah'm goin' away tae feenish this war.' Before he got ower the Forth Bridge – Armistice !

But ma father's employment wis always a bit uncertain. He didn't make cement. What he did, he mixed up the cement for the experts tae make these Fulners in the paper mill. We called them Fulners. What it wis wis a big circular concrete mass in a tank and they had tae shape it a'. That's how they started recyclin' their water. Ken, they were usin' dirty water for the paper and ye had a lot o' bother wi' it. At Ferrier's he wis employed in cement work and he wis also employed in helpin' tae bend metal and things like that, 'cause he wis a hard man, he wis a hard man ma faither.

How ma mother ever got in wi' ma faither ah'll never know, because they were chalk and cheese. Ma mother wis in domestic service. He must ha' met her that way. Ma mother came from Edinburgh and she wis a gentle woman. But she worked in service at Millport on the isle of Cumbrae. We aye wondered how she got in touch wi' ma faither. Seemingly she came on holiday tae Penicuik wi' some o' her family. And her family were very good tae us, they supported us. Ah remember ah had an uncle – ma mother's brother – he worked in McVitie & Price, the bakers. And they used tae come out tae Penicuik on a Saturday wi' a big bag o' bakeries for us. They had got a bag o' this for aboot 2d., and they had another bag wi' chocolate from the biscuit factory.[156] They were subsidisin' us. Ma mother used tae put me on the bus intae Edinburgh when ah wis only eight year auld, and ma granny and ma aunties met me at the Arcade. Ah steyed wi' them there and came hame tae Penicuik wi' loads o' stuff, cookies and things, and ma mother got me when ah came off the bus.

Ma grandfather MacDonald worked in the Moat pit at Roslin and he got a' thae three fingers a' off his right hand, jist left with the forefinger and thumb. He wis workin' some way or other. Ah think the coal had sliced them off. They tell me at the time he got that accident he wis scrabblin' about lookin' for his fingers tae see if they could do anythin' about it. Rough days, these. He wis a hard man, mind ye, he wis tough. They jist mended him and he went back tae the pit – jist tae the pithead, daein' menial tasks. He wasnae able tae go underground after that. He wis a middle aged man then when he had his accident. He used tae speak tae me about his work in the pit, he wis a natural chatterbox. Ye ken, he liked folklore. Ah played football when ah wis at the school for the school team, and ma grandfather used tae referee the games for the school on a Saturday mornin'. He got five bob for it.

Ma grandfather and ma granny MacDonald they run a place called The Shelter, jist across the road from us in Pryde's Place. The Shelter wis a kind o' lodgin' house for tramps. They used tae go and inspect their ward in Penicuik and they got a line tae come down tae The Shelter and get a bed for the night, a cup o' tea and a slice o' bread and whatever. Ma granny had two houses to herself and the other half o' the house wis for the tramps. And she used tae see them right, and away in the mornin'. Penicuik had a council o' their own in those days, and ma grandfather and granny MacDonald must ha' been employed at The Shelter by the council. The council paid them to house and feed the tramps.

Ah've got a vivid memory o' one o' the tramps. He used tae come roond on a regular basis, ah would say once a month. He wis a rag merchant and he had balloons all over him, ye know, and he had a bird on the end o' a birler. And he wid come down Fieldsend and he wis shoutin, 'Birds fly ! Birds fly !' He says, 'Come and get one ! Come and get one !' So ma granny MacDonald says tae us, 'Ah'll sort him oot the now.' So evidently the night before she had had a couple o' tramps and they had been movin' wi' lice, which wis common in those days. And she got their blankets and she rolled them all up and she went oot. There were four o' us: ma brother and me and another two cousins, and we went out tae the Birds Fly man. And ma granny says tae him, 'Here, come here !' She says, 'Are ye wantin' thae blankets ?' He says, 'Aye, put them in the bag.' And she put them in the bag. And she says tae him, 'Oh, but ah want ye tae gie them each a birler wi' a bird on it.' So he gave us each this thing, the bird on the end' o' the stick. We were only laddies at the time, about eight or nine year auld, and we were a' quite happy, runnin' up and doon wi' a bird and birler. But we a' heard ma granny MacDonald sayin', 'Puir bugger. He's shoutin' "Birds Fly !", but he'll be flyin' hissel' afore he reaches Mauricewood !' And it wis quite true.

Ah think the tramps all went tae the paper mills wi' the rags that they got, ye ken. So ma granny's blankets might have ended up in the paper mill ! Most o' the tramps used tae come to Penicuik and then go on to Peebles. It wis a recognised route. We used tae listen to our elders and they wid say, 'Aye, he'll be goin' ower tae Peebles', or whatever.

In those days in Pryde's Place we used tae get a visit on a Sunday mornin' wi' the Salvation Army. They had a band playin', jist right outside where ah stayed. And when they were still playin' they used tae come roond rattlin' their box, and everybody gave. Ye didnae have anything, but ye could aye manage tae put a penny in. And after they had gone we used tae get a boy, he wis a tramp – we used tae call him The Street Singer – and he wis a lovely singer. And it wis always a Sunday he came once a month from Edinburgh. Nearly everybody in the street gave him something tae eat and drink. And he also made his route up tae Peebles. He wis jist collectin' pennies tae keep him goin'. He wid go tae different places – of course, there's no' many places between Penicuik and Peebles. There wis very little transport in those days either, so it wis a long walk, twelve miles from Penicuik tae Peebles. Well, ah can remember The Street Singer quite vividly and ah wid say he wis aboot a middle aged man in his forties. He wis a wee bit more respectable than some o' the tramps – better dressed. Oh, in those days, after the '26 Strike, everybody wis poor, poor, poor. Oh, it wis bad.

Ma grandparents MacDonald ran The Shelter for years. They actually ran it until they were incapable o' doin' it. When he wis workin' on the pithead she was runnin' the shelter, but he helped her at night and at the week-ends. When ma grandfather retired when he wis 65, jist after the 1926 General Strike, actually it wis ma granny that orchestrated The Shelter. He wis the sort o' majordomo, jist walkin' ben tae let them ken there were a man in the house. Ah think ma granny and ma grandfather died when ah wis aboot sixteen, in 1936. He wis 72 when he died in the Royal Infirmary in Edinburgh, so he must have been born aboot 1864

Ah had an older brother Jim, then after me ah had a brother and sister that were twins, Andrew and Margaret. Jim wis a year and three months older than me. He left school when he wis 14 and worked in Esk Mill on the finishing side. He wis a guillotine operator – that means tae say he wis cuttin' sheets o' paper tae size, A4 size or whatever. That wis his job in his early days. Andrew and Margaret were aboot eight year younger than me. Margaret wis a hairdresser. Her twin brother Andrew he worked in the Moat pit. Ah wis on day shift one day in Esk Mill and there were a chap came in and came right up tae me and he says, 'Look,' he says, 'there's been a bad accident at the Moat pit,' he says. 'It's a chap MacDonald,' he says, 'but ah'm no' goin' tae say it's your brother Andrew.' Ah had a gut feelin' right away. And ah got word tae ma wife. Ah said, 'Ah'm goin' in tae the Infirmary.' Ah says, 'It must be Andrae.' And sure enough when ah went in Andrew wis lyin' in this big high ceilinged room, a cold place – ye know how in the Royal Infirmary it wis a' tiles. And here's this stretcher on wheels and here's Andrew lyin' in it. Ah went ower and ah says tae him, 'How ye're feelin' ?' He says, 'Ah'm a' right. Don't worry.' Ah wis too young or too inexperienced tae realise or understand what wis goin' on. He had no clothes on, jist a blanket over him. Andrew says, 'Look,' he says, 'there no' a mark on me.' But all his innards had been smashed tae bits. And he never walked again. He wis out and in Edenhall Hospital in Musselburgh, just tae get treated or what. He wis 32 when he had the accident in the Moat pit and he died seven years later when he wis 39 in that hospital in Musselburgh.

Well, when ah wis growin' up ah lived in No. 2 Pryde's Place in Penicuik. Pryde's Place wis an area o' Penicuik where it wis a' families that lived, and there were about six or seven families. Take ma family, the MacDonalds. There wis six o' us. And, believe it or no', it wis a single end, and the only source of cooking wis a stool and a gas ring on it, and your fire. Ah remember it vividly: six people in a single end. Sleeping arrangements there, believe it or no', were ma mother and father slept in a full-sized bed in a recess near the fire, and our bed – ma brother Jim and I – wis at right angles tae it, in a recess, too. And the twins were in a sort of cot thing, the two o' them in one cot, jist outside ma mother's bed, jist for convenience. We were all in the one room. We didn't have any toilets in Pryde's Place in our houses – it wis outside, a dry toilet. And ah can remember the days when this great big thing, a long thing like a plough or something, jist a cylindrical thing, used tae come doon and that's where they emptied the dry toilets intae. It wis very unhygienic. That wis in ma early days. Ah think ah wis aboot twelve year old when we moved away up to Croft Street. So the bairns, the twins, would only be about three, somethin' like that. Ah think they were aboot eight year younger than me. Croft Street had two rooms. Well, it wis still an outside toilet, but it wis a runnin' toilet, ye pulled the chain – a flush toilet.

Pryde's Place – well, in Penicuik there wis this road comin' down off the main road and down at the bottom o' this road wis Shottstown, and on your way down you had Pryde's Place and Fieldsend. Pryde's Place wis on the verge o' Shottstown rather than bein' in it. We were a' sort o' connected. Shottstown wis the miners' area, Pryde's Place wis paper mill workers – a mixture, let's say. In the main ah felt that when Penicuik wis a small community they jist knew each other so well, and nobody wis rich. We were a' in the same boat, which made it sort o' even-stevens. But ye could jist imagine two rows o' houses: Fieldsend wis that one, Pryde's Place wis that one and it went right down tae the bottom. Whereas another road at the bottom that way wis Shottstown. There and beyond there were three tiers o' Shottstown, three streets. One wis Manderston Place, that wis the yin that ah always minded. Well, ye couldnae really cry it streets because it wis jist dirt in between each row. Ken, there were nae paths or concrete or nothin'. It wis a' dirt.

And then adjoinin' Pryde's Place, where ah was, was a place called Hawkers' Raw – and that says what it means. Goin' back years they were hawkers in there – the Fairlies and the Townsleys. Ah've heard ma mother say there wid be a fight on a Saturday night jist like that. They a' come oot the pubs and had a fight. Ah tell ye it's no' the first time ma mother's come runnin' after us and hauled us in and we had time tae look roond and see two o' the Townsleys bare tae the waist and knives in their hand. In those days the Townsleys were hawkers.

So ye didnae think of yourselves as being Penicuik folk: ye were Shottstown or Fieldsend or Pryde's Place. It wis a sort o' clan – three clans. There wis sharp distinctions. And it wis unusual for somebody livin' where ah wis in Pryde's Place tae work in Valleyfield Mill, and jist the same for somebody livin' in Penicuik tae work in Esk Mill. But there were some in all the mills that came from these places. Well, the likes o' Auchendinny, for instance: ye were more likely tae get intae Dalmore paper mill than ye would if ye came frae Penicuik. If ye came frae Penicuik tae Dalmore Mr Wallace, the managin' director in these days, wis a very Victorian gentleman and he wis strict tae the book. And it wis Auchendinny people that got in first tae Dalmore. But in Fieldsend and Shottstown, well, Shottstown wis the miners, but where ah lived in Pryde's Place and in Fieldsend Esk Mill wis our mill. Valleyfield Mill wis mainly people frae Penicuik. But, ah mean, there were some at Dalmore that came from Penicuik or Shottstown or Pryde's Place, and some at Esk Mill that came from Auchendinny or Penicuik, and some at Valleyfield that came from Auchendinny or Shottstown, Pryde's Place or Fieldsend.

There wis a kind o' pride in locality. Ah'll tell you how far it went. Before the war, in 1940, Esk Mill and Valleyfield had a rivalry in football. And after the night shift we used tae congregate in the public park in Penicuik. We made it for seven o'clock. And there we were, playin' football after doin' a night shift. Some o' them had done a twelve hour night shift. It wis great. Oh, there wis a rivalry between the mills – very friendly, very friendly rivalry. When ah walk past the park ah often think tae the mornings that we were there at half past six playin' football, rain, hail or shine. It wis great.

*   *   *

Ah went tae the Episcopal School in Penicuik when ah wis five. The school wis up what they call the English Lane, where the English Church, the Episocpal Church, is now. And at the side o' the church there wis this tin – oh, it wis jist a shanty. It wis made o' tin, a' tin. And it wis like a whole area closed off wi' glass. Ye could almost stand up and see the other class away doon a bit. That wis the sort o' very basic conditions in the Episcopal School. Ah wid say there wis roughly 100 pupils there. Ye can take it that there were children from day one up to eleven year old. So that must have been six or seven classes. The classes were very small, maybe only a dozen in each class. But things must have grown a bit as the years went by, because when ah wis about ten year old we moved tae this new school. It wis jist up frae the Navaar House Hotel. It wis a lovely school, but then later on they turned it intae an engineering place. Ah went tae the Episcopal School there till ah wis eleven, and when ah passed ma Qualifyin' ah went intae the Penicuik High School. Ah liked the primary and the secondary schools. Ah've always had a keen interest in books, even frae ah wis a young laddie.

Ah wis always a reader. As a laddie ah liked novels but also history. Ah read G.A. Henty.[157] And ah used tae like the woodwork at school, it was interesting. And ah played football for the school team. Mr MacQueen was the headmaster at the High School but he had not one iota o' interest in sport. But when we went doon tae Gorebridge and played in the final o' the school cup, the auld devil got his photiegraph taken wi' us. And that wis the first cup that Penicuik School had ever won in football, efter we had been a' roond Midlothian and ower tae Fife. We didn't even get a postcard from Mr MacQueen. Ah wis at Penicuik High School till ah wis fourteen.

When ah wis a laddie growin' up in Penicuik ah remember a lot o' sadness and worries. Ah think frae an experience when ah wis young. As ah said already we didnae have very much in that single end house in Pryde's Place. Ah always remember one day ma mother had stewin' steak on for the next day's dinner. This wis Saturday. She had it cooked. And ah remember ma father comin' in aboot ten o'clock at night and he took the pot o' stew and he put it on that wee stool thing and he heated it up and he ate the whole lot o' it. And the next meenute he wis oot the door like a flash – sick. And it wis all in the gutter. He wis actually a guid faither. But he wis an awfy man tae drink in thae days. Maist o' the men were the same in thae days, heavy drinkers. And ah never forgot that. It always seemed tae stey in ma mind. There he wis, he had ta'en our dinner on Saturday night and it wis in the gutter. Ah never forgot that. And then ah remember ah had a paper round when ah wis about nine year auld. In these days of course ye got tae do papers. And ah wis savin' up for a bike. Bikes in those days were about £4.19.6. And ah'd raised aboot twelve shillins and ah thought, 'Another three weeks and ah'll get ma bike.' And ah come in one day and ma mother wis cryin'. And ah says, 'What's wrong ?' The rent wis due. We didnae have any money for messages. Young as ah wis ah jist went and got ma money, ma twelve shillins, and ah gave her it. Tears were comin' doon ma eyes and ah couldnae speak. But it paid the rent and it got the food in. Oh, things were very tight in these days. Ma mother had quite a struggle. Ah did her a good turn another time an' a'. As ah said, at Pryde's Place it wis a dry lavatory outside. And bein' a laddie ah wis jist larkin' aboot in the toilet one day and lookin' up in the rafters, when ah found ten shillins. Ah went roond tae ma mother and ah says tae her, 'Look what ah found.' She says, 'Where did you get it ?' Ah says, 'It wis in the toilet.' She says, 'Whae's will that be ?' 'Ah don't know,' ah says, 'but it could be ma faither's.' But ma faither never ever said. So that wis another meal ah gave her.

When ah left school ah didnae have any ambitions. Ah must admit ah just took it as, 'Ah'll be goin' intae the paper mill' – and that wis it. Ye had tae leave the school It wis still hard times. Ma parents were quite keen for me tae leave the school. Ah mean, they couldnae get ye away quick enough.

In a way ah wid liked tae have stayed on, but then ah wis guided by them, ye see. Ah wis practically oot the school and intae the mill. Ah left the school as soon as ah wis fourteen and ah started in Esk Mill between Christmas and New Year 1934-5.

By this time, when ah turned fourteen, things were beginning tae heat up, ye know. The worst o' the recession wis over by then – ye could feel things were startin' tae move by 1934-5. They were looking for workers. Ye had Valleyfield and Dalmore and Esk Mills. So I got a job in Esk Mill. There wis no hassle or anything: 'Are you Dave MacDonald's laddie ? Oh, aye.' It wis word o' mouth in thae days. Ma father wis already workin' there, he wis established. Well, he spoke tae the director, Edward Jardine, and he had said tae ma father, 'Well, send him along and we'll see what we can do.' But that wis as good as sayin', 'Send him along and we'll start him' – which is what happened. When ah went down there ah had nae interview or anything, ah jist got told tae start on Monday. Ah wis ma father's son. Ma older brother Jim wis already in the mill on the finishing side. In those days ye didnae get a week's holidays at Christmas time, so ah started jist after Christmas. So ah left school and started on the Monday. Ah wis never unemployed. Ah've never been unemployed in ma life.

Well, when ah first entered the mill ah wis on a job they called the wrapper laft, the wrapper loft. That entailed getting wrappers for people who were called tiers. The tiers waited on you bringin' the wrappers tae them. They put the paper in the wrapper and tied it up and put it on a pallet. The wrapper wis jist an ordinary brown paper wrapper like ye use today. And there wis certain yins that we had tae get cut tae size and things like that. So that was ma first early days job.

Well, ah wis on the wrapper loft for aboot six or eight months ah think it wis. And then they drafted me doon – ah wis always kind o' well built – beside the men in what they call the beater house. That wis the area where the pulp wis. The pulp wis jist like ordinary sheets o' paper, and they mulched it up like porridge and that wis it ready for makin' intae paper. Well, ah wis there tae assist the guys that were on the back, day and night shifts. There were three shifts, but ah wis only on from twenty past six in the morning. Ye had your breakfast at half past eight and then ye had a break at one o'clock, and you went home at five. It wis quite a long day for a laddie o' fourteen or fifteen. You took your breakfast with you tae the mill. We had a pitcher wi' tea and ye put it on a hot steam and the hot steam heated your tea up. Ye had a separate wee corner where ye could eat your breakfast. Ye didnae eat it at the machines. We had a wee area where we could sit. If you were friendly wi' the guy you were workin' wi' you sat together. And in those days they were older boys that ah worked wi' and ah always got a cake frae them. Ah wis the laddie and they looked after me quite well.

Esk Mill wis a very friendly mill. Families worked there. Well, ye can take masel' and ma brother and ma father. But there were loads o' them wi' sisters or brothers there, their relatives, there wis. So that helped tae create a sort o' relaxed atmosphere in the mill. Ye werenae workin' wi' total strangers – no friction, we were all friends. And the nice thing aboot Esk Mill as well – but ah think most industries were beginnin' tae do this anyway – wis there wis a place at the top o' Kirkhill. The mill took it over and made it into a sort o' indoor bowling and snooker place and a' the rest o' it – a social centre, but for the whole mill, ye see. Not for people outside the mill, jist the workers, and their families by invitation – like if they were wantin' tae have a challenge game or anything like that. And the other thing that Esk Mill did in the early days – this wis pre-Second War – they took a stretch o' ground up the back nearer the cemetery at Kirkhill. It wis a great area o' ground and they flattened it out and they even got men tae look after it: tennis courts, bowling greens, puttin' greens, you name it, for leisure. These were for the Esk Mill workers. They were strictly Victorian in these days, so it wis strictly adults, ah think – just the workers. As ah recollect ah don't think ye could bring wives or children or uncles. So that wis happenin' in the later 1930s, when ah wis there, jist before the Second World War.

It wis the management, no' the union, that did that. 'Cause Mr Jardine hissel' – the Edward yin – he wis a keen curler. So they built a curling place at the bottom of Kirkhill, jist past Esk Mill, jist as ye turn into Esk Bridge ye took a road down there and that's where they had it, a beautiful curling pond. Oh, it wis really lovely. Edward Jardine he initiated it. And they used tae challenge everybody in the district. Ah didnae do curlin' masel' – football wis ma game. But ah used tae like watchin' it. It wis wonderful tae see the amount o' people that gathered at this place. It wis jist in the winter, of course, when the water wis frozen. But Esk Mill certainly did pull out all the stops. In Valleyfield Mill there wis a lot o' that. Valleyfield did have a recreation, shall we call it, in the same manner as Esk Mill. But Esk Mill were the real top notchers. Ah don't know so much about Dalmore in those days. Esk Mill took the initiative and they did that before the war. But Valleyfield didn't do it until later, after the war.

And as ah say, at Esk Mill the initative really came from Mr Edward Jardine. And he led by example. He wis there playin'. He even played at tennis. He had a fatherly interest in the mill workers. He could come intae the mill and sit down and talk tae ye. He did that. Even when ah wis a young man: 'Well, how're things goin', George ? Any problems ?' And ah felt he listened to what you were sayin'. Ah mean, ah wisnae nervous o' sayin', 'Oh, well, I'm no' happy wi' this.' He wanted the truth. He wis good that way.

Ah had a wee thingmy wi' Mr Edward Jardine – rapport wi' him, because he wis an elder in the North Church and ah became an elder later on in the North Church, so we used tae meet at meetins. For promotion in the mill ah think ye had tae have the ability. Ye had tae prove yourself really. It possibly did help if you were in the same church. But ah never gave it a thought actually, because ah wis always a perfectionist when it come tae makin' paper. But ah cannae mind o' anybody at Esk Mill that wis Roman Catholic or Episcopalian that rose to be foremen or got intae senior positions. Most o' them were Church o' Scotland. Quite a few Catholics were employed in the mill and there were Episcopalians, too, and Salvation Army: a' the denominations were there somewhere. But ah can't recall any Roman Catholics who became foremen. Ah wis there aboot 33 years, apart frae the war years. Ah knew a' the foremen and ah never knew one a Roman Catholic. It's something ye dinnae think aboot. When ye look back on it. . . D'ye ken, ah never sort o' thought aboot it at a', it never dawned on me. But honestly most o' the foremen ah wis involved wi' and the papermakers were a' Protestants. But actually after the war the Episcopalian side o' it sort o' died in Penicuik. There wis a decline in the church membership and it wis jist ordinary people that were goin' up there, jist tae join a church. Whereas in the pre-war scene it wis a tight close knit family, sort o' style.

The Episcopalian Church wis ma mother's church, she wis Episcopalian. That wis another thing aboot Penicuik. Ye were divided intae three parts. It had the Roman Catholics and the Episcopalians and the Church o' Scotland. Well, we were the Episcopal. And a' the families went – the MacDonalds, McGarvas, the Frasers, a' these people a' went tae the Episcopal Church. Ah think ye had tae be wary wi' the Catholics. They were a wee bit fiery some o' them, ye know. As ah remember, they were a bit fiery. But in the main they were nice people. But when ah wis a laddie most o' the people in Penicuik that went tae church went tae the Church o' Scotland. We've still got three Churches o' Scotland: St Mungo's, the South Church and the North Church. Ah'm an elder now in the North Church. Ah joined the Church o' Scotland when ah married ma wife Jean in 1940. We were married in Glencorse Church and bein' as she was an Auchendinny girl ah jist went over and ah started goin' tae that church. But then after the war and things settled down and ah wis workin' again in Esk Mill ah decided tae go tae the North Church tae save travellin' tae Glencorse. Ah never had any urge tae rejoin the Episcopalian Church. Everything changes. Ah don't know how ah got intae the North Church ! But ah've always been a regular churchgoer.

So at Esk Mill when ah began as a laddie o' fourteen on the wrapper loft then on the beaters the wages wis fifteen bob a week. In the mill it wis a sort o' trainin' exercise. The beaters wis the start o' makin' paper – the pulp, the raw material. And ma next phase was when ah wis gettin' put on tae shifts. Ah turned sixteen at the end o' 1936 and ah wis put on tae the shifts – and that put me on tae the machines. So that's the second phase, comin' from the pulp tae makin' paper. And ah did ma trainin' there for about six month or so and then ah got put on a shift o' ma own as a sort o' small assistant. Ah mean, ah wis part of a shift. You see, in Esk Mill there were four machines. So they all had tae be manned 24 hours a day. And ye had tae have a machineman – that's the man that wis in charge o' the machine – first assistant, second assistant, and what they called the broke laddie. So ah started there as a broke laddie. Then ah wis a second assistant, and jist after the outbreak of the war ah'd finally made machineman at the age o' 20.

As ah say, there wis a kind o' recognised trainin' within the mill. A laddie like masel' started on the wrappers, then went to the beaters, then on to the machines. It strikes me that the management sort o' studied a person whom they were dealing with, and in ma instance they would say, 'Look, this is good machine material. We'll put him on tae the beaters.' Ah think that's how it worked out. But not every laddie startin' straight frae school would follow the same route. Basic jobs – and then he possibly never went anywhere sort o' style: he would jist have a menial job in the mill. It depended on his ability – he could rise up, there wis a kind o' ladder tae climb. There wis somebody at the back o' it a' – most likely Mr Jardine, the managin' director. He was very shrewd. And he had a good manager, a Mr Davers.

Mr James Jardine, the elder brother o' Edward, wis the managing director when ah started in the mill. But James died in 1943. He had a sort o' nervous breakdown in one o' these nursin' homes – and ah should maybe no' say it, but he threw hissel' over a . . . and killed hissel'. James, a real Victorian, wis the brains o' the mill till he took this illness. It wis after 1940 he fell ill. He'd been the managing' director and Edward his brother followed on and took over. Edward, as ah say, wis good, too. When James wis managin' director Edward wis somethin' like assistant managin' director, somethin' like that. They worked together, bein' as they were brothers, but James wis the recognised scholar, how clever a man he had been. But Edward wis clever, too.

The owners o' Esk Mill wis James Brown initially, and then it wis McDougall that took over. And it wis McDougall's acumen that got Esk Mill where it wis goin', and the place blossomed. This was 1800 and something – 1870 or somethin'. And then later on the first generation o' Jardines came intae it. The second generation wis James Jardine and Neddy Jardine. And that's how it went on. As ah say, when ah started in the mill, James wis the managin' director and Edward was sort o' his lieutenant. As time went by they had a nephew comin' up as well, John Jardine. And ultimately, after

James wis away and Edward wis away, John Jardine took over as the managin' director. When ah wis a laddie John Jardine wis a young man. He wis much of an age wi' me. And ah think he went away tae the army so it wis later on when he came back that he took the reins. It wis the two Jardine brothers and then ye went down to the level of foreman. In ma early days at the mill there wasn't an assistant manager or a deputy manager.[158]

It wis jist after the outbreak o' the war that, as ah say, ah'd finally made machineman at the age o' 20. Ah remember the outbreak of the war. Then later on ah came in for ma dinner one day and ma father says, 'Did ye enjoy your dinner ?' Ah says, 'Aye.' 'Well,' he says, 'ye can read that' – ma papers tae get away: ah wis called up. Ah knew ma time wid come, ah knew ah'd be away after ah wis 19. Ah went and had a medical in Edinburgh. Ah jist went for the Air Force. Ma older brother Jim he wis a Terrie and he wis in the King's Own Scottish Borderers by this time. He wis at Dunkirk and a' that but he got back safely. Then of course ah wis married in July 1940. So ah'd only been married a few months when ah went off to the Air Force early in 1941. Ah went tae Melksham in Wiltshire. We got kitted out and then we went on to Bournemouth. So ah done ma trainin' there – six weeks.

In the Air Force ah wis an aircraft fitter. Ah jist carried on wi' that a' durin' the war. Ah wis in West Africa. Ah went tae Freetown in Sierra Leone, and then a place called Takoradi on the Gold Coast, and then ah went tae Lagos. Ah stayed there for about a year. That wis a' ye were allowed tae dae in West Africa, a year and a half, because of the climate. But it didnae affect ma health. Ah wis lucky wi' the weather, ah loved it – warm.

Ah wis aware of the difference, the deprivation, between Britain and West Africa. It wis jist unbelievable. The poverty, oh ! Terrible poverty, absolutely. A' the flies round about their mooth. They put me off for life, oh, ah felt unbelievably bad about it. Ah wis jist sad aboot the whole situation. Quite a lot o' the other airmen felt the same. Ye got quite a few that couldnae have cared less. There were a couple o' Welsh blokes there, they were gey rough. They used tae batter the darkies aboot, ye ken, and ah jist couldnae stand it. But ye meet a' thon. Oh, that experience made an impression on me that's remained always to this day.

So ah came home from there. Ma daughter wis born when ah wis away in West Africa. She didn't know me when ah came home. And then jist for a short time ah wis stationed at East Fortune. Then ah went tae Northern Ireland – Aldergrove. Ah jist went tae Leading Aircraftman, ah didn't go on. Ah played fitba' every station ah wis at. Well, whatever camp you went tae, 'By the way, any o' you lads play football ?' Ah played centre forward for Cliftonville, a professional team in Northern Ireland, for a couple o' years. So ah remained in Northern Ireland till the end of the war and ah wis demobbed from there in 1946.

If the war hadnae come ah might have become a professional footballer. Ah wis aimin' for that right enough. Ah wis really, really keen on it. That wis ma ambition then, it wis. Ah wis always oot in sport – football. Ah wis playin' then for Penicuik Thistle and, ken, we were a crack team. We were doin' so well. That's when the war started. Two o' the players were only away six month, they were air crew and they were both killed. We lost aboot four, ah think, o' the team in the war. So ah lost out durin' the war. Ah wis 20 when ah went away in 1941 amd wis gettin' on for 26 when ah came back. Well, ah wis playin' regularly in the Air Force. Ah played up against some o' thae English professionals like Liddell o' Liverpool. He wis a rare player.[159] But we beat them in the cup, and ah've got a medal for that. When ah came home at the end o' the war they wanted us tae flit and go back tae Northern Ireland, but that didnae appeal to me. But when ah came home frae the war ah played for Bonnyrigg Rose Athletic as centre forward. That wis a Junior team. They were a good footballin' team. Ah loved ma game, ah wisnae playin' for the sake o' money. Well, ye got a few bob – ten bob, your expenses. And then the travellin' wis a wee bit dodgy because it wis a Musselburgh bus ye took frae Penicuik tae Bonnyrigg in these days. Well, ah wis on shifts at the mill and ye couldnae really catch a bus at times. Sometimes it wis one o'clock on Saturday in thae days before ye finished at the mill. And if ye missed the bus ye missed the game. Then ah went and played for Kelso, and then ah wis wi' Vale o' Leithen and ah finished up wi' Peebles Rovers. So ah had a good innins. Ah always think that's how – if ye look efter hersel'. Ah've been very lucky health-wise, havin' played football.

Well, ah wis grabbed by Esk Mill as soon as ah returned home after ah wis demobbed in 1946. Ah'd been away for five and a half years and ah wis only back home aboot three days when ah got word frae Mr Edward Jardine if ah wid give him a visit. Ah mind ah had got a suit made in West Africa. It wis a lovely suit, though ah say it maself. And ah says tae ma wife Jean, 'Ah'll put it on. Ah'll shake him up.' 'My God, George,' he says – he wis in the 1914 War, and he thought mine wis a demob suit, 'ye're gettin' better suits than ever I got.' 'Ah beg your pardon,' ah says, 'I got that home-made wi' an African.' And then he jist turned roond and he says, 'Oh, by the way,' he says, 'can ye start tomorrow ?' Ah says, 'Ye're shairly in a hurry ?' He says, 'Well, ah'll tell ye what it is,' he says, ' we're goin' tae try and get this machine started and the quicker we get it started the better for everybody.' So ah says, 'Oh, well, right-o.' So ah went back intae the mill at the end o' the war. Ah wis already a machineman from when ah wis 20.

Durin' the war production at the mill had been very poor. They were usin' straw to make paper, because ye werenae gettin' the export across, the pulp. And maist o' the lads o' ma age were like myself, they were all away in the Forces. They were mainly older men that worked there durin' the war.

The older men worked on till they were aboot 70, 75 in thae days. In fact, ah remember before the war, when ah wis jist a boy at the time, ah actually picked up a man o' about 82 on the Kirkhill Road. He'd collapsed comin' oot o' night shift from Esk Mill. Ah'm jist tryin' tae remember his name, it's such a long time ago. Ah wis comin' down at six o'clock in the mornin' tae start ma work and ah seen a bunch o' lads on the road and ah said, 'What's wrong ?' He'd jist collapsed and died on the road comin' back frae his work. He'd probably started in the mill when he wis aboot 12, so he'd been in the mill 70 years. He'd always been at Esk Mill a' his life. He wis on the potchers. He wis responsible for makin' sure that everything wis . . . and he always did. That's how he died. He must have died happy. Ah aye mind he had an old fashioned beard, tae.

So durin' the war ah dinnae think they called any back frae retirement, they jist made do wi' what they had, because business wis slow. They didnae take on a lot more women because there wisnae that amount o' demand then for paper. The number o' workers dipped, plummeted. So when ah went back tae the mill after the war they were beginnin' tae fire up. That wis Neddy Jardine's hurry. This is what Mr Jardine wanted, he wanted this other machine started up. And so for the following twelve months ah wis on twelve hour shifts. They had nobody tae train, ye see. It was exhaustin', twelve hours a day. Ah wis workin' about 65 hours a week. Ye still worked Saturday mornings. Everything closed down at dinnertime on Saturday till Sunday night. There wis no production Saturday afternoon and Sunday, it wis jist maintenance.

When ah'd started at Esk Mill in 1934-5 there'd be aboot 300 workers there – four machines, ye see. In those days there were no fork lift trucks. So everything had tae be done by hand and your strength. That meant that you were gettin' four men on every job. If you go down to Dalmore Mill now you'll find that there's only one man on every job, because he's got a fork lift truck. But when ah went back in 1946 the place wis beginnin' tae buzz wi' men. It wis still then a heavy manual sort o' job, heavy work – no mechanisation for lifting, none at all. About two-thirds o' the workers were on shifts. Ye'd never get the 300 workers in the mill at any one time, but in every 24 hours ye'd get the 300 passing in and out. There were still in these days three to four men on every job. Labour wis cheap.

In ma early days in the 1930s in the mill there wis a great number o' ladies, because they did all the overhauling of the paper after it had been made – checking the quality, chucking out anything that wisnae passable, countin' the reams. That wis a' done by hand. So there wis more women at the later stages o' the paper makin' process. The men and the hard labour wis the potchers and the beaters and the machine workers, and the ladies did a' the hand work on the paper. The women were a' in what we termed the finishing department. Of the 300 workers before the war ah think there would be about a quarter o' them women – rather less than 100. Girls could and did start straight from school, as ah did, and sort o' worked their way.

So at the end o' the war production wis beginnin' tae revive, and Mr Jardine wis in a hurry to get all the skilled experienced workers. So gradually the mill returned to the pre-war production levels. The number o' workers went up tae about 360 between 1950 and '60. That wis the height o' production then, about the middle '50s. There were a lot o' modernisation goin' on. Paper machines have got big cylinders. There were aboot nineteen o' them and they were driven by long hempen ropes frae one end tae the other. That's what drove your machines. Well, that wis a' eliminated and we had them in four banks o' cylinders – that's twelve – and each had an individual clutch to start it away. So that ye got them a' goin' and a' thae hempen ropes were ta'en away. This wis modernisation – everything. Ye were speedin' up and ye were makin' more paper – 200 tons o' paper a week. Ah think they were only makin' 100 tons or less durin' the war. Maybe it wis about the same before the war, because they werenae really speedin' up in these days. And after the war it wis better quality paper.

Esk Mill paper wis a' fine papers, for books and things like that – printing and publishing, and writing paper. Ye didnae make wrapping paper, it wisnae good for the system, ye ken, brown wrapper. It wis a' finer papers for printin' and typin' and things like that. Ah remember some o' the customers were Nelson – Tommy Nelson, and Collins in Glasgow, and Thomas Cook, the shippin' and travel people – there wis a big order wi' them. Oh, Esk Mill had big customers. Then after the war we took on Churchill's memoirs. Oh, that lasted for years – one machine just makin' it every day: a massive job. So other customers were less important than printers and publishers. That wis the case right through the 1950s.[160]

As ah've said, before the war ye came down tae the manager after or below the Jardines, and the manager there wis George Davers. He wis the manager o' the whole mill in these days, responsible tae Mr Jardine. And then under Mr Davers there wis the foremen: labourin' foremen, machine foremen, finishing foremen – ma brother Jim wis a finishin' foreman – and they had their team for every department. There wis actually jist two machine foremen at that time: Mr Stark and Mr Iron. They were on a different shift, especially on the paper machine: they did a twelve hour shift. That wis heavy goin', but that a' changed as the years went by. After the war things sort o' mellowed a bit. They instigated a new title for Esk Mill, 'cause the auld guy Mr Iron that wis there before the war he died and this only left Mr Stark. And he wis made paper maker – instead o' bein' the shift foreman they made him paper maker. And he wis all day shift. He then got three foremen under him – day shift, night shift and back shift. And that's how I got in there. Ah wis 28 when they made iz a foreman. That wis quite young, because in ma day ye'd had tae wait on somebody dyin' – because, as ah say, in those days they didn't retire at 65: they worked on tae they were 70, 75. But after the war the unions got crackin', and everybody retired at 65 and a' the rest o' it. Before the war promotion had been very slow.

Ah always found paper makin' interestin'. Ah loved it. The satisfaction ah got wis bein' able tae make a better sheet o' paper than what they were askin' for. Ye have a knack – if ye like your job ye'll do a good job. Ah liked tae make paper. And ah didnae take anything for second best. Some machinemen they let their lads get on wi' it sort o' style, withoot checkin' up. It's a bad thing that. Ah wis always trained tae make sure that what ye were makin' wis right, that it wis saleable, acceptable. And ah loved it, paper makin'. Ah wis always on top o' ma job, but there wis always room for improvement. Your paper had tae be dead level. Ye had tae make sure that there were no dirt or anything in it, the size wis right.

Ah wis 20 when ah joined the masons, it wis 1941 ah joined. In these days freemasonry was very, very strong, ye know, in Penicuik. Ah went tae different places and that's a' ye could hear, talkin' aboot masonry, masonry, masonry. So ma wife Jean's father wis a mason and ah come home on leave from the Air Force, and he says, 'Ah think we'll get ye intae the masons.' So ah wis hame the next leave, ah wis proposed, and that's how ah got in. Actually, ah joined Loanhead St Leonard 590 rather than Penicuik. Well, that's where ma wife's father wis. But there wis a strong masonic lodge in Penicuik, and there wis a lot o' masons in Esk Mill, very much so. Quite a lot o' the Esk Mill workers were masons, ah would say, in those days. There were no women members o' the lodge, it wis a man's prerogative, purely the men were masons in those days. There might have been about a third o' them – 50, 60, 70 o' the 200 men workers were involved in the masonic. This consisted o' the guys that went tae the indoor bowlin', the outdoor bowlin', the tennis. Minglin' as they did ye got a join-up, and that's what happened really. Ah wid say it wid be true of Valleyfield tae, because it wis a lot o' the officials, the workers, in Valleyfield that run the masonic lodge. There were more workers – oh, there'd be 400 – in Valleyfield than in Esk Mills. And Mr Edward Jardine, the managin' director at Esk Mill, wis a freemason.

Ah wis in the union, the National Union of Printing, Bookbinding and Paper Workers, frae the day ah went tae the mill in 1934-5. Ma father wis a member. In those days ye had tae be in the union, it wis more or less a closed shop. You had to join. They had an office in Penicuik. The place that it used tae be is now knocked down, it wis jist a wee bit further up the road frae the Royal Hotel, more or less opposite the Town Hall. Ye know what old buildins are like, and the guy used tae have a shoe-repair place in the old, old days, so they tarted it up. Ah'm tryin' tae mind the name o' the union man for years – ah cannae mind if it wis George Young or no'.[161] He wis the full-time secretary o' the Penicuik branch. Before that he'd worked in the coatin' department o' Esk Mill. He used tae do a lot o' the union work from the mill. And then he gradually got overloaded and then he had tae do it full-time. He wis full-time by the time ah started in the mill. Ah wid say certainly before the war most o' the Esk Mill workers were in the union. But there were still a few that didnae want nothin' tae do wi' it. They didnae want tae part wi' their cash – membership dues. They jist didn't want tae pay it. Ye know how people are a bit tight fisted – pure and simple they jist didnae want tae pay. There yaised tae be a lot o' ill feelin' about that, right enough. Ah never had any animosity wi' anybody. But there yaised tae be some heated arguments in Esk Mill. Well, the union were gettin' things improved for them and these guys were gettin' the benefit o' it but not payin' for it: the classic rows. There were quite a few didnae pay it. The women werenae involved in the union quite so much in these days. It wis mostly the men. So more o' the women in the mill were not in the union than wis the case wi' the men. Ah wid say three-quarters o' the men were in the union before the war and maybe half o' the women. They were a' full-time workers, there were no part-time workers in thae days. The union wisnae strong in thae days, it wisnae a strong union at a'. In fact, it practically dwindled away tae nothin' later on. A lot o' people jist were disenchanted. There were never any strike at Esk Mill. Ah think they were too regimented tae their life style.

As far as ah knew about the union they didnae really have any interest in safety or security. I used tae wonder what they did other than fill in the papers, things like that. But there wis never any heavy-handed thing aboot sayin', 'Get that done – or else.' Ah cannae remember it. But ah remember some accidents in Esk Mill and later on at Dalmore Mill. The accident – a horrible accident – Isaac Palmer had at Esk Mill wis jist before ma time. Then after the war another boy, Billy Cairns, lost his hand. He wis ages wi' me. Ah wis a machineman and he wis workin' on this other machine. And he wis usin' a brush tae wash up the wooden platform across the calenders. There's two sets o' calenders and they should ha' had guards in them. And he wis brushin' away here wi' the water and he lost his balance. He had rubber boots on, he lost his balance, and he shot richt in tae the calenders. And ah wis at his back and ah got him by the waist and pulled him out. But his hand – it was his left hand – had went in and instead o' pushin' him out it took him in further. And then that's when it humped and he came out wi' jist this . . . I took his arm and put it at his back. Ah didnae want him tae see it. And we got some help on the way. And ah jumped intae the pit and got his fingers. Ah got them up and took them up tae the laboratory and got them intae ice, so that when the ambulance men came along they took them away wi' them. But unfortunately it wis no use. They had tae take the wrist off. He wis jist a laddie, he wis jist 20-something. He didn't go back in the mill. And of course there wisnae the compensation in those days that there is today. He became a postman. He can do as much wi' one hand as anybody can do wi' two. But ah wis ill for days after that accident. It wis the first ah'd been involved in. There werenae all that many accidents in the mill, not serious accidents. There wis no fatal accidents in Esk Mill when ah wis there.

Ah remember somebody bein' killed in Dalmore Mill after the war. Ah wisnae in Dalmore at that time but ah used tae see this guy. If ah wis on day shift at Esk Mill he used tae come up from Auchendinny up the back road past Esk Mill. Ah wis goin' down the road and ah would aye gie him a bit flag. Mr Clapperton his name wis. He wis on the beaters in Dalmore, and sometimes if ye had a colour ye had tae go intae the big tank, which has a propeller-agitator on the bottom. He had tae go in and wash it down and put the plug in and ladder up and out. Well, he wis doin' this one night shift and somebody had popped their heid in and seen the agitator standin'. But they didn't look right in and see the man doon below. And they started up this agitator – jist like a propeller. Mr Clapperton, poor devil, he wis mangled. He lived for a year. But he died at the end o' it.

And then at Dalmore again after the war, there wis another yin, Mr Birrell, killed. Ah wid say Mr Birrell wis in his fifties, gettin' on. They were having what they called a caustic wash-out. That's caustic soda, and the tank wis full o' it. And they put a steam thingmy intae it tae heat it and boil it up, so that when it wis warm enough they would put it through the whole system and clear the scum oot o' the pipes. And he had been washin' his overalls and he dropped them intae this tank, and he went across this gangway between the lips o' the thingmy tae get his overalls – fell in: ninety degree burns. He lived for a few days.

Oh, the mill could be a dangerous job wi' the machinery, caustic soda, slippery things, cutters, guillotines. In later years at Dalmore Alex Perfect lost his leg. Ye can jist imagine the thing. It's a long cutter, ken, wi' wheels on each side o' it and the blades are turnin' round all the time to cut the paper at the right time. Well, Alex went up tae alter the settin' o' the cut o' the blade. It wis a wee bit off. And he slipped and lost his leg.

In the old days before the Second War the machines in the mills werenae well guarded, they werenae well guarded at all. But if you go down to Dalmore now you'll see that the cylinders are a' covered in and ye can only see them through the window, so to speak. Whereas in the old days in the mills ye could jump up on a gangway and ye could fall intae the cylinders.

There wis actually no organised Safety First organisations in pre-war and after the war years at first. It wis only in later years that they tightened down on safety. If ye go down tae Dalmore ye'll see notices all over the place – ye're fallin' over them actually. And they've got such a good record in Dalmore that they've gone years now without an accident. And the money that they've garnished over that goes tae charity. They helped tae buy a Penicuik lady one o' these electric chairs. It enables her tae get out. And a' their money goes tae different charities.

But, as ah say, in the earlier years as far as ah knew about the union they didnae really have any interest in safety or security. Then even after the Second War the union wis always weak. Ah have tae say that in all honesty – and that goes for Valleyfield, Esk Mill and Dalmore. It wis weak. It didnae manage tae press successfully for higher wages, shorter hours, or – no danger – greater safety. That's why we never wis involved in any strikes or anythin' like that.

The management – because normally these guys worked in the particular area that they were in charge o' – were union-wise. And ah'm pretty certain that the management – well, ah have tae say it – in a' the mills they always had one o' these managin' directors that had a strong fist. And we never ever heard what went on between union and management. The union official never liked tae admit that somebody had come down heavy on him or anythin' like that. As far as ah'm concerned the union in Penicuik wis a sleepin' giant. It's possible that wis because not enough o' the workers were members o' the union. And if they were members they werenae' active. It's a part o' both. A lot o' them werenae members, and more were leavin'. So who wis goin' tae bother ? We never had any sort o' aggression. It wis never an aggressive union, in the same vein as Arthur Scargill wi' the miners. He wis the right guy for the right job. But we never had anybody like that.[162]

Ye always had a few political activists in the mill on the Labour side. Ah never joined a political party and nobody ever tried tae encourage me to join. Ah always shied away frae that side o' it. Ye had so many guys that really wanted tae do it, ye know, ye always had a few in the mill. Ma war experiences didnae make me become politically active. Ah wis jist yin o' thae happy-go-lucky sort o' blokes and ah had too many other interests – as ah say, ah wis always oot in sport, football. And as ah said, ah had tried tae save up for a bike when ah wis nine year auld. But tae get a bike ah had tae wait till after ah left the school. But ah finally got a Royal Enfield bike, so cycling wis another interest ah had when ah wis young. There were aboot twelve o' us used tae go away up tae Galashiels and Peebles. We used tae get down a wee riverside and camp the week-end as well. We used tae go tae Portybelly on a Sunday mornin', in tae the baths there. The bike wis good exercise. Oh, we were young and daft. Jist on occasions we went youth hostelling, mainly down the Borders. It gave me a greater interest in the countryside. Oh, ah loved it and the roads were safe. Cyclin' helped me in ma footballin', and that's what helped me in ma life style, and ah never smoked, ah never drunk – ah had nothin' against it like, jist....

Now why did Esk Mill close in 1968 ? That's a simple answer there. We had a coating department, that is to say, you were jist like pastin' the top o' the paper wi' whitenin'. Well, they built this big machine as a coating machine and it cost aboot three-quarters o' a million pounds – and thereby lies the story. Ah'm afraid it wis Neddy Jardine's decision. He wis still the managin' director, had been for quite a long time. His nephew John wis comin' up. They jist ran out o' money. They had been leaning on the people that were giving them this, that and the next thing. They were owe this one £40,000, this one £50,000, £100,000 – they ran out o' money. And it came to the point if they didn't pay they were goin' tae shut them down. And that's what happened. That's what shut Esk Mill. That wis the root o' the trouble. It wis a good goin' mill, good quality paper. And that particular machine wis only beginning tae pay its way when they jist closed the mill down in 1968. It was a bad decision tae invest in that machine. It wis jist bad management. We, the workers felt that at the time. It soon rippled round about. It come from the office: they knew. The secretary was J.J. Wright – his faither before him wis secretary, too. But ye jist needed tae look at J.J. Wright's face and ye knew that that wis trouble. Oh, he wis a worried man. He realised that this was.... Edward Jardine had insisted. Oh, it wis a huge sum o' money in these days. The writin' wis on the wall two years prior to us shuttin'. It wis takin' too long to bring in the cash, this machine. We were all worried for a couple o' years before the mill finally closed. So Esk Mill jist collapsed and everybody wis paid off.

Well, ah had been in Esk Mill for 33 years, apart from the war years. Ah got £1,000. And that wis a lot compared to what some o' them got. Some o' them only got £50 – and they had been there 20 years. That wis because there were no money. Ah wis a shift foreman and that's a' ah got. In these days ye never thought aboot redundancy money in the amounts that they're gettin' in today's world.

About findin' other jobs, well, we jist sort o' let things run their course. But ah got a fax from Aberdeen asking me if ah wid care tae give them a visit. It wis C.H. Davidson, a big paper mill in Donside. Ah made an arrangement tae go and see them. He wis a colonel, a right army man. And ah had a couple o' interviews wi' him and he finally gave iz a job, tae start at Mugiemoss in Aberdeen. I even had the choice of a new house up there an' a' the rest o' it. And it wis at this time in 1968 that Dalmore Mill at Auchendinny were goin' tae start on the four-shift system. Mr Wallace, the managin' director there, sent for me tae come down and he says, 'Ah believe ye've got a job in Aberdeen ?' And ah says, 'Aye, that's right.' He says, 'When d'ye start ?' Ah says, 'Ah'm jist makin' ma thingmy tae start now.' And he says, 'Well, what wid it take tae keep ye here ?' Ah says, 'Well, what are ye goin' tae give me like ?' So when he told me ah says, 'Well, right enough, ah'll do it.' He says, 'Well, start tomorrow.' That solved ma problem. Mr Wallace actually offered me a wee bit lower than Aberdeen offered me. But ah didnae bother aboot that because ah'd been born and brought up in Penicuik, a' ma family were here, and ma wife Jean wisnae too keen tae move. So again it came down tae the love o' the job, and the upheaval goin' up tae Aberdeen.

When ah left Esk Mill ah started in Dalmore Mill straightaway. Ah didnae have any unemployment, and ah had ma £1,000 redundancy money. And ah remained seventeen years at Dalmore until ah retired in December 1985. So that made ma 50 years in the two mills.

The difference ah found at Dalmore were ah had had more freedom in Esk Mill. Ah had control in Esk Mill over what furnish ah wanted tae put in tae make a particular type of paper. But it wis a strict regime down in Dalmore. It wis Mr Oliphant Davidson that wis the paper maker there. He wis very strict. There wis more supervision. But then he wis carrying the can. When ah say the furnish in the paper, ah mean there are so many different types o' trees – hard wood and soft wood. Ye've got tae blend them. Like if ye're makin' paper for a lawyer's letter, that's got tae last maybe for a thousand years. Sometimes the paper cracks and a' the rest o' it. But ye have tae put enough hard wood in it and blend it with soft wood so that it doesnae crack or tear. And ye make your mind up what ye're goin' tae do. Ye maybe say 50 per cent hard wood and so much per cent soft wood, and so much recycled. But that wis the only difference at Dalmore. Ye had more initiative on your own at Esk Mill. If a paper wisnae runnin' right ye could do things about it. Ye could change the pulp, ye could change the furnish tae make it stronger and your machine wid run harder and without too many breaks. But down in Dalmore Mill Mr Davidson wis the major man. He laid down the law. At Dalmore ah wis gettin' told what tae do in relation tae what ah used tae do on ma own bat. But Mr Davidson wis good. He wis takin' the rap. We followed his instructions. And then if there wis anything wrong with it he wis quite happy tae take the blame. So ah soon knuckled down tae it and accepted it.

In 1968 when ah went intae Dalmore there wis 160 people workin' there, women and men, takin' all the shifts. Thirty years later they'd got 166. In ma early days in 1968, it wis three men tae one job, because there were no fork lift trucks. But now there are fork lift trucks in every department, and one man operates it. He stocks up the chests wi' the different types o' pulp. He does it himself wi' his fork lift truck – puts it down, cuts the wires. It's all one man one job. So the number o' workers had really increased from 160 to 166, because mechanisation, automation and fork lift trucks have come in. Since Esk Mill and Valleyfield closed Dalmore has benefited because it's the only mill left on the Esk and the demand for its paper has increased.

Dalmore are now under an American firm, Curtis Papers, and it's them that orchestrate everything. It's a conglomeration, and they get a lot o' wood pulp now from America. It's improved the quality of the paper, it makes a wonderful paper in Dalmore. When ah went there in 1968, oh, it wis very cheap paper they made at Dalmore. It had no strength in it, no' nice at all. The paper that they make today is jist something out o' this world, really great paper. It's mainly for printing and publishing, commercial packaging. The Americans came intae Dalmore after ah retired in 1985. The first thing they did they put an effluent plant there. It cost three-quarters o' a million pound – the very sum that brought Esk Mill to their knees. And it's the most wonderful effluent plant ah've ever seen. This one consists of five different tanks, and the effluent water goes intae these tanks in rotation. And of course the effluent drops to the bottom. It's actually chemicals that drop to the bottom that's undissolved. And at the bottom o' one o' these tanks there's bugs – a trough wi' millions o' bugs in it. And they eat the chemicals. And tae keep them alive they've got oxygen pumps working, and they've also got a source of feeding – glucose. They've got a glucose drip goin' in tae keep them alive. And then of course computers is daeing everything now.

In the old days ah think Esk Mill and Valleyfield papers were all much on a par. We were a' in the same boat. We couldn't steal a march on anybody by sayin', 'Oh, we've got this pulp and it's better paper. We've got this chemical and it's better.' Valleyfield used rags in these days, Esk Mill never used rags while ah wis there. Rags enabled Valleyfield tae produce a better quality paper. Ah think the rag went oot o' it, because the rag trade modernised, ye might say, and there were colours comin' intae it and that mushed up their system. So some time before Valleyfield closed they were no longer usin' rags. Dalmore never used rags while ah wis there. Years ago it wis cheaper papers they made, but they've improved the quality greatly. The Americans have shown them the way.

Mr Gordon Wallace remains the managin' director at Dalmore. He wis the owner but not any longer. The mill wis slowly sinkin' and the thing tae do wis either tae sell out or get out. And he sold out. And the Americans they offered tae let him carry on. They recognised that he had been doin' a good job.

So ah've no regrets ah didn't become a professional footballer. Ah've no doubt at all about it. Ah still love the job o' paper makin' yet.

Charles McLay

Ah happened tae go along tae the garage on the Saturday and got talkin' tae Alec Noble – that's him that had the garage. And Alec says, 'Are ye no' workin' ?' Ah says, 'No' now.' 'Well,' he says, 'ye can start here if you're wantin' and dig the founds for a bit. Ah'm goin' tae join on.' Ah wis about three weeks there, ah think, diggin' the founds, and Mr Gordon Wallace, the managin' director frae the Dalmore paper mill, came up. And he asked Alec Noble: 'Have ye got a man McLay workin' here ?' 'Yes.' 'Well,' he says, 'ah've got a job for him if he wants it.' Alec says tae him, 'How long is it for ?' 'Oh,' Mr Wallace says, 'as long as he can keep it.' And Alec asked me if ah wanted it. 'Oh,' ah says, 'aye, Alec, if it's a job like that,' ah says, 'because this one won't last long.' 'No,' Alec says, 'it won't. Well,' he says, 'ye can go.' And ah wis there at Dalmore 38 year.

Ah wis born 16th of May 1908 at Kilmadock, a place near Doune in Perthshire. Ah left there when ah wis an infant and ah couldn't tell ye much aboot it. Ah think at that time ma father was what they called a houseman on an estate. That meant he worked in the big house as some sort o' domestic servant. Ma father wis born at Bannockburn in Stirlingshire in 1878. That's the home town o' the McLay's, Bannockburn. But, oh, ma father moved about a bit. He'd been in Castlecraig, Dunblane – a' ower the place. We left Kilmadock and we must have went tae Cowie. As ah say, ah wis very young, ah can't mind o' Cowie, it wis jist what ah've heard ma parents talkin' about. I know that ma father wis a miner once and that wis in Bannockburn some wey. And he played for Queen's Park football team. Now this is jist what ah've heard them talkin' about, and ah've heard them sayin' they jist came oot the pit and intae the fitba' field ! He must have been a good player if he played for Queen's Park. They were a leadin' team in those days a long, long time ago.[163] But he moved from one job to another. He wis away up the country at Blyth Bridge in Peeblesshire. Ah think he wis on an estate workin' there. We came tae Penicuik when ah wis about four or five year old. And he worked in Penicuik Co-operative Store when ah wis a wee boy, and he worked on the roads – the cooncil – on a contractor's cart. And he worked in Dalmore Mill an' a. He wis in that road job and he went intae the mill after that. He finished in Dalmore. Ah couldnae tell ye how many years he'd been there in the mill, he wis away from there by the time ah went intae the mill about 1934.

When ma father worked in Penicuik Store he wis on the paraffin oil cart. The tank used tae sit on the back o' the cart, wi' the tap ower the end, ye know. Ah used tae go wi' him, jist a wee boy. And ah wis sittin' on the front o' the cart there – the horse's name wis Bobby – and we used tae go away up by Lamanchie and thae places wi' the paraffin, because a lot o' people had paraffin oil lamps in these days. Oh, we went away outside Penicuik. And at night when he wis finished he used tae say tae the horse, 'Now, Bobby, we're goin' home.' Bobby knew every word he said. And he started gallopin' down the Peebles road ! And then ma father wis on the breid van, the baker's van. He used tae go richt up tae the high road at Flotterstone and half ways up that road tae Castlelaw crossroads. And half ways up there there were a big box where he used tae leave the breid for them further up. Ah went wi' ma father wi' the paraffin oil, as ah say, but no' wi' the breid van. Oh, he wis a number o' years wi' the Penicuik Store. He died about 1960, when he wis 82.

Ah remember ma grandfather McLay jist vaguely, because ah didn't see much o' ma grandfather because ah wis young when ah left all that side o' the country. Ma grandfather had a small dairy in Bannockburn, and pigs and that. That's all ah know about him. He died when ah would be very young. Ah jist remember seein' him and ma grandmother. He wis 95 when he died and ma grandmother McLay wis 95, too.

Ma mother wis born through at Bannockburn in 1886. She wis a Mary Donoghue, her family were Donoghues – Irish. Ah don't know if ma mother had a lot o' sisters and brothers. Ah didnae know that family, ah didnae have much contact wi' them. Ah never knew ma grandparents on ma mother's side. They'd maybe passed away when ah wis growin' up. Ah don't remember ma mother talkin' about her family. After we came tae Penicuik ma mother worked in the powder mill at Roslin. Ah mind o' her workin' in the mill, ah wis jist a wee thing then, no' at the school. That wis before the First World War she began workin' there. She wis actually in an explosion in the gunpowder mill. She come out wi' one shoe missin' ! But she wisn't injured. And then she worked on Greenlaw Mains Farm as a milker. Ma mother died young – 49.

Ma parents must have met and got married about 1900. Ah had two brothers and two sisters. Ah wis in the middle. Jessie wis the oldest, born in 1903, then John, then me, and Tom, four years younger than me, and Mary, about ten years younger than me. After Jessie left the school when she wis

14 she wis a domestic servant and she had a first job wi' Ainsley in Penicuik, up the English church lane. They had a big house. Ah don't know what Ainsley wis. She wis at Ainsley's for about two years, ah think. And then she worked with Jack Welsh, who was an insurance agent but he had a sweetie shop in John Street, jist at the end o' the old Shottstown. Jessie worked in the sweetie and ice cream shop for some years. Then in maybe 1924-5 she got the job in the canteen at Glencorse Barracks. She started there as an ordinary worker and she was appointed manageress later on. Ma older brother John he was the first o' us tae die. It wis through an accident at Wallyford. He wis jist a young lad – sixteen – and he wis a nipper on the steam rollers in thae days. Nipper meant makin' the tea for the men, cleanin' the roller and that. That wis what they called them in thae days, nipper. And he had been on the side o' the roller in front o' the big wheel, the front one, cleanin' it. And the driver got the call tae come and do a job, and wi' the sssss, ssssss o' the steam he never seen John. This happened on the Monday. Ma dad had been down on the Sunday tae see John: the roadmen stayed in the van, the caravan, in these days. And ma father wis down on the Sunday seein' him, and this happened on the Monday.

The first school ah went to when ah wis five or six wis the old school at the top o' Kirkhill. Ah liked Kirkhill School. Ah think there were three or four classes in there. It wis not a big school. The mark's on the gable end where the school clock wis – there a roond patch there where they must ha' taken it out. Ah wisn't long at Kirkhill School, then ah went tae the school at Glencorse after that. Ah would be about seven then, so that would be 1915, durin' the First World War. Ah liked Glencorse School a' right. Ah like-ed the singin' at the school. But, well, ah must admit ah wisnae a good scholar: ah couldn't remember. Ah've never had a good memory. But then, then ah couldnae remember anything ! Ah left the school when ah wis fourteen. Ah didnae get any further. Well, the way ye thought in thae days ye started work at fourteen. Now, when ah think o' it, ah wid have liked tae have had mair education. But then, well, ah thought, 'Oh, ah'll get workin' now.' Ah wis keen tae get workin' on the farm. Well, ah started work as soon as ah left the school. Ah jist accepted that.

When ah'd started at Kirkhill School we was livin' in Shottstown, the old Shottstown. That wis the name o' the street – it got Shottstown, Shottstown Street. It actually wis a miners' buildin'. But ma father wisn't a miner then, he wis in Penicuik Store. Our house in Shottstoon had two rooms: there were only a room and the kitchen. Our kitchen wis oor sittin' room. There were six o' us, ma parents and four children – Mary wis born later on at Greenlaw Mains – livin' in two rooms. Ah cannae mind what the sleepin' arrangements wis at Shottstoon, ah wis jist a wee laddie – but the three o' us boys in the room, and ma parents and ma older sister Jessie in the kitchen maybe, somethin' like that anyway. Ah can't remember that very clearly. But, oh, it wis the dry lavatories – outside, and the ash pit outside an' a'. We shared the dry lavatory – ah think it wis jist two families sharin' one lavatory. The lightin' in the house wis paraffin lamps at first, then gas. Ah remember they put gas lightin' in. Ma mother cooked the food on the hob – there wis a range wi' an oven, and a wee hot water boiler at the side in the range. There wis no runnin' water in the house, it wis a tap outside at the bottom' o' the stair. And ma mother heated the water for baths on the range. There wis no bath of course. Ah think we jist took a bath when we got the chance, 'cause we had tae dae it in the middle o' the floor in a tub. When me and ma brothers had a bath ma sister Jessie had tae go somewhere else, and when she was havin' a bath we had tae clear out o' the room. Then ma mother used tae dae the washin' o' clothes in the middle o' the floor in the tub, too. It wis a stone floor.

Then about 1915 ma mother got the job at Greenlaw Mains farm at Glencorse tae milk there, and they got the tied house there free. So we all moved there frae Shottstoon. Ma father gave up the job in Penicuik Store and got a job on the roads then, and that's when ah left Kirkhill School and went tae Glencorse School. In the house at Greenlaw Mains we had two bedrooms and a sittin' room. Ma sister Mary wis born at Greenlaw Mains about the end o' the First World War. Well, as to our beds, what ah remember wis we had two beds in the kitchen. There were two beds like that, one in front o' the other, and the curtains, ye know, the old style, and ye could draw the curtains. Well, there were me and ma father and ma younger brother Tom. Later on John, ma older brother, he wis on the roadmen's van, of course, he wisnae sleepin' at hame. Ma mother and ma sister Jessie were in the other bed. And in the room we had a lodger. We always had a lodger at Greenlaw Mains. Well, we had a girl from Glencorse Barracks who wis in the barracks workin' in the canteen. And then after she went away ma mother had a Sergeant Major Darby o' the Royal Scots and his wife, and they had a baby the time they were there. He was at Glencorse Barracks. They stayed wi' us a couple or three years.

At Greenlaw Mains we had the dry toilet. It wis round the side o' the house. Two families shared it. Oh, there were a lot o' that in thae days. But when your pail in the toilet wis needin' emptied the old iron ore bing wis round jist at the side o' the hooses. That used tae be an iron ore mine at Greenlaw Mains. That wis quite separate frae Mauricewood coal pit. The old iron ore mine wis finished by that time, oh, a long time. So the pails were jist tipped on tae the bing. It wis jist a waste. Actually, if ye walk over it yet ye can pick a wee bit o' iron ore up, jist a wee bit. But that's where the dry toilet pails were tipped. We just dug a hole in the bing ourselves. The farmer emptied the ash bing, the ash place. It wis jist a bit dug out, ye know, and that wis your ash pit. And the farmer used it on the land. But we buried oor waste on the bing. Ah've seen ma dad doin' it but ah've seen me daein' it, too. It wis a' the same in thae days. We had paraffin lightin' at Greenlaw Mains, too. It was a flagged floor there and we put so much sawdust down and we put linoleum on the top o' it. That kept it a bit warmer. And the funny thing wis it wis a wooden floor in the room. But the rest wis a' stone. And we only had a wee place where ye kept your pails o' water. We had tae carry the water for about 200 yairds from a constant runnin' tap away down jist at the top o' a field. That wis oor job comin' home frae the school. Two barrels at the door catched the rain water, and that wis for the washin' o' clothes. And if there were no rain ye had tae carry the water. Two pails o' it at a time, wi' the gird, ye know, the wheel: ye stepped intae the ring, it wis jist slack and ye got your pails and when ye lifted them it wis tight and ye jist walked up. We never had that style o' gird that went on your body, your shoulders or waist. At Greenlaw Mains it wis jist the coal fire for cookin' and heatin'. It wis a range wi' the fire in the middle, a wee hob at that side and a water tank at this side, and an oven and the wee fire below it, which fed up when you wis wantin' tae cook onything. And on washin' day for clothes the big pot was sat on the top o' that.

Well, at Greenlaw Mains there were four houses in that row. The middle house wis biggest – that wis the offices o' the mine, whaever owned it at one time. And there again wis the mark o' the clock on the front at the top. The houses are still there. They're all bought now and they're a' reconditioned. They've got back kitchens built on tae them and wooden floors. But that's where ah lived as a boy, from the age o' seven till ah wis about 20 or 21 and ah went to single service up to the Pentlands, workin' on the ferms there.

As a boy ah went tae Sunday School – ah went tae three different ones. There were one at the end o' Fieldsend, across the road at Shottstown, the house next tae the Carnethy Inn. There used tae be a stair up the back o' that house and that wis a Church o' Scotland Sunday School. And there were one in Penicuik, up frae where the old Store used tae be, near West Street, up the back yonder. The third one wis up where the old Salvation Army used tae meet. That wis at West Street, too. The Sunday Schools were all Church o' Scotland. We didnae go tae Sunday School three times on a Sunday, we jist went tae thae different places, one Sunday tae this one, another Sunday tae that one. Ah've been a member o' Glencorse Church for 68 years. Ah wis an elder for seventeen. Ah still go tae church . Ah've always been active in the church. Ah looked after the grounds a long time.

Ah vaguely remember the outbreak o' the First World War. Ah wis a wee laddie o' six then. As ah say, it wis after the war broke out ma mother gave up workin' at Roslin gunpowder mill and went tae work at the milkin' at Greenlaw Mains, which wis jist near Glencorse Barracks. Ah remember the Royal Scots marchin' in and out and round about there. Ah used tae be a lot down at the soldiers, too, in the North Camp. It wis mostly in the North Camp. Well, an odd time ah wis down there in Glencorse Barracks. Ah used tae go down there when ma dad wis on the back shift at Dalmore Mill. Ah used tae go down wi' a pitcher and get about a pint o' draught beer for ma dad comin' home from the mill. But mostly ah used tae run about the North Camp, that's up the Belwood Road. A' the different regiments used tae come there: Dublin Fusiliers, the Seaforths and the Argylls, a' the kinds. There were a lot o' huts, wooden huts, at the North Camp. And ah used tae go in there and ah used tae polish their equipment. Oh, ah used tae get a penny for that. Ah used tae come oot wi' a bit o' pocket money. The soldiers let me in. Ah wis the only yin, the only laddie, that went in the huts really. Ah don't know why that was, ah don't know how ah started doin' that. Ah couldnae tell ye if it wis because ah lived on Greenlaw Mains farm. But ah dinnae remember seein' any other boys there, ah wis the only one. I used tae go in and they had the big stove and they used tae toast bread. And ah used tae go tae the cookhoose. Ah got something tae eat there – yon crusty dumplin' thingies wi' big currants in them. After ah'd been in there ah used tae polish the boots an' all, and all their buttons. Yon brass things they have, ah polished them. The last post was goin' when ah come oot at night ! Oh, ah got a tellin' off every night when ah got hame ! But ah wis in there every opportunity, two or three times a week.

The Horse Artillery wis there, tae. Ah remember a man at Greenlaw Mains farm he wis stationed there when they had the Artillery. He wis a miner – Davie Wand, he wis in the Horse Artillery. Oh, ah got tae know a lot o' the soldiers, ah knew a lot o' them. They were always friendly tae me, ah wis jist a wee laddie o' seven, eight, nine, ten then. But ah never seen any other laddies goin' in tae help them polish their boots or . . . So at the end o' the week ah came oot wi' quite a bit o' pocket money. Ah gave ma mother some o' it – well, in thae days a shillin' or two shillins wis a lot o' money.

Ah mind o' the war finishin, ah mind a' the celebrations and that. But ah wisnae in the North Camp among the soldiers when the war ended, ah didnae go tae that. But ah went intae the huts right up till ah started tae work maself when ah wis fourteen. After the war ended most o' the soldiers went away. They took a lot o' the huts down. But there were still some in the huts. Ah didnae go intae Glencorse Barracks so often: that wis a wee bit mair stricter doon there ! The guards widnae let ye in.

Well, as ah said, we had moved tae Greenlaw Mains farm in 1915 when ma mother got the job tae milk there and they got the house free. It wis a tied house wi' the farm, and she got the house free. She wis milkin', that's why we had the house free. Ma father got a job on the roads then. Ma mother wis a dairy maid. She had her milkin' in the mornin' early. She started work at four o'clock in the mornin'. By the time ah wis fourteen ah wis goin' along tae learn the milkin' at that time. That wis her idea. Ma mother taught me how tae do it. Oo got up about twenty minutes tae four, had a cup o' tea, and away tae the milkin'. Ah mind one mornin', ah wis no' long started tae learn the milkin', and ah got down and ah wis sittin', and the heat o' the coo – and . . . poogh: ah fell asleep. Next thing ah felt wis a slap in the face frae ma mother: 'Ye're here tae milk, no' tae sleep!' But at that time ah never did the milkin' constant.

There were about 100 cows there milkin' at that time. There were aboot seven milkers. It wis all they had. We had about ten cows each every mornin'. Well, some o' them gave a lot o' milk, some o' them didn't – anything from two gallon to four. The farmer, John Hamilton, came wi' the motor lorry and collected all the milk. The motor had tae be in tae different dairies in the town wi' the milk at six o'clock. So ma mother wis finished the milkin' about five o'clock or quarter past five. And then she came back tae the house and on washin' days began the washin' and had meals tae make an' a', and then went back tae the milkin' again at two o'clock in the afternoon – and again each milker had ten cows tae milk – and she finished the washin' after that. John Hamilton, the farmer, didnae go in the afternoon to the town wi' the milk – the two milkins went in every mornin': there wis jist one delivery from the farm, at that time anyway.

Before ah left the school ah helped ma mother in the house, because we had all oor jobs tae dae before we went tae school – maybe washed up the dishes, cleaned the fireside, come back at dinnertime and ye had your wee bits tae dae then: wash the dishes or something like that, break sticks, get the coal in, fetch the water in. And then at night ye had so much tae dae. Oh, we all had tae muck in. And then ma mother had ma younger sister Mary jist about the end o' the war.

So ah left school when ah wis fourteen. Ah wis keen tae get workin' on the farm. Ah thought, well, 'Oh, ah'll get workin' now.' Ah started work as soon as ah left. Ah would've always liked, if ah could have managed it, to be a smallholdin'. That's what I always wanted. Ah would ha' been in ma glory wi' that. Really as a laddie ma main interest wis in the farm and learnin' about farmin'. Even before ah left the school, when ah wis a laddie, ah wis always wi' the farmer at Greenlaw Mains, Mr Hamilton. Well, he had a lot o' what they ca'ed coos in calf grazin' in the policies. And he had sheep all ower the place. And ah used tae go wi' him and what they call the foot ointment for the sheep, when he pared their feet – ah learnt a' this off o' him, ye know. And I used tae hold the tin for him. He used tae put his finger intae that. After he pared the sheep's foot he put this cream in tae keep them soft. Oh, Mr Hamilton wis quite friendly, and ah enjoyed that kind o' work.

So as a laddie ah wis learnin' about sheep, and later on ah did a bit o' hirdin' masel'. Ah felt attracted tae becomin' a shepherd, ah liked it when ah wis at it. But before ah left the school ah jist went runnin' aboot at Greenlaw Mains wi' the farmer. He gave me a penny or two for helpin' him. And he used tae, say, get me tae shift sheep frae one field tae another. And sometimes there used tae be distance – the likes o' frae Lamanchie. Well, when ah wis still at the school ah've seen iz comin' from there on the road wi' sheep down tae Greenlaw Mains. It wid jist be under the seven miles frae Lamanchie. Of course, there werenae the traffic then, but ye had tae drive the sheep doon the road. Ah'd maybe get this job tae do on a Saturday. Ah had a sheep dog, a collie dog, and ah liked that. Mr Hamilton took iz up wi' the motor, the milk lorry, tae Lamanchie and then wi' the dog ah walked back maself wi' the sheep. He never had a car, he had the milk lorry.

When ah left the school ah asked Mr Hamilton if ah could get the odd horse at Greenlaw Mains. Ah got it right away ! So ah had a full job on the farm. He wis pleased tae give me the job. Oh, ah had a lot o' work at fourteen year auld ! Well, ah had two carts o' turnips to bring in tae one byre, two tae another byre, and a single one, to feed the cows. That wis every day. And then ah had umpteen jobs forbye that. Ah'd be away for coal for the farm house, for Mr Hamilton's house. They used tae get coal in. At that time we got oor coal at Eastfield out there, when the railway came up tae Eastfield. There were a station there. It came intae the gas works that used tae be down there, and Glencorse station. And there were yin at Penicuik – Valleyfield. And then there were grubbin' tae do in the field wi' the single horse, bootchin' [?] the turnips, and atween the tatties. Then there were rollin', rollin' the field efter the sowin wi' seed. And then there were harraein'. They had what they ca'ed dreel harraes – they were the shape o' the dreel, and if it wis rough ye went up and down there wi' thir harraes. And jist after ah wis fourteen ah did ploughin' wi' the single horse. Well, a single horse, ye could plough if it wisn't too deep: the likes o' what they call arable land after turnips, ye didnae need tae go sae deep, jist enough tae cover the seed. Ye could dae that wi' one horse. It wis a single furrow plough. It wis quite hard work for a laddie o' fourteen or fifteen – up and doon, up and doon !

Ma hours o' work then were – well, by that time ah wis fully a milkin' hand, so part o' ma job wis milkin' the cows. So that wis frae a quarter tae four in the mornin' till five o'clock. As ah say, oo wis up about twenty tae four, a cup o' tea, and away tae the milkin'. Well, we had about five or ten meenutes' walk tae the steadin', the byre. Then efter the milkin' oo'd come home for our breakfast, five o'clock, half-past five, somethin' aboot that time. Well, we jist took our breakfast and went back – nae time, jist come back and get your breakfast and went back tae the steadin'. And then ye had a piece tae take wi' ye for a brek in the forenin. Then ye'd get your horse, well, ye had tae clean out first and then get them harnessed for what we wis goin' tae do. And then ye'd be jist back and oot in the fields by maybe half-past six, and start again. You had a break for a piece aboot nine or ten o'clock – jist take it and away back tae work again. Then ye worked on tae twelve o'clock, then twelve tae one for your dinner. Well, when ye come in off the field for your dinner ye stopped so as ye would be in the stable at twelve o'clock. Ye brought your horse back tae the stables. Ye'd got tae feed and water your horse – jist five or ten minutes, that wis in your dinner hour – when ye brought it back before ye went for your dinner. Ye'd take your horse tae the trough and it drunk, then ye put it in the stable, fed it, and away. So ye had 50 minutes, no' an hour, for your dinner, because ye had tae be back again in the stable for one o'clock. Ye didnae get a full hour for your dinner, but they counted it as an hour. Ye never took the harness off the horse at dinner time. And it wis a' ready tae go oot again at one o'clock. Then ye worked tae five o'clock. Ye didnae have a break in the afternoon, except in the harvest time. They come out then from the farm wi' slices o' bread and what wis on it and somethin' tae drink as well – oatmeal and water, or somethin' like that. Oatmeal and water wis quite refreshin' at hay time and harvest time.

So your day's work started at four in the mornin' and ye finished at five at night, except that in harvest and hey time ye wis workin' there tae seven and eight at night. In that time ye got maybe fifteen, twenty meenutes for your breakfast, ten meenutes' brek for your piece in the mornin', an hour or 50 meenutes for your dinner. So ye were actually workin' aboot 11½ hoors a day. That wis Monday tae Friday. Saturday – and ye still got twenty meenutes for your breakfast then – ye finished at twelve o'clock. And then ye had your horse tae attend tae on the Saturday. Ye took your turn about feedin' the horse on Saturday afternoon. So you fed the horses o' the other men as well as your own. Ye a' took a turn. Well, ye'd maybe get it every third week, ye see. It didnae take long tae feed and water the horses, because all the hay was on the top, in the loft. It widnae take ye long, maybe half an hour, three-quarters o' an hour. And then you went home for your dinner and that wis you finished till Monday mornin'. So that wis aboot 57½ hours Monday tae Friday, then four o'clock in the mornin' tae twelve on a Saturday. So ah wis really workin' aboot 65 hours a week as a boy o' fourteen. And that went on for seven years, till ah left Greenlaw Mains.

Wages, well, ah had ten shillins a week as a laddie o' fourteen. It didnae go up every year. Ah never got onything mair – jist always ten shillins a

week. Ah wis there at Greenlaw Mains for seven years for ten shillins a
week. Ah never got onything mair. That's why ah left when ah wis 21. Mr
Hamilton, the farmer, never increased ma wages. Of course, we got oor milk
free – it wid be about two pints a day for the whole hoose, you'd get it in
the mornin' and you'd get it at night; and ah got tatties – six bags, six
hundredweight bags o' tatties a year, and ma mother, who wis the tenant,
got the house free. Ma mother carried on as a milker and she would get the
two pints o' milk and the free house. Ah didnae get two pints o' milk, it wis
for the whole hoose. The only thing ah got extrae wis when ah went tae the
market, oh, aboot every Tuesday. Ah used tae walk maybe six or seven
cattle or maybe twenty sheep intae Gorgie Market in Edinburgh frae
Greenlaw Mains, jist down the main road wi' the dog. Mr Hamilton used tae
gie me a shillin' tae get a pie and somethin' tae drink. And that's what ah
had tae eat tae ah come back. And that wis right through ma seven years
workin' on Greenlaw Mains. Ah liked goin' tae the market. Well, ye seen
the sheep sold and that. The boss wis in there, tae, sometimes. But he came
later on in the day and then ah got a hurl hame in his milk lorry.

It wis a' horses they had all the time ah wis at Greenlaw Mains. In fact,
the tractors jist started later on when ah left the farms. In these days there
were nae mechanical things on the farm like what they have the day. Ah
mean, now there's nae bag liftin' or liftin' hay or forkin' hay, or spreadin'
manure or sowin' turnips or plantin' them. That's a' mechanical now.
They can even plant turnip seed so that they dinnae need tae single them:
it's a belt wi' wee holes and it drops one every so often. And they don't
need tae pay for singlin'. They don't how the turnips now. In ma time we
used tae hoe turnips wi' the how, and the tatties an' a', tae take the weeds
away. They spray them now. Oh, aye, it's a' different now frae when oo
wis daein' it. It wis a' manual then. It wis hard work. But hard work
doesnae kill ye – that's what the farmers said ! But, well, ye got yaised tae
a' the jobs on the farm, ye know, though ah didnae like singlin' much. It
wis a' right if ye could change your hands, because then ye got rest wi'
your body. Jimmy Cairns, him that wis there a' his days at Greenlaw
Mains, he could dae that, single wi' both hands – ambidextrous. Singlin'
wis a knack, of course, it wis a knack. But in the seven years ah worked at
Greenlaw Mains ye were jist doin' thae kind o' jobs on the farm a' the
time. It wis jist the same routine, ye know, as each thing came roond.

When ah started workin' at Greenlaw Mains when ah wis fourteen in
1922 there were an orraman, a first ploughman, second ploughman, and ah
wis on the odd horse.[164] And there were the byreman. Then there were
seven milkers: ah remember ma mother, Mrs Buchan, Mrs Archibald,
Jessie and Aggie Hamilton, the farmer's two sisters. Mrs Archibald wis the
orraman's wife, Mrs Buchan wis a miner's wife. The wives o' the first and

second ploughmen didnae do any milkin'. But the daughter o' one o them and o' the first ploughman wis what they called an outbye worker, and she did general work in the fields. She wis Jenny Miller, the daughter o' the first ploughman in ma time there. She could drive a horse. Jenny jist wore what ye ca'ed a head scarf – no' a bonnet, no' a bondager's hat, that wis the older style, that would be before that time. Well, in East Lothian they called them bonnets, but some o' the bondagers here wore a bonnet to shade the skin from the sun.[165]

Jenny Miller wis constant workin' on the farm. But the Millers, her and her father the first ploughman, left Greenlaw Mains before ah did, if ah mind right. Oh, ah wis seven year workin' there and ah seen four different first ploughmen there. The farm workers, the ploughmen, moved every year, every year. Ah don't know why they moved every year. But ah think they jist got fed up, ye know, or maybe had a wee bit disagreement wi' the farmer hissel'. The ploughmen's children wid be comin' tae the school and leavin' it all the time. But ah actually lived at Greenlaw Mains for fourteen years from when ah wis seven year auld.

There were five horse on Greenlaw Mains – two pair and an odd horse, they called it. That wis the first and second ploughman and me. I wis the odd horse. The first ploughman wis the senior man and he did certain jobs – he got the choice o' jobs actually. And the second ploughman got what wis left. The orraman, ye see, he wis the grieve or foreman – the right name wis grieve, but we knew him as the orraman. He got the orders from the boss, the farmer, and he told the first ploughman what he wis to do, and he told the second man what he wis tae dae, and he told me what ah wis tae dae.[166]

At Greenlaw Mains Mr Hamilton, the farmer, had about 45 acres, and he rented the policies o' Beeslack nearby for the grazin'. Greenlaw Mains wis Sir John Clerk's land, and Mr Hamilton wis the tenant farmer

When ah wis at Greenlaw Mains ah wis very nearly killed. Ah'd jist be about 16 or 17. In thae days they had a triangle for liftin' rucks o' hay efter ye had made the hay up. Ye know, they cut the hay then ye'd turn it wi' a fork in thae days. And then ye'd kyle it intae wee kyles, and then from that tae rucks, about ten hundredweight in each. There were three legs on this triangle and a wheel on the bottom and a cable in the middle. And ye had four big fork things ye stuck in the bottom tae lift it. The horse went tae the front and connected it up wi' a steel tray and it pulled the ruck up. Ye shoved the cart in below and it come down the centre where ee wis workin' for tae take it intae a big stack. Well, ah wis on this wi' the odd horse, shiftin' the triangle intae the rucks and a' ready for the next cart comin' out. And the overhead electric cables through the fields – thousands o' volts in them – they wis supposed tae be higher than the triangle or any equipment on the farm. However, ah wis shiftin' this one, but the ground had come up a bit, ye see – it wis the old railway track up tae the iron ore. It wis raised above the level o' the field a bit. And here, never thinkin', jist gettin' it ready – and the steel bolt hit the wire and ah wis flung aboot 20 feet. Whew ! And the horse, the horse droppit deid. It had caught it wi' this iron tray on its heel. His hooves wis actually burnin'. The wire wis goin' zoooom, zoooom, zoooom. One o' the other fellaes wis jist away wi' a cairt and he run back and he put his shooder tae the widden leg and jist eased it off the wire and it stopped. It wis jist the damp rope that got it. If it had been a chain – ye know, the horse's reins, there wis a chain frae the bit tae the rope.... Ah didnae suffer any burns, ah wis jist flung. Oh, ah wis a wee bit lost ! Ah wis in ma bed for a day. They sent for the doctor and ah come a' right the next day efter the rest. Ah didnae get any compensation for that. Actually, it wis oor ain blame. We should have watched no' tae build a ruck under it. So the horse, oh, he wis a big horse, wis killed. What a braw horse he wis. He wisnae ma usual yin – he wis one o' the other ones. He wis ringle-eyed – a ring o' white hair round his eyes. But the next day Mr Hamilton the farmer took me away up the country for another horse for tae dae the job – back on the job again !

Well, this new horse wis a younger horse that Mr Hamilton got and he had never been ridden. He got him a guid five or six mile up the country. 'Oh, dear,' ah says tae the horse 'ah've a guid bit tae walk doon the road wi' you.' So ah gets a bolt and a bit o' rope and ah made the bolt intae a bit – that's the part that goes intae the horse's mouth, the bit. The rope ah put it roond his ears and that made a helter and that. Ah said tae the horse, 'Ah'm goin' tae try on your back.' Well, every hole he came tae in the hedge he gied a loup. Oh, ah wis sair for days efter ah got it hame tae Greenlaw Mains ! And that wis the day after ah'd nearly been killed.

Another time ah had got a ton o' coal in a cart, and that same horse that wis killed tramped on ma right foot. That wis sore, but no broken bones. Ah wisnae off ma work, ah jist bathed it and carried on. Ah wis lucky then. But it wis quite a dangerous job at times, workin' wi' the carts and the horses. And ah mind o' another time, that wis when oo wis fetchin' the rucks in and ah wis up on the top and ah'd put a rope over the ruck tae steady it tae take it down tae the stackyard. And ah wis pullin' the rope when ah went richt ower the ruck and ah fell on top o' the horse ! But ah got off free wi' that.

They had the ploughmen's union – the Scottish Farm Servants' Union.[167] Ah wis in that. Ah think ah had tae be sixteen or something like that when ah joined it. In fact, one o' the ploughmen, Jimmy Cairns, that wis there at Greenlaw Mains a' his life, he wis an active man in the union. He went round for the subscriptions, ken, collectin'. And he had some members away up by Mount Lothian, roond aboot. By this time ah had a bicycle and ah used tae dae his outlyin' members, the further away ones, collectin' their union subscriptions. Jimmy Cairns didnae have a bike and he had done the walkin' roond aboot. But ah had this bike and ah got ma subscription free for daein' this for him. The subscription wis 1s.6d. a week, ah think, for a man, aboot a shillin' or somethin' for a laddie.

The union wis organised in branches, so that wid be Penicuik branch. Jimmy Cairns wisnae the branch secretary, he wis jist a collector. Ah cannae remember who the secretary wis. Ah wisnae interested. Ah didnae go tae the union meetins. Ah jist paid ma subscription and helped Jimmy Cairns collect the outlyin' subscriptions once a month. Ye jist went usually at the week-end, on a Sunday, or through the week at night. Ah don't know if Jimmy went tae meetins or no'.

Well, ah didnae go tae an awfy lot o' the outlyin' members tae collect their subscriptions – maybe tae four. Ah went away up Middleton wey, and Mount Lothian, Broomhill, and there were another one further along. There were four ah used tae go tae. It wisnae long on a bike.

When ah went collectin' subscriptions at outlyin' farms ah thought conditions wist just somethin' the same as at Greenlaw Mains. There were nothin' that you could say, 'Oh, that's new tae me,' ye know. Ah'd jist arrive and knock on the door and have a chat. And they'd be talkin' aboot what they were daein' on the ferm, of course. The usual thing wis it wisnae a good farmer, and, oh, he wanted this and he wanted that and he wanted a'thing. That wis a grumble. That wis through the ferms. That's why they changed their jobs. Ah mean, Jimmy Cairns at Greenlaw Mains, he wis there a' his days, but, oh, that wis unusual. He got the long service medal. And there were a man at the farm at Howgate, Auld Davie Broon, he had the long service medal, and his son-in-law Dod Paisley he had the long service medal. When Dod died ah think he was 94. It jist let's ye see that hard work doesnae kill ye. Ma mother-in-law used tae say, 'Hard work won't kill ye but worry will.' Anway, ah wis in the Farm Servants' Union till ah left farm work when ah wis 26.

Well, ah wis workin' seven year there at Greenlaw Mains when ah moved away because ah wis wantin' more money. As ah say, ah'd never got a wage increase a' the time ah wis there frae the age o' fourteen. Well, tae tell you the story about that: ah went on ma own and ah hired masel' tae a farm away up on the hill there – Cuiken Farm. Ah forget who the farmer wis there then, but ah went and ah hired masel' up there. Ah jist went and asked him if he had a job. There were hirin' fairs ye could go tae at the time hirin' wis goin' on, but ah went up there tae Cuiken Farm. And of course ye got half a crown – what they ca'ed erles. That wis you hired.[168] Well, when ah came back hame tae Greenlaw Mains ah says tae ma mother, 'Ah've got another job. Ah'm goin' tae Cuiken Farm.' 'Are ye ?' she says. 'Well, if you go tae Cuiken Ferm Mr Hamilton's goin' tae put me out o' here.' Right enough, when ma mother telt Mr Hamilton, the fermer at Greenlaw Mains, 'Ah, well,' he says tae her, 'ye'll need tae get out the house.' So ma faither got iz by the ears then ! He went up tae Cuiken Ferm and gave the erles back. He said ah couldnae come there. Of course, by then ah wis aboot 20. And of course, tae, it was ma mother that wis the tenant o' the house at Greenlaw Mains, no' me. But Mr Hamilton wis goin' tae put ma mother and father out the house because ah had got another job at Cuiken Farm. Oh, they were rough some o' them really in these days. And yet ah'd always got on well wi' Mr Hamilton. So ah didnae get away then frae Greenlaw Mains, but later on ah did.

In these days there wis no hirin' fair in Penicuik. It wis at Dalkeith. There had been one in Penicuik in earlier years, oh, that wis a good while afore me. The main place wis Dalkeith. Ah never went tae the hirin' fair at Dalkeith when ah wis at Greenlaw Mains. But ah went tae it later on when ah wis at Fulford Farm.

But after ah wis seven years at Greenlaw Mains ah managed tae overrule ma parents ! Ah got a job at Wester Howgate Farm. Ah got a job there without goin' tae the hirin' fair at Dalkeith. Mr William Noble wis the farmer at Wester Howgate. Ah jist went up there and asked him for a job and ah got it. Ah had been experienced on the ferm, ah could dae milkin' and herdin', ploughin', everythin'. Ah got the job right away.

At Wester Howgate ah wis away frae home. Ah wis in single service. Ah wis livin' in the bothy there. If ah'd started the job at Cuiken Farm ah'd intended tae remain livin' wi' ma parents at Greenlaw Mains, unless there were a bothy at Cuiken. So Mr Hamilton at Greenlaw Mains didnae threaten a second time then tae put ma parents out their house there, oh, he couldnae.

The bothy at Wester Howgate wis a two-roomed house. There were a byreman lived there an' a'. There wis jist the two o' us there. We had water and a'thing in there. Oh, it wis a much better house than at Greenlaw Mains. For wages ah got £1 and all ma meat in the farmhouse itself, as well as ma sleepin' quarters in the bothy. When ah came in for ma dinner in the middle o' the day ah went tae the farmhouse and the farmer's wife had cooked the dinner for me.

At Wester Howgate there wis a ploughman and a second ploughman, the byreman, maself, and a dairy maid. There wisn't a shepherd there, they didnae keep many sheep. The dairy maid milked an' a' of course and did so much housework. But ah think it wis the farmer's wife, Mrs Noble, cooked the food. The two ploughmen had cottages o' their own. The dairy maid lived in the farmhouse.

Oh, at Wester Howgate ah wis rich ! Ah had doubled ma wages. Ah didnae give ma parents anythin' frae ma wages. Ah wis independent then. Ah went doon tae Greenlaw Mains tae see ma parents at the week-end.

The bothy wis grand. The byreman in it wi' me wis Bob – wis it Haggerty ? It wis heez daughter that wis the dairy maid. He wis a widower. He wis a hunchback. Bob wis an Irishman – an Orangeman. He didnae tell me much aboot his beliefs. Ah hadnae much tae dae wi' him. He wis a funny person, but we got on a' right, more or less. We only wis a wee while in the mornin' workin' thegither, muckin' the byres out.

Ma work at Wester Howgate wis, oh, all farm work again. One job ah had wis helpin' tae milk the cows. We still had tae be up early in the mornin' – aboot the same time as at Greenlaw Mains, aboot four o'clock. The milk aye had tae be in the town by six o'clock, ye see, much the same as at Greenlaw Mains. Ah wis finished on Saturday at twelve o'clock till Sunday mornin' milkin', and then ah wis finished after the byres wis done. That wis better than Greenlaw Mains. But, oh, it wis a' right workin' there at Wester Howgate, och, aye. Then ah did mair outbye workin', the likes o' sowin' seed wi' the hand, a rig at a time, ye know. That wis still quite common in these days, sowin' seed wi' the hand. Seed-sowin' machines were jist comin' in then. A' these things wis coming in tae the farm. In fact, a' things wis gettin' easier when ah left ! Ah wis about three year at Wester Howgate.

Then ah went tae Mr William Noble's brother's place at Fulford Farm. Ah jist took a notion tae drive the milk motor at Fulford. The fellae that wis there left. And ah wis on the mulk motor then, because the fermer – James Noble, the brother o' the other one at Wester Howgate – couldnae drive it. But ah didnae mulk at Fulford. Ah didnae get up there tae aboot five or half-past five or somethin'. But ah wis workin' very near the same number o' hours as at Wester Howgate. They were a' somethin' the same. Ah wis drivin' the milk in every mornin', deliverin' it tae different dairies – what they ca'ed dry dairies then, where they took the milk in and they selt it. Dry dairies didnae have their own coos. They took the milk in and fulled it intae a big divvie.

Ah got the same wage at Fulford as at Wester Howgate – £1 a week. It wis the normal wage at that time for ma age.

Ah got a motor bike, a second hand yin, an Enfield, when ah wis at Fulford. Ah'd been able tae save up a bit o' money – ah wis a wealthy man wi' £1 a week ! It wis a lady's bike, toe and heel change. That wis an unusual motor bike in these days, oh, that wis an auld bike that. But the bike made a difference tae ma life, oh, it wis easier gettin' up and doon. There were nae buses up there then. Ah went intae Penicuik, Edinbury, away up the country on a run. Ah got chummy wi' a fellae Jimmy Bertram that wis at Hoose o' Mair Farm. He wis in House o' Muir as a ploughman, he wid be about the same age as maself. Jimmy had a motor bike, tae. Oh, we used tae have a run away up the country tae Peebles and that.

By this time ah wis intae ma middle 'twenties. Before ah got the motor bike ah hadnae been far at a', maybe intae Edinbury but no' further than Edinbury. Ah'd been tae this side o' Peebles – near, but no' intae Peebles. Ah hadnae been tae Glasgow or Perth or Fife or the Borders. Oh, in these days ye didnae go far.

And then on the farms ma holidays wis, well, the holidays wis ye feenished on Saturday at twelve o'clock. There were nae summer holidays, ye know, nane at a'. When ah wis up in the single service at Wester Howgate ah wis finished on Saturday at twelve o'clock till Sunday mornin' mulkin', and then ah wis finished after the byres wis done. That wis better than Greenlaw Mains. And then when ah went tae Fulford it wis better still, because ah didnae milk in the mornin' and ah had the same wage – £1, and ah wis drivin' the motor and daein' casual farm work. Ah wis workin' about five or six hours less a week at Fulford than at Wester Howgate or at Greenlaw Mains, and ah wis gettin' £1 a week, the same wage as ah'd had at Wester Howgate. Ah wis gettin' full board there in the bothy. And ah wis daein' a job ah liked, drivin' the milk motor. But ah never had any annual holidays. Ah never got any annual holidays till ah went intae Dalmore Mill aboot 1934. From twelve o'clock on New Year's Day – that wis your day off till the next mornin'. It wis really jist a half day ye got. Ye didnae get Christmas Day. And ye didnae get any other public holidays, nane. So ye only got a half day on New Year's Day and nae annual holidays. Oh, ye got off for a funeral. But if it wis in the mornin' ye'd be back and started tae work again – jist time tae attend the funeral and then back tae work again. And then takin' unpaid holidays – ah never heard o' it.

So the motor bike gave ye a wee bit freedom. It wis the same ye had tae walk. Even when ah had gotten the wife – ah got married in April 1936 – we had tae walk tae Penicuik frae Fulford. And that wis about fower or six mile. Oh, we walked everywhere. The bus services were very poor in these days.

Ma wife and me we met at Fulford. Ma wife wis workin' in the farm house – domestic work, and milkin' tae in the mornin'. But ah had left Fulford when she started there. But ma wife's uncle wis a ploughman at Fulford and when ah wis livin' in the bothy there ah used tae go down tae his hoose at night and play a game at whist or somethin', and that's how ah met ma wife. Oh, five years ah coorted her, five years. She didnae go wi' me on the motor bike because it didnae have a pillion seat for a passenger. She wis in the milk lorry once !

So, as ah say, when ye got a motor bike you felt yoursel' comin' on a bit, ye ken, comin' wi the times ! Well, we used tae go away up very near Peebles, tae that pal o' mines, Jimmy Bertram. His dad wis a hird away up in the country, the Penicuik side o' Peebles. We used tae go up there sometimes. And ah used tae go tae Bannockburn tae visit ma cousins there.

That wis aboot the furthest ah went on ma motor bike – tae Bannockburn, aboot 30, 35 miles.

Well, ah wis about a couple o' year, ah think, at Fulford. Ah decided tae leave Fulford because ah heard there on the motor they had extrae for drivin' – responsibility for drivin' the milk and lookin' efter it, sortin' punctures. The only time the motor had tae go intae the garage wis for magnetic trouble or somethin' like that. It wis never in. And ah asked the farmer, Mr Jim Noble, for a rise in wages and he widnae give me it. 'Oh,' he says, 'ah cannae gie ye that, ah cannae gie ye that.' 'Oh, well,' ah says, 'ah'm goin' away in a fortnight, Jim.' Ah says, 'Please yersel'.' So he widnae come wi' it, and it wid ha' peyed him tae gie me a rise in ma wages, because ah wisnae long away till the other fellae put the wrong ile in the engine o' the milk motor and burst it. And he done somethin' tae the back aixle – and that cost Jim Noble, tae. It didnae cost him a penny when ah wis on the motor.

So ah'd worked on the farms frae ah wis 14 year auld tae ah wis aboot 26. But when ah left Fulford that wis me finished as a farm worker – though ah didnae ken that at the time maybe. From Fulford ah went tae work wi' a contractor at Dalmore paper mill, Stewart Lister. He belonged tae Auchendinny. He jist had the one horse and cart in the mill. Ah wis drivin' the horse and cart the times Stewart Lister wis away to London, tryin' tae work oot somethin', some contracts, there. There were waggons o' coal came in and lime, and ye had all that tae cart intae certain places in the factory. The coal wis for the boilers, and ye collected it from a railway sidin' in the mill. They shunted it back in and ah carted it frae there intae the mill. Oh, it wisnae far, a couple o' hundred yards, jist two or three minutes tae take it tae the bole where ye put it in. There were a waggon o' coal – oh, it wid be aboot ten ton – came in every week and two waggons o' lime – aboot twenty ton.

Ah usually started at seven o'clock in the mornin' it was then, ah think. But there were one day in the week ah wis out at six o'clock in the mornin'. That wis emptyin' the toilets and the ash bins in Auchendinny village. That wis part o' Stewart Lister's contract as well. It wis jist the mill's houses in Auchendinny: there were Evelyn Terrace, Fountainhead, and the back o' the old Store and the corner block, and the houses at the bottom o' Auchendinny Brae next tae the river North Esk. There were four cottages at the bottom, which are down now. There wis twelve in Evelyn Terrace, and there were four in the corner block, and aboot twelve in Fountainhead – aboot thirty a'thegither. Ah had tae empty the toilets masel'. Ah had tae empty the toilets and take it a' tae the fields. That wis a terrible job, och ! It wis jist an ordinary box cart. There wis two cartloads o' muck and ye emptied it on the fields round about Auchendinny – that wis Woodhouselee

Farm. That wis a' done once a week, every Friday mornin'. A' the windaes were shut in Auchendinny on a Friday mornin' ! Ah had tae get up early and do it afore the people went about. Oh, dear, it wis an awfy smelly job that. Ye had tae wash everything after it. Ye had tae bath yersel'.

So wi' the ordinary time wi' Stewart Lister ah started at seven in the mornin' and ah worked on till five at night. Well, ah could finish sometimes earlier. Ah made it that wey. Ah got an hour for ma dinner. Then on a Saturday ye started at seven in the mornin' and ye were finished at twelve. Ah wis workin' about 50 hours a week on the contractin'. Ye could have a break in the mornin' for your breakfast. Ah could please maself what ah done in between. There wis a bit more freedom. And then ah could handle shovels, ye know, and a' this. It wis nothing new tae me. It wis a holiday compared wi' the farm work. It wis much easier. Ye wondered what wis wrong wi' ye !

Ma wages there wis £2.10.0 a week, somethin' like that. That wis aboot twice as much as ah'd got for wages on the farm, although at Fulford ah'd had ma full board, tae. But wi' the contractin' job wi' Stewart Lister ah had ma cash in ma hand. And, oh, Stewart wis a' right. Ah knew him before ah worked for him, because his father and him wis in that Woodhouselee farm before that. In fact, ah used tae go up and gie him a hand wi' his place in Auchendinny – he lived in his own cottage there – when he went intae it first. He built a dyke round the back o' it.

So ah did that contractin' job wi' Stewart Lister for jist about six month. Oh, it wis temporary. Then Stewart came back from London. What he went tae do down there didnae come off – ah think tae build up a motor contract or somethin' it wis. Well, he wis quite good. He gien iz a week's holidays. That wis at the end o' the week he came back frae London and he says tae me, 'Oh, well, ah'll be startin' maself on Monday, Charlie. But here's a week's holidays tae ye and your week's wages,' he says, 'and ye can have a rest.' That wis a' the week's holidays ever ah'd had – and it wisnae a holiday in fact ! Because ah happened tae go along tae the garage on the Saturday and got talkin' tae Alec Noble – that's him that had the garage. And Alec says, 'Are ye no' workin' ?' Ah says, 'No' now.' 'Well,' he says, 'ye can start here if ye're wantin' and dig the founds for a bit. Ah'm goin' tae join on.' Ah says tae maself, 'Ah better dae this, ah better take it.' So ah wis gettin' about £2.10.0 a week at the garage and ma hours wis eight o'clock till five, and Saturday mornin' eight till twelve. It wis shorter hours. It wis gettin' better every time ! Ah wis about three weeks there, ah think, diggin' the founds, and Mr Gordon Wallace, the managin' director frae the Dalmore paper mill, came up. And he asked Alec Noble: 'Have ye got a man McLay workin' here ?' 'Yes.' 'Well,' he says, 'ah've got a job for him if he wants it.' Alec says tae him, 'How long is it for ?' 'Oh,' Mr Wallace says, 'as long as he can keep it.' And Alec asked me if ah wanted it. 'Oh,' ah says, 'aye, Alec, if it's a job like that,' ah says, 'because this one won't last long.' 'No,' Alec says, 'it won't. Well,' he says, 'ye can go.' And ah wis there at Dalmore 38 years.

Well, that wis aboot 1935 when ah started in the mill. Ye see, old Mr Wallace if he wanted a worker he went for a farm worker if he could get them. Ah think that wis because they were good workers, used tae work. He went for all the farm workers. So ah got a job on the labourin', jist handlin', loadin' paper or cleanin' roond aboot the mill. There were two or three o' us on the labourin', ye see. The esparto grass wis comin' in and the pulp. We had a' that tae handle and a' the inside, different things of course. It wis a wide range o' work.

And then they come and asked me if ah wanted another job in the mill. Ah says, 'What is it ?' 'Oh,' he says, 'we want somebody tae drive an electric crane oot on a rail.' This wis in the roof o' the mill. It come ootside and ye had tae take a' the pulp and the grass when it came in. Oh, there were tons o' it come in. But it wis a cold job in the winter. Ye were up the height o' a house, maybe 30 feet up. The crane, it wis an open cab, open at the sides, the top wis covered. Ye were sittin' like that, wi' the controls at the side. So ah did that a good while, about two or three year.

And then they asked me if ah wanted another job. They called it the duster, a big roond thing wi' spikes inside, and ye put five ton o' esparto grass at a time in it. It took a' the dust oot. Ah did two lots o' that stuff, five ton in a shift o' eight hours. Ah wis on shifts there – day shift, back shift and night shift: six tae two, two tae ten, and night shift ten tae six. Your back shift wis followed by night shift, followed by day shift. If ye finished on Saturday at 12 o'clock, of course, ye come out on night shift on the Sunday night so ye knew what ye'd left tae be done. They were sort o' regular shifts, ye'd ken two or three weeks in advance what shift ye were doin'. And sometimes ye had tae do twelve hours if somebody turned ill. They never carried any extrae men for tae fill the job, ye see. The workers there jist had tae do twelve hours. It wis jist occasionally. It wis a long shift then.

Ye got mair wages for shift work. Our wage in the labourin' wis about £5 a fortnight tae start wi'. It went up a wee bit as ah moved frae job tae job. Then it went up a guid bit on the shifts. Ah remember ah used tae get a fraction o' a penny for a rise at one time – we once got a rise o' one-eighth o' a penny per hour ! But when ah came back frae the war it wis better.

So ah wis on the duster for a while, and ah wis on tae the boiler, where they boil the esparto grass. Ye put five ton intae this big boiler. And ye had tae watch it didnae choke or the place'd be full. Ye had so much water tae put in it, and so much lee tae put in it – lee, that's the return o' the juice off o' this grass. And ye had caustic sodae tae put in, so much tae boil the grass, tae soften it. That wis dangerous stuff – it wid burn ye. Ah didnae suffer burns, though ah didnae wear protective clothin'. What ah did wis ah got a sheet o' pulp and when ah wis breakin' it ah put it on the top and it didnae splash. You wis safe enough then. But ah didnae suffer any burns.

Ah had one or two accidents later on maself, and, well, ah wis on wi' John Birrell when he fell intae a tank o' hot water. Ah wis down below reddin' up after ma five ton, and when ah went up John Birrell's goin' up and doon the floor o' the boiler house rubbin' hissel' wi' his toowel, and his skin wis runnin' off. Ah says, 'What's happened, John ?!' He had his troosers on by this time. But he had went up intae the tank and he hung his overalls over there. He shouldnae hae went up there at a', he shouldnae hae went up there at a'. He washed his overalls and hung them, ye see, and this is what he was at. Oh, it wis against the regulations at the mill. And ye know how it gets kind o' slippy sometimes, and here he'd slipped and he fell in heid first – hot water, oh, it wid be boilin'. And he jist collapsed. They took him to the infirmary in Edinbury. He died after it. He would be 50-odds then. Ah think he'd worked in the mill a' his life. This wis after the war it happened. He wis the only one that ah know of that washed his overalls in that way. I used tae wash mine but ah put them on the plate.

Then ah remember another accident efter the war. Wullie Clapperton wis in a mixer for the stuff that kept mixin' afore it went on tae the wire for makin' paper. He wis inside and he had it a' switched off but somebody switched it on, no' realisin' Wullie wis inside. And he come oot, the overalls torn off him and everything. He wis badly injured and died efter a while as a result o' his injuries.

And maself ah had an accident. Ah got a bit o' ma right forefinger off. It wis hingin' off. That wis later on, tae. Ah wis on the cutters by this time and the knives wis runnin', ye know, right along a spindle. And there were a hole in that and a screw that ye take oot tae shift your knife for the width o' the paper. And when ah wis feedin' a roll o' paper in ma finger went in. It wis hingin' off but ah got it putten on again. The doctor jist folded it back and ro'ed it tight. It came a' right. That wis a case that thae holes should ha' been level when they were tight and ye couldnae get in. And then ah got half o' ma big toe off and a bit o' the next one. There wis this steel pallet wi' aboot half a ton o' paper on it. And the girl had it up, ye know. There were a girl watchin' the paper at the back. And this wis comin' on for lowsin' time and they were wantin' this paper out and ah wis hurryin' tae get it off the machine for tae get it out. And she's standin' wi' the pallet up. Ah says, 'Put it doon and lift some o' the paper on. Get it away.' And ah jist come roond like that and ma fit went in below the tray when she put it doon. So ah got that first joint off the point o' ma second toe, and the half o' the other one. Ah wis off work six month. Ah wis at the Convalescent for a long time. Ah wis up tae here in stuccae tae set the fit. And then that got a' right but ah had tae go back and get another operation on it. Ah couldnae get ma shoe on it. They had tae chip the back bone off tae get ma shoe on. The funny thing wis when ah had that accident ah'd jist laid off ma steel capped shoes and ah wis waitin' for the new pair comin'. Ye could get them through the mill then, either workin' shoes or dress shoes. Otherwise ah widnae ha' got it, ma foot widnae went in below the tray, the steel cap would ha' protected it.

Accidents at the mill were, well, oh, slight, ye ken, slight, and no' daily or weekly. Lookin' back on it now, the machinery in these days wisnae properly fenced. They had tae tighten it a' up. See, it wis all belt driven then. It wisnae individual electric connectin' to the . . . There are nae belts now at a'. And they had tae tighten up on their guairds an' a'.

As ah say, ah wis married in April 1936. And the mill usually they were slack jist before the holidays and at New Year time. And sometimes ye wis on short time. But ah never wis stuck. Ah went back tae workin' on the farm. Ah didnae take a full-time job but ah went and looked for work at singlin' turnips if it wis that time o' the year, or makin' hay, or harvest. Ah even went over tae Markinch in Fife and worked on a farm. Mr Lawrie wi' the farm at Woodhouselee, his father had a farm at Markinch. So ah even went over there and worked. And we got wir meal when oo went, we got wir dinner and we got wir tea afore we got hame. He took iz over there in the car. So ah wis never stuck when the mill wis on short time. Sometimes ye wis putten on short time, sometimes no'. If they could make the time up wi' orders for the future it wis a' right. But it happened sometimes and it wis three days a week ye worked. Ah had other three days tae work on the farms.

So ah wis workin' at Dalmore Mill till the war broke oot. Ah wisnae in the Terries, ah wis in the Home Guard. Then ah wis called up in 1940 – Royal Heavy Artillery, that's where ah wis sent tae. Ah got ma trainin' at Dalmeny there. And then we went up tae South Wales, we wis on the coast next tae the Irish Sea, for a course o' heavy gunnery – 3.7 inch, 56lb shells – which we passed out. But there were a bad accident there, away up a bit. Oo wis firin' at this sleeve, a drogue, away behind the plane – if you wis within 50 yairds o' the sleeve ye could damage it, ye see. But four or five guns along yin o' them set the fuse ! Oh, the whole gun and the team wis blawn tae bits. There wid be five or six men and the commander a' killed. They got the breech o' the gun, oh, away on the railway.

Then ah wis posted overseas aboot 1941. Ah did a' ma service in heavy ack-ack in the Middle East wi' Montgomery. Oo wis at the back wi' the anti-aircraft guns. We went right through the North African campaign. The

Germans very near had Egypt in their hands, because oo wis pushed back. We had nothing. Oo wis runnin' short o' stuff. And Montgomery drew us back and we wis on static guns and we jist had tae fire till oo come doon level and oo wis feenished efter that. They had tae blaw the gun up and go back. It wis the minefields that saved us. So we escaped that lot. Then we advanced again wi' the Eighth Army at El Alamein and a' that, right through North Africa. Then ah took pains in ma wrists, and this wis rheumatoid arthritis settin' in wi' the heat. Ah wis sent back tae base, ah wis low graded, and ah wis transferred intae the Ordnance Corps. And they gave me a job wi' aboot ten natives, identifying stuff – motor and motor bike parts – that had been recovered from sunken ships in the Mediterranean and so on. The parts were brocht in there and they identified them. That's what ah wis daein' wi' ten natives. They had a long table and were pickin' the parts oot. They were put intae shelves so they could be easy got oot for tae send tae the front line. So that wis a guid job. Ah wis excused a' other duties !

Then ah wis sent home afore the end o' the war – frae that hot country tae the north o' Scotland in the winter: Boat o' Garten, at the fit o' the Cairngorms. Ah could dae a bit o' cobblin' when ah wis in civvy street, and ah got a job there at Boat o' Garten studdin' and lookin' after the depot's boots. Then ah seen a notice one day – a course on boot repairs, and ah put in for it: 'This'll be a holiday for me !' But ma wife thought ah wis bein' sent away back tae the Middle East, because ah wis sent on the course frae Boat o' Garten tae Alexandria ! But it wis Alexandria, Vale o' Leven, no' Egypt. Ah passed the course, then back tae Boat o' Garten and then away tae a bigger depot at Warrington in Lancashire for a while, then ah wis at Whitby – same work, cobblin'. Then frae Whitby ah wis sent efter the war ended tae Edinbury, tae get demobbed wi' ma suit and ma hat. He says, 'Ye want your overcoat ?' Ah says, 'No, ye can keep it. Ah've had enough.' Ah wis away six years, ah came back home in '46.

About three or four weeks' leave ah got. And the first week ah wis hame Dalmore Mill sent up tae see if ah could start there again ! They were short o' workers then. But ah didnae go down then, ah had three weeks' holiday afore ah went back.

As ah've said, ah worked on the cutters for a time. Ah wis on two or three jobs in the mill though. Ah wis on the breakers, where they mix up the paper for the contents o' the paper, and ah went on the finishing house. So ah really passed through the mill. One job ah wis on in the mill wis the presse pate, and ma wife said when she went doon tae me wi' ma piece she never saw such a dismal hole ! The presse pate wis, well, after the grass is a' boiled and it's sent doon it goes intae tanks and then it goes through this presse pate. It's water and sieves, and the sieves take some o' the waste oot the grass, ye ken, the likes o' if there are a weed or onythin, jist a' the dirt.

And ye've got tae keep the sieves hosed and it's troughs aboot two feet wide and aboot two feet in depth and they're fu' o' water. And the grass is goin' round and through big sieves two or three feet wide and deep. It's goin' round all the time and it goes right oot and doon this shute, thick and pure white after it's went through a' the water. But ye've got tae watch it. Sometimes it sticks and heaps up and goes on the floor. Oh, the presse pate wis awfy cold and wet in winter, nothin' but water. There wis water everywhere. There wisnae much in it once ah got used tae the job. But that's where ma wife found me when she came doon wi' ma piece. She says tae me, 'Ye want tae pack it in.' But ah thought oot things masel' so as it wid go a' right, and ah wid go up wi' the grass boilers. They were aye warm. Ah used tae sit there and jist gie it a look noo and again. As long as ye had plenty water runnin' in it it wis a' right.

As ah've said, tae, ah wis in the Farm Servants' Union when ah worked on the farms, and ah joined the paper workers' union as soon as ah went intae the mill aboot 1934-5. Ah think it wis Wullie Black that asked me tae join. He wis jist a union collector. He used tae go tae the meetins. He must ha' been on the committee or somethin'. He lived in Auchendinny. Wullie Black came off the farms, too, intae the mill. So ah wis a full member o' the union. Ah paid ma subscription but ah wisnae active in the union. Ah didnae go to meetins. There werenae many union meetins at Dalmore Mill, no' that ah know of. Ah wisnae interested, although ah wanted tae be in the union.

At Dalmore efter the war conditions wis much different, because the auld boss, Old Gordon Wallace, wisnae a very guid yin. Oh, he wis a hard man. Well, if he could take a ha'penny off ye he wid. He wis still there when ah came back frae the war. But ah mind one old worker there, John Stewart. He wis an elder o' Glencorse Church. One mornin' at six o'clock when he wis goin' off the night shift John had this bundle on his shoulder. And Old Wallace had been at the toilet or somethin' in his hoose and he could look doon tae the road up frae the mill. Here John and I oo gets tae the top o' the mill brae on tae the main road, and here Old Wallace's standin'. He says, 'Oh, it's the elder o' Glencorse Church. What's that ye've got ?' 'Oh,' says John, 'it's jist a felt ah've got.' Ye were allowed tae buy the felt. A lot o' folk used tae buy it. 'Oh,' says Old Wallace, 'that's a' right. Ah thought it wis somethin' else ye wis stealin'.' He wisnae a very nice person. But, ye see, before the war he wis roarin' and shoutin', ye know, the old game that they work. Well, this Jock Harper wis in the army in the war. Jock wis on the machines. And Auld Wallace wis doon there, and it wis aboot Jock goin' off at two o'clock. Jock wis washin' the flair wi' the hose, near the machine, ye ken, and Auld Wallace is shoutin' doon tae him: 'Hey ! Hey ! Hey there !' Jock never let on. 'Hey !' Then Jock flings doon the hose and goes up tae him. He says, 'Are you shoutin' at me ?' 'Aye. D'ye no' ken that

343

water's goin' on the paper ?' Jock says, 'It's no' goin' on the paper.' And Jock says, 'In the future when ye want tae talk tae me,' he says, 'come down and speak tae me. Don't shout at me like a donkey.' So that wis a result o' the war, this is what it wis. There were fellaes like me that had been away at the war and they were standin' nae nonsense. So that's how it wis a change in the mill. And it wis a' through the mill efter that.

And then when Auld Wallace's son Charlie came on he wis a different man a'thegither. Charlie came on afore his faither died, of course. But Charlie came on as the heid yin. He wis different a'thegither, a different man a'thegither. He wis an officer durin' the war. He wisnae abroad, ah think he served his time here. But he'd been away frae the mill anyway in the Forces. But he wis a different fellae a'thegither. He could tell ye off but, oh, ye took it but said nothin'. Auld Wallace, as ah say, wis a bit hard, ye could say he wis a bully. Ah cannae mind onybody gettin' the sack at Dalmore. Well, Oliphant Davidson wis the boss in that department. But they got a lot o' chances. Oliphant Davidson become a manager o' the factory efter that and he gien them chances that they widnae ha' got ony place else. They had tae be awfy bad. But it a' changed for the better, ye see, it a' changed.

And then Gordon Wallace – that's the grandson o' Auld Wallace – came on as the managin' director afore ah retired. He started in the grandfaither's wey a wee bittie, ye ken. And that went on for a wee while and ah think somebody took him aside and telt him. Ah'm no' sure. But he changed, and they're jist like one big family doon there at Dalmore Mill. So ah worked under the three Wallaces, Gordon, Charles and Gordon in ma 38 years in the mill and ah don't mind o' onybody bein' sacked. Now it's jist like one whole family in the mill. A lot o' sons and fathers, mothers and daughters, husbands and wives followed on and worked in the mill.

There were a lot o' workers in the mill in ma time – there'd be nearer 200. Now if there are a hunder that's a'. Ye see, the mill's now mechanised, computerised, and a' the latest machinery. Oh, it's much different. When ah wis at it it wis a' hand tackle and manual. Now ye jist press a button. It's changed even since ah retired

Ah retired frae Dalmore when ah wis 65 in 1973. The Mill are really good tae pensioners. They give us a dinner every year, and ye get a bonus at Christmas – last year we got £25 for oor Christmas. It wis Charlie Wallace that started that.

Lookin' back on ma workin' life, well, it wis a holiday in the mill. It wisnae work at a'. Oh, ah wis fair goin' at it – awfy easy compared wi' workin' on the farms. Oh, ah wish ah'd got intae the paper mill sooner than ah did. Aye, ah would ha' took a chance at that, oh, ah wid have. Ah wid ha' went in like a shot. It wis like a holiday when ah went tae the mill. It wis still manual work, but much easier, ye know. And ye didnae get soaked tae the skin in the mill either, as ye did on the farms. Ah've seen twa soakins in a day on the farm. So ah never felt in the mill, as ah did on the farms, that ah wanted tae leave and try somethin' else. Ah wis never discontented in the mill, no, no, oh, no, oh, no. Ah could go doon there and dae ma job the day. There nae heavy work in it.

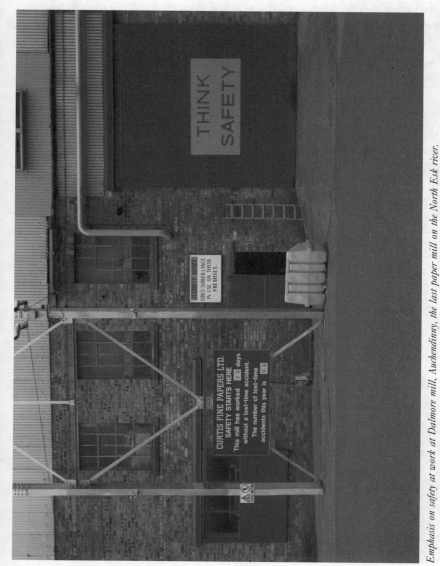

Emphasis on safety at work at Dalmore mill, Auchendinny, the last paper mill on the North Esk river.
Copyright Dr Richard Bingham. Courtesy of Dr Richard Bingham.

The North Esk river in spate rushes past Esk Mills, c. 1920s.

Courtesy of Mr John Y. Frew.

John Y. Frew

When I was leaving Lasswade High School at fifteen in 1935 I hadn't a clue what I wanted to be. It was under the influence of my father, who was then the chief engineer at Esk Mill, that I became an engineer. He just said, 'There's an apprentice leaving the mill and there'll be a vacancy. So there you are.' I didn't object to that. But it wasn't that I had had any strong inclination to that, not at all. In fact, I always remember when I went to the engineer's shop in the mill I was asked to cut a piece of steel with a hacksaw and I was amazed that I could that. That was the extent of my engineering ignorance at that stage.

My father was born in Penicuik in 1890, and after school he started as an apprentice joiner in Esk Mill. Then he changed in the middle of his apprenticeship to an engineering apprenticeship. After his time as an apprentice was out he went to sea, and he sailed with the Ben Line and subsequently with the P&O.[169] He went to sea about 1910 or 1911. Then he came ashore about the end of the 1914-18 War, and he got a position as chief engineer down in Devon, with the Devon Valley Paper Mills. I was born on 4 November 1919 in Penicuik. When my father went down to Bradninch, a small village near Exeter in Devon, to work in the paper mill I was taken with him and my mother, and my brother and sister were born in Devon. I think I would be about five when I came back up with my parents, in about 1924-5.

My grandfather Frew was at that time chief engineer at Esk Mill and he was approaching old age, getting near retirement. So the directors of the mill asked my father to come and join them from Devon Valley Mills, which he did. He came back to Penicuik and was assistant chief engineer to his father at Esk Mill, then eventually chief engineer. My grandfather died in 1943, my father in 1949. Incidentally, when my father was chief engineer at Esk Mill his brother David was chief engineer at Valleyfield Mill for many years.

I can go back to my earlier forebears on the Frew side of the family. My great-grandfather Frew was a blast furnace manager, I think, with the Carron Iron Works.[170] His father, my great-great-grandfather, was born in 1786 and he was a coachman to a big estate in Stevenston in Ayrshire. His father before that was born in 1752, and he was a coal miner in Stevenston. And before that I think my forebears were coal miners. The break in occupation was my grandfather coming from Stevenston to Penicuik, and becoming the chief engineer at Esk Mill. I remember my grandfather perfectly well, I was 24 when he died. He was a man of great integrity and experience. He was not a devout Christian but a good churchgoer, and an elder of the kirk, the Church of Scotland.

My mother's family came from coal mining, somewhere in the west of Scotland. I think my mother herself was born in Penicuik. I think her father had been a miner connected probably with Fauldhouse in West Lothian, and then he came through to Penicuik in search of work. Then my mother had a sister who married a grocer in Penicuik, who eventually became the provost – Provost Dick. He had a grocer's shop in Penicuik.[171] I think what happened was that my grandfather and grandmother possibly and my mother came to Penicuik to stay with her sister, who was already married to Mr Dick. And I think that's where my mother met my father, in Penicuik. At that time she was driving, in fact she must have been one of the first women drivers, driving Dick the grocer's van before she was married. It was unusual in those days. Then she eventually became employed at Lasswade in the post office as a telegraphist, you know, doing the old fashioned telegrams. She gave up that work once she married my father.

As I've mentioned, I had a younger sister and brother. There was about two years' difference in age between my sister and me, and then between her and my brother. My sister was employed in Penicuik Town Council office, as secretary to the burgh chamberlain or finance officer. She married a Penicuik chap, a banker. My brother had started an apprenticeship as a joiner then he was called up during the war to the army, the Cameronians. He was in the Anzio landing in Italy in 1943, then he finished up in Germany, where he was killed in the vicinity of Luneburg in the last week of the war.[172]

I began school in Penicuik when I was five in 1925 at Kirkhill School, a small primary school. At that time Kirkhill was classed more or less a separate village from Penicuik. We lived then down in Esk Bridge. That's why I attended Kirkhill School in preference to Penicuik. Then I moved to Penicuik School, up to the Qualifying age. After that I went to Lasswade High, because it was the only senior secondary school in the area. There I had the choice of taking a commercial course or technical, and the headmaster advised that I take the commercial course, because if I proceeded in engineering I possibly would need commercial skills – book-keeping and dictating letters, etc. Later on I found that to be very much so. It was a valuable course, because the technical education I got later on in my apprenticeship as an engineer. When I was leaving Lasswade High School at 15 in 1935 I hadn't a clue what I wanted to be. It was under the influence of my father, who was then the chief engineer at Esk Mill, that I became an engineer. He just said, 'There's an apprentice leaving the mill and there'll be a vacancy. So there you are.' I didn't object to that, but it wasn't that I had had any strong inclination to that, not at all. In fact, I always remember when I went to the engineers' shop in the mill I was asked to cut a piece of steel with a hacksaw and I was amazed that I could do that. That was the extent of my engineering ignorance at that stage.

So I started my engineering apprenticeship at Esk Mill in 1935. It lasted five years, and I was there until just after the beginning of the war. It was heavy work. It was the installation of machinery, and boiler work, and there was a lot of heavy lifting.

At that time there would be two or three hundred workers altogether at Esk Mill. There'd be twelve engineers anyway, and then there would be three or four labourers, a blacksmith, a welder, plumbers and joiners, electricians – various tradesmen. We were maintenance workers and it was day shift only. There was none of us on night shift. If there was a breakdown during the evening or through the night there was a call-out. As an apprentice I was called out quite often, and that might involve anything from ten minutes to hours or, oh, all night, too.

As an apprentice my working hours in Esk Mill were rather peculiar. We started at twenty past six in the morning and worked to half past eight, then there was an hour's break for our breakfast from half eight till half nine. Then we had from half nine till, I think, it was about one. One to two for lunch, and then two till half-past five. It was a long day for a young lad, eleven hours apart from the meal breaks. Then we worked on Saturday morning, too, and Saturday nights up to ten or eleven o'clock at night. Saturday was the longest day of the lot. The Saturday afternoon was classed as overtime, but it was not voluntary overtime: you had to do it. On the Sunday we worked also from twenty past six in the morning up till maybe one or two o'clock in the afternoon. That was every week. The paper mills were fantastic on the maintenance side.

But there was one rather peculiar exception. Mr Jardine, the managing director, was rather a Christian type, a very church-going type. We were not allowed to work overtime on a Sunday on communion. That was the only Sunday you were allowed off. Well, I hope we were grateful ! Although I think there was a tea break in the morning or afternoon, we must have been working about seventy hours a week at Esk Mill. Well, I was doing that as an apprentice laddie of 15, and I did that right through the five years of my apprenticeship there.

Yet I always remember at half past five every night of the week I used to dash home, have a quick wash and brush up, and then up to the cricket field for six o'clock, and we played cricket there from six till dark. I was a keen cricketer then, that was my main interest cricket, and I was a member of Penicuik Cricket Club. I was both a batsman and a bowler. I hadn't been interested in cricket at school, cricket just arrived, I think, during my apprenticeship. Esk Mill had recreation rooms, as they called them, at Kirkhill, where they had carpet bowls and table tennis. Then there was a tennis court provided and a bowling green, which were very popular. I think they had a five-a-side football team. They used to play the other mills, Valleyfield and Dalmore. The same with the cricket: we were in the Border League at cricket. Then the mill had quite a strong fishing club. They used to go up to Gladhouse reservoir and they also had the North Esk reservoir. The three mills, Dalmore, Valleyfield and Esk Mill, had the reservoir up above Carlops. That was their own reservoir, built for water supply for the mills in the event of a shortage, a drought.

Then during my apprenticeship, too, I had a great interest in music. I played the piano and the piano accordion, and we had a small dance band in Penicuik. The band was nothing to do with Esk Mill. We used to play in barn dances, masonic dances and things like that – not that I was connected with the masons or anything. But playing in the band meant that I was coming home at two, three, or sometimes four o'clock in the morning. Well, it was a mystery how I kept going when I was getting only two hours' sleep Mind you, that wasn't very regular – it was maybe once a month or so. So my father said to me, 'Look, my son, you either take up music or engineering. You're not coming in at four o'clock in the morning and then going out to work at twenty past six.' So I took my father's advice, and engineering was the choice.

You know, when I look back on those days of my apprenticeship at Esk Mill I was working about 70 hours a week – for pence. I just cannot remember what my wage as an apprentice was, but it must have been about 15 shillings. It wouldn't be very much anyway – as I say, pence, though it would go up maybe half a crown a year or so. I can remember when I was serving my time in the mill I wanted a motor bike. A chap offered me one for £2. It was missing a middle gear. So I had £2 and I got the bike, and I went into Edinburgh and I managed to get a second hand middle gear, which I fitted myself. But that was the end of that: I had no money to pay for the insurance, which was £6. So the bike lay in the garden for a long time before I could acquire £6 for the insurance. Well, that gives an idea of the scale of our wages.

When I was at Esk Mill I was a member of the Free Gardeners

friendly society[173] but as an apprentice I wasn't a member of a trade union such as the Amalgamated Engineering Union. Concerning trade unionism, there was a wee incident in the engineers' shop. There was a man employed – I won't mention any names, he's dead now anyway – but he was a rigger. He rigged tackles and ropes and that, and he wasn't in the union. And the rest of the men in the shop more or less ignored him, more or less sent him to Coventry. They felt that they were paying their dues to the union and the union was, you know, negotiating their wages, whereas he was receiving the negotiated wage but not contributing to the costs of the union. He wasn't really a mechanic as such, probably he thought the Amalgamated Engineering Union wasn't the appropriate union for him. But he didn't attempt to join any other union. He just didn't join the AEU, and that was that. He wasn't persecuted, people worked with him just the same, but they didn't really have social contact with him if they could avoid it. There was that wee bit rub.

It was agreed in the mill in those days that at the end of an apprenticeship the apprentices must leave. They were not kept on. There were no jobs for them, you see. If they'd been kept on it would have meant an accumulation of apprentices. You weren't guaranteed a job even if you completed your apprenticeship, not by any means. Well, after my apprenticeship was completed James Jardine, the managing director at Esk Mill, called me up to his office and gave me a sort of talk, advising me to keep my house in order, so to speak, and to make a success of life. He gave me a sort of fatherly talk, wished me all the best, and gave me a good recommendation.

Well, as soon as I completed my engineering apprenticeship at Esk Mill I went to work in the shipyards in Glasgow in 1940, just after the beginning of the war. I was in the shipyard with a marine engineering company, David Rowan & Company, who built marine engines, turbines and diesels. And that was a very good insight into engineering. Rowan & Company was in Elliot Street, right in the middle of Glasgow. I enjoyed the work there up to a point. It was a bit rough, a bit rugged – typical of Glasgow: rough and tumble. I'd lived a reasonably sheltered existence till then as I'd lived at home and my father was a professional man.

Working in Glasgow at Rowan & Company was in a way a revelation to me. I didn't like the city life, not at all, because you used to get these Glasgow fogs, you know, in the middle of summer. And I had digs there, of course. They were in Sauchiehall Street, right in the centre of the city. I had a nice room to myself. She was a Jewish landlady and she had two or three other boarders, they were professional, older people. I was made very much at home and felt quite at home there. She was quite a kindly landlady. I was just a young lad, she had a sort of maternal interest in me.

I came home to Penicuik every week-end.

The hours at Rowan's were starting about eight or half eight till about fiveish, I think. We did work overtime, maybe two or three nights a week. It was wartime, of course. I'm afraid I can't remember what the wages were. It's one thing I cannot remember. The shipyards in Glasgow they were piece work. You used to get a job and it had to be done in thirty hours, say. If you did it in 28 hours you got a small bonus. But of course the next time the job came along the time allotted was 28 hours, you see. This was how it worked: you couldn't win ! It didn't always pay to work furiously: the harder you worked the harder you were expected to work.

I remember the first time I went to the shipyard in Glasgow I took my tools with me and they supplied me with a wooden tool box. I put all my tools in the tool box the first day. The second day I came in my tool box was smashed to pieces and my tools had disappeared. So that was that. I went to the foreman. He just laughed. He said, 'Well, you're a BF to put your tools in there in any case.' That was the shipyard. But again they were very kind, they would help you out of any problem. In general I enjoyed the experience in Glasgow. It was a very educative experience.

When I went through to work in Rowan's I joined the trade union, that would be the Amalgamated Engineering Union. Well, it was more or less as a result of pressure. I didn't become active in the union, I had no interest in it really, and I just paid my dues.

I was working at Rowan's during the first one or two German air raids. I remember the Clydebank raid in March 1941.[174] In fact, that was the month I went to sea – March '41. So I worked for Rowan only a fairly short time. It wasn't part of that job that I should go to sea. I wanted to go to sea. I was working on a marine engine at the time. The marine superintendent used to come round once a month just to check on what was going on. So I approached him one day. I said, 'Have I got any chance of a vacancy in any of your ships ?' 'Yes, you can join the *Ben Macdhui* tomorrow morning at eight o'clock in Middlesbrough.' So I went to the office of the manager at Rowan and he said, 'Oh, no, you can't go. You're in a reserved occupation.' So I was a bit desperate. I thought, 'What do I do here ?' So I went to the office and I said, 'I'm staying here until I get my papers.' So eventually they produced my discharge papers. I had then to dash to my digs, pack my case, get the train down to Middlesbrough to meet the ship coming in at eight o'clock.

So I started in the Ben Line as a fourth engineer.[175] The motivation was not really that I wanted to do my bit in the war as a marine engineer. I just wanted to be . . . I enjoyed working on marine engines and liked to see the engines working at first hand on board a ship. It wasn't that I was motivated by a strong sense of patriotism and wanted to join the merchant navy – I would have joined the merchant navy in peace or war. My father had of course, and, oh, I think my father's influence was at that stage a very strong one on me. He had encouraged me to go to Rowan's, but not necessarily to go to sea – that was a bolt out the blue for him. That was my decision.

So I went off to the *Ben Macdhui* and I was in the merchant navy up till after the war, in 1947. I was on different ships. I was on eight ships altogether during the war. I started, as I say, as fourth engineer, then became third, then second, and then chief. It was because in wartime, with the heavy losses of ships, you could get quickly promoted. I thoroughly enjoyed that job, oh, I enjoyed it. I saw all parts of the world – the Far East, Hong Kong, Singapore. Before the fall of Hong Kong at the end of 1941 and of Singapore at the beginning of 1942 we were on the China coast for about a year, going from Singapore to Hong Kong. We left Singapore just about a month before it fell in February 1942, then came home and I joined the merchant navy pool.[176] And from there I got appointed to various ships, about, as I say, eight in all. There was the Ben Line, the Currie Line, the Dundee, Perth & London, and two other private firms who didn't own ships but managed them.[177] And I was on a rescue ship, following the convoys – the SS *Perth*. She was a passenger ship in peacetime, sailing from Leith to London. One time on the *Perth* we were picking up survivors. But we fell behind the convoy and a submarine surfaced behind us and started to shell us. Luckily, we were faster than the submarine so we beat a hasty retreat. Oh, there was a very heavy loss of life in the merchant navy. I saw ships going down. Tankers were the worst: they went on fire, you see. And we were bombed on the *Ben Macdhui*, and we were sunk on the *Ben Macdhui* by a mine on the Humber, coming up the east coast of England. When the *Ben Macdhui* sank two of the crew were lost, out of maybe 50, 60. That was a frightening experience. I was down below in the engine room at the time. I was badly burned but I was very fortunate to survive.[178]

I got married to a Penicuik girl in 1946. Sea life and married life doesn't go together of course, so I came out the merchant navy in 1947 and got a job in Bertrams of Sciennes in Edinburgh, the paper-machine firm. By this time my father, who was chief engineer at Esk Mill, had become quite ill with cancer. So I was asked to go to the mill as assistant to my father. He died within a year, and then I was appointed chief engineer at Esk Mill.

That of course was the second time I'd been working at Esk Mill. This time I was there for about nine, ten years. Esk Mill was a four paper-making machine mill with seven coating machines. It was good quality paper that was made there. We dealt mainly with printers. Nelson the printer and publisher was one of our main customers, in fact the main customer.

There was a very good atmosphere in Esk Mill, a kind of family atmosphere, because you got families – mothers, sons and daughters, and I would say grandchildren perhaps in some cases, working in the mill. The women worked at the finishing end in the mill, as we called it. They were purely on the finishing side. There were some pretty tough characters among them, but they were very hard working. They had to carry reams of paper, you know, oh, very heavy work for women. But again it was a very happy atmosphere. It was maybe fairly different from many other places of employment, because so many of the employees lived together, were members of the same family, and there was a tradition of employment within the mill. As a youngster leaving school in Penicuik, if your father or mother worked in the mill, that was it. There was little or nothing in those days of people living in Penicuik and travelling for work into Edinburgh. There wasn't much farm work available round about Penicuik, because they were small farms. The foundry, Ferrier's foundry, was one o' the sources of employment. It supplied the paper mills with castings, etc. But in Penicuik it was mainly the paper mill, one or other of them, or the pits. Well, the miners were sort of looked down upon as the be-all and end-all – unskilled, that was it. Well, I shouldn't say looked down upon but they were a separate community. I mean, for instance, you had Fieldsend and Shottstown. That was a whole wee village you may say of miners, a fairly separate wee community. Their interests and experience of work were different altogether from those of the paper mill workers. The miners definitely had a stronger element or tradition of trade unionism, and possibly were a stronger political community than the paper mill workers.

It wasn't that people working in Esk Mill were drawn from a particular part of Penicuik, it was just general. I mean, people came from all over Penicuik to work there. But there again both Esk Mills and Valleyfield had quite a bit of property and owned a lot of houses. Most of the Esk Mill workers lived in Esk Mill houses, the others in council houses or privately owned places. There was a tradition of a sort of what we might think of as 19th century paternalism, when the mill owner had bought or built houses for its workers. Well, Esk Mill housing was Esk Bridge, of course, and Kirkhill, Dunlop Terrace, and Harper's Brae. These were the main areas – round about the mill itself. The Valleyfield Mill houses were down round about The Island, as they called it – round about Penicuik old railway station, and Bridge Street, Croft Street. Well, Croft Street is sometimes called The Mill Street because the majority of workers going to work went down that street. But mainly the people living in that area of Penicuik worked in Valleyfield.

I don't have any recollection of religious sectarianism at Esk Mill, none at all. I cannot say I ever came across that. I never ran across any sort of sectarian prejudice or bigotry, none whatsoever. I don't remember any Orangemen or Billy Boys and Dans, nothing like that.[179] Nor was there within the mill among the workers any great political discussion. The only sort of – what would you call it ? – gathering was the British Legion of ex-servicemen. That was the strongest organisation that I can remember.

I remember when I was a boy the terrible accident Isaac Palmer had at Esk Mill when he lost his arm. My first wife's father, he worked in Dalmore. They had a hot tank above the esparto grass boiler full of boiling water, which they dumped into the boiler to mix with the grass. He had been up there and he had been washing a boiler suit, which was the practice in these days. And he had fallen into the tank. So he lasted, I think, two or three days and died eventually. Oh, it was horrible. He'd be in his fifties. That was at Dalmore Mill, but there were no deaths or serious accidents while I was at Esk Mill, well, except one serious accident: Ernie Atack, a painter. When he was up in the rafters of the boiler house roof painting one day after the war he fell down on top of the boiler. The boiler at that time would be 80 feet high. So we had a job to get him off the top of the boiler down to floor level. That was some job, because he was unconscious and quite badly hurt.[180]

Before the war when I was an apprentice the machines were not well guarded, so the workers were at risk from unguarded machines. You really had to be on the *qui vive* when you went near a machine – which in a way was a good thing, because you were aware of the dangers and kept well clear. Nowadays one of the prime requirements is that a machine must be guarded properly. That was a big improvement in my working life. Well, they have safety officers now appointed, which they never had in those earlier days. Oh, it was really quite a dangerous job.

When I was chief engineer at Esk Mill from about 1949 onwards I used to ask for a rise in my salary every year on principle. I never got it. Well, eventually I did get a rise. You'll never guess what it was: £24 a year. £24 – and that really stuck in my throat. That was a factor in my deciding to up tents and move away from Esk Mill. I realised that there was no future in this at all.

It wasn't that there was any of what might be termed conspicuous consumption on the part of the Jardines as managing directors of the mill. I would say the very opposite was the case. They were the very opposite, very conservative, and, I mean, their cars were just the standard run-o'-the-mill cars. Their houses were standard. I certainly didn't feel that they were feathering their nests very nicely while giving me a rise of £24 a year. It wasn't that, not by any means. It was just their outlook. It was, you know, penny pinching. But, funnily enough, as I've said earlier, I cannot recall any exact figures either for my salary or my wages earlier on as an apprentice. The ordinary workers remained on a relatively low wage in paper-making, they certainly weren't among the highest paid workers. Overtime, I think, was the biggest incentive.

Well, I was at Esk Mill for about nine, ten years, as I say, and left it about 1957-8. It was about ten years after that that Esk Mill closed. I could see it coming. The reasons for the decline and closing of Esk Mill were bad management to start with. Of the two Jardines who managed the mill one – James, the elder of the two – had died when I was away in the merchant navy. The other one, Edward, who was still there when I came back to Esk Mill after the war, died of ill health, and the nephew John Jardine took over. Well, he had various personal problems and he appointed one or two managers or so-called managers who were not competent at all. So for that reason I thought it was time to depart. Then there may have been – I think there would be – a decline in the orders for the paper that Esk Mill produced: they didn't have a strong sales set-up.

I saw an advert for a chief engineer in Culter Mill in Peterculter near Aberdeen. I applied for that job and got it, and I was there for about nine years again. Culter produced, I think, the highest quality of paper at any of the mills I worked in. I had quite a lot of travelling while at Culter Mill, investigating new methods of coating paper, high gloss finish paper. So I travelled round quite a bit – to Sweden and round about all the mills down south in England. It involved quite a bit of travelling back and forward, which I enjoyed. But then there was a merger between Culter and Guardbridge Mill in Fife, and a reorganisation. I was made redundant.

Funnily enough, after the merger of Culter with Guardbridge, when I could see there was going to be trouble, because there is always some redundancies coming, there was a job turned up at Valleyfield for a chief engineer there. So I applied for that and I was interviewed and I was offered the job. But the terms were not good at all – the wages. And I had to supply my own house, which was most unusual at a paper mill. The chief engineer always got a house, because he had to be adjacent to his work, on site, on call. So for that reason I turned it down. And I had no regrets because it closed a year or two afterwards.

So then I joined a company called the Mount Hope Machinery Company, selling paper mill machinery and drawing up design plans for the installation of that machinery. The Mount Hope experience I enjoyed very much. As technical sales manager as I was on my own, and I used to travel round Scotland and have a week in Ireland when the mills in Ireland wanted some new machinery. It was southern Ireland, the republic – there were two or three mills there and I would fly over to them. We didn't go to Northern Ireland – too much trouble there. So I was with the Mount Hope Machinery Company for about two years. And again we come back to the long hours: all my life I've worked seven days a week without fail (even on a ship in the merchant navy you were on duty seven days a week) – with the exception of the time at Mount Hope, where I finished on a Friday night. And also in my travels with Mount Hope I could see all the mills in more or less the United Kingdom, and it was obvious that the United Kingdom was falling very much behind the European and continental mills.

By that time, the 1960s into the 1970s, the paper trade was falling by the wayside. The Scandinavians were well ahead of us. It was difficult for the British paper mills to compete – well, lack of investment. When Britain entered the European Free Trade Area then that was a factor that acted against the British paper making industry, as I think it did in all industry. But paper making certainly took a tumble. When I worked at Esk Mill there were three paper mills at Penicuik alone; by the mid-1990s there were, oh, only ten maybe in the whole of Scotland, if there were that.[181]

Well, when I left the Mount Hope Machinery Company I decided I had had enough of the paper trade. It was rapidly declining, so I thought I would go back to sea. So I joined the Fyffe's company – the banana boats, as a second engineer. The one I sailed on was a fast 21-knot ship. So I was with them about a year, travelling to North America, South America. We carried twelve passengers. Very interesting that was.[182]

By then, the early 1970s, of course I'd been away from the sea for 25 years. There had been massive changes. I mean, the ship was fully automated. We just sat in a control room and watched instruments. There was no dashing about with an oil can as such. So I was with the Fyffe banana boats roughly a year.

About this time my mother was becoming quite frail. I thought it expedient to locate nearer home and saw an advert in the *Glasgow Herald* by the Ministry of Defence for an engineer on one of their weather ships, the *Weather Monitor*. I applied for and got the job, based at Greenock. It meant three weeks out on patrol in a 200 mile grid, patrolling around the Greenland area, and then approximately three weeks at home. We sent off a weather balloon each day, which monitored various readings in the atmosphere. The weather monitor was one of four ex-Navy frigates.

Then I received a phone call from the managing director offering me the job of chief engineer at Lochmill paper mill in Linlithgow, with a mill house provided. By this time my wife had died of multiple sclerosis. It was very distressing. So I was left on my own really at Lochmill in a company house. I remarried then in 1975 and my second wife and I settled down in a house in Penicuik, and I travelled back and forward then to Lochmill. Lochmill was a much smaller mill than Esk Mill or Culter. That was mainly why I took that Lochmill job, because it was a much smaller mill – much less responsibility, much less demanding. Lochmill was only one machine, Esk Mill was a four-machine mill with seven coating machines, Culter again was four machines with five coating machines.

I was at Lochmill for seven years. The mill, like most mills again, was running down. So they were paying off 30 men. And I said, 'Well, why not make it 31 ?' So I retired. I was allowed to depart with a company car. That was in 1982.

So I've been chief engineer in three paper mills, all of which have now been levelled to the ground: Esk Mill, Culter and Lochmill. There's no sign of them. That's the story of the paper-making industry really.

Looking back on my working life it's difficult to say which jobs I enjoyed the most. At sea you had a different life altogether. You had regular hours, there was no worry about traffic or anything of that sort. It was a bit boring at times. The paper mill was a bit hectic, because of pressure of work and long hours also, and then you were responsible for about £3 to £4 million budget every year, which you had to account for and justify. But I think I got most satisfaction from the paper mill engineering. It was varied, you see. Well, at the end of the week or the month, you had accomplished something. You had probably put in a new machine and seen it from start to finish and saw it working and you got a great deal of satisfaction from that. You could see the piles of paper everywhere.

Well, being a paper mill engineer and a marine engineer it's two different types of occupation altogether. But I have no regrets about working in the paper making industry, none at all. The only thing I do say – I often say to my wife – was the out and out exploitation. Seven days a week on a salary that was laughable.

'Black squad' of engineers and other trades at Esk Mills, c. 1930. William Frew, chief engineer, father of John Y. Frew, stands, wearing suit and tie, at extreme left of the middle row.

Courtesy of Mr John Y. Frew.

Jack Menzies

I left school in 1936 with no idea what to do. I signed on at what you called the buroo, lookin' for a job, wrote after jobs, went to the Penicuik Store – there was a vacancy there for a job in the dairy. I was pipped at that. And my father, who was chaffure for two sisters related to Sandy Cowan, the owner at Valleyfield Mill, says that my name and my younger brother's was already down in Valleyfield for anything that would turn up. He had put our names down. Then it was – I supposed you called it patronage. If your father was, say, a foreman in Valleyfield or in a high position – say, one o' the commercial managers – as his son you got an instant entry either into, say, bein' an engineer or an electrician, which was a trade. To have a trade then was the done thing. It gave a stability, permanence, and higher pay in the long run once you'd done your apprenticeship. Well, I suppose it was just a case of who your father knew and his position that he got you in, whether you were as dumb as a brick wall he got you in in a trade. But if your father was just an ordinary five-eighths if you were employed you'd just be offered a job in the pool o' workers in the mill. Oh, it was a source o' resentment. Of course, my father didn't really work in the mill, he was independent at the garages there. My brother left school then, too, in 1936. He was fourteen. Actually my father says to my brother and me, 'I'll gie you a wee job on your own, helpin' me wi' the garden, the car, etc. And,' he says, 'I'll give you ten shillins a week.' So I think we had about a month o' that. And then after Valleyfield Mill shut the first week in August for the annual holiday, 'Oh, there's a couple o' vacancies.' So my brother and I both started the same day at Valleyfield.

I was born at Mortonhall House stables, on the southern edge o' Edinburgh, on the 3rd of May 1920. My father was a chaffure there, and my grandfather Menzies was the gamekeeper there. And then after I was born we moved out to Penicuik later in 1920. I think the Trotters of Mortonhall were in the House, but I think there were Cowans in there at the time: whether it was on lease or rented I just don't know. But my father was

359

chaffure to two sisters, Kate and Lucy Cowan, spinsters, who took the house down at Woodhouselee, a mile or two outside Penicuik. They were close relatives of Sandy Cowan, who was then the owner of Valleyfield Mill, and they were also connected wi' the Musselburgh Cowans, who owned Inveresk paper mills, and they were also related to the Erringtons of Beeslack at Penicuik. The Cowan sisters died during the war and the house was taken over by the army. The house is no longer there, it was just knocked down, oh, 1950s?[183]

My father, who was born in 1889, hadn't always been a chaffure. Before the First World War he and his best friend were apprenticed at Rossleigh for Rolls Royce engines.[184] In 1914 they both volunteered for the army. Well, skilled drivers and mechanics were at a premium, they could name their own . . . So they were in the army four years. As a driver I don't think my father had a very dangerous war. He was in the Army Service Corps and drove ammunition lorries in France. He always said that he didnae have the life that the poor sods, as he called them, in the trenches had. But he said that driving was pretty horrific sometimes. When they came out the army this chap wanted my father and him to go into business running a garage. But my father was a wee bit loath to do it. So I think it was by word o' mouth that he learned that the Cowans wanted a chaffure and he got the job. In his own words years ago he says, 'I had a good number. I was being paid twice the wage that the average workin' man was gettin'.' Well, when the two ladies died, I think it was about 1943 – I was in the army then, the managing director down at Valleyfield, a Mr Eric Taylor, offered my father a job as the engineer at the garages down there. So he took that job, he just kept goin', and he worked there until he retired in 1960. So he had a damned long run. He died in 1971.

My mother was born in Galashiels. Her father, a Kelso man, was a gardener, and my grandmother was also Kelso. They moved to various places, one I think was the big house at Yair down on the Selkirk road. And they'd walk five miles from Yair on the Sunday mornings to the church and five miles back. My grandparents had two sons and three daughters, both sons became gardeners and both went to the '14 War. The older son died when he was 31, the younger son studied horticulture, took a degree in it, and he was gardener to the earl of Airlie or the Marquis of . . . – I've forgotten the name, no matter – and to various others. He was a gardener at Annan, North Berwick, where he gardened for two Americans in a house called Bunker Hill, and then he went to West Hartlepool and retired there. And I hate gardening. Anyway the family that my grandfather worked for at Kelso they sent my mother at the age of 14 away to be a maidservant in a house. It just about broke her heart. I think that was the way the toffs or the gentry, as my mother used to say, treated their servants: if their servants had children they would be placed elsewhere. And my mother's sister was sent away also, to a house in Edinburgh. Anyway the house my mother was sent to was quite a distance away from Kelso – you had a train to Galashiels, and then a train from Galashiels onward. My mother met my father well before the 1914-18 War and, well, they got together.

My father's father, grandfather Menzies, the gamekeeper at Mortonhall House, came from Workington or that area in Cumberland. He was a policeman in Workington, and then he was a sergeant in Annan for a while, and then he came with my father and his brother John to Edinburgh in 1895. The family lived in Wardlaw Street in Gorgie, and it was from there my father took up his apprenticeship at Rossleigh with this other lad, his best friend. My father's favourite story used to be about Saturday mornins, when the Tynecastle football stand hadn't been built. So he and this other lad used to go in on Saturday morning and sit under this structure, as he called it, and wait till the match started and then they came out at the sides: they got in for free ! Anyway when my grandfather Menzies retired as a policeman, well, he became a gamekeeper. I remember him very well. He bred Labradors and kept ferrets. He died in 1931, when I was about eleven.

My father's mother, granny Menzies, she came from about the Cumberland area, too, and she was a real tough old lady. She was choppin' firewood one day and the axe hit her right leg, which turned gangrenous. So they operated on it and took it off above the knee. They gave her an artificial leg. This would be about 1928, because I can remember going in to Edinburgh with my father to pick her up at the Infirmary. She brought home the artifical leg and never wore it. She just hopped about the room. She lived in a wee house down the pend in Penicuik, just a small room, wi' an outside toilet. And she dyed her hair strawberry blond to the day she died. Oh, she was a real tough one, a character.

I had one brother, Alan, two years younger than me and, as I've said, Alan and I started work the same day at Valleyfield.

When my parents moved from Mortonhall House to Penicuik in 1920 after I was born, we moved in to No. 34 Bridge Street. If you walk down Bridge Street you'll see the big buildings shaped like that: above them is Park End. Round the corner there there are gates that used to be the gates into Woodhouselee House, where my father worked as chaffure. Well, we lived at the corner, No. 34. I lived there, wi' the exception o' the war years, until I was married.

No. 34 had a wee livin' room, two bedrooms, and a room that my mother used to ca' the best room – the sitting room. There was no bathroom until in 1931 there was one installed. Until then we just had baths in front o' the fire. But there was four of us in our family and nine of the neighbours shared one toilet. So you can imagine it was a queue on a Sunday morning who was going to be in first. There was gas light in the house, then it was changed to electricity in the '30s, around the time the bathroom was installed. For cooking there was a wee coal-fired range in the living room, with a wee oven on one side and a wee water boiler on the other with a wee tap. And it was a freezing house. There was a fireplace in every room, and during the winter my mother would occasionally put a fire on in, well, my brother and I's room and in their room. And then there was the wee sitting room through the back. But half the house was built under the ground. When my wife and I were first married after the war and we lived at No. 34 till we got a house of our own, the room where we slept you had to look up to look out of the window. At least at No. 34 my parents and my brother and I weren't overcrowded. The house next door they had seven of a family, and the father and mother. And then the Stotts at the back of us, there was the father and mother and nine kids o' them. And they all had two bedrooms, exactly the same as us. It was Valleyfield Mill that was the landlord at No. 34 Bridge Street, they owned the whole o' that site. My father used to pay weekly 3s.6d. o' rent for our wee house. Years later on, the houses just deteriorated until a local man decided to buy the properties, do them up and sell them. I think the one up above ours was advertised for sale in 1996 at a fixed price of £38,000.

And in those days the houses down on the other side of the Esk bridge, on the way to Peebles, opposite where the South Kirk is, down in the valley bit – they called them The Island – they were the foremen's houses. They were all owned also by Valleyfield Mill. There was a row of cottages there, like old farm cottages. They've all been split up, and four cottages became two houses. They'll go back about 140 years as well. I think Park End down there, Bridge Street, that must go back about 150 years, because for a while part of the houses were split. They had an outside stair on the side o' the house, and the single girls – country girls, too far to go home – who worked in those days in Valleyfield paid I think it was a shilling a week for a dormitory, a small room. The Nunnery or The Nunneries, that's what they called it. But I think that was done away wi' just before the First World War.[185]

I went to school at Kirkhill when I was five in 1925. I don't remember very much about Kirkhill School, but I remember the books that they put down, and we were told to be quiet and start with A, B. And if the teacher wasn't happy about the way you were forming your As and Bs you got a smack wi' a ruler on the back o' your hand ! Two years, I think, I was at Kirkhill – till you were seven, and then you came down to the school in John Street in Penicuik. Well, there was a big difference in the laddies and the lassies then in John Street School. I think I remember that some o' the laddies who came from Shottstown came wi' big tackety boots on, and I think my mother had us intae shoes. But we always wanted tackety boots. And everybody lived in fear o' the teacher – well, not in fear: I think we respected them, because you knew you'd get the strap. And as for the janitor – we were terrified o' him. In fact, there was a laddie Colie Cairns who lived in Bridge Street, and the janitor gave him a clip round the earhole. And Colie Cairns, who was well made, made a go for the janitor and started to thump him. And of course the janitor just grabbed him and ran him into the headteacher Mr MacQueen's office, and I think Colie Cairns got belted on both hands. He went, 'Hach, hach,' but he was no respecter of authority this laddie.

Quite honestly I can't remember what subjects in the primary school I was interested in. But I wanted to learn about English and I started to read books and I've been daft about books ever since. When I was seven, eight, nine I would read anything and everything. I joined the public library, which was in these days in the Cowan Institute. Well, at that age you were only allowed fairy stories and you weren't allowed adult fiction, so there was about a dozen or so books available: Captain Marryat, *Masterman Ready*, you know, things like that. I was interested, I liked reading. That was my main interest as a boy and it still is.[186]

I left John Street when I was eleven, after the Qualifyin' examination, and I went to Lasswade High School. It was my mother who wanted me to go to Lasswade, well, she was maybe more ambitious for me than my father was. Well, when I look back now I realise I had no sense o' direction then. There was nobody there to say, 'Well, you're of reasonable intelligence. Why don't you go this way and try for going into either banks or commercial interests ?' Or 'You're useful wi' your hands. You could make an electrician or an engineer or a joiner.' My father never told me anything. He just said, 'Oh, you've passed your exams. Good enough. Just fire away and go your own way.' I think he just said, 'Oh, well, the laddie's no' bad. He's reasonably bright. I'll just let him do his own thing.' But I regret I didnae have the direction to go. Well, I was a lazy laddie. I make no bones about it. The headmaster said I had a good mind but was lazy intellectually. That was his report, his assessment.

At Lasswade they had two grades. You had 1A, 2A, 3A, you know, up till sixth year. Or you had 1B, etc. The 1A was Latin and associated science subjects, to qualify you, say, for a doctor or teaching. And the other, 1B etc., was for commercial – that was typewriting, shorthand, and book-keeping. I just drifted into A, and I wish now that I had taken the B side instead. You had the choice, but it was a long time before I realised that.

Lasswade High School wasnae in these days an enormous school. It was a very compact school. I doubt if at any given time then there was any more than about 150 pupils. And the standard of teaching I would say was first class. Well, I quite enjoyed French. And the maths started to go, you know, from algebra to trigonometry, and I found it heavy going. So maths I didn't enjoy. And then Latin, oh, it would have been fine if I'd been going to become a minister. But to me then Latin didnae seem of any use whatsoever. But I just sat there and I suppose I tolerated it like all the other lads. And then history, well, we had more history at Penicuik than we ever had at Lasswade. History there was just half an hour a week, a sort of dispensable subject, where at Penicuik you learned by rote all the kings, the queens, the successions. But history – no. I had an art class. You were supposed, you know, to draw trees, use your imagination, what come to you. And I used to paint everything in bright blue, purple, yellow. And the art mistress said, 'No good, Menzies, no good, no good at all. Try again.' And at that time if your sheet of paper was dry you turned it over and painted on the other side. I just drifted along. I'll repeat myself and say I was a lazy student.

So I wasn't a keen scholar. There was one or two. There was a bloke in my class, he sat in front of me, he became a doctor. His father had been a doctor. But I think he was like me – a bit lazy. It took him, I think, three years to pass all the exams. And another one he went to the Bank o' Scotland, the head office off the Mound in Edinburgh. I can't remember what the girls did. It was a small class. There was only about six boys and five girls in the class. So it wasnae for the want o' tuition. You got plenty of attention from the teacher.

You had to play rugby. You were marched up to a field away up near Bonnyrigg every Wednesday, shorts on, whether it was rain, shine or snow, and played rugby for an hour and a half, which I used to detest ! They had me out on the wing, and of course I would wander away up the wing like that and avoid everything ! I hated the head clashin'.

Some left Lasswade High School when they were fourteen or fifteen, because it was also a local school – it had a junior and a senior secondary side. I can't think of anyone that I really knew who left at fourteen. The class I was with we went through the first couple of years together, until at fourteen the class split. Some of the girls were goin' to take up shorthand and typing. And there was an intake of people who had left Penicuik School at fourteen. They took up commercial subjects from fourteen to sixteen, I remember that.

But my group in the A course we just went straight through the five years. And it got tougher and tougher. When I sat the Highers at the end of it I got a Lower in English and failed the rest: failed maths, failed the French. We also had physics and science and I failed that. You were supposed to have three Highers and one or two Lowers for a pass. That was the Higher Leaving Certificate. I think for an average bloke like myself it was a murderous regime.

I don't think I was either up nor down at my results. Possibly I just regarded it as a phase in my life, and I must have been like Mr Micawber: something is goin' to turn up. My parents didn't push me or say, 'Oh, you should have done better in your exams.' They just accepted what had happened. I could have gone back to school for another year into the sixth year. There was two or three went back: the chap who became a doctor he went back for another year. I think there were this other chap and I who left. I thought it was time I started to work and earn some money.

So as I've said, I left school in 1936 at the age of sixteen with no idea what to do. But my father having put our names down at Valleyfield Mill for anything that would turn up, my younger brother Alan, who left John Street School in Penicuik then at the age of fourteen, and I both started the same day at Valleyfield.

Well, I was put on a job where there were two girls on it, and it was on a cutter, cutting sheeted paper from rolls. And this girl says, 'Well, there ye are, Jack. Ye turn that on there and ye turn that one there, and that one goes up, that one comes down. Ye stand and watch that, and when it gets up that height shut it off, pull it out, do it again.' It was, shall we say, a bit monotonous. But, och, there was quite a few other laddies there. And of course you had a bit o' larkin', too. They used to have a rack just at the side of us in which they kept steel rods. Each o' these steel rods weighed a hundredweight. And the biggest laddie would, you know, puff and pant tae lift one – and he dropped it. I dropped it one day and it burst my finger. Well, things just progressed from there.

So there were quite a few other boys working at the cutters, and there were some women. And then they wanted all the women up the stair, in the main overhauling the paper, checking the paper to see that there was no defects in it – or packing, counting paper. That was their main job. They wanted to replace them on the cutters with men. That was just after I began in the mill.

When I started first I began work at quarter to eight till half past five, and you had, I think, it was an hour for your lunch. I went home for my lunch. And I think that lasted only for about a couple o' months. You started shifts when you were sixteen, so I started on shifts, on a six to two and a two to ten shift. I think that was for about a year or so.

By that time I'd moved on to a ripper, which slit a large roll of paper into smaller rolls, as an assistant. And then I went to what you call a calender, which smoothed the paper; and then I went on to a coating machine.

There were three of us roughly the same age, and one was a chap whose father had come to Valleyfield from Inverurie paper mills in Aberdeenshire and brought his boys with him. I think he made it a condition of employment that his sons got a job at Valleyfield, and they were given jobs. Well, this chap and I were both 18, and we got jobs as machinemen. And of course there was a big to-do about this: laddies doin' men's jobs. The union wasn't involved in it, it was just complaints from older men that we were too young – 'It takes years to mature', you know. You were in one job for a year or so, you were in another job then another job. This was supposed to be your valuable work experience, working up to the top job. And these older men resented the fact that it had taken them years to get the length of being machinemen, where these laddies of 18 just came on, trained for a month, then were given a machine, put on a shift, and got on with it. But the three of us young lads stuck it, and we did as well as the men o' thirty and forty who had families to bring up. And we were paid the same wage. We did admirably, right up until the war.

I had the impression somebody somewhere in Valleyfield had a kind of master plan, saying, 'These lads have been here X months. Now we'll move them on to . . .' I think there was an attempt to provide a continuin' and wider trainin'. Because the way they had lettin' you go progressively through all the stages in each department for years and years at maybe 1d. an hour increase once every five years or something like that, was of no use. I think it was the new manager, Eric Taylor. I think he must have arrived just before the war, about 1938. And I think he was a man wi' a bit o' foresight, sayin' that 'No use o' keepin' men stuck on jobs where they get fed up and disillusioned. Give them something else. Give them an interest.'

Well, us three young lads, Alfred Williamson, who went away later to be a foreman in Wales, Tommy Taylor, and myself – it was the fact that 18 or 19 year old, well, we were men, we were being paid the same rate as men wi' families, that caused the resentment. We had a lot o' stick to take. It was never as bad as us bein' sent to Coventry. But there was a lot o' dirty tricks played on ye. Such as you'd turn your back on your machine and you'd say, 'I'm goin' for a pee.' You'd dash to the toilet. When you came back the paper was in ruins: 'Oh, something must have happened, son, when ye were away.' They had this dreadful habit o' callin' you son. In fact, years later when I became a foreman there used to be a man called me son, and I used to sort o' retaliate by callin' him dad – and that stopped him. But we got dirty tricks played on the three o' us. I could tell you some o' the dirty tricks were childish. You know, you wouldnae think a grown man o' forty would do things like that to you. But they did. It's all in the past now. But we were resentful at the time. But there was only one way to do it, just to show them: 'We're no' givin' a damn, we're jist goin' on wi' the job.'

Before the war you worked on Saturdays up till twelve o'clock. Then you worked three shifts. The night shift was twelve till six from Sunday nights right up until 6 am on Saturday morning. The back shift ran Monday to Friday, two till ten. And the day shift ran 6 am start on Monday – six to two through the week, six to twelve on Saturday. I preferred the day shift without doubt. It gave you the rest o' the day. The back shift and night shift were a bit upsettin', they interfered wi' your sleep patterns. I worked shifts most o' my life, and the older I became the more difficult it was. Night shift used to be a nightmare sometimes, because during the day it was too noisy to sleep. After the war, when I was married and we moved house up to Cuiken in Penicuik, opposite Cuiken Primary School, and the school kids would come out to play . . . ! But, ach, ye dozed off. Then the back shift was awkward: you started at two and by the time you got your dinner before you went to work there wasn't a lot o' the day left, and nothing at all when you came back at ten o'clock that night. It was a long day. But that was in the nature of paper making. It was a continuous process and so it had to be. In fact, nowadays it never halts: you're on to the four- and five-shift system. In my day it shut down on Saturday 12 noon and started up again at 12 midnight on Sunday night. That's when the tradesmen came in to repair the machines – Saturday afternoon and Sunday, they got their chance. And then when the mill shut for the week's annual holiday all the major repairs were done then, and all the tradesmen had to take alternative holidays.

The wages when I began at Valleyfield, well, I got more – ten shillings – from my father for helpin' him in the garden and with the car when I left school first than I got for my first wage in the mill. I got 8s.6d., about 40 pence, for a week's work of 46 hours in the mill. And then by the time I was 19 we were earning what we called a fairly decent wage, which was 2s.1d. an hour – about £4.12.0. a week, we used to average that. Tradesmen would earn a bit more. That was when I went to the war.

I joined the Territorials in March 1939. Well, I read something in the evening paper about an Edinburgh unit and it was a wee ad.: 'We're looking for volunteers to join the 19th Armoured Car Company.' I says, 'That's for me.' I said to my father, I says, 'I'm goin' to join the 19th Armoured Car Company.' 'Oh, well,' he says 'they'll probably learn ye to drive.' Well, by this time I could drive. Anyway I went in to Edinburgh, I joined, and I came back and I told quite a few blokes round about Penicuik, 'I've joined the 19th Armoured Car Company.' 'Oh, I think I'll join it, too.' So there was my brother Alan joined it, two or three chaps from the mill – I think there was about seven or eight of us joined it. The 19th Armoured Car Company became the Lothians and Border Horse.

Why did I join the Territorial Army before the war, the outbreak of which I remember very clearly ? Well, they said that ye had week-end camps and week-end training. It was different from the ordinary Saturday nights and the week-ends that we spent in Penicuik. In Penicuik we would go to pictures or to the theatre in Edinburgh. My friends would go dancing.

I wasn't a dancing man. I never learned to dance properly, as my wife recalls. I'd go off on my own to the theatre in Edinburgh. But that's why I joined the TA – it was something different: no thought of war or anything like that. It wasn't patriotism or a fear of Nazism, it wasn't that. I think the average lad in the street, it didnae give him much cause for concern. We noted it in the paper about the rise o' Nazism, etc., and you were very impressed when you saw their troops marching and the drills, particularly the 1936 Olympics. They put on a terrific show there. I was impressed by that.[187] But I'm afraid as to heeding the politicians' warnings that, 'Oh, it's doom and gloom for us. We've got to face up to the Germans', I don't think I paid much attention to that. I was not a political person. I'm afraid I was not a political animal until I came out the army after the war.

So the 19th Armoured Car Company was based in Wemyss Place, at the West End in Edinburgh. And then when the war came in September 1939 we were all called up immediately, and the name o' the unit was changed to the Lothians and Border Horse. And I was in the 1st Lothians and Border Horse. My younger brother Alan and all the chaps that I'd joined up wi' were in the 2nd Lothians and Border Horse. So I says, 'I'll get myself transferred from the 1st to the 2nd Lothians and Border Horse.' And I was. They just granted my request almost immediately. Well, the 1st Lothians and Border Horse went to France in, I think it was about March 1940. And of the 600 men who went there was only 40 came back. There was quite a lot killed, and others were captured at Dunkirk and spent the next five years in prison camps. So I consider myself a very lucky lad that I transferred out from the 1st Lothians to the 2nd Lothians.

My brother Alan he was seventeen. What do they called them ? The immatures. Well, all the immatures, the ones who were under eighteen, right away at the beginning o' the war were transferred to other regiments. My wife's cousin Archie he was transferred to the Royal Gloucester Hussars. My brother Alan with two or three of his pals was transferred to the Northampton Yeomanry. Some others were sent to the Devon and Cornwall Yeomanry. When Alan became eighteen he asked me if I could claim him from the Northampton Yeomanry to the Lothians and Border Horse. I did. I just put in an application. It was a wee while before he came through, but Alan joined the 2nd Lothians, same squadron as me, but wi' a group o' different pals.

When the war began the 2nd Lothians spent a week or two in Edinburgh, just in a big house in Castle Street. Then we moved to Dunbar, because the regimental church is in Dunbar, and then we went from Dunbar to Peebles. We were in Peebles the winter of 1939, which was murderous. We just slept in halls – the kirk hall, on the floor. And then in January '40 we went to barracks in Tidworth. These barracks had been condemned after the First World War as unfit for troops. But they were short of barrack space so they moved the 2nd Lothians in there. They moved us out again at the end of May, because they wanted spaces for the Dunkirk survivors to come in, and they moved us into canvas on Tidworth Plains, which was very pleasant because it was a lovely summer, the summer of 1940. I got the job as a swimmin' pool attendant. They said, 'Can you swim ?' I said, 'Yes.' 'Right, you're in charge o' the swimmin' pool.' I loved it ! And then from there we moved to East Grinstead, from East Grinstead to Wadhurst in Sussex. Wadhurst in Sussex was great, marvellous. From Wadhurst we moved to Swindon for the winter of 1940, and from Swindon we moved in spring 1941 to the Duke of Bedford's estate in Bedfordshire – Bedford was the nearest big town. We werenae there very long, and then we moved under canvas to outside o' Cambridge in the summer o' 1941. And this was when we were really startin' to work up wi' tanks, etc.

We had had really nothing up till then, till we got tanks delivered in spring 1941 – eighteen months after the war broke out. Till then we had no armoured vehicles at all in the 2nd Lothians. Ye didnae even have a rifle – well, we had 1904 rifles for a wee while. Somebody says, 'There's a date on this rifle. It's 1904 !' We used to go up and down bashin' the square wi' 1904 rifles. And then there was a later model o' the Lee Enfield rifle issued to us – that would bring us up to 1914. We were certainly still runnin' about as late as spring '41 wi' Lewis guns, which were 1914 – obsolete. Well, we were actually the army then, wi' a Territorial. . ., and we had old fashioned Vickers machine guns. We used to enjoy goin' out wi' the Local Defence Volunteers, later the Home Guard. They would attack the tanks – this would be early '41 – which was most unpleasant for us, because they used to throw flour and soot bags at us, and Molotov cocktails.[188]

I had started off on lorries, and I went on a course with this other chap, studying to study, and we were trained in waterborne diseases ! We both passed the course at Aldershot, so he was the waterman, the truck driver, and I was the water truck assistant driver. It was really pre-war stuff ye got on the course: what the troops did in India. I says, 'What the hell's this got to do wi' us ? I don't expect tae go tae India.' But ye never knew. And then they took me off the lorries and said, 'Right, you're a tank driver' – not 'Do you want to become. . . ?', but 'You're a tank driver.'

So the 2nd Lothians started to get tanks in the spring of '41, and from then on we trained intensively. Although we had been the 19th Armoured Car Company we never saw an armoured car after '39. Before the war the 19th Armoured Car Company had had one armoured car, mounted with a Vickers gun. It had been used in Allenby's desert campaign in 1917.[189] That's the only armoured car I can remember the Company had. I've no idea whatever happened to that armoured car. It just vanished while we were down in Peebles, I think, in the winter o' 1939. Nobody bothered their backside about it. Everybody just wondered, 'When are we goin' to get some equipment ?'

From spring '41 then we did a lot o' trainin' on tanks. The first time I remember sayin', 'Well, I'm a silly mug bein' a tank driver,' we had come up to outside Dunoon in, I think, it would be about March 1941, to practise landing tanks in the sea and coming ashore. And the salt water was murderous. The sea just came right in over the drivers. Ye had an extended exhaust, which was meant to go up vertically, and this was supposed to stop your engine from stalling. But, oh, it was really dreadful. We've got friends that live in Dunoon, and I used to say, 'Go on holiday to Dunoon ? I'd never go back to that place. It's accursed.' Well, it was a very dangerous exercise that. We didnae realise – we were just daft laddies. Well, I'm calling myself a daft laddie. I'd be 20 then, coming up for 21, and 'Great. I've got a tank here,' you know. And then ye were told to get off these bars and into the sea, and ye just disappeared and this water a' came in. Ye were sittin' in the water. By the time ye got out ye were sodden. Ye had no place to dry. There was no fire. It was much later before they got a proper submersible tank, and there were quite a few fellows drowned in them – it still was highly dangerous.[190]

We were just about a week at Dunoon and then back. We went to Castlemartin in Wales, right out at the end of Pembroke. Oh, dear, what a place, it was dreary. March-April 1941 it was mud. I remember the mud. You used to go up and down in this mud, there was a restricted area round Milford Haven, etc., then, I think, and the tanks used to fire their guns out to sea. And then we got modified tanks. We had Valentines and Crusaders which – I've got to say it – were just rubbish. The Germans' guns would just sail right through it: the German tanks were much more heavily armed and bigger gunned.

Well, after that we came up to the outside o' Kilmarnock. By that time we'd joined up with another two tank regiments, the 16th/5th Lancers and the 17th/21st Hussars. They were the blokes at Balaclava in the Crimean War, the Death or Glory boys. And they used to look down on us and call us the Loathsome and Bawdy Horse. We were brigaded together in the 26th Armoured Brigade.[191]

And from there in October '42 we set sail for Africa and we landed in the North African landings, early November 1942. We had loaded the tanks on at Manchester about a month before and we off-loaded the tanks in a harbour called Bone, North Africa. The officers had put whisky, cigarettes, lots o' personal stuff, in the tank turrets. We rank and file had put odds and sods – we didnae know what we were goin' to get – so we had stuck, ye know, cigarettes away. But when we unloaded the tanks at

Bone the tanks had been stripped by the dockers or the merchant navy crew. We'll never know. But the tanks were stripped – which left a rotten taste. Well, the first thing that really greeted us in North Africa there was Arabs selling oranges, oranges by the hundreds. So every tank had dozens o' oranges, cases o' oranges ! I think we lived on oranges.[192]

Our first billet was in an abandoned tobacco factory for a night or two. And then we started to move up to what was goin' to be the front in Tunisia. We had a stinking winter there. They talk about the Mediterranean bein' a warm area: we lived under sheets outside the tanks. We first went action in January '43, and in what they call, I think, the Goubellat Plain there was my tank, the second in command's tank, and this Viscount Melville, heir to the Earl o' Lauderdale: he got his head blown off. That was our first action, three tanks in a disastrous episode. I moved our tank back, we had this lieutenant and he moved us back. Well, there was two tanks knocked out, two men killed. One dropped out his tank. We had a hatch below us in the tanks. This man dropped his hatch, fell out the tank, and the tank just luckily missed him, and he ran away. We didnae find him till about a week later, and then he was just quietly shunted away. The poor man had lost his nerve.

After that the 2nd Lothians, along wi' the other two regiments, was continuously in action until the beginnin' o' May '43. The Lothians had fairly heavy losses. Stevie Hunter, one o' my school mates at Lasswade High School, he came from Bonnyrigg, and he was a great violin player. Oh, he used to entertain us at nights, 'cause in the tanks we really lived rough. There was no meals provided, you cooked your own meals. You did for yourselves. Water was tight. As long as you got fuel and ammunition that's all you bothered about. Well, the last day o' the North African campaign the tank I was driving threw a track and no way could I get that tank goin'. The crew helped, but we couldnae get it fixed. Stevie Hunter had become a corporal tank crew commander then. I saw him and waved to him and he was drawin' his tank up beside mine. And just wi' that this German gun, oh, maybe a thousand yards away, blasted his tank. The shell exploded inside the tank, the tank blew up, and Stevie he was blown out the tank. I remember shoving morphine into Stevie, as tank crews carried morphine. But there was nothing we could do. That was it, dreadful. That was aboot the worst experience I had, just a friend. That was the day the North African campaign finished.

We didn't land then in Sicily. We had nearly a year out of action, in which we trained on new tanks, etc. We got Shermans, and they were vastly superior to the British tanks, but still inferior to the German ones. We had always a great fear of the radial engine Shermans which ran on a hundred per cent aircraft petrol. Oh, one hit on them and you were wwwhhhhittt.

But the ones we were supplied with were diesels, which made a big difference. So we didn't land in Italy until March 1944. By then they hadnae got very far, just before Cassino, and they couldnae get any further than Cassino. They were stuck. Well, we got through and then it was a race for Rome. They wanted to give the Americans the honour o' goin' into Rome and they diverted us to the outside o' Rome.[193] We carried on and followed the Tiber Valley up to a place called Narni, about 30, 35 miles north of Rome. Most of the Italian medieval cities were built on hills, and Narni was on the route – I looked this up much later – o' all the Goths and Visigoths that came out the north to invade Rome. So we went up this hill at Narni and chased the Germans out. And years later chaps like me who'd gone up this hill were made honorary citizens of Narni. So I'm very proud of that, very proud.

Then we came to the university city of Perugia and took another pasting there. We went into a football field, the Germans obviously had it targeted in, and it was a hasty exit from that. We lost quite a lot o' lads there. From Perugia we pushed on to Florence, which I thought marvellous. But the winter of '44-'45 was dreadful. They dismounted us from tanks: tanks were no use in the mountains north of Florence. They called us then reconnaissance infantry. So they took us by trucks up to a village ca'ed – I always remember some o' these villages – Dicomano, and we started to march into the mountains, zig-zagging up the mountains. I was carryin' a light machine gun and two boxes o' ammunition, plus a pack and, I think, a couple o' blankets. I was knackered, I was done. I stopped and let the rest o' them go on. And just wi' that a mule train came up and the Italian had a spare mule and he lifted me on to this spare mule and I went up on the mule, with my head hanging over on one side and feet the other !

But that winter o' 1944-5 was absolutely appalling in the mountains above Florence. I've never been so cold. We were in just a shattered farmhouse, no roof. In one corner there was thousands o' husks of maize and we burrowed into the maize to keep warm and we used our blankets. The Germans would come in one night and throw hand grenades at us and we would go out and throw hand grenades back at them – just sort o' First World War stuff.

By then I was drivin' for the colonel, and he said, 'I'm sending you back, Menzies.' I thought he wis goin' to give me leave home to Britain. 'No,' he says, 'I want you to go back down and get a' the stuff out o' the tank.' So that night I set out on my own. I had to wait till dusk because o' the shootin', the tracer fire always goin' back and forward. I had to find my way and walk back down this mountain to the rear camp. And by the time I got down there I couldnae speak. I was just frozen. And I'll tell you, there were tracers goin' that way and this way. 'Oh, Jackie,' I says to myself, 'I think I'll jist lie doon here and let it a' go by.' I always felt like sayin' 'F. . . the war', ye know. When I got back to the rear camp the Medical Officer saw me. 'Oh,' he says, 'for God's sake, Menzies. Better get in here.' Well, I got a big dram and they rolled me in blankets and shoved me in the back o' a lorry. One o' my best friends in the army was an Edinburgh lad ca'ed Glancy. And he says, 'Ken how many blankets ye've got roond ye ?' Ah says, 'No.' He says, 'There's a roll o' nineteen blankets !' Oh, hypothermia – I didnae realise it at the time. Oh, dear God, I felt so ill.

After I'd recovered I had to go back wi' the colonel's gear. Then we started to head further north. We got through the mountains and into the coastal plains, headin' for Pesaro, Ancona and Rimini, comin' up that way. We had switched over to the Adriatic side. And that was a struggle. Then the colonel says, 'I want ye tae go tae Rome, Menzies.' I had to pick something up there for him, and when I got back up again he says, 'Well, I've got good news for ye. Ye're goin' home on a month's leave.' It took us ten days to sail from Naples into Liverpool and then home to Penicuik. By the time I'd gone back to Italy the campaign was over. Then we went into Austria, and then we were shoved down to the Yugoslav border. They took away the tanks and gave us armoured cars again, and we had to go into the mountains to try and contact prisoners who had run away from Dachau concentration camp without waitin' for the end o' the war. They had these dreadful striped uniforms on. Well, I went wi' this chap who could speak German and I could get by in Italian. Between us we used to get the details o' where some o' these men were heading for. Some o' them were heading for Budapest, some Rumania, some Bulgaria. If they had waited tae be liberated at Dachau they would ha' been shipped back – but they couldnae wait. What they were doin' was walkin' home, dependent on, ye know, the welfare o' the local peasants, and tryin' to do it theirselves. We persuaded some o' them to report in and get old army uniforms. From there we came back into Milan and waited out the war there.[194]

Well, I was demobbed in 1946, I came back home to Penicuik and went back down to Valleyfield Mill. I'd been away at the war six and a half years, from September 1939 to April 1946. I got a month's leave out of it, though. Without the war, thousands o' wee country laddies just like myself would have never had their horizons broadened and seen Italy, France, Germany. I know thousands lost their lives there or became prisoners o' war. I've heard some blokes say, 'Oh, I had a good war. I was stationed in London and I made this on the black market', etc.

I lost my rag comin' home. We were sent tae Aldershot to get our civvies, our demob suits, this other corporal and I. And at the demob centre we got our stuff but this sergeant came across to us and he says, 'Would you like to buy some shirts and socks ?' I says, 'How much are you charging ?'

'Half a crown. A pound for a suit.' I says, 'Get your bloody officer, because I'm going to kick up a stink.' This other corporal was pullin' at my hand. He says, 'Come on Jack,' he says, 'it's no' worth botherin' aboot.' But that sergeant must have been makin' a damn good thing.

And then, as I say, back to normal at Valleyfield Mill. I just had a week or so at home before I went back to work. I was bored. They didnae send for me, I went down. I said, 'When can I start ?' I think it was about a week's retraining and then I was started on a machine: twelve hour shifts, six days a week. This went on for about two years, at the princely rate o' 2s.5d. an hour. You started twelve o'clock Sunday night, and then you were back out on Monday night six tae six, six tae six, right through to the Saturday morning, and then the Saturday morning you worked six till twelve, which gave you 66 hours a week for 2s.5d. an hour. And you worked. Well, I was 26 year old. I was pretty fit. I didnae think anything about it. Well, off the day shift I'd just come home and take a walk. I still love walking. I would walk for miles, and we had a couple o' dogs and I took the dogs out. And I'd read and I'd go out and meet my pals and have a drink and a blether about the war. I was never much o' a social chap. I think I preferred my own company until I got in love and married.

I found it difficult at first to settle down again after my war experiences, I did, I did. I used to find myself standing and lookin' at this machine in a brown study, sayin' 'Where was I this time last year ?' And then in a tank durin' the war you'd restricted movement, but ye had movement. In the mill you just go through repetitive movements to keep a machine running, etc. And then I think another result o' war experiences was, well, this laissez faire attitude always irked me. And I think Penicuik bein' a place that had never been bombed or anything like that, just wi' Glencorse Barracks down the road, they were easy-osie about things in general: 'Och, we did it this way thirty years ago and it's good enough for a few years yet.' Well, I think a lot o' chaps my age became impatient wi' that idea and wanted to shove things on a wee bit. Then I did think aboot goin' to New Zealand at one time, about 1954, '55, when my wife and I were first married. Then my wife had friends in the United States and they were goin' to sponsor me. In fact, I wrote after two or three jobs and they would have taken me. But I took cold feet, I backed out. But I'd been away so many years in the war, oh, I just wanted to get settled in and get my feet under the table. So I carried on at Valleyfield.

In 1949 the then manager of the department says, 'Jack, how do you fancy becomin' a first shift foreman ?' I says, 'Who ? Me ?' I says, 'There's lots of chaps who are senior to me.' He says, 'I'm askin' you.' The more senior a machineman you became you expected when there was a vacancy in the foremen's ranks that you'd be offered that post. But after the war it didn't work like that. They changed the procedure. I think it must have been one effect o' the war. I'd be 29 when I was offered the foreman's job and I says, 'Well, why not ? I'll give it a go.' Then that was quite young for a foreman. You wouldn't normally expect to be one until your 'forties. Well, of course, it was Penicuik – two paper mills there, slow to change, the machines were becoming outmoded. There was no investment or capital pushed into the mills. Everything was just running down. And we could see that the foreigners – Germans, Finns, the Swedes and the Norwegians – were investing heavily in big mills, etc. They all invested heavily in their paper mills particularly. And certainly Valleyfield in the early '60s invested in that one up at Pomathorn. But that was too late. And the machine they laid in was too small. By the time they'd ordered the machine the Finns, the Swedes, you name them, were all building bigger machines, etc., faster, wi' the ancillary equipment designed to meet the requirements o' this machine. We didn't. We expected to put in a new machine and have the old ancillary stuff to take care of it. It didn't work. And then of course Cowans were taken over.

I remember when we came back to the mill after the war my brother Alan and I fell out wi' the union man. His name was Smith, they ca'ed him Count Smith. He had notions o' grandeur, indeed he had. Well, as I've said, I was doing a twelve hour shift after the war and I says, 'What rate am I gettin' ?' In the six and a half years I'd been away at the war the rate had gone up from 2s.1d. an hour to 2s.6d. an hour – 5d. an hour in all these years. And Count Smith, the union man, he came tae us, sayin', 'Ye havenae paid your union dues.' I said, 'We were away at the war.' He was lookin' for six and a half years' dues ! 'Oh,' I says, 'I've no intentions o' joinin' the union then.' But Count Smith says, 'Look,' he says, 'ah've been fightin' a' these years for your wages, tae see that ye got a good wage when ye returned from the war.' Ah says, 'Ye ca' 2s.6d. an hour a good wage ?' He says, 'What's wrong wi' 2s.6d. ?' He was quite indignant, and I was quite indignant and so was my brother Alan. So we told Count Smith to go and stuff his union. But eventually we saw reason and we joined the union, the paper makers' union, which later on became the Society of Graphical and Allied Trades. We'd been members before the war, I'd joined it as soon as I'd started at Valleyfield when I was sixteen. In these days we were approached by Douglas Watt, the union organiser then. But as far as I'm concerned the paper makers' union did damn all. It just sat on its backside and just let things collapse about us. That was because o' weakness at the very top level, the national level. The national leadership was nil. They weren't really interested in paper workers. The print trade were the blue eyed boys of the paper making, the publishing and printing.

Later on I was sent out on one or two jobs, especially to Worcester.

Nelson's had just closed down a print shop and some o' the printers there went down to Worcester to Ebenezer Bayliss & Son, and I was speakin' to this chap there and he says, 'How much are you blokes earnin' an hour ?' This was just 1970. 'Well,' I says, 'the machinemen are up tae about ten shillings an hour.' He says, 'I'm getting £1 an hour, plus a resettlement from Nelson's of . . .' Oh, I think it was about £500. 'And,' he says, 'we've got a rise comin' through which'll take us up to I think it's £1.25 an hour.' That was approximately almost three times the rate down at Valleyfield for the ordinary rank and file worker. Oh, the paper trade was very poorly paid, that was recognised. I suppose it was a safe job – at least until the mills closed up in the 1960s and '70s. Many people were in it all their lives.

Well, I think the Valleyfield management just failed to keep up with the times. Reed's took them over in the middle 1960s. Reed were ruthless. Well, Cowans had a world wide network of first-class agencies – Spicer Cowans. And in effect, I think Reed really wanted all those outlets. I think they saw that the writing was on the wall for Valleyfield, and they said, 'That's one to be gobbled up. We'll just let it run for a few years, close it down and then – elsewhere.' When Esk Mill closed in 1968 quite a few of us felt, 'Oh, well, that's the start o' the . . . . Penicuik'll no longer be a paper makin' town shortly.' But you hoped against hope. There was, well, a faintish rivalry between Esk Mill and Valleyfield. Valleyfield considered themselves to be the top mill in the area – the finest papers. It was true wi' some o' the brands they had. Some o' the brands used tae go to Buenos Aires and South Africa – they had agencies there, and a helluva lot o' paper went out there, real top quality paper. And Esk Mill was always slightly. . . They were the B team. At Valleyfield we were the A team – in our estimations. Esk Mill didn't see it. There was a lot o' joshing between the Valleyfield and Esk Mill workers: 'You cannae make this, and you cannae make that.' But nothing serious. Some members of the same families were employed at that mill or that one, fathers and sons in different mills.

I always reckoned from when I started at Valleyfield in 1936 there was between 500 and 600 workers there. Well, my figures could be a hundred either way. There were about 150 up in Pomathorn. And then between the three mills – Valleyfield, Pomathorn, and Esk Mill – there was about roughly 1,000 or 1,100 depended on the paper trade. It was a major employer in Penicuik. And then you had the pits: the Moat at Roslin and Bilston Glen and the pits in Loanhead – there was always big mining here. There was a sense that the mining community was looked down upon in Penicuik by the paper making community: the miners were, I suppose, a workin' class below you – which I thought was ridiculous. But that was a prevalent feelin' that ran through Penicuik: 'The miners, oh, at the end o' the town – they want tae stay at the end o' the town. Keep them oot the pubs doon there.

Shottstown – keep them down there.' This feeling before the war was that, 'Oh, aye, if you're working in a paper mill you're slightly better than a miner.' It was a ridiculous attitude, more when I was young, but I never paid it much attention. After the war it was gone. The pits paid much better – not so much the surface worker, but especially if you were underground they paid.

Another thing I remember about Valleyfield was after I became a foreman in the coating side, and in 1963 they were having problems wi' the girls in what we call the salles – the French word for the large rooms where they worked. The girls felt that the rates weren't big enough, and they weren't getting anywhere between the union and the management. So they called a succession of what they called 'wee sit-downs'. And they just sat down and waited for somebody that was goin' tae sort out their problems. I think in each salle there'd be about 80 girls. And they were a tough lot. They were having rows with the union and management. So I think the Cowan management then in charge – I don't know if it was wisdom or not – said, 'Well, better send a man up the stair and take control o' the lassies in the coating salle.' I went up to the coating salle and I was there ten years. And there was a lady there, Susie Deal. God, she was great. She taught me everything about how the paper was processed through the girls. And she was good. She was a good disciplinarian. The girls felt that the rates weren't big enough, and they weren't getting anywhere between the union and the management. It took four or five years to sort all this out. But after about '68 everything ran very smoothly. The women won their case in the end, the rates were adjusted.

Well, when Reed took Cowans over in the middle 1960s what happened down at Valleyfield was we had a coating department manager and there were three shift foremen. Henry Haig at that time was one foreman, I was another, and there was a third chap from Roslin. The coating manager was a very good, nice, quiet bloke but he wasn't thrustful enough and they got rid of him. The management came to us three and said, 'Right, we're handing the place over to the three shift foremen. See how you get on running it' for a specified period – three months. Dr MacBean was the second in command at that time, so at the end of three months I asked him, 'Right, what about this review you were goin' to give us ?' 'Oh, well, things are awfully tight, ye know. Oh,' he says, 'you're doin' very well. We'll let it run for another three months.' I says, 'Oh, I think you're doing a dirty trick on us. I'd like to see the top man.' 'Oh, he's awfully busy. He's goin' away to London to a big conference.' 'Och,' I says, 'I'm gettin' fed up wi' gettin' flannelled about.'

So one night my wife said to me, 'There's a foreman's job goin' in Balerno.' I put in for it, got the job, and I left Valleyfield in 1973, two years before it closed. I lost all the redundancy payment ! But I was getting twice the salary across there in Balerno. So what I made up in the bigger salary covered the loss of redundancy money.

And it was a complete change. I was there at Balerno for a fortnight and I came back home one night and said to my wife, 'I'm goin' to give up.' I says, 'I cannae get a grip o' this.' It was entirely different. The place was more modern and the working practices were different from Valleyfield. 'Oh,' my wife says, 'stick it, Jack. Ye dinnae want tae go doon there tae Valleyfield and beg for a job back now.' I says, 'No, no way. I've got to get stuck into this.' And I did.

Down at Valleyfield it was one man one job. Ye stuck to that job, ye couldnae do anybody else's job. But at Balerno DRG – the Dickinson Robinson Group – instituted flexibility: an assistant had got to be able to do the operator's job. When I started at Balerno these two chaps were just sittin' beside a machine. I says, 'What are you two chaps doin' ?' 'They've no' got any work for us. We'll sit here for the shift.' 'Oh,' I says, ye're jist not on. I'll find you work.' So I did – and they complained to the union, and the union upheld their claim that I was out o' order. 'Well,' I says, 'under DRG's new scheme, this flexibility, I understood this to be that every man would learn another job. So I'm tryin' to do that.' The followin' night they had no work to do so I put them on to two other machines. And I got rapped. 'Oh,' I says, 'this is ridiculous.' So I asked to see the union bloke, oh, a firebrand. You know, 'Hell and damnation, the workers o' the world are going' tae rule this place.' We ended up wi' a slangin' match. We were run at Balerno by the main mill at Markinch in Fife. The Markinch manager came across to see me. 'Jack,' he says, 'you're goin' too fast. Slow down. We'll do it steady. Pussyfoot it.' 'Oh,' I says, 'it irks me to see that men can draw a wage for sittin' on their backside.' 'Well,' he says, 'it was always thus. But,' he says, 'within the year it'll all be changed.' And it was. We just slowly went intae it. Whereas as far as I'm aware Valleyfield just continued: if a man was idle, 'Well, fair enough. He can sit on his backside for a couple o' hours if he's no' doin' any harm.'

Then Markinch decided on four shifts. So they came to Balerno: 'Right, you work four shifts.' Well, I was all for it, quite a lot o' the chaps were for it. But the union chap said, 'No, no. I'm no' givin' up Saturday nights for anybody. I don't see why you lads should.' God, he won the day. Markinch without any trouble at all moved to a four shift system. Balerno stuck wi' the three shift system. That's what killed us there. Markinch said, 'Right, we'll concentrate all our work in Markinch and we'll run you down.' So they ran Balerno down. It's just a big hole in the ground now where the mill was.

I went to Balerno in 1973-4, and I retired from there in 1984. And it closed the followin' year, 1985. And that was just wi' the intransigence o' the workers. I blame that. Of course, a lot'll say, 'Oh, no. It wasn't that.

They just wanted us to close.' But that was partly the reason. They wouldn't adapt to the modern shift system.

Balerno of course wasn't nearly such an old mill as Valleyfield. But the main machine in Balerno was a work of art. It was really the modern stuff. When I told this other foreman I used to know, 'We're running at 2,000 feet a minute on a 100-inch wide roll,' he says, 'Ach, you're bletherin'.' His machine ran at about 150 feet a minute on a narrow 60- or 50-inch wide roll. And the other thing was the machine became computerised. They got experts in from Germany. The machine crews in Balerno were young and wanted to know all about it, but the other two foremen, although they were slightly younger than me, they said, 'I'm no' goin' tae learn this bloody computer. The machine operators can learn it.' I said, 'You've defeated the purpose by tryin' to stay aloof from it. Ye've got tae know what ye're talkin' about here.' And then the machine just ran for a year after I'd gone.

When I say I retired from Balerno in 1984, I was really made redundant. I was only 64 then. What happened was there was large meetings with SOGAT, union representatives were coming back and forward. Markinch had stated that they were going to close – run down – Balerno. They said, 'We'll do it by eliminatin' twenty positions anywhere in the mill – not necessarily foremen or the top operatives. We want to keep them.' 'Well,' I says, 'I'm the oldest man here. So I'll put my name forward.' So I was accepted and I took voluntary redundancy when it was agreed. It wasnae that much but it was something, and I was within a year o' retiring anyway. And that was the way I looked at it, because, I says, 'It's goin' to be a hand to mouth effort for the next year.' When I talked to some o' the chaps later they said, 'Well, it's grim. Everybody's just walkin' about waitin' for the axe to fall.' So that was the end of my working career.

The No. 2 paper-making machine at Valleyfield mill. Above is the 'wet end', where the porridge-like substance emerging from all the preparatory stages in the production process begins its journey through the paper-making machine. Below, a worker stands at the 'dry end' as the paper emerges.

Courtesy of Midlothian Libraries Local Studies.

John Blair

When ye left the school most o' the lads and girls went tae the mills, ye know. Well, ma father was the foreman in the coatin' department in Valleyfield Mill and he had connections in the printing trade in Edinburgh. And he asked me if ah wanted tae take up the printin'. The alternative wis to start in the mill and serve ma time as a joiner. So ah chose the mill – which ah think was a mistake !

Ma father wis a Penicuik man and he had started in the mill when he was fourteen straight from school. Well, ma father died early. Ah wis only fourteen when he died.

Ma mother worked in Valleyfield before she got married. Ma mother's mother, ma grandmother Milne, she belonged Musselburgh – from Fisherraw. She was from the fishing community. My grandfather Milne, he was a Penicuik man and he worked in Valleyfield, too. So we were very much a Valleyfield family. My grandfather Blair I remember seeing him, but I was just small when he passed away. Ah'm not sure where he worked, tae tell ye the truth.

I was born on 16 January 1923 at Tait's Buildins, John Street, in Penicuik. That's where Heinsberg House, the sheltered housing place, is now. Then we moved from there up tae Cranston Street, and from there ma father, who as I say wis a foreman in Valleyfield, bought one o' the bungalows up the Carlops Road there, right across the road from Penicuik High School. In fact, ah wis lookin' right intae the school. Ah can remember the morning the men came tae start tae build that school. Ah wis about eleven or twelve then maybe.

Ah had one sister, Effie. She was eight years older than me. She didn't work in the paper mill ! She worked in shops mainly, ye know, shop attendant, in Penicuik and in Edinburgh as well.

Ah started at the John Street School at the age o' five in 1928, then about 1935 I moved up to the new school, the High School, at Carlops Road. There had been pupils went to the new High School before ah went. My class wasn't the first year to go, I think it had been open for a year or two before we went. I sat the Qualifyin' exam at John Street and passed it and then went to the High School. Ah remained at the High School till ah was fifteen and a bit. Ah could have left at fourteen but ah stayed on an extra year. Ah can't remember if it was anything tae do wi' ma date o' birth or anything like that, ye know.

Ah can't really remember much about the primary school at John Street. Ah wis jist sort o' average. There wasn't anything there that interested me particularly, not really. Then at the High School ah got French, but ah wasn't so interested in that or history. Geometry ah wis fairly good at that, mathematics. But ah wis more interested in gymnastics then and sport and that. In fact, at the High School – ah think it wis the only award ah got – ah still have a prize, a book, for gymnastics and that. Ah played football, ah played half back ah think it was, for Midlothian schools when ah wis at the High School. Oh, ah wis quite keen on football. It was jist a general interest ah had in sport. But ah made a fairly good job o' most things, ye know. And ah had a push bike as a laddie. Later on ah used tae cycle tae work and that, even when ah wis older.

Ah don't know if ah had ambitions as a laddie at the school. But ah had a small joiner's set when ah wis a youngster. You got it at Christmas. Ma mother used tae say ah used tae hammer nails intae everything. And that's maybe how ah wanted tae go intae the joiner trade. Ah thought it wis quite a good idea at the time when ah came tae leave the school. So ah didnae have any ambitions then except tae become a joiner. Ye make decisions without really knowin' what's involved and then ye have tae live wi' them.

Well, as ah say, when ye left school most o' the lads and girls went tae the mills, ye know. Ah couldnae tell ye off hand how many, but there were quite a lot, ah think. Well, ma father was the foreman in the coatin' department in Valleyfield Mill and he had connections in the printing trade in Edinburgh. And he asked me if ah wanted tae take up the printin'. The alternative wis to start in the mill and serve ma time as a joiner. So ah chose the mill – which ah think was a mistake ! Ah came tae that conclusion a few years after it, right enough. Ah think there was more prospects in the printing trade, ye know, a better standard o' livin' as well.

Well, as ah say, ma father wis a foreman and, oh, he said he would try and get me a place in the joiners' shop, ken, and he probably jist asked the head joiner at the mill if there were any vacancies, and tae keep me in mind, sort o' thing. Ah didn't write, ah didn't apply myself tae the mill. Then ye were jist told tae report on a certain day and that wis that ! So left the school on the Friday and started in the mill on the Monday, near enough, as far as ah can remember. Ah wasn't unemployed, waitin' for a job.

When ah began at Valleyfield in 1938 there were about ten joiners. Of course we had all the trades in the mill, ye see. We had the joiners, engineers, painters, slaters, electricians. There wis quite a variety o' trades. Well, one o' ma pals wis a cousin o' that chap John Frew, who wis aboot the same age as me. Well, John Frew's father wis the head engineer. He served his time in the engineers' shop, the same thing as ah wis in the joiners' shop. And this chap ah'm talkin' aboot, John Frew's cousin, he wis in the merchant navy as well.

Ah suppose ah would be a bit apprehensive at that time, right enough, startin' at the mill. Ah jist went down and met the head joiner, Jimmy Ritchie. He wis quite an elderly man, because he wis probably retired just a few years after ah started wi' him. Well, we had quite a variety of work tae do. We had a lot o' bench work, which ah enjoyed. Ye got a good trainin' in the use o' tools, things like that. It wis mainly maintenance work we were doin'. What we did lack wis the buildin' trade section, ye know what ah mean. There wisnae a great deal o' that type o' work, such as new buildin' and things like that. But ah jist stuck in at it.

The hours o' workin' ah think they remained fairly constant for most o' the time ah wis there. We started at quarter tae eight in the mornin' and finished at half-past five at night. It wis quite a long day for a laddie o' fifteen. Well, startin' at quarter tae eight in the mornin' it worked out about 48 hours a week. But we had an hour's break at lunchtime. Ah came home for ma lunch, there wis time to come home. And we had a wee tea break, ten minutes or so, in the mornin' or afternoon. So that wis Monday tae Friday. Then we worked Saturday mornings till twelve o'clock. But not long after ah started, even when ah wis servin' ma time as an apprentice joiner, ah had tae work week-ends as well. That wis part o' the job, ye see. Well, the mill closed at twelve o'clock on the Saturday and we had tae go back and do any maintenance work that wis needed durin' the time the mill wis closed. That wis the only time ye could work on certain jobs.

The maintenance work covered all areas – maybe some damage tae buildins or somethin' o' that sort. But there wis a lot o' work – woodwork – attached tae the machinery and things like that. So ah wis out workin' virtually every week-end ! So ah worked Saturday afternoons even when ah wis servin' ma time. It wis a helluva job tryin' tae get a week-end off ! Ye had tae be goin' tae a wedding or a funeral or something tae get off ! And then ye worked on a Sunday – any hours, until the job wis finished. Ah've seen it eight o'clock, nine o'clock on Sunday night. And then ye had tae be in again tae work at quarter tae eight the next morning

So your normal workin' week wis aboot 48 hours, but on top o' that ye worked a Saturday afternoon from two o'clock till five. And then ye were back in workin' very often, more often than not, on a Sunday from eight or nine o'clock and sometimes ye weren't finished till eight or nine at night.

So on top o' the 48 hours there could be about another 14 hours – about 60 hours a week – ye were workin' as a laddie o' fifteen. Well, ah'm no' sure whether ah worked a' these hours or not. But ah had certainly tae work Saturday afternoons and Sundays as well. Well, fourteen or fifteen hours didn't happen a great deal but we were there until at least two o'clock in the afternoon on Sunday. So ye would have about nine hours' overtime most week-ends, and some week-ends you might have as many as fifteen or sixteen hours if ye worked on till eight or nine on Sunday night. And ye didnae get a day off durin' the week because ye were workin' on a Saturday or a Sunday.

Ye got paid overtime for Sunday. Overtime wis time and a half. So ah wis better off than some o' ma pals. The wages when ah first began as an apprentice joiner in 1938 were about seven shillins a week, ah think – a shillin' a day. And that was for, well, it worked out, as ah say, about 48 hours a week, startin' at quarter tae eight in the mornin' till half-past five. And the wages went up year by year when you were an apprentice. Ah jist cannae remember properly now if it wis a regular sum more a year or . . . But it wis certainly only seven shillins a week tae start wi'.

Ah didnae try tae move to any other job, maybe outside the paper mill, when ah wis an apprentice. Ah jist stuck in at it. Well, as ah've said, ma father died early. Ah wis only fourteen when ma father died. Ah mean, he had got ma name down for the mill and then he died the year before ah started there. And ma mother wis left wi' the bungalow in Carlops Road. As an apprentice ah wis only bringin' in a few shillins a week. And ma sister Effie, well, a shop assistant didnae make much money either, ye know. Well, ma mother didnae manage actually. We had tae sell the bungalow in Carlops Road not long after ah started tae work in Valleyfield and we moved back intae Cranston Street again. Ah became the principal income earner for the household – well, if ye call it an income, seven bob a week ! But that made overtime more acceptable. Ma mother didnae go out to work herself. So she had a struggle. The bungalow wasn't paid for before ma father died. Ma mother didnae come out of it wi' much benefit really, ye know. Ah felt ah had tae stick in at the job ah had in the mill. And ah wis learnin', ah wis learnin'. So ah felt then fairly comfortable wi' the job. Ah think it wis only later on that ah realised that ma trainin' hadnae been as wide as ah would have liked. Well, that wis the position up tae the war came.

Ah remember the outbreak o' the war. That wis a Sunday mornin' wasn't it ? We were staying in Cranston Street by that time and ah think ah wis still in bed when ah heard the war had broken out. Ah wis not down at the mill that morning, I don't know how that wis. Anyhow ah wis in ma bed and ah heard it on the radio. But ah carried on wi' ma apprenticeship in the mill until ah wis called up in January 1942.

Well, ah had a notion for the RAF. In fact, ah applied to go into the Air Force as an air crew member, but ah didn't get any success at all there. Ah didn't have an interest in flyin', and there wasnae a member o' the family in the Air Force. Maybe ye jist thought it was a better option, ye know. So ah wis sent to the army – the Black Watch. Ah went tae Perth Barracks. Ah didn't volunteer to go intae the Black Watch. In fact, when ah got ma call-up papers ah don't think ah had ever heard o' the Black Watch before![195]

Ah got ma basic trainin' at Perth. Ah wis in the 7th Battalion and ah wis posted up to Caithness, up to what they called the Orkney and Shetland Defence at that time. We were stationed in the Castle o' Mey, near Thurso. I was up there for a while. It was very quiet, of course. Ah think it wis jist a company o' us there, about a hundred. We were billeted in the Castle and they had some Nissen huts in the grounds as well. Ah wis in the Castle. They were jist small rooms, up winding stairs. We were jist there sort o' a guard for the Orkneys and Shetlands, Scapa Flow and a' that. We were there available, ye know. There wis one other Penicuik chap there. He joined up wi' me actually but he wis taken badly, he wis taken ill, ah think, and wis released.

We were at Castle o' Mey a few months and we went from there down tae Alnwick in Northumberland. Ah don't know what the idea o' that postin' was but we were there a while, and then they put us on a train and we landed at Clydebank. And there was this huge big ship: it was the *Queen Mary* ! We went on to that ship, we went right round the Cape o' Good Hope, up through the Red Sea and out tae North Africa. It took us aboot three weeks or somethin'. We got there as reinforcements just after Alamein. We wis part of the Eighth Army. We were sent up to the front line, ah jist cannae remember the place now, but it would be the end o' 1942. We saw a wee bit o' fightin', although by that time the Germans were on the retreat, sort of thing. It wis jist a case o' them tryin' tae hold and then they moved on, ye know. The one night they were there and the next mornin' they were away, sort o' thing. We didnae go intae Tripoli, we finished up there in Tunisia.[196]

Then we landed in Sicily, maybe a day or two after the beginnin' o' the landins there. We werenae in the first wave. We saw a bit o' fightin' in Sicily. But we didnae go tae Italy though. They brought the 51st Highland Division – that's the Division we were in – they brought that back tae Britain for the D-Day landings. We were stationed down in Amersham, that's Buckinghamshire. Oh, they drew all the people from all over, ye know, that belonged to the Highland Division. They brought them back first. We didnae undergo special trainin' for the invasion, not that ah can remember anyway. It was just the usual. D-Day plus 2 we landed, ah think, in the Caen area. We landed and relieved the lads that had went in first of all. That was a big battle around Caen but we escaped that, ah think. Then we started to move forward wi' the British 1st Army through France and we got intae Belgium and arrived at Antwerp. Then Holland and across the Rhine into Germany in spring '45. Ah remember crossing the Rhine, but then again oor 7th Battalion wasnae involved in the actual first crossing. There were troops ahead o' us, each battalion got a turn, sort of thing, tae be in the front. But we were in the front sometimes. When the war ended we were in a small place jist outside Hamburg. Ah wis mighty relieved when it a' ended. Ah lost quite a lot o' friends. Ah had jist one slight shrapnel wound, that wis all. I felt quite good that ah had taken part in the war, ye know, although it wis a horrendous affair, right enough. Ah don't think it left any permanent mark on ma life or ma thinking. Ah wis demobbed in '46, ah think, and came home then.

After a bit o' leave ah went back then intae Valleyfield Mill. Three years, ah think it was, o' ma apprenticeship ah'd done before ah went off tae the war. So ah had two more tae do. So from beginnin' in 1938 tae finishin' it in 1947 or '48 it took ten years tae complete ma apprenticeship. Ah'd been away at the war five years. Ah think when we came back we got higher rates than like what a fourth year apprentice would have had. Ah jist can't remember. It wasn't the full journeyman's wages but they were better than the normal. So when ma time was out ah got a job as a journeyman joiner in the mill. Of course, the firms had tae take ye on, ye know, when you came back from the army. Ah'm no' very sure now what the full journeyman's wage then was, I'd only be guessin', ah think. With the overtime that would make it more.

When ah came back the hours were much the same. Well, the same method of working was still in practice – the week-end working and things like that. But ah didn't find that difficult tae cope wi'. In the Forces you'd been on duty seven days a week. Ah didnae find changes in the mill either, the machines and the management weren't different, not really. It wis really jist much as it had been before the war. Well, there wis one paper-making machine put in jist after the war. But other than that it wis jist improvements, and new drives tae the machines, tae speed them up, and things like that. But there wasn't a great deal of development really.

When ah'd started in the mill in 1938 there'd be maybe about 700 or 800 workers in Valleyfield, wi' all the women that worked in the mill as well. There wis a lot o' women workin' there. It might have been somethin' like two-fifths women and three-fifths men. I think there wis roughly about the same number o' workers when ah came back in 1946, ah think it wis jist much the same, and ah think the proportion o' men and women wis much the same. And, ah mean the existing buildings and that were just the same. There hadnae been any change durin' the war. Then of course after the war they built the other mill up at Pomathorn, a huge place. Ah jist went up there as part o' ma normal maintenance work.

Ah think regardin' the money, it wis the same then as it is now. It wis a helluva job tryin' tae get any money oot them, ye know ! Ah don't think we compared our rates in the mill wi' what joiners in the buildin' trade outside got, not really. Well, the rates were probably a bit higher outside. But we had this overtime advantage in the mill, ye know, that helped our wages a bit.

The manager was Mr Taylor. He came round the mill and spoke tae ye. Oh, he wis quite friendly, approachable. But he wis somebody ye couldnae make much headway with. He was a very difficult man tae deal wi'. Well, occasionally, ah mean as a group, we tried tae negotiate – maybe if you wanted a bit extra on your hourly rate, ye know, outside your yearly rises or that – but we didnae get very far. He wouldn't have it. Mr Taylor wis a bit unyieldin' ! And ah think that was pretty typical o' employers at that time. It's still the same yet, ah think. But lookin' back on it now, och, well, ah would say the management at Valleyfield wis a bit hard, unyieldin', no' very willin' tae listen tae the workers' claims.

I got married in 1948. Ma wife worked in the mill, that's where we met before the war. She started as a lassie from school and she worked in the overhauling. Well, ma wife was cried up as well of course durin' the war. She was in the WAAFs. She was away from home then, too.[197] We stayed wi' ma mother in Cranston Street tae start wi' when we got married. Housin' wis very difficult in these days. Then we got a private rented house in Imrie Place. We were there two or three years then we got a council house in Carlops Road. Ma wife left the mill when we got married, she didn't work then. Well, ma wife looked after her mother then. Her mother was part crippled wi' rheumatics and things like that, ye know. So ma wife looked after her mother and father after we got married.

After ma apprenticeship was finished and ah got married ah did contemplate a few times right enough moving away from the mill into the building trades, but ah never made the move actually. Ah probably jist felt ah wis quite happy where ah was, ye know. So ah remained in Valleyfield from the time ah came back from the army in 1946 right through more or less thirty years until the mill closed down.

Ah wasn't a member o' a trade union before the war as an apprentice. The joiners ah worked wi' in the mill weren't in a union then. Well, we were paid like through the paper makers' union. We negotiated through the paper makers' union. Ah don't think any o' the joiners were in the paper workers' union, they weren't in a union at all. The engineers, ah think quite a few o' them were in the Engineers' Union, but not the joiners. When ah came back from the war it wis jist the same. Well, ah think one or two o' the joiners did join a union at one time or another after the war. Ah never joined a union myself, neither the joiners' union nor the paper workers' union. The paper workers' union had a section for maintenance trades. But ah didn't join it. Nobody asked me to join, no' that ah can remember. Ah think wi' the paper makers there wis quite an interest in trade unionism, but not regardin' the tradesmen. Ah think the tradesmen felt it wasn't really relevant tae them tae be in a union. But then, you see, the management didnae recognise the outside unions, it wis jist the paper workers' union, not any other unions. Ah don't remember anybody havin' disputes wi' the managers before the war or after the war and saying, 'Oh, we must get into the union.' There were never any strikes among the joiners at Valleyfield. We maybe had disputes like within ourselves, within the work, ye know, but these were settled wi' the management without any strikes. Och, ah don't think there was hostility like. But ah suppose there were lots of times when they felt that they deserved a bit more, ye know ! There was a bit o' resentment sometimes. But, oh, there wasn't a feeling among the joiners that the management were really jist a bit too hard and unyieldin'. And there wasn't any comparison made between wage rates o' the joiners in the mill and joiners outside in the buildin' trade, not really. Well, the rates in the buildin' trade outside the mill were probably a bit higher but, as ah've said, we had this overtime advantage in the mill that helped our wages a bit. And there wisnae any contacts between the joiners in Valleyfield and the joiners in Esk Mill and Dalmore. There wis no joiners' club or association or anythin' like that.

Ah wouldnae say there was contact between the workers in Valleyfield, Esk Mill and Dalmore. Oh, each mill maybe had a football team that played each other, something like that maybe durin' the gala tournaments and things, ye know. But there wasn't joint meetings between the workers to discuss things, not that ah'm aware of.

Valleyfield Mill had houses down in Bridge Street, and they had some down the Valleyfield road, as ye go down there, round the corner and down the brae. They were quite small houses. Ah never lived in them maself. After the war, when Wimpeys first started tae build in Penicuik in Cornbank area, the St James's Gardens area, the mill bought quite a few houses in there, ye know, and they were mostly for foremen and that. But the mill didnae have a lot o' property. Oh, they had some up Kirkhill Road, Pentland View, they had one or two there. But there wasn't a rigid division o' the town between where Valleyfield Mill workers and where Esk Mill workers lived, nothing like that. And ah don't think people moved much from the one mill tae the other, ah don't think there was much o' that.

Wi' the hours in the mill after the war still 48 hours a week, well, by the time ye got home at night, then you had your dinner and that, it wis a long day. So after the war ah eventually took up golf. Ah've been a member o' the Glencorse golf club forty year or so. Oh, ah enjoy golf – great, relaxin' ! Ah jist had tae take the chance o' a game whenever ah could. But there was nothing like a social club at Valleyfield in the Cowan Institute, there was nothing like that. Valleyfield didnae do much really to encourage its workers.

There had been accidents in Valleyfield, like before ah started in the mill, ah think in the earlier days there had been one or two fatalities like. But there were none that ah can remember, ah can't remember any bad injuries. There was one fire at Valleyfield – one in one o' the machine houses during the war, ah think. That's when they had to put in the new machine. One o' the machines wis burned out. That's when ah wis away at the war. And they had a fire at Pomathorn as well, of course, after the war. Ah think it did quite a bit o' damage tae the roof and that, but not a great deal o' damage tae the machinery. The joiners, we were only involved in makin' the roof watertight until the contractors could come in tae repair it.

Holidays in the mill, ah think we had about one week in summertime before the war. And we got New Year's Day, but we didn't get Christmas. Well, the likes o' at Christmas time before the war they'd even maybe let us away at two o'clock in the afternoon, dependin' on the state o' things, so that we could come home and get our Christmas dinner ! Christmas wasn't a public holiday. There wis public holidays, Monday holidays, ye had one or two o' them. After the war, well, it stepped up to two weeks, of course, annual holidays. Ah cannae remember when that change took place, but we got paid for the two weeks.

So ah'd worked at Valleyfield 37 years, except when ah wis away durin' the war, when the mill closed in 1975. Well, they made a few people redundant a year or two years before the mill wis actually shut. There wis two or three on our shop floor that wis paid off. Well, people believed that Reed didnae want Valleyfield. They jist wanted the business, the connections and assets abroad in Australia and New Zealand and all these places. Ah think maself that was the case, ah think so. Although the mill needed developed. Ah mean, a lot o' the machinery wis old fashioned and that, out o' date. Well, of course, we as joiners werenae involved in actual machine repairs. The engineers wis involved in that like. But they were involved every week-end as well, of course, doin' repairs. Ah'm afraid that the investment wisnae there – that's what it wis, lack o' investment.

When Esk Mill closed in 1968 ah don't think that alarmed the workers at Valleyfield. They thought that Valleyfield bein' a bigger concern and that, that things would be a' right for them. And that's aboot the way they felt. Valleyfield had a lot o' connections world wide, ye know. So we weren't too worried at Valleyfield, not at the time. Although when the take over by Reed took place, people began to have doubts then. It wis still Mr Taylor who wis the managin' director up to then. He stayed up at Silverburn. Oh, ah mean, ah wis a joiner, not a paper maker, but ah thought the mill was being well conducted, the management wis quite good.

Well, as ah say, they had a few redundancies two years before the mill closed and that made everybody start tae think, ye know, this wis jist the beginning, sort o' thing. And that's what it proved. Well, we had was it an 80-day or something like that interval warning that the mill wis' closin'. That wis a depressin' experience. Ah think that most o' them stayed tae the end. When the mill closed, well, you wondered after all these years. Well, ah worked a' these years in Valleyfield and they had no pension scheme. We got redundancy money, but they had no pension scheme. Ah think it wis only the foremen and people like that who were superannuated really, but not the ordinary workers. People workin' until they were over 70 and that, ye know, that wis quite common and maybe that wis because there wis no pension scheme so people maybe felt they had tae work on as long as they could. But that wis quite a common thing. Of course, we were fairly lucky at that time. There wis still a lot o' jobs available. Most people at Valleyfield actually got another job. There were very few that didnae find something. They were lucky in that respect.

So when Valleyfield closed in 1975 ah wis 52 years old. I wis lucky that there were jist a vacancy appeared at Dalmore Mill, jist at the time ah needed one. Ah had an interview and ah got the job. The other joiners at Valleyfield they all got jobs in various places. Out o' the ten joiners at Valleyfield there wis only another chap and me got in to Dalmore. So Valleyfield closed and ah started two weeks later in Dalmore. In fact, the chief engineer in Dalmore wanted me to start right away. 'Oh,' ah said, 'ah wid like a couple o' weeks' holiday if possible.' So he agreed to that, or ah would ha' started right away.

Ah found that Dalmore was a more friendly, close knit, ye know, environment. It wis a much smaller mill than Valleyfield – about 130 workers. It was a good mill tae work with. It wis a good management, quite reasonable. They did more for their workers than what Valleyfield did. As ah've said, ah'd worked a' these years in Valleyfield and they had no pension scheme. And yet when ah went down to Dalmore there they had a great pension scheme. Ah wis in that for all the time ah worked down there – twelve years – until ah retired.

So, except when ah wis away at the war, ah spent all ma workin' life in paper mills – 37 years at Valleyfield, 12 at Dalmore. Looking back now, well, ah suppose ah might have done better for maself, ye know, if ah'd been in the outside buildin' trade or in the printing trade. It wis after the war ah began tae regret that, but it wis too late then for an apprenticeship in printin', of course. As ah say, when ma father was livin' he had contacts in the printin' trade through the paper mill, ken, firms that they supplied paper to. And he said he could probably have got me a job in printin'. But ah think at that time ah wanted to be a joiner. Ah wisnae very sure what printing was at that time actually !

But, ye know, the two paper mills, Valleyfield and Esk Mill, these were the mainstay of Penicuik.

Valleyfield mill, c. 1950-60. Left foreground is Penicuik railway station; below it, across the North Esk river, are the mill houses at 'The Island'. Right foreground is Uttershill House, where the Valleyfield director R.O Wood lived. Behind it to left, the two round white structures are clariflocculators, used to settle out the sediment from the effluent.
Copyright Aero Pictorial Ltd. No. 38365. Courtesy of Penicuik Historical Society.

The Cowan Institute (known also as Penicuik Town Hall), where George Peaston was assistant caretaker until in 1938 he began working at Valleyfield mill, which lay in the valley immediately behind the Institute.
Courtesy of Midlothian Libraries Local Studies.

George Peaston

Ah wis quite keen tae leave the school. It was decided at the time and everybody disappeared at the time, ye know. Although, mind you, it wis a bad time for work, a terrible time for trying to get work. We used tae go different places. We went tae Tait's the builder, and Valleyfield, Esk Mill, different things like that. It wis terrible tryin' tae get a job. We used tae go round regular. You went every day to the two paper mills, and they jist said, 'Well, come back. There might be somethin' tomorrow', ye know. Ye kept goin' more or less daily – Tait's the builder, Wilson's painters, different things. Ah'd been at Dalmore Mill, but no' sae much. Then the postmen were on holiday and they needed a telegram boy, ah started as a telegram boy for a few months. And then ah got a job in Wilson the grocer.

Ah wis born at Bilston, between Penicuik and Edinburgh, on 4 May 1920. Ma father wis born in 1896 at Roslin Glen. He started work in Roslin gunpowder mill when he wis about fourteen. Ah think he worked a short time in the powder mill. He wis in the army for four years from 1914 to '18. He volunteered. He was in the Garrison Artillery and he wis a sergeant. He wis a Military Medalist and a French Military Medalist – the Medal Militaire. He wis in France but he wis wounded eventually. It never stopped him doin' anything but there wis, you know, a big black mark on his back. So he wis shipped back tae England with shrapnel wounds. He always liked talkin' about the war and readin' war books, etc., and that. You know, some things wis really bad that he used tae talk about – their feet and such like, lice and things like that. It must ha' been terrible. But he wis never one that complained a lot about it, ye know.

After the war he worked a short time in the pit, the Moat pit at Roslin. The reason ah'm sayin' that is because there's a thing in ma house – a knife, ye know, they got for kindness tae pit ponies, a knife with the thing for the ponies' hooves. And the knife was marked. Then ah must have been very young when ma father started on drivin' lorries. He worked in the West

393

Linton branch o' the Penicuik Co-operative, oh, for about 26 years, drivin'. He went as far as Elsrickle and all the farms round about. And the long hours at that time, ye know, it wis eight tae eight, or somethin' like that, sort o'. And in the latter years for drivin' his eyesight wasnae sae good, and eventually he went off the lorries and he got a job in Valleyfield paper mill. He retired from there. He was 93 when he died.

Ma mother belonged Penicuik and she had worked in Esk Mill from leaving school until she got married. She didnae work after she got married, nobody worked then. At Esk Mill there wis a sort o' community, ye know. The mill owned many o' the houses. They were tied houses. Well, ma mother and her family they lived at South Bank. There wis a big house at South Bank, well, that big house – of course, it's all away now – it was down towards the river Esk. And then they moved to Rose Cottage – that wis the first house as you come from Dunlop Terrace. The garden looked down on to Esk Mill, and there wis a pond there on the right hand side. In Esk Mill ma mother wis what they called a tier. Ye know, tied the paper bundles, which wis men's job of course latterly. But women did it then. Oh, it could be very heavy work, liftin' paper.

Ah remember ma grandparents on ma mother's side. Ma grandfather Robert Taylor, ma mother's father, wasn't Penicuik. Ah can remember seein' his marriage line, and he got married out o' St Patrick Square in Edinburgh. Ah think he wis a tanner, ye know, to do the leather trade, tannin' leather hides and so on. And then he came out tae Penicuik tae Esk Mill and worked as the engine driver on the locomotive, ye know, the pug. That wis his job. Ah think ma grandmother Taylor her family they were already livin' in Penicuik when she got married. There wis a big family o' them but they were spread at different places. There were a lot o' them engineers, or they were in Glasgow and Chirnside in Berwickshire. Ah haven't a clue what ma grandmother Taylor did for a livin'.

Ma grandfather Peaston he lived in Roslin and he worked in the Roslin powder mill all his life, as far as ah can gather. Ah can't go back any further than that, but ah'm sure he worked in the powder mill. Ah never heard o' him workin' anywhere else. Ah remember ma grandparents Peaston. Ah believe ma grandmother came from the Borders – Walkerburn or Innerleithen or something like that – and they had come from Rosewell or something like that. They had a drove road where they went along there. Ma grandmother she worked in the tweed mills in Walkerburn before she got married to grandfather Peaston. I think she walked right from Innerleithen tae Walkerburn, or something like that, ye know. Ah've heard them say they walked away at half-past four in the mornin' tae get tae their work. Ah remember when ma grandmother died. She wis in that old folks' home at Newtonloan at Gorebridge. She died after ma grandfather Peaston.

He died in his 80s jist after the Second War, because ma wife and me were jist married. So he must have been born maybe in the 1860s.

Ma grandparents they were all big families. There were eight o' the families on both sides. Then ma father's parents used tae go tae America by steerage for so long – a lot o' their family went tae America, ye see. There were two brothers and two sisters o' ma father's went wi' their families, ye see, in the Depression, and ma mother's two sisters went tae Canada. But it wis jist the one set o' ma grandparents went tae visit in America.

Ah didnae have any brothers or sisters. Ah'm jist the only one.

As ah say, ah wis born at Bilston but ah have no memories of Bilston at all. Ah come with ma parents tae Penicuik when ah'd be maybe about one or so. We lived in Imrie Place. The house wis simply rented. I've no idea who the landlord was but it wis a private landlord. But the house is now away. It was on its own, up from where the surgery is now. I don't remember that house at Imrie Place. But we weren't there too long and we moved to the Peebles Road – Rosebery Place. Well, ah stayed there until ah wis in ma teens. The Peebles Road house had two bedrooms, kitchen, and an indoor flush toilet. Ah had a room to maself as a laddie, a small bedroom. It overlooked the Peebles Road. We put in our own electricity actually. Ma father put it in, it cost about £10. Before that we'd had gas lightin'. We had a cooker and a gas ring, too. It wis jist a fire we had, no range, so ma mother didn't cook on the open fire. It belonged a private landlord and ah can't remember who it wis.

It wis quite a good house in Peebles Road. But there was no bath or anything like that in it. Well, the only way tae get baths actually wis there wis a zinc bath. But failin' that ah used tae go about the Cowan Institute, and ye got baths at the Cowan Institute. In ma teenage ah did that. It wis only open to members of the Institute. You could join the Institute, anybody could join – ye didnae have tae be an employee o' the mill. You had gymnasium or billiards or things like that, readin' room. And for 4d. you had a bath and a towel and a piece o' soap. They were big large baths. Well, ah mean, they were good. There were only two baths and that, but, ah mean, they were well used. Ah wis mainly at the week-ends, ah think, as regards Fridays and Saturdays. And, well, ye jist put your name down, ah suppose, and a certain time ye got so long in the bath. They would have tae limit the time, 'cause ye could lie in the soap ! Somethin' like 15 minutes ye got, not very much time. There wis no baths for women. It wis all men, and there were jist two baths. They were quite good baths. There wis plenty water from the boiler house at the Institute. They had a coke furnace for heatin' and what-not. But they were the only public baths that I knew in Penicuik. The first council houses wis bein' built in Penicuik before ah left school in 1934. That wis the houses up from the public park in Cranston Street. Well, these are ma first recollection of council houses and, oh, they had baths. I had an uncle, ye see, that had a council house with a bath and of course ah used tae go periodically. He lived in Carlops Crescent or somewhere like that. But that's what people had tae do in these days.

We were fortunate. When ah think about ma mother's family and ma father's family, ye know, there wis eight o' them plus the parents in each family, and two rooms sort o' style. And both their houses had boxed beds in what ye called the livin' room, and sometimes people had lodgers as well as their bairns. Ah've heard ma uncle talkin', ye know, that there wis feet at one end. . . They slept sort o' head tae toe, or feet tae feet. Ye can hardly believe it's such a short time since that happened.

So all the time ah wis at school ah lived in Peebles Road. Then jist after ah left school we went from Peebles Road back tae another house in Imrie Place. Well, that wis a better house again than Peebles Road, although again we had no bath or anything like that. It wis a nice lookin' house, jist on its own, right in the middle o' Imrie Place. So that house wis quite good: a nice room, a back bedroom, a nice garden at the back, and there wis a flush toilet inside. There wis a small kitchen and a gas cooker. The lightin' there wis electricity. There were two houses there, and that one belonged to Mrs Blair, who wis mother in law o' David Wilson that worked in Valleyfield. Well, we got out o' that house in Imrie Place because Mrs Blair's son wanted it.[198]

Ah started when ah wis five at the Kirkhill School and ah wis there till ah wis eight or nine or something like that. Then ah went tae the Penicuik School in John Street, that wis the main school. Kirkhill wisn't a very big school. But there wis quite a few teachers. Ah can only remember the name o' one, she wis ma own teacher: Miss Love. Ah liked Kirkhill School, it wis quite good. Then at John Street School compared wi' schoolin' now they were very, very strict. Some o' the teachers were quite severe – jist two, ah think there wis, the rest wis ok. The two used the belt, we a' had the belt. Well, ah didn't bother about the belt, ah mean, ah suppose we all did something silly or daft or things like that. Ye used tae worry in case it went up your wrist. But if ah got the belt I would rather go home and no' mention it, in case ah got another one when ah got home !

Ah passed the Qualifyin' at John Street. Ah've always liked workin' wi' ma hands and what-not. Ah like do-it-yourself and ah like workin' wi' wood, marquetry and things like that that ah used tae do a lot of. And ah fancied the industrial course. Ah qualified for the commercial course but ah asked tae get intae the industrial. But they wouldn't have it: ah think there were maybe too many in one and not in the other. So instead o' gettin' industrial subjects ah had tae take the three years of commercial – book-keepin', typing, shorthand, French and maths. Ah got on fine wi' the commercial course, ah've got certificates for that. That wis a bit of a challenge. I quite enjoyed it. I wasn't too bad at it. When ah left school ma shorthand wis probably about 60 or 70 words a minute, which wisn't terribly fast, ye know, and ah think maybe about 40 for typin'. But ah quite liked the subjects, although ah wis a wee bit bitter at the time because ah thought ah could have got into the woodwork, technical drawing, and things like that. But ah don't think it did me any harm really. Ah didn't like history – ah still can't remember dates – but ah liked geography and ah liked typin' and shorthand.

When ah wis at school ah fancied joinery, ma ambition wis tae become a joiner, something like that, really. My uncle, ma father's youngest brother, used tae be a joiner. And he used tae stay with us before he wis married, when ma grandparents Peaston went tae visit in America. And I used tae go down tae his shop at the week-end. Ye volunteered tae go intae the shop on Saturdays and Sundays, you were interested, but ah don't think ah wis paid for it.

Ah wis quite keen tae leave school. Although, as ah've already said, it wis a bad time for work, a terrible time for trying to get work. Then the postmen were on holiday and they needed a telegram boy, so ah started as a telegram boy for a few months. It wis jist a temporary job for the summer holidays. They tried tae get me permanent but it wouldn't work because the original telegram boy, ye see, he was actually goin' back tae his job, because he wis fillin' in for the post office. Ah thought at the time that ah would have liked the job in a permanent way but not now. But it wis quite a good job, a job wi' security, in the post office. Ye could try a' sorts o' things once ye got your foot in the door. But the telegram boy job only lasted two or three months in the summer.

And then ah got a job in Wilson the grocer, jist at the corner o' Croft Street. There wis a grain store there, too, and hardware. It was a big business at that time. It employed a lot o' people. There wis a big office staff, too. Ma job there wis jist a message boy, ye know, and that wis it. It wis jist a means to an end as far as I was concerned, well, tae try tae get a better job. This is the point: jobs were so scarce, it wis the depression when ah left school in the summer o' 1934. Ah wis at Wilson's probably about a couple o' year, ah think, or something like that, from fourteen to about sixteen or somethin' like that. And at the same time as ah wis workin' at Wilson's ah wis goin' with the Co-operative milk in the mornin' – half-past five to half-past seven in the mornin', before ah started in Wilson's.

Ma hours in Wilson's wis eight in the mornin' to 7.30 pm at night, and eight to eight on a Saturday. That wis one o' the busiest times, on a Saturday between quarter to 8 and 8 o'clock on a Saturday night – people comin' in tae the shop. Ye got an hour for your dinner, and ah went home for ma dinner. Ah wis livin' in Peebles Road, quite near, at that time. Ma wages in Wilson's ah think it wis about 12s.6d. a week. That wis for about

62 or 63 hours a week. And at the same time ah got 4s frae the Store – that wis a seven-day week, of course, deliverin' the milk for the Store. That wis well paid, the Store milk.

In Wilson's ah wis the only message boy, and then you assisted in the shop. Well, most o' the messages, you know, was early morning and afternoon, and then ye had tae assist – anything in the shop. Ye had tae maybe tidy up the paraffin shop, where I used tae do all the paraffin. People would come in for paraffin. There wis a huge tank. People would bring in their own cans for the paraffin. And that wis very, very busy. Oh, there must have been still masses o' paraffin lamps in Penicuik in these days before the war. And that wis one o' the jobs. And then bonin' ham, ye know. And assistin' then wis goin' and servin' customers, too.

Then as message boy ma round wis all over Penicuik. We went as far as Loanhead. Ah had a bike tae do that, wi' a huge message basket in the front wi' a small wheel. If there wis a hundredweight in the front the back end used tae swing round. It wis very difficult tae ye got used tae it when ye turned corners ! When it wis icy roads or snowin' the front wheel used tae slide away. Ah had a few falls, ah didnae injure maself, no' really, but ah had quite a few falls. When ah fell wi' the bike, oh, it wouldnae do the groceries much good really !

There wis another job ah used tae do that wis a horrible job in Wilson's. Ah had tae go round some o' the houses in different places and ask for them tae pay. Some o' them had fallen in arrears. They were workin' people, they weren't middle class people. They'd pay so much then, ye know. So that wis quite difficult. They always had a tale. They says they couldn't manage so much this week but, ye know, they would give you so-and-so. Well, they all had an excuse. But there wis some poverty in Penicuik in these days, where people couldnae afford tae pay their grocery bills. Well, ah mean, don't get me wrong. Ah don't think there was a colossal amount o' people like that, but there wis certain ones. Some o' them maybe swung the lead a bit, claimed they werenae able tae pay when in fact they could have paid. But, ah mean, other than that ah suppose people paid. Wilson's wis a good goin' business at one time. Wilson's were good quality grocers.

Ah don't think Wilson's was licensed tae sell alcohol, ah don't think so. But they had a big trade in cigarettes. They bought the cigarettes in in bulk and they went out tae other shops for some reason or other. Ye know, they came in these huge cartons, and then Wilson used to deliver them to other shops. So they were like a wholesaler's as well as a retail grocer. Oh, it wis quite a big business.

We never seen Wilson himself very much. Oh, he didnae work in the shop himself. He spent a lot o' time in Edinburgh, ah think. Ah don't know what he was doing in Edinburgh. He used tae float about the office but, very, very seldom ah seen him in the shop. He lived in John Street in Penicuik, jist opposite the school, he lived about there somewhere. But he travelled a lot about.

Well, in the shop there wis the manager and two full-time assistants and maself, and there wis about maybe four worked in the office, too. Alex Livie, the ex-provost, he wis in the office. Dave Wilson's wife, she wis in the office. And of course the grain store, quite a few worked in there. They dealt more wi' farmers then. And they had two large lorries, beautiful lorries, for the grain. So Wilson's wis quite busy – groceries, grain, paraffin, quite a big business. And they had a place in Edinburgh that dealt with, kind o' specialised, with essences or something like that. Ye see, Wilson had a partner and he ran that. And of course they had reps, too, they had travellers, grain representatives round the farms.

So ah wis there in Wilson's for over 60 hours a week wi' 12s.6d. a week, somewhere about that. But the thing that remains in ma mind was the plum job: ah wis workin' in the Store, too, in the mornin' deliverin' milk and it wis 4s. a week. Ah started in the mornin' wi' the Store milk at half five, half five tae half past seven, that wis ma delivery. Ye got up at five o'clock, well, ah wis up at five. Half five tae half seven, and then ah had tae get ma breakfast and get up tae Wilson's by 8 o'clock. It wis a long day for a young laddie but that's what we all did. Wullie Galloway did the Store milk with me, the run. Ah wis fortunate because it finished up at the Peebles Road, where ah lived. Wullie wis older than me and he worked as a cobbler in the Co-operative. But he still went on the Store milk in the mornin' before he started his work. The Store dairy wis at the back in Bank Street, so that's where we went. And then the run went from the High Street, Bridge Street, Croft Street, West Street, the High Street, Bridge Street, the Island, and the Peebles Road: two boys and a horse and cart and the milkman. And of course you had rolls, too, we run wi' the baskets wi' the rolls. That wis a lucrative job because, ah mean, ye got tips there, too, ye see. And of course sometimes ye got tips in Wilson's. So you could make a bit extra. Ye jist got sometimes maybe a penny, or three ha'pence or tuppence or somethin' like that occasionally. Some o' the customers would usually hand them in for the staff. Sometimes ye got tips at Christmas. And the Store milk run – sometimes they used tae put something in the empty bottles, a penny or two, no' very much in them days.

I handed over my wages, both the Wilson's 12s.6d. a week and the 4s. Store milk money, tae ma mother, and ah think ah got half a crown a week for ma pocket. That wis quite good. Half a crown wis quite a lot o' money. It wis long hours, but ah don't remember feelin' tired at night. Ah would now ! Then I was fit. Of course ye got off the bike and walked sometimes: Penicuik, you know, some o' the hills – at Esk Mill and what-not.

At the end o' the year ah managed tae buy a bicycle, too, a Co-operative bicycle. And it wis a penny short o' £5, which wis a lot o' money, but, ah mean, it wis a brand new bike. So ah had a bike from the age o' 14, 15. Oh, ah liked it. We did a lot o' cyclin' – down to the Borders, over tae Fife, North Berwick. The bike wis hard work but we always did it jist the same. Ye felt ye'd achieved somethin', because ye'd got there wi' your own legs. It was very good.

I think we must ha' got holidays when I was at Wilson the grocer's, but I can't remember. Ah went tae Leven wi' ma parents when ah wis a boy. But, ah mean, after ah wis grown up, a teenager, ah had only one holiday before the war. A crowd of us teenagers once went for a week's holiday to Aberdeen. Ah think maybe ah'd be about seventeen. There was about eight of us. We all went to one house, and was it 27s.6d. or something a week, ken, for the digs, the B and B ? And we had the same amount for spendin' money and that. We'd tae save up for that. It wis a great holiday. And of course, we really enjoyed it, a crowd of us.

Well, ah wis probably about a couple o' year, ah think, or something like that at Wilson the grocer's. Ah came out o' Wilson's one day and we were in the billiard room at the Cowan Institute and the caretaker at the Institute, Peter Black, he says, 'Ah could do wi' an assistant.' He says tae me, 'Would ye fancy doin' it ?' Ah says, 'Assistant ?' He says, 'Aye, ye know, different things – the library.' Mrs Black wis in the library, ye see. Ah says, 'Ah don't know.' Ah says, 'What d'ye get for a wage ?' He says, 'What d'ye get there at Wilson's ?' And ah told him and he says, 'Oh, well,' he says, 'ah'll give you more than that.' So ah says, 'Ah'll take it !' The manager at Wilson's, Mr Linton they called him, but actually he wis quite a nice chap and he just says 'Good luck' tae me. Of course, there were plenty people waitin' for to take ma place at Wilson's.

So ah went to the Institute and ah spent quite a wee while there. Ah started at half seven in the mornin' and finished at half five at night, an hour for wir dinner. And then ye'd go tae the library three nights a week and the Saturday afternoon. And it's the same system in the library now as what it wis then. It's never changed ! Then Peter Black decided to retire tae Aberdeen, and they offered me the full-time caretaker's job at the Institute. They were quite happy tae give me it. And I thought, well, I wis pretty young for the job, and of course the long hours. They used tae run dances, etc. There were a lot o' dances and such like. And, ye know, the billiard room wis open late and ye were up early in the mornin'. Ah mean, it wis a tyin' job at that time. And of course the Institute wis more or less run by Valleyfield. Would ma parents like to stay in the house in the Institute, too ? And they said no way. So ah thought about it and then ah declined. So it wis agreed that ah would stay on until such times as they got a new caretaker. But at least ah got the offer o' the job. Then John Quinn, ah think he wis the secretary in the mill, or somethin' like that, and he said that he would get me a job in Valleyfield, ye see. And would ah like tae go to the makin' department or the finishin' department ? Ah didnae know anything about it at all but John Quinn said, 'Ah think the finishin' department would be the best, but we'll jist wait for the opportunity when they get this caretaker.' So when the caretaker came tae the Institute ah stayed another month with him, ah think it wis, and then they offered me a job in Valleyfield. That's how ah got intae Valleyfield.

That wis jist before the war. Ah remember the Munich Crisis in 1938, ah'd probably be jist aboot in to Valleyfield jist somewhere about then. Ah think ah wis about a year and a half or two years maybe in Valleyfield before ah went tae the Forces.[199]

Well, the first job ah got in Valleyfield ah wis very fortunate ah had a grand chap to work with. And ah wis on a humidifier, which was a large machine which used tae take the static electricity out of the paper, ye know, and they were sprayed wi' a light spray o' water. And it goes round drums. It wis jist sort o' unreelin' on the other side, and ah wis assistin' there. That wis ma first job. Well, that wis until 1940, until ah went away tae the Forces.

Before the war ah wis never associated wi' the military at a'. But ah didn't wait tae be conscripted, ah volunteered tae go. Ah wis quite keen tae get intae the Air Force. Probably it was a part o' objecting tae the Nazis and Hitler, but it wis mainly that it wis all go at that time, and everybody – your pals – wis goin' away, everybody wis goin' away. And ah says, 'Well, ah'm eventually goin' tae be called up. So,' ah says, 'ah might as well volunteer.' And if ah could get into the Air Force ah'd be quite happy. Once when ah wis jist a lad ah had a flight up at Ravensneuk at Penicuik: Alan Cobham's five shillins trip. Ah enjoyed that.[200] So ah jist had a notion of the Air Force. Ah didn't want tae go along tae Glencorse Barracks, ah didn't want tae go in, you know, tae the Royal Scots. Well, ah mean, ah could have went anywhere, ken, in the army. But the thought wis in ma mind that ah didn't want tae go trampin' and drillin' as the Royal Scots did. I would rather go away somewhere else. Well, ah used tae see the soldiers, ye know, comin' up the Peebles Road tae The Targets and that, tae the shootin', and they're shoutin' at each other, marchin' and their drillin'. Ye'd still get the same thing in the Air Force of course, too, but tae a lesser extent.

What happened is quite funny. Jist after the war broke out Valleyfield went on short time – a five day week, and they were jist goin' tae start the five day week. And the whole of the mill had to go up to Kirkhill School and sign on for the time we were off. Ah don't think we were goin' tae get any money or that but ye had tae sign on that ye weren't working. Ah'd been standin' waitin' there for long enough tae sign ma name, so when ah came down ah jist took it in ma head and ah jumped on a bus down at the Cowan Institute and ah went in to the Music Hall in George Street, Edinburgh, tae join up. There were two chaps come along and one o' them says, 'What are ye tryin' tae join ?' Ah says, well, ah wis tryin' tae join the Air Force. 'Well,' he says, ye're wastin' your time because we've been in and they're not recruitin' for another four weeks because they have their numbers at the moment now.' But anyway ah says, 'Ah'll jist carry on along.' So ah went in tae this huge place, the dance floor place, ye know, and at the top o' the table there wis a sergeant major sittin' in the dress uniform. So he come and he looked at me. He says, 'You're George Peaston aren't ye ?' He says, 'Ah'm Staff Sergeant Willocks.' Seemingly his wife and ma mother had been friendly. So he says, 'What are ye doin' in here ?' Ah says, 'Well,' ah says, 'ah came in tae try and join the Air Force. But,' ah says, 'the chaps say they're full up.' So he says, 'Why did you want tae come the now ?' Well, ah explained, ah said, 'We went tae sign on and if we're goin' tae have slack time ah might as well join up.' So he says, 'Are ye keen tae go in ?' And ah says, 'Yes, ah'm keen.' 'Just a minute,' and he took a slip o' paper and he put in red ink: 'Ok – RAF'. He says, 'Take it away across there and see if ye can get a test and a medical at the same time.' So ah went in and they gave me a sort o' maths test. It wisnae very dramatic. And they said, 'Would you now like a medical ?' And ah said, 'Ok.' Ah got ma medical and then ah wis shunted tae the Infirmary. There wis six o' us sent tae the Infirmary because they suspected sugar in the blood ! So when ah got home that day it wis a long, long time frae when ah'd set off. But ah got word a month later tae report tae Padgate at Warrington.

It wist jist a camp down there. All ye did was you'd be attested and ye got sworn in and got your number. Then ah wis sent home for a month – that wis because they had too many at Padgate – and then ah wis called up again for another month. Ma boss at Valleyfield wis the head finisher, George Louden, and ah'd had tae go and tell him the first time that ah wis leavin' tae go tae Padgate. Well, when ah wis sent home and asked for ma job back, George Louden says, 'No, ye won't go now. Ma son's away, he went tae Padgate.' But anyway he says, 'Well, ok, ah'll get you your job back.' Then when ah went back again tae Padgate a month later, he says tae me, 'This is unbelievable. Ah hope ye're no' goin' tae make a habit o' this.' So that wis it.

Ah went back then to Padgate for a day, and then we moved to Blackpool and did our trainin' for six weeks on the prom. Ye know, jist marchin' up and down, square bashin', and entertainin' the holiday makers, because they were gettin' the biggest laugh of all. Oh, dear, dodgin' tramcars. Then we went from there after six weeks to Manby in Lincolnshire. It was an aerodrome, it wis a mixed squadron. But it wis an Operational Training Unit. And ah wis on the ground staff there for quite a while. And then ah got posted tae West Hartlepool, and then down tae Thorney Island. And ah remustered for an air gunner, and it wis like startin' all over again. Air gunner wisnae what ah wanted, no' really. But, ah mean, they were askin' for them then, ye see. And ah got posted tae Lord's cricket ground and it wis a long hard trainin' tae be an air gunner. Well, we went to London and then Bridlington in Yorkshire, and then we went to Dalcross, Inverness. We did flyin' trainin' at Dalcross on Ansons.[201] And then we bypassed an Operational Training Unit and we went in 1943 to Palestine – Tel Aviv, and went directly on to four-engined Liberators. But we weren't on operations there, we were only trainin'.

We went from there to join a squadron in Italy, actually we got attached to a South African squadron. They had two heavy bomber squadrons o' Liberators. And we went to Foggia on the east coast of Italy and that was oor base. It was the flat land of Italy, the Foggia plains. There wis a lot o' aerodromes round about there. They were still fightin' then, ah think, in the Po Valley, because we were supposed tae go up tae the Po Valley after that.

So we did our bombin' operations from Foggia. We werenae bombin' in Italy. It wis all the Balkans or the south of France, or supply droppin', and Austria, the Adriatic, and minin' the Danube and things. That wis the most successful thing from our place wis minin' the Danube. It used tae put the Danube out o' commission. Ye used tae mine the Danube at 200 feet once every full moon.

Ah think it wis on the tenth operation we got shot down over Warsaw in August '44, droppin' supplies for the Polish uprisin'. Ah mean, ye didn't know what wis goin' on on the other side o' the world. Well, they were invadin' the south o' France, and we were supposed tae go there. But everything stopped on August the 13th and we were briefed tae go to Warsaw. The Russians had jist came down but they had stopped at the eastern side o' the river Vistula. And the Poles had rose and the government in exile from Poland in London had asked Churchill for help. They were desperate for supplies. It's difficult tae believe when ye seen that red line, ken, on the map. It wis five and a half hours tae Warsaw and five and a half hours back – over enemy territory intae the bargain. And oor droppin' height wis 400 feet.[202]

So ah think it wis a Polish squadron, 31, 34 – South African, 178 and another one, and they went. For some reason or other we never went that night: there were mechanical trouble or somethin' like that, and we never went. But there were three of us livin' in a tent, ah wis a mid-upper gunner, another bloke wis on another plane, and the third wis a rear gunner. Well, this chap the rear gunner went that night before us and he never came back that night.

And on the followin' night we went and of course the Germans were waitin' for us a' that night. And we jist a' got cleaned out. And that wis the last o' the supply droppin' at 400 feet. But they had tae regroup the squadrons because there were so many losses. Ah met a chap in Edinburgh jist a fortnight ago who wis up from Bellingham wi' the bowlin' club. He had been wi' the squadron and he wis in the Warsaw '44 Club, and ah says tae him, 'What height did you drop ?' 'Oh,' he says, 'some o' them about 26,000 feet.' He says, 'The 400 feet thing went out the box after that night' – ye know, wi' the casualties.

So ah parachuted down that night jist outside Warsaw. We were very low. Ah wis very lucky to survive. Ah wisnae the only survivor. There were two killed in the plane and one, the second pilot, his parachute never opened right. And there wis five survivors. I landed on a Polish house. There were twelve Polish partisans in it. It wis one o'clock in the mornin'. And they agreed to take us to the Russians. Well, the Russians looked after us. They kind o' interrogated and interrogated us for, oh, a long time. It wis like bein' a prisoner. But eventually they agreed that they would try and get us to Moscow. So ah can't remember how long we were there – two or three weeks – in this wee house. We were taken away quite a bit from Warsaw. One day they said, 'There's a Dakota goin' to Moscow.'[203] So we piled in there and we stopped at Minsk for refuellin' and then we got to Moscow, and we got beside our own boys wi' the British Military Mission. And, oh, that wis great. Ah mean, ah wis missin' for quite a while, ye see. Well, they sent a telegram home tae Penicuik when ah got to Moscow. They gave me ten words or something and ah just put: 'Safe and well with the RAF in Moscow.' So of course they were amazed at that at home. By the way, that chap, our tent mate at Foggia, ah wis tellin' ye about that went missin' the night before us – when we got to the British Mission in Moscow he's sittin' in the Mission. He said they were shot up. The pilot had baled out and left them to it. But there wis a second pilot who wis jist more or less finished his trainin', and they flew on, made a landin' in the Ukraine and wis picked up wi' the Russians. He wis fortunate, too, tae survive. We had terrible casualties. It wis badly thought out, badly thought out: Warsaw wis too far away frae Foggia, eleven flyin' hours wis the minimum. So that wis it. And ah got back home.

Well, we had a long trip through the Middle East, ken, tae get home: from Moscow, Stalingrad, Baku, Damascus, Baghdad, and Cairo. So they said once ye had tasted the waters o' the Nile ye always return ! So we were back to Egypt again, where oo'd started off before we went up tae Palestine. Ah got a leave at Alexandria and we broke up from our crew. They went tae

South Africa. Then we come back home via Malta to Lyneham in Wiltshire. Well, we were to get six months' ground jobs. Ah got landed on an equipment course that lasted about two month, and ah wis sent to a good job in the stores at an Operational Training Unit on an aerodrome at Desborough, Northamptonshire.

Well, there were more and more survivors and more and more crews and they didn't need ye, ye see. And then if you were down as an evader ye didn't go back to that zone when you were flyin' again. So the next move wis to be in the Pacific against the Japanese, if you went there. It wis a grand time for bein' in the RAF. Ah wis still gettin' paid as a flight sergeant at that time. Ah became treasurer o' the sergeants' mess. Ah mean, the crews were all comin' out and in the Operational Trainin' Units, ye see, and we were permanent staff. And of course the permanent staff wis always the best there. So ah wis there at Desborough till the end o' the war.

The war didnae make me political, not really. I can remember when the votin' came out in 1945 at the end o' the war, when the big Labour government got in, there wis some arguments goin' on about the place, and ah could see it wis all turnin' that way. There wis a bit o' discussion, there always is. There wis a feelin' that Britain hadnae been prepared at the beginnin' o' the war, there wis a feelin' o' that. And the weapons at the start off wis pretty inferior, ye know. If it hadn't have been for America we could never have survived as far as supplies was concerned – the weapons and ammunition and boats and things like that. There's no way we could have survived. And, ah mean, most o' the best weapons – our kind anyway: Brownings, ah mean, they were terrific guns – were comin' from America. But for some reason or another at Desborough in Northamptonshire we never got a vote, after a' we'd been through in the war we never got a vote at all. Oh, there wis a big lot that never had the vote. But ah didnae find my political thinkin' wis changed by the war, I didn't find anything like that.

It wis very difficult tae come out o' the Forces. At one time ah thought about stayin' on. Well, once the time wis comin' for demob everybody felt like this, ye know. Well, ah mean, tae me it wis a wonderful experience for tae have, for tae be able tae travel the world – well, not the world but a large part o' it, ah mean, Europe and the Middle East, ye know you would never have been. And quite frankly I enjoyed a lot o' the RAF thingmy. But, ah mean, there were some bad times, too. But on the while I enjoyed the Services – the comradeship, and ye were fightin' a worthwhile cause against Nazism. Ye were sometimes cosseted a wee bit in the Forces. It wis a routine ye got accustomed tae. And, och, ye had a lot o' terrific friendships. It wis a well paid job: ah paid income tax. But they weren't allowin' very many tae stay on at the end o' the war. And if ye'd stayed on you could come down tae a reduced rank.

So ah wis six years in the RAF to the month. It wis April tae April, 1940 tae 1946. Ah'd been away from Britain about 18 months from about the end o' '43. Ah had a leave in Alexandria, but you didnae get home leave.

So ah came back home and ah started work again in Valleyfield. Ah had only about, ah think, a couple o' weeks' holiday then ah went down to the mill and ah got a job no bother. Ah went tae see the man that ah had handed ma notice in when ah wis there before, George Louden. And I got a job. I started on the calenders in the finishin' department again, of course. Ah wis assistant on the calenders. And ah jist went through the finishin' department – calenders, cutters, humidifiers, etc., developin' ma experience.

The wages were small. We were workin' shifts. But we worked a terrible lot o' overtime. Ye see, the trouble was if you worked the shift and your mate didn't come out – was sick or somethin' like that – you had to double up. Well, instead o' workin' eight hours ye finished up workin' sixteen. Of course, ye were quite pleased tae work tae get a bit o' extra money.

Then in 1959, 1960, ah wis made foreman o' the finishin' department. Bob Smith wis the finishin' department foreman and ah got his job when he retired. And then when ah wis made a foreman ah got landed twelve hours for a year on the change from day shift. Ah wis on day shift at first, ye ken, but then they started another foreman. And we were on twelve hours for a year. And ah went tae the manager and ah says, 'That's it. No more,' ah says, 'ah'm finished after this month. There's no more 12 hours.' Ah says, 'It's dark in the mornin', it's dark at night.' 'Oh,' he says, 'it's not as easy as that to get another foreman. Ye can't get one.' 'Well,' ah says, 'there ye are. That's it. Ah've said it.' And he says, 'Oh, well, give me a month.' And he started another foreman then. Ah wis never on shifts again. Ah wis on constant day shift. The rest o' the time for years ah spent jist on day shift, which was eight tae half past five, somethin' like that. Sometimes ye'd tae work extra or somethin' and unfortunately ye didnae get paid for it. Oh, shifts were not very nice. The eating wis terrible, tryin' tae sleep through the day wis terrible,

Ah wis in that job for two or three years, somethin' like that anyway, and then ah got pushed up the stairs after that tae the salles, tae be a supervisor up there. Ah wis David Wilson's assistant, he wis the head finisher and ah wis his assistant. And ah wis there for a time altogether because, ah mean, it's all women and guillotines and packers and such like. I mean, we're talkin' about 70-odd women in the salle, ken. Ah wis about 16 years as supervisor. Well, I got on quite all right wi' the women. Ah found the women were very, very hard workers. They were all on piece work, of course. But they worked very hard, and they really had to work hard.

Durin' that time Mr Taylor, the managin' director, asked me tae go up for six month to Pomathorn, because they had a new cutter and ripper that wis able tae sort and count itself instead o' havin' women doin' it. So ah wis up there for six month till they got that thing off the ground. There were about 20-odds maybe on each shift, so ye're talkin' about, say, under 50 workers at Pomathorn altogether. And then ah went back into the salles.

At one time, ye know, there wis over 900 workers between Valleyfield and Pomathorn. That wis the largest in ma time. Ah remember them sayin' it wis under 1,000 at that time, when they built Pomathorn. So there were still about 900, 850, workers down in the main mill. There were too many workers but of course things were still in the old fashioned state, ye know. They were still usin' plant that wis there pre-war. And, ah mean, the Germans, ye know, they built up from fresh. And then the European Free Trade Area that didn't help any. Scandinavian wood pulp and that wis comin' across, ye know. That wis one o' the things that wis a problem. And then it wis so vast Valleyfield, ye know. It wis a big site – it wasn't very wide, but ye're talkin' about the size o' a football park, ye know, lengthwise. They trailed stuff by barrows away along tae one end tae get the humidifier, tae come back tae get it cut, and then it wis tae come back tae go up the stairs tae the salles, to travel through the lifts some place else. So time wis wasted like that. And of course Valleyfield made so many different types of paper. They were famous for this, ye see. And they had stock houses that wis crammed full o' paper. The idea nowadays is they would never do things like that, because ye don't have your stocks the same as that, or you keep your stocks low. But ye can't come right down to one or two types o' paper, because that's what happened to Pomathorn. They took over a huge order, NCR paper, non-carbon paper, and of course it didn't work out. And they said of course most of the stuff wis goin' tae go out in web form. Instead o' that it changed and there wis quite a large percentage had tae go out in sheet form, which wis terrible tae try and overhaul, this thin, slippery paper that wis difficult tae handle. There wis a lot o' problems. That wis one o' the reasons Pomathorn closed. Then when Pomathorn made paper they had tae come down wi' it tae Valleyfield on pallets on lorries, and sometimes the pallets fell. There wis a lost o' waste and damage. It wis all right if it wis on reels

The management, well, ye werenae allowed suggestions, not very many. That's the way they worked and that. Ye could make some occasional suggestions but, ah mean, even the blokes on the shop floor and that, ye ken, they werenae all stupid men and they could make some points and that. But, no. It wis too vast a thing, it wis too vast, ye know.

What improved Valleyfield a lot, although it wis hated, wis actually work study. That wis introduced late on, maybe in the 1960s, but before Reed's took over. And the work study, not always but in many ways, they did a good job. Ah mean, ah used tae have a lot o' arguments with them. But they'd listen tae your point of view, and they did many things that wis good for the firm. Some o' the things werenae too good for the firm. But on the whole they were quite good. Ah'll jist give a classic example. In ma department there were twelve packers packin' A4 packets, different packets. There were twelve o' them packin' this every day. And work study came, so they worked it out and gave the packers a bonus after packin' 400 packets. Well, at the finish up they were down to four packers – from twelve to four. They never sacked the rest like, ken, they found other jobs for them in the mill. And these four were makin' good money. And ah wis gettin' the stuff through as fast as ah could go with four people. And that went on for two or three years, these four people. And we had a packin' machine an' a' for packets, too. But that wis jist a small example of the work study.

Sackins in Valleyfield were relatively rare. It would have tae be somethin' serious before ye got your books. Pre-war, in the short time ah wis there, the head finisher George Louden wis very, very strict. And I can remember somebody got their week's holiday pay stopped for a sort o' trivial thing. But it couldnae happen after the war. Ah suppose when chaps like me came back from the war we had different views. It wouldn't happen after the war. Mill discipline wis more relaxed. Taylor wis the managin' director and he didn't come round very much. But he had a habit – he stayed at Silverburn, the house jist as you go up Silverburn on the left – he didn't get his dinner till half past six or seven o'clock at night, ye see. But he used tae come up tae the salle or phone up, ye know, at, say, half past five when you were ready to go away. This is when he used to make appearances. Taylor wis a Scotsman, a Glasgow University man. He would be a clever man at paper making, a sort o' mathematician, ken, he could work oot figures.

Before the war when ah'd started at Valleyfield ah joined the union, the printin' and paper makers. Ah wasn't active, jist a payin' member, paid the dues. There were no shop stewards at Valleyfield until the last few years of the mill. Valleyfield never recognised shop stewards. But they became elected. So ah don't know how. Jist they sort o' came in as shop stewards, and of course later on when a' the trouble wi' redundancies and what-not began, the union sort o' came into their own. By that time it wis SOGAT, Society of Graphical and Allied Trades. So the unions were more active in the latter part in the mill. There wis never a strike at Valleyfield in ma time, except a sort o' half-and-half strike for one day. There wis a strike before ma time. It wis after the First War, in the time o' the 1926 Strike, and there wis only two or three men stayed on tae work. The sort o' half-and-half strike for one day at Valleyfield, ah wis there then. But ah cannae remember what it wis about even. Some o' them had stayed at work. Ah think it wis about short time, somethin' like that, about 1953, when we had a year of short time. We were workin' four days. It affected ma income.

There wis no union money, and ah wisn't a foreman then. But the strike wis very short-lived. It fizzled out in a matter of hours, ah think.[204]

Ah never came across freemasonry at Valleyfield. At one time when ye had tae go in pre-war and apply for a job ye had tae give your religion. Ah don't know what the purpose o' that wis, but you had tae give your religion. But ah never came across any discrimination, ah never came across anything like that, unless it wis, ken, on the upper level – but not in the work floor level.

Well, then of course Reed's took over. That wis the end o' time. Reed's, ye know, only one thing they wanted and that was out o' Valleyfield. Ah think they wanted tae close it down and that's why they came in. Well, ah mean, they were closin' down not just Valleyfield, they were closin' down other places at the same time. Ah think they had a paper mill up north, Aberdeen way – Mugiemoss or one o' them, but ah don't know if they closed it down, because they were makin' art paper for women's magazines. Ye know, they had a special machine for that. Ah remember it wis Reed's that wis doin' that. But they closed a lot o' mills in England. Oh, well, they had hatchet men. They came up tae jist shut the place and kill it off. So then the redundancy started from Reed's. Ah think we got 250 made redundant.

The closure didnae come as a bolt from the blue. It went on for at least six month. And the lies and stuff by the management that wis told in that six month is not canny. And experts comin' up frae Reed's and what-not and tellin' ye one thing. Even tae the fortnight previous tae they said they were shuttin', ah can remember sittin' in the office and this manager come up and says, 'Jist been at a meetin'. Valleyfield's safe.' And this wee girl at the side she says, 'That's what they said aboot the *Titanic*.' And a fortnight later word went up. Wisn't it terrible ? Excluding ma war service ah'd been at Valleyfield about 32 years, and when the mill closed in '75 ah'd be 55 years old.

The fact wis, ye see, ah only had that as ma job. Ah wasn't like a tradesman where ye could do another job. Ah had no other job tae go to. That wis the real blow. It's true I got the offer o' five jobs south o' the Border from Reed's. Three o' them wis on short time, the paper mills wis on short time. And ma wife Eileen says there wis no way in which she wis goin'. Ma son had started on his apprenticeship, and ma wife's mother wis ill. So we jist decided tae stay and take what come. The worry wis tryin' tae get a job at my age. And, ye see, all these people at Valleyfield they had all tae get jobs. But ah wis fortunate. Ah stayed on for a month after the mill shut for tae clear up. And one o' ma son's friends wis a broker and he says, 'Ye got a job ?' Ah says, 'No.' He says, 'Ah've got a friend in the motor trade lookin' for a storeman. Would you fancy it ?' Ah says, 'Ah don't know.' He says, 'Well, if ye want it go in tae Edinburgh and ask for an interview.' So ah phoned and they says, 'Come in for an interview.' And that wis a clever interview right enough. They says, 'Can ye work out percentages ?' And ah says, 'Yes.' 'That's ok then.' Ah wis to start. So ah wis in the stores for about five month and ah didnae like it, ah didnae like it at all. Ah had no idea about cars. It wis absolutely terrible. Ma wife wanted me tae give it up, but ah says ah would jist carry on. Ah said ah would stick it because ah would maybe get a job out o' a job: it wis a platform.

Then ah saw a job advertised in the paper and it wis for a plan printer. Ah had tae go in tae one o' these job places. And ah went in and told the foreman, ah says, 'Ah don't know what the job is, ah don't know who it is.' He says, 'It's Sir Basil Spence, the architect's.' So ah put ma name name in. Ah never heard any word aboot it. And two or three weeks later ah went back and he says, 'They're conductin' a lot o' interviews for different things. It's a large business, and would you take an interview if you were asked ?' Ah says, 'Certainly.' So, och, ah pestered them – ah used tae phone up at lunch time. They were actually waitin' on a man retirin'. Then ah went for the interview and it wis terrific. This bloke at the interview wis an ex-naval captain, kind o' war service and that. Anyway he says, 'Ah'll have tae see the partners.' They offered me a better wage than what ah wis gettin' at that motor firm. They says, 'At the present moment you'll have a lot o' printin' tae do but we're wantin' ye tae try and sort out the archives and all the odd jobs and have them microfilmed, etc.' So after about a few months ah got started on these jobs – great ! Ah wis on ma own and ah wis quite enjoyin' it. Then ah got stuck intae the old drawins and that. There were 70 architects there at that time, includin' technicians. It's finished now, ken, it's broken up. But ah thoroughly enjoyed it. Ah wis there for about ten year until ah retired about six months before ah wis 65. Ye got a small redundancy, ye see, but it wis more than what ah'd have got if ah'd worked tae 65. And I got on great wi' the partners. And they were so good. Ah mean, ah'm lucky. It wis very enjoyable, and nice people, nice people. Ma wife says ah should have done it years ago.

Alexander Ballantyne

Ah couldnae get a job when ah wis fourteen so ah jist stayed on at school and ah wis about 14½ when ah did leave. And funnily enough, ah left the school tae be a baker. And ah wis in there at the Co-operative bakery for about a year and a half, and I was friendly with Davie Frew, who was the chief engineer in Esk Mill's son. Davie and I used tae go down there tae the mill and it wis one night we were down there his father says tae me, 'Alex, we're lookin' for another apprentice. Would ye like a job ?' And ah wis always keen on it, ye see. I said right away, 'Oh, yes, ah'll take the job.' 'Well,' he says, 'you get your notice handed in at the Co-operative Bakery. Ye can start at the mill a week on Monday' – or somethin' like that, ye see. That wis about the end o' 1939.

Ah wis born on the 17th of August 1924 in Penicuik. In fact, ah wis born in the same house in Bridge Street wi' pillars on it as one o' the French officer prisoners was stationed in in the Napoleonic Wars. The house wis opposite where the old post office wis – it's Penycoe Press now. The house is away now.[205]

Ma father wis Kirkhill actually – in those days Kirkhill and Penicuik were two villages, ye see. He was a foreman paper maker wi' James Brown & Company – that's Esk Mill. Ma grandfather Ballantyne, he was Penicuik, he wis a paper mill worker from the beginnin' in Esk Mill. In fact, most of the Ballantyne side branched off in the paper making side. They were in India, and some went to Canada and everywhere. There were a lot o' the Ballantynes were a' ended in paper, except one who was a butcher and he went tae New Zealand. But ah can't go back beyond ma grandfather, ah never really researched it.

Ma mother she wis born in Lumphinnans in Fife. But her people were Penicuik. Ye see, her mother was a Linton and they were Penicuik. And ma mother's father, well, ah don't know whether he came tae Penicuik and got married, and when Mauricewood pit closed they went away to Fife again and then came back again tae Penicuik after he died. Because when ma father

411

met ma mother her family they were back in Penicuik. Miners travelled between coalfields. But ah've never got right intae it.

Ah had a younger brother Ian. He died about 1992.

So ma earliest recollections are o' growin' up in Penicuik. Ah know ah wis born in that house in Bridge Street but I know nothing about it, ah mean, ah wis jist a year old when ma parents moved back up tae Kirkhill again. At Kirkhill it wis a company house belongin' to Esk Mill and they were the tenants. It was what they ca'ed Wyld's Buildings. If you start at the bottom o' Kirkhill coming up the way on your right hand side there's two cottages – at that time it was four in a block. That wis the house, on the slopes o' Kirkhill. You were looking right over the river Esk to the south. Ah wis in that house for about twelve or thirteen years. It had two rooms and two big closets, and then it had these what they called bed recesses. Ma brother and I slept in one room and ma father and mother in the other – the kitchen. Ye went out and in a vennel but it wis a flush toilet. It wis actually the recess in the bedroom wis taken away and it wis made intae a flush toilet, but ye had tae enter it from the outside. There wis no bath, not in those days. But there wis runnin' water in the house, and a sink in the kitchen where ma mother and father slept. It wis gas lightin' at that time. The electricity wis jist coming in when we moved from there down intae Penicuik jist before the war.

When we left Kirkhill and came back to Penicuik we went into No. 19 The Square, which was above the then Buttercup Dairy, on the Valleyfield side o' The Square. No. 19 had already had the electric put in before we came intae it, and it had runnin' water and an indoor flush toilet. And it had five rooms it had. It wis Tait's the builder's house. They had property – a lot o' that property in that corner was theirs at that time.

Ah went to school first in Kirkhill when ah wis five in 1929. It was a very good school. Oh, ah was keen. Ah passed the Qualifyin'. Then when you went to qualify you went down into the big school in John Street in Penicuik. Most o' Penicuik went up to Kirkhill and then they came down there again, ye know, until they built the new Penicuik High School about 1937, ah think. We were in our last year then, and we the older boys helped – we got barrows and things and wheeled a lot o' stuff, ye know, books and things, across the park to the new school. Mathematics was my most interesting subject at school, and that went wi' ma later occupation.

Ah wanted tae be an engineer of some sort. Ah couldnae get a job when ah wis fourteen so ah jist stayed on at school and ah wis about 14½ when ah did leave. And funnily enough, ah left tae be a baker. Well, jobs were difficult enough tae get – and it wis either that or a message boy or something like that, ye see. Becomin' a baker – that wis furthest from my idea. But there werenae a lot o' jobs. Ye could go into the paper mill as a boy clearin' up and doin' jobs like that, but ah didnae want tae go in for that. Ah wanted tae wait and go in as an engineer. Well, it wis either engineering or plumbing, whatever ah could get in. Ah wanted tae get a trade if ah could get in. But that baker's job came up, and at least baker's apprentice had some sort o' future tae it. There were two or three friends o' the family that were bakers. They said, 'Oh, ye better get him in there. At least he'll have a job,' ye see. As far as ah know ah had no relations in the Store. It wis jist that the job wis there and ye went up for it and, well, ye took up your school records and everything. The school gave ye a reference and ye had an interview, quite a thoroughgoin' interview by the Board. There was about four or five members there and you were interviewed by them. Oh, it wis an experience for me at that age ! Ah had no previous experience. Well, when ah wis at school ah went with milk – Dave Bell's dairy, Pomathorn Dairy, they called it. In fact, sometimes in the wintertime another chap used to come with me and we used tae have tae take the milk on a sledge to Harper's Brae and places, because ye couldnae get past wi' the motors.

So ah left the school tae go tae the Penicuik Co-operative bakery. And ah wis in there for about a year and a half, and I was friendly with Davie Frew, who was the chief engineer in Esk Mill's son. And Davie, whose brother wis John Frew, and I used tae go down there tae the mill and it wis one night we were down there his father says tae me, 'Alex, we're lookin' for another apprentice. Would ye like a job ?' And ah wis always keen on it, ye see. I said right away, 'Oh, yes, ah'll take the job.' 'Well,' he says, 'you get your notice handed at the Co-operative bakery. Ye can start at the mill a week on Monday' – or somethin' like that.

So ah went home and told ma father and ma father said, 'Now wait till ah get this confirmed. Are ye sure ?' he said. 'Aye,' ah said, 'ah'm sure he told me ah could have a job.' But ma father came back the next day and he says tae me, 'It's a' right,' he says, 'it's all clear. Ye can carry on.' So that's how ah went intae engineering at Esk Mill. That wis about the end o' 1939.

Well, bein' a baker wisn't a job ah would have taken to. Well, it wisn't too bad but, ah mean, everybody said ye were too white faced there. Ye know, ye werenae gettin' out in the open enough. Whereas in the mill ye moved from department tae department. Ye were always out in the air and everything. It wis a far more interesting job and it wis nearer ma own interests.

So ah started in the mill when ah wis jist about 15, 15½. We started at half past six in the morning and finished at five o'clock. Ye had an hour for your breakfast and an hour for your dinner. That wis Monday tae Friday. Ye worked Saturday morning and afternoon as well. Well, it depended when the job finished, ye see. Sometimes it wis seven o'clock on a Saturday. It wis a long day for a laddie o' 15. Oh, they were funny hours and, ah mean, if ye couldnae get the job finished on a Saturday by, say, seven o'clock, which wis always the latest, you had to come out on the Sunday morning and finish it off. Aye, all the hours ye worked. Saturday ye got paid overtime after twelve o'clock, but not in the morning. Well, of course they didnae stop makin' the paper till about eleven o'clock, so ye couldnae get anything done till they were finished, ye see. Then production o' the paper started again at midnight on Sunday. But the men went in about half past ten or eleven o'clock, so they were gettin' things ready heated up by their way of it. But production didn't start officially till midnight. Of course, that wis because o' the churches by their way o' it: no Sabbath workin' – in theory. And then from midnight on Sunday there wis continuous production until 11 o'clock on Saturday morning. And any big maintenance work had to be done when they finished then.

So ah wis on regular day shift as a laddie of 15. Ah never went on to shifts, ah wis always on the day shift. Well, engineers – some o' them in different places were on shifts. But, ah mean, ah wis never on tae shifts in Esk Mill. In Esk Mill they didn't have a shift system for the tradesmen. They had a call-out system. None o' the tradesmen there worked shifts. It wis jist, ye know, a basic day. And if there wis anything wrong they jist sent up for ye.

Wi' overtime, well, they had a system. First of all, ye got 7s.6d. for your call-out, plus the time you were there. But at the latter end o' the mill there, in the 1960s, it wis about £3-odds ye were gettin' for call-out, plus the time ye were there.

Ma wages when ah went tae the mill about the end o' 1939 it wis 15 shillings. Well, in the Co-operative bakery it'd been 10 shillings. So ye thought you'd got a fortune in the mill ! Ye got a rise every year frae your apprenticeship as an engineer. The increase varied by the years from half a crown to about ten shillings. The latter years were the highest increases, as your labour became more valuable. I actually left Esk Mill after three and a half years and ah joined the Royal Navy. So by that time, 1942, ah think ma wage at the mill wis about £3-odds or something like that. That wis not a bad wage, not in those days. Well, the apprentice engineers were gettin' better wages than some of the young mill ones, because we were gettin' a tradesman's rate. And we were gettin' a better wage than some of the adult labourers at the mill.

Oh, they were long hours at the mill but it never seemed tae bother ye, ye know. Ah can never remember bein' tired, because we used tae get on the bikes, or sometimes we used tae get the Dumfries bus up to West Linton to the late night dancing on a Friday night, walk back down Harlaw Moor and sometimes ah only had about half an hour in ma bed and then tae get up and jist have somethin' tae eat and away tae your work. It never seemed to enter your head that you were being restricted in any way, ye know.

The work ah did as an apprentice in the mill wis, well, anything from repairing pumps to steam engines or guillotines and cutters, paper makin' machines. You used tae have tae go in to the cylinders if there were an end broke or anything. Ye had tae go in and cock up the end again, and things like that, ye know. Oh, ye had a variation of jobs and quite a lot of interesting jobs.

At that time, at the beginnin' o' the war, there'd be about six or seven or eight engineers. There wis one other apprentice jist about ready tae leave, the one that wis jist in his last year. Well, sometimes there were a chance o' a job for an apprentice that had finished his time, because eventually ah wis one that wis kept there. But, ah mean, ye had tae wait tae see if somebody backed out. In fact, when that other lad finished his time he went away to the shipyards in Glasgow. Of course at that time, wi' the war, they were clamourin' for them, there wis plenty jobs for engineers.

When ah started at Esk Mill ah think there would be about 700 and odds workers there. 'Cause there were three shifts, ye see, and they had a coating department as well. Oh, yes, ah think there would be round about 700. That would be including office staff. There was quite a number o' women, but there were a lot more men than women. The women were in what we call the finishing side – overhauling, and the cutter houses and places like that. There would be quite a lot o' women on the overhauling. And they were in that building the French prisoners o' war had been in in the Napoleonic Wars. That was what they called the plain salle. That building was there until the mill closed in 1968 and they knocked it a' down. The prisoners had maybe tried tae make the building collapse but, ah'll tell ye, they had little chance o' it, 'cause the walls at the bottom were three feet thick ! [206]

As an apprentice ah went to evening classes, well, two – ah went for mathematics and technical drawing, two different nights. And that wis to the local school. Loanhead was the actual engineering class, because of MacTaggart, Scott, the engineerin' firm bein' there. They had a bigger quantity o' apprentices. So they run the school down there. And then after you did two years there you went to the Heriot-Watt College in Edinburgh. I did three years at the College there, mostly after the war.

Ah wis in the Amalgamated Engineerin' Union as soon as ah began as an apprentice at Esk Mill. Well, most o' the men were in it, ye see. Ah would say there was six o' them in the union then. And there wis two o' the engineers really old, ye know, and they probably never had been in unions. Well, they jist never bothered to join, that's what it would be. But there was no difference made wi' them at all. They were jist accepted. Ah don't think it wis ever mentioned to them. They were jist accepted that they had been there a' their days. The union wis never really brought intae anything. I mean, well, the Browns or the Jardines that wis there then in management they were members o' the paper makers' Federation, ye see. And we jist got the paper makers' Federation agreein' wi' the unions, and that was that. It wis the wages that came in.[207] And ye occasionally negotiated certain local things on your own. But there wisn't active trade unionism, wi' arguments and disagreements. There wis nothing like that, there wis never anything like that. And when you went in tae the mill they said to you, 'Well, you might as well join the union' – because it only cost boys at that time 2d. a week, ye see. But it covered you for accidents and things like that. Ye had legal representation if ye had any disputes or anything.

Ye got one week's annual holidays in these days – one week unpaid ! Everybody got a week. The engineers and the other maintenance people had any choice o' week other than what they called the shut. They called it the shut, well, in Esk Mill it wis always the first week o' the Glasgow Trades. Of course, the Glasgow Trades wis only a week in those days, too. That wis the second week in July. The Edinburgh Trades wis the first week in July. The reason why at Esk Mill we didnae take Edinburgh Trades was we needed Bertram's and Miller's Foundry of London Road there tae regrind our rolls and everything, and if they were away on holiday ye couldnae get them in. So we took a week's holiday sometimes in August or June. I used to prefer June because you had the longer light nights and everything. Then ye got New Year's Day – Christmas was unheard of ! Oh, in the whole o' Scotland, ah mean, ah would say that wis normal in these days, till after the war. And New Year's Day wasn't paid either !

Well, ah carried on at Esk Mill until at the end o' 1942 ah went into the navy. Ah wis jist eighteen. Ah volunteered, ah didn't wait tae be conscripted. Well, the trouble was that they were takin' an awfy lot into the army and the RAF and ah didnae want tae go in there, ah wanted tae go into the navy. Well, ah thought that ah would get in at a trade in the navy, ye see. The navy seemed to be the most likely tae take ye in at a trade. Ma friend Davie Frew he wanted the navy. But he wis called up jist before me and he wis put in the army. And ah thought, 'Oh, that's no' goin' tae happen tae me.' Ah didn't have any members o' family that had been in the navy. Ma father wis in the Argyll and Sutherland Highlanders in the First War. One o' the times he came in to Waverley station in Edinburgh tae see me back off leave, he says tae me, 'Ye know,' he says, 'ah always wanted tae go into the navy.' And ah never knew that till he told me that.

So ah went in tae Queen Street in Edinburgh tae volunteer for the navy. When ah went in at first they said, 'Oh, they're no wantin' anybody for the navy.' And ah wis sent in for an interview in the RAF place, and they said,

'Oh, we could get you into so-and-so or so-and-so.' I said, 'No, ah'm no' interested.' 'Well, ye can go away but they'll jist call ye up', ye see. So when ah wis comin' out the door ah saw a naval regulating petty officer standing. Ah said, 'Excuse me,' ah says, 'is the naval place closed ?' He said, 'Who told ye that ?' Ah says, 'These SPs when ah came in the door.' 'Dinna listen tae them, son,' he says. 'Away ye go in there,' he says. And when ah went in the boy says, 'These b. . .' he says, 'tryin' tae get more intae the . . . ' They jist took me right away for the navy. He says, 'We'll give you a wee medical,' he says, 'it's not very much,' he says, 'but you'll get a proper medical.' And then ah got the other medical and within about three weeks ah got word tae go tae Chatham.

Well, ah wis there at Chatham for six weeks. Durin' that time ye had one or two courses on guns and stuff like that, basic training and square bashing. Well, ah'll tell ye, ye got about half an hour ! As long as ye were prepared to listen and do damage control, which wis shuttin' doors and lockin' your mates in if the ship wis damaged, as long as you passed out on damage control they werenae really interested in your square bashing as long as you could look after a ship, ye see.

Ah took the test for Engine Room Artificer. And when we passed out ah wis interviewed by a rear admiral. He was related to the Galloways, the paper mills people at Balerno. And when he knew where ah came from and everything, he said, 'By the way,' he says, 'you've passed with quite a high percentage. Of course,' he says, 'we expect that of paper mill people.' And he says, 'Ah think ye should go in as an ordnance artificer.' Ah said, 'Oh, ah wis thinkin' about engines and that.' 'Oh, ye can get engines anywhere,' he says. 'I think you should go and specialise,' he says. 'Ah'll put ye in as an ordnance artificer tae start with. See how ye get on.' So that's how ah started off as an ordnance artificer.

And then they had a crisis o' men for the Fleet Air Arm. And they asked, oh, a lot of us in the ordnance artificers to transfer to ordnance in the Fleet Air Arm. Then we were sent on a course of torpedo gyros, to learn how to set them and everything. The engine hadn't to start before the torpedo was in the water, because if it started a minute before it seized up. It wis a' air driven, ye see.

Ah wis sent to Lee-on-Solent, and then we went up to near Blackpool on an Avenger plane turret course. There was a card in there so that the rear gunner could fire all the time, but when he came in line with his tail plane the card cut the gun off so that it passed it without shootin' the tail off. And then of course there was the D-Day invasion started after that, and we were a' down at Lee-on-Solent again for a while. Then a big crowd o' us were all packed up to Invergordon. They were loading the stuff up there because they were going to across to the Norwegian side to make a Second Front that would draw the Germans away a bit from France. But in fact, once they saw how well they were gettin' on in France, ah think they jist forgot about the thing wi' Norway, because a lot o' them were transferred to the Japanese area after that.

So ah wis up at Invergordon till ah wis demobbed. Of course, when the fightin' really started to collapse a' the volunteers were offered discharge, ye see. They asked if ah had a job tae go tae, and Esk Mill wrote and said they were prepared to take me back. They had tae take ye back. So there wis no problems after that. Actually Esk Mill wrote to the navy and asked if things weren't too bad they could get a loan o' me, because they were going to try and get another paper machine going. They had shut down two machines, and they wanted tae try and get another machine goin' but they hadn't enough men to start it up and get it maintained and everything. So ah came home for six weeks to work on that machine in the mill. Officially ah wis still actually paid by the navy, not the mill. There were bound to be some others like that, because that wis part o' the agreement. Ye got a wee bit rehabilitation course if the company agreed tae take ye. It wis when Esk Mill heard about this they thought, 'Oh, we'll do it.' The course wis supposed tae be for a fortnight, but mine extended to two or three weeks. Then ah went back in the navy for a wee while again until ah wis demobbed jist after Japan surrendered – it wis probably the October o' 1945. Oh, there wis a lot o' them demobbed at that time. Ah had ma 21st birthday at Invergordon. Ah wis a chief petty officer. There wis a lot o' them at that age. Well, durin' the war ye had promotions. If ye took the test and everything and there wis a vacancy ye jist got the vacancy. When ye passed your trade test you automatically have a petty officer rank. And, ah mean, ye've jist got to wait your turn to get your chief weighting. Ah wis jist a chief. There's a chief first class, who is above everybody else. He was big.

Ah never thought o' makin' the navy ma career. Well, while ah wis in there ah never thought anything else than that ah wis in the navy and ah wis goin' tae do ma job right. In fact, one o' the old warrant officers, Mr Bush, said to me, 'The way you went about things ah thought you were a Regular.' But ah didn't seriously think o' remainin' in the navy after the war. Mr Bush, the warrant officer, says to me, 'Whatever you do,' he says, 'don't take warrant officer. It's the worst paid job in the bloody navy. You've got the officers' mess fees,' he says, ' and ye're the lowest paid o' the whole lot. If ye're goin' for it,' he says, 'go for lieutenant engineer. Don't take warrant.' That wis good advice, but ah had no intentions o' goin' anyway.

So ah came back tae live and work in Penicuik, no hesitations. Ah didn't feel unsettled comin' out the navy, ah just seemed tae get down intae it and forget about it. Ah didn't have a long demob leave, ah got stuck back intae work right away. The Esk Mill management accepted that ah had completed ma apprenticeship. Ah had a letter from the Royal Navy sayin' 'This man has served his time completely and satisfactorily.' And they endorsed it in the mill, so there was no problems with that. When ah came back ah wis a fully trained journeyman. Ah remained a journeyman engineer at the mill until it closed down in 1968.

The differences in the mill when ah came back in 1945 and in later years from when ah had started there in 1939, well, all the engines were away. Most of the stuff was driven by electric motors. And I heard that durin' the war, while ah wis away, they had tried various different types of pulp and experiments with esparto and straw and nettles. Oh, they tried nettles at one time durin' the war. But these things had never really worked. Straw wis used but the only trouble wi' the straw wis that the knuckles didn't bleach out and ye could see the wee brown knuckles o' some o' the straw in the paper. Well, it saved them burning the straw anyway.

And the number o' workers in the mill were reduced a wee bit on some o' the jobs. But they still more or less had the same system wi' the cutters and things like that. One man ran the cutter and the girls kept him and everything like that. But after the war Esk Mill hadn't really gone into automation, the same as some other places had. It wis a bit slow tae take up new practices – except that they built a new two-storey coater, a new coating machine. That's probably why they were out o' pocket at the hinder end, because it went in one end and it came out the other end double-coated and everything. And they had a calender tae thingmy it, and ah think it wis jist a wee bit too quick, a wee bit before their time with it. And, well, they were overstretchin' theirsels on it. Ah think that's what really put the blinkers on them eventually.

And of course they bought over Springfield Mill at Polton, further down the river Esk. And they re-developed it and they extended the machine there and put extra cylinders and everything in, altered the roof and put a new roof on and everything. It wis a lot o' money they spent at the time, jist about the same time as they bought this new coatin' machine. Springfield was a two-machine mill and that's all they had – no coating side or anything like that. Whereas Esk Mill had four machines, and it had coating machines as well. At Springfield there wis three shifts at the machines wi' maybe four men on each shift – oh, there would maybe be about 150 workers there. That's includin' office staff, cutters and everything. It wis about the size o' Dalmore Mill, something the same.

Ah couldnae really tell you how much paper Esk Mill produced each week or each month or each year. At one time they used to say that by the middle o' the week the two big machines had paid for all the staff work and everything like that, and the two small machines and the rest o' the week wis all profit. But what the weights o' paper produced were ah couldnae really tell you, ah'd only be guessing.

After ah came back from the navy ah went back to evenin' classes for three years to Heriot-Watt College. Ah took these special courses and everything. Ah did metallurgy and we did a course on boiler house management and all these things. Well, it jist gave me a degree in metallurgy. It wasnae a full degree, it was just a qualification in metallurgy. Ye see, in the mill ye had steam boilers, turbines, everything. Ye really had a big variety of jobs. When they put the electric turbines in they did away wi' the steam engines and everything. There wis a transition period.

The hours when ah came back first from the war, well, they had changed it over to eight o'clock in the mornin' tae five at night. Ye only had the one break, ye see. That must have jist happened at the very end o' the war. That made a big difference, too. We were still subject to the maintenance routine. But if it was a big job they did it on a Sunday, because there was a rulin' came in eventually that ye got paid the same double time for the Saturday afternoon after twelve o'clock, the same as you did on a Sunday. So it didnae make any difference to them when it wis done, provided it wis done. So it wis better from our point o' view after the war. Ye could get away on the Saturday.

As ah say, ah wis in there at the Heriot-Watt College for three years after the war. That wis on top o' the workin' day. It wisnae till quite a while after we come back they started day releases. But ah never fell asleep in the evenin' classes ! You always seemed to have somethin' goin'. In fact, on a Wednesday night at the Heriot-Watt we had technical drawin' and you finished at eight o'clock. And we used to run round tae the Empire Theatre and get the second house in the Empire, and then get the last bus, the Peebles bus, home to Penicuik. We were awfy lads in those days. Half o' them nowadays would be dead beat wi' that.

Ah couldnae tell ye what the wages were when ah came back from the navy. It would maybe be somewhere round about £5 or something like that. Ye see, it's hard for me to tell you, because we had a lot o' overtime at times. And ye didnae always know what your basic was. Your wages would vary from week to week dependin' on your overtime.

As ah've said, before the war you got holidays at Esk Mill – everybody got a week, one week unpaid ! But after we came back from the war we did get paid for the week's holidays. That wis another huge improvement after the war. Then later on it wis a fortnight's holidays. And then, too, we got paid for New Year's Day, which before the war wasn't paid either. But it wis quite a while after the war before we got the Christmas Day holiday. Of course, ye see, holidays didnae always affect us as engineers and maintenance people. We had always days in lieu, ye see. And ah couldnae give ye an exact date when it came in as official. The same with public holidays, ah mean, the mill got a public holiday but we didn't get it as maintenance workers. At the latter end there ah had about 37 days, includin' ma fortnight's holidays, tae get worked out. And it took a bit o' doin' through the year tae take them off, because there were maybe a project comin' up and ye worked out how tae do it. Well, what ye did was, the boss used tae say, 'Measure it all up and give us an estimate of what stuff you're needin' for the job and everything.' And then if it came in they wanted it yesterday ! They wanted tae get on wi' it, no delays in production.

Ah renewed ma membership o' the union when ah came back from the war. But ah wisn't active in the union, not really. Ah mean, ah wis nominated as a referee. It wis only in disputes but they called on you as an unbiased member, ye see, because you were outside the paper workers' union and you were outside MacTaggart, Scott's. If MacTaggart's had an argument – and the boy that wis in charge o' the engineers' union wis stationed in MacTaggart's, and if he wanted an independent view at the meetin', you were called. The ones that were referees were called in to settle this, because ye had nothing o' interest to watch for in MacTaggart's, no axe tae grind. That's how they worked it. That's what ye were supposed tae do anyway.

The two old engineers at Esk Mill who hadnae been in the union they retired as soon as the mill got enough men back from the war. They had been more or less waitin' to retire then. They were beyond normal retirement age. There wis quite a few men in the mill even then that were over the retirin' age. Ah couldn't tell ye about women over retirin' age, we hadnae much contact wi' them. It wis a tradition at Esk Mill that men stayed on if they could. But of course as more young ones came back from the war tae the mill they kind o' tried tae encourage them tae go. Oh, there wis no compulsion to retire until they brought the pension scheme in. Then of course that wis a stipulation that you had to pack up. Prior tae that there wisn't any kind o' company pension scheme in ma earlier years in the mill.

There were one or two accidents in the mill. Ah don't remember any fatal accidents, but I remember one or two men gettin' their hands off and their arm off. One o' them would be before the war, the other one was after the war, because he came back from the RAF this chap. His hand caught in one o' the calenders. The other one he went into a cylinder. He wis leading the paper in and he put his hand too far up and the felt drew him up. He lost his arm.

The machines in ma opinion were reasonably well protected. If you did what you were supposed to do it was reasonably safe. But there wis always some o' them that wis tryin' tae rush it a bit, ye see. I mean, the calenders and things had rolls on them. If your finger went in and it touched the top roll it reversed and threw your fingers out. We used to set them up like that, but I never put ma finger in. Ah used to put a bit something in and see it stott out again – ah never tried ma fingers ! But the man that put them in did that – but whether he put them in and pulled them out, ah don't know. But, ah mean, ah said, 'No, no,' ah says, 'ah'll get somethin' else !' But we used to set these up, because if the paper bunched at times it used to bounce out, ye see, and ye had tae go down and re-check them and set them up again. Well, while ye were doin' that what they did was they by-passed that one section. If you worked in that section then when you were ready they'd come back into it again. It had to be safe. But the machines in general were quite well fenced off. Well, ah mean, in the olden days, before the war, they used to oil through the wheels: in, out, in, out. But after that there wis none o' that, it was all oiled by pumps. But there wisnae a lot o' workers that ah knew of before the war who wis minus fingers, hands or an arm. In the time ah wis there ah never knew a fatality.

There wis no religious sectarianism at Esk Mill, not that I know of. Because, ye know, there was a foreman, Jimmy Ketchen, a Catholic. He wis in charge o' the guillotine department. And there was a foreman in the one church. They were in different churches. So to me there was no difference at all.

Maybe one or two o' the workers in Esk Mill were politically active. But the biggest thing in the mill was Liberal in this area before the war. The Liberals were the ones in these days that were active. Oh, there wis one or two Labour but there were more Liberals. Ah cannae remember Conservatives in the mill before the war at all. Ah can remember after the war some o' them comin' to the gate to talk – but not before the war. Ah don't remember any Nationalists, SNP. Well, the only one ah remember wis Wendy Wood. She used tae come intae The Square in Penicuik maybe once or twice a year.[208] But ah don't remember anybody SNP in the mill, and I don't remember any Communist Party members in the mill. Oh, the mill wisn't a place o' political activity, ye never heard them talkin' politics at all hardly. Well, Liberal and Labour wis the only two that ah can really remember them talkin' about, ye know.

At Esk Mill there wisn't friction between management and workers. There wis a relaxed, happy atmosphere. Ah enjoyed ma work, oh, we were quite happy. The Jardines came round the mill and spoke to people. One o' the Jardines stayed jist at the top o' the hill overlookin' the mill, and the other one stayed right up overlookin' the cricket park. Sometimes they were down, ye know, jist seven o'clock or something like that. But there wis no set time for them coming. And then earlier on there wis another one from Edinburgh, William Jardine, Major Jardine. He was the one that was really in charge till he died, and then Jim Jardine took over when he died. Ah think that Major William Jardine would be the father probably o' that John Jardine that eventually came in. But ah couldnae tell you that. But, ah mean, they were very friendly because, well, Jimmy Young and I used tae go fishing together. And Edward Jardine used tae give us a pass for his private water out at Ettrick Head on the river Ettrick, for the salmon – provided there wis nobody else wanted tae go. Oh, when Edward came round in the mill he always spoke tae ye, he never walked past ye. He talked tae everybody. Well, the big one, Jim Jardine – he wis tall – had died durin' the war. Edward wis, oh, a good foot and a half shorter than his big brother Jim. And then after the war later on Edward retired. And then there wis a crowd that took over – now who was it ? One o' them was connected wi' that crowd out at Balerno – Saxa Salt or something. There wis somebody from there was in wi' them. There wis a younger crowd o' directors came in, well, they must ha' bought in in the shares, ye see, or ah expect so. I couldnae tell you directly, ah wisnae really intae that. But the owners o' the mill when ah first went there before the war were the two Jardines, well, they were the principal shareholders as far as we knew. And before that the Browns, whoever they were, of James Brown & Co., must have been, well, related in some way to the Jardines. That must have come to them, ye see. And whether it wis them that pushed for a' this development or no', ah don't know. But that's when it all went wrong.

So ah remained a journeyman engineer at the mill until 1968, when it closed. We got no warnin' o' the closure. In fact, they bought a new safe for the office. A squad of us took it up the stairs and everything into the top office. And somebody says, 'They've got a notice on the gatehouse saying it's closin' and the receiver's coming in.' We says, 'They cannae be doin' that. We've jist put a new safe up the stair.' That's how it wis. That's how we knew about it. Well, ah don't know about consultations wi' the unions, whether they knew or not. But we certainly didnae know. If they did know they didnae tell us, that's what ah'm sayin'. Oh, we got a shock. Well, Esk Mill wis tae go for a fortnight wi' the receiver, to see if they could get somebody to take it as a goin' concern. Nobody did. So that was that.

We got redundancy for the years ye had been there, ye see – which in those days wisnae a lot. Ah'd been 26 years in Esk Mill. Ah wis aged 44 then. After ye were over 40 ye got double – two weeks instead o' a week and a half. And ah only got about two o' these or somethin' like that. So it wisnae a huge sum.

Well, ah went intae Edinburgh and there was a sweetie factory in Fountainbridge were lookin' for a maintenance engineer. Ah went in there and saw them and, 'Oh, yes, we're needin' a man, right enough.' And then Bertram's o' Sciennes in Edinburgh, the engineers, contacted me and ah wis goin' tae get a job in there. But on the Sunday morning I was down getting papers in Penicuik, ah came out o' the paper shop and I walked down to Valleyfield jist to have a look. Ian Mackay was the chief engineer in Valleyfield and he stopped his car and he says, 'Excuse me,' he says, 'you're in Esk Mill aren't you ?' I said, 'Yes.' He says, 'Ah never saw you when ah wis down there lookin' for men.' I said, 'Oh, ah'd probably be down at Springfield. We were loading some o' the cylinders on tae a lorry for takin' away.' He says, 'Well, what are ye doin' about a job ?' Ah says, 'Oh, ah've got more or less taken on wi' Bertram's in Edinburgh.' 'Oh, you dinnae want tae go in there,' he says. 'Come down and see me.' When ah went down tae Valleyfield he more or less had a paper out ready for me tae fill it in ! We agreed on a wage and everything. He says, 'Don't tell any o' them down there what the offers are or anything. And make arrangements down there tae come away next Friday,' he says, 'and start here on the Monday.' He says, 'Ah'll send a man down tae pick your stuff up,' he says, 'so don't you worry.' Right enough, Ian Mackay was as good as his word. I jist left Esk Mill on the Friday and started down there at Valleyfield on the Monday. Ah wis very fortunate.

It's amazing: most o' the Esk Mill crowd seemed to get settled up very quickly.

Well, Dalmore Mill had been re-developin' a wee bit, and they took quite a few down there, ah would say twenty anyway. Dalmore wis a much smaller mill so that was a big lot. And Valleyfield, wi' Pomathorn bein' goin' at that time, took quite a lot o' the women from Esk Mill. And then the Edinburgh Crystal started at that time in Penicuik and they took a lot. One or two o' the maintenance men went there as well, and one or two went to Inveresk paper mill at Musselburgh. Most o' the engineers got other work when Esk Mill closed. Thyne's, the plastic place, was in Penicuik as well at that time. And they took a lot o' the fitters and that there then, too. Ah think maybe some o' the Esk Mill workers that were near the pensioning age would be a wee bit. . . But ah can't recall anybody that wis under 60 or about that had to wait very long for another job.

When ah started at Valleyfield in 1968 ah didn't really find very much difference from Esk Mill, because I knew most o' the men in there anyway, because we used to have an annual bowling match together – one Esk Mill black squad against a Valleyfield black squad. So we all more or less knew one another. And ye jist fitted in. In fact some o' the older men in Valleyfield jist treated me as if ah'd been there a' ma days. Some o' the younger ones thought, 'How he's gettin' this to do – better jobs than we're gettin',' ye see. But it wis jist because o' your experience. The boss knew your experience and he didnae take ye on tae give ye all the wee jobs. He got you to do the job he wanted you on.

At that time there wis about 28 fitters and three turners, two blacksmiths, and a welder at Valleyfield. And there wis five joiners, two plumbers, and about seven or eight electricians, and two instrument electricians. That was on the technical maintenance side. Oh, it was a bigger squad than at Esk Mills. Of course, at that time Ian Mackay, the chief engineer, he was gettin' ready to build his own twin wire. Well, there were two wires and two flats and the undersides met together and it made two top sides showing on the paper – a better quality o' paper.

A lot o' the paper made at Valleyfield wis jist the same same paper as wis made at Esk Mill. But there were certain types that were totally different. They had specialist papers that were completely out one another's side, ye know. But there wis a lot o' the paper exactly the same. So from that point o' view ah didnae find any big difference at Valleyfield.

And a' the cutters and everything like that, ah mean, ah had worked on, oh, various cutters and things. They had no problems. The man that was lookin' after them wis off jist two or three weeks after ah went tae Valleyfield, and they got a problem. One o' the older chaps came tae me and says, 'Alex, ah can't jist see what's wrong wi' it. But ah know you were in Esk Mills,' he says. 'Could ye jist come up and have a wee look?' So ah went up with him and ah had a look at it and we got it away. I says tae him, 'Well, ah'll tell ye one thing,' ah says, 'it's on its last legs.' Ah says, 'If it gives again,' ah says, 'ye'd be better tae get it changed.' He went tae the foreman and he says, 'Alex thinks ye should get it changed,' ye see ! And that wis when Jock Warnock says tae me, 'Alex, ye've got yourself a job.'

So ah didnae find all that much difference workin' at Valleyfield. There wis quite a friendly atmosphere. When ah went there of course in 1968 Reed's wis jist taking over at the time, and there wis a difference there, ye know. They had started tae take over before ah went there actually. And ah think among some o' the old Valleyfield hands there wis a wee bit o' animosity to the men that Reed were putting in and things like that. Ye could feel that they thought, 'What is this ?' or 'Oh, what does he know about it ?' But, ah mean, as far as ah wis concerened ah saw no real differences, because it didnae affect me because ah hadn't worked under the other people.

Valleyfield wis a bigger mill than Esk Mill, the work wis on a bigger scale. There were well over 1,000 workers at Valleyfield, ah think, that's includin' Pomathorn, when ah went there. It wis about 1960, jist the early '60s, when Pomathorn started up. It wis a huge place.

Well, ah worked as a maintenance fitter, and then before Valleyfield closed ah wis made up as assistant foreman. That wis the highest rank ah reached in the paper mills ! When ah went tae Valleyfield it wis the Reed pension scheme ah went into. It was a good scheme, the Reed scheme.

Oh, they knew the closure o' Valleyfield wis goin' tae come. Reed's wis havin' bother wi' their paper sections and everything, and they knew they were sheddin' and slimmin' down. Well, hearsay anyway, they had seemingly come over pollution or something in Canada and this all was costin' them money in gettin' it all sorted out. So there were rumours. The closure wisnae as sudden as at Esk Mill. Well, ah mean, they shut Pomathorn in 1973, two years before Valleyfield. Well, they wanted the workers tae go on tae a four-shift system. And why they didnae do it ah don't know, because Dalmore Mill had already gone on tae it. Whether the workers thought the redundancy wis better than the thingmy, ah don't know. But Reed's eventually closed Pomathorn, as ah say. But it wis mothballed. There wis nothing sold out o' Pomathorn till after the whole o' Valleyfield wis closed. There were no machines sold, there wis nothing moved till the whole mill shut in 1975.

Well, ah think there was one or two o' them at Valleyfield that were unemployed for a wee while – more than at Esk Mill. Of course, there were more workers at Valleyfield. But funnily enough quite a few of them – the machine crews and that – seemed to get jobs in the post office as postmen. There wis a lot o' retirements from the post office coincided wi' Valleyfield closin', that's what it was. There was quite a lot o' old men at that time in the post office, and the Valleyfield workers they jist happened tae be lucky at the right moment tae get in. But, oh, there would be quite a few men and women at Valleyfield left without a job. But, as ah say, the Edinburgh Crystal and the plastics works were there at the time and they took some o' the backlash, ye know. Dalmore Mill they wouldnae take a lot then, because it wis a small mill. Of course, most o' the workers I knew were either paper makers, machinemen, or in the trades or something. And ah knew that most o' them had been fitted up wi' other jobs. Some o' them were about a year though before they did get fitted up. Oh, it was a very serious position. Ah mean, even wi' the redundancy money, it's always rottin' away if you're usin' the money all the time. It's a' right if you get a job right away.

The closure o' Valleyfield definitely made a big impact, well, ah mean, a lot o' the shops, food shops, well, wee corner shops we would call them, and that kind of thing that had been down Bridge Street and that, they closed down because there wis no workers goin' up and down the street. It definitely made a big impact on the town. But by 1980, five years after the closure, there weren't a lot o' people standin' about the streets who hadn't found another job, well, not that ah know of.

Ah wis fortunate. Ah got a job at Valleyfield as site engineer right up tae the very end. Ah wis there till December 1980. There were two of us there, two foremen that wis left, and we were left tae help Norman Reed and the cashier to check everything out and sell everything off. David Sked, the other foreman, died of a heart attack. And ah thought they would probably take the chief electrician, George Watson, who was still there at that time, because he was senior. But Norman Reed said he wanted me because ah wis on the mechanical side and knew more about the water and everything that was coming in and out of the mill. Norman Reed, it wis jist a coincidence, his name – same spelling but no relation at all, unfortunately for him probably, as ah said tae him ! – he wis sales director, paper, for Reed International. He was sent up tae Valleyfield to supervise the closure and sell-off. We didn't dismantle the machinery. They had to contract to get it dismantled when they agreed on a price. And all we did wis tell them why it wis good and what they could do with it, things like that.

There wis four machines at the time o' the closure, includin' Pomathorn. The Pomathorn machine was broken up. It wis broken up into different sections. It went to two or three different places. The cylinders went tae one place, the calenders went tae other places. It wis jist how the market wis at the time, where ye could get a sale. No. 4 machine in Valleyfield went tae Peru. No. 2 machine went out the Calders way, ah forget the name of the place – out west, in the double sense ! The twin-dryer went there, 'cause I went out there and saw it running after it wis sent. Bob Dobie, the chap that wis there, had taken over from John Frew at Esk Mill before it had closed, and Bob Dobie asked us to come out and see it after they had built it again out there and it was running. John Frew at Loch Mill, Linlithgow, he came tae Valleyfield and bought some stuff as well. Of course, Dobie and them, knowin' me, were aye lookin' for a bargain, ye see. Ah said tae him, 'We always tell you the truth – what it's done and what troubles we had wi' this.' So it wis always very fair wi' them anyway. In fact, the Dalmore boys they bought stuff as well and I explained everything to them as well.

And then there wis supposed tae be a paper makin' museum comin' out some time or other. And there were parts o' machinery that wis taken away tae somewhere down about Dalkeith for storage. Part o' it was a humidifier. Where it went and where it wis stored ah never really found out. Well, it could ha' went to some o' these places at Newbattle Abbey – huts owned by the museums. It definitely went somewhere. [209]

From 1975 tae 1980 we were in the old school down at Valleyfield. We used that as the office and headquarters for everything. That's where we all ended up. There wis four of us. We watched the mill chimney brought down and everything like that. It wis actually demolished before we left.

As ah say, the Dalmore boys bought some stuff from Valleyfield. And ah think that wis one o' the reasons why, when eventually ah did look for a job in 1980, they says tae me, 'If ye're wantin' work jist come down tae Dalmore.' So I ended finishin' up ma time down there at Dalmore. By the time ah finished at Valleyfield ah wis 56.

So ah went then from Valleyfield down to Dalmore. Ah wis never off, never unemployed. Ah got ma full redundancy, and at that time ye got eight weeks' severance pay – everything, I got everything. Ah finished up there at Valleyfield on the Friday night and ah started down in Dalmore on the Monday morning. It wis New Year. Ah says tae the boss at Dalmore, 'Are ye wantin' me no' tae come till after New Year ?' 'No, no,' he says, 'if ye can come in and work the New Year holidays,' he says, 'that's when we want ye in.' 'Oh, well,' ah says, 'right.' It wis the maintenance time, ye see.

Dalmore wis a much smaller mill than Valleyfield or Esk Mill. At that time in 1980 when ah went there it wis a one machine mill. But then they purchased about a four feet machine – a wee machine – for speciality papers. Because it wis an awful waste of time on their big machine to run two or three ton of thir specialty papers, which they were famous for. So then they made them on the small machine, and the big machine could have a big run. Of course, bein' on the four shift system at Dalmore it runs continuous. They have a shut day maybe once in ten days or so, and then everybody has to get any jobs done and get it started. That's a complete wash-up and everything.

The differences ah found between Dalmore and Valleyfield and Esk Mill wis, well, in Dalmore your contact wi' the management wis far closer than in any o' the other mills, because they were there all the time. They were always goin' about and speakin' to the workers. Young Gordon Wallace was managin' director there at that time, and his father Charlie came up at times, too. Charlie he wisnae completely retired, he wis partially retired. But he used tae come up and talk and blether away. But he knew all my connections in the paper mill, ye see. He knew that I was connected to the Cairns who were in Waterlow & Sons, and all this. He knew a' your background. They thought it wis important tae know your background, tae let ye know that they knew all about you, who you were, and everything. He asked how so-and-so – relations o' the Cairns, ye see – was gettin' on. Ah think it wis jist to make you feel at ease, because, ye know, they made you feel far more at ease. It wisn't so that they could control you, they were bein' genuinely friendly, they were really friendly, oh, they were. I would say Dalmore was very, very friendly, even more so than Esk Mill or Valleyfield, because, as ah say, ye had far more contact wi' all these people than you had in Valleyfield and Esk Mill. Ah think that wis because Dalmore wis a smaller mill. Ah think there wis about 135 workers or something, that included everybody, all the shifts, when ah went there. It started in 1873.[210] And it wis a family concern, ye see. It wis the Wallaces and ah think another two people or somethin' that had it then. Then it was taken over by James River, USA, in 1989.

Ah did much the same kind o' work at Dalmore as at Valleyfield and Esk Mill – maintenance. And at that time, well, they didn't think they had enough work for a plumber, so ah wis doin' water engineer for them. But most of the pipes were big six inch plastic pipes – not a plumber's job anyway, though in industry a lot o' plumbers do these. So we did most o' that for them as well. That wis further experience for me. Oh, well, we had started doing it in Esk Mill and that. We used to help the plumbers wi' these jobs, 'cause they only had two plumbers as compared wi' the number o' engineers. But that's what ah'm saying: most o' the units in the other two mills worked together. There wis never any animosity like 'That's your deadline. You don't come across it', ye know – no demarcation. And it wis the same at Dalmore. But eventually they got a young boy, a plumber, when Dick's collapsed, and they thought, 'Oh, well, we'll jist take him on.' [211] So they took him on at Dalmore and ah showed him all the mill work, and then he could do their property work as well, ye see. And when we got him settled down ah says, 'Well,' ah says, 'ah think ah've done enough. Ah think ah'll take a year's early retirement.' So ah went and saw the personnel and he said, 'Oh, if you want, Alex, it can be arranged.' So ah wrote to the pensions people at Newcastle and asked them how much it would cost me to pay to keep ma old age pension the same as it would be if ah worked the whole followin' year. Ah got a letter back sayin' that ah didn't need to work that year as ah'd already overpaid it ! And never having claimed for unemployment or anything, ye see, they said that it would make no difference at all and ah didn't need to pay anything. So ah took early retirement. Ah have no regrets about it, because, ah mean, wi' the garden and everything there's plenty to do.

And then ah wis only about six month out and the primary school came down one day and asked me to give them a wee talk on paper mill engineering and stuff like that. But when ah wis there ah said to the teacher, 'Would you like to get them down through the mill to have a look at it ? It could be far better,' ah says, 'because they could give ye a wee lecture in the canteen, wi' slides and everything. It would be far more interesting to the children than what ah can tell you.' So they arranged it on a yearly basis. And the people at Dalmore get so many o' the shift men tae come in and take the pupils round the mill.

Well, it's sad that Penicuik, The Paper Makin' Town, has only one mill now, one small mill, the smallest of the three.

But Dalmore give you quite a good present at Christmas, ah'll say that about them. They're a very, very good firm. In my experience they are the best o' the three to their ex-workers.

Ah never have any regrets that ah worked in the paper industry. Ah never once looked back on it, ye know, as something that ah didn't want to do or anything like that. Ah mean, ah've always been quite happy and, as ah said, it's always provided me with quite a good living. Well, wi' startin' in the early hours at six in the mornin' when you came into working overtime and that, ye jist took it in your stride. You jist said, 'Well, it's part o' the job.'

Sometimes ye got new people coming in and they said, 'Oh, God, ye cannae work a' that time on a Sunday or anything like that.' We said, 'Well, ye shouldnae have taken the job if ye don't . . .' Ah says, 'It's part and parcel o' the job.' Ah says, 'They're keepin' you half the time through the week strollin' around lookin' at things tae see how they're doin' checkin' that they're no' overheatin' or anything like that.' Ah says, 'They could get anybody tae do that. But,' ah says, 'they need ye at the weekend to do the graftin', changin' the old shafts and changin' ball races and things like that.' Ah mean, I used to say anyway that they looked on us maintenance workers as necessary evils. If they could have done without ye it would be great, but they couldn't do without us. They needed ye in emergencies. We used to torment them, ye see: 'Ye jist look on us as necessary evils', and they used tae laugh. Ah mean, maintenance and repairs wis essential. The stock they carried in ball races and stuff was worth thousands o' pounds. Ah mean, there wis a lot o' money involved, it wis a big capital investment a paper mill.

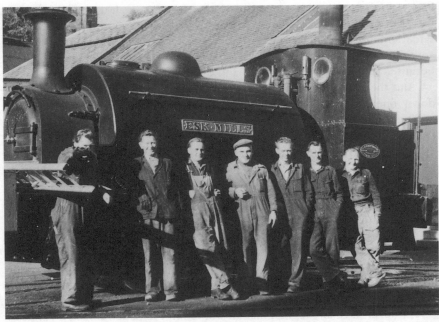

Alexander Ballantyne is third from the right in this group of Esk Mills workers in the late 1950s. George Johnstone, the pug engine driver, is second from the left.

Courtesy of the late Mr George Johnstone.

Mary Bain

I was very sorry to leave school. I'd have loved to stay on. But there were no grants in my day. Mother couldn't afford it. I would just love to have been a teacher, I think. But I knew my parents couldn't afford it. And then I wanted to help them and I left school before I was fourteen. I just wanted to earn something. I wanted to earn a wage to help my mother. I saw a job advertised in the Penicuik Co-operative store and I went after it. And they took two of us on for a temporary job. I'd no prospects. I didn't know if I would be kept on or not.

I was born on 13th of November 1912 at Crawley Cottage, not far from the Flotterstone Hotel, near the Pentland Hills. The cottage in which I was born has now been demolished and two modern cottages have replaced it. I was only six months old when I came to Penicuik.

My mother and father belonged to Wick, Caithness. My father was a stonemason. He was born in 1880 and he served his time with a sculptor, and he worked from six in the morning till six at night, Saturday included, for half a crown – 12½ pence – a week. He hewed the stones. He came south because there was no work up there in Caithness. He came down to the Lothians when, I think, he must have been about 30, and he was foreman mason in the building of the houses at Liberton Brae in Edinburgh. He died in 1948.

There was nothing really for young people in Wick, especially women. The Wick girls all had to come south. There was nothing for them up there. So my mother came south and she was a housemaid to a family in Manor Place, Edinburgh. She knew my father before she left Wick, and they were married before he came down south.

My grandfather David Bain owned a trawler. Wick was a herring fishing town, and he employed a crew on the boat. But he died from a stroke at the age of 49. That was before I was born. I don't remember my grandparents on my mother's side, they were dead, too, before I was growing up; but my mother's father was a fisherman.

431

I had two sisters and a brother. My elder sister Jessie was the head cook in Beeslack House at Penicuik, which is now Aaron House nursing home. Beeslack House employed quite a large staff. I came next to Jessie. And then my younger sister Jean was an Honours graduate in bio-chemistry, and a Salvation Army officer. Her son became a vet. Then I think I was thirteen when my brother David was born. He became an architect.

When we left Crawley Cottage at Flotterstone when I was six months old, my parents got a house in an attic building in what was called Pryde's Place at that time. That was exactly opposite the garage, the public park and the Mill Inn in Penicuik. That would be in 1913, just before the First World War. We didn't remain very long in the attic in Pryde's Place, and I was too young to have any recollection of it. Then we got a house nearby, well, there was a close and a house where there was a shop. That part of the close was called Hamilton Place. Mrs Irvine had an ice cream shop and it was a house next to there we got. It was an outside stair. So we stayed there. It was a room and kitchen and just a very, very small bedroom – you couldn't get a bed in that, it was just a boxroom really. In fact, it was just a closet for hanging clothes. At that stage there were the three of us girls and our parents. There were two fixed beds in the kitchen and there was a recess in the room for another bed. Well, mother and father were in one bed, and Jessie and I were in the other bed. And the front room was kept for visitors, or when we got older we slept there. It was gas lighting. For cooking my mother had a little gas stove at the side of the fire. She had a range which had an oven at the side. She very rarely used the oven. Mainly she did the cooking on the gas stove. There was running water, and a flush toilet outside at the top of the stair. We shared the toilet with the family on the other side of the lobby. We lived in that house in Hamilton Place until I was 23 years old, so that would be about 1935-6. During the later part of our time there my brother David was born, about 1925-6. My elder sister Jessie had left home and lived in at Beeslack House; and David, I think, as just a baby slept with my mother and father. Jessie got her day off from Beeslack House every Wednesday and every alternate Sunday. Then about 1935-6 we moved to a council house in John Street.

I started school when I was five at Kirkhill School. I walked up the hill from Hamilton Place to the school. We came down in time to John Street School, to pass the Qualifying at the age of eleven or twelve. So I was at Kirkhill School until I was about nine, then came down to John Street School. I passed the Qualifying exam. As I've said, I'd have loved to stay on at school. I would just love to have been a teacher, I think. But mother couldn't afford it, and then I wanted to help them and I left school before I was fourteen. And by this time I'd started doing my exams for the lower leaving certificate: book-keeping, shorthand and typing. And I shouldn't say this but I was the only one in class that had 100 per cent in geometry, and that was the Pythagoras theory. But I left the school before I got the certificate, because in the summer of 1926, just after the General Strike, when I was 13½, I saw a job advertised just in the window at the Penicuik Co-operative store and I went after it. And we got tests – pounds, shillings and pence and farthings, multiplication, division, and addition. And 29 others sat the Co-operative store tests and two of us were first equal. We were asked to come back again and we went through the same thing – and we were still equal.

The other girl who was first equal was Lizzie Archibald. She was at Lasswade High School. Her father was a miner, and they came up to Shottstown to stay. There were miners' cottages on the other side of Shottstown. Lizzie Archibald was about the same age as me. I knew her before the Co-operative tests. She was a very clever girl. I was quite friendly with her. Though she had been at Lasswade High School she, too, like me, couldn't remain on at school, for the same reasons as me.

So there were 29 applicants for one temporary job in the Co-operative store as a clerkess. But after the second tests they took the two of us, Lizzie Archibald and me, on for a temporary job. I'd no prospects. I didn't know if I would be kept on or not. And the headmaster at John Street School was most angry. He said of me, 'What are her parents thinking about ?' He sent for my father. When my father went he said to the headmaster, 'I can't afford to educate her.'

So I went to work in the Store and worked for 12s.6d. a week from eight o'clock in the morning till six at night, and to seven on a Thursday and seven on a Saturday, when the mill pays were there. And no computers or adding machines. And I was only one of several excellent counters. But for both Lizzie Archibald and me the job was made permanent right away. I think it was because from the time we started vacancies occurred which made it there was a job for us. So we both remained working in the Store. I stayed there until I was 30.

Well, in the Store they operated the Fielding Wood system. Everybody got a passbook and the members put shares in – £5, £6, or £100. And there was a code put at the top. I think it was Code A if you had £1, and B if you had £2. I think my mother's code was F – I think she had £5 or £6. If you put £100 in, which was in the minority, you got OK as the code. It was an expensive system to work. We had a check office, a room with a head lady, and these passbooks had slips, and they were put through with the sales. One page was perforated and that slip came out with each purchase that was made in any one of the departments. The member was left with her book and the copy of that. We in the check office got all these slips and we had to paste them on to packages and put them into cupboards. The Co-operative

Association included Penicuik, and we had a branch at Loanhead, at Roslin and at West Linton. And we had vanmen who went to these places and they had to work the same system with the Fielding Wood book. But being on a van they couldn't record it, poor chaps. So they had tin boxes and they put it in, and we in the check office got their boxes each morning, and I used to add them up on the adding machine and put them on a file. Sometimes the person would pay so much of the book – £2. And we had to do it twice. The first page was for goods and the second page was for how many paid. And times were very hard, they were.

I remember the General Strike in 1926. I don't remember a great deal. But the paper mill workers used to parade. There was one person who – it was a case of something about their union, I think, and they all went on strike at Valleyfield. I remember people being on strike, in the streets and so on. I remember one parade. And they were all against this chap who had defied them – something to do with the union. Of course, I was only a girl of 13½ then and I was still at school when the General Strike was on. [212]

In the Co-operative store office I think there would be about thirty workers altogether, mainly girls. There was a cashier. He was a man, John Jack. He was really the most senior person in the office. Then there was a general manager, Mr James Cochrane. He was quite a reasonable person. I was happy in the Store. I liked it. It was a very friendly office, and I got on well with the other members of staff. I was quite happy, because it was a nice place to work in and it was near home: I had no travelling, it was just walking back and forth to work. And we got paid holidays. For a long time it was just one week we got, and then I think it went up to two weeks before the war, maybe about 1935-6. But we always got paid holidays. We also got one day's holiday at Christmas and one day at New Year. But we had long hours.

And then, my people having come from Wick, I had an old aunty, my father's eldest sister, in Wick. I always went there to stay with her on my annual holiday, and I had to get away on a Friday night from the Store and I couldn't work on the Saturday, because I went up on the night train to Wick. But having got away on the Friday I had to come back to the Store and work to make up the Saturday.

In the meantime I went to Skerry's College night school in Hill Place in Edinburgh for shorthand and typing and book-keeping. I had to pay the fees myself out of my wages at the Store. I can't remember how much the fees were, but it wouldn't have been all that much if I was able to pay them. I went to Skerry's for one winter, but then classes began in John Street School in Penicuik, so I went there. They hadn't had classes there before I had gone to Skerry's. So that was a bit of good luck. I went to the John Street School for two or three winters and attained a speed of 140 words a minute in shorthand, and in typing about 30 or 40 words a minute. I didn't care for typing, I was too nervous. I was a nervous person. I could have sat a whole day and taken shorthand, but I was nervous for typing. I found typing quite tiring. Well, I think I once read that, well, maybe in the older days, a girl that was a typist spent more energy than a navvy doing . . . It was very hard work. I liked book-keeping. So I carried on and passed examinations in all three subjects and got certificates, I think Royal Society of Arts. I was working all day in the Store office and going to evening classes two or three nights a week. I was quite tired. But you're young then.

In the Store I remained as a clerkess from the age of 13½ until I was coming up for 27, when the secretary to the manager left to be married and I got her job. I was employed then as a shorthand typist. That meant that I was taking letters in shorthand and typing them for the general manager. I was really his secretary. I had a small room then to myself. I was happy. I liked it and I got on well, though I don't know if it was thanks to my skill in shorthand and typing. There wasn't anybody else there who took letters in shorthand. I hadn't felt frustrated in those years when I had passed my examinations in shorthand and typing but remained employed as a clerkess. I didn't apply for any other jobs while I worked in the Store, until I left in 1942-3 to go to Esk Mills.

I don't remember how many members the Penicuik Co-operative store had but it would be hundreds. The Store were dependent on the paper mill people. The mill people got fortnightly pays, and one week it was Valleyfield Mill and one week it was Esk Mills, and on these occasions on the Thursday night they got their pay and the Store opened till seven o'clock for them, because they wanted to pay their bills. They would say, 'Pay my coal, milk and rolls.' And we had to count that up and tell them what it was and maybe change it – they were going on holiday. There was a lot of work by hand that took time but the girls were competent enough to do it.

And the Store in turn was the working man's friend. For the dividend was paid, and before the dividend we had huge books to count the dividend: 3s.6d. in the £ for groceries, 4s. for bread. And we had to do all this by hand – huge books. And once the dividend was allocated there was a column for that. But there were some poor souls whose balance had gone up a bit in their book and it was rather hard, but if they had a dividend to obtain we had to go over the book. And someone who had a high balance, part of their dividend was taken. And they would come up to Mr Cochrane, the manager, and say, 'Oh, Mr Cochrane, I'm sorry about it. But I'll try and do better – and dinnae tell ma man aboot it.' He would say, 'Tell your husband everything, and try and do better. Will ye do better ? And ye'll get on.' He was a kindly man. The Store were the working man's friend.

I think most of the members of the Penicuik Store were paper mill workers and miners and their families. Now the miners at Shottstown they had a hard life. All their water and toilets were outside. The miners would come home from work as black as coal. The miner's wife had to lift buckets of water from the well outside, put it in a great big boiler, light a fire, and wash them: a hard life. That was a common sight in those days, that you'd see miners coming home from their work black with the coal dust. I don't remember them coming home on the buses, because there was a problem with coal on their clothes and sitting on seats other people had to sit on, too. I just remember the miners on bikes, and of course some of them walked. It was mainly the Moat colliery at Roslin they worked at.

I didn't have an awful lot of leisure time when I was young, because of attending evening classes. But I was a Sunday School teacher for thirty years, and I was in the choir. As a child I'd gone regularly to Sunday School. My parents were adherents of the church. My father was a good-living man and he was always kindly disposed to the church. He went to church as often as he could, but since he worked these long hours he was tired and wasn't able to go every Sunday. But we were brought up in the Church of Scotland – the North Church in Penicuik. And then when I went to work I was in the Bible Class, and so on, and became a Sunday School teacher. I've always remained a member of the church.

As a girl I was in the Salvation Army Guards. Then my father said, 'I think you must go to the church.' He wasn't just awfully keen on me being in the Salvation Army. So I joined the Church of Scotland and left the Guards. I wasn't in Brownies or Guides, because by then I was too old for that.

I was in the Penicuik Co-operative Choir. It had about thirty members, men and women. We had choir and action songs. We had a musical conductor who was very good. I was a singer, a trained singer, and I was a gold medallist twice. My father was a lovely singer. And we had a piano and whenever I sat down to play it father would come over and he was a lovely baritone. So it was a very musical household in which I grew up. My brother David, who's the architect, just ripples over the piano, and he's just like a child needing a dummy, to get to the piano. David and I sang a lot together. And I gave my life to singing. I went into the highways and byways on winter nights and sang duets. The musical fraternity is a very happy one and I had very good friends. I went all over singing and I never took a penny from anybody. I sang a lot of solos in the church.

I went for two or three years to a singing treacher, Philip Malcolm. He had a room in George Street, Edinburgh, and I paid heavy fees to him. I paid them out of my wages in the Store. I went there after I had completed my evening class studies in shorthand and typing. I think I was about 20 when I first went to Philip Malcolm. And he said, 'Well, I've taught you all the techniques of singing and you've adopted them. But you'll always remain a natural singer.' He said, 'There's no put-on with you. You're just natural.' [213] And that's what Jacobini, the Italian adjudicator who judged my singing, said: 'Beautifully rendered, sensitive, good phrasing, and totally unaffected.' But it's nothing to boast about. I gave my life to singing. It's a gift that's given to you and you've got to use it and do your best. I mean, Christ taught a parable on that. You must use it. It's a responsibility. But it was a happy time.

As I say, I went into the highways and byways: the Grassmarket Mission in Edinburgh, and lodging houses there where the stench was terrible. And I'd say, 'I wonder how they'll listen to sacred music ?' There were Irish navvies there who came over and they would listen. Then we went to the Grassmarket Mission at night. And I sang round about Penicuik – Roslin, Loanhead, the Rosslyn asylum, West Linton, up about the Howgate area – there was a dump there during the war for ammunition, I think, and I sang there. I enjoyed it. There was a quartet of us and an elocutionist and a pianist and a violinist. It was a very happy time. We used to sing *The crooked bawbee*, and I was always out at Burns's suppers, and singing duets: *Ye banks and braes*. They were lovely singers. Betty Jackson, the contralto, she was a lovely singer. So we were singing at women's guilds – Co-operative and churchwomen's, townwomen's, and rural institutes, everything like that.

When I went to sing in the model lodging house in Edinburgh, oh, I didn't offer to go. It was a quartet who went with me. They were friends of a friend of mine and they had to do with Carrubber's Close Mission, and they would say, 'Would you come in and sing at Carrubber's Close ? But before you go to Carrubber's Close in the evening to sing would you go to the lodging house in the afternoon ?' And that's how I got to the lodging house. In the quartet there was a trombone player and he was the finest trombone player in Scotland: Jimmy Ketchen. He belonged to Penicuik. So when we went to the lodging house, oh, there would be a large number listening to us singing and playing. When we would go in, a lot of them were at a cooker trying to cook a meal. They were honest men and they listened. They dug drains and everything like that. They were Irish navvies. They were hard workers. They were decent hard working men, not down-and-outs. Their stench was pretty bad in the model lodging house. But they listened, they listened. And then we went to Carrubber's Close at night. As I say, the musical fraternity is a very happy one. I went out and about singing for about thirty years.

So I worked in the Store first as as clerkess for about 13 or 14 years, then as a secretary for three or four years. The hours, as I've said, were long. Before I left when I was about 30, my wages rose to about £4 a week. I suppose that would be quite a good wage for a woman for those times. What made me move from the Store and seek employment at Esk Mill was, well, it was a personal thing. It was nothing to be ashamed of. Mr Cochrane, the manager of the Store, died – cancer. I used to go along to his house in Penicuik and take letters in shorthand from him. Poor man, his whole face was disfigured by the type of cancer. A new manager, Mr Philip Douglas, came and he was an excellent manager. He was the best manager the Store ever had – he introduced schemes and was excellent. But Mr Douglas's wife died and somehow or other he seemed to take a notion of me. I liked him, I admired him, but I didn't think of him in that way, and I thought it wise to leave.

There happened to be a vacancy at Esk Mills. That would be in the middle of the war, about 1942 or 1943. I knew of the vacancy before I went down to see Mr Edward Jardine at the mill. He was the managing director and chairman of the board of directors. Mr Jardine was quite an elderly man. We belonged to the same church, he was an elder and he knew me. He gave the job to me, and he said, 'Well, you'll start with the monthly pay of £4 a week.' That was a little more, not much, than I was getting in the Store. The hours were nine o'clock till five – better hours than in the Store, which were still from eight till six. That was Monday to Friday. When I first went to Esk Mills we had to work on a Saturday till 12 o'clock. But that changed not long after, and we were shut on a Saturday and I just had a five-day week. Well, that was an improvement on the hours in the Store.

But it was a very sore road to Esk Mills from our house in John Street in Penicuik. Oh, two braes, a hard road it was. I walked to work. We could walk down through Shottstown and across the burn and up what they called The Backs, which is now mainly Eskhill, and over a dyke and down the brae and into Esk Mills. It would be a mile. I think it took about a quarter of an hour to walk. It was quite a stiff pull up and then down steeply to the other side. It kept one fit though. I did that twice a day each way, as I came home for lunch. The office closed for an hour from 1pm to 2 pm for lunch, I think there was the telephone girl remained. It was quite a short afternoon, four hours in the morning and three in the afternoon – so altogether better hours than in the Store, and a bit more money.

The work I did in the mill was that I was secretary to the managing director. I did that for several years. And then there was a company secretary, Mr John Wright, for whom I also did secretarial work. Mr Wright was a chartered accountant. I hadn't been very long, maybe a couple of years, at Esk Mills when Mr Wright said to me, 'It has been decided that we want you to become confidential secretary. It's going to take a load off my mind and you'll be able to take over from me. We'll get a room made for you above the lab. And I want you to remember that you'll be entrusted with work which you must never mention even in your sleep.' It was a responsibility. They hadn't had a confidential secretary before. There would be a private secretary, but not with some of the information I was entrusted with. And I'm not boasting about that, I'm not boasting.

Within two or three years after I had gone to Esk Mills, and before I was made the confidential secretary, the company secretary, Mr Wright, said, 'I think you ought to become a shareholder, May. It's as safe as the Bank of England.' So I had savings certificates, it would be £300, I think, and I lifted them and became a shareholder.

The normal number of workers at Esk Mills was 600. Of course, when I began there in the middle of the war, about 1942-3, some of them had been called up. It would be roughly the same number until the mill closed. There was no substantial increase or decrease in the numbers after the war. The overhauling in the mill was very hard work for the women. They had very hard work to do, heavy loads, very heavy loads, to carry, and overhauling. And they just got so many for they were on piece work. I remember someone saying the loads of paper these girls had to turn over and over and overhaul were so great they weren't fit to bear a child when they were married. That's true, some of them weren't. Their inward organs were very much strained. I've heard that on several occasions – very heavy work. They didn't get very much for the work. And sometimes it was Bible paper they were on, and Bible paper was so thin they'd to turn over and overhaul a lot before they made much money at it. And, oh, they often had sore fingers from cuts with the paper.

When accidents occurred in the mill I had forms to fill in and a sketch to make of how the accident happened, the actual scene of the accident. Before my time in the mill Isaac Palmer had got his arm off – he was only a boy at the time. And then in my time Bill Cairns got his left hand off on the machines. And afterward he did very well, exceedingly well: he drove his car and everything. His garden and everything he did. Serious accidents were not common, minor accidents were more frequent – people catching fingers.

I was a bit afraid myself going in amongst the machinery in the mill. It was frightening a bit, because I just had a feeling it would draw you into it. The company secretary said to me, 'We'll go through the mill and let you see how the paper goes in in a liquid form at one end and comes out at the other end.' It was wonderful. It was a very skilled trade a papermaker. I did the staff salaries. Some of the machinemen were on the staff. They were monthly paid, and I had to go round with their salaries every month. And when I went round, as I say, I was a bit afraid of going in amongst the machinery. But I was glad when I did that work. They were all very nice men, the monthly paid machinemen. They were the senior production workers. The other workers were paid fortnightly, then latterly weekly.

Most of the mill production workers were in the paper workers' union. But the office staff wasn't in a union or anything. I was never invited to join a trade union and I never thought myself of joining one. It never occurred to me. I think that was because we were on the staff. In the office I would think there were twenty workers. About half of them were women. There were four wages clerks. Mr Young, a very clever man with a great memory, he was a kind of despatch or transport manager in the office. But he knew everything about paper, and he arranged the lorries and everything. He did a lot of hard work in the mill. The other office workers did invoicing and that sort of thing, and there were typists.

It was a good place the mill, because there was always a job could be found for the less intelligent. Those who were smarter got the facilities to learn a trade: plumbers, joiners, engineers, painters. And they got away to the Heriot-Watt and took their Higher National and they came back. And analytical chemists got their certificate. But there was also always odd jobs where people who hadn't very much brain could find jobs. There was plenty to do – help to load lorries and take the lorries that went to the docks. And the mill took all these young laddies off the streets. If you were out at friends in the evening you weren't so frightened to go home, because you'd say, 'Oh, it's all right. There'll be somebody on the street. I'll get along with the men coming off the back shift, or the men going on the night shift.' There was always a kent face on the road, always people coming from or going to work, and you weren't so frightened. That was a big feature.

I would work myself on stocktaking sometimes till about nine o'clock at night. We had to do all the stocks in the mill. Everything was taken a note of in the stock rooms and every department. And then Mr Wright, the company secretary, and I stayed and counted them out. He said, 'You do it by decimals and I'll do it by pounds, shillings and pence so that we don't make the same mistake.' And these were all put into the balance sheet. That was a lot of work that. And we worked every night in the week until stocktaking was over. And that would last two weeks each year.

We got a fortnight's holiday at Esk Mill as soon as I went there, and then I think a few years after the war it was increased to three weeks.

The mill's big customers were Her Majesty's Stationery Office (HMSO) and Nelson, the printer and publisher, and the railway. And Valleyfield did Kalamazoo, and they did the bank paper. Now that was specialised work and Reed's, who took Valleyfield over later on, were very jealous of the bank paper. But they lost it, they couldn't do it: a skilled paper maker's a very clever man. Well, there was no friction between the mills at Penicuik and Dalmore, because they all made different types of paper. The Jardine family at Esk Mill were very friendly with the managing director of Valleyfield, Mr Taylor, and also with Mr Wallace of Dalmore. They were all friendly, because they made different types of paper and they weren't in competition with each other.

As I've said, I gave my life to singing. But something very unhappy happened to me, very unhappy, not many years before Esk Mills closed in 1968. I was going down to Esk Mills one day, and I usually ran down the back way, which is opposite Esk Mill House. And when I looked down into the valley everybody was running about in gas masks. Mr Hilton was the foreman. He said to me, 'Miss Bain,' he says, 'you walked straight into an accidental escape of chlorine gas.' The gas paralysed a vocal chord and I've no voice now.[214] As I say, I wasn't in a union. But even if I had been I wouldn't have fought the case. I wouldn't have fought my employers. But I loved to sing. It was very sad. When I hear the lovely singers now on television I often say, 'Oh, I wish I could sing.'

Well, by 1968 we had incurred a lot of losses at Esk Mill, if I remember. We bought a huge coating machine which cost thousands of pounds, and it had a great many teething troubles. And it was piling up what we called broke, causing an awful lot of debt. That was a coating machine, a machine which made the glossy paper. What they ought to have done, and what Mr Wright, the company secretary, advised them to do, was to update the plain paper machines, because that was where the profit was being made. But Mr Wright, the secretary, wasn't a member of the board. Therefore he had no vote. It was rather a pity, because if he had been on the board he would have had a say, and his view was the correct one: update the plain paper machines. The coating machine was too expensive. That's what put us into liquidation. And I did my best to save the mill. Oh, I went down on a Saturday and I did page after page of statistics showing that our production had increased – and it *had* increased. I gave evidence of it. And then I did a long explanatory letter and I said, 'All we need is a bridging loan to keep us in production.' I mean, I did page after page. It was obvious we needed just a bridging loan. Well, the mill chauffeur was waiting at my shoulder to take the last figure out of the machine, and he dashed with it to Turnhouse airport, where the managing director was waiting to go on the plane. He handed it in to Downing Street and waited earnestly for a reply. I shouldn't say this, because Harold Wilson, the prime minister then, is dead and gone, but the reply was: 'Sorry. We can do nothing for you.' Two lines, that was all. And a bridging loan would have saved the mill. We could have done better, and kept the workers in employment.

Oh, I was very saddened when Esk Mill closed. Three of us were the last to shut the gates on it. As I've said, I had become a shareholder in the mill two or three years after starting work there. I had lifted my savings certificates and invested them in the mill shares, I think it would be £300 – that was a lot then for me. I lost the whole when the mill closed. And the company secretary, Mr John Wright, he says to me then, 'I rue every hair of my head that I persuaded you to become a shareholder.' I got no compensation, nothing at all. That was a severe blow.

Well, when the mill closed in 1968 I got a job in Loanhead as a secretary. It was a private firm, and they said, 'You know, you don't need to type. You'll get it all done for you.' It was really an office manager's job. But I wasn't allowed to go. The liquidator at Esk Mill said, 'You're not going there. You're coming with me.' His office was in Edinburgh, just off Abercromby Place. I was never so unhappy in my life. Well, all the books were down in the basement of the office and I would be sent down to the basement to get figures – and it was figures of my colleagues with whom I had worked in Esk Mills, and many a cry I had.

I worked there till the mill was liquidated. And in the meantime Mr Wright, the company secretary, who went there with me to work, died. The chief liquidator rang for me one morning. He said, 'I've got sad news for you. Mr Wright has suddenly died.' He had choked. As far as I was told he always had trouble with his throat. He was out having his tea and he choked in a tea room. I felt I had someone with me in the liquidator's when Mr Wright was there, for he was a chartered accountant. But he was gone, so I was left to do the work concerning the mill. I did it to the best of my ability and did the last balance sheet for it. The work all took about a year, that would be 1968-9.

Then one of the chartered accountants upstairs in the liquidator's said, 'Now that you've liquidated James Brown & Company I would like you to come upstairs and work in my office.' I was glad of a job but I was never so unhappy. I went in early in the mornings because I was frightened for the traffic. When I got into the office I went down to the basement for a cup of coffee that they had in a machine. This chartered accountant noticed me doing this and he said, 'Well, you'll come with me.' Well, I went up to his office and before anybody set foot in it I had his desk cleared. He dictated everything. I was a fool. And there were young chartered accountants there who were sitting their final exams and they said, 'Miss Bain, you'll have to stand up to him. We had to stand up to him. He's a bully.' I couldn't do it. I'd never been treated like that before.

Well, I worked there three or four years and by then I was 60. I said I was only anxious to work on a little more, having lost my funds at Esk Mill. And I saw a job advertised in the Century Building Society in Albany Street in Edinburgh. So I went along there at night. I thought I was betraying the people in the liquidator's office. But I got the job. So I was very happy there at the Building Society. I remained as long as I could. It was a nice office. I think I was 63 or so when I retired from there. Then after I retired I was secretary for Penicuik community council for some years.

Unfortunate I've been. But never mind. Now I'm just an old lady. I don't want to be an encumbrance to anyone. Looking back now, well, I was happy in both the Co-operative Store and in Esk Mill. I got on well with colleagues in both. And I did my best to save the mill. Penicuik's a dormitory town now. There's nothing in Penicuik, there's nothing. The buses going to Edinburgh pass here every morning nose to tail. They're full. The people are all working in Edinburgh.

Courtesy of Mr John Y. Frew.

Esk Mills, 1937, with the houses at Kirkhill in the background.

Above, some Valleyfield workers about 1890. Below, Valleyfield finishers and tiers, c. 1893.
Courtesy of Penicuik Historical Society.

Jim Neil

Willie Cairns – he was the chap who was in charge of the labour exchange in Penicuik, which at that time was situated round in West Street, I think. And he used to come to the school at the particular time of the year when people were leaving, you see. And so he would come along and interview you, and he interviewed me and chatted away. Then the next thing was the headmaster sent for me and said, 'Well, there are two possibilities here and which one would you like ? They're both available to you.' And having looked into the enormous financial implications, I plumped for Valleyfield ! The headmaster was MacQueen, and after I had taken this job he says, 'I could have got you into . . .', and he mentioned various companies that I'd never heard of. 'But,' he says, 'Valleyfield office ?' He says, 'It's a gift from heaven !' I thought, 'Oh, boy, that's a bit over the top.' So there you are, 'A gift from heaven.'

Ah wis born at Esk Bridge, just outside Penicuik, the 15th of April 1930. I was an only child. My father was a Roslin man. I think he started work in the carpet factory at Roslin, but after a year or two he moved to the gunpowder mills at Roslin. He was there for most of his working life. He didn't retire from the gunpowder mills. The gunpowder mills about the mid-1930s were due to close. In fact, it had got to the stage where he actually had a job to go to at Ardeer in Ayrshire. Then the world situation got a bit dodgy, and with the emergency they decided to keep the mills open. And he continued to work there until 1953-4 or thereabouts, when they actually closed the mills. And then he got a job in Valleyfield paper mills and he was there until he retired. Well, he would have retired in December '66, but he turned ill in December and it was terminal and he died in the January. So despite the fact he had looked forward so much to his retirement he never saw it.

Now ma father's father – Black Sam Neil, because he had a black beard, and there was White Sam wi' the white beard, ye know – I don't really remember him. I think he died just shortly after I was born. I think Black

445

Sam worked in the gunpowder mills, too, although I'm not certain about that.

But the paper mill connection was ma mother's father. He lived at Esk Bridge, where I was born, and he worked in Esk Mill. As did ma mother herself, ma mother's sister Peggy Mercer, and her two brothers, Charlie and Jimmy. They all worked in Esk Mill. Ma mother's was very much an Esk Mill family. But my grandfather on my mother's side he was a carter originally before he worked in Esk Mill. He was a coal carter in Edinburgh and also through in Glasgow. He died in 1957 at the age of 84. I remember ma mother's mother, I remember her very well. She died when I was about 14, I think. But I don't know what she did before her marriage. Probably I always knew my mother's relatives, who lived at Esk Bridge, better than I did my father's, 'cause they lived in Roslin. Although we saw them occasionally, well, it was quite a distance to go all the way on the bus from Penicuik to Roslin. In point of fact, the chances are that by the time you walked from where we lived in Penicuik over to Esk Bridge it would probably be as quick taking the bus to Roslin. But it was just the fact that you had to get on a bus made Roslin seem an awful lot further away. People lived in closer communities then.

I remember the outbreak of the Second World War very clearly. I remember Chamberlain making his speech. The war didn't affect me personally very much. The only effect that I can remember the war having on the time that I spent at school was the fantastically long summer holiday we got in 1939. We were off for about ten weeks or eleven. And we thought it was great. Then things like sweetie rationing, because I always remember the spell when the shops had no sweets at all, just a lot o' empty jars. And then suddenly rationing came on and the shops were full o' sweets again. But you were limited in what you could get. And of course certain things that I had been old enough to remember, like bananas, for example, you didn't get. But as far as the war was concerned, it didn't have any great impact on me. My father wasn't away in the war. He was in between ages. I mean, he was too young for the First World War and too old for the Second. He was born in 1901, so when the war broke out he was 38. So they just weren't taking people of that age at that time. Even if he had been of age perhaps they wouldn't have taken him, being in an essential job as a gunpowder maker.

At that time, the outbreak of the war, we lived in Pryde's Place, which is now long since demolished. Pryde's Place was part of what was a pretty slummy area of Penicuik: Shottstown. There was Napier Street, which was the sort of main thoroughfare into Shottstown. And as you went down Napier Street you had Pryde's Place just a wee bit down on the left, although our front doors faced the main road, John Street. You had the

Miners' Institute, which is still there, on John Street, and past the Institute, on the same side, going toward the centre of Penicuik, Shottstown started about there. So that opposite the Carnethy Inn you had a row of houses that fronted Shottstown, and a road at right angles to the main road took you into Shottstown. And that road in turn joined up with Napier Street, which at the other end linked up with the main road. About the only landmark left now of Shottstown, apart from the Miners' Institute itself, is a footbridge across the burn – I can remember them building that – and that was the crossing from the right of way known as The Backs into Shottstown itself. Now if you went down Napier Street on the right hand side you had Fieldsend. And these were all sort of red brick houses, oh, poor, poor quality houses. You had Fieldsend, there was a row of houses and there was a vennel, and at the back they had the outside stairs, in poor condition, and the long landings. And we had the same at Pryde's Place, because our back door was under the landings. So you had stairs up, landings with doors on the top, and we were tucked under these stairs. And as you walked down Pryde's Place, or parallel with Napier Street if you like, there was the outbuilding where Scan Tolmie peeled and washed his tatties for the chip shop. At the back of those outbuildings there was a wall, and over the other side was a continuation of Pryde's Place.

Of course you got the name Shottstown because of miners coming through from Shotts in Lanarkshire originally. The houses were all brick, right round. But they weren't all miners who lived in them: over the years other people, non-miners, moved in, including my parents. I remember some of our neighbours in Pryde's Place, and I don't think there were any miners among our immediate neighbours there. There were Valleyfield paper mill workers. But there were a lot of miners further down, deeper into Shottstown, if you like, in Fieldsend – a lot of miners there, you know, the hub. I don't suppose all the houses had private landlords. Perhaps the miners had the coal company as landlord. But certainly in Pryde's Place it was a private landlord who lived nearby: Jimmy Wilson, because I remember my mother saying that the only reason we got the house was that my dad bribed him wi' a bottle o' whisky. That's how we got the house.

In Pryde's Place it wasn't much of a house either. The amenities were a sink, and cold water. Now that indeed was oneupmanship, because we had a cold water tap *inside* the house, whereas down in Shottstown proper they had stand pipes, public wells, and they had to go outside for their water. But we didn't have hot water and we didn't have a lavatory in Pryde's Place. Well, about seventy yards down the path there was a lavatory which we shared with Borthwick, who had the paper shop round there at that time. And that was typical. I mean, the houses there just didn't have lavatories. They were outside toilets. Pryde's Place was a sort of open area. I remember it as being particularly open, because there was a block of buildings which they demolished. But even before that it was just a dirt area – not a road, nothing, just an earthen area. And you walked out of the back door of our house, past a row of coal houses, and then you came to the group of lavatories – I think there were probably three, something like that, serving us and other houses in Pryde's Place. Borthwick of the paper shop needed a lavatory, so we shared with them. It used to be a sod if you were needing to go to the loo and you had to go down there. The only advantage was that the old man Borthwick was terribly troubled with asthma and he was always coughing. So at least when he was in the lavatory you didn't have to walk the full seventy yards. After about thirty yards you could hear him coughing within and ye just turned back to the house ! Well, people kept poes. You had a big cupboard and you kept a potty, a bucket and this sort of thing, in there. You would need it, oh, heavens, aye, especially on a cold winter's night. If you had to go back to that time now you would think it was absolutely appalling to have to live like that, and the lack of hygiene. But because you didn't know anything much better you just accepted it. All the people in our street had exactly the same conditions. Nobody had an inside toilet. My grandparents, who lived at Esk Bridge, they were much better off because they had cold water inside and they had an inside flush toilet, which had been built by my grandfather himself just the year before I was born, I think. But before that it was a dry lavatory they had, too.

At Pryde's Place we had two rooms: a living room which contained a bed as well as a sink – it served as a living room, bedroom, and kitchen; and another room which was purely a bedroom. My father and mother slept in the bedroom and I slept in the living room or kitchen. That was maybe an unusual arrangement for sleeping. The reason was I had a lot of illness when I was younger, two diseases particularly. One was scarlet fever and the other was diphtheria, and there were various other minor things thrown in between. So quite a lot of my time was spent in bed. And I think the arrangement was if I was in bed in the living room-kitchen I had the company of people and the warmth from the fire. There was no fire in the bedroom. If I had been in the bedroom I wouldn't have had anything like that.

There was no electricity in Pryde's Place, it was just gas. We had a gas light at the end of the mantelpiece, and a gas cooker. I think my mother cooked occasionally on the open fire, because I can recall seeing the old black kettle and black pots at the fire as well. There was no kitchen range at Pryde's Place, but it was the same type of fire as you had in a range, that sort of box shaped thing, with the bars in front. It was that type of fire. But there was none of the paraphernalia that you got with these magnificent ranges that used to have hot water boilers. Oh, they were difficult conditions for my mother.

For baths, well, you had the old zinc bath. And what people in Pryde's Place had to do was boil up these huge black iron kettles upon kettles of water, and you sat in the zinc bath in front of the fire and had a bath. When one or other of my parents was having a bath I was banished to the bedroom or out the house. I don't know now if there was a specific night for baths. Because of the sheer inconvenience of heating up all this water you probably had a bath once a week. But they started to build new council houses in Penicuik, and once one of your relatives got a new council house, which had a bath, you all took turns of going and having a bath there. The first relative that we had who moved into a council house was my uncle Charlie, my mother's brother. He moved from Croft Street to Carlops Avenue, and we were invited across there for baths. That must have been before or at the beginning of the war.

The Pryde's Place houses were demolished years after the war. In 1957, before my wife and I were married, I heard that the Pryde's Place houses were empty. And I said to her, 'Come on, I'll show you where I lived.' And she got the shock of her life when I took her through there.

We left that house at Pryde's Place in 1940, when I was ten year old. And the reason we left was that when I was nine year old I had this very bad bout of diphtheria which damned near killed me and left me with a weak heart for many years. And they – when I say 'they' I mean the local authorities – reckoned rightly or wrongly that the trouble stemmed from a stinking drain outside the back door of our house. When I had had scarlet fever when I was seven I was dead scared about catching diphtheria. The only reason I knew about diphtheria was that when I had been in Loanhead Hospital with scarlet fever they had a woman cleaner there who must have taken a delight in making people miserable. I don't know if this is the case or not, but you were told that if you had scarlet fever once you couldn't catch it again, you see. And I remember saying to this woman cleaner when she was cleaning the ward, 'Oh, at least I won't get scarlet fever again.' And she very kindly turned round to me and said, 'Aye, but you'll get diphtheria.' So after I got home then I was dead scared that I might catch diphtheria and I was inoculated against it. But it didn't work. I still got diphtheria.

I had been in Loanhead Hospital with scarlet fever over Christmas, because I remember getting some sort of temporary toys – the rest of them being kept at home for me. It must have been a helluva time for my parents and anyone else who came to see me, because they weren't allowed into the ward. And they had to talk to you through the window. And of course you couldn't hear properly. So you used to write and hold up wee notes. The window at the particular bed that I was in was quite high above ground level. And they had to stand up – it was about an hour for the visit – and they took turns at standing on a box to come up to the window and hold conversations with me.

When I had diphtheria my parents were allowed into the ward but not near me, presumably because it was so serious and I couldn't move and I was just lying flat out. They could stand at a distance. And at Loanhead Hospital then they didn't have a resident doctor, they had a visiting doctor. It was Dr Hamilton, who was the general practitioner in Roslin and who was a great guy. My father swore by him. During the war Dr Hamilton – he was a great hiker – disappeared while climbing mountains. But of course because it was during the war a lot of sort of evil minded people said, 'Aye, he was a German spy.' Anyway Dr Hamilton had the remit of looking after Loanhead Hospital as well. [215]

As a diphtheria patient I just remember having a helluva sore throat. I tend to get the scarlet fever and the diphtheria periods mixed up. I know that I was in Loanhead Hospital with scarlet fever for about seven weeks, and with diphtheria probably about the same. The diphtheria was 1939. But the other thing I can remember in both cases was that I took an intense dislike to the laxative. Obviously because you were lying so much you were constipated. And the laxative that they gave you was powdered liquorice. It was like a thick sludge. And despite the fact that I loved liquorice and still do, this used to scunner me. Oh, it was dreadful stuff.

As I say, the diphtheria was in 1939, because when I came out of the hospital my parents were still at Pryde's Place. So I went back to Pryde's Place, 'cause I remember Mrs Borthwick in the newsagent's shop giving my mother some toy guns and things like that for me – obviously wartime stuff. But because of the stinking drain outside the backdoor of our house there we were very quickly allocated a council house round in the Bog Road. And because my parents had got this other house and they were about to be in the throes of flitting, I went down to Esk Bridge to stay with my grandparents. So that was in 1939. I was confined to bed for a long time. Then I had to be wheeled round in a go-chair. As I've said, diphtheria left me with a weak heart for many years.

The council house in Bog Road wasn't new, it was one of the older types of council houses. But to us, oh, it was a palace. We had a bath and hot water, an inside lavatory and electricity. There were three rooms – living room and two bedrooms, plus the kitchen. My mother was so pleased with her new house. I remember her being fascinated by a feature in that house, the back-to-back grate, so that the fire in the living room heated the oven in the kitchen through the wall. It was very economic, except that my mother always used to burn the scones. Eventually the back-to-back grate was taken out. I remained with my parents at Bog Road from 1940 until 1957, when I got a job in Cardiff.

I started at Kirkhill School at the age of five in 1935 and moved from there to Penicuik Junior Secondary School. Those who were perhaps a year or a couple of years older than me moved from Kirkhill to the school in John Street, also known as MacGregor's School. But by the time I reached the age when ah would have gone there they'd opened the new Junior Secondary School in Carlops Road, which was primary and secondary. I don't know exactly when that school opened, but I'm pretty sure I was there before the war started.[216] It was after that I had the very serious dose of diphtheria and I was off school for many months. Then when I went back to school it was on a half day basis, purely because of my convalescence.

I had passed the Qualifying exam, and from what I can remember you then had three options. You could either go to Lasswade High School, or you could stay on at Penicuik and go into the commercial stream, where you got business subjects, or you could go into the technical stream there. The headmaster at that time didn't want me to sit the Qualifying because I'd been off for a year and I'd been attending part-time for six months. He said, 'We would prefer that you didn't sit the Qualifying.' But I sat it and I passed it, but I only passed for the technical. And I remember him saying, because I'd been off for such a long time, 'Now this is something that we don't normally do, but we would be prepared to let you sit again next year.' But I went anyway into the technical stream, and that would be about 1940-1. I was about a year younger than you ought to have been, so I think I was between ten and eleven.

At school I can't remember about the primary stage. But after the Qualifying, in the technical stream, I enjoyed science and geography. Mathematics of course was split up into various sections. I rather enjoyed algebra, I wasn't so keen on geometry. Anything which required any sort of fitness or aptitude didn't really appeal to me. If it was something I could dwell on I was much better at it.

I was an avid reader from as long as I can remember. I got the usual weekly comics, which in those days were reading material. Well, apart from the usual sort o' adventure stories that you got in the *Rover* and the *Wizard* and the *Hotspur*,[217] and apart from any books that I got, I had a great interest in anything associated with astronomy, prehistoric times, archaeology, that sort of thing, palaeontology – anything to do with dinosaurs and stuff like that. That sort of stuff really interested me. History appealed to me provided it was ancient history, the more modern stuff I found very dry and very boring. It was really only Roman history and stuff like that I enjoyed – the further back the better, possibly because there was less known about it: you weren't inundated with so much dry material, and there was more room for the imagination.

There was a public library in Penicuik in the Cowan Institute. I was very

much a member of that. And they had a reading room, too. I used to go and
sit there. The reading room was quite a favourite. I sort o' fluctuated
between the reading room and the billiard hall. The library in the Institute
was public, ah mean, everybody in Penicuik who wanted to be a member
became a member. It wasn't restricted to mill workers or ex-mill workers. As
far as the books were concerned, the leaf inside which is stamped and that
sort of thing, it was just exactly the same as you saw in other public libraries
at that time. As a youngster I considered it to be a big library. The reading
room would have sat a score or so. It was a big room. The windows faced
the street, just looked across to the Royal Hotel. And of course there was a
school library as well, which I made good use of. You could borrow books
from there. I got a great deal of pleasure out of reading. Probably like a
number of people I used to claim that I learned more after I left school than
I ever did at the school. I left school as soon as I was fourteen, in 1944.

I don't think I had any particular ambitions then, not that I can
remember. I think I was given a pretty free hand really in deciding what I
would do for a living. I think it was the old story: if your father was a
working man, a blue collar man, and if your mother had been similar, their
ambition was to get you into an office or something like that, you know.
'Don't get your hands dirty' was the philosophy – a clean job, a secure job.
I can remember the only time my father ever suggested anything different
from that was when he said to me, 'I'll get ye a job in the coopers' shop.'
This was in the Roslin gunpowder mills. My father was a cooper to trade.
At the gunpowder mills they made barrels. But my mother said, 'He'll do
no such thing. He's going to get a clean job.'

Well, like a lot of youngsters, at that time your career was shaped in all
sorts of ways. I remember once talking to some engineers who were
lecturers at Heriot-Watt University, and they were talking about what made
them go into engineering. Some of these guys were civil engineers, and one
of them said, 'Oh, I wanted to build bridges.' And another one, who was a
mechanical engineer, said he was always fascinated by engines. And I said,
'I went into the paper trade.' And they said, 'Why did you go into the paper
trade ?' I says, 'Oh, 4d. a week old money.' They said, 'What d'ye mean ?' I
says, 'Well, when I left the school at the age of fourteen there were two
possible jobs. One of them was with MacTaggart and Scott at Loanhead,
the marine engineers; and the other was in Valleyfield paper mill office.
Now MacTaggart and Scott paid a wee bit more, but by the time I paid my
bus fare to Loanhead I was going to be 4d. a week worse off. So I went into
the paper trade instead of into marine engineering.' And it was as simple as
that. 4d. a week – my God, that's nothing. But in point of fact I remember
clearly my salary, when I started in Valleyfield office, was £4 a calendar
month. So it worked out at 18s.6d. a week. So 4d. represented something

worth thinking about – especially when you gave your mother most of your pay ! You maybe got about half a crown back for pocket money. And of course to my parents, concerned about 'a clean job', when there were these two options of either MacTaggart and Scott, which would have been a job in the office there, or the one at Valleyfield, it didn't really matter which one I went to. I think they were probably rather pleased that I took the one at Valleyfield, because in those days to take the bus somewhere was quite a thing, you know. Then there were dinners as well: at midday you could come home from Valleyfield for your dinner, whereas at MacTaggart and Scott at Loanhead that was out of the question: there wouldn't have been time, and even if you'd had time that would have been another bus fare. Nowadays with cars distances are nothing, but in those days to take the bus to Loanhead ?! And then, as I've said, the headmaster at Penicuik High School described the Valleyfield office job as a gift from heaven.

So I left the school at Easter 1944 and then just started work the following Monday or something like that. I remember going for the interview for the start, because although I said you were offered the job, you didn't actually get it – you had to have an interview. I remember having an interview by this very imposing man. I thought he was a terrifying bloke – and he turned out to be a helluva nice guy: Eric Taylor, the managing director. And afterwards I thought, 'Isn't that funny ? The managing director of the company actually interviewed the guy who's going to be the junior office boy.' But that was the normal procedure. I don't know why that was. I always remember the managing director interviewing me and then, 'Yes, right, fine.' And then Bob Stoddart, who was the cashier – the job was going to be in his department – he saw me after that. Oh, it was a strenuous occasion for a laddie of fourteen. I mean, you had to fill in an application form, and I remember him standing and looking over my shoulder. This obviously was to see if I could write and spell and things like that. Because the interview itself was nothing, they just asked questions, I mean, they didn't put you through any sort of test or anything like that. It wasn't an interrogation, it was a fairly friendly and informal sort of interview.

So I started at Valleyfield in the counting room. I love these old names. The counting room was one of the most old fashioned places you've ever seen. It was like something straight out of Dickens. It had the sloping desks and the high stools and the lamps – electric right enough, not paraffin – on the pulleys that you pulled down. It was really old looking. But they were a great crowd that worked there. There were six, including myself. There were three women, one of them was about my own age, maybe a year older, a school leaver; and two older women. When I say older, they were probably in their twenties. But they seemed ancient to me at that time, being fourteen. There were two older men, Jack Fletcher and Max Hewitt, the two senior clerks. Then the head cashier, Bob Stoddart, whose department this was, he had an office off the counting room. He was a great guy. I got on well with him. So that was the clerical staff of that particular department.

When you're fourteen you don't really give much thought as to the function of the department. I mean, you have your own jobs to do – franking mail, taking it up to the post office, posting it, copying letters, that sort of thing. And you don't think about the function of the department. I suppose the way in which it was divided was probably unusual in many organisations nowadays. Although it was the cashier's department it was really the buying department, when I think back on it now. They had a separate wages office which, I think, they had control of as well. But this was the buying department.

All the clerical office workers at Valleyfield were in the one building. You had the counting room, on the same floor you had the wages office, and you had the lab at the end of that corridor. And then upstairs from the counting room was what was called the paper room. Now the paper room, when I think back on it, was production control. That was their function. It was the strange titles they had, again you never thought about what they did. And there was the accounts department. And then behind the old building there was a relatively new extension, and that housed the sales department. So all the office workers were within the one part of the mill and weren't dispersed about the mill.

Mr Taylor, the managing director, his office was upstairs in that building where the counting room was as well. In fact, when I started there were just the two levels, and he was upstairs. And then they built a third level, and Mr Taylor moved up to the top, and the general manager occupied Mr Taylor's original office.

When I went there at first you had the managing director, Taylor. I don't think at that time they had a general manager – whether they were between managers, I don't know – and Taylor served that function as well. But they had other directors, at least one other director who was based there: R.O. Wood. I don't know what his executive function was. He lived up at Uttershill House. And then eventually, however, they did get a general manager. So under Taylor, and eventually under the general manager, you then had the heads of the various departments. There was production, which was probably the main side, because that in turn was split into three. There were three heads there. There was the paper maker. He was in charge of everything that related to the actual manufacture of the paper. Then you had the coating house manager, in charge of the department that coated the paper – made it into art paper. And you had the head finisher, who was in charge of all the finishing – you know, the cutting, and the counting and the sorting and the despatch and everything relating to that.

So that was the production side. Then of course you had the sales manager and head accountant. Probably under the head accountant you would have the cashier and all these various other bods. The head accountant, I think, was also the company secretary, Robert J. Elton. I mean, to a laddie of fourteen, these all seemed very remote and ancient figures. I was absolutely overawed.

One of my jobs was to answer the telephone. I had never used a telephone before. I got no instruction on that, none at all. They just used to say, 'That's the phone ringing. It's your job to answer it.' So you picked it up. I always remember one occasion it rang and I thought I recognised the voice as being the gatekeeper, a chap called Charlie Whaley. The voice said, 'Tell Mr Fletcher I'd like to see him.' And I said, 'Ok, Charlie.' It turned out the voice was that of the managing director, who thought I was being a bit familiar – 'Who was that ?' !

The general office duties were writing – and a lot of handwritten stuff there was. The typewriters were used but, I mean, there was an awful lot of handwritten correspondence. And one of the jobs I had was to write out receipts when people paid. I had a book of receipts and just stuck these on and posted them. And then they had watchmen at the week-end and during the night in departments which didn't work during the night. And these guys had clocks, you know, just to make sure that they went round the departments. Nowadays you have things that you wipe – a band or barcode. But in those days it was a key in a box, and you turned it and it punched a hole in a disc. And one of my jobs was to stick these in this massive great book, in case anything happened and they said, 'Well, where was the watchman at that particular time ?' Then one of the fascinating jobs was copying letters. It was a beautiful system. I've never seen anything like it. Instead of keeping a carbon copy of a letter what you did was you had these great beautiful leather bound books of tissue paper – letterbooks. Well, what you did was you put what was called a blad – it was really a sort of piece of hide – under a sheet of tissue paper in the book, and you put your letter on top of that piece of hide, and the page went over the top of that. Then you wetted a blotting paper, and it had to be the right degree of dampness, 'cause if it was too dry it wouldn't copy, and if it was too wet it smudged the letter. You laid the blotting paper over the tissue paper, then you put another hide or blad on top of that, closed the book, stuck it in one of these great whacking presses and left it for just the right amount of time – this was pure judgement – and then you opened it up and got a perfect copy. So that was one of my jobs, too. My God, I spoiled a few letters before I got it right. And you had to put the letters in the right book. I remember making the unforgiveable mistake once of putting something in the rag book, which was a book relating to the purchase of rags for making paper. And this was almost a cardinal sin.

In the office the discipline, the atmosphere, was very free and relaxed. They were a great lot, very friendly. I can't think of relatives together among the office staff, though I can think of relatives in the mill itself. It was maybe a situation where if one member of the family got into the office he was doing all right for himself, you know, and he had relatives in the mill. But the chances of office staff having relatives in the office would be more limited because it was a very much smaller group of people than in the mill itself. But the atmosphere in the office was great, it was great. I remember the first day I started. You had to take the mail up to the post and you had a leather bag, you put the mail in that. They did have a franking machine, it wasn't a case you were licking stamps. And you took up any parcels – they had these huge parcels of Everdamp paper, a transfer type paper that weighed a ton. To catch that particular post, whenever that was, you took these up to the post office, which at that time, thank God, was in Bridge Street, near the mill, and not away down John Street. And then you had a collection about an hour later. They didn't expect you to go back to the mill for that hour, so you went home if you lived near – and I lived near, round in Bog Road. I remember the first day when I got home: 'Have you got the sack ?!' I says, 'No,' I says, 'I don't have to go back to the mill and I've got to collect the mail on the way back.' So you used to go home and have a cup of tea. So that helped in the early days when you were, you know, a bit apprehensive. You were able to get home for a wee while and back into familiar territory. It was the same in the afternoon, you had this break.

It was probably about the first day I was at Valleyfield you were sort of taken round and shown the paper making process. It was a fascinating place, both in its lay-out and also in the process, because in the lay-out it was so old. It was like a rabbit warren and you had so many ways of getting to different parts of it. It was much, much more interesting than a modern factory. And the paper making process itself was very interesting in those days, because you started from a basic raw material – rags, esparto grass. You were starting from something that didn't even remotely look like paper, and they turned it into paper, beautiful paper.

The esparto grass that we got in Valleyfield was mainly from North Africa – Algeria and Tunisia. There was also a superior grade which was grown in Spain, but I don't recall us getting that. If it had been readily available I'm sure Cowans would have got it, because they always went for the best of materials, you know.

Of course, when I started in the mill we didn't get esparto because the war was still on. And it was straw was the alternative. Oh, straw was hellish stuff – clear spots in the paper, and it yellows as well. The rags were just from rag merchants based in Edinburgh, Leith, Glasgow, all over, anywhere: the rags didn't just come from local sources. Linen and cotton rags were the two main ones used. Wool was no good, that was excluded. Synthetics were no good, and of course synthetics at that particular time represented a very small proportion of rag. As the years went on that proportion increased and it became a problem, and eventually they stopped using rags. But when they got these linen and cotton cloths in they employed women whose job it was to stand in front of these benches which had knives situated at angles, and they would rip them up in convenient sizes for processing and take out any buttons and things like that, you know, hooks and eyes. And then the rags went through a big duster and that rattled them round in a mesh-covered drum and took out as much dust as possible. Then they boiled them in caustic soda, washed them, bleached them, pulped them, and that was it. Valleyfield was the only mill at Penicuik that used rags in the production of paper. Esk Mill didn't use them. Esk Mill was esparto grass and wood pulp. And the same with Dalmore.

The source of the wood pulp was, well, Scandinavia, Sweden predominantly, but Finland, Norway, and also a certain amount from Canada. Again when the war was on there would be difficulty of course getting wood pulp from Scandinavia. But later on, when I worked in the lab at Valleyfield, these materials were available. What they called soft woods were the coniferous woods, and these were the woods that made the strongest fibre for paper. You're talking about spruce and fir, the pines and that sort of thing. These were the good quality pulps. Of the hard woods the only hard wood that I can remember us getting in Valleyfield, although there might have been others, was birch. And that was very much a sort of filler pulp. It was a short fibred, fairly weak one. But funnily enough those hardwood pulps started to supplant esparto grass. Esparto grass had the great advantage that it gave a very bulky sort of . . . It wasn't a dense sheet, it had resilience – good for printing. The softwood fibres, the strong ones, were sort of ribbon shaped fibres, which gave a very dense sheet, whereas the hardwood ones had more of a cylindrical type of shape that gave a bulkier sheet. But they really didn't use much hardwood at Valleyfield, not to the same extent as softwood. It was mainly softwood, esparto grass, and to a lesser extent rags.

The customers for Valleyfield paper were numerous and varied, but printers were the main outlet for both plain and art paper. Obviously, the mill made a fair amount of writing paper. Some of their writing paper was very well known. Don't ask me the names of them now, I've forgotten them. But there was a lot of writing paper made.

When I first began at Valleyfield it was nine till five. And you worked every Saturday till twelve midday. You got an hour or an hour and a quarter for your dinner, I think it was an hour, and you got home for that. That wasn't bad – and the two breaks, as I've said.

The wages when I first began were £4 a calendar month. It was 18s.6d. a week, because it was a calendar month. That was gross – well, that was what you got. I can't remember if there were any deductions. It was a pay packet you got with the money in it. It wasn't a cheque: people didn't get paid with cheques, it was cash. And I remember passing the first pay I got to my mother: 'That'll be a big help to you, Mum' – you know, four quid for a month ! But, oh, she would be glad to have it. I gave her the lot. Then you got pocket money: the sum of half a crown a week, 12½ pence, sticks in my head; but I find that very difficult to remember. I think it was something like that. And obviously it went up as time passed. There was a regular annual increase in my pay. I can't remember what the increases were, but they wouldn't be very substantial. I can't remember when I stopped getting pocket money and started paying my own way. I think I was probably about sixteen. I think I had a couple of years getting pocket money and then started paying my own way.

But I only had two years in the office. I didn't want to stay in the office side. I was keen to get into the lab, because that side of it appealed to me. I think I had that notion at the time when I was talking about leaving the school, and because of my interest in science I had a notion to get into the lab at Valleyfield. When I knew I was going to the office I had said, 'Well, I would like to go into the lab.' And I was told at that time that they wouldn't take you in the lab for some reason until you were sixteen. Well, when I was sixteen somebody left – there was still conscription at that time, even after the war, and somebody was called up and I got into the lab. And I got another jump in salary then, whatever it was. If I had remained in the office I would eventually have become a clerk. It was very much a case of you stayed in the job till somebody left or died then you moved up. It was very slow, because the staff was fairly small.

My work in the lab was, well, a lot of it, in fact most of it, I would say, was quality control, because you were testing raw materials and testing the finished product. And that was basically it. The fibrous raw materials were rags, esparto grass and wood pulp, and you carried out tests on those to make sure that they were up to standard. The other raw materials that you tested were things like coal. You kept an eye on the water. They had a water softening plant to soften the water before it was fed into the boilers, the steam-raising plant. So you checked that and made sure it was ok. And you tested the paper itself and dealt with any complaints that came in from customers. Maybe they sent back a printed sample and said, 'Look at this. It's a mess', or 'There's something wrong with it – sub-standard. It's the paper that's at fault.' You just passed the report on to the sales

458

department and they took it from there; it wasn't your job to deal with the customer.

I found the lab work very interesting. I really enjoyed it. And you were always sort of progressing. During all the time I was there there was no such thing as day release. So you went to night school. And you just accepted the fact that for three nights of the week – and one particular year it was four nights a week – and for six years, you just went there and you got your Higher National in chemistry. And that was as far as you could go via that route. The night school was at the Heriot-Watt College in Edinburgh. I have a feeling that the mill paid the class fees but didn't pay the fares. I think you paid your own fares.

You enrolled every year in September, the session began end of September, beginning of October until I think it was March or April. It was half a year. And they used to reckon that for each night you had at the night school you ought to have another night to study. Of course, when you were doing classes four nights a week there just weren't enough nights in the week !

The course itself was chemistry. So in the earlier years you started off with mathematics, physics, inorganic chemistry. And then you continued with mathematics, and they started to introduce more chemistry, and organic and physical chemistry came a couple of years later. Then towards the end you could specialise in a subject if you wanted. I remember specialising in fuels, because I don't think there was much else to specialise in at that time. You had to follow a fairly tightly prescribed course. Oh, the course was demanding of your time, definitely. You had to put in a certain amount of time studying at home. There was no way that I could have simply gone to the night school and passed the course. I mean, I had to study, because they really crammed the stuff into you. I studied at home at the week-ends mainly, but during the week nights as well, just whatever time you had. I used to study in one of the bedrooms when we lived in the Bog Road. It was a tiny fire, it held about a couple of lumps of coal, and I used to sit cooried over this, you know, and a wee old fashioned electric fire as well, to try and warm the other side of me. They weren't ideal conditions for studying in. And the hours in the lab at the mill remained the same, though I have a feeling in the latter years I was at Valleyfield we started a system whereby we got every third Saturday off, something like that. So I'd be studying on a Saturday afternoon as well as Sunday. I mean, you made sure you had your spare time, too. But you spent an awful lot of time studying. There's no question about that.

I didn't start the Higher National course till I was eighteen. I can't remember if that was a condition of the course. You see, until that time an awful lot of people in the paper mill and also in the lab, instead of taking a Higher National course in a particular subject, they would go for a City & Guilds. Your preparation for the City & Guilds was to take paper making classes, and there were two of those at the Heriot-Watt College. And so in my first year – this is all coming back to me now – I took paper making, which was only one night a week. That was a breeze. And that prepared you for your intermediate City & Guilds. In the second year I took Paper Making II and I got my final City & Guilds paper making. And then one of the senior chemists, Dr Kenny MacBean, he was a Ph.D., he said to me, 'You know, the City & Guilds is all very well but you really ought to be going for something a wee bit higher in the technical field.' So when I was eighteen I started my National Certificate course – four years Ordinary National, two years Higher National. It was 1954 or thereabouts when I finished it.

So it was heavy going. You were working nine till five at the mill, you rushed home, got your tea, got the quarter past six bus and that got you in to Edinburgh in time for a seven o'clock start at the college. Classes went on till nine. I'm trying to remember if there were some of 2½ hours, but certainly seven till nine. You were out in time to get the quarter past nine bus back to Penicuik. So it was from nine in the morning till nine at night. Some days you felt gey weary, but you just took it as something you had to do. You did it for six years and even after you'd stopped, when September came round there was a sort of smell in the air that you felt as if you ought to be enrolling again for the night school.

I suppose the night school interfered with all sorts of other activities that otherwise you could have undertaken. Well, because of the problem I had had with my heart I didn't take part in any team sports like football or rugby or anything like that. When I was eighteen or thereabouts, when my pals were all being called up, I was turned down for National Service – not because they could find anything wrong with my heart at that time, I'm sure of that. I had check-ups with the doctor and he said, 'Fine now, fine now. You're all right.' But when I went before the medical board – they had my medical history, of course – they said, 'That's it.' They obviously didn't want to take any chances. The medical records showed I'd had diphtheria. But I felt so huffed that I was turned down and my pals were going, because I was quite keen to go. It was the Air Force I fancied at that time. So I joined the Penicuik Harriers, just to show that my heart was all right. I went in for long distance running, anything half a mile and over, including long distance road races and that sort of thing. Oh, I felt quite fit and never had any trouble, absolutely none. I'd made an excellent recovery. The Harriers were mainly during the summer months, and of course the evening classes were in the winter, so that wasn't a problem.

Based in the lab at Valleyfield there were six or seven workers. There was one woman. And there was also a chap who was a works chemist. He was in charge of the sort of ancillary operations in paper making, like making the bleach and the rosin size, and recovering the caustic soda, and that sort of thing. So he wasn't so much based in the lab as outside in the mill.

Then about 1954 they created a research and development lab up in Valleyfield House, down the pend in Penicuik. And I was one of those chosen to go up there. I think the people who moved up there had to have a certain minimum qualification, presumably the Higher National. I had it and another pal of mine, Andrew Mercer. We moved up there along with this Dr Kenny MacBean I've mentioned. Dr MacBean was in charge of the research and development lab, and there were a couple of other guys brought in. That lab was a different kettle of fish. After that it wasn't quality control: you were sort of looking into new techniques, and that sort of thing.

Well, I was there in the lab for three years. I carried on doing the same kind of work and developing my experience, and that more or less rounded it up. I can't think of anything else to say about Valleyfield, apart from the fact that I met my wife there, because she worked there in Valleyfield House, too ! She was the secretary there. That's where we met. The lab had its own secretary because Valleyfield House was quite remote from the mill. The House was just up in Penicuik practically, just through the pend.

My salary when I left Valleyfield in 1957 I cannot remember. But I remember I had the opportunity of two jobs to go to. One was with ICI and the other was with Wiggins Teape at Cardiff. One of them was £800 per year, which was substantially more than I was getting at Valleyfield; but whether it was the Cardiff or the ICI one, I can't remember. I think the reason for leaving Valleyfield was promotion, in the sense that at Valleyfield House I was one of a number of chemists, whereas when I went to Wiggins Teape it was as chief chemist of the coated paper factory in Cardiff. And it was more money, it was a better position, and it was just a sort of natural progression. I was 27 then. It was quite young to be a chief chemist.

I don't think you realised just how much experience you had. And it was only when you went to other mills and you talked with people you realised it then. The head office of Wiggins Teape was actually in London. But Cardiff was one of the mills that they took over in order to make carbonless copying paper. It's quite fashionable now, but at that particular time it was quite an innovation really. Well, Cardiff was a much more modern factory than Valleyfield. It was on an industrial estate, so the building itself was much more up to date. As far as the equipment was concerned, I don't think there was a great deal of difference, because although Cowans had pretty old premises, some of their equipment in their coating plant was quite up to date. And Cardiff was the same. But then of course down there they had to put in specialised equipment for the particular paper that we were coating.

461

Cardiff was a smaller mill, because whereas Valleyfield was both paper making and paper coating, Cardiff was just paper coating. So it employed probably a third of the number employed at Valleyfield.

Well, I remained at Cardiff three or four years. I moved from there to Rutherglen: Clyde Paper Mills. I went there as technical sales manager . There you had more of a similarity with Valleyfield, because you had a paper mill as well as a paper coating plant, except that the Clyde Mills was a larger mill. It was certainly larger in terms of output and in every respect really. It employed about 800 workers.

I had a spell as technical sales manager and a spell as finishing manager. They had very acute labour problems in the west of Scotland and there was always trouble. When I worked at Valleyfield I don't think the paper makers' union was all that powerful then. Later on I would say it was powerful. Of course, it's not just a question of the sort of chronology of the thing, it's geographic, too, because industrial Lanarkshire has a history of, you know, strong labour, trade union militancy, which Penicuik never had. And that was less familiar to me than the paternalistic kind of atmosphere that maybe prevailed at Valleyfield under the Cowans. At Clyde Mills the section that used to cause most trouble was the finishing department, which deals with the cutting, sorting, despatch, and that sort of thing. Somebody had to take that over and try and sort it out and I got landed with the job. Mainly women were employed in the finishing department – 300 women altogether, out of the total of 800 workers in the mill. You see, the largest single group in any paper mill in my earlier days was the women, because they employed so many women to sort the paper.

I was at Rutherglen five years, till '65, something like that, and then I moved from there to Mossy Mill, which was in Colinton in Edinburgh. It was a small paper mill – a one-machine mill, with about 40 workers. It was a very old mill, going back to about the beginning of the 19th century and the industrial revolution. I was the general manager there. I remained at Mossy Mill for about six years. The company went bust, because we took over Chirnside paper mills and that just proved to be too much. When they went bust I left the paper trade altogether and I went to Heriot-Watt University, in the administration.

Heriot-Watt was a complete change for me. It was a breeze compared with the heartaches of the paper trade. I had regular hours, which you didn't have in the paper trade particularly, and where the hours had been very long, certainly at Mossy Mill particularly. So I remained in the university administration until I retired in 1995.

So it was a varied career. Of all the jobs I did the one I enjoy most is, I think, being retired ! But really it's difficult to say. There was enjoyment in them all. But I think that probably I preferred the technical side to the personnel side, if you like. Because I found it very frustrating to have things held up because of labour problems and that sort of thing. On the technical side you didn't have to face that sort of thing. The job I enjoyed least was at Rutherglen, Clyde Mills, probably the part where I was finishing manager, although it worked out all right.

Courtesy of Midlothian Libraries Local Studies.

Bales of wood pulp at Valleyfield mill, c. 1937.

'A job for life'. These 25 veteran Valleyfield mill workers were photographed in 1898. The youngest of them appears then to have been 71, the oldest 85. Of those 18 the number of whose years of employment at the mill remains legible, the combined total of years they worked there was 759 – an average of 42 years each.

Courtesy of Penicuik Historical Society.

Henry Haig

When I came back from National Service in 1950 I went to Esk Mill to see about getting my job back. I was told that as I was 19, because I just did the bare 18 months' National Service, I was going to be on 1s.8¹/₄d. an hour, stepping up to 1s.9³/₄d. when I was 20, and then on to the full rate when I was 21. My father said, 'You're not going back for that money. I'll get you a job in Valleyfield.' So I ended up in Valleyfield at 2s.6d. an hour.

I was born on 15 July 1930 at 24 Napier Street, Penicuik, which is no longer there. My father wasn't born in Penicuik, I think he was born in Glasgow. His family belonged the east, moved to Glasgow and later they moved back. They stayed at Meadowbank, Straiton, Loanhead, for a long time. I think he courted in Penicuik and then he came to stay. He worked in Valleyfield paper mill most of the time. But during the Second World War he went into aircraft aero engine testing. I think he went into a reserved occupation. Whether that was by choice or what I don't know. We stayed in Penicuik, but he moved down to Wales for that. Then latterly he came up to Craiglockhart in Edinburgh, you know, where the tennis is played – I think they took over what is now the badminton courts and that there. I think they did a lot of that aero engine testing there as well. There were test benches in there. I think he did a short time in Roslin gunpowder mill, probably towards the end of the war, and then once the war finished up he was back to Valleyfield paper mill.

My mother belonged to Penicuik. I don't know where she worked before she was married. I have a funny feeling she didn't work in the paper mill. I don't remember my parents speaking about that. I have a funny feeling that she didn't work. She probably did work during the war. I've got to think on this. Women had to try and do something then, unless they took in, you know, ATS or lodgers.

My mother's family were Russells, and my grandfather Russell served in the army. I think he was in India for a while, and then I think he ended up down in the paper mill as well. My father's father, grandfather Haig, was a railway porter on his death certificate. But he died before I was born. Whether he had been a west of Scotland man but had moved around a bit, this is difficult to say. They had ties down in Loanhead at the west end area and apparently they had a shop there at one time. But when all this happened and how, I'm not quite sure. But they certainly were back through in Glasgow sometime. As I say, I think my father was born through there and they moved back through to the east. But there was a big family of them.

I had two brothers, both older than me. Alex would be about seven years older, Andrew was about, I think, four or five years older than me. I was an afterthought. I think I was meant to be a wee girl and never turned out that way ! I was just the wee fellow, you see. Alex and Andrew weren't interested in me. I was always the third person, as it were, as far as they were concerned. I've heard stories about them taking me out in the pram and they would take me to the top of a hill, and one would be at the top and one at the bottom, and they would let the pram go ! I've been told this since by other people who have some kind of memories of it all. Well, later on Alex was an apprentice grocer with the Penicuik Co-op, the Store. He went away to the RAF during the war and then came back to the Store. He was the Store manager at Eastfield Co-op in Penicuik. He always remained with the Co-op. Andrew, I think he started with Tait the builders in Penicuik and didn't last long, a couple of years, and then he went down to the pits when he was sixteen, seventeen. The first day he went to the pits he promised my mother he wouldn't go down below. When he came back home that day he said he was going down below the next day. I can remember that. But he picked up tuberculosis and he spent a lot of his time in hospital – Bangour in West Lothian first of all, then East Fortune in East Lothian. In fact, Andrew died in hospital. Well, he was having the new methorax treatment. That was the collapsing of the lung and he had the operation and it was a blood clotting. He'd be 26 when he died. That was my 21st birthday. Oh, it was very sad.

As I say, I was born at 24 Napier Street in Penicuik and it was a but and ben. The houses were privately owned – by whom I don't know. Napier Street was down where the Kirklands area is now, and all that was part of Shottstown. Then Napier Street, Fieldsend, ran up at an angle towards what is now The Mill pub, at the edge of the public park. I remember the but and ben in Napier Street. The bedroom faced on to the street, the kitchen faced on to a landing, which was then an open landing, and then you got down to the common toilets. There was just the two floors. We were on the first floor. I think downstairs had a door and a room either side. Upstairs we had a door in the kitchen, then through into the bedroom. And there was an alcove where the bed was. It was a huge open fire range with two ovens, I think one at either side. My mother did all the cooking there. She may have had a gas boiler, I wouldn't like to say. But certainly it was gas lighting. It was a flush toilet, but it was shared. The toilet was downstairs. There was a row of coal cellars and then it was just a dirt area, I think it was wet, it was muddy, and then there was a building. I think there were three toilets in it. It served so many people, and you all had your key. And if the mill was on bible paper you got a good wipe at your bottom; if not, it was newspaper. That was it in those days. You were just conditioned to all that.

My parents slept in the kitchen and my brothers and I were through in the bedroom. They were fair sized rooms, well, big enough to live in. We never had lodgers in Napier Street, there wasn't just room for that. I think we had a lodger during the war for a while, but we had long since moved to Carlops Avenue by then. But I remember my father's parents stayed at Straiton, about five miles towards Edinburgh from Penicuik, in a long double storey brick building. The limekilns were on the other side of the road. Well, my grandparents were at the very end of that long building, up the stairs, a but and ben. There were four brothers and two sisters and, as I say, my grandfather was dead but grandmother was still around then. And they had lodgers. I don't know how they did it. It must have been a crowding. Recently the Camera Club had a slide show and we saw slides of the old Low Mill at Valleyfield, and there was a tenement down there where the Clark family brought up fourteen children in two rooms. I think as families grew up the older ones had to get out into domestic service or something like that.

Napier Street was distinct from Shottstown. It adjoined it but it was different to it. And Shottstown was all just single storey, miners' rows, typical red brick miners' rows. Napier Street was brick as well, but two-storey. So who that belonged to I don't know. Obviously somebody owned it and collected the rents.

At Napier Street we had hawkers stayed down below us. They used to go like the clappers. There was quite a lot of them. But they were typical. The parents were an older couple than my parents. The mother used to smoke the old white clay pipe. And the old boy had a dog's life because she ruled the roost – and a tongue like a clipshear ! I don't know what as hawkers they were selling. I just know that they stayed there. I was too young to go beyond that. They were hawkers.

But there was a lot of families there. Fieldsend, on the other side of the street, that was up and down stairs as well, and there was a lot of families there, a lot of children. And of course I can't say if the road was tarmacadamed or what. It was hard packed. But at the back of the houses it was just mud. It was definitely unpleasant in the winter in Shottstown. And then at the other side of Fieldsend there was the Shottstown Burn, and of course it was rat-infested and all that kind of thing. There was no rats at our side. But I think there was an occasional mouse.

I suffered once from scarlet fever at Napier Street. I can remember being taken downstairs wrapped in a red blanket and into the ambulance and taken down to Loanhead hospital. I think I must have been about three or four, before I went to school. And of course Loanhead hospital was like a prison. Your parents weren't allowed in to see you. They had to stand on bricks and look in through a small window and speak to you up there. In the hospital it was a cold water bath I got. I'll never forget that. I can also remember I didn't like tomato soup. I wouldn't take it, and I got a wallopin' in the hospital for that – oh ! It didn't pay to take scarlet fever !

I was seven when we left Napier Street and moved to Carlops Avenue in 1937. That was a council house. I don't know when Carlops Avenue had been built. But there was a straight swop for us because the people there couldn't pay the rent. They couldn't pay the letting, they hadn't the money. There was electricity there but they had been burning paraffin lamps and you could see the mark on the ceiling. They went to No. 24 Napier Street and we moved into – to us anyway – the new house in Carlops Avenue. A bathroom ! I'd never seen a bathroom. Oh, kitchen, lavatory, two bedrooms, bathroom, electric light, and there was a gas cooker and a gas boiler. There was back-to-back grates in the fire. You see, you had a fire here, your kitchen was through there and there was a big massive black grate. It used to get filled with soot. There was an oven and hotplates on the top. But all the soot used to come through. So when you had a chimney sweep he didn't just have to sweep the chimney, he had tae clean all that as well. Nonetheless my mother found the house in Carlops Avenue an enormous improvement, there were no question of that. But there was an awful lot more to look after and clean, of course. But there again she was a houseproud woman and got what she wanted.

When I was five and we were still in Napier Street I started at Kirkhill School. I think the basis of the pupils at Kirkhill School came from Shottstown, Napier Street, and what is now old Penicuik. You had to walk up what was called up The Backs. It was a good three-quarters of a mile to a mile. It was all uphill. We crossed a bridge at the bottom of Napier Street and Shottstown, and then we walked up through Piggy Watson's fields. There was a pathway, it was a right of way. It was a pretty steep hill. Of course, you used to linger and that, you know. I was always last climbing up the hill. They complained, 'Come along. You're always last.' It could well be that was because I had furthest to go. Well, from Napier Street was a good step for a little lad. But I got there.

What I can remember of the school I liked it. We had Miss Love as a teacher for years. She was a rather stout lady, and she was quite a good teacher. It was ok. I remained at Kirkhill School till I was seven, and then we were all marched down through the main street in Penicuik to the new High School. It opened in 1937, the same year that I would move from Napier Street to Carlops Avenue. They closed John Street or Jackson Street School as well as Kirkhill School then. And MacQueen, who was the headmaster up at Kirkhill School, he took over as headmaster at the High School. And I believe his first words were that, 'This school is not big enough.' Of course in those days Penicuik had a population of about 5,000 – nowadays you're talking of 20,000, 25,000.[218]

Well, at Kirkhill and then at the new school you had Miss Love for primary one, two, three, four, five, I think it was. And then we had two years with another teacher before we went in to the secondary. I think I liked most things in the primary. There was nothing particular, one way or the other. I was never too happy at gymnastics and that kind of thing. I quite enjoyed everything else generally. I liked arithmetic quite a bit, and I used to like compositions – the trouble was when I started I couldn't stop, I used to keep going and going and going. Oh, I quite enjoyed school, I must admit. Well, I had one particular difficulty: I was left handed. And the teacher took me out to the blackboard one day and handed me the chalk: 'Take that in your right hand and write.' So I tried to write. She said, 'Go back to your seat and forget it.' She never made any other attempt to get me to write right-handed. I never got punished for being left-handed, they never held that against me. She tried and she saw what kind of mess I was making of it, and that was it.

I used to get the *Beano* and the *Dandy*. And I realise now I must have got them when they first started in the '30s. We used to get library books, *Biggles*, or some tales like that, just the usual boys' books.[219] Well, we had a school library. I'm not sure when the public library came to Penicuik. There used to be one up in the Cowan Institute. It was up there for a long time. At the school wooden boxes o' books used to come in, and you used to get the books changed every so often but never often enough.

I sat the Qualifying exam and passed it. That would be 1941. It meant I could go to the junior secondary school in Penicuik or go to Lasswade High. I didn't want to go to Lasswade. In fact, I don't think I would have been allowed to go, I think my parents couldn't afford it. But I don't remember them discussing it. And I didn't want to go. Well, I suppose it must have been because in those days my friends were staying at Penicuik school. From my own class there were one or two went to Lasswade, not that many. And then there was a school bus. I don't know if you had to pay for that. I wouldn't be surprised if we had to pay for the bus. I just can't remember all these things, what the arrangements were, or whether the Education paid that. You see, you also had the opportunity of three years at Penicuik secondary and then two years at Lasswade. And in actual fact that was recommended by the headmaster, rather than going to Lasswade when you were eleven or twelve. He'd say, 'Stay here for your three years now.' And if you wanted after three years then you could catch up at Lasswade for two years. Personally I can't remember anybody doing that, but I know it was done. They moved on to Lasswade and quite a few of them they used to claim that they went from Penicuik after three years and became dux at Lasswade after the two years. So there must have been something in it. And then, well, if you went to Lasswade I think you started to mix with different people. Of course, we still met up but we did lose track a wee bit with some of them that went from Penicuik to Lasswade. But we sort of met, maybe at a youth club and that sort of thing. I would say that if the parents were affluent enough, had a wee bit money, and could see that it was going to do their son or their daughter some good they would send them to Lasswade. But whether there was any overall advantage in that was another question. And yet if you wanted to go on to university you would have to go on via Lasswade. Well, I had one friend, I think he was three years in Penicuik and then two years at Lasswade, he went to university via Lasswade. That wasn't very common in those days. It was something that you didn't talk much about. I mean, even talking about jobs and work and that kind of thing, in those days it wasn't really talked of. Nowadays they even have industry coming to school. We never had that kind of thing. We didn't know what work was. I mean, you were at school and that was it. You never thought what was going to happen after school. You just took it as it came, day by day.

Well, when I got into the secondary at Penicuik, that would be about 1941-2, I was to take commercial subjects. I was told by the teacher, 'You're too brainy to go Technical. Take commercial subjects' – shorthand, book-keeping and typing, and of course your geometry, algebra. And I can always remember going home and saying, 'I don't like this idea. I'd rather be with the lads in Technical – in science and that.' I went back and saw the teacher: 'No, no, no. There's no way. No, you're not going to the Technical side.' So I ended up in the commercial. The class was two-thirds girls. There was only eleven of us boys. After a while we got used to the idea. But you felt that whatever science and that kind of thing was it might be a bit more interesting than belting away at a typewriter and getting brain-washed in shorthand. We got no science, no woodwork, or anything like that at all. I would have thoroughly enjoyed woodwork. We got French, history and geography, music and art. I think I liked the maths more than anything. Shorthand was ok – thin strokes, thick strokes and curls and whirls. I honestly couldn't tell you what speed I could do in shorthand by the end of the course. I never finished it, because I had to leave school at fourteen. I only had two years. That was when my brother Andrew took tuberculosis and ended up in hospital all the time. I think if I had got into my third year at the school I would probably have liked to go into accounting or something like that, you know. But that never happened. Book-keeping was handy – your debits and your credits and what have you, and I quite enjoyed typing. I liked geography and history. I didn't play games an awful lot. But there wasn't such an awful lot of that: the school playgrounds were ploughed up during the war, and the park was all ploughed up. You had no playing fields or anything like that.

So I left school when I was fourteen. My parents needed the money because my brother Andrew fell ill. The next day he had to go to hospital. I was told by my father to go and get a job. I didn't like it. I wasn't happy. I was reasonable enough in my subjects. I was always about third in the class. But I never looked beyond the third year. As I say, we had never started to talk about what you would do once you left school. I didn't want to leave school, but I had to go up and tell the headmaster I was leaving. He said, 'Please come back till we find you a job.' I said, 'No, I'm not to come back. That's it.'

Well, I left school in the summer, 1944. I became a message boy for Wilson's, Penicuik Ltd, the grain stores, for £1 a week. I applied and got the job and started the following Monday. I think the shop was eight till six, or half-past eight till six, something like that. You got an hour for lunch and I came home for lunch. Saturday was a full day, Wednesday was a half day – eight or half-past eight till five, I think, on a Saturday, and till twelve on the Wednesday.

My job was delivering messages, helping in the back shop – possibly weighing out nails or sheep dip for the farmers, all this kind of thing. Wilson's was a grocer. There was a grocer's shop, there was an ironmongery, and they also had a branch which supplied the farmers with grain and all that. They were the main suppliers in the area until some years later. They had a section that had two directors. They used to go round all the farms and they delivered grain, feed, and all that the farms wanted. Wilson's had two lorries full-time delivering. The big shed area at Thorburn Terrace was where all the grain was stored.

I don't know when Wilson's was started but I think it was started by the father of the person who was my boss. I think he was known as Provost Wilson. Of course, it was always the shopowners, the businessmen, who ran Penicuik in those days. That's why you haven't got the shops in that you could have had in, because they kept them out. I think the only thing they allowed in was the Maypole Dairy in The Square.[220]

The messages I delivered were all grocery things, not so much eggs. I suppose I took in so much bread, but bread was basically bakers' in those days. There was a lot of bakers then in Penicuik. So groceries, and the other thing was that Wilson's were the wholesale cigarettes suppliers.

I delivered the messages on a bike, a big wheel at the back, a small wheel at the front, and the big deep basket. I was cycling all over Penicuik. I used to have to go up to the farm at the top of Pomathorn. They had a phone but I had to go up there to get the order – crazy. I had to cycle up there to get her order, and then take the order back up. Actually, if you saw what the hill's like there there was no way I could cycle up there with the order. I always felt Wilson's could have got their lorry to do that. But if I timed it right on a Monday morning the refuse collectors used to be at the foot of the hill and I used to hang on on my bike to the back of that lorry – dangerous ! But the refuse men watched me. I just held on and I got pulled up the hill. And then the furthest the other way I cycled was to Crosshouse Farm. That's up above Flotterstone, at the top of the hill. They phoned in their order. So I just had to take the order there. I got £1 a week for all this, it was about 49 hours a week, so I was working for about two pence an hour. After I'd been there three months I got a rise of 7s.6d. And I never got any more after that. That was it. I thought I was the bee's knees.

Oh, quite affluent people, you know, used to shop at Wilson's. I didn't see so many ordinary working people there, not unless they wanted nuts and bolts or screw nails. They might have come in for ironmongery, but for the groceries it was all the people that had that wee bit more. Most deliveries would be in Jackson Street or places like that. Jackson Street was a more middle class street, well, especially down towards the park. You didn't get people in Shottstown getting their groceries delivered from Wilson's, I was never in there. But, I mean, I delivered to most places in Penicuik. In every street there was always somebody I delivered to, council house tenants as well. Even people in council houses were thinking they were a bit up-market, you know. It was not everybody that went to shop in the Co-op kind of thing, like my mother and father did. Wilson's appeared to be quite a sizeable business as far as the groceries were concerned. It was a kind of high class grocer, that type of thing, in those days. I think he was licensed latterly but not at that time.

Employed in the grocery business there was the manager and a woman colleague. I'm trying to think if they had somebody else part-time. But there was at least the two of them and possibly a third one. Then the first man came back from the war after that. He was a trained grocer. He was back before I left. I can't remember when the next one came back, but I think anyway that one of them was back before I left. I was the only message boy. But bear in mind we were doing the ironmongery: there was quite a lot of sales in the ironmongery. It was a separate section: the ironmongery was upstairs for the most part. The more quality stuff was up the stairs, and then nails and everything was out in a side place. The grocers also sold the ironmongery. It was the same shop. And if somebody wanted nails I was sent out to get them. They all came in in bulk and you had to handle them with your hands. They were kind of sore on the fingers, especially these fencing nails. Oh, they were a menace. And then we sold the sheep dip as well, and you had to put the shovel in quietly and lift it very gently, because the dust would come up and go in your nostrils. But the grocers were handling everything ! Oh, they washed their hands after. And we sold paraffin as well. I would be sent to fill up a gallon of paraffin and then I had to go and wash my hands after. You could smell the paraffin. But it was all the same staff for the ironmongery and the groceries. I quite enjoyed that work, and of course you got out in the fresh air with the bike and what have you, you got away from it all. I was quite fit, I was the Flying Scotsman for a short while – till I learned !

While I was at Wilson's I did try and follow up at the evening class at the school with the book-keeping, shorthand and typing, but I only stuck a couple of month and then I said, 'Forget it.' I think there was a bit of everything involved in dropping it – lack of real material interest, I wasn't going to be using it. I couldn't see any future of it. I had no ambitions. I hadn't even thought about it. It hadn't even been talked about. We were never told what was on in the outside world. We knew there were paper mills where our fathers worked and that kind of thing, there was jobs. But it had never been talked about what happened in them. I had no ambitions to be this or that, none whatsoever. As the first year at Wilson's went on this sort of developed when you saw what was going on, because it took you around pubs and garages and all this kind of thing. Henry's garage used to get a supply of cigarettes. All the shops got their supplies, so you went to all the different places. You got to know all the shopkeepers. I reckon I could tell you where most of the people stayed in Penicuik at that time. It was interesting to see Penicuik at work as it were. But I hated going into public houses. The smell of beer, oh ! In those days you had the middle shop, the Town Inn, and there was the Railway Tavern, and that was the two basic ones we did.

I was at Wilson's about 18 months. I asked him if I was being allowed to get my apprenticeship as a grocer. But I was told there were too many coming back from the war. So when I found that out I just said, 'Well, I'm going to look for another job.' And that's what I did.

Well, I had an uncle who worked in Esk Mill and he spoke for me and I got a job there. That was the way it worked – family connections.

I went to Esk Mill in 1946. To begin with I was an assistant on the calenders. The calenders were stacks of rolls. They had a coating department where they applied a base of adhesive colour to either side of the paper. And once it was dried it came to the calender house and it was fed through these friction rollers at high speed, and it polished up that. That's where you got your high class art paper, clay-based.

For my first day I went there to the mill at quarter to eight in the morning. I ended up going home and coming back out at ten o'clock at night on night shift. I was sixteen. I was in a state of shock. I couldn't believe it. Well, they asked me if I would do that because they were short-handed, you see, and they would keep an eye on me. So I worked eight in the morning till lunch time, went home, and went back till five o'clock, and then went back out at ten at night and worked right through till six the next morning. I can't remember an awful lot of how I felt once I'd completed the shift, probably shattered, because it was a long day and I hadn't been to sleep. I was on shifts after that: night shift, back shift, day shift, in that order. You had a week of night shift, a week of back shift, then a week of day shift, then back to the night shift again. That was always the process and from the age of sixteen. You wouldn't be allowed to work shift work now at sixteen. Shift work was ok. You know, the back shift wasn't very good but you settled into a way of life with it. This was the trouble with that, you settle too quickly into a way of life.

The problem with the back shift was you couldn't do very much. You started at two and finished at ten. You had to leave home and walk down about half-past one to be at the mill for two. The main part of the day is the evening. By the time you got home at night it was too late. Back shift was never a very good shift anywhere. It was the awkward shift. But, oh, we just took it in our stride. Of course there were people my own age at work, because there was one for each set of two calenders, and I think there were three of us lads on the shift. You had the company, whereas in the grocer business you were on your own.

And, without saying too much, you never worked a full night shift. You worked from ten o'clock till half past twelve. Then you were away up at the brosie making the tea. The brosie was just a small place where you could get hot water or heat things up. There was just one brosie for the whole mill. You had to walk probably a few hundred yards to it. You had a calenderman on each calender. They were your bosses, so you made their tea and your own tea and brought it back down. You had pitchers. In most cases you'd probably be heating the pitchers up, they'd have their tea made at home in those days and then they would heat the pitchers up. That was the days before teabags, you see. You heated them in a shallow bath, steep coils inside it, and you would sit them in there. You'd probably take them up and leave them for about fifteen, twenty minutes till they were really hot and then bring them down. You'd stop at one o'clock and have your supper. That was it till about half past three in the morning: a long supper, then feet up, sleeping, what have you. That was the accepted pattern.

Foremen knew about it. They didn't bother you. Nobody seemed to bother, and I was always intrigued by this. But you just did as you were told. That was the practice. So you got a break of about 2½ hours. Then you would run on for another hour after that and then you washed your calender down ready for the day shift coming in the morning. But production was entirely stopped between one o'clock and half past three in the morning. The day shift made up for that. I was quite surprised the management didn't crack down on it. But that went on all the time I was there. I went away for my National Service in November '48, so that was almost two years I was there. So that went on. And even the back shift used to wait till the papermaking foreman was away and then they knocked off. After he went away on the backshift for his supper the place used to shut down. The spies were out ! After half past eight he used to go home for his supper and everything used to quieten down after that. I mean, I don't know what kind of hours the man worked. But that was him going home for a meal. So I take it he must have been working twelve hours' night shift, that kind of thing. If there was somebody in the mill you kept going. But it was done easy-osey. I couldn't understand it, but there again you did what you were told and that was it. Everybody stopped, everybody – well, not the paper making machines. The machines went on. And I assume that the coating machines went on up the stair. But it was just our lot, the calendermen, that could please themselves what they did. It was just the calendermen, I think, basically that stopped. You know, they maybe put their feet up. But, I mean, the paper making machines couldn't stop. They had to keep going. But we could do what we liked, you see, on the calenders. There was six calenders running, so there would be six calendermen and three assistants – nine. Well, you had three shifts so you had nine on each shift. And then there was an extra calender: No. 7 was at the top corner, and if there was overtime going the backshift would come out and double up on that one. But they would stop at one o'clock in the morning there. It was crazy.

And then the back shift might have got overtime, to make up your wages a little bit. I had 27s.6d. as a grocer's boy at Wilson's. I got a bit more there at the mill. I'm trying to remember what I was paid when I first began at Esk Mill. But it was so much per hour. I think it must have been about a shilling an hour or something like that, £2.10.0 a week or maybe a little bit more. I know that when I came back from National Service in 1950 I went to see about getting my job back. I was told that I was 19 and I would get 1s.8¼d. an hour, stepping up to 1s.9¾d. when I was 20. So if I was going to get 1s.8¼d. at 19, I suppose it must have been about 1s.4d. or 1s.5d. at 17, so you can work it down till I was earning maybe a shilling an hour or just over it at 16. You were working eight hour shifts: it was six to two on day shift, two to ten back shift, and ten till six night shift – 40 hours on the back shift, 46 on the day shift, and I think it was a midnight start on Sunday so it was 46 on the night shift. So if it was a shilling an hour I'd be getting about 46 shillings or £2.6.0. a week at the most when I was 16. I suppose that wouldn't be a bad wage then for a lad of 16. Whether it was enough to pay tax on, I don't know. But that was the way of things until I went to do National Service.

When I first began at Esk Mill I was, as I say, an assistant on the calenders. And I was being trained to feed this paper through these rolls. They had guard bars across, but you used your knuckles. Oh, it was dangerous work. They showed you what to do. You had to watch you didn't crease the paper. Every second one – there was a steel roll and there was a soft cotton one in between. You would never have driven the steel rolls together so they made up a cotton base, and you had to be careful you didn't crease these rolls or they had to come out and be replaced. That was quite a business on its own for somebody. So that was about all the training – how to do it, what to do.

I worked on the calenders for two years before I went to do National Service. There wasn't any sort of system of gaining experience in different departments, not to my knowledge. There was never any mention of that. That was it, that was your job. You could have stuck at that for the rest of your days. We didn't even see much of the coating plant up the stairs, we didn't see much of that at all. It was all very departmentalised. That was a different area, and the paper was brought down to us, and that was it. We were never shown that. You were never encouraged by management to show an interest in other parts of the paper making process. And there was no training to show you the other parts of the process, no being taken round the mill, there was nothing like that. You were just stuck in a job and left there. I suppose I wasn't there long enough to find out if you were transferred only if you asked to be transferred or if you showed particular qualities. I suppose if there was a job going somewhere else that you fancied you could go and ask about it and there was a possibility. We had a foreman called Jabbie Ketchen – Jabbie was just his nickname – and he ran the coating department and he was a sort of eight till five man. There was no foreman in this any other time. It seemed to be an individual area but the place was responsible to the making machine foreman out of hours, beyond the day shift workings. But we hadn't anybody else to stand and talk with us. Instructions were left what to do, what they wanted, this, that and the next thing, just a note on the side of each calender, what you would do. And that was it. And once you had finished that order you would go on to so-and-so's order, maybe Nelson's or somebody else's, somebody's special paper coming forward and that.

Two names that I can remember among Esk Mill's customers were Thomas Nelson the publisher, and Searby – now who they were I don't know. I think a lot of the paper went into Nelson's. They say that the Nelson printers had shares in Esk Mill. Then I think we did a coloured paper for Lyons. We used to do an orange coated paper for Lyons tea packets. But beyond that I can't remember very much about customers.

Esk Mill made high class art papers. They were all fine art, all fine writing, and that kind of thing. They never were making wrapping papers or that. If they wanted wrapping paper they had to buy it in. It was all quality papers, same as Valleyfield, for printers, bookbinders, writing paper, that type, and envelopes and all that kind of thing. Bear in mind that at one time Edinburgh was the printing capital of the world – the amount of printing companies that were in Edinburgh !

And they reckon that there was over 30 paper mills within that radius of Edinburgh. If you take in Fife, the Lothians and that you had all these paper mills. When I started in the mill you had Valleyfield, Esk Mill and then Dalmore down the North Esk water. And then you went down the water to Lasswade: they were all there – Polton Mill and that, Todd's, the lot. The North Esk fed the lot of them. And that's when you had the North Esk reservoir. There was a company in control of the North Esk reservoir, and the mills got supplies of water from that time.

The water was all tied in as well. The water was very important in the making of paper. Twenty-odd per cent of what went on a wire was water when you were making a sheet of paper. And by the end of the wire most of it was running off. The quality of the water was crucial. There was a little coal mine up in the estate at Cornton and they were leaking water into the North Esk. Cowan shut Cornton coal mine, that was the end of it. And I can remember North Esk reservoir. There was somebody, some flusherman or whatever you call him, in control, and this night – it was just before Pomathorn was due to start – Esk Mill were short of water. The North Esk was low. They asked the flusherman to open the sluice and send down water. The water came down. Somebody at Valleyfield says, 'Oh, where's all this water come from ? We'll fill the Pomathorn tanks.' They took the water to fill them. Ah ! They were up from Esk Mill to Valleyfield the next morning. There was hot cakes over that ! Well, there was a conglomerate – a sort of joint committee of all the paper makers, including the Todds of Lasswade and all that, owned North Esk reservoir, so that they could get water down the Esk. But there was also an east side water and a west side water. And I can remember there was two plumbers, Arthur Dickson and somebody else, and they retired. Then the mill couldn't trace all the different water. They had to get these two men back to try and find out what was what. Down the foot of Cairnbank there are now two bungalows and they are sitting on top of what used to be two water holding areas, two pools of water. One was east side, one was west side. And these waters were probably used for banknote paper. Whether they were softer or harder I don't know. But that was why the mill was where it was on the North Esk. The North Esk fed umpteen paper mills right down to Inveresk. It was a paper making river. At Esk Mill there was a sluice came from under the mill – and the waste that came from this ! You could tell if the paper making machine was on coloured paper. The foam would be as high as this ceiling and it would be yellow or green or pink or blue – and all that went into the water. No wonder there wis no fishing ! And that was just one mill doing it: what were the others doing ? Oh, dreadful pollution.

I don't really think there was any rivalry between Esk Mill and Valleyfield or Dalmore. It was a place on its own, you know. As I say, I think Esk Mill and Valleyfield were both making much the same type of paper. But Cowans at Valleyfield also made a great deal of cartridge paper for drawings and that type of thing. I don't know if there was so much of that done at Esk Mill. I would say Dalmore in those days was making paper of not such good quality. I think they certainly made white papers, not brown papers. I think the only brown paper mills were, well, on the Water of Leith there was one out Balerno way – I don't think it was Galloway's – but coming further in toward Edinburgh there was Kinleith, I think there was a brown mill there; and I think there was another one further down in Leith itself. But Esk Mill and Valleyfield made good quality white papers. You didn't dare put wrapping paper into the broke, if you got a piece of brown paper it would ruin it. And it happened.

I think they used to talk about 600 workers being employed at Esk Mill, roughly 200 on each shift, but about 600. Well, the women workers were basically used in the overhauling or in the offices. So there wouldn't be so much in the way of that. I mean, the proportion of women to men might be as low as one to six. But I don't know how much overhauling there was in Esk Mill. Later on I saw them all in Valleyfield doing that, but I never saw them in Esk Mill. In the packing of the paper I think it was all male tiers there. That was one of the better jobs, tying the paper. I don't know if they were paid better but it was a clean job. And there was an art in the tying of the reams of paper. And then I never got into the office at Esk Mill, so I don't know if there'd maybe be more women than men in the office. As I say, you were working in isolation in Esk Mill. You were just a figure, and your wages were made out every week. I think there was a place where we used to go and collect our wages. We were never in the office itself. It was halfway down the hill on the road intae Esk Mill. It was just like somebody's bungalow kind of thing. It was a house, an upstairs-downstairs kind of thing, on the right hand side.

I used to wander round the mill a bit, some bits of it. You see, there was always waste paper and we used to put it into great big canvas sacks. So that at the end of your shift you had to take it away up to the beater house. That was away up towards where they actually made the pulp for going back to make paper again. And it was always part of the mechanism that there was so much broke used, depending on what type of paper they were making. So you took it back up to that corner. That way you could see some bits of the mill. I suppose you saw the bulk of it, with the exception funnily enough of the coating department, where the colour was actually coated. We used to walk by going into work, but we never went in there. It looked like a glory hole o' a place. It was a different place, different work, and that kind of thing that went on. As I've said, there was no programme of education and training for each worker, nothing like that. This never really happened until – I'm trying to think if there was very much of it later on in Valleyfield. I never really run into it until years later I became a foreman at Valleyfield and was sent away on courses. Possibly it was going on before I became a foreman. But it was just starting then, in the early 1960s, I think, to become involved in the training courses and that kind of thing.

Anyway at Esk Mill I enjoyed the work and found it interesting. I had a misspent youth ! I spent half o' it up in the Cowan Institute playing snooker and billiards. Well, I suppose the Institute was open all day and all evening till about half past nine, ten at night. I used to go up in the evenings and play snooker and that type of thing. I became a member of the Institute. It must have been open to the public generally because the library was there then. And there was also a reading room for members. You could go in and read all the papers, they were there every morning. Anybody who paid could join the Institute, you didn't have to be an employee at Valleyfield. I think the Institute was open to men. I don't remember seeing women there other than going into the library. It was all men: there were no lady snooker players. That's definite. I just don't know if that was the policy or not. The Institute was built for the workers of Valleyfield by the Cowans, and there was a trustee set-up and there was money in the bank. But it got to the stage latterly that the money wasn't there to keep it going. That's why it became what it became. It was opened up so anybody could join. But I think at that time it was at the stage that it wasn't going to be run as it was. I can't remember who took over the debts: did the town council take it over first of all ? That was after I had started work in the mill. I think when I first went to Esk Mill the Cowan Institute was just for the Valleyfield workers. Because Esk Mill had their own place, the old Kirkhill School. They had carpet bowls and a billiard room up there – that was the only carpet bowls that I can remember that was played in Penicuik, and they had tennis courts and a bowling green down in Esk Mill. Oh, they had their own recreation for their workers. I suppose membership of the Esk Mill recreational club must have been confined to employees. I don't think it was open to the general public. That was part of the job when I was there, you know, that you could go and use it. I played tennis a couple of times but I was never impressed by it. As I say, I hadn't a great deal of interest in sports and that type of thing.

When I was young I had a push bike. I used to cycle. I cycled up as far as Biggar once and that kind of thing. But I never went youth hostelling, I never did that type of thing. When I went off to do my National Service I hadn't been very far from Penicuik before. I'd never been to Glasgow or anything like that, no great distance. We never went away on holidays. A holiday was a day trip to Portobello. I can't remember my father getting paid holidays, I can't remember of that ever happening, and yet it must have happened. Well, of course, he was away during the war testing aero engines. I must have got holidays at Esk Mill when I started, because Esk Mill got one week and Valleyfield got the next week. The two never took the same weeks. But part of that of course was maintenance of machinery. It was carried out by Bertram's, the engineers, in Edinburgh. They would do one mill one week and the other mill the next week. So there must have been holidays when I started at Esk Mill in '46.

I joined the union at Esk Mill. Oh, I had to, because my uncle was one of the union men in the mill ! He would probably be the union representative, or one of them, in Esk Mill. I couldn't say if there was more than one. There was a full-time union secretary in Penicuik. Was it George Smith at one time ? He had an office in John Street, opposite probably where the Salvation Army hall is now. I remember going in to the union office, it was just a single room. They maybe had a wee room at the back type of thing. But I never followed the union meetings very much. I was never active in the union. I paid my subscription. I fancied the badge ! Most of the workers were members of the union, there were no question of that. It wasn't a closed shop, it didn't act as a closed shop as far as I know. But most of them were members.

Esk Mill was definitely a very family mill. The Jardine family controlled it latterly. They say that Nelson the printers had shares in the place. They used to say that the one had shares in the other, type of thing, Jardines and Nelson's. As I've said, a lot of the paper went into Nelson's. I don't know how Esk Mill was run. You very seldom saw Neddy Jardine walking round the mill. Maybe he popped his head round the door very occasionally.

*   *   *

Well, as I've said, I went away from Esk Mill for my National Service in November 1948. I just did the bare 18 months. I went to the RAF. My brother Alex was in the RAF. And I thought if I went into Equipment I would have a quiet time for 18 months. I didn't want to do anything with it, you see. I was one of these characters that didn't like to be upset or moved sideways. Oh, it was a big upheaval to be sent off to National Service, I mean, you were homesick, there were no question of that. And, as I say, we'd never been away on holidays from Penicuik. So the impact National Service had on me you have no idea. We had to get a train, find out all about trains, go down to Warrington in Lancashire, then RAF Padgate. I spent eight weeks there, I think it was. That was an induction: men shouting their head off at you ! 'Who do you think I am ?' 'Samson ?' – I nearly got jankers for that. It was just a natural thing that came out. So scrub the floors, polish the floors, and all that – a different life, crazy. Mind you, it didn't do us any harm. You met everybody: lads from Glasgow and all the rest of it. These lads were more homesick than we were.

After Padgate I got into Equipment, so I did an eight week course at Hereford, and I was then stationed at Great Ashfield, near Bury St Edmunds in Suffolk. I was far from home. We used to sit and watch the Colchester express going up every night to Edinburgh at the other side of the field. Seeing the trains made you homesick, but we got used to it. We were in Nissen huts. We used to hear the mice running in the huts.

That was 1949, there was a strike of workers at the docks and we were all on stand-by to go down to London docks to help unload. We took a turn to go down and were in billets at Biggin Hill, one of the old RAF wartime aerodromes in London. Some of our lot went down to unload a boat and it was camel bones, and they were stinking to high heaven when they came back. The bones was for making glue, it had been something awful. So we never got near the docks then.[221] It was a beautiful summer, most enjoyable. My National Service ran its course and I got out to the day in 18 months. And when my demob came through it also came through a few days later that they were to serve another six months. But I was lucky, because my demob was through. And I even missed having to go into the Territorial Army, too, I just missed that as well. I was exceptionally fortunate.[222] National Service didn't do us any harm. I think it helped to let us see how the other part of the world lived. I met a lot of other people – Londoners and all this kind of thing – so it broadened out your experience. I suppose it did leave you feeling a little bit unsettled and restless when you came back home. But you've got to remember at the same time we were earning little or nothing doing National Service. We started off with fourteen bob a week and seven bob of that had to be sent home. So you were actually living on a shoestring. So I wasn't unhappy to leave National Service and I was able to start up life where it had sort of left off.

I hadn't made up my mind to try any different job or career. This was the thing. We never had thought much about jobs elsewhere and work and that. And another thing Esk Mill was there and we were going to go back to it. But when I went down again to the mill they said, 'Yes', and told me what I would get in wages. As I've said, it was 1s.8$^{1}/_{4}$d. an hour at 19, and I was 19½ then, and then when I became 20 it was to be 1s.9$^{3}/_{4}$d. It averaged out at a 44 hour week – two 46s and a 40. My father said, 'You're not going back for that money. I'll get you a job in Valleyfield.' He came home and he said, 'I've got you job – 2s.6d. an hour, shifts.' Oh, I was chuffed. So I said, 'Oh, well, in for a penny, in for a pound.' That was a big difference from Esk Mill. That was the man's rate 2s.6d., I was going to get the man's rate at 19½. Esk Mill and Valleyfield were less than half a mile apart, but at Esk Mill I was going back down to a boy's job, that type of thing, it was still a youth's job, you see, back to where I'd been. But I was being offered a man's job at a man's rate in Valleyfield. It was the same union in both mills, it was still the National Union of Printers, Bookbinders and Paper Workers. I resumed my membership in it when I returned from National Service. I paid my subs and left it at that. We had Bob Dickson, he was the active union man there, he was the man that collected the money. It was still George Smith, I think, was the union official then. But he died, and quite a strong Labour lad, a nice fellow, oh, I can picture him but I can't get his name, became the official.

Valleyfield was a different place from Esk Mill. It was a much bigger place. There must have been about 800 to 900 workers then at Valleyfield, compared with 600 at Esk Mill. Of course, by the time Pomathorn started up I think the number shot up to about 1,200 maximum at Valleyfield. I think maybe a fifth of the workers were women, because they used to bus them in from Loanhead, especially after Pomathorn started up, there was more women employed as well. I can't remember what the tonnage output o' paper was, but it was a bigger tonnage output at Valleyfield. I suppose the quality of the paper was much the same. But I got to learn more over the years about what went on in Valleyfield rather than in Esk Mill. Of course, I was longer at Valleyfield – 25 years.

When I started at Valleyfield in 1950 I went to work in the place that we used to pass in Esk Mill and know nothing about – the coating department. My job was to supply the machines with colour. You had to strain this colour through sieves – double wire sieves – with a brush, pour it in, fill up the tubs – two tubs to a barrow – and push it to the machines. There was two men up the stairs making the colour. They used to drop it into the middle level into tanks and you then had to fill it and take it to the machines. They brought the empty barrow back to you. When they run them out you had to refill them and take them back to them. It was just labouring. You were more interested in having a blether to everybody when you went through and that kind of thing, and keeping the place clean and tidy. There wasn't an awful lot in it. It had to be done. It was a job. And it all depended how well these characters made the stuff up the stair, because they were using casein for the size. Casein was a derivative of milk and it came from the Argentine. We did start getting some from Australia but the bulk of it came from the Argentine. The bags it came in were beautiful soft bags, and at home they used to make them into towels, hand towels, and all this kind of thing – a sideline for us. Nothing was wasted. But if they overcooked the casein it used to go lumpy, and I don't know how on earth we didn't get soft sizing. But then your wires used to clog up. It could take you about an hour to fill up the tub sometimes. It could happen. Sometimes it wouldn't be mixed properly. The problem was that it was all done by belt driven machinery and it wasn't getting any high speed. Once we got into high speed mixing that made all the difference in the world. And then quite some years later actually we started to pipe the colour to the machines, rather than barrow it. So that was my job for some time after I started at Valleyfield.

I was working three shifts, the same hours – or if somebody was off you worked a twelve hour shift, six till six, a.m., p.m. When I went down to Valleyfield the same thing went on in there as in Esk Mill. They used to shut from one till three in the morning: the night shift had a sleep ! Unbelievable, you know, but it was the done thing.

We got one week's holidays every year from when I went back in 1950. You worked through Christmas and New Year. You didn't get any time off at Christmas or New Year. And then we gradually got New Year's Day two or three years after I started there, about the early '50s. But not Christmas. Well, I'm not sure when a New Year holiday started. Maybe New Year was a day they did have by the time I started at Valleyfield, because they all got drunk anyway, and they were all out doing their first-footing. Then when about the middle '50s we started to get Christmas we had to start working a couple of days or something at week-ends, because we were getting Christmas ! Ok, you got paid for it but you had to work week-ends. We couldn't see the sense: earlier on in the year we had been on short-time working. It was a crazy set-up.

But Valleyfield was a lot more interesting than Esk Mill. I think once I got out the colour shop – I was in there a few years – I think what happened was that I was into colour mixing as well. I was actually mixing the colours for the duplimats. A man who had worked as a colour mixer had been moved sideways to somewhere and I was made up to be a colour mixer. So I was then out to fill in that stuff in tubs and I was making up his colour and all the rest of it. So it came the day that the man who had done the job before asked for his job back, but they weren't for giving him his job back. But there were certain inhibitions in the country that got him his job back –

in other words, as far as I'm concerned, the masonic lodge, which I wasn't a member of. I never did join it. My father was one and he asked me to join – you're not supposed to, of course. It must have been important in Valleyfield from the point of view of promotion. It must have been, because I got an apology back when I was told, 'I didn't want to take you off but I couldn't do anything about it.' So take what you like out of that. And it was mentioned afterwards what had happened. I said, 'Oh, the fellow wanted his job back. He can have it.' So they then said, 'Well, what would you like to do ?' I said, 'I would like to go up to the machines.'

So I was actually put on to one of the bigger machines, No.7. That was the newest coater at the time. Some of the older ones were German, and some of them were in before the First World War, as long back as that. I was on the barrow and ran between one end and the other, and then I got promoted on to the winder – and then I got promoted to the machine. And there was a colleague did the same thing. We both sort of got into the nitty-gritty of that machine. There was problems with it. No.7 was a tunnel dryer, you see. All the old coating machines used to dry in festoons. They used to go away up into the hothouse and come back, go round a turntable and come back. But this No. 7 was a tunnel dryer, and the paper sometimes used to curl like mad. Oh, it could be like that on the edges. Of course, you can't run paper like that. So we got our nose into the machine and found out what was wrong and sorted it. And it would go like the clappers after that. So I think it was recognised that we had done a good job on it. So that was when I started to get a bit more interested in the work. I was at No. 7 by the time the Christmas holiday thing started, so I think that would be about 1954-5. We'd had short-time working in 1953, 1954. The car industry went down and we went down with it, and all that kind of thing. Well, as I say, we got quite interested in the work. So then it was when the cast coatings came along in the early '60s that my colleague and I were both sent down the stairs to that machine. And so the interest was carried on.

I was still down in the coating. I remember once asking if I could get a transfer to the making department. My boss was the day foreman in charge of it. There were three shift foremen and a day manager, so he used to be the day manager. So he said, 'What do you want to go there for ?' I said, 'A change.' I wanted to learn by about this time, you see. He said, 'Just you stay where you are the now.' Well, it was 1963 I was given the job as a foreman. That was again in coating. I was still down in the coating.

There was a steady improvement at Valleyfield in the 1950s and '60s. You see, the other thing as well, there was different types of paper being made in the art department as well. And we had this duplimat paper, which was a copying paper. That was an American thing. We had contacts with an American paper making firm and became the British manufacturers of the duplimat. There was green, yellow and blue. And the green would run off about 100 copies, the yellow about 250, and the blue would do 500 – a long run. So you always had this type of thing that was on the go all the time. And then there came a time when they went on to making plastic for car seats for Ford. Well, Valleyfield were the first ones to start making the paper. They made the plastic on the paper surface and we had to give it a special surface coating. And we started that as well, but it only lasted so long because they wanted it broader than we could make it. By the time we had made a broad machine for it we couldnae get the order back again.

But there was varying other things that were coming in then. Cast coating came in – that was a chromium plated drum. And that was a different type of coating. You applied the colour and then it went through a form of acid bath, which gelled the colour and then it went in between two high pressure drums one of which was chrome plated. And the gloss came off the chrome. It was absolutely marvellous. Oh, there was lots of things going on in Valleyfield.

And even towards the end at Valleyfield in 1975, I was taking part in the morning management meetings, because the manager had retired and whoever was the foreman on the day used to take part in the meetings. So you had a morning meeting to go to. So you learned an awful lot more about it. In fact, then it became very interesting. But of course by that time we were getting near the end of the road.

It was 1965 we opened Pomathorn and I think it was about three years before that they modernised the coating department. They put in new plant and modern mixing, vortex mixing – oh, that was a marvellous thing. What a difference it made. There was not so much lumpy colour and things wrong and what have you.

When Pomathorn started up the number of workers at Valleyfield shot up, as I say, to about 1,200 maximum. Of course there was quite a few more, not so much in the actual production in Pomathorn, but the extra work involved – lorry drivers, and salle – the overhauling, because it was supposed to be *the* machine that they put in at Pomathorn, that it was going at high speed and what have you. I wouldn't like to hazard a guess how many workers were up at Pomathorn. I went up myself and had a look round it but I was never employed there. I remained down in Valleyfield. They used to supply us with paper on the coating side and that kind of thing. You would chase them up for paper. I was up at Pomathorn once or twice.

At Valleyfield there was a managing director. I call that thing up there at Pomathorn his folly. Well, obviously it was his idea, his and the rest. So there was him. And then there was also a general manager who was in that job for long enough. Then there was a company secretary. But there was quite a lot of top brass at Valleyfield, I mean, you had people in charge of laboratories and all this kind of thing. But the managing director I've mentioned he used to travel the world and buy the pulp for the mill. He was quite often away from the mill. Whiskers, we used to call him: he had tufts of hair on his cheeks. He was tall and well built. Let's put it this way, when you saw him you behaved yourself. There was no messing – not that you did misbehave, but he was the boss. He stayed up at Silverburn. But, oh, he was an old rascal. He used to say, 'Henry, look after the pennies and the pounds will look after themselves.' Which was very true. And when I was on the paper coating machines he used to say, 'Can you not put some more moisture in that paper ?' He said, 'We sell by weight, you know.' I said, 'If you put any more moisture in that you'll stick to the calender roll and you'll never get it off again.' You could only put 5½ or 6 per cent moisture into paper, you know.

Compared with Esk Mill there was more management present in Valleyfield, definitely much more. The difference there ! I don't know how Esk Mill was run. But I gradually learned how Valleyfield was run. I mean, the managing director used to walk round the mill and see what was going on. Oh, there was more control, more management control at Valleyfield than at Esk Mill. That's why Valleyfield lasted that much longer. In actual fact it should be there to this day. It should never have been away.

Well, you see, what they wanted to do they were all going into high speed machinery, making paper at high speed. The machines we had were fast as we were pulping paper at two or three hundred feet a minute. They wanted to at least double that. And they said they had no room down in Valleyfield. There were no ground there. So they thought, 'Oh, we'll put it up at Pomathorn. We'll pipe the steam and power and water up.' So they built Pomathorn. And they bought a machine from the other Bertram's – there was James Bertram's and Bertram's, Leith Walk – 600 feet a minute. By the time it went in up there at Pomathorn it was old rope. Others were doing paper at 2,000 feet a minute. They hadn't the foresight at Valleyfield, you see. If they'd had the foresight they should have looked at what they had at Valleyfield. There was ground there. There was the old railway station there. I think we still got stuff in there, but there was a lot of ground there they could have got. There was the ground belonging to the railway station and where the fire station was and where the car park and all that was. There was even the old rag house and everything. They could have modernised other bits of the mill. By the time they did up Pomathorn they had nothing to spend on Valleyfield. They were stuck.

Reed International came along – what was it: 1967 ? It was actually Spicer's that wanted to buy Cowan paper sales. And then of course Cowans also had representatives all over the world. They had offices even as far away as the Argentine, and in Australia they used to sell lots of machinery and that type of thing. So there was a world wide contact. So then Reed International said, 'Well, why not buy the whole thing ?' I think they got Valleyfield for £1.$^3/_4$ million. They walked away laughing. They tried to maintain we never made money. But because we never made 10 per cent they wouldn't put money in. How they worked the figures I don't know. But it was as quick as they could close it. And as quick as they closed Valleyfield they flattened it. There was nobody else coming in to make paper. Oh, it was absolutely shocking. You saw your existence going away.

The only thing you could say was that we got decent redundancy money. I'll give the union their due. But apart from that it was really shocking what Reed did to us. The first thing they did when they bought us out was they took away all the rag paper. We used to make the banknote paper for the Bank of Scotland. It went away down to Sawston paper mills, somewhere quite a bit down south.

There was a battle from early May 1975 onwards, trying to keep Valleyfield going. But the writing was on the wall. And by the time June came along there was very little work being done. July saw the end of it. We just had to accept it. I always remember having a union meeting up in the salle. This absolutely foul-mouthed union organiser came to speak. I think he was from Glasgow. I thought, 'If that's what has been trying to fight for us to save our industry it's not surprising we haven't got it.' But they did us quite well redundancy wise. But then we had to think of something else we'd got to do.

I felt if we had been taken over by the Americans – that's what we hoped might have happened – but it was Reed International that came along. If the Americans had taken us we'd be there still to this day, because we were still producing quality papers. Reed took all the names and that away with them. And Valleyfield had been there for nearly 300 years. But Reed always claimed there were so many mills, and because we weren't making the profit – we were at the bottom of the table – the ones that made the most profits got the money back. I thought, well, if you don't put money in to improve the profits how on earth can you do it ?

Well, by the time the mill closed I think there was a lot of the workers had drifted away. I wouldn't like to say what was the final figure of those made redundant. But there was quite a lot, oh, several hundred. I was among them. I had married my wife Sheila in 1961, two years before I became a foreman, and we had two children. They were in the middle of their schooling. We got redundancy payment. They had started a very good pension, but from what was in it – and they said it wouldn't be built up or anything like that – we just took it out, for all there was. So I had no pension from Valleyfield. Then we had to think what to do. But I couldn't sit down, I couldn't rest. And within six weeks I had another job. I went to Kennerty Dairies, of all places.

I decided I wouldn't take another supervisory job. I'd had enough of it, it was frustrating, and carrying the can. Well, I didn't mind, I mean, it was part of the job, you had to get on with it. But I just felt I would like a change. I wanted to go into administrative work actually. I tried to get into Lothian Regional Council, which was on by that time, but I couldn't get in; and when I looked at the salaries or wages they were being offered I got the shock of my life. We thought the paper mill used to be poorly paid till latterly but, by Joves, when I saw what people were getting paid elsewhere !

So then there was a job advertised in Kennerty Dairies in Bryson Road, Edinburgh, for a foreman: 'Experience not necessary as full training will be given'. Well, I applied for it and got the job. My work consisted of supervising. They had several hundred employees. I had about forty workers under me, but you had all your retail and wholesale delivery. There was about 80 or 90 milk floats and lorries. I worked at Kennerty Dairies from September '75 until March 1990. For several reasons I wasn't happy working there. Then I had trouble with arthritis and I was taking too many pain killers and I ended up in hospital in August '89. I developed diverticulitis and never went back to work. I couldn't walk. The doctor said, 'You cannot go back.' So I went to the Citizens Advice Bureau and I ended up on invalidity. And I was on that until I retired in 1995. The state pension was greater than the invalidity so I took the old age pension. And that's me.

So of all the jobs I did the one I enjoyed the most was Alex Cowan & Sons, without a doubt. I got most satisfaction there. Of course, I was at Esk Mill only a couple of years. Well, Esk Mill and Valleyfield employed hundreds of people. This is why Penicuik is now a commuter town to Edinburgh, and Edinburgh is complaining bitterly about the cars. But, I mean, if Edinburgh wants to have industry they're going to have to put in a proper transport system: buses are not enough.

I quite enjoy my retirement. But I feel that Cowans could still have been making paper to this day. It was quality paper.

Joan Robertson

I went to Valleyfield when I was fifteen, straight from school. I didn't have any aim or goal at that time. I think the mill had obviously sent word to the school that there was certain positions available. At the end of the term the headmaster would put feelers out as well. So I'm not quite sure if it was him going out or the mill getting in touch. It could be a bit of both maybe. But it came through the headmaster. And he called us in. Oh, there wis one or two of us, but for different jobs. And he had said to me, 'How would you like to go and work in the mill office ? They're looking for a junior.' And I was willing to try anything of course. I just said, 'Yes,' and went down and got an interview and started right away practically. I had my holidays and then I started in mid-July 1947.

My father had worked in Valleyfield. He wis in for a few years, not long, and he was on the pulpers. He retired from the mill when he was 65. And my grandfather Robertson was in Valleyfield. His brother wis in Esk Mill for a wee while but he came into Valleyfield. I'm not sure if my grandfather was in Esk Mill for a time, too. He finished up in Valleyfield anyway. I can't remember what work he did there. My grandmother Robertson worked in Valleyfield before she wis married. I think she wis on what they called separatin' the rags, ye know, in the rag house. She never went back to the mill after she married, she had quite a number o' family to look after. I remember her a lot better. She was quite a bit younger than my grandfather. They stayed in a mill house in Penicuik, the Concretes

My mother belonged to North Berwick. She was born in 1908, about the second youngest of her family. My father met my mother in North Berwick, where she worked in a shoe shop. My father was in private service as a gardener at a place called Wester Doons, jist at North Berwick, and that's how they met. I'm not sure if she was born in North Berwick. I think she probably was born in Clydebank. Her family came through from Clydebank to North Berwick. Her father used to work in Singer's sewing machine factory in Clydebank. I think he was a mechanical engineer, a machine inspector, I think. I don't know what happened that they came through to North Berwick. And I don't know much about my grandmother, my mother's mother. [223]

My father was born at Penicuik in 1904. He wis the eldest brother. The Robertson family tree go back to cotton weavers at Kirkhill. But they came from the Walston area in Lanarkshire. My father started off as a gardener in private service. I really don't know why he went into gardening, because his brothers were all in the paper mill. I never thought to ask him. I mean, he started at Auchendinny House near Penicuik jist as a lad. He wis in three or four places privately, one of them, as I've said, at Wester Doons at North Berwick. Another private job my father had was at Melrose. Then he went as a head gardener out to Corstorphine in Edinburgh at Beechwood Estate, which is now Murrayfield private hospital. They had big gardens at Beechwood.

I wis born on 3rd January 1932 at Melrose. But I didn't stay there long. I was only six months old when my father got the gardening job at Beechwood in Edinburgh, so I have no recollection of Melrose. I was the third of the family. I lost a brother, who died in infancy, between my oldest sister Grace and myself. He wis born down in Melrose as well. Then I've got two younger sisters, Sybil and Joyce, and a younger brother Alan. Grace is four years older and Sybil two years younger than me. Joyce is seven years younger than Sybil. Alan wasn't born until 1948, so there was 20 years between Grace and Alan.

My earliest recollections are of growing up at Beechwood. I was there until I was twelve. I remember the house in which we lived there. It's still standing. In fact, it's used now for visiting surgeons and professors that come to operate or teach in Murrayfield Hospital, I'm told. We've been back to see it and it's really been very well preserved. When we lived there we'd maybe have a fair sized living room, a teeny kitchen, and two rooms. The sleeping arrangements were my parents had a room and the rest of us had the other room. It was only girls, my brother was born later on in Penicuik, so it was always girls at Beechwood. We had an inside toilet. There was no bath, and to have a bath we had to go up to what used to be the stables. There must have been hot water up at the stables, but not in the house. It was just a single cold tap in the kitchen, very basic. It was gas lighting. There wis the open fire for cooking on. It was a range the fire. I remember my mother blackleadin' it. For the washing my mother used to go to a washhouse belonging to the place, an outhouse round the back of the house, at the stables – in fact I think it was a dairy for cows at one time. There wis no horses in the stables. It was taken over for the chaffure for the cars for the big house.

The chaffure stayed up the stairs from us. It was a two-storey building.

And there wis also a gatehouse and one o' the two other gardeners stayed in the gatehouse. My father as head gardener had an older man and a younger man under him, and the younger man had a cottage further up the estate. The Edinburgh Zoo was the neighbouring property on the one side, and there were two golf courses, Ravelston and Murrayfield, backed on, one to the zoo and one to us.

After the war broke out my father wis too old for the army and he went into the Fire Service. He had to give up the tied house then at Beechwood, and we moved to Carricknowe. We lived at Carricknowe during the war. The house at Carricknowe was the four in a block type – Gumley's houses, Gumley & Davidson. We were downstairs. It had two bedrooms. We had a fair amount of space, a reasonable sized living room, a kitchenette, a hallway – and a bathroom. That was the first house we'd had with a bath in it, although, as I say, we did have a bath in the stables at Beechwood, which was great.

Then towards the end of the war, in 1944–5, my father got a job with Newbigging & Hall, tomato growers, and they had about eight or ten greenhouses in Penicuik. Well, there was a tied house with the job there, and we stayed in that house in John Street. It was a very small house, a very dark house. I remember shutters for some of the windows. The same again, you know, one room for the family and one for my father and mother, and a small kitchen at the back. It was gas lighting and a gas cooker. There was just an open fire. I can't remember a bathroom in John Street. We just had a zinc bath, and an indoor flush toilet.

We weren't long in John Street, about a year or two. Then we moved from John Street to a prefab in Carlops Crescent. And my brother Alan was born there in 1948. We thought the prefab was magic. Although it still had just the two rooms it was a nice lay-out. We enjoyed our prefab, although they were temporary houses they lasted quite a long time. My father and mother would have one room in the prefab and the cot with my brother Alan, and us four girls had two double beds in the other room. We were fortunate in that way, there was only the one boy in the family. I had left the school by then, but my elder sister Grace was still in the house. By the time Alan was growing up and got to school age Sybil was away and we had a bigger house, because from the prefab we went to a three bed-roomed house in Queensway in Penicuik. It was quite a nice house for the family there.

When I began school when I was five it was at Roseburn in Edinburgh. That was in 1937. You used to have to either get the tram or walk along. I liked Roseburn School. What I can remember of it was that not long into the war there was talk of my older sister Grace and my younger sister Sybil and I being evacuated. If you wanted to go and if there was people abroad that would take you you had to go into one room at the school, and if you were staying in the country you had to go and register in another room. I always wanted to go abroad, because we had relations in Canada. But my mother didn't want us to go abroad. So Grace and I ended up in Tranent, and Sybil stayed at home with my mother. But Grace got homesick, so we weren't down at Tranent very long till we were back with the family.

It must have been soon after that, when my father went into the Fire Service he had to give up the tied house at Beechwood, and we moved to Carricknowe. I went then to Corstorphine School. I can remember Corstorphine School getting taken over by the Fire Brigade, for my father was billeted as a fireman in that school. We were at that school at the time. I remained at Corstorphine School until I went to Carrickvale secondary school in 1944 when I was twelve.

I liked school in general, all the schools. I just wished I'd been cleverer ! I think reading interested me most at school. I liked reading. I was hopeless at spelling. I had a good imagination for writing but I was a horrible handwriter and I couldn't spell. So that sort of put a damper on the whole thing. I was average in every subject, there was nothing that I particularly was bright at really. But I've always liked sport, I did more sport than academics. I sat the Qualifying at Corstorphine School. I passed – very average, scraped through. That's probably why I went then to Carrickvale junior secondary school, some of the class went to Boroughmuir senior secondary. But I went only for a few weeks to Carrickvale, I have no recollection of it, I hadn't even settled in there and didn't know the teachers, because we moved away then from Carricknowe to Penicuik.

At home we got comics, well, the *Beano*, the *Dandy*. When we got older one sister would get one thing and other would get another, you know, girls' magazines. We always of course liked the Broons in the *Sunday Post*. My parents used to get the *Sunday Post* and *The Bulletin*, because it had photographs, and the *Edinburgh Evening News* off and on, not regularly. I think from the war onwards we sort of took a keener interest in reading the papers. And, well, we always were members of the library. My mother always brought the *Geographic* magazine out the library for us. We joined the library once we could read, at school sort of thing. My mother was a great reader. She liked to go to the library in Corstorphine, next to the church, and took us all and we used to sit there. [224]

We went to the Brownies and the Guides, too, at Corstorphine. The whole lot of us enjoyed that. It was a good activity.

When my father got a job with Newbigging & Hall, tomato growers, at Penicuik we moved there, as I've said, to the tied house in John Street and I went then to Penicuik High School. I remember going into the headmaster's room when I arrived at the school, and he said he was going to put me in the commercial course and see how I got on. So maybe they waited till my first set of marks or something. So I must just have made the grade and no more. Well, there was the shorthand, the typing, book-keeping. I got algebra and geometry, French, and I just did not get to grips with French at all. I was toiling, I really was. The two subjects I enjoyed was always history and geography. The geography teacher also taught English. She was a very good teacher. She was very strict. And I liked physical education and hockey, netball, I loved all that.

I don't remember having any particular ambitions at the secondary school. Somebody's got to stick a pin in me, you know, or give me a push. I always would like to have travelled – that's the geography bit in me, I think. But I didn't have any aim or goal at that time. I could have left school at fourteen, but my parents allowed me to go right through my third year at school. I left at fifteen in '47 and started in the office at Valleyfield.

I started off in the paper room and I was there for years. The paper room was the office that gave all the instructions, well, the instructions from the orders coming in, to going to the machines. I was the gofor, the junior. They all worked on big ledgers, books and things. They used to send me down to the machines to collect these huge big heavy ledgers. They were a fair size. I worked under Mr David Hislop in the paper room, and Mr Hislop used to write the instructions in to the machinemen – what was being made, the size and quantity, the colour and the quality, that sort of thing.

Mr Hislop was in charge in the paper room – a very strict boss. He had a nephew, Jimmy Thomson. Jimmy came back from the war. Most of the men in that paper room had been at the war, most of them in the RAF but in different parts. There was quite a few of them. Tommy Anderson, Sam Torrance, Charlie Kerr – they had all been in the Services. So they had been out and back in. And, oh, there was Bill Brown. The secretary to Mr Hislop was Mary Weir. Her father was a chaffure to the Cowans when they lived in Valleyfield. I was just the junior. And when Dave Hislop retired Jimmy Thomson, his nephew, took over and I was under him.

They used to send me down for the ledgers, and I sometimes thought, 'They're sending me down when they know the shifts are changing.' I wised up eventually. It took me a wee while. I used to think they – not so much Mr Hislop – did that for devilment: 'Could you go to the fourth machine and bring the book up ?' or 'Could you go to the third. . . . ?' Well, there was four machines: first, second, third and fourth. I remember going down to the fourth machine. You used to have to go down a steep stair to the machine. When you came in at the top you could look over the big machine. The machinemen used to come in and change into their working clothes or vice versa. And I used to think, 'They've sent me down when the men are changing, to embarrass me or to embarrass the men, I don't know which.' Of course, I used to get a bawling out from the men. When I got wise to it I used to get to the top of the stairs, have a look, and if I saw bare buff or anything I just used to turn round and walk away again. That's one o' the jobs when I was a junior. And I blushed scarlet, as you can imagine.

And if you were walking through the mill at all you used to get catcalls, whistles, you name it. They used to call me Flash, because I used to scoot in and scoot out as fast as I could, just to stop the embarrassment, you know. It never worked. I used to curse them all under my breath, but I can laugh at it now.

The ledgers I carried, as I say, were quite heavy, oh, these thick material covers on them. To walk from the paper room to the machines, well, there wis ways o' gettin' in and out to them through the beater house. You had to watch. In fact, I couldn't walk fast in the beater house because of the metal floors, and they were always wet, the beaters. It could be a bit dangerous. I never had a lander that I can remember: a wee bit wobbly once or twice. You had to be careful, especially carrying a heavy book. You would maybe go to a machine once a day, but you had to go to the first or to the second. There were four machines at that time.

Well, I remained in the paper room quite a few years. I eventually got promotion but my secretarial work sort of let me down so I didn't go on to the secretarial side. I went on to the book-keeping side. I went a year or two to Penicuik High School for typing to evening classes after I left school, but not for shorthand or book-keeping. I kept my typing up. Well, I couldn't grasp the shorthand. I did it for a wee while but I just let it go. Typing I wanted to keep. It would always get me a job. I always fancied being a telephonist but never did anything about it.

In the paper room Mr Hislop, the boss, had the telephone. He answered it when it rang, it was on his desk. So there was no experience on the phone for me as a young girl. Mr Hislop and his nephew Jimmy Thomson they had a room to themselves. Mr Hislop had a lovely big flat square desk and his nephew had a sloping desk for his books. In the main office of the paper room the men were on high stools at high desks with slopes. There was two windows that looked out over the river North Esk, and you could see the trains going into the station at Penicuik. I used to like looking out the windows, because we could see the squirrels on the trees.

Mary Weir, the secretary, had a nice wee room of her own, and a nice flat desk with a typewriter on it. I was the junior, and before I went to the book-keeping side, I eventually sat on my own, probably to keep the noise of the typewriter away from the men, in a small room that had a very small flat desk in it and I had a typewriter on it. I typed invoices practically all day. Oh, that went on for ages. The drawers in the desk were for all the export forms to all the different countries. It was the cloakroom and there was a sink in it for making tea. They all hung their coats there.

I just got on with the work. I felt neither bored nor elated or anything, just it was a job and you just got on with it. You were getting paid for it and you just got on with it. I never applied for another job somewhere else. I was a plodder. I quite liked working on my own, too, but that didn't happen very often. I was there 28 years in the mill, you know, a plodder, a real plodder.

When I began in the mill office the hours were very respectable – nine till five. I used to go home for lunch, most of the time I went home. Eventually I had a bike to cycle back and forward. From Valleyfield to our prefab was a fair distance, but you could cut through the park. You had to walk with your bike through the park. But most of the time you went down to the Miners' Institute and up the main street, there was hardly any traffic. I would be tearin' down the road – that's probably why I got a bike – and tearing back again. We finished at five. On a Saturday you worked to twelve, you stopped with the mill at twelve o'clock and the horn went. A five day week came eventually, but don't ask me to remember when that was. But we thought the five day week was great. There was no overtime. The only time over the years that I can remember that we got overtime was when we were stocktaking. Then you had to carry on after five o'clock.

I started in 1947 with 25 shillings a week. That seemed reasonable for a junior. When my older sister Grace started working in a shop in Corstorphine she had got less than £1. On your birthday you got an increase, oh, very minimal. It didn't go up very quickly. Or if you changed your job, maybe a promotion, you got something else with the promotion. The pay was always in an envelope. I started off giving it all to my mother and she gave me something back. But then my mother had worked out dig money for Grace, my older sister. So not being the first I sort of followed, maybe when I was sixteen, and we both gave her dig money. But my mother always used to know what we made, you know, so as we did have some pocket money. I mean, my mother bought our clothes for a time, and then when we were paying dig money we started buying our own clothes or shoes. We kept so much money for ourselves but I can't remember now how much it was.

Well, for maybe two years at first, I was carrying these ledgers up and down, back and forward, to the machines. That was at first. Then there was a change and it was all down to cards and envelopes, and I went from being the junior to being the typist for invoices, from there on to the ledgers, and from there on to the writing of the envelopes and cards. The foremen used to take all these envelopes for all the different machines. I did the order bit, on to the cards that were inside. The cards were in two halves, the making side and the finishing side. The finishing part was torn off and it went with the paper or the rolls to the cutters and the humidifiers. The envelope went right through the system with the cards in it and they eventually came back to the lab. After the paper room had finished with all this information, from the order it used to go to the lab and they filled in the technical side, all the ingredients and what had to be put into the paper, temperatures – you name it.

I went to different jobs, jack of all trades, master of none. In my twenties I came out of the paper room and went to stocktaking and then I went to planning. I had quite a few jobs in the mill. I even went to what they called the Power Sames department. It was an accounting system before computers sort of thing: heavy machinery, sorters, punchers, punching cards to go through the system. I didn't know too much about it, to tell you the truth. I went into that department blind. I had to learn. I have no happy memories about that. I liked the people I worked with but it was quite difficult. I never applied for a change: as I say, I always needed a push.

Well, we had a personnel department – more for the mill, the manual workers, but they would deal with the staff as well. Mind you, I think the bosses had it all in hand in the office. I don't think it went through the personnel department too much.

There was a difference between the office workers and the mill workers, och, at one time it was terrible, it really was. I can remember, 'Oh, you office workers,' you know. Well, I remember going to a salle one day for information. I was asked to go and look at an envelope with all the information on it. I was asked to check up. And when you went into the salle you usually looked for the head finisher or the salle mistress. I couldn't see anybody, and of course I approached the desk and I eventually got what I was looking for without disturbing it. I looked and I took the information. As I was walking away the salle mistress was at the back of me and remarked, 'And who does she think she is ?!' I just explained and walked away, and I just could hear all this buzz at the back of me. That was the worst that ever happened to me. I just felt so bad, you know. I thought, 'Well, I did look to see if they were there to ask them if I could have a look for the information.' That really embarrassed me. Oh, there was a bit of feeling between the office workers and the mill workers. Well, I suppose some of us must have thought we were a bit above them at one time: 'I work in the office', you know, that was a clean job and you were on the staff. Latterly of course it melted away. But I know when I was a junior and having to go in and out these departments. . . I was always on a monthly salary from when I started, whereas the mill workers were paid every week. And of course that was one of the distinctions between the staff and the workers. At Valleyfield there were altogether sixty maybe office and lab workers. There was two labs eventually, one at Valleyfield House, one down at the mill.

On the staff we didn't have a club as such. But we used to run buses to the ice hockey, and we used to go for summer outings. It wasn't an annual outing as such. It was just if somebody had the idea, 'Oh, we're going to be running a bus.' Who was interested ? Fill a bus, and that was it. It would be in our time off on a Saturday or Sunday. I would say that was for the office and lab staff. The mill workers weren't included. I don't think the mill workers were excluded, but I don't think they were ever asked, you know. So I suppose it was a distinction. There was bound to be outings by the mill workers, but I can't remember.

There was mill dances, mill dances in the winter, an annual dance. I can remember going to one in the Assembly Rooms in Edinburgh. It was open to everybody, office and mill workers. It was quite formal. I remember getting a nice dress for it. The men wore just dark suits, I can't remember dickie bows or anything like that. Some of the directors occasionally wore evening dress – the likes of Mr Taylor would maybe be in an evening suit.

Eric Taylor was the managing director when I was there. He left though before the mill was closed. Eric Taylor seemed to make a habit of coming and speaking to everybody that joined the office. When new members came he would come. I was surprised when he came and spoke to me. But he stood there and spoke very informally. But he came to my desk, I didn't go to his room. He came up to me at my desk and he went into all my family history. He asked me who in all my family worked in the mill. 'And does your father work in the mill ? And what relations ?' I had quite a lot to tell him, because there was quite a lot of our family had worked in the mill, though my father wasn't in the mill then. But 'Oh, yes, oh, yes.' He knew them all, you know. He wanted to know ins and outs, well, family connection maybe. I really don't know why he wanted to know that. There was a lot of families in Valleyfield, a lot, Penicuik being what it was, of course. Mr Hislop and Jimmy Thomson in the paper office were uncle and nephew. But there was a lot of family connections. There were quite a few sisters – my youngest sister Joyce was in one of the salles at one time. It was such a big industry in Penicuik that many families worked there. It didn't happen in my case but I'm sure it happened in lots of other ones, that maybe a father would be the first to know a job was coming up and if any of his family were wanting to change their job or needing a job he certainly would put a word in. Why not ? And there was maybe some sort of connection in recruitment between the mill and the local secondary school. I think it worked both ways. I think the headmaster phoned up to ask if there would be any vacancies. I think that was why I was maybe sent down for an interview. But there was more than me.

I don't have any recollection about freemasonry at Valleyfield. Well, for our family there's no connection with freemasonry. Although I went in and out the mill machinery and things I can't say I noticed or heard anything like religious discrimination. I never thought about that. I mean, I never would ask anybody what religion they were. And unless I saw them at my own church I wouldnae think anything about it. I can't recall anything like that at Valleyfield. Nor sex discrimination. I feel for myself if I'd been more qualified it might have arisen, it might have. But all the jobs I had in the mill I don't think there was anything personally. I can't remember anybody else in the office being kept back because of their sex really. I can't recall anybody that wanted to be promoted. There were quite a lot of them were quite happy to stay as, oh, the manager's secretary or something, they didn't want to go in to management or go higher. I haven't any recollection of sex discrimination at all. I think most of us knew maybe just how far we could go.

In the paper room there was only two of us women. But if you went into the sales office it was mostly women – typing and comptometers and things like that. I would say the proportion of women among the office workers was fifty-fifty really. In the mill the women that reached the highest position, well, the senior women were always the coating salle and the plain salle mistresses. They were under the head finisher. They didn't have any shifts, there was only two salle mistresses. They were forewomen. They were in charge when the head finisher, David Wilson, was away for any reason – holidays even. The head finisher had an assistant, there was the two men, and then there were the two salle mistresses. Then there was the women overhaulers, counters, packers. In the sales office Gracie Brown got to quite a good position. There would be two men above her and then she was the senior lady. She was a clever person, Gracie Brown. She was a single lady, well respected. She was at Valleyfield for many years. She's the only one I can think of who was in a fairly senior position. Then there was a lady in charge of the Power Sames, but she had a man above her as well. Senior secretaries, managers' secretaries, personal secretaries, that was about as high as shorthand typists got to. None of the directors were women.

Mr Eric Taylor was the managing director, as I've said. He was over all, office and mill, Pomathorn as well. In fact, I don't know if he was the instigator of Pomathorn, to make this new paper, this sort of copying paper, the Three-M Paper Company. I don't know if he saw the writing on the wall before Reed took over. But he was gone. Mr Jordan, he came in before Reed. I think Mr Jordan came from Polton Mill, I think he was a manager at Polton. That's the only other managing director I can remember. Jordan was there when Reed came in. I didn't have much to do with the directors. They were on the floor above me ! I had no close contact with them. I just saw them moving about in the mill or in the office. If you had anything for them you went through their secretaries.

I can't recall the names of Valleyfield's principal customers. Well, we had Pillans & Wilson in Edinburgh, and Morrison & Gibb, both firms were printers.[225] Then we had quite a lot of offices elsewhere. We had a big office in London and we got a lot of work, orders, up from London. And we had quite a lot of offices abroad. I used to type the invoices, the export invoices, on horrible flimsy copies, about ten copies of them. Cowans was well spread at one time. They had offices abroad: Melbourne, Sydney, Fremantle, Perth, Wellington, Auckland, Dunedin, Lyttelton. I can remember all these – that's my geography coming out again. I can remember these sort of things. Not so much Canada, but Australia, New Zealand, South Africa at that time.

I can't remember a strike in the mill, and I never joined a trade union there. I was never asked to join a union. I was never interested enough to find out either, you know. I don't think any of the office workers at the mill were in a union, I never heard anybody discuss the unions. They were a very quiet crowd. I don't remember any rebels among them. Ma father never joined a union there either. He never was in a union in any of his work. After Reed took over at Valleyfield I was asked to join a union – it would be SOGAT then – but I didn't join. I just said, 'No, no, I'll no' bother, I'll no' bother.' I'd never done it. I'd never been in a union, all my life I've never been in a union. I just didn't consider it at all, I just didn't feel like joining there and then, and it was such a short time to the mill shutting that it was never considered again. I think maybe most of the men office staff did join a union before the mill closed. Well, one or two of the ladies might have done, but some of the men would, definitely.

Well, when Reed took us over there were so many rumours, but the rumours were they wanted our export market. That was supposedly their first aim. But who was to know ? And being on the order side of the office, the orders seemed to start to go down very badly, and then the rumours spread the mill was going to close maybe a year before it did. I think the general feeling was Reed were going to close the mill, because they had other mills in England and abroad. Oh, they were a huge company. I mean, what did they want with a wee mill like Valleyfield ? So the closing down didn't really come as a surprise, it really didn't. I thought, 'Oh, my goodness, I've only had one job in my life. What am I going to do ?' So there was a wee bit panic then. It was frightening. I felt like hanging on and I wanted to work till the very end. Most of us, 99 per cent, went when the mill shut, you know, at the July in 1975, and I was one of them. And afterwards, when looking back, I was pleased to go then, because it must have been a very bitter experience to those that had to stay, that stayed on until all the bits and pieces were tied up. It must have been really, really bitter for them. That stage took, oh, over a year anyway. Well, I think the engineers were kept on for dismantling, and four or five of the office staff for the nitty gritty and for the machinery going out. That had all to be done through the office as well, everything tied up. I know one lady, Cathy Tait, that was there at the bitter end. She was in the office with Jimmy Oliver, the accountant then. Cathy Tait was in the office longer than me. I spoke to her afterwards and she said, 'Oh, you'll be thankful you're not there now, Joan,' It was a very bitter experience for her. It made her ill.

Leaving Valleyfield was a traumatic experience for me. It was the fact that I thought, 'Well, I'll have to go to Edinburgh for a job.' Buses in and out, and no longer finishing at five and just walking home, and also the fact I'm not a good traveller. Well, when I left Valleyfield, being in the planning department and stock-keeping before that, I had let my typing go. So I decided I would go to college. It was a course at Stevenson College at Sighthill in Edinburgh. I think it was geared for married women coming back to work. But it was a good course. It included English and other subjects, but the principal reason for going there was to bring my typing up again so that it would help me get a typing job. There was a government scheme that paid for the course and my travelling expenses, and I went to Stevenson College for so many weeks. I was pretty lucky. I didn't have a car. But somebody I knew worked in Corstorphine and went through Sighthill, and somebody else, a physical education teacher, worked in Stevenson College. They were both lady golfers and I golfed, and that's where the connection was made. So I was very fortunate with these two ladies giving me a lift and not having to get two buses from Penicuik. I enjoyed the course, and the other ladies taking it were mostly about my own age, maybe coming back to work having been mothers, and we got on very well. We were all in the same boat. I got a certificate at the end and I think that helped me to get a job through the College. The College were very good at getting all of us jobs. When I came out the College they were looking for the older steadier worker at that time and, well, it wasn't easy but there were jobs.

So I went to the Potato Marketing Board in Manor Place in Edinburgh. But that was in the winter months, and of course the office was quiet and there wasn't an awful lot to do. They seemed to be pleased with what I was doing. One day somebody said, 'You'll have to bring in your knitting.' I was flabbergasted. I says, 'I've never been in a job where I bring in knitting.' So I looked around for another job after that. I stayed only six weeks at the Potato Marketing Board. Anyway it was a very small office, oh, very old fashioned. I thought Cowans was old fashioned, but this was out of the Ark. They said, 'Oh, we get busier in the summer and we would like to you to stay.' And I thought, 'No, no, no.' I couldnae, not if they were going to be as quiet through the winter. And Ross's, the confectionery people, were at Roseburn and there was an advert for an invoice typist there, and with a view to moving out from Roseburn to Loanhead. So I got an interview and I got the job. I travelled from Penicuik into Roseburn, oh, six months or something – it wasn't even that – and Ross's moved out to Loanhead in April 1976.[226] I enjoyed that job. There was variety there. I went on to computers there, the invoices went to computers. I felt like working on to 65. Being on my own I thought, 'Well, I've just myself to please.' Well, I worked on a year and I thought, 'No – time to go.' So I was with Ross's until I retired in 1993. I left when I was 61.

I never did go back to Valleyfield after it closed. I only went down there when they had flattened it and I only went down to see the big monument to the French prisoners who had died there in the Napoleonic Wars. I used to go to the despatch department quite a lot to get lines for invoicing and I used to look out the back window. The monument was so close to the building that you could only see a teeny little bit of it. I often wondered what it looked like. When I went down when the mill had been flattened and had a look at the monument I was amazed how big it was.

Well, looking back to my 28 years in the office at Valleyfield, it was the biggest bit out of my working life. I enjoyed it. I enjoyed all the people I worked with and we had a lot of fun. I was really sorry when it closed, I really was.

Joan Robertson, far right, with Valleyfield mill office colleagues. Left to right: Alison Black, Effie Hendry, Mary Weir.
Courtesy of Miss Joan Robertson.

Esk Mills Bowling Club committee, c. 1950s. Seated, second, third and fourth from left, are John Jardine, his uncle Edward Jardine, and Tom Young. Standing, third from left, is William Louden, father of Jean Hannah; Jim Mercer, husband of Peg Mercer (above, pages 101-10) and uncle of Jim Neil (above, pages 445-63), is second from left.

Courtesy of Penicuik Historical Society.

Jean Hannah

I wanted to finish with school – I wanted to work, quite honestly. I was anxious just to get out into the world and meet people and do things. I also wanted to be part of the commercial world, if you like, the business world. I had my heart set on it. An academic career wasn't what I was looking for at all. I left the school just after the war finished and after I became 14. I looked up the *Edinburgh Evening News* and I got myself a job in Edinburgh – much to my father's horror, because I hadn't told him either that I was going to leave school or that I had applied for a job. I just went ahead and did it.

I was born on the 19th of August 1931 at No. 9 Croft Street, Penicuik. My elder sister Helen and I were both born in Croft Street and my brother John was born in Carlops Avenue, when we moved to the new house there. Helen was six years older and John four years younger than me.

My father was born in Auchendinny and started off by working in Dalmore Mill, William Sommerville's. His name was William Louden and it was the Louden family from Auchendinny who mainly worked in the mills. My grandfather Louden worked in Dalmore from boyhood but later he went to work in Esk Mills. My uncles worked in Dalmore as well. Then my father, who was born in 1896, after he returned from the First World War came back to Penicuik, where his family had moved to. I suppose he worked his way up through the mill from the early stages but he ended up being one of the chief cuttermen in Esk Mills. This meant he was in charge of one of the big cutting machines for the paper. My father's eldest brother George Louden was a foreman in Valleyfield. I understand from my mother he was a very strict disciplinarian. The next brother was Dick Louden and he worked in Dalmore. My father was the youngest brother. So you had one brother in Valleyfield, one in Esk Mills and one in Dalmore. But they all started, I think, in Dalmore.

My mother was a Penicuik woman. She worked in the paper mill just off and on, I think, because she also worked in the Co-op Dairy and I think she also worked as a domestic servant, a housemaid. She did all these things before she married. After she was married she didn't go out to work at all as that was the style in those days. Women were expected to stop working when they married and this was still the practice later on when I got married.

My mother's family didn't have any connection with the paper mill, apart from my mother and her sister, who were both at times overhaulers in Valleyfield Mill. My aunt's husband also worked in Valleyfield. My mother's father was a cabinetmaker and joiner with James Tait & Company, builders, of Penicuik. I know his father and his aunt went out and lived in New Orleans, setting up various businesses, and his brother went to work in Detroit. They seemed to be attracted to the New World. I don't really know what my great-grandfather and his sister's businesses were, I just remember them talking about them.

I remember the house I was born in in Croft Street. I was there till I was four years old. The house didn't belong to the mill, it belonged to a Mr Jack. I remember my mother talking about Mr Jack, I think he owned all of that side of Croft Street and was a relative of her own family, the Thorburns. The house was just a room and a kitchen really. The kitchen had a big range, a built in bed – a bed recess it was called, and the bedroom was used exclusively by my grandfather Louden, who was retired and had given up his own house and moved in with us. That was how people looked after elderly parents in those days. So in our Croft Street house you had a husband and wife and two daughters sleeping in one room. My parents slept in the bed recess, I can remember that. But I can't remember the bed my sister and I slept in, I just remember the room, the fire. I think Helen and I maybe slept in a bed settee which could be brought down at night. It would give more space during the day. There was a sink in the kitchen with running water, just a cold tap at the window. The toilet was outside, down the stairs, but it was a flush toilet. I think we could have shared the toilet with another family or families, but I can't be sure of that. There was no bath of course. I think we probably bathed in front of the fire or something. That was the norm. I think we had electricity for lighting: we must have had a good landlord in Mr Jack ! The range was the sort of standard range, with an oven, and a wee water boiler at the other side. My mother must have done everything, the cooking, on that range, as my grandmother, her mother, did at Peebles Road. I can remember that one, because after we moved from Croft Street to Carlops Avenue my grandparents were still in the old house at Peebles Road. We moved to Carlops Avenue when I was four, in 1935-6. My brother John was born at Carlops Avenue in 1936.

I started school up at Kirkhill. But we were only at Kirkhill School a very short time, maybe a year, and then we were moved to the new school which at that time was called Penicuik Junior Secondary School. It later became Penicuik High School. Work on the new school was just being finished off when I went there. In fact, my grandfather Thorburn, who, as I said, worked for Tait the builders, who must have had the contract for the school, was finishing off the work. I was in the first intake to the school.

I was always a keen reader from as early as I can remember. We were always encouraged to read a lot. We sat round the fire at night and we read. My father was a great wireless listener and he liked you to be quiet so that he could read his paper and listen to the nine o'clock news or whatever. But my mother also encouraged us to read a lot as she did herself. At the primary stage at school I think I read the *Girls' Annual*. And we had the *Beano* and the *Dandy*: they came really for my brother John. But I had girls' comics, although I cannot remember the names of them now. The *Sunday Post* of course gave us Oor Wullie and The Broons. I remember reading them.[227] In fact, my mother was worried about us reading comics because she thought maybe that wasn't the material we should be reading. So she spoke to Miss Love, my brother's school teacher, who said, 'Don't worry about them reading comics. They get a lot of very good information from comics. The best thing they can do is read their comics and it takes them on to other books.' We were encouraged to read the classics and I still have some books I read later on in my teens, among them Jane Austen, Walter Scott, Louisa M. Alcott and John Buchan.

I liked the school, although I don't have much memory of my primary classes at Kirkhill School. I can just remember running out in the snow to go to the toilets outside and then getting a telling off from Mr MacQueen, the headmaster, because I went out in my slippers instead of changing into my wellington boots. That is my only memory really of Kirkhill School !

Mr MacQueen became the headmaster of the new school, Penicuik Junior Secondary, at Carlops Road. He must have moved down with the Kirkhill pupils. I can remember him being in the headmaster's office while I was at the school. They used to call him 'Baldy' or maybe 'Bawldy'. But I don't remember if it was because he was bald or because he had a habit of shouting at everybody – that was his way of disciplining us. He was really a sweet man once you grew up and knew him better, but when you were young he was quite an intimidating character.

I can't specifically remember what subjects I enjoyed at the primary stage. I sat the Qualifying exam when I was eleven or twelve and passed on from there to 'Commercial'. My favourite subjects then were history and gymnastics, but I was interested in just about everything, especially English, French, typing and shorthand. I didn't enjoy mathematics, because I haven't got a mathematical brain. But I do have a recollection of a very competent teacher called Miss MacLeod, who taught me to understand arithmetic, geometry and algebra, which had been a little difficult for me up to then. I can't say they were my best subjects, though. I did not take science subjects on this course.

After you sat and passed the Qualifying exam at the end of the primary stage you continued at Penicuik for the following three years with the option of going on then to Lasswade to do a further three years. I don't think anyone from Penicuik went to Lasswade straight after the Qualifying, and only those who wanted to further their education went on later to Lasswade and after that some went to college or university. I had no such aspirations: I only wanted to go out to work in an office !

I left school at the end of my third year, just after the end of the Second World War. I had decided it was time to go to work. I looked up the *Edinburgh Evening News* situations vacant column and I got myself a job in Edinburgh – much to my father's horror, because I hadn't told him either that I was going to leave school or that I had applied for a job. I just went ahead and did it. There was always this overriding feeling that money was always short. And I think that was my decision, that if I left school I could contribute to the house. I never remember being encouraged to stay at school, but I think my father expected me to.

So I started work in January 1946. I actually got a job as a junior in an office just opposite the Edinburgh Royal Infirmary at Lauriston Place. It was a place where they made artificial limbs. I can't remember the name of it now to tell you the truth.[228] It was a very primitive office and by that I mean I had a very high Dickensian type desk with a high stool. There was a senior woman who was probably the supervisor and I think would be the chief book-keeper, and there was a girl of about 19 or 20. I don't remember seeing a typewriter in that office, I think mainly it was all handwritten book-keeping. But there could have been another room for secretaries which I never saw because I had received a typewritten letter from the firm asking me to attend for an interview. I was only the junior and ran errands and perhaps made the tea, I can't remember.

There were two chaps, two technicians, I think, who were the artificial limb makers and worked downstairs behind, I think, the main shop. They probably had a basement too but I never got around to looking through the place. I always remember being scared to death by a chap who was completely bald and was, in my eyes then, quite sinister looking but I am sure was not at all. But there were skeletons hanging up as well, because obviously they had to know what the frame was like, etc. I used to scuttle past this chap who was bald, poor lad. I'm sure if I'd got to know him he would have been perfectly all right.

I started there in January and of course January is a very cold month and it's short days. So I was going away in the morning from home in the dark and coming back in the dark. My mother was upset because I was travelling in the bus in the winter and in the cold. The hours were nine till five. I don't think I worked on Saturday. The wages there I can't remember at all.

I was the gofor and went to the post office, collected cakes for the rest of the staff and did elementary book-keeping. But I was only there for two weeks because my father spoke to Melville Wilson, who ran Wilson's grain stores in Penicuik, and he offered me a junior's job there. I can remember the manager who had taken me on at the artifical limbs place was very angry with me because he had advertised in the paper and I had only stayed two weeks. And it was only later on when you become accustomed to those things you realise what the significance was to him. He had probably had two or three girls applying but he took me on and of course I only stayed with him for two weeks.

Wilson's in Penicuik was a very flourishing business because they had the grain stores, the grocery shop and a gardening department. And that was a really good job for me. I learned to be a book-keeper, deal with telephones, which I had never dealt with before of course because few people had telephones at home then. I was a secretary at the age of 14-15 to one of the directors, so I was using my shorthand. By the time I had left school I was only doing 60 words a minute in shorthand, but with encouragement at Wilson's office I went to night school and got my 100 words a minute certificate. I was a fast typist and always enjoyed typing. Book-keeping was very simple, quite basic. But I learned so much in the job at Wilson's really. I was there about two years.

The hours of work were nine to five and also a Saturday morning till 12. I remember when I left Wilson's I was making £1.10.0. a week.

Working in Wilson's was a very interesting job, because Melville Wilson himself was a stimulating character. He was quite Churchillian, I thought, because he was quite portly like Winston Churchill, smoked a cigar, and was a real driving force. I mean, this was the first man I had met or been associated with in my life who had such a forceful business personality. I think he was probably in his fifties when I knew him. I think his father had founded the business but I can't remember when exactly.

Melville Wilson was always in and around the shop, the office and the grain stores. He was a driving force for everybody. We had another director, Mr Sutherland, who had an assistant called Tommy Thomson who'd just come back from the war, and together they went out to visit the various farms to get orders for the grain. That was their main job. Mr Sutherland was a completely different character from Melville Wilson in that he was quiet, very polite and very gentlemanly. He and Melville Wilson would be about the same age, whereas Tommy Thomson would be in his early thirties. But they all seemed so grown up compared with me.

And then Alex Livie, who had come back from the Air Force, was also a director. He later became provost of Penicuik.[229] He was in charge of the office, if you like, and running the administration, because not only had he to run the office but the other areas as well. So there was Alex Livie who was in charge, and then there was Betty Russell and Nessie Kemp and myself – four of us in the office. Then there were three in the grocery shop: Mr Wilson's sister-in-law, the head grocer and an assistant. Of course Wilson's also had an ironmongery department as well in the same shop. The grocery was on the ground floor and the ironmongery above. The grain stores foreman was Willie Thomson, who took care of all the orders and was a really friendly and helpful person. The office opened up a whole new world for me because I met a lot of farmers and their sons – very interesting for a young girl !

While I was at Wilson's I attended, as I say, evening classes at the Penicuik school. I went one evening a week for shorthand and one for typing to increase my speeds. I think I managed about 50, 55 words a minute in typing, which was quite quick for a manual typewriter. I didn't go for book-keeping because that didn't interest me so much. Later on in my career I became very involved in administrative work but never in actual book-keeping. By the time I left Wilson's I had learned a lot and had a good grounding in office procedures. I went to the bank, dealt with telephone enquiries and the mail and even looked after the petty cash. That was a lot for a 15-16 year old to do. It was excellent training and experience.

However, my father again interceded and thought I'd be better to advance myself by going to Esk Mills. I think he thought that at Wilson's I had too much to do for my age and that I was doing too many different things. They were, he thought, heaping more and more work on to me. I didn't find it too much, I was too interested in everything. But I just accepted what my father said to me, I just accepted, and afterwards I thought, 'Why did I do that ?' I didn't try to argue a case for leaving me where I was rather than shifting me to Esk Mills. I didn't, because I did what my father told me. I never even thought to question it. I think my father must have spoken for me to get a job at Esk Mills. I certainly didn't apply there. I was happy where I was at Wilson's. Mr Wilson was angry with my father for taking me out, because he said I had so much potential that he was sorry to lose me, you know.

I really didn't like Esk Mills office when I went there at first in 1947-8 because I was demoted to a junior position again and all I was really doing was carrying mail up to the post office, bringing it back, answering the telephone, doing simple petty cash. I wasn't involved in the whole thing, which you were in Wilson's.

And then when you went to Esk Mills it was so far out of Penicuik. I had a lot of walking to get there because in those days there was no Eastfield Drive. So you walked right along John Street, up Kirkhill, down the Kirkhill Brae and then down the other hill that took you into the mill. You did that morning, lunchtime and evening. I was living of course in Carlops Avenue then and I came home for my lunch every day. Well, because I was a very energetic person in those days and enjoyed walking it took me only ten to fifteen minutes to walk home and back. So that meant half an hour at home for my lunch. But I had colleagues who stayed near me, like Jenny Smith and Margaret Hewitt, and we did all this walking together. We'd meet together to go home and they were fast walkers as well. Because we grew up in Penicuik, I suppose, we just learnt to walk everywhere. That was part of life.

The hours at Esk Mills were nine o'clock till five. These were mainly the office hours then. You worked Saturday mornings till 12 o'clock.

I was paid more than I got from Wilson's. I suppose that was another factor as well, you see, with my father. And then, although I didn't want to leave Wilson's, not only was the pay at Esk Mills better but of course Esk Mills was held in high esteem in everyone's eyes and I thought, well, this would be an improvement.

But when I got there I didn't like it. At Wilson's I had worked in an office where everybody pitched in and everybody did everything. So that you worked as a team all the time. But at Esk Mills it was very hierarchical, so that you just stayed in your own bit. And there I was isolated as a junior. There was nobody more junior than me when I first began. There was another junior there called Robert Thomson. I think we were in the same class at school. And he and I used to go up to Penicuik in the morning. We'd come to our work at nine o'clock, do our bits and pieces – because we were in charge of all the outgoing mail, so we had to make sure that any letters that were lying had to be stamped and recorded. Robert Thomson and I would go up to Penicuik and we'd collect the mail for the mill from the Post Office. Now we also had to do things for the canteen as we were expected to collect the cakes from the Co-op for them. I think Robert Thomson had aspirations to be a manager, because in the winter time he always wore this long navy blue serge overcoat, which appeared kind of upper class. These were the days of course long before anoraks and things like that. But he had this posh coat, as I called it, and I remember us both going up to collect the mail from the post office. And then we went to the Store, as we called the Co-op, to collect the cakes for the canteen. One day he said to me, 'You carry the cakes and I'll take the brief case.' The brief case was for carrying the post in. And I thought, 'I'm not carrying that big box of cakes up there.' He was doing his chauvinistic bit and I wasn't having it ! So I just picked up the brief case and walked off and left him with the box. Robert Thomson did have managerial aspirations. He really had this superior manner and I didn't like it. Later on he married the girl Keiller whose father was manager at the Clydesdale Bank, and I think Robert himself did eventually take up a managerial position but I cannot remember where that was. He really had this sort of bossy manner, I suppose you would call it, and he and I didn't really hit it off because of that.

The cakes we collected from the Store were for the canteen and were available for anyone at the mill who wanted to buy them. It was a big box – some weight to carry. There'd maybe be three or four tiers of cakes in the box, about four dozen cakes. They were probably queen cakes, as they called them, and they might have done for a couple of days. Maybe not all the workers would want or could afford them. It was just a standing order by the canteen with the Store. We were helping the canteen to stock up so that when the workers came for their teabreak they could buy a cake. So you didn't have this box to collect every day. In fact, I don't remember collecting them a lot, I just remember that one incident with Robert Thomson. But you could go to the canteen and buy anything like that, as nothing was ever brought to you in these days as they are now, you had to go down to the canteen yourself. And you were allowed a ten-minute break from the office to go and buy a cake or chocolate or whatever you wanted and come back.

I remember that two of us from the office went every day to the canteen. But we didn't sit out in the main dining area. We were always allowed in the kitchen with the women who ran the canteen. I recall the canteen women were very friendly and that the head labourer, Mr Henderson, who was a great big man and was quite a wag, used to come at the same time. So he regaled us with all sorts of different stories.

That was quite interesting from my point of view as a young girl, because Mr Henderson was a character very different from those with whom I worked in the office. They weren't what you would call 'stuffy' but only hard working and dedicated people with a lot of responsibility. So of course there was the difference between the relaxed sociable experience in the canteen and my working environment.

The office building itself at Esk Mills was one storey, and very sort of grand as you walked in the main entrance. The left hand side was Mr Edward Jardine's office – he was the managing director – and from this office he could see the comings and goings at the mill itself. Mr Edward was the kingpin really: a small, very slimly made man but full of personality and energy. I think he was probably in his late fifties by the time I went to Esk Mills.

Tom Young worked closely with Mr Edward. Mr Young was on the production and order side so that every morning he would go into Mr

Edward's room with his bundle of orders he'd received. And they would plan the work of the mill between them – which of course I doubt if any managing director would do nowadays, direct hands on. But it was different in those days.

The office, the big main office, was huge, very Dickensian. Right up the centre were these high sloping desks with the brass racks above them, a bit like an extension of the desk, where clerks could keep their large book-keeping books, etc. People sat on high stools at their desks. We didn't have quill pens, but we did have these high old fashioned type stools ! There were no typewriters in the main office, because you had four different sections working there and in those days manual typewriters made quite a bit of noise, and all the people in the main office needed a quiet atmosphere in which to work. You had a section for the wages – Mr McIntosh, the head of wages, and his team. There were four of them. Then there was Tom Young and his staff, John Somerville and his staff plus Jean Crichton, head book-keeper, and there was a desk for May Bain, secretary to Mr Wright. Mr Wright was the secretary of the company. He had an office at the back of the office with a glass panel in his door so that he could keep an eye on everything as he also acted as office manager. In those days everyone did so many different things. It was a big office for the time. There would be rather more women than men in the main office.

The typing pool was a separate room. They were all girls there – no men – and we all had our own typewriters. Margaret Hewitt was there. She was, well, Mr Edward's secretary and she was also the order clerk working with Tom Young. And then there was Isa Hook, John Somerville's clerk and secretary. He bought the raw materials for the paper making. May Bain had her typewriter there and of course I worked there also. There was also an odd typewriter for anyone who needed one.

Margaret Hewitt, who worked as Tom Young's order clerk, also operated a type of machine which was different from the other typewriters. Since the pages for the order ledgers were large they could not be accommodated in an ordinary typewriter but had to lie flat and the typeset was suspended above them. The finished sheets were sent down to the various departments with details of the company ordering the paper, for instance, Nelson & Company, together with details of the type, quantities and date they were required to be delivered by. They were then inserted into the huge ledgers and distributed to the various departments. I can't remember what the machine was called. But I operated it once or twice, because I had to do Margaret's job when she went on holiday.

Well, the atmosphere in the office in these days seemed to me to be rather stuffy and, in inverted commas, very old fashioned. Mr Wright, the secretary, was a very strict disciplinarian, in that he would always be looking out at the office and his brows were down and he had this habit of running his fingers down his nose. He had a long nose, but I think he made it more so with what he was doing ! I think he was probably a very nice man but I was too young to appreciate it. You had to be very careful what you did, how you behaved, as he was always watching. Young girls giggle, don't they, and they talk to each other, and I felt freer when I went into the typing pool because we could talk more freely there if we wished. The room had glass panelled doors which were always kept closed to deaden the sound of the typewriters. Manual typewriters were very noisy, unlike computer keyboards. Because the typing pool was to the side of the office and not in direct line with Mr Wright's room we felt more relaxed in there.

There was an unwritten law that you didn't sit and chat in the office. So any conversation was mainly about the work – which, I think, was the correct attitude. People worked in this big office, and of course there were no telephones on the desks in those days. There was only the main switchboard, housed in a small side room, and it was the junior's job to answer the telephone, then go and get the person required to come and speak at the switchboard. There were no extensions except for the directors and the secretary. It all seems rather Dickensian now.

No one was allowed to smoke in the main office. The men when they went for their tea break smoked in the waiting room. There were outside flush toilets, and anyone who wanted a smoke could go outside. There were no toilets contained within the office. The typing pool was at the back of the office. It was built in between the office and a back wall which shored up the banking, so the typing pool was sort of sandwiched in between. It had a window at either end and from the left hand window you could look along to where the men's toilets were located and it was there that the men would go at times for a smoke. To my recollection none of the women in the office smoked. From the right hand window the men from the enamelling house had a small shelter and it was there they would go for their smoke.

I remember at half past ten the men would go through to the waiting room and have their coffee or tea break. The waiting room was for people coming to visit the various managers. There weren't so many people came to the mill and they came by appointment. So obviously anybody who was going to see a visitor would make it outside the coffee time. You can't imagine it, because it was so different from modern day offices. But the waiting room was comfortable and it was also used by the wages department to make up the pays, as the door could be locked and therefore the room was more secure than the open main office.

Looking back, I suppose you could say we were segregated, as the women took their morning tea break in the typing pool. However, it was enjoyable, and I remember the girls in those days were very much into embroidery because it was very fashionable. During the tea break you sat and chatted and you did your embroidery – teacloths or runners for dressing tables and things like that. Of course you weren't allowed to do that during working time. There was never any quiet moment at work. You just worked all the time.

Probably there was a regulation that the office men staff had to wear jackets and ties but, I mean, I wasn't aware of it. Nobody discussed it. It was just accepted that that's how the men dressed. They had to dress fairly formally. Very rarely did you see them taking their jackets off – only if it was very, very warm. And then I think they had to get permission to do that. I remember Mr Keiller, manager at the Clydesdale Bank in Penicuik, whose daughter later married my fellow junior Robert Thomson, was always dressed in black jacket and striped trousers. But at Esk Mills it was not quite as strict as that. Mr Wright was always dressed very formally and so were the two directors, Mr Edward and Mr John Jardine.

As I've said, there were rather more women than men in the office. The three elder women seemed very old to me at the time but of course would not be. They were Jean Crichton, head book-keeper, Mabel Cameron, who worked with Jim Young and myself and who had a lot to do with the Penicuik Historical Society and also wrote poetry, and May Bain, J. J. Wright's secretary. Jean Crichton used to watch you coming in in the morning over her spectacles like, you know, the headmistress ! Those three were all spinsters, as they called them then. May Bain was a very kindly person. You never heard May criticising or being superior with people. I always felt she was more like us, the younger crowd. She was a very, very intelligent and capable woman, a very competent person, very competent. But these were the three older women in the office. Except for May, they exuded, I felt, a type of superiority. It could have been over-sensitivity on my part – but the whole attitude then was completely different from present day.

Though I felt isolated in the office as the junior I had a lot of contact with the workers in the mill, because I was sent down to different pidges – that's the offices within the mill. I obviously had to go with errands from the office. So I got to know people there quite well. But people like Isa Hook just stayed in the office, so she hadn't a lot of contact. Isa's father worked in the mill, as my father did. But I think as the office junior that's where I scored, because I could escape. I felt a bit of a prisoner in the office.

If you worked in the mill itself you got a weekly pay packet. If you were on the staff you got your salary monthly. Mr Wright made up the staff salaries and the wages department made up the mill workers' pay packets.

My pay at Esk Mills was more than I got from Wilson's, and, as I've said, I suppose that was another factor as well with my father. In fact, the office wages in Esk Mills were good. I mean, by the time I was finished there I was making a good salary and that's why I stuck with it. I started by giving my mum my full salary and receiving pocket money back but eventually I was allowed to keep the salary to myself and give mum a share for staying at home. My dad, I think, never told my mum exactly what he earned but kept some of his wages and gave my mum money to run the house. He liked to go bowling and enjoyed a smoke and of course his daily papers. My mum had a hard life, but she was a good housekeeper and both my dad and she gave us a secure and happy home life. And as I was very close to her I think that was one of the main reasons why I wanted to go to work as soon as I could so that I could help her with money.

I never remember working overtime at Esk Mills. We always finished at five and always at twelve on a Saturday. I don't ever remember being asked to work evenings or week-ends.

I think in the office at Esk Mills we all had a standard two-week holiday. The mill shut for a week in July, the beginning of the Trades. I think my father only had a week. He probably got a fortnight later on. But I can only remember a week's paid holiday. I had two weeks when I first started in 1947-8 because I was on staff, as they called you. So you were allowed two weeks. But I think the mill workers then only had a week's holiday.

When I went to the office there was never any question of me joining a trade union. I don't remember being asked to join one, nobody ever approached me about that, nobody ever mentioned that to me. I don't think anybody in the office was in a trade union. I think that would be considered apt for the mill workers, but not for the staff. I think the only person in the office who might have been in a union, because he was a bit of a radical thinker, was Robert Topple. He worked with Mr McIntosh in the wages department. Robert, I understand, was quite brilliant at school because he was in my sister Helen's class and she had often spoken of his having to be absent from school because of illness. However, he returned and was always immediately able to take over from her as head of the class. He was about six years older than me so he'd be in his early twenties when I went to Esk Mills. He was married and had a young family at the time. Incidentally, my sister Helen, after being taken away from school by my father and put on the cutting machines in the mill, had eventually got into the office there before me, because again my father spoke for her to Mr Edward Jardine. Helen went to the WRNS just at the end of the war, she was called up. I was in the office for a short time when she came back demobbed from the WRNS. She married in 1949. I'm not sure if Robert Topple went to the war. He was lame but I don't know what was wrong with his leg. He always walked with this sort of a swinging gait but this did not stop him from taking part in many different types of sport. He played football, tennis and badminton, I think. He was always very active.

I think I must have been quite rebellious myself in certain ways, because I wouldn't call Mr Edward or Mr John Jardine sir. Of course in those days you were expected to call them sir. I just addressed them as Mr Edward or Mr John, or I didn't say anything. I wasn't reproved for that. I think they realised that the world was changing. You're talking about after the war, and obviously our generation, as we called it, didn't want to do things that the earlier generation had done. I don't remember anything specific about men who'd been away at the war coming back to the mill with different attitudes, because I didn't know them before I went to the mill. Jim Young, the son of Tom Young, was the one I worked with in the office. Jim had been in the navy during the war. I felt he was very cosmopolitan ! But he seemed happy to settle into the mill office when I was there. I felt his brother Willie was more outward looking and ambitious. He seemed to me to have more go about him, whereas Jim was quite happy to settle – perhaps his experiences in the navy? I don't know. Willie never worked in the mill, he was a civil engineer.

My father was in a trade union, I suppose the papermakers' union. And he had very Labour leanings. He was definitely a Labour voter. I don't know if he was a member of the Labour Party, but he was a very staunch supporter, and he paid his union dues. My father was one of these men who saw all points of view. He was really a very intelligent man. And he often said to me, 'I wish I could be like so-and-so and only see such-and-such a point of view. But,' he said, 'you see, I see all the other arguments as well'. So it coloured his thinking. But he was very Labour inclined.

Well, eventually I was moved to the invoicing department because there were no openings for secretaries. So the training I had had in the shorthand and letter writing courses just went by the board. I lost my speed in shorthand. Again I just accepted my lot. I was working with figures more and as there were no calculators in those days you did all your calculations manually, writing everything down on paper and working out costs, etc., this way. I sat at my desk in the main office to do my calculations and then went to the typing pool to finish the work – again my escape into another world, away from what I considered the 'stuffy' side! However, I had a lot of work to get through as it was important the invoices went out in order that money could come back into the firm.

When I was in the mill Nelson, the printers and publishers, were one of the main customers and a firm called Ibbotson. I was dealing with the invoices but I can't remember if Ibbotson were printers or publishers. I should have remembered all these because they were all customers and it was the customers I dealt with through the invoices. But I can't honestly remember, except that Ibbotson was definitely one. Oliver & Boyd, publishers, they bought paper from us as well. Thomas Peck, a retail stationer in Edinburgh, comes to mind and also Waterston's. W. & A. K. Johnston, that was another one, and McDougall and Cameron, stationers, I think.[230] And there was a customer in Aberdeen who bought a tremendous amount of paper. I think they were publishers of school books, school jotters and things like that. But Esk Mills had quite a wide range of customers, though I don't remember overseas orders. I think it was mainly the United Kingdom that we dealt with. And of course Esk Mills had what was called an enamelling house. Now that was for the glossy finished art paper. I don't know if Nelson's bought that type of paper or whether it was someone else. If any of the customers, or their representatives, came to the mill it would be to meet senior management they would come and see – the likes of Jim and Tom Young or John Somerville. A lot of things went on that you were vaguely aware of but again you're talking about me sitting in a typing pool away from the main office. So a lot of the things that went on during the day I didn't see or do anything about.

In my opinion in the early 1950s, when I was there, Esk Mills was doing very well. Orders were coming in. I always remember Tom Young was like a wee terrier. He would go down to the despatch department, check out the orders waiting to be sent out, sometimes scratch his head and say, 'Why are you still here?' He had a lot of responsibility, the programming of the orders and the despatch of them. And two men doing that for a big mill, well, I didn't think about it at the time but thinking about it now I don't know how they did it with the staff they had.

I don't think there was much feeling of rivalry between Esk Mills, Valleyfield and Dalmore. But I think it was considered more up market if you worked in Valleyfield, because it was considered they were a better quality mill since they produced the bank notes. I don't know how Dalmore has survived, because they were always considered to be the poor relation. I think Esk Mills as a paper mill was very much in line with Valleyfield. My brother worked in Valleyfield office but we never compared notes. My impression was that Valleyfield office was more up to date than Esk Mills and possibly had more modern ideas about how offices should be run.

There were several hundred workers at Esk Mills, as against the dozen or so at Wilson's stores and its small office which was nice and intimate. It was frustrating at first in the mill office, because I had nothing to do compared with what I had done in Wilson's. You had to sort of work your way up the boxes, if you like. I was absolutely bored out of my mind. I told my father that ! But he said I had to stay where I was because I had moved from Wilson's and couldn't go back. But I took it ill out in as much as I had so much energy left at the end of the day that I used to play tennis practically five nights a week. And again it was through Esk Mills that I learned that, because they had tennis courts, a putting green and recreation rooms for the workers. You could play indoor bowls and billiards – which my father did – at the recreation rooms at Kirkhill, which was the former school I'd gone to as a child. These activities were confined to employees of Esk Mills, they weren't open to the public. Esk Mills had so many employees, you see, that they could use it all. In those days there weren't so many local council facilities, so it was up to the employers to deal with their employees in providing facilities. I think when the old school closed Esk Mills had bought it over.

Well, I was at Esk Mills almost six years. I got married in June 1953, when I was 21, coming on 22, and of course it was the custom that you had to leave the office when you married. My husband was a draughtsman-engineer and worked in MacTaggart, Scott's, Loanhead. I was quite pleased to leave, I think I would have gone anyway. By that time I'd had enough. I just felt that it was restricting, the whole thing was restricting. I wasn't really developing my skills in any way. I was doing essentially the same work at the end of six years there as I had been at the beginning. I felt I was never getting anywhere. I was being hemmed in, because the system was what it was: you couldn't move on until somebody else moved on and as we were more or less of the same age, except for May Bain, promotion was not possible until someone left. May had to make her living as she was not married, and Margaret Hewitt was the other secretary, two or three years older than me, and she didn't get married until after I left the office. Margaret wasn't engaged at that time. So therefore there was no room to advance. I never ever got a move out of the invoicing job all the time I was there, because everybody else was there before me and hadn't married or moved on. We all spoke about leaving and going into Edinburgh to work. But we never did anything about it, because it was convenient for us at Esk Mills: I had lunch at home, was home just after five, you didn't have to travel on the bus, you had no expenses, and you were getting a good wage. And I could go away to play tennis at night and I had the energy left because I wasn't travelling. I think I might have accepted things at Esk Mills had I not previously been in Wilson's grain stores office. But because I had something to compare Esk Mills office with . . . . But as I've said the wages were so good that by the time I was finished I had £6 a week. And that's why you stuck at it, you see, because the wages were very good.

After I married I went to work with Mackay Brothers, the travel agents, in Edinburgh, where I found the work interesting and varied.[231] Now that was something I really liked doing. My husband and I liked to travel. So for six years after I was married, before our son David was born, I worked at Mackay Brothers. When I went to work in Mackay Brothers I again had over £6 a week. I spent 19s.6d. on bus fares and £1 on lunch. That was more expense than I had had at Esk Mills but it was relative. So it was quite a bit of my wage I was bringing home, and I was married so there were two of us earning money.

So I had been away from Esk Mills for 15 years when it closed in 1968. I still had friends and contacts as well as neighbours there when it closed. Oh, I was very sad when I heard the mill had closed. After all, my father and grandfather had worked there as well as my sister and myself. I felt something which I had thought very stable had gone. By that time of course Mr Edward and Mr John were no longer there. None of the sons of these men, although they both had sons, came into the business. Perhaps they had not been far-seeing enough and did not modernise as quickly as they should have. The world was changing.

Some of the Esk Mills office staff, c. 1950s. Jean Hannah is at front left, and anti-clockwise from her are Robert Topple, Mabel Cameron, Joan Walker, Thora Cornwall, and Margaret Hewit.
Courtesy of Penicuik Historical Society.

Keith Dyble

I'd actually been in the Royal Marines altogether from October '37 right up till 1949 when I came out. But I'll tell you, my life was not as I'd wished after that. I had sufficient time in '48-'49, with the type of work I'd done and instruction I'd been getting with the Royal Engineers and the Royal Electrical and Mechanical Engineers and that, to go to Medway Technical College at Gillingham in Kent and take my City and Guilds and my Higher National, which I did. So my commanding officer, knowing where my wife Davina and I lived at Penicuik and everything, he applied to Esk Mill to see if I could come there and get a wee bit insight for six weeks – a resettlement course. I was in the electricians' shop but I knew I was only going to be on a temporary basis, because they were makin' cuts at that time. They kept me on though for quite a while, eight or nine months. And then Mr John Jardine, the manager, he said, 'Look, we'll give you a good recommendation to go to see the head electrician in Valleyfield to get a job there.' At Valleyfield they wanted to give me a job but they said, 'Look, we're over complement, too, same as Esk Mill.' And they says, 'If we can get you a job on a temporary basis anywhere in the mill the first opportunity you'll be in there.' I said, 'Right. I'll take anything.' And I did. The job was in the coatin' department, not a job really ideal. But I settled down.

I was born at Hemsby, a village six miles outside of Great Yarmouth in Norfolk, on the 24th of August 1920. My father was in the fishing. He had two of his own fishin' boats out of Great Yarmouth, and he covered most of the coast around Scotland. He knew Scotland far better than I did. In the First World War they put him in the Royal Naval Reserve. He was a lieutenant and he was in charge of a minesweeper – a very lucky man at times. After the war he had his own two boats with his crew of about eight men on each. When he brought the fish in it was sold on the quay alongside where the boats were tied up. He had no involvement with the employment of the Scots fisher girls who came down to Great Yarmouth to gut the fish.

In the depression in the early 1930s my father's fishin' business was in a difficult position. They were goin' through a bad spell, a very bad spell indeed. What made a lot of difference, too, was he lost his boat through shipwreck. It was a hard life for those on the fishin' boats. On one occasion I remember so well – I was only thirteen at the time – my father's boat was the only one out o' sixteen boats that didn't completely sink. His boat went on to Scroby Sandbank off Yarmouth. He climbed the mast with two others. He was there for three days in a terrific gale. And three days after, the coastguard saw a movement off the Scroby Sandbank on the mast of the ship. My father was the only one left of the crew. The other two who had climbed the mast with him had been washed overboard, and all the other men of the crew were lost. And they had to go out with the lifeboat and rescue him from the mast. No way could they get him down from the mast unless they cut through the ropes. His hands were wrapped round the ropes like an owl's claw. They had to cut the rope each side. His photograph's down in the museum in Yarmouth when he actually got landed, showin' you him with his lengths of rope still grippin' his hands.[232] He had to go into hospital and have them taken away. Sixteen boats went down but his was grounded on Scroby Sandbank, which helped a lot, you know. But on many occasions they had things like that happen. Oh, it was a most dangerous life, especially in some of the smaller boats. But, you know, they had a wonderful spirit. My wife Davina used to idolise my father, 'cause he had such a dry humour. He was friends with the people who done all them fishermen's songs, you know, the fishin' and all that. His whole life was spent on the fishin', and he'd tell you about every port, the likes of Eyemouth and St Abbs and all these places, round the whole of Scotland, on the west coast as well.

Only on one occasion I went out to sea as a boy with my father. I was really about thirteen. He had another smaller boat which he ran from a beach, just off shore fishin', and I went quite often with him on that boat, but not on the bigger boat. But I consider he was a very, very lucky man. His boat which he had at the start of the 1939-45 War was the *Boy German*, and on it one day at sea he was challenged by a German submarine. When they hailed him he naturally had to answer back the name of his boat. So the name confused the Germans so much that they went away and left him. He couldn't believe it. He was ready, you know, to be blown out of the water ! My father was 88 when he died.

My mother was from the next village really to my father, just a couple of miles away. She was a barmaid in the public house in the village where my father lived. But he was never one ever to have a drink in a public house. When the crew made up, which they did just before Christmas, he'd go with them and have one drink. But anyhow he used to go for his own mother on a Saturday night for her tankard of beer – always stout, heavy beer – to this public house. It was my mother that served my father, and that's how they got acquainted. Some of my mother's family were connected with the fishing, and on my father's side the whole family were connected with the fishing. I remember all my grandparents, more both my grandmothers. I remember them better because my grandfathers both died much younger, when I was only a lad about ten, I'd say.

I was the third in our family. I had four sisters. One unfortunately died pretty young. My sister was 17 years old when she died of TB. All my sisters did domestic work. And I must say it was one of the hardest lives: the old cap and apron for them all, one set for the day and the other had to be changed for the evening, two different colours, and all that. It was a terrible life for them. My sisters were all locally in domestic service. The one who died, well, there'd been a lot of TB in that house where she worked in service from fourteen years of age, and they got her working in the house to help them to strip all the old wallpaper off. And they did state that they considered her death from TB could have been an outcome of doing all this.

As I've said, my father had no involvement with the employment of the Scots fisher lassies who came down to Great Yarmouth to gut the fish. They came down from many areas in Scotland – Fraserburgh, Peterhead, and all those different places. Throughout the whole of my young life they were coming. They had just the set months for coming every year. They'd always finish up about September, October, November, just before Christmas – and a big celebration before they left, you know, going round the shops and getting things to take home. They'd made their money. I realise now they were the happiest people you could imagine. But really they were self-centred kind of people down at Yarmouth, Lowestoft, and all these places. They were so close-knit they didn't accept the fisher lassies the way they should have done. The fisher lassies had their job to do. They worked in the big, well, gutting sheds as they called them, where they gutted the herrings. The fisher lassies were employed by the fish merchants who were exporting all the fish to Russia mostly and other places.

The fisher lassies had a terrible reputation. For example, their language perhaps went against them, and their image – you know, the way they were dressed. Standing there gutting herring at sixty a minute and puttin' them into salt brine, their fingers were all cracked and they were all bound up. Well, you get anybody with fingers bound and everything, naturally you don't get a good opinion of them. And the dress itself: they couldn't go about in smart dresses and be handlin' and guttin' fish, and all herrin' scales and then puttin' handfuls of ice into the barrels, you know, coverin' the herrin'. It was a dirty job. And perhaps when they'd got a spare couple of hours they'd go into the town to enjoy themselves. So really for the people in these sheltered fishin' villages – as Yarmouth was at one time, it's expanded now – you know, they got a wrong impression entirely of those young ladies.

There was definitely some feelin', friction, between local people and the Scots fisher lassies. They were even havin' problems at one period, you know, gettin' accommodation for these lassies. In many cases they lived with families, because over the years they got to know people and they mixed freely. But in several cases they lived, you know, as individuals. But there was a brick accommodation, communal sort of rooms, on the quay for the likes of the lassies. But there were no huts – there may have been huts at an early part of the century before I was born. Well, the brick place on the quay was like a big warehouse divided up into accommodation. Of course, I was never inside there, oh, no. I was forbidden. My mother, when as a boy I used to go up to my father's boat and that, she would always give me a warning that I mustn't fraternise with the lassies, even at a later date, when I had left school and that.

There was no reason for the fisher lassies' havin' a terrible bad reputation. There was no disturbances. It was like when you see a tramp walking around: you get a wrong impression of that gentleman – he could be a real gentleman, too. Well, I think, the bad reputation of the lassies was the linking up of about six or eight of them, going through the streets enjoying theirselves once they got away. They linked up their arms and were goin' through the streets. And I think this was the sort of thing, you know, country folk, they just hadn't seen it before and they just couldn't accept it.

The fisher lassies had their usual drink at the White Horse Inn on the quay and at other places – nothing excessive, I can say that. The lassies weren't drunk. They were merry, and you couldn't say much more. I never heard of any disturbance as such. It was just the merriment of the girls enjoying theirselves. They sang in the streets. And because they came from that far north – Peterhead and Fraserburgh – the way they were singing some song you really couldn't understand what they were singing.

They were all human. There were older ones and some were young girls in their teens. And some of them, you know, went perhaps a wee bit far beyond some of the others. You got this. There wis a lot of single fishermen about, too, you see. Not only that, they came from Ireland and also all the Scottish ports. They used to always converge down there at the harbour, always leavin' perhaps a week before Christmas. You know, you could walk across the harbour, across the river at Yarmouth. You could walk across from one side to the other. There was literally three or four hundred boats. And when you got so many crews, you know, there was always a certain element who would go beyond what others would do in enjoyin' theirselves. Naturally there was drinking going on. I think it was only a few of the fisher lassies that were perhaps immoral or drunken, but the others were tarred with this brush. They'd left, you know, the local people with the same opinion in relation to morals, which was wrong really. Illegitimate births, well, there was a place in Yarmouth – I'm trying to think of the name of it now – where, you know, some of them had to go naturally. Well, it all added up to the reputation the lassies were given. But really I consider that was a stigma they'd got which they didn't deserve – definitely.

And actually, too, the fishin' crews when they came in some of them only had perhaps 24, maybe 48, hours to refuel. It was all coal at that time. So they had to refuel the ship and provision it and everything. The fishermen led a very hard life. They'd toss about on some of them small boats. They'd want to get out and enjoy theirself, too. And, well, a lady's company was ideal to share in at times. And this is what happened. You could go into most of the public houses – which I was forbidden to do naturally, agewise – so you could see them. They were havin' a drink together. They were merry and you couldn't say beyond that.

There were some lovely young ladies amongst the fisher lassies. They went down there to Yarmouth to make themselves a bit extra for their own families and that. Some were married. And a lot of them did settle down there, a lot of them got married eventually to local lads and settled down in Yarmouth and district. So there was a lot of that, too.

Some of the lassies came year after year. I remember there was quite a few. I didn't ever get to know any of the lassies myself. I got just to see them, I mean, I might say, you know, 'Hullo.' I'd be quite close to where the boats came in. But I wouldn't say I went beyond just casually speaking to the lassies. But what a sight to see them guttin'. You couldn't believe what you were seeing. They were lined up at sort of trestle tables and gutting to the rate of sixty herring a minute. I mean, an average person from Yarmouth and that area couldn't even do half that amount. These fisher lassies had such a wealth of experience to do this. You couldn't believe they were gettin' through so many. Oh, it was a hard life

Later on, durin' the war, it was unfortunate, when I told my mother that I'd met a young lady from Scotland – Davina, my future wife – and I wanted to bring her down to Norfolk to meet my mother and father, that my mother set up these young ladies who came down to gut the herring as an example against Davina. Oh, my mother took a dislike, having seen, you know, the reactions down there to the fisher lassies, their image as such. She imagined Davina to be the same type of person. And she tried her best for me not to bring Davina down home. When I mentioned Davina to my mother she said in her Norfolk way, 'Oh, ah'm not wantin' any o' them dirty mauthers.' That's what they called them – dirty mauthers. Mauthers is a Norfolk term. It means a person of low standin', people who, you know, they couldn't accept.

I went to the village school at Hemsby when I was five. I just had like, you know, the normal primary school, just the seven classes. It was a sort of county primary school. I was there till I left at fourteen. And I was so pleased when I got a letter not that long ago from a person I used always to compete with somehow at school. He had become the headmaster of a school in Sittingbourne in Kent. I'd never been in contact with him for all them years, but he wrote to me and said he'd retired and he'd been headmaster in two or three different places. And him and I at school he was top one year, I was top the next, and we done that for three or four years. Oh, I loved the school. And I was competing in so many different sports at the school: cross country running, different running, and football. I always played in goal or full back, but more often in goal.

The subject that interested me at school was history. I can remember so well the school red jotter or exercise book I had. Inside the front cover was a map, and underneath it said in small letters I can still picture: 'W. & A.K. Johnston, born at Kirkhill, Penicuik.' And I said to myself, 'I wonder what this place was ?' – not so much Kirkhill, but Penicuik. So I was greatly interested in history. Lord Nelson was born in Norfolk, not so far away from where we lived, and I was greatly interested in all his exploits. Later in my schooling I came on the information appertaining to Lord Nelson and his plan of attack at the battle of Trafalgar, and they did state again the name of Penicuik.[233] And Penicuik aroused such an interest in me. When years later I eventually met Davina and I said 'Where do you come from?', she says, 'Penicuik.' 'Oh,' I says, 'I know so much about Penicuik and I've never been there.' But, oh, I never got an opportunity to stay on at school and I would have loved to have done that. I would have liked to go on to a higher school and then eventually perhaps been a history teacher. That's what I'd have loved.

But I'll tell you this. When I left school – that was in 1934 – things were gettin' from bad to worse with the fishin' and that. It was creatin' a terrific hardship. I've never seen so much hardship.

My first job, which was a very unusual job, was workin' in a slaughterhouse in Hemsby. I couldn't bring myself to adapt to that kind of thing for a long while. Well, you had to take something for a job, and that was the only opening I could see with this butcher. I didn't get into the butcher's shop at all. I was in the slaughterhouse. That was all pigs and bullocks and everything. But I'll tell you this, in later years it was a great advantage for me gettin' an insight into that. When the war broke out, naturally we found that they were lackin' people in places. And when you were lookin' for somebody for doin', you know, a wee bit slaughtering of a young pig or something like that, my experience in the slaughterhouse'd keep things going.

Well, I was there at Hemsby in the capacity as an apprentice slaughterman up to a point. It was a complete involvement. The wages was only six shillins a week. The hours were eight o'clock in the mornin' until perhaps five at night. It could vary, it all depended how busy we were. We had our really busy periods because Hemsby had some of the biggest holiday camps for visitors. So during that period from about Easter, and then a wee bit break, and then for the whole summer right till the end of September, we were run off our feet keepin' all these holiday camps goin' with meat and everything. There was more of an involvement, too, with makin' sausages and all this kind of thing. We did that.

Well, I finished up slaughterin' the pigs. I'd walk into the styes and that with just an ordinary length of rope with a slip knot, puttin' it over their noses, takin' them to the bench, and with the assistance of only one other worker, rollin' them on their side. And then we actually had the humane killer at that time. We didn't try to do that at the start. But we used the humane killer prior to the actual cutting of the throat and then lettin' them kick on the bench to get rid of all the blood and that, and then stringin' them up. Well, first of all, before we strung them up, we put them in a big tub of boiling water and we used a blunt scraper to take all the coarse hair off, and then strung 'em up. And we'd go through quite a few in a day.

Oh, it was a terrible job. I'll tell you this, it was not a job I would ever have considered takin' prior to that. But you had to take somethin'. You had no option, you see. My father's business, as I've said, was goin' through a bad, a very bad spell indeed then. Well, I worked in the slaughterhouse two and a half years.

A friend, well, he was more a friend of my mother, he was a carpenter, he made coffins, and he said to my mother that he would start me. But I said to myself, 'The slaughterhouse is bad enough. To make coffins is such a depressing work that's not my cup of tea.' So I didn't ever go there. He did other work as well but, I mean, his job was mainly makin' coffins. And I said, 'Oh, my God.' You see, it was so depressing.

Then I got an offer of ten shillins a week, working in this public house, the Royal Oak Hotel, just two miles away from Hemsby at Great Ormsby. A huge pub it was. It was all cellar work and looking after the place in general. I would only be in that job in the public house about eight months, I'd say. And then I said, 'Ach, I'm gettin' nowhere.' And in October '37 I said, 'Right.' Not even tellin' my mother and father, which hurt them a lot, I went to Norwich and to the recruiting office. I wanted to join the Royal Navy. It was myself entirely that thought of joinin' the navy. But the pub were the finest people you could work for. When I left the boss gave me a lovely silver watch, and an unusual thing he gave me, too, was a complete set of Maundy Money that had been presented to his mother: the penny, tuppenny and the fourpenny, all wee bits of silver coins.[234]

Well, the Royal Navy was somethin' my father had been involved with. So I still remember the recruiting man in Norwich eyed me up and down and he says, 'You're more suitable for the Royal Marines.' I said, 'I've never heard of them.' I'd never even seen a marine. But it was queer. Whilst waitin' for them to call me up to be recruited I met a chap from the next village who'd just done the same thing months before. And I saw him in uniform and I was so pleased. I'll tell you this, I thought he was a Salvation Army man, with the red band round the hat and the red stripe down the trousers. When he told me what he was, well, I was very impressed.

But I'll tell you this, I regretted that decision. When I did eventually get my calling up papers a month later I was sent to Chatham. I had to catch a train from Hemsby which went to Yarmouth, and then from Yarmouth to Liverpool Street station, London, and then I was picked up with other recruits as well and taken to this office where we were sworn in and got the king's shillin' as such. And then we were transported from London Bridge by rail down to Chatham. It was just called the Royal Marine Barracks, Chatham. But it was like a prison, except no prison would compare with it.

So I joined the Royal Marines in October 1937. I did what they called boys' service, prior to becomin' 18. And my time in boys' service didn't count, my time didn't count at all. It was 18 months' solid trainin'. Oh, the harsh treatment. And I'll tell you this, it broke my heart. I've still got the letter I sent to my mother and that she eventually gave me back to keep. In it I says to her I'd made a big mistake, you know, 'cause, oh, they were so brutal. It was the hardest life. Even the sleepin' accommodation, with old beds with solid metal bars and all you had on it was a mattress filled with straw. I said to myself, 'What a life I've brought on myself to come from a comfortable home, a really first class home, to this. What have I let myself in for ?' And the treatment. You weren't allowed for the first six weeks to go ashore – out as such from the barracks – when you joined up, because you were not presentable enough to go out. You were confined to barracks. And when I went out the first time – we had a wee walkin' cane, to keep our hands out of our pockets – just because I hadn't cleaned the wee tip of the cane: 'Back !' They wouldn't allow me ashore. So that ruled it out till the next opportunity I got, which was two or three days later. And I'll tell you this, I never got out that second time either ! That old swine at the gate, he looked me up and down and then he went round my back. He said, 'You haven't cleaned your heel plates. You haven't burnished them.' This was the kind of life we had.

There was one or two of the chaps there they couldn't stand it. Their parents donated £20 for them to get out the Royal Marines. I wrote to my mother. I asked her, I said, 'I've stood so much. I'll have to get out.' But my mother and father didn't have £20. So I had to stick it.

The pay was only 14 shillins per week – 13s.6d. really, they deducted 6d. for various sporting activities.

Well, my training – twelve months at Chatham, and then the last six months was down at Stonehouse Barracks at Plymouth. These were Royal Marine barracks. But we had come, I consider, from Chatham perhaps with a wee bit more training. We were getting used to it, and we had come to far better accommodation at Plymouth. There was 45 of us and eventually our squad became the King's Squad. We were all specially selected for this. We represented the marines on many occasions, you know, in London and other places.

But by then we're talking about a time when we didn't know what was going to happen, 'cause it was the Munich September Crisis, 1938. And we and everybody else, too, even officers, were so busy involved in sandbaggin'. We had to sandbag in 1938 at Plymouth. Then they drafted so many of us on to various ships. I went to the *Ramillies*. That was a battleship. And I'll tell you this now, we had nothing on that ship. If anything had happened it was only dummy ammunition with a yellow band round it. We never had an explosive shell in that ship, not one. It was all practice ammunition, because they never were prepared for war. That's a definite thing, they definitely weren't prepared. We were completely unaware what was going to happen in '38. We were a crack force, you know, one of the elite forces, I'd say, in the Forces. And all we had was one Piat gun – an infantry anti-tank gun: we were on ships as a landing party, you see, so this was for landing purposes. And we had a Lee Enfield rifle each from the time we joined up, with .303 ammunition. We would use our rifles a lot on board ship, you know, if there was any mines or anything like that floating about. And we were so pleased that we had got an old Lewis gun. The marines were a crack regiment, but if anything had happened we'd have been overwhelmed. If war had broke out in September '38 I'll tell you this, we wouldn't have stood an earthly. Well, we went from Plymouth – Devonport really – over to more or less where the German fleet was, around Norway, Sweden and that, to see if we could see anything of the German fleet.

I was only a short time on the *Ramillies*. We were cramped for accommodation and sleepin' really rough. We didn't even have a hammock. We had to sleep either on the floor or on a hard wood seat which was a mess table. Meal-wise they hadn't got the facilities to cater for us. All that applied to the seamen as well as to the marines. The complement of the ship, you see, was really increased to such an amount in September 1938 that they hadn't got the facilities to cope with us. With the complement the *Ramillies* had on her and us marines – there was about, say, roughly about a hundred of us marines altogether – that was over a thousand altogether, the complete crew.

Anyhow then after just a few weeks they transferred us from the *Ramillies*. Eight of us had to go to HMS *Achates*, which was a destroyer, and we never really ever went on to destroyers unless that was to land. Marines were normally found only on cruisers and battleships, but with a landing party sometimes you had to go on to a destroyer for landing. The *Achates* was an ex-gunnery ship and all she had when I looked at it was all practice ammunition. She had not a live round, not an explosive round. So again if anything had happened in 1938 we'd have been in a very unusual situation. The *Ramillies* and the *Achates* hadn't been decommissioned before then, they were both active service boats. It was a mad scramble eventually for all them boats, you know, well past that date to get a few explosive shells. You had a reasonably plentiful supply of cordite which projected the shell. Then eventually, just prior to the war breakin' out in September 1939, we had a .5 anti-tank gun between us all. And then we managed to get an old Vickers water-cooled machine gun with a heavy 56 lb tripod. But it was so old it was jammin' every few rounds. All the ammunition was in a belt and, oh, that was jammin'. Even in August and September 1939 the soldiers were trainin' with broomsticks at Glencorse Barracks at Penicuik – not even a uniform for them. And then they were put into the British Expeditionary Force and sent to France. No wonder they had to make a withdrawal through Dunkirk.

Before the war broke out I'd got transferred on to a cruiser. That was the *Cumberland*, a heavy cruiser.[235] And just prior to the war we were up chartering really, looking for the German fleet up the Skaggerak. Then we got ordered to go into Plymouth, Devonport, again. This was about early August 1939. Some were drafted off the ship, some were kept on. And we did then get plenty of live ammunition and everything. Next thing we had orders to proceed to sea. Nobody knew where we were goin'. We went through the Bay of Biscay and eventually we finished up right down the Atlantic at Rio de Janeiro, South America. When they announced on September 3 that the war was declared we were in Rio de Janeiro.

We joined the naval task force that included the other heavy cruiser HMS *Exeter*, and for over three months we searched every area of the South Atlantic for the German pocket battleship *Graf Spee* and the German merchant ship *Altmark*. We received reports of many of our merchant ships being captured and sunk by the *Graf Spee* after their crews were transferred on to the *Altmark*. Both HMS *Cumberland* and *Exeter* were needing running repairs such as boiler cleaning and ship painting. So the *Cumberland* was sent for these repairs to Port Stanley in the Falkland Isles, while the *Exeter* continued to patrol. Then, while we on the *Cumberland* were in the midst of boiler cleaning and provisioning at Port Stanley, we received a signal that

HMS *Exeter* had sighted the *Graf Spee* and, along with two light cruisers, HMS *Ajax* and *Achilles*, had engaged her. With the painting platforms still over the sides of HMS *Cumberland* orders were given us, 'Everybody in board' – and with several platforms still dangling on ropes over the ship's sides, anchors were raised, and off we sailed to support the *Exeter, Ajax* and *Achilles*. No British cruiser throughout the war ever covered such a distance in so short a time.

The vibration throughout the ship was unmentionable. Our mess crockery went for a Burton – everything smashed, and at night our hammocks were well tested ! When we reached the area of the River Plate HMS *Exeter*, with several dead on board, was badly damaged and pulling back. Eight of my mates among the Royal Marines from Devonport had been killed by shelling from the *Graf Spee*. One Marine, with both legs blown away, said he 'was not too bad', before he died. Those eight, and several others killed in the battle, were buried there at sea. On the *Cumberland* we waited with HMS *Ajax* and *Achilles* for over 70 hours just outside the three-mile international limit from Montevideo and the River Plate. Then we saw the *Graf Spee* steaming towards us. With all our guns fully loaded we had to wait until she was outside the three-mile limit. With our fingers ready to press the firing button we knew we really had no hope against such a heavy gunned battleship. The *Cumberland* was the nearest to the *Graf Spee*. Suddenly we saw her crew – a skeleton crew – taking to the boats. Then we couldn't believe our eyes: the *Graf Spee* blew herself to pieces – scuttled.

For several weeks we searched the South Atlantic for the *Altmark*, which had a lot of captured British merchant seamen on board. The *Altmark* managed to reach Norway. But there the Royal Navy, despite strong objections from the neutral Norwegians, boarded her and rescued the British merchant seamen, who were brought then safely into Leith.[236]

So at the beginning of the war I was down there on the Atlantic fleet, and that's why later on I got the Atlantic medal. But I got eventually drafted into the Royal Marine commandos. I didn't volunteer for the commandos. There was no such thing in our crowd as volunteering. 'You, you, you and you': that was supposed to be volunteering. We were up in the north of Scotland – Embo, above Dornoch, and all round that coast. We did a lot of intensive trainin' there. They named a public house after us. I met one of the finest young ladies when we were training near Elgin and Nairn. We came round that coast. There was a coastline there – Burghead, I think it was called – which was very unusual. The tides used to cut you off. That's why we did the training there. And I met this young lady, Nancy Murdoch, my first ever in Scotland. She picked up courage eventually to take me to her home. Her father looked me up and down. He was in the scrap merchants. I'm certain he lined me up for workin' on the scrap when I came out the marines ! Anyhow Nancy went elsewhere, and we came further south and west round Roy Bridge and Spean Bridge.

In 1940 we had brought King Haakon of Norway and his family to Invergordon. The Salvesens of Leith allowed King Haakon to shelter in Carbisdale Castle in Ross and Cromarty and that's where he was all during the war.[237]

One of the first raids I got really involved with was on Spitzbergen. The Germans used that as a wireless station. They could get all round the Denmark Straits and all that. The main force on that raid were really Canadians and Newfoundlanders. We actually took a force from Newfoundland with huskies on the raid, to draw from one side of the island, because we had to use a lot of explosives. And then we went in. There was a big coal mine there and a wireless station, a hostel and everything. I've never seen a warehouse so packed with supplies. There were cigarettes, you know, with a big filter about half the size of the cigarette. Some of the boys helped themselves after the job was done. Then in late '41, I think it was, we made landings on the Lofoten Isles belonging to Norway and just inside the Arctic Circle, and I was on that raid.[238]

There was other jobs to do. We had to join the same ship again, the *Cumberland*. She was on the Russian convoys. And there was a South African lieutenant commander, he spoke Russian really well he did. And there was three of us we got the job of going in from Murmansk into Leningrad. We had to rescue the British ambassador to Russia, Sir Stafford Cripps. He had come from Moscow into Leningrad, now St Petersburg, and he had to be rescued. The Germans had Leningrad completely surrounded. Well, we were lucky. Naturally, we had to use our contacts, and we went by rail from Murmansk and then Lake Ladoga. Our orders were that at first we had to go through Finland, but Finland was at war, too, as the ally of Germany. But with Lake Ladoga being so solid frozen Sir Stafford Cripps came across there. We met them comin' across Lake Ladoga. He was comin' over on a sledge kind of arrangement. It was about the 12th or 13th of January 1942 when we got Sir Stafford out. But we had actually got through the German lines. Well, we were lucky, we got through an area where I'd say there was no opposition, it wasn't guarded at all. We were lucky. We weren't wearing anything to distinguish us, no uniform as such. Well, what we were wearing was all silk underwear, due to it bein' 40 degrees below zero, and then a waterproof, like a khaki duffel coat thing, over that. There was no washing whatsoever on that run, you know, because you couldn't expose yourself to the temperature. We had had a strict medical: anybody with fillings in their teeth they were not allowed to go on it, because due to the cold they would have fell out. And you weren't allowed your bare hands, because if you touched any steel. . . . There wis only three of us went in there, the South

African lieutenant commander and two of us marines. We went in with .45 revolvers and we had the Bren gun. Nine days, I think, we took. We couldn't get no sleep at all. The wolves were right close to the railway siding they put us in. What a racket the wolves made, howling like hell ! We went by rail from Murmansk as near as we possibly could and then on foot.

So we managed to get Sir Stafford Cripps out. I've got a photograph of him actually shakin' hands with the captain on arrival in Murmansk, prior to takin' him to Reykjavik in Iceland. We had a wee bit bother off the Norwegian coast so we nipped off to Iceland and then down to Scapa Flow. Sir Stafford was one of the finest men. I sat with him in a railway carriage and spoke to him. He sat beside us and was full of interest. He was on about the situation in Leningrad. There wis no way they could cope wi' the bodies and all that. The people were dyin' off and the bodies were all bein' piled up, and the infection and that. Well, Churchill and the king they came up to Scapa Flow and thanked us for that.[239] The South African lieutenant commander he got a medal for that. We two marines didn't get anything from our own government. Oh, in many cases where the man was just in charge but perhaps didn't do the work he got recognised where others didn't. Much, much later – in fact, in the early 1990s – when they had a special celebration they sent me a medal, recorded delivery from Russia and signed by Gorbachev.[240]

There was another example of that lack of recognition on the raid at Dakar in French West Africa in September 1940. I was on the *Cumberland* there and we had two boilers burst. That flooded the magazine where all the star shells and the other ammunition was. And they knew it was goin' to explode. There was four of us volunteered to go down right into the depths of the ship to the magazine. It had all to be hatched. Well, a warrant officer stood on the upper deck all the time, directin' operations. We were down in the terrific heat with felt boots and everything, takin' the shells out of the racks and puttin' them four in a cage. They could have went up at any minute. Once they got to the upper deck the shells were thrown over the side. The warrant officer he got well rewarded for that – the Distinguished Service Cross. And I said to myself, 'All you did was stand in the fresh air on the upper deck, just tellin' the boys to throw the ammunition over the side.' We never got a word of thanks. And then when the boilers burst all the boilin' water had gone into the switchboard. The boilin' water killed all the crew who were down there. And the boilin' water had shrunk them. There was a chap six foot four. When I lifted him up he would be about three feet – he'd shrunk away to nothing. It was a horrifyin' experience.[241]

Then in November '42 they put us into what they called H-Force for the North African landings. We went into Algiers first. That was a big aerodrome there. But the opposition there from the Vichy French was terrible really.

And they were blowin' us out the water. But we got ashore and we took that whole aerodrome. And then they asked us to go round to Oran, and after we'd taken Oran to go round to Dakar again. And we took Dakar, we walked in.[242]

In '43 the *Cumberland* got so badly damaged on the Russian convoys that they had to put us into dock at Jarrow, near Newcastle. So this was where I met my future wife Davina from Penicuik. She was in the ATS at Fenham Barracks at that time. But it wasn't long after that they wanted a special squad, G- and H-Force, for goin' eventually into France on D-Day. D-Day should have been in '43. Stalin was shoutin' the odds about us relievin' the pressure the Germans had put on him. And we should have done it. It wasn't fair on Stalin. Anyhow we went down then to the south of England and we were in tents. So I nearly lost contact with Davina. She went to Catterick camp in Yorkshire and various other places. Anyhow I kept writing, we got engaged and then we got married on the 11th of March 1944 at Glencorse Kirk at Penicuik. Then I went back again to the south of England, to Cornwall, under canvas we were there.

They wanted us to land in France in time to do softenin' up of the pillboxes and that. G- and H-Force was a crack force, there was 60 marines each in commandos. I was H-Force. So six weeks after I'd got married we were on only four hours' notice for D-Day and we were allowed no travelling whatsoever. But I used a wee bit of influence and got permission to contact Davina at Newcastle. I booked a hotel as near the station there as possible. It was half past one on the Sunday morning when I got there, travelling by packed trains. When I said to the elderly night porter at the hotel, 'Has a Mrs Dyble booked in here ?', he looked up the register and he says, 'Yes. Room so-and-so.' He said, 'I'll come up wi' you.' He knocked on the door and he says, 'Mrs Dyble's room ?' And the next thing a man's voice says, 'Yes. Who is it ?' And the look of alarm on the porter's face ! Eventually a man came to the door and says, 'I'm Mr Dyble.' So at half past one in the mornin' I was shakin' hands with the only person I ever met wi' my own name ! Another Mr and Mrs Dyble had booked into that hotel for one night only. They were a young couple just in their twenties, he was a merchant navy officer. The night porter hadn't realised he had two Mr and Mrs Dybles in different rooms.

Well, a week after, when I was back in trainin' in the south of England and practisin' with live ammunition and live grenades and everything, this young officer made a genuine mistake. He threw a grenade that landed two feet from me. I had one chap one side of me and one the other. Luckily, knowing what it was I threw myself on top of the grenade. I had Bren gun pouches with three magazines in each full of live ammunition. And I'll tell you this, I was peppered with shot. But these other two lads got it worse than me. One lost the sight of his eye, the other one got hit in the back of the legs when the grenade exploded. I landed in hospital, knew nothing for 36 hours, and they sent for Davina. My clothes were just shredded, shredded. But I got over that quick and I joined the main force again. I thought how lucky I was.

We went in on Sword Beach in Normandy on the 5th of June, the day before D-Day. We went in under cover of darkness, the night before, late at night. All we wanted to do was mark a channel for them. Then the main force came in about half-past seven in the mornin'. I think there was about 690 killed on that do. When we were doing night raids like that we didn't use any ammunition. We used the special knife and the knuckledusters. There wasn't any fighting before the main force landed. The navy was the first to come in and blast everything to smotherends. It was all well rehearsed and done. Our job was not a continuation of any battle, so we got withdrawn then from that. And then we got one or two other wee jobs further along the coast, even into Holland.[243]

In the first week of January 1945 due to a gale we had to take shelter in the Firth of Forth on HMS *Vengeance*, a light aircraft carrier. And they sent a pinnace out from Port Edgar with our mail. Amongst the mail was a telegram for me from Davina's sister to say our son David had just been born. I said to the skipper, 'No chance of me gettin' ashore ?' He says, 'In this weather ? We'll never launch a pinnace in that.' And of course we had all had a drink to celebrate. So he said, 'And you're not in a fit state to go down the ship's side and along on to the pinnace.' But they gave me 24 hours to see our son and I did go down the ship's side and into the pinnace and the four naval crew took me to South Queensferry. And, oh, my goodness, was it rough ! I didn't know this till I got back later, but on the way back from South Queensferry, when everything was completely blacked out and they couldn't see where they were goin', the pinnace had hit one of the big piles to stop flying boats landing there. It stove all the bow in and the pinnace sunk. However, the crew had each managed to climb up one of the piles, and they had to launch another boat to pick them up.

Then eventually they were desperate for forces out in the Far East. Before we sailed to the Far East I managed to see Davina and David once again at Penicuik, but I never saw them again until he was three and a half years of age. Well, we got into Trincomalee in Ceylon and they said there was two jobs they wanted done. There was 18 of us, we were selected after a stiff medical. One job was at Singapore, where there was a large Japanese fleet. They selected 12 to go in there with limpet mines and do as much damage as they possibly could. The other six of us had to go on in a submarine, HMS *Thrasher*, to Hong Kong. There was a Japanese war god – they idolise the samurai type of war god – at a big temple, just above Hong

Kong dockyard. Our people, to break Japanese morale, wanted to destroy the war god. Well, three of us went forward under cover of darkness, with the other three hanging back to give us covering fire if needed. Before I laid the charges at this war god, which was on a four-foot base and about six to seven foot high, a beautiful thing, a picture in itself, I thought, 'Well, I'd like a memento of this.' I took off the beautiful headdress holder, like a huge great lampshade, all in gold braid, and one of the other two took a sword. We knew we'd never get these out, so I hid them under a heap of rubbish about four foot high. Then I set the charges – and away. We eventually got out, signalled HMS *Thrasher*, and got out of that. We went back then to Singapore in the submarine and waited and waited. But there was no contact whatsoever from the twelve men we'd left there. Much later we found out the twelve of them had all been captured. They did a silly thing. They should have stuck to their canoes but they got on a sampan and they were captured. Every one of them twelve was executed without havin' accomplished their task.[244]

Then the first week in May 1945 we went down to Rangoon and we released prisoners of war from a camp there, you know, out of each of these individual prisons, one man under each arm. They only weighed about five stone each. Oh, you couldn't believe the sight. But we were lucky. We got no opposition from the Japanese at all, only from snipers. There was only 36 Japanese snipers in Rangoon. We took 35 of them, shot them. They were up in the trees and everything. I don't know what happened the other one.

And then they wanted another selected force and I got selected again. This was to go with the American and British scientists into Japan in the beginnin' of September 1945, about a month after the atomic bombs were dropped. Eventually there was two forces really: one for Nagasaki and one for Hiroshima. I got selected for Hiroshima. I'll tell you this, even the scientists couldn't believe what they was seein'. We saw the darkened image on the ground, like somethin' charred. This was where people had been vapourised. I took some of the first photographs in Hiroshima. You never saw the sky. About a hundred feet from you there was like a heat haze. But what always reflects back at me was the children. If you'd seen the children throwing themselves in the river, you know, and trying to cure themselves. Their skin was runnin' down their faces, all of them who were left. I mean, I think there was about 60,000 or 70,000 people, all vapourised. Huge trees about four foot thick were only about three or four feet high stumps, charred. The actual target, which the *Enola Gay* plane had pinpointed, was a dome shaped temple, and that place stood intact at a fork in the river, bar for its windows which were blown out. But everything below that temple was just flat. I'll you this, even the scientists admitted they didn't realise the extent of what that was goin' to be. They didn't understand that, and they honestly admitted that. But the heat, oh, you had a different atmosphere from the normal. And this has been really one of my hardest things, after goin' through all this to adjust myself really to the life which I knew when I came out of the Marines I'd have to adopt.[245]

As I've said, I'd actually been in the Royal Marines altogether from October '37 right up till 1949 when I came out. But I could never have picked a better place than that small community at Harper's Brae at Penicuik, where Davina had already got a house belonging to Esk Mill. Oh, my goodness I had difficulties adjustin' to civilian life after the war. But the people at Harper's Brae accepted me and they were so friendly. And as I've said already, I got work there at Esk Mill first and then after a few months in the coatin' department at Valleyfield.

I'd just settled down at Valleyfield when two police arrived one Saturday night. We were into 1950 by then. The policemen says to me, 'We've just got word that's come all the way from Portsmouth. You have to report back to the marines at Portsmouth straight away.' The Korean War had broken out and I'd been recalled as a reservist.[246]

My mate, who'd been in the marines, too, lived at Granton in Edinburgh and he had got a job in Melrose's tea place in Princes Street.[247] So we travelled down from Waverley station together to Portsmouth. We had inoculations, vaccinations in both arms and then we were told we'd be joining 200 selected ones from different units and leavin' from Lympstone, near Exeter, to go out to Korea. There was two bridges to be blown up there, and other jobs to do. I managed to write a quick note to Davina: 'I'm going abroad and I shall be away a while.' When we were havin' a cup o' tea prior to setting off by trucks to Lympstone from Portsmouth four names came through on the intercom to report to the orderly room. I was one of the four. They'd been oversubscribed in numbers and they gave four of us the option of goin' back home. My mate from Edinburgh was one who was havin' to go to Korea. Well, I thought about it. I had been pretty lucky and I could be lucky again. Then I thought about Davina and David and what a life they'd had. And I pulled out. I felt a coward, a real coward, by pullin' out. On the way back to Penicuik I called in and saw my mother and father in Norfolk and then I came back up north. By this time my arms were blown up out of proportion. When I got to Penicuik Davina says, 'You're goin' somewhere.' I said, 'No, Davina. That's me finished.' Well, there was 200 Royal Marine commandos went out to Korea. Only six came back. Every one got killed bar six.

I got settled down again at Valleyfield, not in the electrical work but in the coatin'. And then the next thing was in 1951 both Valleyfield and Esk Mill went in a bad way and were on four days a week. And they said to us who were only just a short time in the place, 'If you can find work elsewhere durin' this short period we'll guarantee you a job when things improve here again. But naturally you'd have to come back to the job you left here.' So Leggate of Glasgow was building the two big water tanks, the effluent and the fresh water, down at Valleyfield. And I worked with Leggate for two years. All that period Valleyfield were on slack time. Anyhow after two years the Leggate job was completed and I got back into Valleyfield. Mr Speirs, who had been a lieutenant colonel, he got very friendly with me and saw the work I was capable of doin'. 'Look,' he says, 'you're going back into my department' – electrical and engineering and everything. But Mr Taylor and Mr Jordan, the bosses at Valleyfield, wouldn't hear of it. That was the conditions I'd left Valleyfield under to work with Leggate, so I couldn't complain too much. I had to go back to what I'd been doin' before at the mill. So I never got an opportunity of goin' into the electrical and engineering.

After that time Valleyfield picked up in the 1950s quite well. And in the late '50s, say, '58-'59, we piled all up on the brae at Pomathorn – no source or water or steam or electric or anything else there. This was Pomathorn mill, which opened in 1960. It cost £1 million, a terrific investment. It was a beautiful machine, one of the most modern in the whole of Britain. It produced some of the finest paper that we'd ever seen. All the steam was brought up from the main Valleyfield mill, right up the hill – quite a problem – and then electric, and also water in ten inch mains.

And then in or about 1965-66 Mr Taylor, the managin' director, one of the most perfect gentlemen I've ever seen, an excellent man, he got us all together at a meetin' in the Cowan Institute and said that the Reed Group was takin' over completely. We'd never heard of the Reed Group, they were in Kent. So this was a big disappointment for us because we thought so much of Cowans. The Cowans were phased out and others took their place. Unfortunately for so many of us we realised what was goin' to happen as soon as Reed took over: 203 orders were sent down to their Sun paper mill at Sittingbourne in Kent within a matter of weeks. I said to one of the new managers, 'I consider you have just been sent up for one purpose – to close this mill. You have already sent 203 orders down south to the Sun paper mill to boost their production up.' Another of the new managers did admit to me that he didn't know the difference between a toilet roll and a roll of our paper. He didn't have no practical experience. Anyhow we knew what their intention was.

And then in 1973 we had a big meetin' in our overhaulin' salle, where the women worked. We had all 950 workers. All the directors came up from London. And I knew they had only one intention and that was to shut Pomathorn, which they did in '73. So there was terrific reduction then of over 200 in the workforce. And they got very little redundancy, only about a week's redundancy for each year employed. But I did get up, and I was only one, and I tore the Reed Group to bits. I went perhaps over the score. And I did say to them, 'Streamline your administration in this mill and we'll get somewhere.' I did take them to task. The 250 Pomathorn workers and the foremen and everybody else stood up and fully praised me for that and we walked straight out that salle. Recently this gentleman, who'd been a foreman, came up to me and shook hands with me and he says, 'Keith,' he says, 'I've never thanked you for what you said that day we walked out of that salle.' But all the Pomathorn workers became redundant, and also just a very few selected ones. And then they reduced the number of workers to round about 550.

After that meeting in the salle room at Valleyfield in '73 Mr Taylor, more so Mr Jeffries, one of the managers, took my part on what I'd said appertainin' to the Reed Group. That was on the Saturday morning. On the Monday morning the Reed Group had a meeting with all management at nine o'clock. Mr Taylor was made redundant and he went to Dalmore Mill. Mr Jeffries and one or two others were made redundant. Well, they were going to keep Mr Jeffries on but he was so disgusted with everything he just walked out. He was a right gentleman, too, as was Mr Taylor. Mr Taylor walked out at quarter past nine that Monday morning. That was two years before Valleyfield closed.

But I'll tell you this. When I first went into Valleyfield, and perhaps being able to speak up for the workers, they put me on the welfare committee. And I could see the conditions they were workin' under compared with Esk Mill. In the biggest areas in Esk Mill they all had electric tackles, makin' the work easy. Whereas in Valleyfield, even on the machines with the huge big reels, it was all chain hand tackles. They were liftin' weights of nearly up to 1,000 lbs. And the management had given them an extra wee hollow bar to slip over the end of the spindle to get more leverage. The men were complainin' about their backs and everything else. And I was fair outspoken for the men. And, you know, when I first came to the mill the workers were walkin' down there to Valleyfield and Esk Mill with their tea in an enamel pitcher with a cup on the top. Now that pitcher which they had poured their tea into when they left home had to last them twelve hours. It was re-heated over a steam chest, and occasionally, when they felt like a drink, they could only have a mouthful, 'cause it had to last them twelve hours.

But I'll tell you this. I couldn't blame the management in any way. It was the workers themselves. They had such set ways. I brought it up at one meeting that there should be a tea urn. And the management found the most antiquated thing, something with a ball valve and that to it that automatically kept it full. When the workers queued up to take the boilin' water the urn had taken about three-quarters of an hour to boil up. The workers objected strongly that they had used their pitchers for 40-odd years. The workers didn't want no changes. But I brought the question of the tea urn up again and I managed to get a more modern one so that it was always on the boil. But I'll tell you this, I got more support from the management than what I did from the workers. Some of them were crawlers and you couldn't call them anything else.

There was a fear. The workers was afraid of something. And I'll tell you this, on one occasion Mr Wilson, the foreman, a person I had great respect for, the manager Jordan he dressed Mr Wilson down like a dog in front of the workers. I couldn't interrupt Mr Jordan but when he did finish, Mr Wilson went back to his office with his head on his chest. Then in front of the workers I says, 'Excuse me, Mr Jordan,' I said, 'I don't consider that was a suitable thing to do in front of the workers.' And one thing led to another. He never answered me, never said a word. I said to myself, 'I'll be out the gate in a minute.' But I'll tell you this, from that day on, when I'd really dressed Mr Jordan down, I got more respect from the management in many ways.

On another occasion we were at this big, big meeting and Mr Jordan got up and dressed the workers down about the dirty, slovenly conditions regardin' the toilets and everything at Valleyfield. I let him finish. Then I says, 'Excuse me, Mr Jordan,' I says, 'I didn't like your opinion regardin' the workers. You mentioned dirty, slovenly habits and the slime gatherin' up the walls in the toilets.' I said, 'You are to blame for all this.' And he didn't like it. I says, 'Who do you have to clean all these toilets ? You have a man who is really crippled' – and he was crippled, arms, legs and everything at a machine, and with no compensation. And I says, 'What have you got ? Him going round, the first four hours of his shift, going round the whole mill cleaning the toilets out. He is not capable at any time of doing this. I consider you've got no thought on hygiene.' I said, 'What's he doing the other four hours ?' Jordan says, 'I don't know.' I said, 'He's at the canteen peelin' the spuds after cleanin' the toilets.' So he got up then, Mr Jordan did. He slammed his hands on the table and said to the person in the chair, 'Rule the man out of order.' I said, 'Jordan, you've had your say. Now I'll have mine.' Mr Jordan was a right wee whipsnapper. I don't know to this day why he didn't take action against me. But I was on the welfare committee, I was quite free to speak.

The main fault with Esk Mill and more so Valleyfield was all the accidents that happened down there, for the simple reason that the union man George Smith – who had his own wee office in Bridge Street and eventually in John Street – he was never allowed to step within the mill, never allowed to go through the gate. George Smith was a right gentleman.

He was on Penicuik town council. But about accidents in the mill he says, 'I can only picture what they're talkin' about. I'm not allowed to come in and see what's happening.' I was in the union from the day I began at Esk Mill and also at Valleyfield. But the union was terribly weak in Esk Mill and Valleyfield. I've never known of it otherwise in any mill. And there was many men who got really injured. One man was injured but his case got turned down by the union for they didn't have enough information. I said, 'I'll take your case up for you.' And he was so pleased when I got his case settled and won him a few hundreds pounds. And I did this on many occasions.

But I'll tell you this, Esk Mill and Valleyfield they were miles apart. Esk Mill was a family mill. There was a harmony, I consider, at Esk Mill. The management, Edward Jardine, knew each man by his first name and he called him by his first name. He had such a respect for the workers. But that was not the case in Valleyfield – entirely different ! I think it reflected back to the actual attitude in general they took with the workers there. I mean, they dictated to them in such a big way down at Valleyfield compared with Esk Mill.

In Esk Mill I had two apprentices in the electricians' shop. And they were allowed to come on a Saturday afternoon and a Sunday to see when the main work was bein' done, when the machines were shut down. And they were entitled to do this and get paid for it. But no apprentice ever came out and done one hour's overtime in Valleyfield. So they never got the tuition they should ha' done when the maintenance work was done. You couldn't work on the machine when it was runnin', it had to be at the week-ends.

And getting repairs when the machines were runnin' they were sadly neglectin' safety guards. And I tore management to pieces about how they were endangerin' the workers with open belts and that, and they didn't like it. But the workers were against me, too. They said, 'If the belt comes off it's no bother to us, you know, to get it on. With safety guards to strip off that's goin' to take twice as long.' They definitely resented me because I came from a different world, a lad from Norfolk, in the marines durin' the war. You had to break through a barrier because they had such set ways and they wouldn't accept you. I could see and understand a wee bit for the simple reason they were such poorly paid workers that they had to work from six in the morning till six at night and until twelve o'clock on a Saturday. And they took a strong objection to any outsider comin' in. They held it against me. If I'd ha' been Scots I think myself they would have accepted me better. But bein' English I had a terrific friction. Oh, it was noticeable, so noticeable.

Valleyfield was bigger than Esk Mill, and really the wrong people eventually got into it. They were cheap labour, and more so from Reed's.

One man they put in as production manger admitted to me on many occasions he didn't know the first thing about it. No, there was a complete contrast between the two mills. Esk Mill considered their workers regardin' their homes and everythin' in a big way, and also for entertainment, compared with Valleyfield. Although I was on the welfare committee at Valleyfield we had no means of actually arrangin' any entertainment on the same scale as Esk Mill, which took over the old Kirkhill School in 1938. In 1926 Esk Mill had opened up the Kirkhill bowling and the tennis courts. At Valleyfield we had no means of entertainment, only in the Cowan Institute. You must hand it to the Cowans – the beautiful Cowan Institute, gifted to the public in general. But really there weren't many facilities. There was three billiard tables but nothing to the extent of facilities at Esk Mill. We did have a double tennis court down in Valleyfield on top of the water tank until about the time I went to Leggate of Glasgow in the 1950s, when the mill done away with it. Esk Mill did agree to let Valleyfield workers go up and play on the bowling green and tennis court, and go into the recreation room for the carpet bowls and that.

Well, after Mr Taylor and Mr Jeffries left Valleyfield in '73, things deteriorated in a big way. We could see we were goin' down the hill. The mill closed in July 1975.

Anyhow we got a good redundancy. We got three weeks' pay for each year we'd been at Valleyfield. The first ones, in '73, had got a very, very poor redundancy, only about one week's redundancy pay for each year they'd been in the mill. Quite a few o' the workers went to the coal mines over in Fife. They kept a few workers on after the mill shut to clear all orders, you know, no paper makin' as such. And then the Reed Group had one intention – to get all them brand new buildings that could have been used for further industries, them stores, everythin' – 'Get 'em down.' And it was the most ruthless demolishin' ever. It was a real mess.

When I first went into Valleyfield in 1950 it was a 48-hour week and for that my pay was £4.3.0. This was all it was. It was never a good wage down in the paper mills. And this is what hurt me more than anything. Every pay increase was graduated. A labourer got the lowest pay increase, the makin' machine man always got the biggest. There was no superannuation among any common worker. The office staff were superannuated and the foremen. I fought hard to get superannuation for the workers in general. But they wouldn't hear of it. They did eventually, just before the mill closed, start a system with the Colonial & Mutual, but that was nothin' to do with superannuation.

So when I left Valleyfield I worked on my own at various jobs, until I got a job in Thyne's plastic factory in Penicuik. I worked there with Willie Robertson. We were mates. We were mould changers. Willie was the finest worker I've ever worked with, I'd never even met anybody in the Services could compare with him. But once again there was no superannuation and nothing like that. Then Thyne's advertised for somebody to take over the boilers and everything. So I applied but the management turned my request down due, they said, to my not havin' the experience. I had only put the week-end turbine in down at Esk Mill when I first came there, and I'd done other jobs, too ! But later Thyne's regretted their mistake. But Thyne's got in a bad way and another group took them over. We had this meetin' and again I told them as I had told them down at Valleyfield: 'Streamline your administration.' And, my goodness, they did in many ways. They asked me to represent the management side at a big do at Stirling. I felt a bit humble ! It was three days the do. Although it's wrong, I suppose, to speak up too much at times it shows you how eventually it is an advantage to speak up for your workers as well ! But Thyne's shut, too. They wouldn't enlighten anybody. A couple of days before we went on holiday the big container vans were comin' in and they were shippin' everything out the warehouse. When we came back from 14 days' holiday every machine was taken out, the whole factory was gutted out. There was nothin' to do, nothin' to run. And I felt that was a terrible thing. I'd been at Thyne's about six or seven years, so that would be into the 1980s when it closed.

After that I carried on workin' for myself. Many farmers got in touch with me and asked me if I could do this and that. At Spittal Farm there was a lot of concrete work to be done. There were 120 cattle and all the cattle ports had to be in separate divisions.

Well, lookin' back, I'll tell you I've never seen so much poverty as when I first went down to Valleyfield Mill in 1950-1 and for many years after. When the men went down on a Friday to their shift to get their pay their wives went with them. The wives went down there at ten to six in the morning. Their wives had to get their pay within minutes of them receivin' it. But there was a terrific trust. You'd hardly believe it. When I started at Valleyfield they used to go up from the Valleyfield pay office on a Thursday to the Clydesdale Bank to collect all the money – in a wheelbarrow ! And they were puttin' the bags o' money in the barrow and thought nothin' of it.

It was hard to accept a lot of things. Oh, I said to myself, 'What have we been fightin' in the war for ?' But I shall always have great respect for that workforce in Esk Mill compared with that in Valleyfield. There was such a contrast that you couldn't believe it. What they were askin' men to do down there in Valleyfield compared with Esk Mill. I think it helped me a lot when I came out the marines after the war to start in Esk Mill and live with that community in Harper's Brae, for the simple reason they were people who made you quickly adjust yourself. You know, such a friendliness. Whereas if I'd went into Valleyfield to start with I think I'd have been out again within a couple o months, 'cause it was a complete contrast with Esk Mill. I couldn't have stood it. I mean, you had taken six years to beat a dictator. But you had a couple o' dozen down there dictatin' right and left.

Harper's Brae, where Keith Dyble lived in an Esk Mills house after his service, 1937-49, in the Royal Marines.

Courtesy of Mr John Y. Frew.

Eric Cobley

I thoroughly enjoyed my time in the RAF. And I wis actually in two minds at one point whether tae stay on or not. And then I thought, well, most o' the chaps that I knew they were already sent home and finished. So there I jist thought, well, that'll be it. That's the end o' that. I'll start something else. So I came out the RAF in January 1954. Well, I applied for the Post Office. And then I had to wait. There wis a waitin' list then, and I went into Valleyfield for about six months.

I wis born on the 13th o' January 1931 at Thorburn Terrace in Penicuik. My mother belonged to Penicuik. Her maiden name was McFeat. There wis quite a large family o' McFeats in Penicuik. I think there wis about ten o' them originally.

Before she was married my mother worked in Valleyfield Mill. I remember her sayin', I think, she got 2s.6d. a week, or something like that. That wis for a twelve hour shift and, I think, six hours on a Saturday. It certainly wis slave labour.

Well, ma mother wis born in 1887. She left school when she was fourteen. So she went to work in the mill in 1901 and that was her wage, 2s.6d. a week, and those were her hours at that time. Unfortunately, she didn't speak often about her days in the mill, just an odd reference now and again. I wish now, you know, that I had prodded her a wee bit more. But she did mention the dances that they had in the mill when she was a girl. That's where a lot o' the soldiers from Glencorse Barracks came up, in the old rag house at Valleyfield. They had what wis locally known as the Rag House Ball. And this was where the annual dance was held. That would be before the First World War. And the whole area in the rag house was cleared, and they had a small band and I believe that quite a number of the soldiers were invited from Glencorse. I remember my mother mentioning, you know, they looked quite grand in their red jackets and tartan trousers. And that was one of their big nights of the year.

My grandfather McFeat, my mother's father, I vaguely remember. It'd be 1930-something when he died. But I do remember him because he stayed with my aunty down at The Square at Penicuik, in the houses above what is now the dentist. I mind I always used tae go intae his room and it was filled wi' his baccy smoke, ye know. He wis a great chap for his pipe. He was a self-taught man. Apparently he was daft on all these old magazines they had at that time. And occasionally he used to sit up in the High Street in Penicuik and read the newspaper to quite a number o' men that couldn't read in those days. They used to have a series o' lectures in the Cowan Institute and get maybe professors and suchlike out from Edinburgh to lecture on different subjects, and my grandfather McFeat always used tae go. He worked in Esk Mill for a time. He was also at Mauricewood colliery, just as a labourer underground apparently. But he missed the Mauricewood disaster in 1889. The mornin' o' the disaster he had slept in or somethin'.

As far as I know, my grandfather McFeat hadn't spent that terribly long in Mauricewood colliery. I believe originally he came from Fife. But then again I also heard he was born in Johnston Terrace, Edinburgh, the old married quarters for soldiers at the Castle. McFeat seems to be an Irish name. Well, certainly my grandmother McFeat, my mother's mother, was Irish. She came from Castlebar in Mayo. She died very young. She wis, I think, early forties. I know she was quite hard workin', my mother always said she sort o' worked herself into her grave. She used to walk up every morning tae Hall's farm up the Peebles road from Penicuik, and clean in the farmhouse up there. It's quite a walk. And of course, as I've said, grandmother McFeat had a large family: there was about ten o' them, I think, all told. The contact we had with the McFeats when I was a wee lad growing up in Penicuik was mostly with my aunt, who stayed just across the road from us in Thorburn Terrace. The rest o' them sort o' dispersed quite a lot. But my mother had a cousin, Freddie McFeat, who stayed down in The Square at Penicuik and who died in the 1990s. He wis a foreman with Dennis o' Dalkeith, the builders. Freddie was on the buildin' o' the Valleyfield mill chimney after the First World War, I think it was in the early 1920s. The chimney was a good height, it would certainly be some job that. [248]

I lived with my mother, brother and sister in the house in Thorburn Terrace where I was born. I'd be 24 when we left there. The house itself was upstairs. There were three lobbies in the block. It was in the centre lobby, upstairs, left hand door. And it consisted of a kitchen, a front room, and a small room off the kitchen, facin' the rear – the kitchen window faced the rear as well. Well, in that block it wis a wee bit o' a luxury havin' an extra room, you know. The house next door had an extra room but they just had a skylight, we had actually a proper window in the room. And in the front room there was a large cupboard which, I believe, some people had used as a bed for a small bedroom – a boxroom. There was no skylight or anything. It would have been a bit cramped, I suppose, and a bit airless. We just had it as a cupboard, a glory hole kind o' thing.

In the house at Thorburn Terrace it was gas lighting. In fact, we were the first house in the Terrace to get electricity and we had it fixed up and the whole lot. I'd be about seven, so that would be about 1937, 1938, jist shortly before the war. But the electricity wis hardly ever used. My mother always used the gas. We used to get electricity for the radio because by that time we'd progressed a wee bit frae the old battery set to the mains. But my mother carried on using the gas light even years after we got the electricity in. Even right through the whole war we just used the gas lighting. I used to think it wis strange if the electric light wis put on, because we were that used tae the gas. The gas didn't give a better light, the electric light wis much brighter. But old habits die hard. Maybe the gas light was cheaper than the electric. It wis jist an old shillin' meter we had right enough for the electricity.

There was no bath in the house. We jist had an old zinc bath and it had to be taken in turns. Well, we used the small bedroom for bathin' in the zinc bath. So you did get a wee bit privacy.

My brother slept in the small room, my mother and my sister slept in the kitchen, and I slept in the front room. And then eventually when my sister got married of course when I'd be about ten, about the beginnin' o' the war, and left home, there was one o' us to each room, which was a bit o' a luxury in those days.

We had a big iron range there, with the oven on one side and on the other the hot water boiler with the brass tap. My mother did a lot o' the cooking on the fire in the range, but she also had a gas ring. Our washing wis done in the house with a gas boiler. Quite a number o' houses round about had their own washhouses, but strangely enough there wasn't any washhouse in that Thorburn Terrace area. The washing was a big day for my mother, well, especially the Sunday night – that's when it started. My mother used tae keep the boiler in one o' the cupboards and she used to bring it through on the Sunday night. The boiler was zinc, on legs, and she used tae get that filled and that wis it ready for the morning. The washing was steeped in it overnight. Monday was washing day. On a Monday everywhere you looked there wis clothes out: everybody wis washin'.

There was a backgreen at Thorburn Terrace. On each side there was about six coalhouses, and then at the very end o' the coalhouses was the toilets. There were four toilets outside. They were flush, luckily enough. So that wis four toilets for about fourteen families, three or four families per toilet. You had your own toilets to go to, well, it would be according to the number o' your house. We were in No. 8. Oh, it wis a wee bit awkward on a cold night if you needed to go to the toilet, especially in the winter, trailin' through the snow. There wis two houses down the stair, two upstairs, with three closes. The very end close only had one house downstairs and one house upstairs. The other two places had four. The stair was at the very start o' the close on the left hand side, and you went up from there. You went through the close for to get to the toilets and the coalhouse. The toilets were a good twenty feet or so from the end o' the close. It happened quite frequently you had to hang about on a cold winter's night if there was a neighbour in the toilet ahead of you. You jist had tae wait patiently. I can remember in the next lobby from us there was an old chap, an ex-foreman on the roads, Old Dave Burns. And Dave used tae smoke a pipe. You always knew who was in the toilet when you went round and you could smell the pipe smoke, so you could just about turn and away back. Old Dave took his time. We used to have a small lantern, just a small oil lamp, in the toilet itself, well, mainly tae keep the frost away – sometimes it worked, but it depended on how severe the frost was. The lantern wis lit all night in the winter. It used tae be taken in turns wi' the neighbours tae fill it. One fillin', burnin' low, would last the whole night.

The house in Thorburn Terrace belonged tae somebody in Dalkeith, I think Henderson the grocer were the factors for it. Valleyfield Mill didn't own houses as far up as that. But they did own quite a bit o' Bridge Street, of course, and Pentland View. That's been demolished now, too. But I lived in Thorburn Terrace till it was either '55 or '56 when we moved to Croft Street.

I went to school from Thorburn Terrace. Well, I was fifteen when I left school, because I had had a lot o' illness and I stayed on for another year. When I was five I had scarlet fever. That was the start, and then I had chickenpox, measles, everything. The whole lot came one after the other. So that left me a bit behind with my school work. When I had scarlet fever I went to the hospital at Loanhead. Visitors were never allowed in. They had tae stand outside the window. If they brought anything down to you, well, it wis handed to the nurse or the sister. You never actually got it. It was shared among the kids. In fact, there were some grown-ups there, too, when I was in Loanhead hospital. Bert Henderson, the chap and his two sisters that had the old family grocer business in Penicuik at the corner o' West Street, he wis in with scarlet fever and he'd be quite old tae me. And there wis one o' the local bakers in as well with scarlet fever. The ward I was in there would be maybe sixteen in it. I was in for six weeks. I was in over Christmas and had my fifth birthday there in January. I can remember, ye know, the skin peelin' wi' the fever and all that. And then the other part of the hospital wis a ward for diphtheria, which wis quite rife. I wis told later by my mother when I wis taken away in the ambulance tae the hospital they came in from the Health Department and fumigated the house in Thorburn Terrace. I remember my mother sayin' the hoose wis smellin' for days after that.

I went to the Episcopal School first, which is now Findlay Irvine, the electronic engineers' place, in the Bog Road. My mother went to the Episcopal Church. I went quite a lot to the Sunday School in my younger years, but I was never confirmed, and as I got older I was going to join the church but it never materialised. I sort o' drifted away a wee bit. But all my family did, they were confirmed and were quite active members of the church.

Well, at the school I enjoyed composition and English and history and geography. I just didn't like maths but I came to regret afterwards that not likin' it made me not take an interest in it, which I should have to a certain degree. You're always wise after the event. It was just a question o' concentration: my concentration used tae go haywire when it came to maths.

I read quite a lot, well, Robert Louis Stevenson. Roond aboot twelve, I started readin' *Kidnapped*, *Treasure Island*, *The Master of Ballantrae*, *Catriona* and so on. Oh, I very much enjoyed Stevenson. And then I started on John Buchan when I was quite young as well. I read two or three of his novels and I've just progressed from there on. I've always been a reader. We were always brought up wi' a' that, there wis always books in the house. My mother was a reader herself, and she encouraged me.

The public library was in the Cowan Institute. I was a member there. The library didn't belong to Valleyfield Mill, it wis the Midlothian County library. They had a small room in the Cowan Institute. I went there every week. Well, most of my spare time in the house was spent readin'. Well, in thae days it wis jist the wireless. Ye listened to the odd programme of course, the Children's Hour and suchlike. [249]

And then I dare say as a lad I got comics. I mean, me being brought up sort of, you know, like an only child, because my sister and brother were much older than me, I was a wee bit lucky because I used to get a number o' comics: the *Film Fun*, the *Dandy*, the *Beano*, *Radio Fun*. And then I progressed to the *Adventure* and the *Wizard*, and then eventually into the *Boys' Own*. We used to go round to Simpson's, the local newsagent in West Street, to collect the comics. I used to exchange comics a lot with my friends.[250]

I used to play a bit o' football but, och, I wasnae very good at it. It wis jist a kick around, I was never in an organised team, except when I was in the Boys' Brigade I was in the team a wee bit. But I was never that great. Then most o' my recreation time wis spent jist up the country. We used to go up what wis known as The Targets, on the left hand side o' the Peebles road. There's a big hollow there. The army used that, I think from the First

World War right through the Second World War, for target practice. All our summer holidays as boys were spent there up the braes, jist amblin' about, seekin' adventure as boys do. We used to take a couple o' jam sandwiches, pieces, jist in a bag – stick them in your pocket and away ye went.

We went quite often to the pictures as boys, to the one in Jackson Street, the Playhouse. That was the only one in Penicuik. It was a Caledonian cinema. [251]

Well, when I was at the Episcopal School I passed the Qualifying exam ok. Then I went on about 1942 to Penicuik Junior Secondary – it's Penicuik High School now. I enjoyed the secondary school very much. It was the technical course I took there. You had woodwork, technical drawing, that sort o' thing, and I enjoyed it thoroughly. I enjoyed again English and history most there. I enjoyed English particularly because once I got that wee bit older we got a wee bit more interestin' subjects to talk about. Our English teacher gave us Shakespeare, a lot o' bits o' it maybe are dull but I enjoyed quite a lot of it. My favourite is still the *Midsummer Night's Dream*. And I was still a keen reader all the way through the secondary school, that never left me. And I had a nice maths teacher as well, Miss Macleod. She used to be disappointed wi' me – I wis one o' her failures. She didn't like that. But she took it in good part and was sympathetic.

As a boy my ambition was always to become a bus conductor. I used to get taken to Edinburgh quite a lot in the bus. One o' my aunties stayed down St Mary's Street in Edinburgh. And it jist used to fascinate me, the conductor wi' the tickets, and runnin' up and down the stairs in a double decker !

I was fifteen when I left the school, as I've said, because I had had a lot o' illness and it had left me a bit behind with my school work. But I didn't want to remain on longer than that and I was quite happy to leave. And then of course some o' my friends had left, and you just wanted to start and earn a wage. Luckily, too, my mother didn't need the money. My brother never married but remained at home. He was a plasterer. So, I mean, we were never rich but we were never poor. So I left the school in January '46.

I had a choice of jobs – a motor mechanic's job with the Penicuik Co-operative, and a job in an office with the Shotts Iron Company at Loanhead or Roslin, at one o' the pits – I think it was the Moat at Roslin. My mother of course was annoyed wi' me for not takin' the colliery office job. She was lookin' to me havin' a nice clean office job, and my health as well, because when I was younger, wi' me not bein' that well. . . But I chose to take a job in Ferrier's foundry in Penicuik. I thought, 'Oh, an office job . . .' You know, the rest o' the chaps you knew were doin' sort o' manual work, and I thought, 'Oh, well, I want to do that as well.' It was a wee bit silly when I look back on it, because I wasn't really built for the type o' work it was in a foundry. It was pretty hard work for me. But luckily I managed it. [252]

To start with in Ferrier's foundry I was a gofor. I had to wait till I was sixteen to enter an apprenticeship. So at first I used to make the tea for the men. I used tae go out for the men's cigarettes in the mornin', which was quite awkward because at that time there wis a shortage o' cigarettes. I had each shop tae go tae, ye know, tae get maybe aboot ten cigarettes out o' each shop. So it took me quite a wee while gettin' round them. Then they had an open brazier in the iron department o' the foundry and one o' my main jobs was tae keep that stoked up wi' coke. Then we had like a ship's bell. It wis the startin' bell, ye know. It hung next to the clock-in where you had your ticket and you clocked in. That wis one o' my first jobs, I had tae be there at the time.

Then another one of my first jobs was that they had an old fashioned rat trap. I had never seen one before. It was a big wooden thing with a door at each end and when the rat went in the doors dropped. My job was to transfer the rat from there intae a box wi' chicken wire on the top, and then I had to take it to this trough and drown it. This was what I done most mornins. There was a rat nearly every mornin' in the trap, sometimes more than one – ye could get a couple. And then after that they were jist flung in the furnace. That wis a bit gory job. But strangely enough ye never thought anything of it. That wis part and parcel o' your work.

The rats were in the foundry itself. There were photographs taken of the foundry in 1914 and, well, in 1946 it wis jist exactly the same. It wis right Victorian lookin', ye know. Nothin' much had changed. The place wis fallin' to pieces actually. I wis told that durin' the war the Ferriers could have got a good grant from the government if they'd taken on government work, but they refused it. Hence the reason for the foundry bein' in such a dilapidated state. They had an old gas engine and it wis off the coolin' system, and that's where we washed our hands. And we had an old half a canvas sack: that's what we used for dryin' our hands. Oh, it wis primitive.

And then, well, there wis two toilets outside, jist near the furnace. It wis a strange arrangement actually because ye had tae walk through one toilet tae get tae another. So if the first one wis occupied and the second wis empty ye had tae walk. . . ! It wis a wee bit incongruous. It wis a wee bit strange at first. But after that ye didn't bother, ye know. You just took it as it came. But they were pretty crude conditions in the foundry, wi' no proper place for gettin' washed or changed. Well, later on the chaps in the pits had showers and changin' places and that, but we had nothing like that. No, at Ferrier's foundry it wis jist the basics.

The hours in the foundry were quarter to eight to five o'clock, I think it was. Instead of the hour dinner break we got three-quarters of an hour. It must have been to make up, you know, the 44 hours' week or whatever it was, because most places had an hour break for their dinner. And then luckily when I was sixteen and was due to start workin' the Saturday morning, they started a five day week. That must have been aboot the only trade in Penicuik that had a five day week in 1947. It was quite somethin', there weren't many places had a five day week then.

I always went home for my dinner. But there wis three o' the chaps in the foundry came from Loanhead, I think, and there was one, Jock McDonald, he came from Edinburgh. Jock McDonald travelled for 40 years from Stockbridge in Edinburgh to the foundry at Penicuik, back and forward. Of course, they had tae have their lunch break. Well, I used to put their old tin drums, ye know, their syrup tins, on the brazier and get them ready for their meal. That wis another one o' ma duties. They had their boxes with the tea and the sugar, and whatever they took. And then when the break time came they jist used tae sit on old bits o' boxes or wooden batons jist round the brazier for their lunch. Well, old Jock McDonald – I don't know if the National Health had started then or no' – but he had enormous false teeth and he used tae jist lift them out and stick them in his waistcoat pocket when he had his sandwiches, and then they were put back in again with his hands. I don't think he ever washed his hands. Jock was a character.[253]

I don't remember my startin' wage, but I can remember gettin' a rise and that took me up to 18 shillins a week. I think it would be maybe 15 shillins tae start wi', and then a three shillin' rise at the start o' my apprenticeship when I was sixteen. It wasn't much money. I was lucky that my mother subsidised me quite a bit. I handed the whole lot o' my pay over to my mother and she gave me some pocket money. She never left me short, she wis very good that way.

The holidays when ah wis an apprentice wis jist the Trades Week, that wis all, jist a single week. They closed the whole shop up. I remember in 1950 Joe Ingman, the engineer in Ferrier's, and I we asked for another week's holiday, which we got – but it was unpaid. There was a hullabaloo about it. But we went to France, we hitch-hiked to France. That was quite an adventure. In those days we got New Year's Day but I can't remember getting Christmas Day, no, it wis jist New Year's Day.

When I started at Ferrier's foundry I'd say there wis about maybe 20 employed there. That's countin' labourers – there was always a couple o' labourers, furnacemen. There wis a foreman for the brass parts o' the foundry, and a foreman in the iron part. And then of course you had a blacksmith and a dresser and three engineers – usually three, sometimes two, it depended, but it wis usually about three engineers. When I first started there wis an apprentice moulder, George Jamieson. He wis just that

550

wee bit older than me. And then later on there wis another couple o' lads started, maybe about a year or less younger than me. There were two or three apprentices. Like once they started I relinquished my gofor job ! I was quite happy to do that.

There wis only one office staff in the foundry: Willie Ferrier. I believe there wis another chap once in the office, but that wis years and years before I went there. Willie worked in the office. Jim Ferrier wis the boss. And Bob, the other brother, was the patternmaker. These were the three brothers Ferrier. There were no girls, no women at all in the foundry.

The foundry was quite a busy one. There wasn't much seasonal work. There wasn't busy seasons and quiet seasons in the year, I think it was just a fairly regular turnover. They had a lot o' work from Valleyfield Mill. There was quite a lot o' Esk Mill work of course as well. I would say that the paper mills would be the backbone of the foundry work. It is quite possible that's how the foundry came to be founded in the first place, the fact that the paper mills were there. And then of course the pits bein' adjacent. We did work like for Roslin – the Moat – pit and Burghlee and the Ramsay pits at Loanhead then. We used to make rail parts for the pits, for the bogies. Plus we made bogie wheels of course, and then the brass horse shoes for the gunpowder mill at Roslin. We used to do work for MacTaggart, Scott in Loanhead. We used to do a lot o' brass gear box covers for their marine work. Especially the brass work seemed to depend a lot on MacTaggart, Scott's, an awfy lot o' brasswork. But I should imagine Valleyfield and Esk Mill were the foundry's two main customers. We made stuff for the likes o' Valleyfield Mill, these plates wi' diamond holes. They were part o' the paper making machinery. They were made on a regular basis because they were worn quite a lot, I believe. We had those types and then ye had a thicker plate with jist square shaped plate. You done that on piece work and it wis always the oldest apprentice got that job. So I eventually got it. It wis quite hard work. Ye got a shillin' for the plates with the diamond holes, and the thicker ones ye got 1s.6d. But it wis hard goin'. Ye didn't get any wage that day, ye jist worked. It took ye a day tae do. Then of course over and above that you had to get the help o' the other chaps. Ye couldn't lift big heavy boxes and that yourself. It wis quite a heavy manual kind o' job workin' in the foundry.

The sorts o' things they made wis quite a wide range o' metal goods. It ranged from like quite large pipes. It wis usually Jock McDonald done that. He done the right heavy jobs, it wis always him that done it. And then you got fire bottoms – the old bottoms for the coal fires. We done lots o' fire bars for furnaces, and stuff like that. And the old, well, they used tae call them the deil's fit, for the shoemakers – the lasts, the old last, with the saddle. We made various sizes of those, and quite a lot of cogwheels. The cogwheels wis for Valleyfield Mill as well. Of course, ye got a lot o' sort o' intricate brasswork. The old foreman Will Henry, he usually done that work. He done a' the wee fancy stuff. I remember when Will retired he'd done 21 years and he got £21 from Ferrier's – £1 for each year. That was his gratuity. But, oh, the foundry wis quite a good goin' concern.

It wis quite a hard life for me. And then of course comin' home every day – it wis like bein' at the pits, and I had tae take a bath every night, and the hair, ye know. Well, my hair was quite thick in those days. And that had tae get washed as well. It was awkward. Well, I enjoyed the work actually. But the only thing was it was too heavy for me. I enjoyed particularly the brass work, which was a lot easier. It wis lighter work and to me it wis more interestin'. And then of course what helped a lot was the chaps you worked with. They were a good bunch of lads, it wis good comradeship. Ye got a good laugh wi' them. Oh, they were very good.

I was a bit accident prone. I tore my rib muscles once. That wis wi' heavy liftin'. It wis sore for years actually afterwards. And I was off work quite a wee bit wi' that. And then I got burnt. Ye know, on the castin' day ye had tae lift the ladles with the metal, and one day it splashed down my boot and went down my ankle. I've still a mark on my ankle yet, where it burned. It wis quite sore.

Well, ye got the odd accident in the foundry, but nothing terribly bad though. Nobody wis ever killed while I wis workin' there. The only bad accident I can recall was that one I had, the burning on the ankle. And then eventually there was an explosion and another chap and I were involved in it. Well, it wis in the brass department. I wis makin' wee brass horse shoes at the time, and I went through tae talk tae the chap that wis foreman then. We had sunken furnaces in the brass department, as opposed to the old vertical one for the iron. And they were on the floor level, and the chap had opened the furnace. Ye know, before puttin' metal into the crucible it was heated up round the edge, especially when you had metal in there already, otherwise it would have splashed up. So unknown to him it wis a valve from the paper mill – scrap metal. It should ha' been opened but apparently it wis closed. And of course as soon as he lifted it and put it intae the crucible it exploded. I wis jist standin' beside him at the time. Luckily enough, well, I wasn't too bad. He got the worst of it. Both o' us were taken to the Infirmary in Edinburgh. He wis kept in but I wis allowed home. I had to go in for a few days to get my eyes checked. The ash and that was embedded in ma eye. It wis quite painful.

I'd never heard o' any really bad accidents in the foundry. I know there have been pretty bad accidents in big foundries. But, I mean, we didnae have any protection at Ferrier's foundry – protective clothin' or anything, ye know, nothing at all. Ye'd no goggles. Nowadays I believe they're dressed up like men from outer space. They're dressed up wi' protective clothin' and goggles and there's nothin' can happen tae them now. But we used tae cast the metal without any goggles or any protective gloves or anything. It was quite dangerous, especially wi' the conditions o' the roof in the place. It was quite often the rain came in and therefore when you started, when it wis a day for castin', a lot o' the sand wis wet and of course when the hot metal hit the dampness it used tae spark up and ye got quite a few minor explosions. And it wis surprisin' that nobody was really badly hurt.

As I say, it wis quite a hard life for me. I enjoyed the work but my heart was never really in it because it wis too heavy for me. I enjoyed the ordinary work moulding and suchlike. But when it came to the cast day that was heavy work. And the next day of course you had to empty all what they called the boxes, and the sand had to be all laid out again and it had to be watered and over and above it had to get riddled as well, because ye had all what they called springs to strengthen the mould. They had to get taken out, and then it had to get watered. It wasn't until a few years later that I thought, you know, it could have been done wi' a hose. But it had to be done then wi' these big iron buckets, right old fashioned things. And these had to get taken back and forward from this well, a tap, and you threw it over the sand. If they'd only attached the hose to the tap ! I mean, a waste o' time when you think of it ! I was quite satisfied with what I had learned right enough in the foundry. But, as I say, it wis always in my mind that I was goin' to leave the trade. I could never see myself carryin' on wi' it, because although I liked it my heart wasnae really there. It wis too heavy for me and I couldn't have visualised myself spendin' the rest o' my life indoors like that.

In the foundry it wis very hot in the summer and very cold in the winter. Well, I remember the bad winter in '47. At that particular time, although I had started my apprenticeship, I wis still the youngest apprentice and I still did a lot o' the sort o' donkey work. Another one o' my jobs wis I'd tae collect the coke from the yard for the fire inside – for the brazier. And of course in that winter o' '47 I was diggin' down through about maybe three feet o' snow to get to the coke, and then of course I had to take it in. We had an old wooden barrow wi' an iron wheel, a right old fashioned thing. And that coke had to get spread out inside and dried out. So I had to make sure there was a good supply of coke there, to make sure the brazier would light fine. I had to lug this barrow back and forward, back and forward.

All in all I would say relations between the management at Ferrier's and the workers wis pretty friendly. They used tae have the odd argument, or maybe – which happened occasionally – somebody was caught nippin' down to the pub. The boss jist used tae shake his heid and say, 'Oh, aye, aye.' And that wis it, ye know. There wis never any threat o' dismissal or things like that. It wis a sort o' family concern and, well, all in all in the years I wis there the relationship between the men and the bosses wis pretty good. It wis a fairly happy place tae work. I found it so anyway. We always got lots o' laughs and that.

Among the men theirselves there wis the odd dispute, the odd argument maybe. But I would say the atmosphere among the workers wis pretty good on the whole. At the breaks it wis mainly talk about football. Of course, I usually was home for my dinner durin' the midday break. I don't know what they discussed. But they spoke all the time as they were workin'. There wis arguments about different things. If there wis an election, things like that, there would be wee bits o' argy bargies then, and things like that. But there wis nothing very serious. There wis nobody in the Communist Party or the Scottish Nationalists, nothing like that. Jock McDonald he wis red hot Labour naturally. But I never knew any o' them who were in a Communist group or anything like that.

Jock McDonald he took me under his wing a bit. He was what you would term a rough diamond. He worked at Ferrier's, as I've said, for 40 years altogether. He wis over 65 I'm sure when he still carried on workin'. He retired from the foundry after I'd left it. I've got two photographs of Jock, one taken at the foundry in 1914 – he'd be a time-served apprentice then; and the other one that I'm in was probably in the late '40s. Jock hadn't been away in the Second War, he wis too old for the war. Well, I think he would have been in the foundry all through the First War, too. See, it may have been a reserved occupation then. Jock was certainly a character.

Then among the other workers there was one freemason and one Jehovah's Witness. But, I mean, nobody bothered aboot the Jehovah's Witness, Jim Simpson. I was young at the time, you jist knew Jim wis a Jehovah's Witness and that wis it. I mean, he wis a nice chap. Very, very occasionally I heard some o' the chaps maybe jist teased him. But he jist used tae laugh it off. But they didn't hound him about it, because the type o' chap he wis, well, he wis a very big boy. Jim wis well over six feet and quite broad. But he wis awfy mild mannered, ye know, a very nice bloke he wis. He wis respected more than ridiculed. I can't remember if Jim Simpson stayed with the foundry until it closed or not. I lost track a wee bit o' things once I left it myself.

I couldnae really say if Jim Simpson as a Jehovah's Witness joined the union or not. I joined the union myself when I was sixteen. In fact, it was John McDonald, this old character, that wis the union representative. Every week in those days I got maybe 3d. or 6d. from the chaps for makin' their tea, which wis quite a lot. And Jock McDonald he used to give me a tanner and he also used tae pay my union dues, which were a few pence. The union would be the Amalgamated Union o' Foundry Workers, the AUFW. I wasnae an active trade unionist, I jist paid the dues. There were never any disputes in the foundry that I remember. The workers weren't red hot trade unionists, they jist paid their dues and left it tae Jock McDonald. They were quite happy jist tae draw their wages and, ye know, keep quiet. But in those days particularly, I mean, there wis quite a lot o' jobs. They could have moved elsewhere but they were quite happy just to stay where they were at Ferrier's.

But Jock McDonald, he wis a bit o' a rebel. He got on to the boss at one time, like Jock thought I should have been gettin' more tuition wi' the work. I was gettin' used sort o' as a glorified labourer early on. I never thought that at the time, of course. But it was Jock recognised it. He got on to the boss and after that I worked with different men, dependin' on what type o' job they were doin', and that's how you learned. I never went to any classes, evening or day classes, City & Guilds, or anything like that. I found out later on I could have, but I was never told about them.

Well, after I had the accident in the explosion in the foundry, when the ash was embedded in my eye, I thought, 'Oh, that's two or three accidents that I've had. I'm getting too near it.' And then, as I say, though I enjoyed the work my heart wis never really in it because it wis too heavy for me. So that accident was actually the finish for me. I didn't go back to the foundry after that. I wis there four or five years, from 1946 till November 1950. I had quite a good innins, I mean, I was lucky, ye know, that that wis all I came out wi'. I knew deep down I wasn't goin' to continue workin' in the foundry and I thought, 'Well, this is as good a time as any.' You know, the accident sort o' made me leave in a way. It wis a blessin' in disguise ye could say.

So in 1951 when I was twenty I joined up in the RAF. I would have had to do my National Service some time. I had got a deferment. I used to go every year to my old headmaster – he was a JP – and he signed my deferment paper. But I joined the RAF on a short Regular three year engagement. So instead o' doin' the two year National Service I opted for that straight away. I got £3 a week for that, which was more than I was gettin' as an apprentice in the foundry. So my pay there must have been under the £3 when I left. Plus I had a clean job, an office job, in the RAF. In fact, when I joined up I wis jist seven and a half stone. I jist made it and no more – which showed I wisnae really built for the heavy work o' the foundry. I joined the RAF because, well, I thought it would be less bull than the army or the navy, a more relaxed atmosphere – which it was in a way, though I spent two years o' that out in Egypt.

I done my basic training, about three months, at Hednesford in Staffordshire. I jist took an office job, RAF clerk. And then I was posted tae Coningsby, Lincolnshire, and then I was sent down to headquarters at High

Wycombe. We were sent out then, jist at the end of November '51, to Kassareet, which wis on the Great Bitter Lake. The nearest well known place tae us wis Ismaila. That wis a big garrison. Then south of us wis Suez.

I must have enjoyed my time in Egypt really. Again it wis because o' the chaps that ye had around ye. You met a lot o' good blokes, and that mattered quite a lot tae me. The place itself wisn't much of course, you know, the Canal Zone. We were in tents for two years. We had dry lavatories all the time. It wis a bit uncomfortable. But, oh, I wouldnae have missed the experience for the world, no' really.

When I wis out in Egypt one o' the officers approached me. He had saw my records and noticed my connections wi' the foundry, and he asked me if I wanted tae go into a foundry locally, quite near at hand. He says it would jist be in a sort o' overseein' capacity. I refused. I said, 'Oh, no, I don't fancy it. No, I left the foundry to come here.'

I thoroughly enjoyed my time in the RAF. And I wis actually in two minds at one point whether tae stay on or not. And then I thought, well, most o' the chaps that I knew they were already sent home and finished. So there I jist thought, well, that'll be it. That's the end o' that. I'll start something else. So I came out the RAF in January 1954. Well, I applied for the Post Office. And then I had to wait. There wis a waitin' list then, and I went into Valleyfield for about six months.

So my memories of Valleyfield are pretty vague because o' the short time I was in there. I was on one o' the paper makin' machines, the biggest one, which was the second machine, they called it. It wasn't too bad. But then it wis shift work, which I wasn't very keen on. It wis a bit disruptive. I could never sleep durin' the day. And then you were goin' out at nights to do a night shift. I felt like goin' back to bed ! Ye could get chaps that adapted quite easily to that. But I could never. It wis impossible. It wisnae as heavy work as the foundry and it wis much cleaner, too, jist workin' wi' the paper. All in all workin' at Valleyfield wisn't too bad. This shift work, that wis the only thing. So I worked at Valleyfield for just six months in 1954.

Then I went in the Post Office and remained 37 years. Well, I had always fancied bein' a postman when I got older, and I had just missed gettin' the job of the messenger at Penicuik when I'd left the school, 'cause a chap left the school jist shortly before me and he got the job. I had had a good chance o' gettin' it because my aunt knew the postmistress at that particular time. But I wis just pipped and then that wis it at that time.

When I started as a postman I done eleven year in Penicuik. Then of course it wis a much smaller place. It would only be about 7,000 population, round about then. Well, there wis four farms there they got a couple o' deliveries a day though they were actually in the town: that wis Eastfield, Cuiken, Cornbank and Broomhill. Now they're no more.

Oh, I thoroughly enjoyed bein' a postman. It was a healthy job compared wi' the foundry. I mean, you were out every day. And ye had that bit independence as well, because once ye were away you were your own boss really, as long as the work was done properly of course. Especially up the country, once you went away that wis you for the day. It wis like a holiday, oh, it wis lovely. You were up early but you soon got used to that. You began at six o'clock in the mornin', and then there wis a ten past five start. That wis if you were on the rural delivery, which was Carlops. You started at ten past five because you opened up the office and the van came out from Edinburgh wi' the first lot o' mail. That wis about a half past four rise !

When I went there in September 1954 there'd be about eight workers in the Penicuik Post Office depot, that's includin' one part-time worker and one telegraph messenger, well, they changed the messenger tae junior postman, the new rank they introduced. The messengers wi' their huge heavy Post Office bikes gradually disappeared after that. But they still used the big heavy bikes quite a lot when I was there, 'cause when I first started I did the whole relief run round the whole o' Penicuik and the rural area and Loanhead and Roslin. There wis quite a lot o' cyclin' ! It kept you fit, plus the weight o' the bikes and the weight o' the mail, too. But I had to cover all the duties so I had to be able to drive. So I got drivin' tuition as well, the Post Office supplied that

I often wish now that I had taken a camera with me on the run, because there's a lot o' people that are long gone and wi' whom I wis quite friendly. Well, you used to talk. I spoke quite a lot to Mrs Fulton. She had the post office at Carlops and she was quite a character. And Professor Wilson he was there at Carlops. Professor Wilson was a Nobel Prize winner. He wis a nice old chap. Later on they put a memorial to him in the Pentlands. He always used to pass the time o' day. Mrs Wilson wis blind and she used to get the books for the blind in the mail. So you were at their door every mornin'.[254] And then further along the village at Carlops wis Archie Lamont, the Scottish Nationalist.[255] He wis an awfy character. He used tae have his letters that he had his own rubber Scottish Nationalist stamp on doon the bottom, a big 'Free Scotland !' He had a wee goatee beard and glasses, and of course he wis a friend o' Wendy Wood.[256] And then Jenny Armstrong, she wis another interestin' person. She wis a shepherdess, the only one that I knew in the area. It must have been a hard life for a woman, and yet, ye know, she wis pretty learned. She worked at Newhall for a wee while, I believe. And then she was at a farm just up the hill from Carlops that wis actually in the West Linton delivery, because our delivery ended at the top o' the hill at Carlops as you go toward West Linton. She lived on her own, she never married. But she eventually finished up wi' either one or two legs amputated.[257]

In the Carlops area it wis jist one delivery a day. But any first class fully paid letters wis delivered on your route when you were emptyin' the pillar boxes. You hadn't to go out o' your way. But you always went to Penicuik House of course. That wis a must then. Sir John Clerk o' Penicuik House wis the lord lieutenant o' Midlothian then. Ye had tae go. Ye left the mail and picked up the mail there. I jist got to know Sir John by sight. Lady Clerk, you saw her quite often, but you jist went into the kitchen. It wis jist 'Good morning.' You never had any conversation.

I joined the Union o' Postal Workers, the UPW. I was never really an active member. But we always went to the meetins. When I first started in the Post Office the union meetins used to be in the Railway Inn in Penicuik.

But then I had a heart attack when I was 34 in 1965. So I had to go then into the GPO in Edinburgh and I worked in the sorting office there for light work. It wis quite a contrast from bein' outside to workin' inside. It wis quite traumatic, tae say the least. Oh, I preferred workin' outside. So I stayed there until I was 60, and I wis goin' to carry on but I had a bit bother wi' my heart again. So I jist took medical retirement and finished up at 60.

Lookin' back, without a doubt workin' on the delivery round o' the mail at Penicuik, especially the country, was the job I enjoyed most – more than the Air Force and, oh, surely, more than the foundry. And again the company in the Post Office helped a lot. I'm a great believer in if you've got a good crowd tae work wi' it makes the work. I've always been lucky like that. I've always had good work companions.

Eric Cobley is third from left in the front row of this group of moulders and apprentices, c. 1948, at W.N. Ferrier & Co. Ltd, Iron and Brass Foundry, Penicuik. Jock McDonald is at extreme left of the back row.   *Courtesy of Mr Eric Cobley.*

Jean Fairley

Well, I mean, I came out o' working class folk and I never felt that I was destined for anything else but to go into a mill or something like that, ye know. At the time I started the secondary at Penicuik High School I would have liked to have learned to type. And I would have liked to have had the idea that I might have been able to have gone into an office as a typist. I would never have risen very much higher than that. I hadnae the brain to be a secretary or anything. But, I mean, I'd have loved the opportunity to learn to type, and maybe I wouldn't have needed to go into mills.

I was born on the 10th of August 1935 in my grandfather's house just alongside the railway down at Esk Bridge – at three o'clock on a Saturday afternoon, I was told, just as the train was comin' down from Penicuik on its way to Edinburgh. And I think that's why I've always loved trains !

My grandfather Robertson, my mother's father, worked in Dalmore paper mill. I can't be sure that he worked there from when he was a boy. I know he was there several years. I never knew either of my grandmothers: they were both dead before I was born. My gran Fairley died when my dad and the rest of her family were only young. In fact, my dad's sister, she was only about sixteen when that happened. So she had to give up workin' – she wasn't long started – to look after those younger than herself in the family. So she had a pretty hard life bringing them all up. My grandfather Fairley was a miner. He lived at Roslin and worked in the Moat pit there. He had a very bad accident which finished his working life in the pits. It was his leg that was damaged and he got little or no compensation in those days for it. So he ended his life sort o' crippled with this leg.

Well, my father was born in Roslin in 1907 and went into the mines when he left school in 1921, and worked with his father and his brother. They were all miners at the Moat pit. But there was a certain amount of short time, and then there were the strikes and things like that in the 1920s – the General Strike. So my dad started to think about goin' elsewhere, and he ended up at the gunpowder factory at Roslin. The pits did go better for a

559

wee while after that, so he got the option of goin' back to the pits or stayin' where he was. He was happier in the powder mill. But he liked the camaraderie in the pits, although he wasn't keen on bein' down underground, especially when his own father had that very bad accident. My uncle was the same. I think my dad in all was thirteen or fourteen years in the Moat pit. He was never too happy, he told me, in the pit. But like everybody else in those days they went where their father was, you know, they just followed on. Then just before the Second World War things were kind o' slack again at the pits and him and his brother they got employment at the powder mills and stayed there after that. The powder mills was a happy place apparently – well, what he told me. So my father was there until they decided that they were closing the powder mills in 1954. They all got the chance of other employment with ICI. Some of them went to, I think it was Airdrie, some went to Dumfries. But my mother was never keen on leaving Penicuik. So my dad then went to Esk Mills, and he was in Esk Mills until it closed in 1968. He ended up as a tea boy for Wimpey when they were buildin' the houses at Ladywood in Penicuik. After Ladywood was finished he went to Arthur Street in Edinburgh, where Wimpey also built houses, and he actually retired from Arthur Street. So with Wimpey he was making tea and coffee and cleaning offices and things like that for four years until he retired.

Until my mother married my dad she worked in Esk Mill from the time she left school. She never worked again after she was married.

I had a brother Alex, five years younger than me. But he only lived to two years old. When I was seven Alex was killed just outside the door, with the baker's van. After that there was a little girl but she was still born. They decided after that, no more. It was sad for my parents, because my mother had a nervous disposition. She suffered from nerves on and off all her married life, and they didn't think it was fair to put her through another one, you know, in case anything went wrong again. So I was the only one in the family then.

After I was born in 1935 we were still staying with my grandad Robertson, my mother's father, down at No. 3 Burnside Cottages at Esk Bridge. The house there was just alongside the railway. There were only four houses at Burnside. There were two houses downstair, two upstair, and my grandfather had one of the houses up the stair, at the right hand side. It had the living room and two bedrooms – a big room and a small room. The big bedroom was the room that my mum and dad got when they got married, and I was born in that big room. My grandfather slept in the smaller bedroom. My mum had one sister unmarried and she lived with her father. So she was very kind and they put a bed up in the living room, for her to allow my mum and dad to have that other big bedroom. It was a nice house, nice windows in the livin' room and everything. It had the coal fire and the gas for the light, just the cold running water. For bath night an old tin bath was put in front o' the fire, wi' a screen round about wi' blankets draped on it for privacy ! That was to preserve the decencies ! It was usually a Friday night that was set aside for baths. And there was an outside toilet, down the back, near the railway. Burnside Cottages didn't belong to Esk Mill. I don't know who owned that property.

Well, when I was under a year old my mother was startin' to feel that she would like her own house. My dad spoke to his brother-in-law, who worked in Esk Mill, and he said, 'Well, I know there's an Esk Mill house empty at the top o' the hill but I'd have to find out, wi' you no' workin' in Esk Mill, if they'd be willin' to let it to you.' He says, 'They probably will, because at least they'll be gettin' the rent for it. It would be better than it standin' gettin' damp and everything.' So he went to see Mr Davers, who worked in Esk Mill offices and allocated the houses for the Mill, and he came back that dinnertime with the key. So we moved into it. Esk Mill never tried to put us out it. So we lived at Harper's Brae until 1952. Of course, I went back often to Burnside Cottages to visit my grandfather, I was never out o' his house. It was just down the hill at Harper's Brae.

Well, the house at Harper's Brae was just what we used to call a single end. There was a small box room but there was no room to put a bed in it. So we all three had to sleep in the living room – a bed for my mother and dad, and at the side a bed settee. I slept in the bed settee as I got older. It was a coal fire. There wasnae much cookin' facilities. The old oven that was in this range type thing wisnae a good oven, so my mother never used it for baking. For cooking my mother had a gas ring in front of the fire, and the fire itself. She had a big black kettle that used to sit on the fire. The lighting was gas and, oh, there was always an awful smell of gas in the house. The cupboard where the meter was, we only kept working clothes in it because everything that came out o' there smelt o' gas. We had runnin' water, not hot water of course, just cold; and we had a sink at the window. The toilet was round the back of the houses. We were lucky: it was a flush toilet. We had to share it with the neighbour across the same lobby from us. We were quite lucky again that only the two families shared our toilet; some o' the others maybe had more than two families sharin' wi' them. There were three toilets at the back and all the houses at the top o' the hill shared them. The ones in the middle had toilets of their own, and then the bottom ones had toilets as well. But it was all a case of sharing. But we were always very fortunate: we got folk that was always very clean and what-not. And each house had a key to the toilet. So you just had to watch, you just went and hoped that you were goin' to be lucky ! And our coal cellars was round the back as well, towards the side of the houses.

And what my mum did have – which was a good thing, it only bein' a single end – was a washhouse at the top of the hill. It was no distance away, just out our door and up the side, at the top of Harper's Brae. We had our own dryin' green, just out there and round the back. They all had a day for going to the washhouse. My mother used to go on a Monday, Monday was wash day. And it was a good thing because, I mean, all the water and everything, the steam, was all there, it wasnae in the house. So my mother was quite happy with that. Out of barrels he got, my dad made her two big tubs. But how she managed – these barrels were heavy on their own but when they were full of wet clothes and water it must have been a weight for her. But my mum was a lovely washer. It was all done the hard way of course, with the scrubbin' and then the boilin' o' the whites and everythin' like that. She had the old boiler, with the coal fire lit underneath, for boilin' the clothes. And there was a wee tap wi' a drain in the washhouse as well, where she collected the water. There was a hose pipe ran it into the boiler and into the tubs. But she had to lift the tubs when she wanted to empty the water from them. So she devoted probably all day on a Monday to that, by the time she got through everything. But she did put out a lovely washin'. Ours wasn't a big family as I was the only child living, but wi' big families of ten or twelve the washin' must have been an enormous amount of work.

I would say there would be 18 or 20 houses in Harper's Brae. Ours was No.17. The houses were all on the left hand side of the road going up the hill. All the houses belonged to Esk Mill. I believe it was a condition of tenure that you had to be a worker at the mill. But we were lucky, because at that time my dad was in the gunpowder factory. But, as I've said, he had relations in Esk Mill, and the house we got had been standing empty for a wee while and there was nobody else ready to go into it.

So my earliest recollections are growing up at Harper's Brae. There were a lot o' other kids there to play with. Some o' them were quite big families for the size o' the houses. Well, there was the Cairnses. There was four or five o' them, and it would just be a room and kitchen for the two parents and four or five children. And there was the Blacks, the old granny, the husband and wife, and Lawrence, Anne, Christine, Billy, and Andrina – that was eight: and that was a two-roomed house. So, I mean, there was quite a few families there where there was a lot of them. But people accepted those conditions, there was no other way really.

I started and finished school up at Penicuik High School. It had a primary and a secondary department. I went there in 1940 when I was five, and I left in 1950 when I was fifteen. It was quite a new school when I started there. I liked the school when I got older. I wasn't so keen when I was young. The reason was I had a hare lip. I got a lot of teasin' and I wasnae happy. I mean, lookin' back on it I suppose I got off lightly, but I didn't think so at the time. I was called various names and it did tend to make me self-conscious. It shouldn't have – but it did. And then I had part of my mother's nervy nature about me as well, which didn't help. So being like that I always felt, well, I wasnae as good as the rest of them sort o' style, and it did affect me quite a lot when I was young. But when I was about twelve or thirteen, and I had been in hospital by that time having operations, I suddenly started to realise there was folk in the world a lot worse than I was and that I had nothing to make me feel, like, inferior. And I suddenly started to stick up for myself a bit more. I was growin' up by then and I was full of confidence among my own friends. In fact, I was the leader o' the pack, ye could say ! But when I was with strangers I was never too good. From then on I did enjoy the secondary part of the school. And it was more interestin', because you only had so long wi' each teacher as they were all teachin' different subjects. Some of the teachers were very nice. So from then on I was a lot better.

I wasn't too keen on arithmetic because I found it such a difficult subject ! And science was another subject I wasnae too keen on. But I was very keen on history and I got to like English. I had a very good English teacher, Miss Plummer, and she gave ye a lot o' confidence. I actually sort o' blossomed out in her class. I was also very fond o' music. I couldn't read music, I could never learn to do that. But I was very keen on listening to music. I could never play an instrument, I could sing a wee bit but I'm not a good singer. We had a teacher, Miss Ormiston, she used to conduct the Penicuik Orchestra, she was good. I used to love when she put on records – it was always classical – and you had to say what the instruments were or what opera they had come from and who the composer was.

I was always a keen reader, I'd read anything. My parents and Miss Plummer encouraged me to read. She always said that no matter how trivial the thing you were readin' there would always be something in it that would stick in your mind and might be of value to you some time. And she was right. So to this day I still read. When I was very young it was all Enid Blyton I used to read. But I also read historical novels. I enjoyed *The Master of Ballantrae*, and an uncle gave me one Christmas *The Children of the New Forest* that was a good thing to read. So I read quite widely and enjoyed what I read. And then I read the usual comics. I got the *Beano* every week, and a friend got the *Dandy*, so we swapped. And another friend got the *Film Fun*, so again we had a swap. And as I got older I started gettin' the *Girls' Chrystal*. And then I got all the usual film star magazines o' the day. So I really read anything I could get my hands on.[258]

I didn't join the public library. It would be situated then in the Cowan Institute in Penicuik. They had a sort of library at the school as well, ye could get books there. Well, we did get books occasionally from the school library. But I relied more on what I got from friends and swappin' books wi' other girls.

I was a keen cinemagoer. The cinema in Penicuik was the Playhouse, and we did occasionally go to Loanhead – it would only be about 3d. in the bus to go there. We went to the Penicuik cinema every week, always on a Saturday in the afternoon. I went wi' my pals. The cinema was in Jackson Street, we walked from Harper's Brae. My dad and I were pals and he used to take me a lot to the cinema in Edinburgh. My dad took me to the first film I ever saw, *Bambi*, in the Playhouse in Edinburgh. [259]

I was never in the Brownies or the Guides or anything like that. Them that went from Harper's Brae went to the Penicuik group. I never joined, because to be honest with you, my mum and dad didnae have a lot o' money because there was only my dad's wage comin' in and it would be stretchin' funds a bit to buy the uniform and things that I would have needed. And I used to get quickly fed up with anything. If they had thought I was goin' to be goin' every week and joinin' in everything they might have stretched a point. But they knew that I'd maybe get fed up quickly, and it was goin' to be an awful waste o' money on the uniform, money that they didnae really have. In fact, for the same reason I don't think there were very many from Harper's Brae in the Brownies or Guides.

But we entertained ourselves there. There wis fields and woods and everything round about us. When we were home from the school, we were into the auld clothes and away playin'. I mean, we were always out, summer and winter.

My parents were members of St Mungo's parish Church o' Scotland, but they weren't regular churchgoers. I joined the Sunday School, that was one thing I did join, in St Mungo's Hall. We were up there every Sunday, and as we got older we went to the church – until we got fed up wi' that and then we sort o' tapered off. I joined the church when I was eighteen but I faded out maybe after a few years. I think it was the old thing that it wis a routine, something that wis expected o' ye. Ye did it. And when ye got old enough to have your own mind ye jist got tae the stage where ye said, 'Och, ah cannae be bothered.' And ye didnae go. We walked to the church from Harper's Brae, it would be a couple o' miles maybe. Another thing, when you were going to Sunday School you had to have your Sunday bonnet on, and I hated a hat. I would have it on when I left the house but when I got down to the foot o' the Brae out o' sight it would come off, and it wouldnae be put back on again till I got to the door o' the hall ! I still do go to the church, but I'm no' a regular churchgoer.

Well, when I was at the primary school I sat the Qualifying exam. I managed to pass, I would say I was pretty average, I wasnae in among the high marks, I was nearer the other end. At Penicuik High School they had commercial and domestic courses for girls. If ye had good, very good marks in the Qualifying you could go into commercial. But if your marks wis jist sort o' average you went to domestic, which I did, and there you learned the basics. You learned your three Rs and all that sort o' thing. If you were in domestic we didnae get algebra, geometry. Your subjects wis cooking and sewing, arithmetic, English, history, geography, science, art, music, and your physical education. That was it. The sewing class included knitting. I liked knitting but I wasn't so keen on the sewing part, although we had to do it. And as for cookery, well, my mother was never a cook so I didnae learn anything at home before I went there. We had nothing to cook on then at home either. So in the cooking class there was nothing too exciting. You just learned how to make scones, porridge, stews. There was nothing like fancy cakes or anything. You didnae get doin' anything like that. It was the basics, the basics. You were told what to bring for the following week's lesson, whether it might be sausages, onions, or something like that. The school supplied flour. The ingredients to go into a pie, you supplied that yourself, well, your mother did. And in that class you also learned how to do washing and ironing: they taught you a bit about laundry work as well. It was all in the same room. The tables and ovens for cookery was in one end, and up the other end they had some sinks and things for learning ye how to wash and things like that. It was only girls, no boys, in the cookery, sewing, knitting, washing and ironing class then. The boys that didn't take the commercial course went into technical and learned woodwork and all that sort o' thing. There weren't any girls in the technical course in those days.

If your marks in the Qualifying were exceptionally high you automatically went to Lasswade High School – well, if your parents couldn't afford the uniform of course it would have been ruled out. I think Lasswade had a uniform. At Penicuik at that time there were no uniform whatsoever. But if your parents couldn't have afforded Lasswade High a commercial education at Penicuik High fitted you out for bank work or anything like that. So it was a good education.

There wasn't a terrific amount o' pupils went from Penicuik to Lasswade High. Till you got to the Qualifying there would be about thirty boys and girls maybe in the class. I would reckon altogether about four or five of each maybe went on to Lsssswade High, roughly one third o' the class. I think that was fairly typical. The other two-thirds went into the secondary in Penicuik High.

I didn't feel disappointed that I didn't get high marks to go on to Lasswade High. Well, I mean, I came out o' working class folk and I never felt that I was destined for anything else but to go into a mill or something like that, ye know. It wasn't that those that went from Penicuik to

Lasswade High were all from the middle class. There was some o' them clever came from working class families as well. As I say, a lot depended on whether their folk could afford to have them go to Lasswade. None o' my friends that I pal-ed about with went on to Lasswade High, I don't remember anybody goin' there from Harper's Brae. There might have been some out of the Morrison family. They stayed down the foot o' the hill at Harper's Brae. But I can't remember. I do remember one girl in my class that went to Lasswade: Dorothy Dick. She didn't live at Harper's Brae, she stayed at The Pike. Her grandfather was Provost Dick o' Penicuik at one time. But she wasnae a pal o' mine, she was just a girl I knew. There might have been a feeling with some that boys and girls from working class homes that went to Lasswade High were risin' above themselves. But I think if you knew the person and you liked them, you were happy that they were able to go on. I'll be honest with you – I hadn't the brain to go on. I mean, if I had maybe I would have, I don't know.

At the time I started the secondary at Penicuik High School I would have liked to have learned to type. And I would have liked to have had the idea that I might have been able to have gone into an office as a typist. I would never have risen very much higher than that. I hadnae the brain to be a secretary or anything. But, I mean, I'd have loved the opportunity to learn to type, and maybe I wouldn't have needed to go into mills. But it was banned to you because you weren't in that section of the school, you see. You just had to accept that. But the reason that I got typin' into my head was when it came towards the end of the school term, and the teachers were markin' exam papers, they used to have a day when we could choose what we wanted to do so they could get on with what they had to do. And we asked once if we could get a shot of usin' typewriters. So they showed us the basics, and I was quite enjoyin' maself. I would have liked to have had the opportunity to do it. But of course once you left the school you were into working, and a' these high thoughts was away out your mind. You were just earnin' money, and that was it.

I suppose I wasnae too ambitious anyway. Well, I kidded myself on for a while that I would like to have been a children's nurse. When you were older as a girl at the school you looked after the younger ones in the holidays. We used to get the younger children at Harper's Brae and take them for picnics to gie their mothers a wee bit peace. And I quite enjoyed doing that, and I thought that maybe I could be a children's nurse. But again you were stopped because of your school marks. Some career officers came into the school when you were in your final year, to help you to decide what your future was goin' to be, and when I came up wi' this idea o' bein' a children's nurse they just looked at me, ye know, and shook their heads. 'Well, I don't think you have the marks for that, Jean,' was the expression.

So I just had to forget about that. My old English teacher did suggest that I might find I could get employment with somebody to have maybe not an experienced nanny but a young learner willing to look after their children in their own home. But I thought, 'Oh, but that means I would have to live away from home and in somebody else's home, and if I didnae get on with the family. . .' I started havin' doubts about it. So that went out the box as well. As I say, I suppose I wasnae too ambitious anyway. I was willin' to settle for what I thought I was suitable for ! And I did that, and that was it.

So I left school when I was 15 in the summer of 1950 and my first job was in Auchendinny Laundry. Well, I had an aunt working in the laundry and she had told me when I was comin' up for leavin' school, 'If you're stuck, Jean, come down and see me and I'll try and put a word in for you.' So I went down with a friend to the laundry, and the manageress came out and spoke to us. So that was on the Tuesday, and I got word on the Thursday night – one of the ladies that worked down there called in to say that my friend and I were both to start on the Friday morning. The laundry's working week started on the Friday. I went down on the Friday morning and I was there for eight years.

The laundry was on the Penicuik side of Auchendinny, just off the road from Auchendinny to Howgate. It wasn't any distance from Harper's Brae: we could cross over fields from home and we were in there in no time. Mrs Doris Cowan was the owner o' the laundry, well, there were a lot o' shareholders. Mr Cowan had died quite some time before I started there. Mrs Cowan worked in the office. She lived in a bungalow just half way up the Brae from the laundry, actually in the laundry grounds. There was a manager ran the laundry for her.

When you started in the laundry the startin' job was shakin' things out. What it was, you've seen clothes comin' out a dryer they're sort o' bunched together. Well, you used to have to take these and shake them out, ready for goin' to the calender. They had to be flat for the girls feedin' them into there. We shook the things out and folded them nicely. If it was a sheet there would be one o' you at each end obviously, and you would be foldin' that nice and neat, smoothin' as many creases out of it as you could on the long tables we had, to make it easier for the girls at the calender. Basically that was all that you did. You shook pillow cases, handkerchiefs, anything like that, shook them out and folded them neatly, ready for the presser to press them if it was goin' through the press room, or for the calender or whatever. So I started on that and I was on the shakin' out for about two years maybe. And then when somebody left somebody else had to step up into that job. And that's how it carried on. One of the girls who worked at the steam press, which did trousers, skirts, and things like that, left the laundry. So the girl that assisted the shirt presser was moved to the steam press. That left a vacancy for a younger one to go in and do the collars, cuffs and sleeves of the shirt, to assist the girl that did the rest of the body of the shirt. So I was put into that job and I enjoyed that. Then you had small machines and you put the cuffs on to them and you pushed them under this hot plate, and the same with the collar. So I had these wee machines to work. The sleeves were pressed on another machine. That was the work I did then. There must have been steam goin' up inside thir machines, oh, they were hot. If you put your arm on them you would get burned. You drew the shirt down, and it ironed as it was dryin' the shirt sleeves. And then you laid it on a table and the girl that did the rest picked it up and did the rest of the shirt from there on her machine. So that was much more interesting work than just the folding.

So after two years on the shakin' out I was through in the other bit o' the laundry and I worked wi' Grace Robertson, an excellent presser. A lovely job she made o' the shirts and everything, and very quick, too. I had to keep up with her, because my bit was done before her bit so I had to keep her goin'. I enjoyed doin' that and I probably would have been on there for quite a long time but one o' the girls went on holiday at an awkward time – her husband had a different holiday time and she had to take her holiday wi' him. So I was asked if I would take over her press while she was on holiday, since although mine were wee-er I had the basic idea how to work. So I went on to her press and was gettin' on fine on it. But by the time she came back somebody else had left and she was promoted on to another job and I was left there. Another young girl was put on to what I had been doin' wi' the collars and cuffs o' the shirts. That's how it worked, you see, all the time.

So I was left on what they called the body linen press – pressed pyjamas, vests, pants, all that sort o' thing – for quite a while, until I was asked if I would take over the white overall press, which was a more modern press. All the other ones they were swing presses. You've seen the paddin' on an ironin' table, well, you smoothed out whatever you were going to press on to that, and then you put your foot on a pedal and you swung the press round until it went under a hotplate. While it was gettin' ironed under the hotplate there was another ironin' table facin' you and you put another one on there. So it was a constant thing. It kept going round like that. But the overall press was a wee bit more modern. There was buttons and you smoothed the overalls on to the table part of it. You pressed two buttons and the top half came down wi' the hotplate on to the top o' it. So I had two o' them, and a small one for doing that part at the back o' an overall – about from the collar down to about the waist. You did it separate, and then you put the long part o' the overall on to the other presses. So I was goin' round in circles there, rotatin' the back o' the overall and the sleeves all the time until the whole overall was pressed. But it was quite a good job as well. Oh, you were going all the time. It wasn't hard work as in heavy liftin', but it was constant. You had to be constant, because if you left the press down too long you could burn things. So you just had to sort o' time yourself. I carried on wi' that work till I left the laundry. That was my job, on the white coat press.

We started at half past seven in the morning and, if I remember correctly, it was till half past five at night. But me being 15 there was some law they told me about when I started. Until I was 16 I was allowed to get away one hour earlier every week, because it was above the law to have me workin' longer. You were allowed to choose what night suited you best to get away early. I chose a Thursday night, and I was always allowed to stop at half four on a Thursday. But once I became of age of course you were into workin' all the full hours.

We had a quarter hour tea break in the morning, and we had an hour lunch break, and then we had another quarter of an hour break in the afternoon. There was no Saturday morning working at the laundry, it was Monday to Friday. I went home for my lunch: as I say, it wasnae any distance from the laundry, over the fields.

There was at the laundry a – well, they called it a canteen. But all it was was there was a lady, Mrs Hall, employed there – she must have been well into her sixties when she retired. She belonged Auchendinny, and she came up and was in the canteen, as they called it. All she did was boil the kettles and wash dishes. You went down at break time and dinner time – well, some of us who lived near went home for dinner, but obviously those who lived in Penicuik and Loanhead and these areas they had to stay there. And there would be teapots laid out and you just picked a teapot for your table and put in the tea. Mrs Hall had the kettles boiling, and we filled up a teapot and took it to our table. So it was a case of taking sandwiches or rolls for yourself and this Auchendinny lady was there wi' everything ready and you just sat down and had your tea or coffee or whatever you wanted. When you were finished you just took your cups over to the sink and she washed everything. This was to save us doing it, there wouldnae have been time for us to do that. Then when she had washed everything up and tidied up the rest room for the next break, Mrs Hall came up into the laundry and worked at the shakin' out. She worked full-time, part of her time in the laundry, the rest in the canteen.

I think I started in the laundry on 25 shillings a week. I know the full wage for somebody over 18 was £3.15.0. That always sticks in my mind, because I was always looking to the day when I'd be getting that money ! It did sort of go up each year on your birthday. You got two or three shillings more until you were up to the full amount. At eighteen was the full adult wage. It wasnae a very well paid place to be in, the laundry.

They did have a bonus but that bonus was mainly in the wintertime, when more people were sending their laundry in. In summer of course there were some people could get things dried better outside, and there wasn't so much laundry came in then. But in the winter there was quite a lot. When you were in a slack period the bonus could be taken away, it just stopped.

When I started in the laundry there was no union there. So of course if you tried to get anything you were fighting the management yourself. So some of the workers decided that we should be in a union and maybe we would get our wages better that way. So some of the older ones enquired about it and a representative from the Shop Workers' Union came down and we joined that union.[260] I would be nearer 17 or 18 maybe then. And the union right away started to try and get us more money. But whiles the management were a wee bit fly about it. We didn't actually get any more money in our wages but they condescended to give us as a permanent thing on our wages what they gave us for the bonus. So the bonus couldn't be taken back after that. But it didn't give us any extra money in the pay packet. So that disillusioned a few of the workers and gradually they started to drop out the union. They werenae gettin' what they expected. A lot o' them didnae expect that the union isnae just there tae get you money; it's there for lots o' things. It's there to help the conditions and everything. And you have to be loyal to the union as they are loyal to you. And a lot o' the workers didnae really understand that sort o' thing. They werenae gettin' what they wanted out o' bein' in the union, so they werenae goin' to pay the fee. More and more started to go out o' it until there was only two or three o' us left. And the union representative came back and saw us and said it wasnae worth his while continuin'. So we ended up where we started, wi' no union. I don't know if it had lasted as long as two years. But we didn't lose our bonus, we still had that even after the union faded out. And then the government were startin' to change the rules a bit for workin' conditions. So by the time I left the laundry in 1958 the full wage would be up to £4 something. The wages were gettin' a wee bit better anyway.

The laundry never put on a bonus again. But they were quite good tae me, because I had a lot o' lost time wi' one thing and another, goin' to hospital to do wi' my face, my hare lip. I had had operations when I was still at school, and I had one operation when I was working in the laundry. But when that was finished there were lots o' other treatments the hospital wanted to give me and I had to go in for teeth and things like that. I had lots o' appointments, and I had to go to the dental hospital, and things like that. But Mrs Cowan, the laundry owner, was very good to me. As long as I worked and tried to get things as far forward as I could before I went away for my appointment, I was paid the full wage. They didn't keep it off me. I was warned not to tell the other workers or anybody else that I was gettin' this. That came about because one week I got extra in my wages. I had been off about three hours one afternoon for an appointment, and when I got my wages everything was in the packet. I said to my boss I thought they had made a mistake, and he took my pay packet and line and everything to Mrs Cowan. Mrs Cowan was amazed that I was so honest. Apparently she hadnae been used to somebody admittin' they had too much ! So she reckoned I was a fair worker to her – I don't want to make it seem that I'm bragging about that. She sent the manager back to tell me that any time after this that I had an appointment my wage packet would be full. It wouldn't make any difference. But that I was on no condition to tell anyone else, because it could cause trouble. So I was very lucky.

I think at the laundry the holidays was a week in the summer, and a couple o' days at New Year time. I think we worked Christmas Day in those days. I don't think the laundry closed during the summer holiday week. That was so any big maintenance jobs needed could be done. They didn't have a maintenance team as such, as the paper mills did. It was just sort of odd job men, contractors, that could sort things, and they would go in when we were on holiday. There was no such thing as an engineer or electrician attached to the laundry.

When I started in the laundry there were about thirty-odd workers. There were three van drivers, all men, a boilerman, a washerman, and there was one man, the hydroman, on what we cried hydros – dryers, tumble dryer things. And there was about three girls worked in the office, the manager, and Mrs Cowan. I wasn't the only teenage girl there. My chum started with me the same day, and there was other girls'd been started before us. They'd be in their teens. But we two were actual learners, we were the two started together. And then there were middle aged women who'd probably been there a few years, and there was one or two near retirement age. There was a lady from Penicuik, a hand-ironer. She was only a part-time worker, she just worked in the mornings. That lady could well have been into her sixties when she retired. But most of the women and girls were between my own age and maybe the fifties.

I got on quite well with the other people in the laundry. It was a friendly place to work. It was a good atmosphere. Oh, there was the odd row now and again. We were working in a fair amount of heat, steam. But, I mean, we all got on basically very well. There was no recreational or social club for the workers there, nothing like that.

There were no serious accidents in the laundry that I can remember. The worst thing was getting burnt off the machines – that was a regular thing. They werenae a' that severe burns you got. I was one o' thae kind – it was my own fault – I couldnae work wi' ma sleeves down, I had to get my sleeves rolled up. I had a burn just about every day somewhere. Workin' away at pressin', you'd forget and just nudge it. You were left wi' marks. It didnae look very good for the summer dresses: when you were short-sleeved they were showing all these marks. It was quite painful. The packin' room was just through from where I worked. You went there and one of the lady packers had access to the medicine box there and she would rub this special cream on for you. It took the sting out o' it a wee bit. But there was nothing really serious. You weren't off work. There very rarely was even blisters. This cream kept it right away. All it left was a sort of brown mark and that faded. But as that was fading there was aye another one coming on the top o' it !

The laundry had three vans, two big ones and a smaller one. The vans had a crest on them that Auchendinny Laundry were authorised to be launderers to Her Majesty or His Majesty the queen or the king, whoever it was. We did the queen's laundry. We got laundry in from Holyroodhouse in Edinburgh when the queen or the lord high commissioner o' the General Assembly o' the Church o' Scotland was there in the summer. We never got any personal garments. It was just sheets and towels, pillow cases, napkins, things like that. But it came in and went out the same day to Holyroodhouse. Where other customers had their certain delivery days, when that Holyroodhouse laundry came in it was a case of 'Leave what you're doing, get on wi' this. It must be back out again by night.' It was just done in the usual way, but kept separate from everything else of course. And there was wee finishin' touches added to it. For instance, I've seen a great big sheet with a lovely broad hem have a wee crease in it when it went through the calender. And I've seen that sheet have to get damped, and that crease damped out. And, dependin' on how much time there was, it could be taken to a hand ironer and she would iron that bit out, or if they had plenty time the whole sheet would go through the calender again. But they had to be very careful. If the ordinary customers in Penicuik and Auchendinny got a wee crease they didnae get it taken out ! [261]

Below Mrs Cowan, the owner, there was a manager. Well, there were two or three managers while I was there. When I started it was a Mr Lumsden, and he left and we got a Mr Rye. He was a very nice man, very fair, a good man, and he knew his job. He was one of the best bosses I've ever had in my whole workin' life. Mr Rye was an Englishman and he come up here and married the daughter of the Brotherstons from Edinburgh that had the Morningside Laundry there. He got the chance of a better position back down in England, and we had a Mr Bissett after that. He was a young man but he didn't last very long. And before I left the laundry it was a Mr Cherry was the manager. Before that he actually was a van driver for the laundry for several years. Mr Cherry was the manager until the laundry closed.

Well, after eight years I left the laundry because I had a disagreement with the manager, Mr Cherry. The disagreement, which also involved a friend of mine who worked with me in the laundry, was over another girl who in our opinion was not pulling her weight. That meant my friend and I were having to leave aside our own work in order to do hers. So the two of us decided, after a lot of arguments with Mr Cherry, to leave the laundry. We were disappointed that some of the other workers who had said they would support us didnae do so. So that was it. But I didn't have another job to go to on the day I left Auchendinny Laundry.

I was out o' work for, oh, it must have been about six weeks. I had been tryin' various places. I was down at Valleyfield Mill but they were really wantin' overhaulers, and I wasnae an overhauler, not even a paper mill worker. My mother was gettin' a wee bit desperate about me no' havin' work, and she asked this lady that lived across the road and that worked in the office in Esk Mill if there were any jobs there. My mum and a lot o her family had worked in Esk Mill. The lady says, 'Leave it wi' me, Lizbeth. Your family's known there. I'll speak to Mr Wilson.' He was the head finisher there. So she did speak to him and I got in. I was lucky. I got word I was to go down to Esk Mill next morning and start.

The work I began with in Esk Mill was tyin' small packets o' paper, eight by thirteen inches and eight by ten packets. They also had a machine there that did packets as well, and if it was an awful big order they would put them through this packin' machine. There was all sorts o' jobs on it, and I used to get a shot o' bein' on there. For instance, you might be asked to feed it, put the reams in for them to be tied, or to take an ink pad wi' a stamp, and as they were comin' off this machine down a wee shute you stamped them on the side wi' the appropriate stamp. Or you could be down the stair at the bottom end o' the shute, catchin' them and pilin' them into piles o' four, layin' them on a tray for the men through the wall – the men were the tiers – and they put them into bigger bales for goin' out in the van. So there were lots o' different jobs you could get there. It was always that type o' work I did in Esk Mill, either on the machine or tyin' the paper. I was never an overhauler or anything like that.

It was a borin' job at times. But I was happy enough in it. And there was a time they did ask me to be chargehand when Mrs White, the lady who was a chargehand, was ill or on holiday. So I did that chargehand once or twice to replace her. That was basically givin' the girls their orders in the morning, tellin' them what kind o' wrappers they would need for the job they were goin' to do, makin' up the stamps for them, and just basically makin' sure they were always kept in their job, ye know. But I wasnae happy wi' that. I mean, I was bossin' girls that were my mates and I wasnae too keen on it. My wages went up a bit when I was doin' that, they gave me a chargehand's wage when I was doin' it. Mr Wilson, the head finisher, told me he would have liked me to be the next chargehand when Mrs White retired. But I had to tell him in the end I wasnae happy throwin' out orders at people. I'd rather be one o' the girls. Anyway Mrs White was there until the mill closed in 1968.

The hours in the mill were eight o'clock in the morning till five at night. You had your two breaks, one in the afternoon, one in the morning, and your dinner hour. I got home again for my dinner, it was just down the hill from Kirkhill Gardens, where we'd moved in 1952 from Harper's Brae. So it was a shorter day than in Auchendinny Laundry. But we did work Saturday mornings from eight till twelve. We always had to go out on Saturday. It was a 44-hour week.

The wages was more than in the laundry, not a lot but it was more, a few shillings maybe. And of course I went right on to full wage at Esk Mill because I'd be 23 when I went there in 1958. Ours was a standard hourly wage a' the time, the overhaulers were on piece work.

I joined the Paper and Printing Union more or less as soon as I went to Esk Mill. The union representative came round and collected the money every week and he came and asked you if you wanted to join the union. Well, my dad was a great believer in unions and I joined. And of course I'd already been in the shop workers' union for a time at the laundry. Then later on there was just a woman that come round and collected your union money every Thursday, that wis a' there was. But she couldnae go and argue about anythin' for you. She had nothin' to do wi' that. She was just the dues collector. Then there was a union representative in the mill. But he didnae have a lot o' power. He had the power to go and face up to your head man wi' any disputes or anything. But it wasnae very often it came back in your favour, put it that way. The union representative did change. We had a good man, he did speak up for people, he was very outspoken, James Bolton was his name. Unfortunately he only lasted months on the job. He left the mill to go down to England. So we were left once again with no real representative in the mill. If we wanted anything sorted out we had to go to the union office in Penicuik, there was always a full-time official there. When George Smith retired as the official Willie McKenzie got the job. He was the main representative – he dealt with Esk Mill, Valleyfield and probably Dalmore if they were in the union – and he was still in the job when I left Esk Mill. There wasnae a great deal o' confidence in the union among the workers that I associated wi'. Most o' the things that ye got ye fought for yourself, even though there was a union. I mean, ye had to. Then later on there was a break in my membership wi' the paper workers' union. There was something goin' on down in England and there was strikes. And there was quite a few o' us came out the union at the time. They were puttin' a levy on us or something, to help wi' this down in England. It was wrong – I realise that now – to come out o' the union. But I allowed myself to be swayed by a lot o' the rest o' them. So I was out o' the union a couple o' years before I actually left the mill.

I liked Esk Mill. It was similar to the laundry: there was the occasional blow out but it was a happy place really, people got on well wi' each other. Oh, there was one or two snipin' at each other. There was always somebody that was willin' to go behind your back to a boss about you, about anything. There was always that sort o' thing went on. But, I mean, wi' my own people that I worked wi' we got on basically very well.

Relations between the management and the workers, in my department particularly, when I started was very good. We got on fine. Jimmy Ketchen was the foreman and John Wilson was the head finisher. I got on all right wi' them and wi' the chargehand, Mrs White. Mr Edward Jardine was the head one altogether, and he was still there when I started. We were instructed when we started – I think it was Mr Ketchen that told us – that should Mr Edward come over and talk to us we should address him as sir. But it was very, very rare that he came over and spoke to us. He would come in about once a day and have a look round. He walked wi' his hands behind his back. If he saw anythin' he didnae like he would go to the foreman, and the foreman came and told you: 'Mr Edward said so-and-so.' But he very rarely approached the workers – at least the women workers, he might have gone round the machinemen, I don't know – but he very rarely approached us on his own. Mr Edward never come in and said good morning to any of us. He would obviously speak to Jimmy Ketchen and Jock Wilson, but he never approached us. John Jardine, he was a younger one, he wasnae a brother, he would be a nephew, I would imagine, he was a different type altogether. If you met John Jardine face to face John Jardine would say good afternoon or good mornin'. He didnae have a conversation wi' you but he did recognise you were there. He didnae address you by name, I think sometimes he maybe didn't know your name ! He probably didn't know who we were. Mr Edward retired round about the early or middle 1960s, and when he retired John went managing director. But John wasnae there too long as managing director and wasnae there when I finally left Esk Mill in 1967. The rumour was that he took to the drink and he was lettin' things run down. It was a Mr Sandy Simson was the managing director about a year or two when I left. And basically these other men bought in to the mill. They gradually bought shares, then gradually they took more and more until they got in charge o' it. Mr Sandy Simson, I think, belonged about Edinburgh. He seemed to have little experience in paper making. He relied a lot on the older men workers, the senior foremen and so on, that knew how to run the mill. And Sandy Simson brought in a Mr Tait as head finisher. He was our boss. But, I mean, it ended up there was no Jardines left in the mill, except for one that worked in the lab. I never knew James Jardine. He'd be dead before I got there. It would be James's son that worked in the lab in the mill. But the son never came into the mill, he was just a lab worker, a technician. John Jardine had three sons. They all came at some time or another and worked in the mill as students when they were on holiday. They went through the mill and learned how to do things. But none o' them had any real interest in takin' over from their father. So, I mean, it was just a case o' when John Jardine was no longer fit for the job these others got in. John Jardine was a very nice man. It was a shame if that was the case that he took to the drink, it was a shame, 'cause he was approachable. You couldnae approach Mr Edward, but you could approach John if you had to.

I felt Mr Edward was a wee bit remote and a wee bit arrogant. I mean, there was a lot of the older workers, went like bowing and scraping to him. There wis an atmosphere among them o' deference to the Jardines, oh, definitely. That wis in the mill. Well, the younger workers comin' in they were a different generation. They seen things in a different way and, although they gave the Jardines their place, they didnae exactly bow to them the way some o' the older ones did. I mean, the younger ones didnae doff their cap or touch their forelock – the older ones were like that ! In fact, they used to say – I mean, this is all supposition and just what we heard – they used to say that the mill workers, although they couldnae afford to vote Tory they wouldnae vote anything else because their masters were Tories, you see. The Jardines were recognised as Tory supporters, well, John Jardine was a Tory candidate for this area. So, I mean, the mill workers voted for John Jardine, you know – en masse ! [262] A lot o' the old ones – even though they were in a trade union: but they werenae a' in the trade union, you see – had that idea certainly that they had tae vote Tory because their bosses were Tories. But there was others that were Tories because they wanted to be Tories as well. They felt that made them a wee bit better maybe, I don't know !

Politics wis much discussed in the mill. Oh, there were some hot arguments often about Tories. Well, the Scottish National Party didnae have such a hold then as they've got now. It was mainly Labour, I would think, and Tory. There were those of us who felt that the Labour government was more use tae us than a Tory government would be, and then there were those who were diehard Tories no matter what, you know. And we did have some arguments. Oh, I've been involved in some myself. But, I mean, we usually ended up either fit for bettin' aboot it or fa'in' oot for a wee while. And then we'd get friendly again later on. But, oh, there was some strong feelings about it. Sometimes there was discussions at the dinner break or tea breaks, but actually while we were working as well. I mean, you'd be workin' away at a table and somebody would say something about the election coming up and the Tory candidate was the greatest thing since sliced bread.

And I'd maybe be at the other end: 'Aye, that's what you think.' And ye'd be shoutin' – but ye worked all the time. In these days there wasnae the thing that ye could stop your work to have an argument. You carried on workin' all the time, although you were gettin' heated up about it. In fact, sometimes the mair ye were arguin' the harder your hands were goin', you know – takin' it out on the paper !

There was one or two strong Labour supporters among the workers at Esk Mill. My dad was one o' them ! My dad always saw it that way. Well, I mean, he was brought up in the mines when they had to fight for everythin' they got. He'd gone into Esk Mills in the middle 1950s. He went there to start wi' as a labourer, and then he was moved to the caustic sizin'. He worked quite a while in the caustic sizin' and then he took angina and he had to get a lighter job. So he ended up on what they called the potchers. That was where they got shavins and various waste material and put it back into these big cauldron things and it was all made back into paper. He was on the potchers for a long time. My dad was a strong union believer. He really had a good grip o' what union matters were all about. Wi' his minin' background he was strong on it. And he was definitely a strong Labour supporter, too. He would be ready wi' his answer ma dad a' the time. He was good, I mean, he could debate, you know, he was good really.

But there wis some sense o' deference among the workers in Esk Mill. There wasnae so much among them where I worked. Well, there was one or two older women were Tories, I know that, because some of them I had arguments with. But, I mean, I wouldnae say they deferred so much to the higher thingmy. It was the men I saw it most in. You know, you'd see them, when Mr Edward or any o' them came, they seemed to be busyin' theirselves up and makin' theirselves look as if they were doin' an awful lot and everythin'. I mean, we were all workin', but I felt sometimes that there was people that just went over the score to try and impress. You know, they wanted to feel that these people noticed them. Oh, there was one older man in particular – and I'm no' wantin' to mention any names – that was, 'Oh, yes, sir.' Everything he said, 'Oh, yes, Mr Edward, yes, sir.' Ye ken, and I thought, 'Oh, dear !' The younger workers comin' in to the mill were startin' to have their own opinions and everythin'. So they werenae so worried about it. Well, nobody wants to let theirsel' down in front o' anybody else, but a lot o' the older ones particularly didnae want these high-ups tae think badly o' them, you know.

Well, I felt for about a year before I left Esk Mill in 1967 that I wasnae happy. There were rumours about the mill not being able to carry on. There was a' that goin' on, and things were changin' wi' the new regime comin' in as well. I've explained that they didnae really know what they were doing and everything. And there was a lot o' unease and everything goin' on. The atmosphere changed from bein' a happy, friendly atmosphere. It changed. In fact, there was somebody once went and asked our immediate boss if it was true that the mill was on the verge o' closin'. And of course naturally they didnae want folk defectin' until things were absolutely certain. So they said no, not to believe a word o' it, and everything. But we could sense ourselves things wasnae the same. And the work wasnae goin' out in the same quality.

They brought in a bonus scheme, and it was a case o' they wanted as much work out ye as they could possibly get. Well, you were rushin' to do the job, so the quality o' your work was goin' down. And they didnae worry about that until a customer complained that things wisnae lookin' right – the parcels maybe werenae as tight or as tidy, the labels were maybe a wee bit squint, things wisnae just as they used to be. It wisnae until a customer complained that they came back to you and said, 'Look, you'll hae tae do a wee bit better than that, even if it means takin' it a wee bit slower.' But once the pressure was on again to get orders out they forgot a' about that. And this bonus was there and everybody was rushin' and grabbin' at things, tae make mair money. Wi' the bonus, you see, the mair ye did the mair money ye got. And whereas it might have worked in the salle, wi' the overhaulers workin' that way and an overender checkin' it a' and finishers countin' it for them and everything, in our department you were liftin' it off the table and you were working wi' it, you were tyin' it, you were labellin' it, you were buildin' it on boards – and a' that sort o' thing. You were goin' for your wrappers – maybe you hadnae a big order to do, so some days you were changin' wrappers quite a lot, because they had lovely designed wrappers for different orders. So you had often to go and get different wrappers. And a' these sort o' things was a' gettin' taken into it. And ye had a sheet when the bonus started. Ye had tae write out how much you were doin'. You tied in lots o' twelve, so every time you did twelve you wrote twelve doon on this sheet. But you also had to write 'I was away for ten minutes gettin' wrappers' or 'I was away for five minutes lookin' for labels.' You had a' this to write in. And they didnae seem to realise that itself took time. So, I mean, you were pressurised all the time.

So it was buildin' up gradually. And, well, the union wisnae a lot o' help tae ye. A' ye got frae them was, 'Try and do your best. Do what they want ye tae dae.' That was aboot a' ye got oot o' them. And my dad didnae agree wi' that either. And eventually, wi' the threat o' the mill maybe eventually closin' anyway, and the strain we were workin' under, I just thought, 'Oh, I've had enough o' this.' So I was away frae Esk Mill for a year before it actually shut. But actually I was sacked at Esk Mill over a matter of principle !

Well, we were bein' forced to do things that we didnae think we should be doin'. When they were tryin' to get a new order they used to send samples to the customer they were hopin' to get. I used to be told by Mrs White or one o' the other head ones, 'Jean, we've got so many reams of an order we want tied for this customer. And dependin' on how well this goes we'll maybe get a bigger order out o' this. So we want you today to take your time. We know you can tie them lovely and your labels are always so nice.' This wis the patter ye got, it was all butterin' up, I mean, ye didnae allow yourself to get big-heided about anythin' because ye knew they were only sayin' it to get you to do what they wanted. So I would be tyin' away myself, I was happy to do the best job I could. But the next time when you were back on the table you were back to rushin' around like an idiot. Then they were tryin' to move me to a department that I knew nothing about, workin' on a job I'd never done before, and I was a bit nervous about it. My mother's problem came intae it. I got myself a' worked up about it. I have to admit I wasnae one o' the speediest. They reckoned that if you could tie 480 packets in a day anything you tied over and above that was your bonus. 480 was an ordinary day's wage. They told us to start with that, because as long as we could do 480 they were happy wi' us, we didnae need to worry. But they had quite a lot o' orders in Esk Mill, it was goin' quite well, and it came to the point that they were pushin' to do more and more and more. Some o' the women on a good day could tie 800 packets. There was never any danger o' me tyin' 800 packets, because the minute I started tryin' to do anything like that my work wasnae up to standard. The most I ever tied – and I think I only did it once or twice – was 600 and something. But that was considered quite a lot. And, I mean, when I had started in Esk Mill in 1957 nobody tied anywhere near that. The highest they tied when I had started was 300. But then it was goin' up and up and up, you see. So anyway they decided they would take three people – the lower bonus earners – out o' my department every day and put them into this other department where they were needed. And, as I say, I was a nervous wreck about goin' to this other department. So when it came my turn to go I refused to go. I said I didnae know anythin' about the work. The lady that had worked alongside o' me had been sent down there the day before and she came back badly upset that night. It was all boys and men there, you see, and some o' the boys had been makin' a fool o' her – her age and that. Imagine an auld person like her doin' this job down there that a young lassie used to do, but they had taken the young lassies out o' it and put them into the overhaulin'. So this woman came up that night and said there was no way she was goin' back there, she would rather leave the mill. And I thought, 'Well, I'm goin' to be in the same boat if I'm sent down there.' So when they asked me, as I say, I said no. I was told that if I refused I would be suspended for a day. I went home that night and discussed it all wi' ma dad. Ma dad said, 'We a' ken what's goin' tae happen in the end. The mill's goin' tae close. Why should ye go tae this other department if ye're goin' tae end up in the same state as that other woman ?' So he says, 'I'll back you all the way. I don't think they've any right to do this. You're doin' your 480 and more and they assured you to start wi' that it would be all right.' So they came back again the next day and asked me to go again and again I refused to obey. So I was suspended for one or two days, When I started back again, 'Will ye go ?' And I said no. I still felt that it wisnae right. Mr McDonald, my foreman says, 'Well, I'm afraid if you're not goin' to do it you'll get your books, Jean.' I says, 'Well, I'm afraid that it'll just have to be that way.' I had made up my mind that I was sick o' it a' and I was no' goin' tae be bothered any longer. My dad had warned me, 'Don't you shout at them or dae anythin' that they can come back on you wi'. Jist carry on as normal as you can and make them make the decision on what's to happen. Don't you walk out. You let them make the decision.' So that's exactly what I did. I never gave them any cheek or anythin', I jist carried on. So Jim McDonald came to me about ten o'clock that mornin': 'You've tae see the head finisher.' When I saw him he gave me my books. That wis it, the finish o' nine years. But I wasnae the only one. There wis others down there that was very badly treated as well. Even foremen were very badly treated wi' that crowd, the new management – never wi' the Jardines.

I left Esk Mill, as I had left Auchendinny Laundry, without another job to go to. I felt so strongly about it, so strongly in fact that I took my case to a tribunal – and won it. The tribunal restored to me the six weeks' dole money I had lost. So I felt vindicated. Well, I was unemployed for so many weeks and then I managed to get a job in Thyne's, the plastics works in Penicuik. But I didnae like it right frae the beginnin'. It wis shift work, day shift, back shift. I didnae mind the day shift, but I wasnae keen on the back shift. And there was a funny atmosphere – I dinnae mean wi' the workers – it must have been off the plastic. I mean, I could come home and my hair would be dead straight, it was just somethin' in the air. It was a funny kind o' place. I wasnae happy in it. So I was lookin' for another job a' the time I was there. I was only six months in Thyne's. And I did have another job tae go tae this time when I left there. I was lucky enough to get into Dalmore Mill, and I was there for 22 years.

Well, at Dalmore there was a big difference right away for women, because in Esk Mill the most a woman was allowed to lift was a ream of 500 sheets o' size o' paper 13 by 16, which we didn't get very often. It was mainly A4 sort o' sizes that we got there. So it was a big difference to walk in from tyin' 13 x 16 to tyin' 35 x 45. It wis quite heavy. The union actually had a rule about that, that women shouldnae lift a ream any heavier than that. And they did adhere to that in Esk Mill, I have to say. But the union wasnae very strong at all in Dalmore. And the women had always been used to doin' heavy work there apparently. I was told that when I went there. I don't know how they did it. You see, in Esk Mill the women tied the small packets o' paper, as I've said, and they were put down to the men tiers. They were men in Esk Mill, and they wrapped and tied them into a bigger packet, for goin' on to the motors. But in Dalmore the women did that. The women tied big bales. The women put the small packets into big bales and made them into a bigger thing for goin' out. And they also tied 38 x 50. Now you couldn't always have a table that that would fit. So it wasn't always practical to tie it on a table. So what you had to do was get the actual pallet it was goin' out on on the motor and put your wrapper on that, so that you were kneelin' on the floor or you were on your hunkers – whichever suited. And you actually lifted that half a ream at a time, two o' ye, one at each end. And you'd fold that over and lift it down, sort it on to your wrapper, lift the other half o' it down, then tie your wrapper round about that. It was very heavy work.

And then you piled them up. It depended what height they had to be. But if it was a thin ream you could maybe get twenty reams high. Or if it was a thick one it maybe would only go fourteen or fifteen high. It just depended how much was required, the thickness of the ream. But that was what you had to do, and it was gey sore on the legs, I can tell you, gettin' down like that and tyin' like that. And you had tae do that. And sometimes the paper came in what they called bulk packing at Dalmore, which meant that it was a wrapper first on the pallet again. And you had to lift that down in reams and build it up there – no other wrapper round, just lift it like that. And then when you were finished the height it was required you tied up the wrapper round the bottom of it. And then you got other wrappers and you went round the side o' it, and tied it. One of you held the wrapper at the back and the other took it right round, put a strip o' gum tape up it and you folded in the top and encased the whole thing. And then you went right round the bottom with the gum tape, to seal it at the bottom and make it watertight for goin' on to the lorries. It was a totally different way o' workin' from what I'd been accustomed to.

And then some o' the paper went in reels. They were all different sizes. So you had to get a wee disc thing. They called them turners. And you pushed your reel on to this turner just to lift it maybe about an inch off the floor. Then you slid wrappers at each side underneath that and you pleated it all in, and encased the reel again and tied it up wi' gum tape. So I did that for a long time.

Dalmore, small as they are, have done very well competitively with other mills in other countries. And they're the only paper mill in Penicuik area that's survived. They've had to get into more modern techniques of course. Even compared with when I started there in 1967 to when I left in 1990 there was far more modern machinery and everything in Dalmore. Before I left I was on a machine that had that plastic wrapper. It worked the plastic wrapper. There was a young gentleman and myself, and he operated the machine. It was all buttons on a thing in front o' him, like a roundabout. You wheeled the board o' paper on to there, and he took the plastic out of a bit at the side o' his machine and tied it on to the leg of the pallet, and then pressed a button and the whole pallet revolved. It went up and up and up until it encased it all in this plastic, and then it would come back down doin' it double. When it was finished my job was to write on it the destination – whether it was goin' to stock, to Edinburgh, Glasgow, London, even abroad. I had a big book and I had to keep a note of the customer's name, how many pallets they had, and all the relevant measurements and all that sort o' thing. I also had to write out the pallet tickets for it. There was a big white pallet ticket with the size, the customer's name, the weight, and how many reams was on the pallet. I used to have to do that by hand when I started on that job first. But like everything else, before I came away you had a copy printer, and all I did was write one ticket and put it under. And I could do a lot o' tickets. It was all gettin' into computers and everything before I left.

But physically the work I did at Dalmore at first was harder, it definitely was more tiring. It was heavy work we were doing.

To start with the hours of work were just the same as at Esk Mill. We worked from eight till five. By that time the union had got the hours reduced. It was supposed to be a 40-hour week. When I went for my interview at Dalmore the gentleman that interviewed me said, 'We can't force you, Jean. But we do expect you to work when you're needed on a Saturday.' So we more or less worked every Saturday, until the union gradually got the hours reduced again to 39 or something, I think it was. But at Dalmore it was the same as at Esk Mill: you had your teabreaks morning, afternoon, and we had an hour for dinner. Then I was there about ten years maybe when some o' the older women had heard some o' the newer works that was openin' in Penicuik were finishin' at half four. So they asked our boss at Dalmore, Mr Wallace, if he would consider us gettin' away at half four, provided we only took half an hour for our dinner instead of the normal hour. He said as long as the mill wasnae goin' tae lose it was a' the same tae him, as long as we put in the hours. So then we finished at half four but we only had half an hour for our dinner. Where I lived at Kirkhill Gardens was too far away anyway from Dalmore for me to have got home for my dinner – even wi' an hour it was too far by the time you walked home and walked back. Some went home, but they had cars. If like myself you didn't, well, you had to stay at the mill. It was just like Esk Mill: you took your rolls or whatever with you. But in Dalmore they had a wee shop – they called it a canteen as well – that sold crisps, biscuits, juice. But also when I went there first in 1967 they had a sort o' grill affair, I think they had two o' them. If you wanted you could get a fryin' pan. There was four o' us sat at one table and we bought our own fryin' pan. You could take eggs, bacon, things like that that could be cooked quick. Or you could get a pot – they had pots – and put beans or something like that into it. That was when we had an hour for our dinner. Ye hadnae time for that when it turned to the half hour. But I think it was actually before we had the half hour they made it more into a proper canteen, and you could have chips wi' anything – egg and chips, beans and chips, slice sausage and chips, and salad dishes, soup. You ordered it when you were over at the mornin' break, told the girl what you wanted and she had it ready for you at dinnertime.

We still had our two ten- or fifteen-minute breaks mornin' and afternoon. Working on Saturday mornings stopped. But they could ask you if they needed you, if there was somethin' urgently required to be goin' out to a customer. That was overtime. But it was up to you if you did it or not. So we did overtime. I sometimes was out on a Saturday. They did an awful lot of overtime in Dalmore. We used to go out maybe two nights a week. We'd work on maybe to half seven. We would never come home, we would just stay on to half seven. We went prepared for it, you see. Well, the mill had a bus and subsidised it, so we only paid so much. In fact, I think we all just gave something to the driver at the end o' the week. And if we were workin' late at night, well, of course that bus was away takin' the normal day workers home. So they put on a dormobile that belonged the mill, and one o' the electricians or an engineer that could drive would take half an hour off to bring us home. But it got to the stage that a lot o' workers was refusin' overtime because they felt that it was encroachin' on their leisure hours. We acknowledge there was certain times when things was very busy we had to do overtime. So we said to them would it not be possible for them to allow us to go out at six in the mornin' and finish at our usual time at night, to give us more time at home. And the boss agreed to that. So we went out at six in the mornin', even in the winter. We were always lucky: we got a lift, because there was always shift workers goin' in at six, and them that had cars were kind enough to take us down. So we finished at half four in the afternoon. And actually the mill got more overtime out o' us that way, because they were only gettin' a couple o' nights a week the other way, whereas sometimes we were out five mornings at six in the mornin' and occasionally on a Saturday as well. We still got just half an hour for our dinner. It was a long day. Well, you were up at five in the mornin', you were away from the house just after half five, meetin' whoever was takin' you wi' the car. Oh, it was a long day but we got used tae it. And we did have a kettle beside us where we worked, it was unofficial, and the firm knew we were doin' that but they didnae object. So we would stop about seven o'clock in the mornin' for about ten minutes and have a cup o' coffee where we worked, and then back to work again. Then we got our quarter hour or so break at ten o'clock or somethin'.

When I started at Dalmore Charlie Wallace, the father of Gordon Wallace, was the managing director. I quite liked Charlie Wallace, who died in 1995. You didnae have much occasion to go to him. But when you went he listened, you know. He could be sarcastic if he wanted to be but, I mean, he was all right. His daughter Katie, she was one o' the directors, she was very nice. I really liked Katie. But then, you see, when I started she was just a student and in the summertime she would come into the mill and work alongside us. Her father was very strict with her. He used to say to whoever was in charge of whatever job she was doin', 'Treat her like the workers. She's to get no special treatment.' And she didn't and she worked alongside us. And when she went on into the management side of it she was still just every bit as approachable as she was when we worked with her. Gordon Wallace, Charlie's son, could be difficult in the early years. But he definitely mellowed an awful lot. There was a wee sort o' Them and Us situation when he came in first to the mill, not long after I began there. His father didn't actually take full retirement for quite a while, makin' sure Gordon was right into it. If it came to the crunch Gordon was the boss, and you knew that. But on the whole the Wallaces werenae bad to work for, and they're very, very good to their pensioners, which I'm findin' out now, bein' a pensioner.

Most o' the time the atmosphere in Dalmore among the workers was friendly. But you also got back-bitin'. There was a lot o' that about. But, I mean, it happened and then ye just forgot about it and got on wi' it again.

I think the number o' workers went up in Dalmore, in particular when the other two mills closed. They took in quite a lot from Esk Mill and Valleyfield. And then the number o' workers definitely did increase, because as the other mills closed Dalmore were gettin' more orders naturally. And they were always tryin' to get more orders. Both there and at the London office they had a good sales team. So I would say there were over a hundred workers when I went to Dalmore in 1967, but I think later it got up nearer 200. And that number didnae decline much before I retired in 1990. What they were doing though before I retired, they were employin' a lot o' part-time women whereas it was all full-time before. And then they could lay them off – in the paper industry there is short time workin', a seasonal thing, occasionally. And they were takin' in young boys part-time as well frae the school in later years. But if they were suitable, if they had been there so long and they saw they were good workers they were put into full-time workin' if a vacancy arose. So in a way it was worth their while to try part-time because there was always a chance it would end up in full-time employment.

I think the men outnumbered the women quite a lot at Dalmore, because when they brought in that equal rights thing there was men doin' jobs that was solely women's jobs before. Well, there's men can tie the paper now. I mean, there always were in Esk Mill, as I've said, but not in Dalmore: it was always the women that done that sort o' thing there. Now there's men'll be tyin' reels, they'll be tyin' packets. If there's no work at their own department they're sent in tae the other departments and they can do all sorts o' jobs that the women would do before. I don't see them overhaulin' – but then there's not much overhaulin' done now either, because wi' the more modern machinery they can take out the broke and things out the paper before it gets to the women. The overhaulers were seconded intae tyin' the paper to get it out as well. But if they're needed for a special order they can go right back on to their overhaulin' jobs, you see. So the technical improvements in paper makin' meant fewer jobs for women than was the case before. When I was at Esk Mill I would say there was a good proportion o' women there, because they had two salles. They had the enamelin' overhaulers, as they called them. They did the shiny paper, the heavier paper. And then there was the plain overhaulers. And there was the SO department where I worked, where it was all women. And when I went to Esk Mill first, there was young girls at the cutter house – that's where they started, at the cutter house. So, I mean, there was quite a good proportion o' women in Esk Mill. Well, I would say, if there was a hundred men there would be fifty women, somethin' like that.

When I first started at Dalmore there wasnae much o' a union at all. But before I retired they were tryin'. There was different ones takin' over the union, and the union itself was gettin' bigger when SOGAT developed. So these higher-ups from Edinburgh they came to the mill and they got more people interested in the union. But I found as the years went on down there in Dalmore the management was pretty reasonable really to the requests o' the workers. There wasnae any bother really, no real bother that the union had tae step in.

I mean, you were driven in Dalmore as well as in Esk Mill in its later years. I mean, Dalmore was very busy. You had to keep goin', and as I said it was heavy work. For instance, we had trouble in the winter. Where we were workin' it was very, very cold and we were workin' wi' our coats on. They had built a new area for us, you see, and they hadnae got the heatin' into it, and we were asked if we would suffer it for a year until they got things properly organised. So we did, we worked for that year. But it so happened when they were goin' to go in in the summer shut when we were on holiday and install all the different things for the heatin', something went wrong wi' the paper makin' machine. Well, the machine is all-important in a paper mill: it all comes frae there. So our work was laid aside to get on wi' this, and we went intae a second winter wi' hardly any heatin' at all. One day it was so bad we just couldnae bear it. So one or two o' us, myself included, decided we'd have tae do something. So we got hold o' Mr Wallace senior and he must have had a word wi' his son Gordon. We then got an old heater installed. After a lot of further complaints by other workers he hired four o' these big calor gas heaters and he put them in the coldest bits for about three weeks for the worst o' the weather So in effect, without the union, we went ourselves, put our complaint and they recognised it was right and did somethin' about it. Ye cannae ask for more than that.

There was one or two o' the workers at Dalmore touched the forelock. It was in their nature to be like that, 'Yes, sir, no, sir', to people that they thought were a wee bit better than themselves But there was others – some o' them of course had been there since they'd left the school – and they knew Gordon Wallace as a boy. So they were very quick to turn round and say what they thought. They werenae afraid to say it. So there was a few like that in Dalmore. There was one woman in particular – I think she was born and bred in Auchendinny – and there was never a woman sae fond o' speakin' her mind tae anybody no matter who it was if you got in her wey. And they thought a lot o' her, they thought more o' her for it.

As I've said, I was at Dalmore for 22 years. And I would have been there until I retired if it hadnae been that my dad took ill. He'd had several strokes and he wasnae confident on bein' left on his own in the house. And I had been comin' home and findin' him sometimes lyin' there. He hadnae been able to make a neighbour hear, and he was lyin' there when I got home at nights. So through that I gave up my work at Dalmore in February 1990, when I wasnae due to retire until 1995. My dad died in 1992.

Well, of all the jobs I did, I hope I'm no' huffin' anybody by saying this, that the first seven years anyway I was in Esk Mill before the last lot took over was the job I enjoyed the most. Maybe it was because I had my own pals, my ain age, round about me at that time. We were a' young together and a' doin' things together. I was happy enough in the laundry as well, up to a point. It was a good enough wee place to work in. But if I had to pick a favourite I would have to go for Esk Mill. All I regret in my life was that I didnae have the confidence. Lookin' back on it maybe if I'd had more confidence I could have had an even better job within the mills.

Ernest Atack

Somebody I met at a football match said, 'Do you fancy a job in Esk Mill ?'
'Oh,' I says, 'I possibly could but it depends on what they're paying.' 'Oh,'
he says, 'you'll have £60 or more and a chance of overtime.' I just came
home and saw my wife Jean and then I saw Mr Dobbie, the Esk Mill chief
engineer, right away and decided then. Mr Dobbie says, 'Right,' he says.
'Can you start on Monday ?' This is on the Saturday. I says, 'No. I think I
better gie my present boss a week's notice.' Mr Dobbie says, 'Do that and
start next Monday. Oh,' Mr Dobbie says, 'you're here for life really.'

I was born on 5th of March 1920 in Coalmarket in Kelso. Mother gave
birth, and from Kelso two months after it my father got a job in Tait the
builders in Penicuik. So we came to Penicuik to our first house in what they
called Imrie Place. My father was a plumber and he remained all his
working life with Tait's. He was an active churchman and was the beadle in
the North Kirk in Penicuik. He was a great sportsman, a keen bowler, too.
He had been in the First War, of course, and was wounded twice. He was in
the Royal Army Medical Corps and got the Military Medal. I wouldnae have
fancied the Medical Corps myself, especially in the First War, no' a war like
oors at all. He talked very little about his experiences in the war. Funnily
enough, I didnae enquire much about it from him. But I should have done,
I know that now. He offered information on occasion but very seldom. He
was always wi' his cronies, some in the British Legion. He was one o' the
founder members o' the Legion in Penicuik. He was at the fore.

Before she was married my mother worked as a fly dresser wi' Redpath
of Roxburgh Street in Kelso. It was a famous place in its day. They
employed quite a few girls. Fly dressin' was quite a skilled job. Some laird
or somebody would say, 'I want a dozen – or two dozen – of a certain fly',
and they put up to Redpath's the order to supply 24 for so-and-so. And it
was done in a flash, of course. But it was hard work, especially on the eyes
and the fingers – cut fingers and so on. It was very intricate work. My
mother spoke occasionally about the work. When she came to Penicuik a

man Livingston with a shop in The Square had got her to do some hooks for him. So she supplied him for about a year or so and then, 'Oh, no, my eyes are going away now,' she says.

My family all came from Kelso area. To me that's hame. My grandfather Atack was a wool merchant in Yorkshire and he moved up to the Borders – Galashiels and Peebles and at Kelso. I don't remember him at all, he was dead before I was growing up. My grandmother Atack was living though. She was born in Kelso, I think – maybe not, of course, maybe not. She had quite a family, four or five of a family, and she just kept house mainly. She died just at the end of the Second War. She'd been down in London with her daughter, then moved back to Kelso again after the war finished. So as a boy I didn't see her very often. I don't remember my mother's father and mother at all. They had died when I was just a wee kid. My mother said my grandfather took me on his shoulder very often. He was a tailor to trade in Kelso. And he was a Powderhall professional sprinter in 1881 or 1891. He was a very fit man. His name was Purves but he run under the professional name of J. Change. That was quite common then for professional runners to have an alias. [263]

I have one sister, four years younger than I am.

Where Tait's the builders had their joiner, plumbing, etc., business in Penicuik they had a big block o' houses and some of their workers stayed in the blocks, of course. It was called Tait's Buildings, it was a tenement. There were three levels, lower, middle and top. Well, we initially started upstairs on the top. We came down to the middle of the block, and then after that to the ground floor. My father just applied for a low door, you see. It wasn't that the houses at the top were smaller or less comfortable than the ones at the bottom, they were nice houses up the stairs.

Each of the houses we were in at Tait's Buildings had three rooms. We had a big bedroom, a small bedroom, a living room, and an outside toilet. My mother slept in the bedroom with my sister. I slept in the living room with my father. There was always running water in the house. We had paraffin lamps for light, and latterly gas after that, when I was maybe round about seven or eight. And then my father, being a plumber, also could do electrician work and he wired the whole house. At first Tait's Buildings wasn't wired up for electricity. So my father did that in our house at his own expense. Well, I think Tait the builder helped with the material. But Tait's didn't get round to installing electricity in the other houses until later on. So we had it before anybody else. That must have been about the early '30s, I think.

We had a coal fire and a range – I can see my mother burnishing and polishing it up with the black lead: it wis a morning's work that – with an oven and a boiler for water. My mother did all the cooking on the range and a gas ring. The toilet was inside the long lobby. In the lower flats the toilet was at the back of the end wall. Ours was a shared toilet but I don't think there were any difficulties, we had pretty good neighbours that way. But I mind once I was working there, it was 1936 or so, and the doctor rushed into the lower door. He says, 'Forsyth ! Atack !' Bob Forsyth was one of my friends, a painter, too. 'Would you come in for a minute or two ? There's somebody taken a turn here.' So we goes into the toilet. Here's a man sitting there – dead. It was a bit of a shock. I don't know who the man was, he was just a stranger to me, he was one of the tenants in Tait's Buildings. He'd just come in to the toilet. He had pyjamas on. He had been ill or something in bed.

There was about 20 families in Tait's Buildings on the three floors. There were two stairs in each block, and about six families in each stair, and two at the end. That was one block, and then the other one was Burnside Place, near the burn – and the same thing, they were both the same size. There were some largish families among them. Three or four would be about the average size o' the families, I think. There were not many larger than that, well, Anderson: they had about six, I think. Again they were three-roomed houses. There were quite a lot o' people living in a fairly limited space.

Tait's Buildings was a community on its own. There were quite a few o' the fathers and sons living there employed in Tait's yard. I was an exception myself, and others of course went to Valleyfield Mill or Esk Mill. But it must have been a condition of tenancy that the father at least had to be working in Tait's before they got a house there. There were one or two before my time – say, an elderly widow or a man left. There weren't many tenants there that weren't employed in Tait's yard. Most of the men did a spell in the yard.

I remember Mr Tait himself fine. He was Major James Tait really. He was a First War veteran and a hero as well, I think. And Captain Martin, he was there at Tait's. It was through the war they met, I think, and he came to Tait's after that. In fact, he was wounded and rescued by a Private Angus, who got the Victoria Cross. So Captain Martin had got a job at Tait's after the war. [264]

Tait's was quite an old firm. There must have been several generations had had it before Major Tait. Tait's did building houses and joiner work, plumbing work of course, and various types of wood things, including coffins. They were one of the main coffin makers in Penicuik. And they were boxmakers for the paper mills, for exporting their paper and that. So it was quite a sizeable firm. I'd say they had 40 workers at least, because if there were roughly 20 families and almost all of them had the head of the household as an employee in the yard, and then there were some others as well. Tait possibly had property for his own people elsewhere in Penicuik than Tait's Buildings. But Tait's Buildings were regarded in Penicuik as a community, well, they were notorious – I'll not say notorious but well known. And the boys used to go into teams at football, you see. We used to play The Glebe up John Street, or Kirkhill. Somebody had a ball and we made a game of it. There was some fun, too. I had friends among lads in Tait's Buildings and friends among lads who were not in Tait's Buildings, I didn't confine myself to Tait's Buildings but I had friends more or less through the school classroom. 265

I started school at Kirkhill. It was a very small school. Miss Milne was our first teacher, a wee soul, and she was an excellent teacher. I was at Kirkhill School I'd say three, possibly four, years and then I went to John Street School. I came through various teachers and finished up with Miss Robertson, who stayed down near Esk Mill. She went into the Qualifying class after that, well, that was us. She was a good teacher, too. I passed the Qualifying . If I wanted to go to Lasswade High School I could have done that. I am sure my parents would have encouraged me if I'd decided to go there. But I had kept telling them I was wanting to get a job, into a trade. I wasn't a scholar devoted to the school, that's what it was. Three or four did go to Lasswade from our class, but I was keen to get a job and start work. So I enjoyed the school in a fashion, well, I'd rather been away out and running about and playing. But some things I did stick into right enough. I eventually took the commercial course at school for nearly three years in the secondary and came on to shorthand, typing and book-keeping, which I had a sort of flair for. I think by the time I left school I was able to do 60 words a minute for shorthand and thirty-odds for typing. I think it was unusual in those days for a boy to take a commercial course. In the class the girls were three to one, I would think. Nobody, not one, teased me for taking shorthand and typing. I must have ignored the technical course side, funnily enough, given my later life. I think you're too young then to know what course you should take. I don't think my parents offered me any advice about taking shorthand and typing so I might get a better job. I just had made my mind up, and that was it. Well, I think what made me choose shorthand and typing was in Kelso there was a reporter I knew, Fairbairn his name was, with the *Kelso Chronicle*. A smart man that way, a nice man, he knew his stuff. I used to go to Kelso every year for holidays. It must have been really him that influenced me. That's why I stuck into the shorthand. When I was a boy I did have an ambition to become a newspaper reporter, but it was airy fairy stuff. 266

Well, I was fourteen on the 1st of March 1934, and in the beginning of April I started wi' a painter, Mr David L. Wilson, in Penicuik. I had tried the Valleyfield Mill and the Penicuik Co-op offices. I just missed getting a job in both of them. And after that I said, 'Oh, well, that's it. I'll be a painter.' I knew so many friends where I stayed who were painters. They were a wee bit older than me, personalities they were. And I said, 'Oh, they're ok. I'll just try and stick in wi' them.' I think that's what drew me into the painting trade.

Of course, while I was still at school I did milk rounds in the morning for the Penicuik Co-op. I did Bilston round. I got there on the lorry, it took me down to Bilston. You started the back o' six – you'd be up the back o' five – and home again by the back o' seven. I was pretty tired some days wi' those hours, but I didn't fall asleep in the class during the day, not that I can mind o'. But we were young and daft then. Then I did Bob Tait's barber shop, on the left hand corner at the road junction in Penicuik going towards Carlops, Thursday night and Friday night, sweeping the floors, and a' day Saturday soaping the men's beards and keeping the floors clean ! I worked in the barber shop, oh, only six months when I was thirteen, nearly fourteen. Somebody else had handed that job over to me. You went in to the shop at the back of four o'clock and you finished at eight o'clock Thursdays and Fridays, and on Saturday you were there from eight in the mornin' till five at night. You got home for an hour for your dinner on a Saturday. I got paid five shillins roughly, that was for about 15 or 16 hours. I was doing the milk round at the same time. Still I enjoyed it. I gave my mother the money I earned from both jobs. In fact, she gave me 'the barber's money back to keep. That was quite a lot o' money in those days.

As a school laddie and a young teenager I was keen on football but I didnae make a habit o' it really, I wasn't in a regular team. There wasn't much time anyway when I was doin' the milk round and workin' in the barber's shop. I used to like swimming of course, I was a keen swimmer. There were no swimming clubs in Penicuik. There were no public baths there in those days. I went up to the woods on the Clerk o' Penicuik Estate, to what they called the Serpentine on the river North Esk. It was just a wee bit o' the river. Then we managed fairly regularly to the pictures on Saturday nights. There was just the one cinema in Penicuik, the Playhouse in Jackson Street. And then I used to walk right enough, and I had my bike of course. I got the bike at fourteen, that was the present I got from my folks just after I started work with D.L. Wilson's, the painters. With the bike, well, you get somewhere you don't go normally – Peebles, West Linton way of course, down the east coast and down the Borders occasionally, Kelso of course.

So I started right away as an apprentice painter wi' D.L. Wilson, my old Sunday School superintendent, as soon as I left school. I didn't have to wait to begin my apprenticeship till I was fifteen or sixteen. I was with D.L. Wilson from 1934 to 1965, apart from six years during the war when I was away.

When I started the hours normally were eight to five. But in summertime we were very busy and we had to work eight to half past eight on a Tuesday night and Thursday night, plus Saturday morning of course, eight till twelve: that was normal. It was 44 hours normally, wi' probably about six, eight hours roughly on top o' that. I don't remember feeling tired at the end of the week. I was thoroughly enjoying it.

In those days it was a six years' apprenticeship. The last year was what they called a finishing year. They were paid – I wouldn't say good wages, just a low wage that year, getting yourself into the swing of things. Now it's done in two years, I believe. It doesnae make good tradesmen. Unless they apply themselves there's no finesse aboot it, I don't think. You couldn't learn in two years without experience when you begin what you learned in six. Of course, there are modern methods, I suppose. They've got different stuffs now from what we used in these days. We used then mainly distempers instead of emulsion. And colours were ochre and dark brown, a lot of dark brown stuff, green, dark green – very limited colours. There weren't any problems working with distempers, no' really, you just had to keep the brushes cleaner. Ye couldnae afford to splash paint about either, you know, you were economical when you were putting it on. You had to make a good job though.

The wages were ten shillings a week to start wi' as an apprentice. Well, I got 12s.6d. if I did the two nights. I was paid more or less 1s.3d. for doing 3½ hours' overtime ! And I mind in my sixth year my wage was 30s. – the highest I had ever. And my mother didnae get much pay out of me of course. And immediately on that the war broke out in 1939. In fact, I was at the end o' my last year apprenticeship. The war broke out and within a few months I was away. So she never saw a real pay from me.

You were paid weekly at D.L. Wilson's. You got your pay in a pay packet. I gave my mother my pay packet and she gave me some pocket money, sometimes two shillings, sometimes half a crown – depending on good behaviour !

There was about twelve men altogether workin' wi' Wilson's, something like nine journeymen and three apprentices. The apprentices were in various stages of course. I was the only lad who started at my time, some came after me right enough, and some before, too, of course. There were some still working their way through their apprenticeship when I started. I worked with everyone in the shop before my time as an apprentice was up. Well, you were taught the proper way, and ye heard about it if ye didnae do it right. There was quite a strict discipline from the journeymen and the boss, you had to watch. But we didn't mind it because we knew it was for our own good. And it was more fun than anything else really, you got a bit o' fun at work. It wasn't all hard work.

The work took us sometimes out o' Penicuik, chiefly the West Linton area – which I liked up there, Edinburgh of course and the Lothians, Loanhead and that area, not as far as Bonnyrigg, and occasionally down the Borders – I'm talking about Lauder. It just depended on where Mr Wilson got contracts. Oh, he had customers from away back. After the Second War Tait used to build prefabs at Loanhead and Haddington, and Wilson's worked there. But before the war I worked at West Linton quite a few times, mainly housesholders – big houses and that. I was there for three or four months every year in summertime, paintin' inside and outside.

People that were gettin' their houses painted generally were very friendly, though one woman I knew in West Linton she was kind of against the painters because they were there. But it was to her benefit they were there ! When they offered you cups o' tea that's when you knew that they were all right. And then I came across some rough places, the likes o' people that had came out of a dirty house. They'd been evicted and you had to paint everything with special paints and that. The worst was creosote in a house. We had to paint it with creosote to get rid o' a' this. . . We felt itchy when we were daein' it. That was at Bilston, too, a council house. It was in such a mess it had to be creosoted. The smell clung to you for days. Oh, you never used creosote inside a house, never. It was the sort o' thing for garden gates and what not. Mind you, it wasn't quite as strong stuff then as it is nowadays, I don't think. So being a painter was interesting from the point o' view o' seeing how other people lived.

A few times there were surprises. Once was the day we worked at Howgate, near Penicuik, and people were having their Christmas dinner in the next room to where we were workin'. There were two of us painting, and a knock comes to the door and in comes the woman with a tray: a pheasant each and a wee miniature of whisky. Well, we were both young then and the other laddie didn't touch whisky at all. But I scoffed one whisky anyway ! That was a pleasant surprise. But then sometimes there was, well, a bit o' a row and people could be hostile and rude but we just shrugged it off. We were only there in each place for two or three days at the most anyway. It was mostly just one room we were painting, not a whole house.

I didn't join a union when I was an apprentice before the war. None of the painters were in a union then. D.L. Wilson was a non-union firm until, I'd say, the early '50s.

Well, I was at the end o' my last year apprenticeship, as I've said, when the war broke out and within a few months I was away. I'd never been in the Territorial Army, I hadnae any idea of it, I never was interested in that. But I would do my part right enough. Well, I knew I'd be for call-up. I says, 'Well, if I wait till I'm called up I'll be sent along to Glencorse Barracks –

the Royal Scots.' I didnae want to do that – too near home. I says, 'If I'm to be away I'll be away.' So I volunteered for the Scots Guards. I said to myself, 'Well, I'll either make myself tough or get broken – one o' the two.' So I just decided to stick it. I talked to an old retired Royal Scots sergeant major I knew in Penicuik, RSM Wright, who was very good. He says, 'Aye,' he says, 'if you want to go just go to it.' And then of course I had Jean, my future wife, to think about as well. Well, we werenae quite courting then, we were just on the balance.

So I volunteered for the Scots Guards because of an ambition of mines. I knew one or two Scots Guards in Penicuik. They were very smart right enough. Old Mr Watt, ex-Regimental Sergeant Major Watt, over at the park in Penicuik he stayed – smart as a whip he was, a neat moustache. I was a bit shy of speaking to him till later on. So the Guards I knew in Penicuik were big fellows. Possibly it was that made me volunteer for the Guards, because I wasnae big at all – 5 feet 9 exactly. The minimum height for entry then to the Guards was five feet ten. So I went in just right off my own bat to the Music Hall in George Street, Edinburgh, to register. And a big boy measured me and weighed me, etc. He says, 'What age are you ?' I says, 'Nearly twenty.' 'Oh,' he says, 'they'll soon pull the half inch out o' you.' But they never did, they never did that. And of course the minimum height came down to five feet eight later on, they were getting hungry for men then. Anyway I says to the recruiting boy in the Music Hall, 'I can go tomorrow night if you want.' 'Oh,' he says, 'you better go home, son, and tell your mother and father.'

So when I comes in my father says, 'Where ha' ye been ?' I said, 'I've been away in tae see aboot joinin' the Scots Guards.' My mother looked up – her eyes up, ye ken. 'You've what ?!' She says, 'When are ye goin' ?' I says, 'I'm going on Monday night.' Oh, she started weeping. And that was it done – three or four days. Down to London, and I arrived in Chelsea Barracks Tuesday morning, 14th o' May 1940, just before Dunkirk. It was the first time I'd ever been on my own as far as that. I was alone, I didnae have any pals who'd volunteered with me. So Chelsea Barracks was a strange new world.

The first month was horrible, getting used to things, you know. You got kitted out of course and that, square bashin', a lot of PT of course. And you were told that you wouldnae be allowed for a month on the streets until you could walk properly. The only time we got out the barracks was to go across the road to the Royal Hospital, Chelsea, on to the grass there for PT. And you have no idea what it was like feeling, running on that grass that month. You felt you were liberated. Young dafties, you know, but they soon drew us up into order. The discipline was very strict.

Chelsea Barracks was pretty grim. They must have been away in the 17th or 18th century the barracks. There was thirty of us to a room, and a trained soldier in each room to keep his eye on you. He helped – showed you how to clean kit and that. And the corporal was aye hoverin' about somewhere. I visualised the discipline was the same as it had been before the war, because they still had their same gear they wore then, too. Ye had tae knuckle doon right enough. It was hard going. But I said, 'Well, I've gone for it, I'm sticking for it.' So I never had regrets, no' really.

We had a rather ill natured corporal in the squad taking us. What a man he was – brutal, really nasty. He was that way inclined, I think. But it was just part of the job as well. No good of complaining – just get on with it. I soon made friends with the other lads. They were a good squad. There was a friendly atmosphere among ourselves. There was only one or two difficult types. It was quite an experience for me, because I'd lived fairly closely with my family. But I'd had a lot of experience as an apprentice mixin' wi' other people. I don't think being an apprentice painter was in a way a good training for joining the army. It wasnae the same discipline at all. But as an apprentice certainly you had to stand on your own two feet, oh, aye – bein' sent for pots o' tartan paint or a long stand or elbow grease !

I was there for five weeks in Chelsea Barracks doin' basic training. I met one chap frae Penicuik the first week I was in the mess room for my dinner, which I didnae enjoy then. Cecil Forrest's sittin' there – and right away, like an old lost friend, of course – I didn't know Cecil greatly at all really, except by sight, but him being Penicuik . . . So he gave me a lot o' hints on what was goin' on, and what to do, you know. He was ahead of me in the training, and he was older than me as well. He'd been called up a month before or something. That was a big difference at that stage ! I said, 'The food I don't like it at all.' 'Oh,' he says, 'I'll tell you one thing. You'll be here a week and you'll eat everything that's in sight.' What was happening was you'd go into the barracks the first week, and a' the troops were there, sittin' watchin' you eatin'. And when you pushed your plate aside: 'Are ye wantin' that plate, Jock ?' 'No' me.' And they were away wi' it ! They were starving. We soon did exactly the same ourselves. I was never big myself, but some of them of course were big and beefy, big eaters. The rations were limited – not too much to eat, just enough to get you keyed up ! At the end o' the five weeks in Chelsea Barracks I felt more fit than ever I did.

Then we went to Pirbright in Surrey after that, to a training battalion. We got a new life there: a great squad, a great squad instructor. I did signals there for a while, I was just put in it. But it just so happened that it suited me down to the ground. I was at Pirbright about eight months. Then they formed a new battalion – the 3rd Battalion, Scots Guards, they'd only had two battalions up till then – at the end of 1940, and we went to North London in early January 1941. So we trained and trained, and in the signals we just conformed wi' everything, which was good for this. But the thing was this, if a boy was route-marchin', say, five to six miles at a stretch, the signlman had to do the same thing. We were doing twice the work. There were 24 or 25 in our signal team, for headquarters only. Each company had their own signals. We had instructors forbye that, and they kept ye on your toes. There was no wireless sets then. We had the telephones and the lines – the lines out to the companies, or semaphore or morse, morse flag. But some o' the blokes werenae very good at the morse flaggin'. That takes a lot o' trainin'. But I must have had a flair for it. Oh, I enjoyed it. And then the morse was no trouble.

And then all of a sudden, after we had done all that training, word came from the War Office we were to be changed into tanks for tank warfare. It was supposed to be training at Farnborough, learning the wireless, etc. So I became a wireless operator in a tank then. That would be into '42 by then. So we were at Farnborough first of all, with the Armoured Corps. They were the instructors there for us. And we learned quite a lot there right enough. But we were better getting back to our own crowd. We had various courses for wireless operators, gunners, tank commanders and everything at Bovington, Lulworth, and Weston-super-Mare. And then they all came together, and the battalion was formed then after that. We became part of the Guards Armoured Division first of all, and then we broke off from there and went on in an independent brigade. We trained a long time in England, and then we were sent across to France – to Normandy. We didn't go to North Africa or Italy but I wished I had gone, I was wantin' tae get away. I said, 'What's sticking here? Get away and get something done.'

My wife Jean and I had got married in 1942. Our son was born four days after D-Day, just as I was about to go off to Normandy. They were waiting to go. Well, luckily I got home for three or four days then. The tank commander, who was the adjutant, says, 'Right, Atack, you'll go home on Sunday morning. Don't say a word to anyone, where you are or anything. I'll give you four or five days.' So I did that – no trouble. I've been lucky. There were two of us – George Murray and me – waiting the birth of our babies at the same time that Saturday afternoon. Ours came first and George Murray's came after us. George got home as well. But George was killed in the first action we were in, the first week we were in Normandy. So his child was an orphan within two or three weeks of being born.

We landed in Normandy at Courseulles – that's Gold Beach – about a month after D-Day. By then they'd cleared the coasts. The battle for Caen was on then. Caumont was the battle we were chiefly employed in. Our first real action was that one. There was a lot killed there. It was a terrible experience. I lost a lot o' friends there. One o' oor finest pals in the depot was killed that first morning: Jack Louden, a Glasgow comedian he was, a great lad, just his general demeanour, ye know. He was always jokesy. Oh, we lost a lot. [267]

Then we went to Belgium, Holland, around Eindhoven and all that, Maastricht. We went up towards Arnhem but we couldnae get up far enough to get near them and get through in time. And from there to Tilburg, and we were recalled from there to go to the Ardennes. And after that it was a case of up through the Siegfried Line – Goch, Cleves and over the Rhine in March '45. We were in the vanguard, we crossed our tank on a raft, pulled by ropes across, with air cover above us, of course. So I ended the war on the river Elbe. [268] I wasn't wounded but I could have been right enough – one or two narrow squeaks ! I was very lucky to survive without being wounded. It could happen that men didn't make new friends because it wasn't worth while, the casualty rate was so high. That wasn't my experience though, we kept close together. Supposing somebody was away, wounded or dead, you just found somebody else. I never came to regret volunteering for the Scots Guards. And then when the war finished I was sent back to England and before I got demobbed I was on the escort – three escorts and two standard bearers and a sergeant major who marched us in – to hand the battalion colours in to Buckingham Palace, when the 3rd Battalion was wound up.

I got demobbed in June '46 and came back again into the painting job with D.L. Wilson's in Penicuik. The war didnae alter my opinion about work and wages and hours of work and so on. I was quite glad to get back to my job. I didnae have any difficulty in settling down again after the war, except that my wife and I wished we had more money ! We stayed with Jean's mother for the first few months, then we got a prefab in Angle Park in Penicuik. We were not there long: our daughter was born and she took on asthma there. Dr Baldwin says, 'Right,' he says, 'you'll have to get out of here' – which was a shame really, it was a nice house and everything was to your own liking, a nice big kitchen as well. So we came to another council house then in 1951 in Cranston Street.

I worked as a painter with Wilson's until 1965. Wilson's was the biggest painter then in Penicuik. There were other small firms that employed two or three men. Blair & Fleming was one, that was a good bit after the war though. And Jim McDonald, I think he had his son and other two or three young lads eventually. Conditions were much the same in all the painting firms, the wage rates were the same – if they were union firms you got paid the union rate. Wilson's, as I've said, were non-union until, I'd say, the early '50s. None o' the painters there were in a union until it was more or less forced on them. I know the reason: it was Esk Mill. I was down there painting one day in 1948, and within an hour I was lying unconscious in the Edinburgh Infirmary.

I fell off o' the Esk Mill boiler house roof. Instead of falling right to the bottom I stuck half way down on a narrow iron gangway. My back of course got it. I was lucky I wasn't killed though. But I don't remember a thing about it. I was unconscious for a fortnight – concussion. It was two days before New Year's Day, 1949. And I woke up in the Infirmary on the 14th o' January, more than a fortnight after it. I'd been conscious time about, you know, but I couldnae mind a thing about it. It was no' till I got to Beechmount Convalescent Hospital at Corstorphine in Edinburgh that then I knew. I was told then about my accident.

I got no compensation at all for the accident. The boss, Mr Wilson, was decent about it, too, though. But the union approached the workers in Wilson's just after that a while, and they said, 'I think you should all join the union now because you're safeguarded and looked after, say you get an injury.' So after my accident, when I had recovered and got back to work, I joined the union. The other painters there had to join as well. If somebody had refused to join the union they'd all walked out. So Wilson's became a union shop. I don't think my boss was pleased about it. He'd never discouraged the men from joining the union, never really. He hadn't spoken about it. We'd never had discussions about it at dinnertimes. I don't think the issue had ever come up. It should have right enough. The union we all joined was the Scottish Painters' Society. [269]

I had two or three other accidents at work. I was at Valleyfield Mill at the time, working away, and Alex Mann, my apprentice, went down to shift the trestle. These trestles were metal things wi' planks across and wheels. And the instructions were, 'Shift it when I say "Ready" ' – that means you were holding it, you see. So you put it along and jerked it. But this day I didnae say I was ready at all. Alex just pulled it, and of course we're sitting on the end and we just went down over the back o' it. It must have been about nine feet the fall. I bashed all the back of my neck and my head. I wasn't unconscious that time, I was kind of ill though. A week I was off.

Painting could be a dangerous job. Years later, when I was working myself in the Co-op, I couldn't get the ladder up to the top of the ceiling. I took such an angle, you see. It had to be that way. I says, 'I must get it up there to try and get the work done.' Normally I could do it. So I goes up and all of a sudden the thing goes straight doon and I was lying on my hands and stomach. I had fallen ten or twelve feet. I broke my wrist that time. That was just minor things. You expect them.

Bob Forsyth, the finest workman in Wilson's shop, was agile – he could climb anything. Bob was the man that made the thing go tick – the whole thing, at Wilson's. He was a very experienced and skilled painter. He was the foreman most of the time. We were all neighbours, too, you see. Well, after the war, in 1957 or so, in the North Kirk in Penicuik Bob came off a scaffoldin' and broke his neck. Killed. That was the only accident that was a fatality. I think Bob was in his early fifties at that time. So after that I didnae feel quite so keen on the firm.

Of course, painters were all very skilled men by the time your apprenticeships were finished – six years. But some werenae sae agile or possibly as brave as others. And, oh, some were getting on towards sixty. And it's the kind of job where when you're past a certain age the dangers increase because you aren't so agile, not so quick on your feet. It's been proved a few times that way. But most of them at Wilson's were in their twenties, just after the war.

And of course you have to paint a great range o' different places, from an ordinary living room to the inside of a church. With very high roofs and so on you had to put tubular scaffolding up, you see. Then the paper mills of course were another thing – completely different. The mills were quite dangerous places, you had to watch what you were doing. That was because of the height of the buildings and the machinery round about. You had to watch. The painting was always done normally durin' what they called the stand fortnight, the annual holiday when the machinery was off. But sometimes you had to work in amongst it when it was going.

With Wilson's I did painting in Esk Mill, Pomathorn and Valleyfield, never at Dalmore Mill though. I went to the mills at least once a year, in the stand fortnight. And then after they had all the main work done they left two or three men behind to finish off things. Just occasionally you went at other times in the year to the mills, too. It was mainly inside the roofs of the mills that you painted. They were big, big roofs. It was very hot in July, and you'd be up there sometimes 25 to 30 feet, or 40 at the most, roasting. They were wooden roofs with windows in them. It was quite a tricky job. And it was a dusty job – you'd to dust everything down before you began painting. We didnae wash much o' the roof – there was no time or no need for it. Then you'd put on two coats o' paint possibly. That would take you the full fortnight. The whole o' Wilson's shop would be there, nine or ten painters, including apprentices. So the work at the paper mills was really a big job. I expect it gave Mr Wilson quite a lot o' his annual income.

We painted down at Valleyfield and Esk Mill different fortnights. Esk Mill's stand fortnight was the first fortnight in July, and it was sometimes into August for Valleyfield.[270] The two mills were never closed the same fortnight. They were oftener joined together, one fortnight followed the next one, you see. That was for the sake of getting local tradesmen in. They employed local tradesmen. Normally it was always Wilson's. As I say, he was the biggest painter in Penicuik then.

Mr Wilson was a bit of a penny pincher in some ways, but no' really, no' really. But I remember a time we were working in a place in Penicuik on high steps – it was whitewash, not emulsion, whitewash. They were old steps. They must have bought them at a sale somewhere. In fact, he told me, 'Half a crown,' he says. Anyway a young fellow and me pushed these steps up and we were working away. All of a sudden the steps at his end went spreadeagled. It was like dry rot or woodworm or something in the wood. And the pail o' whitewash hit the floor of course. It hit the floor and bounced up again and went all over my workmate's face and his overalls. So I says, 'Jimmy, get away home. Run to your mother and get the clothes off and get them washed. Come back when you're ready.' And I had to go and clean the mess up after that. And the boss says, 'What's happened here ?' 'Oh,' I says, 'the steps that ye bought collapsed – woodworm or something.' 'Oh,' he says, 'you must have been swinging on them, I doobt.' I said, 'No chance. We werenae swinging at all.' He wrote it off, you see. He thought that these steps were going to do him. They were big enough steps, about as high as thae doors, seven or eight feet in height.

I often felt there was a lack of safety. I mind once we were painting the canteen at Valleyfield Mill. Bob Forsyth was foreman at the time. 'Bob,' I says, 'that plank there is ready tae go.' We had tae go up on the roof wi' it, you see. Bob says, 'Come on, test it then.' So we put it on the trestle and we both jumped on it and of course the thing split in two. And the boss came in: 'What's happened to the plank ?' Bob says, 'Well,' he says, 'we decided to test it. It wis wonky lookin'. It wisnae solid at all.' 'Well,' Mr Wilson says, 'how did you test it ?' Bob says, 'Ernie and I jumped on it.' 'Well,' Mr Wilson says, 'if I jumped on all the planks in the shop wi' two o' us ah'd brek them a'.' I don't know if it was tongue in cheek or not, but that's what Mr Wilson said. Bob said tae me, 'Did ye hear that ?'

Even as an apprentice at Wilson's before the war I aye got paid for my week's holidays. And then a bit after the war, I think, it became a fortnight's holidays. At the holidays we frequented Kelso for donkey's years, well, that was where the Atack family roots were. We stayed with one or other of my aunts or uncles there. As a young fellow before the war I'd been once to the Empire Exhibition in Glasgow in 1938 with my father.[271] And I'd been to London once before that. My father's sister stayed in London and I went down there on the train with my parents. I was just starting work at that time, so I'd be fourteen. But that was the furthest I'd been before the war.

Well, by 1965 I'd worked with Wilson's 31 years, apart from six years during the war I was away. I just felt I needed a change. I hadn't had an argument wi' the bosses or anything. I thoroughly enjoyed travelling outside Penicuik to work, the transport was always there for you as Wilson's had a van. Travelling to West Linton or Edinburgh and so on was the spice o' life ! It wasn't the travelling, it was just the feeling I needed a change. But somebody I met at a football match said, 'Do you fancy a job in Esk Mill ?'

'Oh,' I says, 'I possibly could but it depends on what they're paying.' 'Oh,' he says, 'you'll have £60 or more and a chance of overtime.' I just came home and saw my wife Jean and then I saw Mr Dobbie, the Esk Mill chief engineer, right away and decided then. 'Right,' he says. 'Can you start on Monday ?'. This is on the Saturday. I says, 'No. I better gie my present boss a week's notice.' Mr Dobbie says, 'Do that and start next Monday. Oh,' Mr Dobbie says, 'you're here for life really.' So I left Wilson's and went down to Esk Mill.

I was employed at Esk Mill as a painter. There was three of us there: Tom Fyfe, the foreman – it was him I spoke to about the job first of all – and Jack, a younger fellow who had started his apprenticeship during the war and was by that time a journeyman, too. That was all I did – maintenance painting. I did painting in the mill itself and some of its property – houses, inside them. It suited me fine that. Sometimes there was a few houses outside o' Penicuik that they had. The bosses all had a house, too, and, well, one o' the bosses stayed in Edinburgh, and one in Polton. Their houses belonged to the mill. The other mill houses were good enough houses, in Kirkhill mainly. At Kirkhill brae, well, down that hill was all Esk Mill houses, and they had a row o' tenements at Dunlop Terrace, and one or two houses further down the brae from the mill. I don't think they had other houses elsewhere in Penicuik. I would have known because I had to paint them. So the mill owned at least forty houses, possibly fifty maybe. I think when I was at Wilson's I had painted some o' the houses, too, that Valleyfield Mill owned. I'm no' sure now where they were, but I worked inside houses at the Nunneries. And Valleyfield had what they called the Concretes, next to the Nunneries. I worked there often. Sometimes I did wee jobs for people, and that's the kind of places I was doing occasionally. Somebody you really knew would twist your arm, you can't refuse that really. Sometimes I've seen me doin' work at the week-end for a friend, you know. But you got satisfaction in getting it done for them.

At Esk Mill you did a lot of work at the week-ends, very often Saturday morning and Sunday. I used to feel quite envious o' them all walking out the mill at midday on a Saturday, away to the games and that. Through time you just didnae think anything at all aboot it. They were kind of anti-social hours. But I could take a day off any time I wanted, and I did sometimes. Working seven days a week would ha' been a kind o' killer right enough. But I knew about the Saturday-Sunday working when I went to the mill. And then maybe you'd be called in a night or maybe two nights sometimes during the week for something special to be done. Tom Fyfe, the foreman, would tell me the day before, 'Remember, tomorrow night you don't go home. You're carrying a knife for your tea.' Ah, well, I didnae worry about it really. You just did it. There was no compulsion really, it was up to yourself

– but you were expected, right enough. You might feel you were letting your two workmates down if you didn't do it. I got on very well with both o' them, no trouble in that way, no trouble.

There were 300 to 400 workers at Esk Mill when I was there, I would think. You wouldn't see all of them at any one time because they were on different shifts. But through time ye knew just about everybody. It was a friendly atmosphere in the mill. There were a lot o' families in the mill. Oh, ye got to know them a'.

The mill were buying a big new machine. I had to paint every bit of it, but not the working parts, the machine itself – special paint, of course. It took so long to paint it and sort the thing about it. And through this thing it got me on the wondering. When I'd got the job, Mr Dobbie, the chief engineer, of course, had told me, 'Oh, you're here for life really.' I didn't know the mill would close within a couple of years or so ! About 1967 I mentioned to Tom Fyfe, the foreman, I says, 'I'm kind o' uneasy about this place. I think I'm only here for a certain time just, then pushed off.' Tom says, 'Just hold on,' he says, 'I'll get Mr Dobbie.' So Dobbie came across and Tom said I was concerned aboot the state of things in the mill. 'Ernie,' Mr Dobbie says, 'you're here for life.' Then word came three month before the mill closed, and I hunted around then for another job. The old boss, Mr Wilson, wanted to take me back. I said, 'I'm getting paid off at Esk Mill. If I'm really stuck could I come back and get my job again ?' 'Oh, aye, certainly,' he says. 'Just you come back when you like.'

But then the Penicuik Co-op got hold o' me, offered me more money – no' much more right enough, and said that I would be my own boss, the only painter there. So I says, 'It'll no' be easy wi' one man, ye know.' 'Oh, but,' they says, 'we'll give ye all the help we can regards gettin' stuff and stuff delivered and that.' I thought, 'Oh, I'll just try it. I'll be my own boss anyway.'

So I worked with the Co-op for 17 years, till 1985. A year after I'd started they says, 'Do ye do estimatin' ?' 'No,' I says, 'I've never done it. But I dare say I could.' So I started estimating for customers as well as continuing painting and papering. And everything worked out all right. I retired in 1985. By then ScotMid Co-op took over Penicuik Co-op the last six month or so I was there. And ScotMid asked me to work on beyond my retiring age. 'No,' I says, 'I've done my whack.' I packed up at the right time, I think. I could have done it but why should I ?

I never suffered any occupational ailments. I've had good lungs that way, though sometimes the paints had bad fumes, especially workin' on these paper mill roofs. We a' felt kind o' a bit wonky on these roofs. You had to watch what you were doing. I wouldnae say so much you got dizzy but you just felt sickened kind o' thing by some o' the paints you were usin'. Others suffered stomach or breathing troubles, but no' me. I was aye walkin' aboot and that, plenty fresh air.

Well, lookin' back, I enjoyed Wilson's because I trained there. But for freedom o' worry – nae worries at all – the job I enjoyed most was Esk Mill. It was a free and easy mill. I never regretted becomin' a painter. But I would rather have had something else, I think, when I came out the army at the end o' the war. I wish I had pursued my army career in wireless. I couldnae have – I was married by then, of course. But that wis my forte at the time, wis wireless. I should have tried to get a job in wireless maybe in Edinburgh, I should have tried, 'cause that was my life. I thoroughly enjoyed the signals durin' the war. Well, painting was kind o' hard work at times right enough but I was pleased and quite content.

One of the roadside signs at Penicuik in the heyday of paper-making there and at nearby Auchendinny.
Courtesy of Penicuik Historical Society.

Notes

Abbreviations: ML – Midlothian Libraries
NAS – National Archives of Scotland
NLS – National Library of Scotland

1. H.H. Shorter, *Paper Making in the British Isles* (Newton Abbot, 1971), 201, 207, 210, 214, 223; Nigel Watson, *The last mill on the Esk. 150 years of papermaking* (Edinburgh, 1987), 146-8.

2. Watson, *The last mill on the Esk*, op. cit., 145.

3. The lock-out of miners throughout Britain by the coalowners lasted 13 weeks, from 1 Apr. to 1 Jul. 1921. Alex Smith's recollection is a rare surviving account of events then at Whitehill colliery and brickwork at Rosewell, given the paucity of specific reports in the contemporary press and even (apart from a report by the Rosewell delegate on 4 May 'that a number of men were still working despite the efforts of the local committee to get them to stop', and an on-going pre-lock-out case of victimisation of two members and another of a third member at the end of the lock-out) in the minutes of the Mid and East Lothian Miners' Association. Routine pumping of water from pits was affected by the lock-out, during which the miners sought to ensure no one was at work. Of only two press reports found of the situation at Rosewell one was in the *Scotsman*, 8 Apr. 1921, that: 'Four or five hundred strikers assembled at Bonnyrigg, and directed their attention to the Lothian Coal Company's pit at Whitehill [where pumping was continuing]. Getting a hint that the demonstrators were on their way, Mr James Hamilton, the colliery [company] agent, sent for the local [union] pit committee and asked them to meet the marchers and make them aware that it had been arranged to damp down the [boiler] fires and stop the pumping. The committee therefore awaited the arrival of their comrades at the east end of Rosewell village. The leaders determined to see for themselves that it was actually the case that work was ceasing . . . and finding that . . . was the case, returned to the crowd, which by now numbered fully 500. . . . The demonstrators then proceeded to Polton colliery [about two miles from Rosewell], where they found already work [on pumping] had been stopped.' The *Evening Dispatch* reported on 25 Apr. 1921 that, '. . . the damage done at . . . Whitehill is not so great [as at Polton]. The shaft pumps [at Whitehill] are intact; but two pumps in the dook workings and the haulage gear are submerged. The two pits give employment to upwards of 950 operatives.' The miners' lock-out caused a temporary closure of the three Penicuik and district paper mills, Valleyfield, Esk Mills and Dalmore, for want of coal. *Edinburgh Evening News*, 28 Apr. 1921; MS minutes, 27 Nov. 1920 – 18 Jun. 1921, Mid and East Lothian Miners' Association, in National Library of Scotland, Acc. 3512.9.

4. The Lothian Coal Company had been founded by the South Wales coalmaster Archibald Hood in 1890, when Whitehill colliery was amalgamated with the Newbattle collieries of the Marquis of Lothian, who became chairman of the new company until 1900, when he was succeeded first by Archibald Hood then, 1902-41, by his son James A. Hood.

5. The *Edinburgh Evening News*, published since 1873.

6. The union, whose oldest roots went back to the late 18th century, had by a succession of amalgamations become by 1921, shortly before Alex Smith joined it, the National Union of Printing, Bookbinding, Machine Ruling, and Paper Workers, from the title of which 'Machine Ruling' was dropped in 1928. Clement J. Bundock, *The Story of The National Union of Printing Bookbinding and Paper Workers* (Oxford, 1959), xiii. Alex Smith may have confused the strike at Esk Mills he refers to with the 1926 General Strike, at the end of which James L. Jardine, a director, 'said the Mill would be a "free" House in future', i.e., the company would not recognise the union. But see also above, p.58, where John Law recalls management prohibiting the collecting of union dues in the mill. Midlothian Libraries, Black Coll., microfilm 13, item 97(b).

7. Alex Smith is mistaken: the workers at Esk Mill, Valleyfield and Dalmore were all out on strike during the 1926 General Strike, from 4 to 12 May, and production did not resume until 17-18 May. Ibid.; *Midlothian Journal*, 21 May 1926.

8. Esk Mills had two or more successive owners between its foundation in 1775 and 1820, when it passed into the hands of James Brown. From 1898 until its closure in 1968 the firm was titled James Brown & Co. Ltd. Brown's son-in-law Thomas M'Dougal took over the mills on the former's death in 1852; and after M'Dougal's death in 1871 John Jardine, until then a marine engineer, played a leading part in developing the business. The Jardines by the early 20th century became successive heads of the firm: John Jardine, as managing director, 1907-21, was followed in that position successively by his three sons, Major William Jardine (1921-34), James L. Jardine (1934-43), and Edward M'Dougal Jardine (managing director, 1943-50, and also chairman, 1943-64), and by his grandson John Jardine (son of William and nephew of Edward) (1950-64). Edward Jardine remained a director until his resignation on 30 Apr. 1965. John Jardine became from Aug. 1964 to Mar. 1965 joint managing director with J.A. Simson, who was sole managing director from the latter date. John Jardine, who had been a director for 30 years, resigned as deputy chairman and as a director on 18 May 1965, as he 'is no longer in agreement with the way in which the affairs of the Company are being conducted.' Robert Scott succeeded Edward Jardine as chairman from May 1964 to Jun. 1966, when W. Arnold Innes became chairman. *Esk Mills Jubilee 1898-1948* (Penicuik, n.d. (1948)), *passim*; ML, Local Studies Library, miscellaneous information in folder titled 'Papermaking'; NAS GD1/575/7, James Brown & Co. Ltd, directors' minutes, 11 Aug. 1964, 4 and 18 May 1965, and 30 Jun. 1966.

9. *Evening Dispatch*, published in Edinburgh, 1886-1963, when it was merged into the *Edinburgh Evening News*. The *Sunday Post* has been published since 1914, the *Dalkeith Advertiser* since 1851.

10. Overhauling meant checking each individual sheet of paper for any faults in its making.

11. Originating as a second hand book shop in Edinburgh in 1798, Thomas Nelson & Sons became a well known and extensive publisher in the 19th century and well into the 20th. Based from 1880 at Parkside Works, on the edge of the Queen's Park, Nelson's was taken over by the Thomson Organisation in 1962, and six years later Nelson's printing section was acquired by the Edinburgh printers Morrison & Gibb. Parkside Works was then demolished and its site has since been occupied by offices of Scottish Widows. See

Heather Holmes and David Finkelstein (eds), *Thomas Nelson and Sons. Memories of an Edinburgh Publishing House* (Tuckwell Press, East Linton, 2001).

12. Not even Dalmore Mill now survives: the mill was closed in summer 2004 when its production was transferred by its American owners to Guardbridge mill in Fife. Edinburgh Chamber of Commerce reported in 1903 there were then seven paper mills on the river North Esk, employing 2,200 workers, a third of them women and girls, and producing a yearly average of 25,000 tons valued at £750,000. *Evening Dispatch*, 26 Apr. 1904. The seven mills were at Penicuik (Valleyfield and Esk Mills), Milton Bridge (Dalmore), Lasswade (John Tod & Son), Polton (two: Annandale & Son Ltd and W. Tod Jnr & Co. Ltd), and Musselburgh (Inveresk Co.). ML, Black Coll., film 15, item 128.

13. Valleyfield mill closed in 1975, seven years after Esk Mill.

14. There were three roadside signs proclaiming Penicuik, The Paper Making Town: one each on Edinburgh Road, Peebles Road, and Carlops Road. The signs, evidently put up in 1957, were taken down at local government reorganisation in Scotland in 1974-5 – and 'disappeared in the night'. ML, Local Studies Library, notes in index book titled 'Penicuik Slides', at slide No. 1A.

15. Shottstown, the coal miners' quarter in Penicuik, was built about 1875 by, and named after, the Shotts Iron Company, which owned the Mauricewood pit at Penicuik, Roslin (the Moat) colliery, rather more than two miles from Penicuik, and, about four miles from it, the Burghlee and Ramsay collieries at Loanhead. Shottstown consisted of four rows or streets of single storey brick houses: Manderston Place, Lindsay Place, Leslie Place, and Walker Place, the last three streets named after directors of the Company. Augustus Muir, *The Story of Shotts* (Edinburgh, n.d. (1946?)), 30; Rev. Stewart Couper, *The Parish of Penicuik*, in Hilary Kirkland (ed.), *The Third Statistical Account of Scotland. The County of Midlothian* (Edinburgh, 1985), Vol. XXII, 51.

16. The result of a disastrous underground fire, the Mauricewood pit disaster at Penicuik, on 5 Sep. 1889, cost the lives of 63 miners. Of those killed, 23 were aged under 20, and 11 of the 23 were aged under 16: the youngest was aged 12, seven were aged 14, and three 15. Five fathers, four of them along with a son, and one with two sons, a step-father and son, six pairs of brothers, and one group of three brothers, as well as an uncle and nephew, were all killed in the disaster, which left 102 orphans under 12 years of age. The colliery was reconstructed and in production again by Apr. 1891, but the outbreak of another underground fire led to the closure of the pit in May 1897. It was re-opened in 1900 but finally closed in 1909. A.B. Donaldson, *Mauricewood Disaster* (Roslin, n.d., (1989)), 23-6, 30-1, 39-52; H. and B. Duckham, *Great Pit Disasters* (Newton Abbot, 1973), 205.

17. Alexander MacGregor, headmaster, 1869-1906, of Penicuik public school, died in 1914. ML, Black Coll., film 15, Penicuik School Board, 1876-1926, untitled press cutting, 21 Mar. 1914; Joy Deacon, 'The History of Education in Penicuik', in 'History of Penicuik' (Penicuik Historical Society, n.d.), vol.I, p.3.

18. Rev. Robert Thomson, 1858-1927, minister of St Mungo's, Penicuik parish church, 1888-1927. *Fasti Ecclesiae Scoticanae*, vol. VIII (Edinburgh, 1950), 82; *Midlothian Journal*, 8 Apr. 1927.

19. Sir George Clerk of Penicuik (1876-1943), 9th baronet. See also below, Note 71.

20. The Cowan Institute, building of which in the centre of Penicuik, a stone's throw from the mill, was funded by a bequest from Alexander Cowan (1775-1859), owner of Valleyfield mill, was opened in 1894 'for the further education and instruction' of

employees of the firm. The Cowan Institute Trust gifted the Institute to Penicuik town council in 1961 for use as a town hall. *Midlothian Journal*, 17 Feb. 1893, 28 Dec. 1894; *Dalkeith Advertiser*, 2 Jan. 1975.

21. George Johnstone appears to be mistaken in recalling that on the outbreak of war the Penicuik Territorials marched off to join the 15th Bn Royal Scots at Peebles. The local Territorials were in the 8th, not the 15th Bn, and on Wed. 5 Aug., the day after the declaration of war, 'Captain Tait had the Penicuik Detachment . . . under full marching order under his command at the Drill Hall . . . and about 1.5 p.m. the detachment, numbering about forty, sallied forth. At a moment's notice [the town] Bandmaster Allison and a number of his bandsmen joined together and headed the march of the detachment from the High Street, through John Street, and along the Edinburgh Road. . . . It being the dinner hour hundreds of the residents lined the streets and gave the lads a splendid send off. . . . Captain Tait led the detachment to Loanhead, where the remainder of the company were waiting . . . [and] . . . the united company took its departure for Edinburgh.' *Midlothian Journal*, 7 Aug. 1914. Captain (acting Major) James Tait, DSO, TD, JP, (1877-1952), a Penicuik town councillor, 1931-51, and provost, 1947-1951, served in the 1914-18 War with 8th Bn, Royal Scots, and was twice mentioned in despatches. He was head of the firm of James Tait & Son, 'Builder, Joiner and Timber Merchant, Penicuik Sawing and Moulding Mills, Plumber and Sanitary Engineer, House Agent and Undertaker', founded in 1837, and which had its premises in John Street in what had been previously an army barracks, a foundry and a hosiery factory. The firm became the largest owners of houses in Penicuik, and built the Cowan Institute and the Penicuik Co-operative Association central premises. Tait's employed at one time 150 men. After being taken over by an Aberdeen firm and then sold on again, Tait's was wound up, and after demolition of its premises sheltered housing known as Heinsberg House was built on the site in the 1980s. William Black and Joy Deacon, 'The History of Industry in Penicuik', in 'History of Penicuik' (Penicuik Historical Society, nd.), vol. III, p.11; *The Handy Guide to Penicuik and Neighbourhood* (Penicuik, n.d. (1900)), advertisement for Tait's on an unnumbered page; *Scottish Biographies* (London, 1938), 734.

22. Some differences exist between information in the rolls of honour at the Scottish National War Memorial at Edinburgh Castle and in that provided in ML, Black Coll., film 2, on these Penicuik casualties in the Great War. The names of Private William Henderson, Royal Scots, Cpl John Thomson, Argyll & Sutherland Highlanders, and Sapper J.T. Thomson, Royal Engineers, are inscribed on the Penicuik war memorial. The National Memorial says Private Henderson died of wounds on the Western Front on 24 May 1918; ML, Black Coll., says he died from gas poisoning. Cpl Thomson has not been found in the National Memorial roll of honour for the Argyll & Sutherland Highlanders; ML, Black Coll., says he was killed on 22 Aug. 1917. The National Memorial says Sapper J. T. Thomson, Royal Engineers, died on the Western Front on 28 Dec. 1917. ML, Black Coll., says John T. Thomson, 8th Royal Scots Band, and later in the Royal Signals, was gassed and died on 21 Jul. 1917 after discharge; for those reasons it may be to him, rather than Cpl John Thomson of the Argylls, that George Johnstone refers.

23. See above, Note 7.

24. Although there was evidence of trade unionism, or at least a combination, among Midlothian paper mill workers as early as 1808, when a strike took place against a refusal by employers to increase wages, and the Midlothian mill workers had a union or combination that was linked with other combinations in England and Ireland, the centre of this early trade unionism appears to have been at Lasswade and Roslin, not Penicuik. Nonetheless, the limited surviving evidence suggests that Penicuik paper workers may have taken part in the struggle. See W. Hamish Fraser, *Conflict and Class. Scottish Workers 1700-1838* (Edinburgh, 1988), 82, 83; Gilbert Hutcheson, *Treatise on the Offices of Justice of*

Peace . . . in Scotland (Edinburgh, 1815), Vol. IV, Appx III, 51-71; *Edinburgh Evening Courant*, 24 Mar. and 18 Jul. 1808. On that occasion the High Court judges in Edinburgh decided by a majority of 4-2 that an indictment against 'James Taylor and [three] other journeymen paper-makers . . . to compel their masters to raise their wages' was not relevant, and dismissed the case, which their lordships had earlier described as 'a case of the utmost importance, not only to the papermakers but to the whole community in this commercial country'. There appears to be no further evidence of trade unionism, or at least of collective action by workers, at the three Penicuik mills until about 1870, when Saturday hours were reduced to a 6 p.m. finish and wages were increased by between 20 and 25 per cent. Thereafter it was not until 1889, a year synonymous with the emergence of the New Unionism of unskilled or non-craft workers in Britain, and thirty or so years earlier than George Johnstone believed, that trade unionism seems to have re-emerged at the local mills. The initiative then to form a union and to demand shorter working hours was taken by workers at Dalmore, the smallest of the three Penicuik and district mills, at a well attended meeting at Auchendinny on 16 Nov., which appointed 'a small committee to confer with other mills in the district with a view of holding a mass meeting at an early date.' Later press reports indicate that within a year, during which the paper workers' union nationally had enrolled 6,500 members, a Penicuik branch had been established, apparently in Feb. 1890. Branch members at a meeting at Auchendinny on 18 Oct. 1890 applauded their chairman when he declared that 'In a few weeks they would be able to say to tyrannical employers and oppressors of labour "Our wrongs must be righted." ' But opposition was expressed by some Valleyfield workers to the formation of a union branch on the grounds that it was not necessary. An early success of the branch was evidently the granting in Feb. 1891 by Dalmore mill of the Saturday half-holiday to all its workers, but at Valleyfield that concession was not won until 1897. Some time afterward the trade union wave seems to have receded, and in 1903 when women and girls at Dalmore struck work against an alleged reduction in wages there is no mention of a union. Trade unionism among the Penicuik paper mill workers appears to have revived, however, in Dec. 1913, when speakers from the union and Edinburgh Trades Council addressed a meeting at Milton Bridge. *Midlothian Journal*, 22 Nov. 1889, 7 Feb., 7 Mar. and 24 Oct. 1890, 27 Feb. 1891, 15 Jan. 1897, 19 Sep. 1903, 13 Dec. 1913.

25. Cecil Mitchell, by trade a bookbinder, was the paper makers' union organiser for the East of Scotland from 1921. Bundock, op.cit., 219.

26. As there is evidence that in 1923 there were at least 500 workers at Valleyfield (see below, Note 44), George Johnstone's estimate for the number in 1924 appears accurate. Surviving wages books show there were in May 1924 218 men 'general workers' and 128 salle or women workers at Valleyfield, plus a further 31 employees, presumably office workers, paid monthly salaries. But the first category may not have included the tradesmen and some others at the mill – engineers, plumbers, electricians, and possibly labourers and drivers. NAS GD 311/4/70, GD 311/4/96, and GD 311/4/121

27. Alexander Cowan (1863-1943) became managing director and chairman of Alexander Cowan & Sons Ltd on the death in 1920 of his father Charles W. Cowan. The latter (1844-1920), who had also been provost of Penicuik, 1869-1901, was the eldest son of Charles Cowan, MP, and great-grandson of Charles Cowan, the founder of the firm in 1779. Alexander Cowan was a member of Penicuik Town Council for 40 years, including nine years as provost, and was also a member of Midlothian County Council for over 40 years. His recreations were shooting, golf, and sheep farming. *Midlothian Journal*, 19 Mar. 1920; *Scotsman*, 20 Dec. 1943; *Scottish Biographies*, op.cit., 154.

28. Kalamazoo Ltd, an American company with a paper mill at Kalamazoo, Michigan. Kalamazoo also had a factory in Britain that produced stationery systems, including a loose leaf binder, and came to have a major base in Australia.

29. Because of the disruption to the paper trade caused by the Napoleonic Wars, Alexander and Duncan Cowan, the brothers who then owned Valleyfield mill, sold it at the end of 1810 to the government for use, as George Johnstone says, as a prisoner of war camp or depot. It held in aggregate some 7,600 prisoners, including Germans, Italians, Scandinavians, Poles, and other nationalities besides the great majority who were French, between March 1811 and the end of the wars in 1814, soon after which the Cowans reacquired the mills at a bargain price. See I. MacDougall, *The Prisoners at Penicuik. French and other prisoners of war, 1803-1814* (Dalkeith, 1989).

30. W.A. Allison, a Yorkshireman, was bandmaster of Penicuik town band, founded c. 1836, from 1911 to 1925. 'When [he] was appointed leader the band entered on a new lease of life.' ML, Black Coll., film 5, item 14; George Johnstone, 'Penicuik Silver Band', in 'History of Penicuik' (Penicuik Historical Society, n.d.), vol. IV, pp. 37, 46, 50.

31. Ronald C. Cowan, a younger son of Alexander Cowan, had suffered shell shock in the 1914-18 War as a 2nd lieutenant in the Royal Scots, was a director of the company and, 1931-7, a Penicuik town councillor. ML, Black Coll., film 2, Great War; Penicuik Town Council minutes, 9 Nov. 1931, 11 Oct. 1937.

32. Clydebank was severely bombed by the Luftwaffe on the two successive nights of 13 and 14 Mar. 1941, when 528 people were killed and 617 seriously injured, and of the 12,000 houses in the burgh only eight escaped destruction or damage. On two occasions in Nov. 1940 some German incendiary and other bombs were dropped around Penicuik. I.M.M. MacPhail, *The Clydebank Blitz* (Cydebank, 1995), 56, 68; Andrew Jeffrey, *This Present Emergency: Edinburgh, the River Forth and South-east Scotland and the Second World War* (Edinburgh, 1992), 78.

33. The Newfoundland boys were presumably lumberjacks or loggers, 2,145 of whom in 1940 were in 35 camps, mostly in Scotland, cutting down trees for pit props since normal imports from Scandinavia had been badly affected by the war. *Peeblesshire and South Midlothian Advertiser*, 30 Aug. 1940.

34. Reed International took over Valleyfield from Alexander Cowan & Sons in 1965. *Scotsman*, 26 Jul.1975.

35. See above, Note 12. Dalmore Mill was taken over from William Sommerville & Co. Ltd in 1989 by James River Corporation, a United States company, which in 1995 was retitled Curtis Fine Papers. ML, Local Studies Library, miscellaneous information in a folder titled 'Dalmore Mill'.

36. Wellington Reformatory Farm School, about two miles south of Penicuik, established under an Act of 1854 (17 & 18 Vict. c.86) 'for the reformation of juvenile male criminals belonging to the counties of Edinburgh and Peebles', opened in Feb. 1860, one of the earliest reformatories in Scotland. Originally with places for about 120 boys aged between 12 and 18, numbers and minimum ages at the School varied from time to time. The farm was about 100 acres, there were half a dozen teachers, most of them in practical subjects, including shoe- or boot-making and tailoring, and the early directors of the School included the lord provost of Edinburgh, and sheriffs, local landowners and businessmen such as Clerk of Penicuik and Cowan of Beeslack. By 1905 the School was said to have 'sent out 1200 lads since 1860 . . . of whom 90 per cent have become respectable members of society.' During the Great War, out of 72 boys in 1916-18, 41 were reported to have joined the army, three the navy, and the remainder found employment in munitions, on the railways, in engineering, building, warehousing, etc. ML, Black Coll., film 14, item 113; *Weekly News*, 10 Feb. 1905; *Report of the School for 1919-20* (Edinburgh, 1920), 7; *Handy Guide to Penicuik and Neighbourhood*, op.cit., 6.

37. The Bill Mr Law refers to has not been identified, but in 1933 Penicuik Town Council reported that of 802 houses in the burgh 504 'have water-closets serving from two to six houses'. In justifying their attempt then to extend the burgh boundaries the Town Council declared it was 'their duty to endeavour to secure a separate water-closet for each house'. Rev. Stewart Couper, 'The Parish of Penicuik', in *Third Statistical Account*, op. cit., 45.

38. See above, Note 21.

39. '. . . with confirmation [of the Armistice] in early editions of the evening papers, flags were hoisted on the public buildings [in Penicuik] and private houses were gaily decorated with flags and bunting. . . . young children . . . paraded the streets with their little flags. . . . In the course of the afternoon the popular kilted battalions stationed in the neighbourhood, accompanied by members of the Women's Auxiliary Army Corps, and headed by the Pipe Band, passed through the streets and caused considerable stir. The soldiers were in great spirits and could not conceal their joy, giving vent to repeated cheers as they went swinging through the town.' *Midlothian Journal*, 15 Nov. 1918. Press reports do not mention a tank, but there is no reason to doubt the accuracy of Mr Law's recollection.

40. There is no inscription to anyone named Logan on the Penicuik war memorial – perhaps his name is on the memorial of another parish. The Black Collection lists four local men (three of them paper mill workers) of that name wounded in 1914-18, but none evidently was killed. The memorial lists three men named T. Sinclair (respectively in the 16th Bn Royal Scots (a paper mill worker), 10th/11th Bn Highland Light Infantry (a coal carter), and Field Artillery (no civilian occupation given)), all killed in the war, and the National Memorial in Edinburgh Castle shows that the first was killed on 1 Jul. 1916, the second on 15 Sep. 1916, and the third on 2 Aug. 1917. ML, Black Coll, film 2, Great War, gives the first name of all three men as Thomas.

41. Three generations of Wallaces were successively managers, managing directors and/ or chairmen of Dalmore Mill for more than three quarters of a century from 1913.

42. See above, Note 24.

43. See above, Notes 6 and 7.

44. The strike, which lasted nearly 18 weeks, from 17 Jan. until 21 May 1923, was a momentous one. It appears to have been either the first or one of the first strikes ever to take place at Valleyfield since the mill had begun producing paper more than two centuries earlier. In a ballot of the Valleyfield workers at the end of Dec. 1922 on the issue of non-union labour at the mill, 'an overwhelming majority' supported strike action against the continued employment of a man, John Ellis, who had dropped his membership of the union in Aug. 1922 and refused to rejoin. Cowans, the employers, claimed the right to employ anyone, whether union or non-union. After giving a fortnight's notice 500 mill workers, half of them apparently women and girls, struck work. Feelings ran high. On the eve of the strike, 'as the non-unionist left off work he was met by a crowd of workers and others, who escorted him home amid shouts of derision.' The following night, 'as the last shift left the mill a larger crowd had gathered, but the man had left by another way.' In mid-Feb. an electrician employed at the mill complained he was jostled by a large crowd of strikers and called 'Scab', 'Blackleg' and 'Swine'. Fourteen paper mill workers, of whom nine were girls, consequently appeared on 6 Mar. at Edinburgh sheriff court, charged with disorderly conduct and breach of the peace. Though the sheriff found all but one of the accused guilty, he said Penicuik as a law abiding community had a good reputation and in recognition of that he proposed 'to take a very lenient view of the case.' One of the 13 who

was said to have taken a leading part in the incident was put under caution of £3 for three months; the other 12 were admonished. A month before the court case, Cowans' directors had met the strikers at the Cowan Institute and had 'a free exchange of views'. The workers refused to end their strike but the directors agreed to interview John Ellis, the man who was the cause of the dispute, 'and advise him to rejoin the union'. Ellis rejected their advice, although he did pay up his union arrears. The strikers met daily in West Street Hall and organised their own entertainments there, and also, as John Law indicates, Mr Scott, owner of the local cinema, gave the strikers 'a free entertainment weekly'. The strikers organised processions through Penicuik and district, led by the town's silver band. On one of these processions, on 15 Feb., 'An effigy of the non-unionist was carried in the front, while a red banner with the words "Workers of the world unite !" was also prominent. The route of the procession was by Auchendinny, returning by the Edinburgh Road. On the way the motor lorry of a local contractor carrying paper was held up by some of the strikers. Returning to the High Street . . . and meeting some of [Valleyfield] office staff a section of the strikers began shouting in a derisive manner. [Later]. . . the strikers marched to the non-unionist's house and burned the effigy there. The police had great difficulty in keeping the crowd in hand.' When, two days later, a lorry left Valleyfield mill the driver had two policemen sitting beside him. The strikers afterward unanimously protested to the town council against extra police being brought to Penicuik. The *Midlothian Journal* declared: 'The scenes witnessed last week-end are without parallel in the history of the town.' Early in Mar., Cowans' management denied they had locked out the workers and announced work would be resumed as soon as enough workers returned. This seems to have brought a 'resumption of work by a few of the women'. Pickets of strikers were 'busy watching trains and buses.' Management then issued notices on 14 Mar. that strikers had until the next day to apply for their jobs back, and toward the end of that month fifty strikers who lived in tied houses belonging to Cowans received notice to quit at the May term. Spasmodic meetings of management and the paper makers' union failed to reach a settlement of the strike. Contrary to John Law's recollection, at the end of the first month of the strike the men were reported to be receiving from the union strike pay of 25s. a week, and the women and girls 13s., 'with additional allowances in exceptional cases'. At the Delegate Council meeting of the National Union of Paper Workers in London on 2 Apr. a resolution supporting the strike was passed 'with enthusiasm', and the two Edinburgh branches of the union each made two grants of £10. There was support for it also from other unions: the Mid and East Lothian Miners' Association made at least one donation of £20; the annual Scottish Trades Union Congress meeting in Dundee agreed on 21 Apr., on the motion of the paper workers' union organiser Cecil Mitchell, 'to tender the heartiest congratulations of the Congress to the 500 workers of Valleyfield . . . who have been on strike for thirteen weeks, for the splendid stand they were making on behalf of trade unionism'; and it seems unlikely to have been coincidence that on 11 May the Penicuik Co-operative Association, of which many of the paper mill and other Penicuik workers were members, resolved by 42-22 'that it be made a condition of employment [by the Association] that employees should belong to their respective trade unions.' After five months the strike was at last ended on 21 May by John Ellis, the non-unionist worker concerned, 'being transferred to another department not coming under the Union classifiation', or, as the union's official history put it, 'the Union emerged victorious. The man was removed "from any operation of papermaking" ': Ellis seems to have become a caretaker at the mill. *Midlothian Journal*, 5 Jan., 2, 16 and 23 Feb., 9, 16, 23 and 30 Mar., 6 and 20 Apr., 11 and 25 May 1923; *Dalkeith Advertiser*, 22 Feb. 1923; *Edinburgh Evening News*, 18 Jan. and 7 Mar. 1923; Bundock, *National Union of Paper Workers*, op. cit., 223; National Library of Scotland, Acc. 4395.12, MS minutes of Edinburgh branches, NUPBMR&PW, 8. Feb and 23 May 1923; ML, Local Studies Library, miscellaneous information in folder titled 'Papermaking'.

45. See above, Note 7.

46. Charles Gordon Wallace, managing director, Dalmore mill, 1959-80.

47. The number of workers at Dalmore in 1925 has not been found, but in 1929 the total employed was 178: 99 men and 79 women. Watson, *The last mill on the Esk*, op.cit., 145.

48. The Women's Rural Institute, the first Scottish branch of which was formed in 1917 at Longniddry, East Lothian, following the origins of the movement 20 years earlier in Canada. The chief aims of the SWRI included these: 'To improve the conditions of Rural Life by providing centres for Social and Educational Intercourse. To study domestic science and economics, to lighten the labour of the home, and to beautify it. To consider child welfare and all the other conditions of the day, which affect home and community life, with special reference to education, temperance and housing reform. To help in preserving the beauties of Rural Scotland and to work for Peace and Recovery.' Catherine Blair, *Rural Journey. A History of the Scottish Women's Rural Institute from Cradle to Majority* (Edinburgh, 1940), 11, 23, 35-6.

49. The Labour Party, founded in 1900 by among others James Keir Hardie (1856-1915), a miner from the age of 10 to 23 in Ayrshire and Lanarkshire, a miners' union leader, 1879-87, a founder and leader of the Scottish Labour Party (founded 1888) and of the Independent Labour Party (founded 1893), Labour MP for West Ham, 1892-5, and Merthyr Tydfil, 1900-15. George Lansbury (1859-1940), Labour MP, 1910-12 and 1922-40, Commissioner of Works, 1929-31, leader of the Labour Party, 1931-5. *Daily Herald*, a Labour paper, published 1912-64.

50. For the Mauricewood disaster see above, Note 16. The only Fraser or Frazer listed among the 63 men and boys killed in the disaster was John Fraser, aged 16: perhaps he had been known in his family as Bill or Willie. See Donaldson, *Mauricewood Disaster*, op. cit., 25, 39.

51. Isaac Palmer does not say here where he himself slept; but see above, p.53.

52. Although it was really a junior secondary school and had no pupils beyond their third year until after the 1939-45 War (and those seeking senior secondary education within the local authority system had normally to go, or go on, to Lasswade High School or, in some cases, Dalkeith High School), Penicuik High School seems to have been so titled from about the middle of the 19th century. According to the *Dalkeith Advertiser*, 2 Jan. 1975, Penicuik public school 'attained the status of a Junior Secondary School' after the passing of the Education (Scotland) Act, 1918, and 'remained so until the 1950s, when it was made into a full secondary school and renamed Penicuik High School. The primary department at that school was closed and four primary schools have replaced it: Eastfield, Cuiken, Cornbank/St James, and Mauricewood. The Roman Catholic school still exists and is now in new premises adjacent to the High School. The Episcopal school is now merged with the new Cornbank/St James School.' Information also from Mr James Neil, Penicuik, and the late Mr W.D. Young, president, Penicuik Historical Society.

53. Alexander Cowan of Valleyfield was a Penicuik town councillor from 1898 and provost, 1929-1938, and a Midlothian county councillor from 1897. Penicuik Town Council minutes, 7 Nov. 1929, 4 Nov. 1938; *Scottish Biographies*, op.cit., 154. See also above, Note 27.

54. A search in the Edinburgh street directories for this period of Fountainbridge and adjoining streets has failed to find an address for S.D. Silver.

55. See above, Note 20. In 1927 Midlothian County Council agreed to co-operate with the Cowan Institute to provide a library service for Penicuik and district, by which the

Council paid £40 a year to the Institute toward administrative expenses. *Scotsman*, 13 Nov. 1927. 'The library will be open to the population of Penicuik and district (other than school pupils), without fee or subscription, to borrow and exchange books during the hours set apart for the library service. 1,500 works have been provided. The school pupils will be supplied with books [by the County Council] at school as formerly.' *Midlothian Journal*, 3 Dec. 1927. An undated poster concerning a re-opening of the Institute says it consisted of '. . . two parts, viz., a Public Hall capable of containing about 600 persons; and an institute or club containing Library, Reading Rooms, Gymnasium, etc., which will be open daily to all Men and Women over 16 years of age residing in the neighbourhood of Penicuik. The Hall will be available for Public Meetings and Entertainments at the discretion of the Trustees.' ML, Black Coll., film 7, item 40.

56. There were two manufacturing engineering firms for paper-making machinery in Edinburgh named Bertram, and it is not clear to which of the two Isaac Palmer refers here. William & George Bertram Ltd, St Katherine's Works, Sciennes, was founded in 1821 by those two brothers, sons of a papermaker and engineer at Springfield Mill, Polton, Midlothian. In 1950 Bertrams were said to 'make machines for every type of paper mills except those turning out newsprint', and to employ 400 workers at Sciennes and at their iron foundry at Westfield Avenue, Edinburgh; 60 per cent of their production was at that time exported, by 1971 it had risen to 80 per cent. The closure of this Bertrams in 1985 with the loss of the remaining 100 or so jobs, was officially said to be due to 'Subsidised foreign competition . . . [and other factors, including] the severe recession in the paper industry, lack of Government assistance to enable the Company to invest in high technology equipment, the high level of local rates, [and] . . . indirect Government support for the acquisition of foreign equipment by UK paper mills to the detriment of the Company by way of regional development grants.' *Edinburgh Evening News*, 26 Jul. 1950, 30 Apr. 1957 and 13 Aug. 1971; *Scotsman*, 22 Jan. 1985. Bertrams of Sciennes had 'a family connection and working arrangement' with James Bertram & Sons Ltd, engineers and machine makers, Leith Walk, Edinburgh, established in 1845 by a third brother, but which in 1974-5 also closed down. *Edinburgh Evening News*, 26 Jul. 1950; Albert Mackie, *An Industrial History of Edinburgh* (Glasgow, n.d. (c.1953)), 18; *Edinburgh and Leith Post Office Directory 1974-5*; *Edinburgh District Council Valuation Rolls, 1975-6* for Leith Walk.

57. The mill's London office, opened in 1907, was at 3 Tudor Street until 1955, when it was moved to Kennet House, Kennet Wharf, Upper Thames Street. NAS GD1/575/7, James Brown & Co. Ltd, directors' minutes, 16 Nov. 1955 and 24 May 1961. *Esk Mills Jubilee 1894-1948*, op. cit., 23-4, says the London office was opened in 1904.

58. Demurrage was a charge payble for the detention of railway trucks.

59. What Isaac Palmer probably meant was that Major William Jardine (1873-1934), managing director, 1921-34, died eight years after Mr Palmer began work at the mill. See also above, Note 8.

60. The epidemic of 'Spanish 'flu' in 1917-18 caused the deaths of more people throughout the world than were killed in the Great War, 1914-18: some estimates were of between 20 and 30 million deaths from the 'flu.

61. *The People's Friend*, published since 1869; *The Red Letter*, published since 1899; the *Daily Record*, published since 1895.

62. A search of the *Edinburgh and Leith Post Office Directory* for the war years has failed to find any firm named McCorquodale.

63. John Jardine ceased to be managing director at Esk Mill in 1964, four years before the mill closed, and after a few months when they were joint managing directors, he was

succeeded as managing director in 1965 by Mr J.A. Simson. See above, Note 8, and ML, Local Studies Library, folder titled 'Papermaking', containing miscellaneous information.

64. Esk Mill (James Brown & Co. Ltd) bought over Springfield Mill, until then owned by William Tod junior & Co. Ltd, in Sep. 1957 at a total cost of about £500,000. Springfield Mill was closed in spring 1967. NAS GD1/575/7, James Brown & Co. Ltd, directors' minutes, 27 Nov. 1957, 9 Mar. and 8 Aug. 1967.

65. David J. Dundas and Mrs Winifred H. Dundas of Woodhouselee, Milton Bridge. *Electoral Register, Peebles and South Midlothian* (Edinburgh, 1931), 188. Midlothian ex-councillor John G. Hope, who as a boy in the 1920s and '30s lived in Auchendinny, recalls that the houses there formerly known as The Close but now called Ramsay Gardens were named after Captain A. H. Maule Ramsay, Unionist MP, 1931-45, for Peebles and South Midlothian, by Mrs Dundas, who 'was his election agent . . . in the 1930s . . . [and] used to come round [Auchendinny] ringing a big bell to try to get support for him at election time.' See also below, Note 100.

66. Queensberry House, in the Canongate, Edinburgh, was built in the 17th century, bought by the government in 1801 from the duke of Queensberry and used during the 19th century for various purposes, including barracks, an annexe to the Royal Infirmary during a cholera outbreak in 1848, and a house of refuge for destitute people and for inebriate women. In 1945 it became a hospital for the elderly, and is now part of the Scottish parliament building. See, e.g., J.F. Birrell, *An Edinburgh Alphabet* (Edinburgh, 1980), 189.

67. Velouty – an adaptation (or corruption) of velouteÒ, the French for velvet.

68. See also above, p.340, where this fatality is said to have occurred after the 1939-45 War.

69. There were two Dr Badgers, physicians, father (who was also a surgeon) and son, at Penicuik: Dr William Badger (1852-1931) and Dr Charles William Badger (1893-1953). Christina Thomson's reference seems more likely to be to Dr Charles Badger than to his father. Dr Charles served in the Royal Artillery, 1914-18, graduated MB, ChB, in 1921 from Edinburgh University, was from 1926 a certificated factory surgeon, and in or from 1931 medical officer at Wellington Farm School. He joined his father's medical practice at Penicuik in 1921-2 and remained there for 30 years until his death. *The Medical Directory* (London, 1922), 1363, and 1932 ed., 1473; *Scottish Biographies*, op. cit., 33.

70. David Wilson's recollection was correct: 'Next week the workers in Valleyfield Paper Mill will have a week's holiday with pay.' *Midlothian Journal*, 29 Jul. 1927. And a year later, on 10 Aug. 1928, the *Journal* reported: 'For the second year in succession the employees of Messrs Alexander Cowan & Sons Ltd, Valleyfield Paper Mill, have been granted a week's holiday with pay.' When a week's paid holiday was first granted at Esk Mills has not been established, but it seems likely to have been about the same period as at Valleyfield. At Dalmore, however, a week's paid holiday was not granted to all the workers until Jul. 1942. Watson, *The last mill on the Esk*, op.cit., 75.

71. The Clerks have owned the Penicuik estate since the mid-17th century and from then for two centuries afterward were also leading local coalmasters. Penicuik House, built in 1761 by Sir James Clerk, 3rd baronet, was almost entirely gutted by a fire on 16 Jun. 1899 while it was let out to an Edinburgh solicitor. Later the home of the Clerks of Penicuik became the converted stable block of the ruined House. Architecturally outstanding, Mavisbank House at Loanhead was built from 1723 by Sir John Clerk, 2nd baronet, and the distinguished architect William Adam, but was very badly damaged by fire in 1973. Among the 'brainy folk' in, or related to, the family were not only, as David Wilson

mentions, the distinguished physicist James Clerk Maxwell (1831-1879) but also John Clerk of Eldin, son of the 2nd baronet, who as early as 1782 had written an essay on naval tactics, based on his experiments on the pond at Penicuik House, which enabled Nelson in 1805 to break the line of the Franco-Spanish fleet at the battle of Trafalgar. Sir John Clerk (1917-2002), 10th baronet, CBE, VRD, FRSE, JP, deputy lieutenant of Midlothian, 1956-72, lord lieutenant, 1972-92. He joined the Royal Naval Volunteer Reserve before the outbreak of the 1939-45 War, in which he served on the battle cruiser HMS *Repulse* before it was sunk, along with the battleship HMS *Prince of Wales*, by Japanese bombers in Dec. 1941, and then served on HMS *Bermuda* in the Far East and the Atlantic. He became commodore, RNR, in the 1960s. ML, Black Coll., film 14, item 109; Colin McWilliam, *Lothian* (Harmondsworth, 1980), 314, 385; John J. Wilson, *The Annals of Penicuik* (Stevenage, 1985), 157; *Scotsman*, 6 Nov. 2002; *Dalkeith Advertiser*, 31 Oct. 2002.

72. A metal gird or hoop, as from a barrel, was propelled and guided by a cleek or hooked piece of iron.

73. The Black Collection of papers, reports, notes and press cuttings concerning Penicuik and now preserved at Midlothian Local Studies library, Loanhead, was the result of the assiduous work over many years of the Penicuik historians James L. and Robert E. Black, respectively grandfather and father of William Black.

74. For Alexander Cowan, see above, Note 27. Robert Craig Cowan (1865-1937), a director of Cowans of Valleyfield; Katherine M. Cowan (1866-1931) and Margaret Lucy Cowan (1867-1942).

75. For Ronald C. Cowan, see above, Note 31. Richard Oliver Wood, MC, formerly lieutenant, 2nd Bn, Royal Scots, and son of A.H.E. Wood, Glassel, Aberdeenshire, married Marjorie Cowan, eldest daughter of Robert Craig Cowan, in Loretto School chapel, Musselburgh, 9 Mar. 1921. *Midlothian Journal*, 11 Mar. 1921.

76. *Edinburgh and Leith Post Office Directory 1930-1931* (Edinburgh, 1930), 981, gives Alexander Cowan & Sons Ltd at 38 Register Street West, Edinburgh. The *Directory* for 1934-5, however, gives 24 York Place as Cowans' Edinburgh office, and for 1938-9 as 19 Duke Street. After, as David Wilson recalls, the sales staff moved out to Valleyfield in the early 1930s, the firm nonetheless retained an office in Edinburgh.

77. The identity of the famous painter has so far proved elusive.

78. Castiglione, Lucas & Calcroft were a firm of general importers at Buenos Aires, with Castiglione described as 'a keen businessman' in a report by two of Cowans' directors in 1948. No mention of Enrique Munro has been found, but presumably Montevideo was where he was Cowans' agent. NAS GD 311/7/34, Report by A. Harrison and A.E.R. Taylor on a visit to Argentina, Uruguay and Brazil, Mar./Apr. 1948.

79. See above, Note 76. Directors' meetings were held at West Register Street, Edinburgh, until Nov. 1933, and then from Feb. 1934 at Valleyfield. NAS GD 311/1/13, minutes of directors' meetings.

80. David Wilson is mistaken about Robert Craig Cowan: he was a younger brother of Alexander Cowan (see above, Notes 27 and 74). Alexander Comrie Cowan, MC and Bar, captain, Royal Scots, (1896-1937), severely wounded and captured by the Germans but rescued by his own regiment three days later, was the second son of Alexander Cowan. The latter's eldest son, Charles John Alexander Cowan, captain, Royal Scots, died of wounds in France, 25 Mar. 1918, aged 25. Lieutenant R.C. Cowan, 3rd Bn, Royal Scots, son of Robert Craig Cowan, was killed in action in France in Oct. 1914. In the 1930s Mr C.H. Cowan, presumably the cousin from the Borders, was a director of Cowans. ML,

Black Coll., film 2, item 4, and film 5, items 15-17; *Midlothian Journal*, 6 Nov 1914; NAS GD 311/1/13, minutes of directors' meetings.

81. See above, Note 28. Morland & Impey Ltd, an English printing firm, had acquired the rights outside America to the Kalamazoo loose-leaf binder and after the 1914-18 War itself became known as Kalamazoo Ltd. Founded in 1905 and independent until the 1980s, Percy Jones (Twinlock) Ltd manufactured loose leaf accounts books and the printed and ruled sheets for use in them.

82. Morrison & Gibb were at Tanfield Works, Canonmills, Edinburgh; R. & R. Clark Ltd, Brandon Street and Hanover Street, Edinburgh; Hunter & Foulis Ltd, Bridgeside Works, McDonald Road, Edinburgh (until c. 1950, the firm, at the same address, was titled William Hunter & Sons); John Bartholomew & Son Ltd, map mounters, Duncan Street, Edinburgh; McFarlane & Erskine, St James' Works, McDonald Road. For Nelson and Sons, see above, Note 11. *Edinburgh and Leith Post Office Directory 1930-1931* (Edinburgh, 1930), 1169, 1196; *Directory 1938-1939* (Edinburgh, 1938), 1028; *Directory 1950-1* (Edinburgh, 1950), 974.

83. The first fire appears to have been in 1944; the date of the second has so far proved elusive. ML, Local Studies, indexed notebook of slides, slides Nos. 55 and 58.

84. See above, Note 56.

85. Dr Kenneth MacBean, research chemist, had worked at Valleyfield for more than a decade when he became head of research and development at the mill in 1954-5. In later years he became general manager. Dr Alan Ross was a research chemist at Valleyfield from about 1954-5. Information provided by Jim Neil.

86. Mr Alex Harrison, CA, had been a director before the war. (See also above, Note 78). Sir Hugh Arthur Rose (1875-1937), DL, JP, Hon. LL.D., knighted 1919, baronet 1935, company director, head of Craig & Rose Ltd, Leith Walk, Edinburgh, educated at Harrow School and Cambridge University, commanding officer, 15th Bn, Royal Scots, 1914-17, DSO and mentioned in despatches, Food Commissioner, East of Scotland, 1917-18, then Scotland, 1919-20, chairman, General Board of Control for Scotland, 1922-36, Commissioner for Scotland, Special Areas (Development and Improvement) Act, 1934-6.

87. Woolf Barnato (1895-1948), son of B.I. Barnato, served in both the 1914-18 and 1939-45 Wars.

88. Conscription of women was first introduced in Britain in Dec. 1941, initially for unmarried women aged between 20 and 30, then early in 1942 extended to those aged 19; married women (unless their husband was not living with them, or their children were not under age 14) were exempt. Women conscripted had a choice between going to the Services (the ATS (Auxiliary Territorial Service) was the women's section of the army) or into important industrial work, such as munitions. Angus Calder, *The People's War*, (London, 1969), 127-8, 341, 342; Arthur Marwick, *The Home Front. The British and the Second World War* (London, 1976), 138.

89. The donkey wallopers – a reference no doubt to the use of mules as transport animals in wartime campaigns, e.g., in Burma.

90. See above, Note 44

91. David Cowan was a Penicuik town councillor from Nov. 1947 to Mar. 1952. Penicuik Town Council minutes, 4 Nov. 1947 and 10 Mar. 1952. See also above, Notes 27 and 53.

92. Rosewell was known in that era as Little Ireland because of what was, or was believed to be, the number of miners of Irish extraction and their families living there. Sir Harry

Lauder (1870-1950), born in Portobello, Edinburgh, worked first as a mill boy in a flax-spinning mill at Arbroath, then as a miner; he first appeared on the stage at Arbroath and later became an internationally known entertainer. Why his name was invoked, as David Wilson recalls, by visiting boy footballers at Rosewell is not clear.

93. Frederick Thomas Pilkington (1832-1898), architect, built Park End and, in 1862, Penicuik South Church, as well as in 1862-3 Barclay Church at Bruntsfield, Edinburgh. Colin McWilliam, *Lothian*, op. cit., 45, 381; Charles J. Smith, *Historic South Edinburgh* (Edinburgh, 2000), 67-8.

94. The Ben boats belonged to the Ben Line Ltd (William Thomson & Co.), which had originated as a shipping company at Leith in 1825 and named its ships after mountains in Scotland such as Ben Macdhui and Ben Ledi. Michael Strachan, *The Ben Line, 1825-1992* (Norwich, 1992), 1.

95. See above, Note 16. There were three miners named Dempster killed in the Mauricewood disaster: Robert Dempster, aged 37, father of seven children (the youngest of whom was born posthumously); Robert Dempster, his eldest son, aged 13; and William Dempster, aged 31, unmarried, brother of Robert sen. The bodies of all three were not recovered from the pit until Mar. 1890, six months after the accident. Donaldson, *Mauricewood Disaster*, op. cit., 25, 39.

96. Many miners strongly objected to the exploitation involved in the contracting system, and miners' unions sought its abolition before the system was at last swept away by the nationalisation of the coal industry in 1947.

97. The Mid and East Lothian Miners' Association, formed in 1889, was absorbed in 1944-5 first into the National Union of Scottish Mine Workers and then through the latter into the National Union of Mineworkers (Scottish Area). See I. MacDougall (ed.) *Mid and East Lothian Miners' Association Minutes 1894-1918* (Scottish History Society, Edinburgh, 2003).

98. John Maclean (1879-1923), a leading Clydeside revolutionary who consistently opposed the 1914-18 War and was consequently sentenced in 1915-18 to three successive terms of imprisonment or penal servitude. He was appointed Bolshevik consul in Scotland in 1918 by the Soviet government.

99. On the afternoon before the battle of Bannockburn on 24 Jun. 1314, Sir Henry de Bohun, a nephew of the earl of Hereford, charged on horseback with his lance to try and kill king Robert the Bruce as he rode out in front of the Scots army to survey the position. Bruce killed de Bohun with his battle axe. Ranald Nicholson, *Scotland. The Later Middle Ages* (Edinburgh, 1978), 87-8.

100. In the general election in Oct. 1931 Captain A.H. Maule Ramsay (Unionist) by 17,435 votes to 9,185 won the Peebles and South Midlothian seat from Joseph Westwood (Labour), who had held it since 1922. Westwood (1884-1948), a miner and an active member of the Salvation army, was industrial organiser, 1916-18, of the Fife miners, political organiser, 1918-29, of the Scottish miners, MP for Stirling and Falkirk 1935-47, parliamentary under-secretary of state for Scotland, 1931 and 1940-5, and secretary of state for Scotland, 1945-7. He was killed in 1948 in a car accident. Captain Archibald H. Maule Ramsay (1894-1955), educated at Eton and Sandhurst, joined, 1913, the Coldstream Guards and served in the Great War. He was Unionist MP, 1931-45, for Peebles and South Midlothian, where in the 1935 election his majority was reduced to 1,462 over his Labour opponent. From May 1940 until Sep. 1944 Maule Ramsay was detained in Brixton prison under Defence Regulation 18B as a result of expressing his anti-semitic views. In 1939, a few months before the outbreak of war, Maule Ramsay had formed the Right Club, whose

main aim he said in *The Nameless War* (London, 1952), 97, was 'to oppose and expose the activities of Organized Jewry. Our first objective was to clear the Conservative Party of Jewish influence. Our hope was to avert war, which we considered to be mainly the work of Jewish intrigue centred in New York.' Maule Ramsay 'believed that a conspiracy of Bolsheviks, Jews and Freemasons was threatening to dominate the world'; and one of the Right Club's posters put up in London after the war had broken out in 1939 declared: 'This is a Jews' war'. Peter and Leni Gillman, *'Collar the Lot !' How Britain Interned and Expelled its Wartime Refugees* (London, 1980), 116, 117, 124-5. William Joyce (1906-1946), 'Lord Haw-Haw', the British Nazi convicted of treason after the war and executed, was a member of the Right Club. Alexander Cowan of Valleyfield, a leading member of Maule Ramsay's constituency committee, and his wife made donations respectively of £5 and a guinea to the Right Club. Richard Griffiths, *Patriotism Perverted. Capt. Ramsay, the Right Club and British Anti-Semitism 1939-40* (London, 1998), 121, 126. Cowan's grandfather, Charles Cowan (1801-89), had been Liberal MP for Edinburgh, 1847-59, and his great-uncle John Cowan (1814-1900), a leading Liberal, had been made a baronet in 1894 by Gladstone, whose election as MP for Midlothian in 1880 he had helped secure. *Midlothian Journal*, 30 Oct. 1931, 9 Mar. 1894, 2 Nov. 1900.

101. The aim of the Japanese offensive in mid-Mar. 1944 was to enter India from northern Burma, seize the airfields from which Allied supplies were flown to help keep China in the war against Japan, and then, all going well, occupy eastern India. A consequent fierce struggle by British and Indian troops against the Japanese raged for three months around Kohima and Imphal on the Burma-India frontier. The Japanese were decisively defeated and forced to retreat back into Burma and across the river Chindwin, with the loss of more than 50,000 troops. Peter Young, *World War 1939-1945* (London, 1966), 368-70.

102. The terrible experiences in Burma recalled by Robert Weir are confirmed in a summary of the Kohima-Imphal battle in the official history of the King's Own Scottish Borderers: '. . . a magnificent performance by a battalion [the 2nd, in which Mr Weir fought] in such a weakened condition after ten months of hard campaigning in the world's worst fighting country, and in the world's worst fighting climate. The 2nd KOSB was but a shadow of the crack battalion which had come into Burma in September 1943. Its members were down to about 250.' Capt. Hugh Gunning, *Borderers in Battle. The War Story of the KOSB 1939-45* (Berwick on Tweed, 1948), 235.

103. Dr James L. Cowan, MB, ChB, MD, MRCP, a lieutenant in the Royal Army Medical Corps, after graduating in 1927 held several appointments as a resident surgeon or medical officer in London and Edinburgh before becoming in 1935 a GP at Penicuik, where he practised for more than 30 years. *The Medical Directory*, op. cit., 1937-67 *passim*.

104. See above, Note 7.

105. See above, Note 26. Charlie Peebles' estimate seems distinctly too low: he may have been thinking of numbers per shift rather than the total. Surviving wages books for Valleyfield for May/Jun. 1928 show there were then 221 men 'general workers', plus 31 workers on monthly salaries. But there was also an unstated number of women workers (probably around 120-130, as in 1924), whom Mr Peebles himself estimates at about one third that of the men; and it may also be that the tradesmen at the mill – joiners, engineers, electricians, et al. – were not included among the 221 'general workers'.

106. It has not so far proved possible to identify the date of the change in shift arrangements for youths to which Mr Peebles refers.

107. See above, Note 70. Before the 1914-18 War, workers at Esk Mills and Dalmore seem usually to have had a day or two's holidays at New Year, while those at Valleyfield often worked on New Year's Day in return for double pay. From the early 1920s, all three

mills appear to have closed at New Year for two or three days and workers were paid for New Year's Day itself. See *Midlothian Journal* for early Jan. 1888 to Jan.1927 *passim*. To establish when, or indeed if, Christmas Day became a holiday for the Penicuik paper mill workers has so far proved unsuccessful. As the employers nationally agreed in 1974 that New Year's Day be added (in England) to the number of statutory holidays it may be it was only then that conversely Christmas Day was granted as a holiday in paper mills in Scotland – but by then, of course, Esk Mills was long closed and Valleyfield closed in 1975. John Gennard and Peter Bain, *SOGAT. A History of the Society of Graphical and Allied Trades* (London, 1995), 520.

108. See above, Note 44.

109. The building of the huge extension to Valleyfield a few hundred yards up the hill from it at Pomathorn began in 1956 and was completed by 1961 at a cost of more than £1m. Cowans claimed that 'in current operation and future potential, [Pomathorn mill] is second to none in the country.' But as Charlie Peebles and other veteran Valleyfield workers, including David Wilson and Robert Weir, indicate, Pomathorn was considered by many to have been an ill-conceived project that compounded the problems at Valleyfield itself. See *Pomathorn*, a pamphlet published (n.p., n.d. (c.1961)) by Alex Cowan & Sons Ltd; and above, pp. 145, 146, 175.

110. A strictly five-day non-Saturday working week appears in fact not to have been established for all papermill workers before both Valleyfield and Esk Mills were closed. For Esk Mills, evidence shows that unions had asked in later 1953 for a shorter working week of 44 hours for day workers and 40 hours for shift workers as 'the basis of a 5-day week without reduction in pay.' Hours were reduced from Feb. 1954 from 48 to 45 per week 'but workers had agreed Saturday work was still necessary.' From 3 Apr. 1960 the working week was reduced from 45 to 43 hours for day workers, and for shift workers from 44 to 42 hours. Hours for the former were further reduced from 43 to 42 hours from summer 1962. Then a 40-hour, five-day week was agreed to begin from 1 Jan. 1966, but with continuous Saturday working by day workers, whose hours then were to be paid at overtime rates. Although specific evidence about Valleyfield appears not to survive, it seems virtually certain the position there was the same as at Esk Mills. Jim Neil recalls that when Mossy Mill on the Water of Leith, Edinburgh, closed in 1969, 'we were still working on Saturday mornings.' NAS GD1/575/7, James Brown & Co. Ltd, directors' minutes, 18 Nov. 1953, 24 May 1960, 30 May 1962, 4 May 1965; Gennard and Bain, *SOGAT*, op. cit., 520-2; information from Jim Neil, Oct. 2004.

111. Pillans & Wilson, Newington Printing and Bookbinding Works, were at Bernard Terrace, Edinburgh; Neill & Co. Ltd, at 212 Causewayside.

112. See above, Note 44.

113. James Heriot Brown, paper mill worker, Harper's Brae, was in the 9th Cameron Highlanders/Labour Battalion when he was killed on 2 Apr. 1918. ML, Black Coll., film 2, item 4.

114. Sergeant Peter Gordon, Royal Scots, born at Newcastle on Tyne, church officer, Church House, Croft Street, Penicuik, was killed on the Western Front on 22 Aug. 1917 (and therefore, it seems, not at the first Battle of the Somme in 1916 nor in the second in 1918). According to the National War Memorial at Edinburgh Castle, he was in the 13th Bn when he was killed; ML, Black Coll., film 2, item 4, gives the same date for his death but says he was then in the 7th Bn.

115. The lime kiln at Straiton or Burdiehouse is still visible; shale mining had begun

nearby about 1880 and the work was owned and managed by the Clippens Oil Company. R. Sutherland, *Loanhead: the Development of a Scottish Burgh* (Loanhead, 1974), 76.

116. The City & Guilds of London Institute certificates were awarded in further education, as at Esk Valley College, for successful completion of courses of varying length at the fourth or 'operative' level of industrial or craft employments. Ian R. Findlay, *Education in Scotland* (Newton Abbot, 1973), 38, 98.

117. Monte Cassino, on the thousand feet summit of which stood the large abbey of that name founded by St Benedict in the sixth century, was part of the strong German defensive Gustav Line across central Italy, which blocked the advance of the Allied armies from Naples toward Rome. Successive Allied attacks on Monte Cassino between 17 Jan. and 18 May 1944 cost the lives of thousands of British, American, French, Polish, Indian and New Zealand, as well as German, troops. The abbey and the town of Cassino were destroyed by Allied bombing. Within three weeks of their costly victory there the Allies entered Rome. The Allied landing in Jan. 1944 at Anzio, on the west coast of Italy between Naples and Rome, had been intended to outflank the Gustav Line, and had the landing proved more successful it might have shortened the struggle at Cassino. Young, *World War*, op. cit., 289-92; Fred Majdalany, *Cassino. Portrait of a Battle* (London, 1959 ed.), *passim*.

118. After the 1914-18 War the League of Nations had allotted Britain a mandate to govern Palestine (as well as Iraq), formerly part of the Turkish Empire, while allowing free development of the Arabs there and at the same time building a Jewish national home. Those aims proved very difficult to reconcile. The British government's Balfour Declaration in 1917 that it favoured a national home in Palestine for the Jewish people, the increase, influenced to an extent by Zionism, in the number of Jews during 1919-39 from 10 to 30 per cent of the population there, and on the other hand the opposition, sometimes violent as in their revolt in 1936-8, to that increase by Arabs, who after the collapse of the Turkish Empire in 1918 felt baulked of the prospect of ruling Palestine themselves but with whose states the British government sought to remain on good terms in order to assure oil supplies and safeguard its military bases in the Middle East, meant the British government was trying to ride two horses at once that were galloping in different directions. The problem, among solutions sought to which were partition of Palestine and maximum quotas for Jewish immigrants, was compounded in the 1930s and 40s, as Douglas Gordon indicates, by the increasing number of Jews driven by the horrors of Nazism to seek safety, peace and new hope by emigrating to Palestine. As the situation in Palestine descended after the Second World War into increasing violence the British government abandoned its mandate and withdrew the last of its troops and officials there in May 1948. The Palestine police, composed of British (the largest), Arab and Jewish sections, was responsible for internal security. C.L. Mowat, *Britain between the Wars 1918-1940* (London, 1962), 55, 376; Peter Calvocoressi, *World Politics since 1945* (Harlow, 1991), 288-93.

119. Victory in Europe Day was celebrated on 8 May 1945, following the unconditional surrender the previous day of Nazi Germany. But the prospect then still loomed of a long and intensive struggle by the Allies before Japan, too, could be defeated. The first atomic bomb, dropped from the United States Air Force plane *Enola Gay* on 6 Aug. 1945 on Hiroshima, seventh largest city in Japan, with a population of 343,000 civilians and about 150,000 soldiers, killed approximately 78,000 people, with a further 10,000 missing and 37,000 injured, excluding all those who later suffered from exposure to radiation. On 9 Aug. a second atomic bomb was dropped on Nagasaki, which had 250,000 inhabitants. Japan surrendered unconditionally to the Allies on 14 Aug. Many people who, like Douglas Gordon, were understandably jubilant and enormously relieved by the ending of the war later became deeply concerned about the issues raised by atomic weapons.

120. See also above, p.164. An earlier example of short-time working in the inter-war years was reported in the *Edinburgh Evening News* on Saturday, 29 Apr. 1922: 'Cowan's mills at Penicuik are to be closed for a time from Monday onwards owing to the depression of trade.'

121. See above, Note 44.

122. Douglas Gordon is mistaken about Alexander Cowan's longevity. See above, Note 27.

123. See also above, Note 100.

124. Reed International took over Alexander Cowan & Sons Ltd in 1965. *Scotsman*, 26 Jul. 1975. A.E.R. Taylor, till then employed by John Dickinson & Co. Ltd, had first arrived at Valleyfield in Nov. 1936 when appointed mill manager there. NAS GD 311/1/ 13, directors' minutes, 24 Sep. 1936.

125. James Dick, Penicuik town councillor, 1927-47, and provost, 1938-47. When in Nov. 1938 he and Alexander Cowan were both nominated for the provostship, which Cowan had held for the nine preceding years, Dick, as chairman of the meeting, gave his casting vote for himself. Penicuik Town Council minutes, 4 Nov. 1938.

126. See above, p. 2.

127. For Lord Haw-Haw (William Joyce), see above Note 100. The broadcast by Haw-Haw that Mrs Gordon refers to may have been one he made on 25 Jun. 1940: 'Any day now, any moment indeed, the invasion of this country may begin with all its horror, bloodshed and destruction.' Asa Briggs, *The War of Words 1939-1945. The History of Broadcasting in the United Kingdom* (Oxford, 1995), vol.III, 211.

128. Roslin gunpowder mill and bomb factory, 1801-1954, the largest of its kind in Scotland in the mid-19th century, suffered recurrent explosions which during that century and a half cost the lives of at least 25 workers. I. MacDougall, *Oh, ye had tae be careful. Personal recollections by Roslin gunpowder mill and bomb factory workers* (East Linton, 2000), 1, 194

129. A shunky was a dry toilet.

130. *Comic Cuts*, published weekly, 1890-1953; *Adventure*, published from 1921; *Rover*, published from 1922.

131. William Robertson is partly mistaken: unemployment benefit, however limited, had been provided under successive Acts of parliament from 1911 – at first only for workers in engineering, building, and shipbuilding, then, under the Unemployment Insurance Act of 1920 for almost all workers, on the basis of weekly contributions from employers and employed and, initially, weekly benefit payments of 15s. (75p.) for a man and 12s. (60p.) for a woman, but with no allowances for dependants, and subject to provisos, including the number of contributions made before benefit could be paid, registration at a labour exchange (job centre), and being capable of working. As heavy pressure was put on the amount and conditions of benefit with the rise of mass unemployment from 1921, half a dozen successive Acts that changed the amount or conditions of benefit were passed on the issue before the Second World War. Families not covered, or left short, by the unemployment insurance scheme or deprived of means in gaps between periods of payment of benefit, had to apply to the local Poor Law or Public Assistance authorities for outdoor relief, scales of which varied from place to place. The Means Test to which William Robertson refers was a household one, imposed from 1931-2 on the unemployed, many of whom in some industries, such as shipbuilding or coal mining, were unemployed continuously for years. The Means Test, bitterly resented by unemployed people, meant

that wages, savings, pensions, etc., of every member of the household were taken into account in assessing the amount of benefit paid an unemployed claimant. Among other consequences the Test led to the break-up of families where sons and daughters resented having to support their parents or the converse. Mowat, *Britain between the Wars*, op. cit., 45-6, 129, 339-40, 483-4; B.B. Gilbert, *British Social Policy 1914-1939* (London, 1970), 94-6, 163, 180-4; Wal Hannington, *Ten Lean Years* (London, 1940), 26, 125-141.

132. The Bear Gates at Traquair House were installed in 1737-8, though the bears were not put atop the gate posts till 1745. The gates are said to have remained closed since 1796, when the earl of Traquair locked them after the death of his wife and threw the key in the nearby river Tweed, instructing them never to be reopened until there was a new countess – which never happened. Popular, but unfounded, tradition claimed the gates were locked on the failure of the Jacobite rebellion of 1745-6 and were not to be reopened until the Stuarts were restored. *Peeblesshire* (Royal Commission on the Ancient and Historical Monuments of Scotland, Edinburgh, 1967), Vol. II, 325; Will Grant, *Tweeddale* (Edinburgh, 1948), 148-9.

133. The British government's ultimatum on 1 Sep. 1939 to Nazi Germany to end its invasion of Poland having expired without response at 11 a.m. on Sunday, 3 Sep., the formal declaration of war on Germany was immediately made by the prime minister, Neville Chamberlain, in a radio broadcast at 11.15 a.m. Mowat, *Britain between the Wars*, op.cit., 648-9.

134. For the first time in peacetime, conscription had been imposed in Britain under the Military Training Act passed in Apr. 1939 on all men between their 20th and 21st birthday. The first conscripts had consequently registered in Scotland on 3 Jun. and had arrived at Glencorse and other barracks to begin their training on 15 Jul. As William Robertson recalls, the second batch of conscripts under the Military Training Act reported for their training on 15 Sep. The outbreak of the war was accompanied by a wider Act, the National Service (Armed Forces) Act, which made all men aged from 18 to 41 liable for service. See, e.g., *Scotsman*, 27 and 28 Apr., 5 Jun., 17 Jul. and 4 Sep. 1939.

135. German Dornier and Heinkel bombers attacked the Forth Bridge and the fleet at Rosyth on 16 Oct. 1939, causing 60 casualties (16 killed and 44 wounded) aboard the cruisers HMS *Edinburgh* and *Southampton* and the destroyer HMS *Mohawk*. Two bombers were shot down, four of their crew killed and another four taken prisoner. W.F. Hendrie, *The Forth at War* (Edinburgh, 2002), 90-3; Jeffrey, *This Present Emergency*, op. cit., 27, 33.

136. The Maginot Line (named after AndreÒ Maginot, minister of war), built from 1929 as a massive and comprehensive underground defensive system by the French government at a cost of some £160 billion, was intended, after the terrible slaughter in 1914-18, to protect France in any future attack by Germany. But the Line, however up to date and formidable, was by its nature static and defensive at a time when war was becoming one of movement. Moreover, the Line covered only part of the French frontier and left relatively open and undefended the frontiers with Belgium and Luxembourg through which, as William Robertson indicates, the German invaders in May 1940 poured into France in their blitzkreig or lightning war, with massed tanks closely supported by infantry, artillery and the planes of the Luftwaffe. Young, *World War*, op. cit., 49-51.

137. In the debacle in France in Jun. 1940, most of the 51st Highland Division was cut off and surrounded at St ValeÒry-en-Caux on the Channel coast south of Dieppe and forced to surrender on 12 Jun. Only 1,350 escaped: 8,000 men of the Division became prisoners of war. Later the Division was recreated by merging it with the 9th Scottish Division. Winston Churchill, *The Second World War*. Vol. II: *Their Finest Hour* (London, 1949), 134-5.

138. When Japan entered the war in Dec. 1941 a division of Australian troops fighting

with the Eighth Army in North Africa had to be withdrawn, as William Robertson says, to defend Australia, where in summer 1942 the Japanese bombed and badly damaged Port Darwin on the north coast and invaded New Guinea, with the threat, if their attack succeeded, of crossing into northern Australia itself. Peter Calvocoressi, Guy Wint and John Pritchard, *The Causes and Courses of the Second World War*. Vol.II: *The Greater East Asia and Pacific Conflict* (Harmondsworth, 1989), 482-3.

139. At Waterloo in 1815 the 92nd Foot (Gordon Highlanders) had charged French troops near the farm of La Haye Sainte and were joined in the charge by the Scots Greys cavalry regiment, to whose stirrups many of the Gordons then clung. Christopher Sinclair-Stevenson, *The Gordon Highlanders* (London, 1968), 41.

140. The Allied invasion of Sicily on 10 Jul. 1943, which took place, as William Robertson says, in bad weather and heavy seas, led a fortnight later to the fall from power of Mussolini. The invasion of Italy itself at Reggio followed on 3 Sep. The Second Front – the invasion of Europe by Britain and (from Dec. 1941) its Western ally the USA – had been pressed for by Stalin since the Nazi invasion of the Soviet Union in Jun. 1941. Young, *World War*, op. cit., 284-5, 287

141. In the D-Day landings in Normandy on the morning of 6 Jun. 1944 the small coastal town of Arromanches, six miles north-east of Bayeux, was in the western sector of the three beaches (from west to east titled Gold, Juno and Sword), altogether about 12 miles long, where British and Canadian troops landed from the sea. Paratroops of the 6th British Airborne Division had landed, as William Robertson says, two or three miles inland from the other or eastern end of the 12 miles of beaches and from the small port of Ouistreham, at the outlets to the sea of the river Orne and the Orne canal, where their task was to capture the bridges (such as the bridge later titled Pegasus to mark their success) over those waterways and to defend the eastern or left flank of the invading forces. See, e.g., Chester Wilmot, *The Struggle for Europe* (London, 1952), 233-42.

142. See above, Note 8.

143. William Robertson seems to be referring here to the taking over by Esk Mills of Springfield Mill, Polton, in 1957. See above, Note 64.

144. Edward Arnold, publishers, London, now part of Hodder Headline Ltd, publishers, London.

145. William Thyne, specialising in polystyrene moulds, had opened a factory employing about 170 workers, at Eastfield Industrial Estate, Penicuik, in 1962. Black and Deacon, 'History of Industry in Penicuik', vol.III, op. cit., p.13.

146. The Bush Estate, on the slopes of the Pentland Hills near Penicuik, acquired from its previous owner, Trotter of the Bush, by Edinburgh University in 1946, has since been developed by the university and the Scottish Agricultural College as a group of research farms and other university or other enterprises, including a Virtual Environment Centre and technopole. Bill Irvine, 'The first 200 years of the Bush Estate,' in 'History of Penicuik' (Penicuik Historical Society, n.d.), vol. IV, pp. 1, 4, 8; *Dalkeith Advertiser*, 18 Nov. 1999; *Edinburgh Evening News*, 26 Apr. 2000.

147. Founded in 1878 by George E. Skerry, Skerry's College, in Edinburgh (at 21 Hill Place), Glasgow, and Newcastle on Tyne, offered secretarial courses and also prepared students for university entrance, civil service, and various professional examinations. The colleges closed in 1968 because of 'rising costs and the widespread development of local authority and state "free" education, with their unequal competition'. *Scotsman*, 22 Oct. 1953 and 23 Feb. 1968.

148. Findlay Irvine Ltd, electronic engineers, employing about 60 workers, set up business in 1960 at 44 Bog Road, Penicuik. Black and Deacon, 'History of Industry in Penicuik', vol. III, op. cit., p.13.

149. The first Hunter's Lass in Penicuik, in 1936, was Miss Greta Cunningham. *Peeblesshire and South Midlothian Advertiser*, 3 Jul. 1936.

150. See above, Note 69.

151. S/24591 Private John Sanderson, 2nd Bn, Seaforth Highlanders, son of William and Lucy Sanderson, 19 Magdala Terrace, Galashiels, died 30 Jan., 1919. Information from Commonwealth War Graves Commission.

152. Only two woollen mills, one of them very small, survived in Galashiels by 2004. Information provided by Scottish Borders Council.

153. Andrew Whyte & Son Ltd, wholesale stationers, paper rulers, stationery bookbinders, Bothwell Works, Bothwell Street and 14 Clyde Street, Edinburgh; Andrew Levy & Co. Ltd, wholesale stationers and envelope manufacturers, Bowershall Mills, McDonald Road, Edinburgh; McDougall's Educational Co. Ltd, educational publishers, scholastic stationers, etc., 30 Royal Terrace, Edinburgh. *Edinburgh and Leith Post Office Directory 1950-1951* (Edinburgh, 1950), 269, 522; ibid., *1955-1956* (Edinburgh, 1955), 271.

154. W. N. Ferrier & Co. Ltd, Iron and Brass Founders, Engineers and Millwrights, established in Penicuik in 1890, employed at one time 20 or 30 workers, 'had a thriving trade with the coal pits all over Midlothian and the paper mills', but closed in 1963. *Burgh of Penicuik Handbook* (Penicuik, n.d. (1949)), 18; Black and Deacon, 'The History of Industry in Penicuik', vol.III, op. cit., p.12.

155. Private James McGarva, 8th Bn, Royal Scots, killed on the Western Front on 21 Mar. 1918. ML, Black Coll., film 2, item 4.

156. McVitie & Price Ltd, biscuit manufacturers, The St Andrew Biscuit Works, Robertson Avenue, Edinburgh. *Edinburgh and Leith Post Office Directory 1930-1931* (Edinburgh, 1930), 367.

157. George Alfred Henty (1832-1902), worked in the purveyor's department of the army in the Crimean War, and became a war correspondent, novelist, and author of more than 70 books for boys.

158. See above, Note 8.

159. Billy Liddell (1922-2001), born at Dunfermline, was in the RAF during the Second World War, played in 495 League games for Liverpool FC from 1939 and scored 216 goals, and was in the Liverpool team that won the League championship in 1946-7 and were Football Association Cup runners-up in 1950. Liddell and Stanley Matthews were the only players to play in both 1947 and 1955 for Great Britain. Norman Giller, *McFootball. Scottish heroes of the English game* (London, 2003), 187.

160. William Collins (1789-1853) founded the publishers of that name in Glasgow in 1819, but the firm was taken over in 1991-2 and is now part of HarperCollins, publishers, London. David Keir, *The House of Collins* (London, 1952), 15, 23, 37, 39, 154. Thomas Cook, travel agents, founded 1841. Churchill's memoirs – Winston Churchill, *The Second World War* (London, 1948-54) 6 vols. Another of Churchill's works for which Esk Mills supplied paper (430 tons of it) was his four volume *History of the English-Speaking Peoples* (London, 1956-8). NAS GD1/575/7, James Brown & Co. Ltd, directors' minutes, 26 Jun. 1958.

161. It was probably George Smith.

162. Arthur Scargill (1938-), president, 1973-81, Yorkshire Miners, and, from 1981, of the National Union of Mineworkers and leader of the great miners' strike of 1984-5.

163. Queen's Park FC, an amateur team, won the Scottish Cup ten times between 1874 and 1893, and were Second Division champions in 1923 and 1956. The only player found named McLay who played for Queen's Park was David S. McLay, who played in goal once in 1915 and in twelve games in seasons 1920-3. He was a corporal in the Gordon Highlanders in the 1914-18 War. If he was not Charles McLay's father, then perhaps the latter played for Queen's Park under an alias. F.H.C. Robertson, *The Men with the Educated Feet. A Statistical and Pictorial History of Queen's Park FC* (Glasgow, 3rd ed. 1992), 47, 53, 54, 152; Richard Robinson, *History of the Queen's Park Football Club* (Glasgow, 1920), 389-91; R.A. Crampsey, *The Game for the Game's Sake. The History of Queen's Park Football Club 1867-1967* (Glasgow, n.d. (1967)), 402; *Evening Dispatch*, 5 May 1923.

164. An orraman was a spare man, a worker who did odd jobs on a farm.

165. Bondagers, women and girl farm workers bonded for a year at a time to a ploughman (who was often their father, uncle or brother), wore a distinctive bonnet made of straw, lined with cotton cloth and with a coloured ribbon as embellishment, intended, as Charles McLay says, to protect the face from the sun. See, e.g., I. MacDougall, *Bondagers* (East Linton, 2000), 25, 26, 54, 71, 116.

166. This appears to have been a slip of the tongue by Mr McLay, as the orraman was not a grieve or steward but a spare man who did odd jobs.

167. The Scottish Farm Servants' Union, formed in 1912, merged in 1933 into the Transport & General Workers' Union and became its Scottish Farm Servants' or Agricultural section.

168. Hiring fairs for farm workers were held for many decades before the 1939-45 War in many towns in Scotland, such as Duns, Kelso, and Earlston, where workers and farmers met in the open street (or latterly sometimes indoors in a hall), usually on a specific day in Feb. or Mar. so that the worker could move at the May term to his new job and tied house, and where terms of employment were settled by gentleman's agreement, normally formalised by the farmer giving the new hired worker arles (erles), usually a shilling (5p.), and perhaps also treating him to a pint of beer and a pie. There had been a hiring fair at Penicuik, in both Mar. and Oct., but even before the end of the 19th century it seems to have been much in decline, and no hiring at all there appears to have taken place after 1897. See, e.g., MacDougall, *Bondagers*, op. cit., 58, 59, 69, 70, 133-5; *Midlothian Journal*, 1885-1913 *passim*.

169. For Ben Line, see above, Note 94. P&O (Peninsular & Orient) was founded as the Peninsular Steam Navigation Co. in 1837 by Arthur Anderson (1792-1868), a Shetlander, who had served in the Royal Navy, became a shipbroker, and was MP for Orkney and Shetland. Originally carrying cargoes between Britain, Spain and Portugal, the company began carrying mail to India in 1840, changed its name to Peninsular & Orient, and amalgamated in 1862 with the British India Steam Navigation Company. T.D.G. Davidson, *Scots and the Sea* (Edinburgh, 2003), 197-8

170. John Frew, its blast furnace manager, became general manager of the Carron Iron Company in 1892, but ill health forced him to resign in 1899 and he died later that year. R.H. Campbell, *Carron Company* (Edinburgh, 1961), 241.

171. See above, Note 125.

172. The Cameronians (Scottish Rifles), founded as a regiment in 1689, were disbanded in 1968. For Anzio see above, Note 117. The 2nd Bn Cameronians suffered 170 casualties in their first ten days at Anzio. No. 14607503 Rifleman R. Frew was killed the following year while fighting with the 2nd Bn. It was at General Montgomery's headquarters on Luneburg Heath on 4 May 1945 that the German High Command signed an armistice providing for the surrender next day of all German forces in north-west Germany, Denmark and Holland. C.N. Barclay, *The History of the Cameronians* (London, n.d. (1946)), 139, 260; Wilmot, *The Struggle for Europe*, op. cit., 705.

173. The Free Gardeners was one of the larger and better known friendly societies, of which there were formerly very large numbers, some of them dating from the 17th or 18th centuries, that provided their members with some basic welfare provision, such as medical and funeral benefits, before the establishment and extension of the Welfare State in the 20th century.

174. See above, Note 32.

175. For the Ben Line, see above, Note 94.

176. The entry of Japan into the war on 7 Dec. 1941 was followed rapidly by the surrender to them, after their defeat of the defending British forces, of Hong Kong on 26 Dec., and of Singapore on 15 Feb. 1942.

177. The Currie Line, so titled from 1940, had begun originally in 1836 as the Hull and Leith Steam Packet Co., changed its name in 1852 to Leith, Hull and Hamburg Steam Packet Co., and after James Currie joined the company a decade later it became one of the most important Leith shipping companies. The Dundee, Perth and London Shipping Co. Ltd, 125 Constitution Street, Leith. *Edinburgh and Leith Post Office Directory 1938-1939* (Edinburgh, 1938), 119, 147.

178. The *Ben Macdhui* was damaged in an air attack north east of Yarmouth on 10 Feb. 1941, then mined and sunk, with the loss of two of her crew, while sailing from Immingham to Hong Kong on 21 Dec. 1941. Graeme Somner, *Ben Line. Fleet List and Short History* (Kendal, 1980), 52

179. Orangemen – members of the Orange Society, founded in 1795 by Ulster Protestants in opposition to the United Irishmen, and with its title associated with the defeat at the battle of the Boyne in 1690 of the Roman Catholic king James II by William of Orange (king William III). Billy Boys – ultra-Protestants, supporters of William of Orange. Dans – Irish Catholic nationalists, named after Daniel O'Connell (1775-1847), Irish Nationalist and Catholic leader.

180. See also above, p.598.

181. Britain was one of the original seven members of the European Free Trade Area (EFTA), a customs union and trading bloc, founded in 1960. EFTA provided for progressive reductions of tariffs and quota restrictions between members and came later to have no import duties between them. Britain left EFTA in 1972-3 on joining the European Community. The directors' minutes, 25 Jun.1959, of James Brown & Co. Ltd at Esk Mill had recorded that: 'The British Paper and Board Makers' Association is doing everything possible to oppose [EFTA] as it would have very serious repercussions and would channel the whole weight of Scandinavian competition on to the British [paper] market.'

182. Fyffe's began in 1786 as a grocer's shop in London, by 1824 had become a wholesaler and exporter of tea, from the 1870s began to trade in bananas and became associated with

Elder Dempster & Co., a leading shipping company. Patrick Beaver, *Yes! We have some. The story of Fyffe's* (Stevenage, 1976), 13, 16.

183. Charles W. Cowan, eldest son of Charles Cowan, MP, and father of Alexander Cowan, died aged 84 in Mar. 1920 at Mortonhall House. *Midlothian Journal*, 19 Mar. 1920. For the two Cowan spinsters, sisters of Alexander Cowan, see above, Note 74. Charles W. Cowan's cousin was Mrs Sanford of Beeslack, whose daughter Elizabeth (1886-1967) was the wife of Major Lancelot Errington (1889-1965), Royal Scots: for the three latter, see also above, **pp. 241-4**. Woodhouselee was demolished in 1966-7. *Midlothian County Valuation Rolls, 1966-7*.

184. Rossleigh Ltd, motor and cycle manufacturers, 32 Shandwick Place, 1 York Buildings, and 49 South Clerk Street, Edinburgh. *Edinburgh and Leith Post Office Directory 1912-1913* (Edinburgh, 1912), 334. The *Directory 1930-1931* ed., 486, gives Rossleigh as motor engineers, by appointment to HM the King, showrooms and head office, 32 Shandwick Place, Edinburgh, and also at 43-45 Lothian Road, Edinburgh, with garage and repair works at Annandale Street.

185. According to an anonymous press cutting (not from the *Midlothian Journal*), dated 17 Mar. 1911, in ML, Black Coll. film 15, item 127, 'For over 40 years a large building at Park End, Bridge Street, [Penicuik], has been in use for the provision of lodgings for girls employed with Messrs Alex Cowan & Sons Ltd, Valleyfield, but for many years back the larger part of the building has been empty, and it has now been decided to convert the structure into working men's houses, plans for which were passed at the [Town] Council meeting on Monday. "The House", as it was called, served a very useful purpose at one time in providing rooms for girls who had no relatives or who desired to live alone, and as the charges were merely nominal "The House" was fully occupied. The hall was frequently used for prayer and social meetings, and altogether the girls were very comfortable, and they appreciated the kindness of the firm. In later years only a few of the rooms were occupied.'

186. Captain Frederick Marryat (1792-1848), Royal Navy, novelist. Marryat's service from 1806 in the navy was the source of his more than 30 novels, the first of which was published in 1829 and *Masterman Ready* in 1841.

187. The Nazis used the 1936 Olympic Games, the first to be held in Germany, as a major vehicle for their propaganda, illustrated in the documentary made about the events by the pro-Nazi film-maker Leni Riefenstahl. Although the largest number of gold medals (33) at the Games was won by German athletes, Nazi boasts about 'Aryan' superiority were badly punctured by the winning of four gold medals by the US sprinter and long jumper Jesse Owen, who was black. See, e.g., *The Olympic Games* (London, 2000), 69.

188. The Local Defence Volunteers (LDV) were enrolled from 14 May 1940 but were soon retitled the Home Guard ('Dad's Army'), whose membership by 1943 totalled 1³/₄ million. Calder, *The People's War*, op. cit., 121-8, 342. A Molotov cocktail, named after V. M. Molotov, Soviet foreign minister, 1939-49, was a home-made explosive consisting of a bottle filled with petrol fired by a wick.

189. Field Marshal Edmund Allenby, 1st Viscount Allenby, (1861-1936), distinguished as a cavalry general, commanded, 1915-17, the British Third Army in France, then, 1917-18, the Egyptian Expeditionary Force which defeated the Turks at Gaza and in other battles, captured Jerusalem in Nov. 1917 and Damascus in 1918 and ended Turkish power in Palestine and Syria.

190. Experience from the Dieppe raid in Aug. 1942 indicated the advantages of having tanks land on beaches in support of, and at the same time as, infantry. The problem of how to create 'swimming' tanks was solved by Nicholas Straussler, a Hungarian immigrant to

Britain, who developed a collapsible canvas curtain big enough to support a tank in water, power in moving through which was given by two propellers that could be folded up once the tank got ashore. It seems to have been early 1943 before, as Jack Menzies says, there was 'a proper submersible tank'. David Fletcher, *Vanguard of Victory. The 79th Armoured Division* (London, 1984), 15, 17, 18, 21, 23.

191. Jack Menzies is partly mistaken. The regiments that took part in the charge of the Light Brigade of cavalry at the battle of Balaclava on 25 Oct. 1854 were the 8th and 11th Hussars, 4th and 13th Light Dragoons, and the 17th Lancers – the emblem of the last of which was a death's head and the words 'Or Glory'. Formed as the 17th Light Dragoons in 1759, the regiment became the 17th Lancers in 1823. The 21st Light Dragoons, also raised in 1759, became the 21st Hussars in 1863 and, in 1897, the 21st Lancers. The 17th and 21st Lancers amalgamated in 1921 as the 17th/21st Lancers, their badge the death's head plus 'Or Glory'. R.L.V. ffrench Blake, *The 17th/21st Lancers* (London, 1968), *passim*; Trevor Royle, *Crimea. The Great Crimean War 1854-1856* (London, 1999), 271; Alastair Massie, *The National Army Museum Book of the Crimean War* (London, 2001), 85.

192. The Allied, mainly American, landings (Operation Torch) on the coasts of French North Africa on 8 Nov. 1942 under General Eisenhower, were aimed at capturing the ports of Algiers, Casablanca and Oran, establishing a base for landings in southern Europe (Sicily and Italy especially), crushing German-Italian forces in North Africa between Eisenhower's forces and the Eighth Army which was by then advancing from the east after the battle of El Alamein which had begun a fortnight earlier, and ensuring Spain under the fascist Franco remained neutral. The campaign ended with the surrender of 250,000 German and Italian troops in Tunisia on 12 May 1943. Young, *World War*, op.cit., 223-32; B.H. Liddell Hart, *History of the Second World War* (London, 1973), 310-42.

193. For the battle of Cassino, see above, Note 117. The American General Mark Clark, commander of the 5th Army in the Italian campaign, was determined to enter Rome before the British Eighth Army – and did so on 4 Jun. 1944, two days before the D-Day landings in France. Liddell Hart, *Second World War*, op. cit., 535-6; Young, *World War*, op.cit., 292.

194. Dachau concentration camp, a few miles from Munich in Bavaria, was the first to be opened by the Nazis in Mar. 1933, a few weeks after Hitler's entry into power in Germany. The regime established by the SS at Dachau became a model for all other Nazi concentration camps, of which Theodor Eicke, first commandant at Dachau, was originally put in charge. Once the war began Dachau came to have about 150 branches in southern Germany and Austria. It has been estimated that between 1933 and 1945 250,000 people were sent to Dachau or its branches, that at least 32,000 died there, numbers of them as a result of bestial 'medical experiments', and many others died after transfer from Dachau to other camps in Poland or elsewhere. A number of prominent prisoners, including LeÒon Blum, a pre-war prime minister of France, and the German anti-Nazi Pastor Niemoller, were held at Dachau until the last stages of the war. Rudolf Hoess, the mass murderer in charge, 1941-5, of Auschwitz camp, had been an SS guard at Dachau in the 1930s. The thin jacket and trousers uniforms inmates were forced to wear were striped vertically, with a coloured triangle according to their category: red for political prisoners, green for criminals; and for Jews a Star of David in red and yellow. See, e.g., William L. Shirer, *The Rise and Fall of the Third Reich* (London, 1970), 271-2, 352-3, 967-8, 979, 984-5, 986-7; *The New Encyclopedia Britannica* (Chicago, 1990), vol. 3, 841; Primo Levi, *If This is a Man* (Harmondsworth, 1979), 39

195. The origins of the Black Watch lay in the 17th and early 18th centuries, when the government began forming independent companies of loyal Highlanders to police the Highlands. General Wade formed six such companies in 1724, and uniformed in a dark

blue, green and black tartan which explained their being titled the Black Watch, they became in 1739 an infantry regiment in the British army. Philip Howard, *The Black Watch* (London, 1968), 12-17.

196. See above, Note 192. Tripoli, capital of Libya, was captured by the Eighth Army on 23 Jan. 1943.

197. WAAF – Women's Auxiliary Air Force. See also above, Note 88.

198. For David Wilson, see above, pp.123-50.

199. After Nazi Germany had secured the union with it of Austria in Mar. 1938, Hitler began to turn the screws on Czechoslovakia, in the western regions or Sudetenland of which were some 3 million Germans whom Hitler demanded be reunited with Germany. Czechoslovakia had alliances with France and the Soviet Union, the latter of which was willing to join with the former and Britain if these two states were prepared to defend Czechoslovakia against Nazi aggression. By late Sep. 1938 the threat of war loomed, as the British fleet was mobilised, as were French forces partly and Czech fully. But neither the French nor British government was willing in fact to undertake war against Nazi Germany in defence of Czechoslovakia: 'How horrible, fantastic, incredible, it is that we should be digging trenches and trying on gas-masks here because of a quarrel in a far-away country between people of whom we know nothing,' as Neville Chamberlain, British prime minister, said at that time. Chamberlain and Daladier, the French prime minister, met Hitler and his ally Mussolini at Munich and agreed Germany should occupy the Sudetenland, a sell-out of Czechoslovakia that Chamberlain described as 'peace with honour' and 'peace in our time'. Six months later Hitler showed his contempt for the Western allies by overrunning the rest of Czechoslovakia. The Munich crisis had thus resulted in a momentous appeasement of Nazi aggression, the loss to Britain and France of a useful military ally Czechoslovakia, and in confirming the Soviet government in the view that Britain and France wanted to channel Nazi aggression to the east, eventually against the Soviet Union itself. The consequent signature of the Nazi-Soviet Non-Aggression Pact, a diplomatic revolution, on 23 Aug. 1939 was followed nine days later by the Nazi invasion of Poland and the beginning of World War II.

200. Sir Alan Cobham (1894-1973), began his working life in a clothier's store, then was a pupil farmhand and a warehouseman, before volunteering into the army in 1914 and later transferring to the Royal Flying Corps, where by 1919 he had become a skilled pilot. After the Great War Cobham became a 'joy-riding' pilot, carrying thousands of passengers, but he was also a pioneering aviator, flying in 1924 to Rangoon and back, in 1925-6 to the Cape of Good Hope and back and to Australia and back, and in 1931 he became the first airman to fly round Africa. In the 1930s Cobham's aviation company carried almost a million passengers and gave flying circus displays. He pioneered refuelling in the air.

201. Avro Ansons, already obsolescent with only a maximum speed of 178 miles per hour and limited to a flying radius of about 250 miles, were the main aircraft in use by RAF Coastal Command at the outbreak of the Second World War. A Liberator (or B24) was an American four-engined heavy bomber, of which more were built during the war than any other American warplane. D. Richards, *Royal Air Force 1939-1945* (London, 1974), vol. I, 56; R. Jackson, *The Guinness Book of Air Warfare* (Enfield, 1993), 77; C. Chant, *Twentieth Century War Machines: Air* (London, 1999), 65.

202. The Allied (French and American) landing (Operation Anvil) near Cannes in the south of France on 15 Aug., took place a fortnight after an uprising by the Polish Home Army, the largest and perhaps best organised Resistance movement in Europe, had begun in Warsaw led by General Bor-Komorowski and aimed at liberating the city from the

Nazis. The uprising had not been co-ordinated with the Soviet Red Army, which by the end of Jul. had pushed the Germans back to the Vistula, had crossed it some miles south of Warsaw and had occupied positions in a suburb of the city on the eastern bank of the river. The uprising lasted two months. The Red Army did not intervene. Though at first successful the Poles, after heroic resistance, and the loss of some 300,000 lives amid terrible atrocities committed by SS and other Nazi troops sent to suppress the uprising, were forced to surrender. On Hitler's orders Warsaw was razed to the ground. The Warsaw uprising has been a source of controversy ever since. Why did the Red Army not intervene to support it ? Soviet planes dropped supplies to the insurgents only from 13 Sep., six weeks after the rising had begun. Could not Allied planes, of which George Peaston's was one, sent so far from their bases elsewhere in Europe to drop supplies to the insurgents, have been allowed to land in Soviet-occupied areas from the beginning of the uprising and not merely in late Sep. when it was almost over and have thus saved the immediate long return flights to their bases and hence the heavy casualties Mr Peaston indicates ? To these and other questions the Soviet authorities provided answers accepted by some contemporaries and some later historians but not by others. Flights to supply the Polish Resistance with arms and ammunition had begun from Britain itself as early in the war as Feb. 1941 (four months before the entry of the Soviet Union into the war). A total of 488 such flights, the later ones, as George Peaston indicates, from air bases captured in Italy, were made from then onwards to Poland, with the loss of 64 aircraft, 24 of them manned by Polish crews, and about one-third of the arms and ammunition of the Polish Resistance were thus delivered, and some 353 specialists parachuted into that country. General T. Bor-Komorowski, *The Secret Army* (London, 1950), 72-3. See also, e.g., Young, *World War*, op. cit., 344-6; Norman Davies, *Heart of Europe. A Short History of Poland* (Oxford, 1986), 75-8; Liddell Hart, *Second World War*, op. cit., 583-4; P. Calvocoressi, G. Wint and J. Pritchard, *Second World War*, vol.I, *The Western Hemisphere* (London, 1989), 503-7.

203. The Dakota, or Douglas C-47, twin-engined transport plane was often used in the dropping of supplies from the air to ground forces.

204. The date of this strike has not been found.

205. In the 1914-18 War an Edinburgh chaplain serving with the Canadians in France was told by an old French lady that her grandfather, an officer in Napoleon's armies, had been sent as a prisoner of war to Penicuik, where his wife was allowed to join him. They had lived there in lodgings in a house with pillars at each side of the door, and there the old French lady's mother had been born. J.L. Black, *Penicuik and neighbourhood* (Edinburgh, n.d., 2nd ed.), 24. Penycoe Press is at No. 7 Bridge Street.

206. Some 2,800 French and other prisoners of war were held at Esk Mills in Feb.-Mar. 1811 but after one mass escape on 19 Feb. and another attempted on 11 Mar. all the prisoners were removed to Valleyfield and Edinburgh Castle. MacDougall, *The Prisoners at Penicuik*, op. cit., 19-22.

207. This was the Employers' Federation of Papermakers. Bundock, *National Union of Paper Workers*, op. cit., 474, 490.

208. Wendy Wood (1893-1981), an Englishwoman brought up in South Africa, of upper middle class family, studied art under Walter Sickert (1860-1942), and exhibited her work all her life at the Royal Scottish Academy. She came to live in Scotland when she married, was a founder, 1928, of the National Party of Scotland but left the Party, 1949, to form the Scottish Patriots. She was connected with 'a plethora of groups and organisations, including Scottish Watch'; won 2,700 votes as an Independent in a Glasgow Bridgeton by-election; 'always on the political fringe . . . the agitations she led, such as the protest against the device EIIR on post-boxes, came to seem irrelevant to the general direction of serious

nationalist politics'; 'her threat in 1972 to fast to death against the shelving by the Conservative government of Edward Heath of a pledge to form a Scottish Assembly led the Secretary of State for Scotland to promise he would issue a Green paper as a first step towards such an Assembly . . . a remarkable victory for an 80-year old woman with no public position.' Sir Compton Mackenzie dedicated his book *On Moral Courage* to Wendy Wood. Her obituary is in *Scotsman*, 1 Jul. 1981.

209. Some of the wartime nissen huts in the grounds of Newbattle Abbey Adult Residential College, Dalkeith, were used at the period Alexander Ballantyne refers to for storage by the Royal Scottish Museum, Edinburgh. Some paper making machinery was stored there but it is understood that it has since been removed to another store in Edinburgh.

210. The date appears to have been a slip of the tongue by Alexander Ballantyne: Dalmore was built in 1835-37 and began producing paper then. See also above, p.3, and Notes 12, 35 and 41.

211. John Dick, plumbing and heating engineers, Eastfield Industrial Estate, Penicuik, closed down in 1984. Information from Jim Neil, Penicuik.

212. Miss Bain partly confused here the 1926 General Strike with the Valleyfield strike in 1923. See above, Notes 7 and 44.

213. Philip Malcolm, baritone and teacher of singing, had a studio at 79 George Street, Edinburgh. *Edinburgh and Leith Post Office Directory 1932-1933* (Edinburgh, 1932), 372.

214. It has not so far proved possible to establish the date of this accident.

215. Dr William Hamilton, MC, MB, ChB, graduated from Glasgow University in 1910, and after appointments as a house surgeon or physician at Glasgow Western Infirmary, Stirling Royal Infirmary, and Glasgow Maternity Hospital, and serving as a captain in the Royal Army Medical Corps at Salonika, he became in 1915 a general practitioner at Roslin, later moving to Loanhead, where, as Jim Neil says, he was also medical officer at the Isolation Hospital. While on a mountaineering holiday at Aviemore in Aug. 1940 with his wife and family Dr Hamilton, who was aged 54 and was chairman of Lothian branch, British Medical Association, and of the Midlothian Panel, National Health Insurance, set out by himself, bareheaded, wearing shorts, and with a rucksack, to climb on the hills, saying he would return that evening. He was last seen that morning near Loch an Eilean, apparently heading for the Cairngorms via the Lairig Ghru. When he did not return a search was made for several days by police and ghillies but without success. He never returned and was never found. *Medical Directory* (London, 1915-1942), *passim*; *Peeblesshire and South Midlothian Advertiser*, 30 Aug. and 6 Sep. 1940.

216. The new Penicuik school, now Penicuik High School, opened in 1937.

217. The *Rover* and the *Wizard* were published from 1922, the *Hotspur* from 1933.

218. The decennial *Census of Scotland* from 1861 to 1981 *passim* shows the population of Penicuik (civil parish, 1921-81) as: 1861 – 1,570, 1871 – 2,157, 1881 – 3,793, 1891 – 3,606, 1901 – 3,574, 1911 – 5,205, 1921 – 5,176, 1931 – 5,198, 1951 – 6,268, 1961 – 6,799, 1971 – 11,936, 1981 – 13,668. In 1981 population of the Penicuik 'locality' was 17,392.

219. The *Beano* and the *Dandy* were published weekly from Jun. 1938 and Dec. 1937 respectively. 'Biggles' (Captain James Bigglesworth) was the eponymous hero of a series of almost 100 adventure flying stories for children by Captain W.E. Johns (1893-1968), who had himself served in the 1914-18 War in the Royal Flying Corps and for a decade

afterward in the RAF. P.B. Ellis and P. Williams, *By Jove, Biggles ! The Life of Captain W.E. Johns* (London, 1985), 132, 249; D. Gifford, *British Comics*, op. cit., 121, 139.

220. Andrew G. Wilson (1855-1932), was a Penicuik town councillor from 1890 and provost, 1902-1911. He was again a councillor in 1920-1. Thanks are due to Mrs Jean Hannah for providing information about the origins and early years of Wilson's Stores that indicates the founder, William Wilson, bought an existing shop on the site in 1820 and ran it until 1860; after which there appears to be a gap for some years in the documentation of the firm, which advertised itself under Andrew G. Wilson and, it seems, his father, as: 'General Agent and Merchant, Seeds, Ironmongery, Provisions, Estimates given for all classes of Fencing, Kitchen Ranges, Room Grates, etc.' The Maypole Dairy, noted for its attractive tiled doorways, was a chain of shops founded earlier in the 20th century by Sir George Watson, then sold in 1924 to Home & Colonial Stores, which in turn became part of Unilever in 1929. ML, Black Coll., film 5, items 15-17; *Handy Guide to Penicuik and Neighbourhood*, op. cit., unpaginated advertisement; D.J. Jeremy, *A Business History of Britian 1900-1990s* (Oxford, 1998), 351-2.

221. There were in fact two separate strikes at the London docks in 1949. The first, over the dismissal by the dock labour board of 33 men considered to be too old to be able to work effectively, was by 15,000 dockers in Apr. and lasted a week. The second, affecting also dockers at Liverpool and Bristol, was over the loading and discharging of some Canadian ships, lasted from May until Jul., and was more likely to have been the one Henry Haig refers to. David F. Wilson, *Dockers. The impact of industrial change* (London, 1972), 314.

222. National Service was increased to two years when the Korean War broke out in Jun. 1950, and until 1957 National Servicemen were also obliged after their full-time service to serve for 3½ years in the reserves. See, e.g., Trevor Royle, *The Best Years of their Lives. The National Service Experience 1945-63* (London, 1988), 26; B.S. Johnson, *All Bull: The National Servicemen* (London, 1973), 2.

223. Might Joan Robertson's maternal grandfather have moved with his family to North Berwick because he had lost his job at Singer's at Clydebank as a result of the strike of 11,000 workers there in Mar.-Apr. 1911 ? See, e.g., Iain McLean, *The Legend of Red Clydeside* (Edinburgh, 1983), 100-2; Arthur McIvor et al., *The Singer Strike, Clydebank 1911* (Glasgow Labour History Workshop, Clydebank, 1989).

224. For the *Beano* and the *Dandy*, see above, Note 219. For the *Sunday Post*, see above, Note 9; the Broons, a supposedly typical working class family, their lives the subject of a weekly comic strip in the paper. *The Bulletin* (into which the *Scots Pictorial* merged in 1923) was a daily newspaper published in Glasgow from 1915 to 1960; for the *Edinburgh Evening News*, see above, Note 5. The *National Geographic Magazine*, published by the National Geographic Society from 1888.

225. For Pillans & Wilson, see above, Note 111; for Morrison & Gibb, see above, Notes 11 and 82.

226. James Ross & Son (Edinburgh, Ltd), manufacturing confectioners, were at 27 Roseburn Street, Edinburgh, until their move to Loanhead in 1976. *Edinburgh and Leith Post Office Directory 1974-5* (Edinburgh, 1974), 685.

227. The *Girls' Annual* was published from 1940. Oor Wullie, like the Broons, a weekly comic strip story of a boy of that name.

228. The firm was James Gardner & Son, 'Makers of Surgical Instruments, Artificial Limbs, and Orthopaedic Appliances to the War Office, Edinburgh Royal Infirmary,

Royal Hospital for Sick Children, Maternity Hospitals, Deaconess Hospital, Longmore Hospital, Leith Hospital, etc., etc.' 32 Forrest Road, Edinburgh. Works: 90 Candlemaker Row. *Edinburgh and Leith Post Office Directory 1945-1946* (Edinburgh, 1945), 974, 1203.

229. Alex Livie (1907-1993), a Penicuik town councillor, 1949-72, and provost, 1960-9. Penicuik Town Council minutes, 6 May 1949 and 5 May 1972.

230. For Nelson, see above, Note 11. Ibbotson appears to have been Walter Ibbotson & Co. Ltd, which until 1962 had represented Esk Mills in the north Midlands and north of England. NAS GD1/575/7, directors' minutes, James Brown & Co. Ltd, 30 May 1962. Oliver & Boyd, publishers, printers, and bookbinders, Tweeddale Court, 114 High Street, Edinburgh; Thomas H. Peck Ltd, office furnishers, 1, 3 and 3A York Place, Edinburgh; George Waterston & Son Ltd, general stationery manufacturers, engravers, lithographers and printers, bank note and cheque printers, bookbinders, envelope makers, 33 and 35 George Street, Wax Factory, 12 St John's Hill, Registered Office and Stationery Factory, Warriston Works, Warriston Road, Edinburgh; W.&A.K. Johnston Ltd, geographers, engravers, publishers, lithographers, letterpress printers, bookbinders and map mounters, Edina Works, Easter Road, Edinburgh; R.M. Cameron & Son Ltd, School contractors and publishers, 10 and 11 George IV Bridge, Edinburgh. *Edinburgh and Leith Post Office Directory 1950-1951* (Edinburgh, 1950), 368, 377, 510, 242, 67. For McDougall's Educational Co. Ltd, see above, Note 153.

231. Mackay Brothers & Co., Tourist Agents, 33 Hanover Street, Edinburgh. *Edinburgh and Leith Post Office Directory 1953-1954* (Edinburgh, 1953), 1,038.

232. An enquiry to the museum at Great Yarmouth about the photograph of Keith Dyble's father was unable to trace the photograph. The museum explained it holds a number of photographs of shipwrecked and rescued fishermen and their vessels. But without knowing the name of the vessel – which understandably Mr Dyble cannot now recall, given the lapse of so many years and the fact that his father had owned several vessels at different periods – the Museum could not confirm it holds this particular photograph.

233. See above, Note 71.

234. Maundy Money – silver money distributed by the monarch to poor people on the Thursday before Easter at Whitehall in London.

235. HMS *Cumberland*, 9,750 tons and armed with eight 8-inch guns, had been launched in 1926 and was broken up in 1959. J.J. Colledge, *Ships of the Royal Navy*. (London, 2003, rev. by B. Warlow), 90.

236. Two German pocket battleships, the *Graf Spee* and the *Deutschland*, along with most of the fleet of U-boats, had sailed into the Atlantic, a week or ten days before the outbreak of war. Both battleships sank a dozen British merchant ships during the following weeks, captured crews from which, as Keith Dyble recalls, were imprisoned on the tanker *Altmark*. The *Deutschland* returned to Germany in mid-Nov., while a month later the *Graf Spee* sailed damaged into the mouth of the River Plate at Montevideo after a sharp battle on 13 Dec. with three British cruisers, HMS *Exeter*, *Achilles* and *Ajax*, all of which had less heavy guns than those of the *Graf Spee*. The aftermath described by Keith Dyble constituted the first significant British naval victory of the war, followed as it soon was by the forcible release on 16 Feb. by HMS *Cossack* from the *Altmark* in a Norwegian fiord and their landing at Leith of the 299 British merchant seaman captured by the two German pocket battleships. See, e.g., Captain S.W. Roskill, *The Navy at War* (London, 1960), 39, 49, 52-8; Basil Collier, *A Short History of the Second World War* (London, 1967), 91-2, 94-5.

237. Keith Dyble may be mistaken about one or two of the details. According to the obituaries on 23 Sep. 1957 of king Haakon VII (1872-1957) in the *Glasgow Herald*,

Scotsman, and *The Times*, he, his son crown prince Olav, and the Norwegian government escaped from Oslo when the German invasion took place on 9 Apr. 1940. Despite being bombed and machine gunned by German planes Haakon and his companions escaped on to the British cruiser HMS *Glasgow* at Molde and were then landed further north in Norway at Tromso. But on 7 Jun. Haakon was forced to leave Norway as Allied troops withdrew from it because of the crisis in France. He, the crown prince, and the members of the Norwegian government were then taken on the cruiser HMS *Devonshire* and landed on 10 Jun. at Gourock. Deposed as king by the Nazis, Haakon remained in Britain with Crown Prince Olav throughout the war, living at Folie John Park, near Maidenhead in Berkshire, although he visited Scotland several times.

238. The aim of the raid (Operation Gauntlet) on Spitzbergen at the edge of the Arctic on 25 Aug. 1941 was to liberate Norwegian and Russian civilians there, destroy the coal mines, the large stocks of coal and oil, and weather stations established by the Germans. It proved a successful joint British, Canadian, Norwegian and Russian operation, two months after the Nazi invasion of the Soviet Union. The main troops involved were Canadians, but with support from commandos, engineers, and the Royal Navy. Earlier in 1941 than Keith Dyble recalls, the aim of the commando raid on 4 Mar. on the Lofoten Islands (Operation Claymore) off north-west Norway was to destroy the herring and cod oil factories there, which were sources of supply for German munitions, and to rescue their inhabitants. Two commando groups, engineers and Norwegian soldiers, again supported strongly by the navy, took part in the raid, which was highly successful. Some 300 Norwegians returned with the raiders as volunteers into the Allied forces, 200 German prisoners were taken, much German shipping sunk, and German naval codes captured. Kenneth Macksey, *Commando Strike. The Story of Amphibious Raiding in World War II* (London, 1985), 47-9, 57; Roskill, *The Navy at War*, op. cit., 120.

239. Sir Stafford Cripps (1889-1952), Labour MP, 1931-50, Solicitor General 1930-1, British ambassador to the Soviet Union, 1940-2, Lord Privy Seal and Leader of the House of Commons, 1942, Minister of Aircraft Production, 1942-5, President, Board of Trade, 1945, Minister for Economic Affairs, 1947, Chancellor of the Exchequer, 1947-50. No other account of the rescue of Cripps from Leningrad described by Keith Dyble has been found. Cripps left Russia and sailed from Murmansk to Scapa Flow in mid-Jan. 1942, so it was presumably then or shortly before then that he was in or near Leningrad. See, e.g., Churchill, *The Second World War*, op. cit., vol.III, 347, 420, 470, 476; Peter Clarke, *The Cripps Version. The Life of Sir Stafford Cripps* (London, 2003), 241.

240. Mikhail Gorbachev (1931-), Soviet leader, general secretary from 1985 of the Communist Party of the Soviet Union, president of the Supreme Soviet, 1989-1991.

241. The French navy, the most powerful in Europe after that of Britain, had not suffered defeat, unlike the French army and air force, in 1940. The armistice that month provided that most of the French navy was to return to its home ports, mainly in the German Occupied Zone of France, there to be demobilised and disarmed under the control of Germany or Italy. Both these powers declared they would not use French warships for their own purposes – a declaration that seemed likely to prove worthless. From the British government's point of view, faced with the threat of imminent German invasion of Britain, it was essential that the French navy, most of whose modern warships had sailed to North Africa to avoid capture by the Germans, should not fall into the hands of the latter. Some French warships berthed at Plymouth and Portsmouth were seized by Britain on 3 Jul.; many among their crews volunteered to fight on against the Axis Powers. Other French warships at Alexandria agreed next day to peaceful demilitarisation. But the refusal of a strong French squadron at Oran and Mers-el-Kebir in Algeria to accept any from a choice of proposals from the British government intended to ensure these warships

did not fall into Axis hands, resulted in their bombardment on 3 Jul. by British warships, the destruction of or serious damage to several of the French ships and the loss of 1,297 lives among their crews. A few days later French warships at Dakar, West Africa, were attacked unsuccessfully by British naval forces, and the attack, assisted this time by Free French troops of General de Gaulle, was, as Keith Dyble says, renewed toward the end of Sep. 1940 but again unsuccessfully. In fact, no French warships were used by the Germans or Italians against Britain and its allies in the course of the war. When in Nov. 1942, in swift response to the Allied landings in French North Africa, the Germans invaded and seized the Unoccupied (or Vichy government) Zone in France, what remained of the once powerful French fleet was scuttled at Toulon to prevent it falling into their hands. Churchill, *The Second World War*, vol. II, op. cit., 201-12; Roskill, *The Navy at War* op. cit., 80-1, 83-6, 107-9; Young, *World War*, op. cit., 226-7; Robert O. Paxton, *Vichy France* (New York, 1972), 6-7, 42-3, 56-7, 70-1, 110-13, 280-1.

242. See above, Note 192. As a result of the Allies' landings in North Africa, the French colonial authorities in West Africa, including Dakar (which the Allies had feared might have become a base for German U-boats), came over to the Allied side during the following two or three weeks. See, e.g., Harry C. Butcher, *Three Years with Eisenhower* (London, 1946), 179, 182, 184, 186.

243. See above, Note 141. Sword beach, as Keith Dyble indicates, received the heaviest Allied bombardment on D-Day, both from warships, including the battleships HMS *Warspite* and *Ramillies*, and from bombers. Of 25 'swimming' tanks (see above, Note 190), 21 got safely ashore on Sword Beach. Estimates of total casualties on all five beaches on D-Day itself have ranged from 9,000 to 11,000, of whom between 2,500 and 4,500 were killed; so Keith Dyble's belief that about 690 British troops were killed on Sword beach and inland from it that day appears accurate. Wilmot, *The Struggle for Europe*, op. cit., 276-7, 293; Young, *World War*, op. cit., 326.

244. In the Singapore raid (Operation Rimau) in Sep. 1944 a group of 32 commandos taken there in the submarine HMS *Porpoise* then, as Keith Dyble recalls, seized a junk but were captured after a fight with the Japanese, in which several of the commandos were killed. The dozen survivors were later beheaded by the Japanese in Jul. 1945. Macksey, *Commando Strike*, op. cit., 202-3; John Parker, *SBS. The Inside Story of the Special Boat Service* (London, 1997), 85-6.

245. See above, Note 119.

246. The Korean War, initially between North and South Korea but into which Chinese and United Nations forces (especially those of the United States, Britain and a dozen other member states) were either immediately or soon drawn, broke out on 25 Jun. 1950 and ended with an armistice three years later on 27 Jul. 1953.

247. Melroses Ltd, Tea Merchants, Wholesale and Export Warehouses, Proprietors of Melrose's Tea, 117 Princes Street, 54 North Bridge, 21 Leith Walk, Edinburgh, and 51-57 Couper Street, Leith. *Edinburgh and Leith Post Office Directory 1950-1951* (Edinburgh, 1950), 1,078.

248. There were two chimneys at Valleyfield. One was at the Low Mill, and was demolished in 1971. The other chimney was originally 275 or 280 feet high when built in 1923 by John Dennis & Co., with which, as Eric Cobley indicates, Freddie McFeat was then employed as an apprentice bricklayer. But it became cracked at the top and after repair in 1971 was reduced in height to 271 feet. Described by the demolition expert as 'the best built chimney I have seen', it was demolished on 10 Aug. 1976, a year after the closure of the mill. ML, Local Studies, indexed notebook of slides of Valleyfield chimneys, slides Nos. 72, 73, and 74; *Edinburgh Evening News*, 11 Aug. 1976.

249. The BBC Radio Children's Hour programme began in Dec. 1922, shortly after the BBC came into being, and continued being broadcast until 1964.

250. *Film Fun*, Jan. 1920-Sep.1962, *Radio Fun*, Oct. 1938-Feb. 1961. The *Boys' Own Paper*, at first a weekly then from 1913 a monthly, was published from 1879 until 1967. D. Gifford, *British Comics*, op.cit., 146, 188. For the *Beano*, *Dandy*, *Adventure* and *Wizard* see above, Notes 130, 217 and 219.

251. Caledonian Associated Cinemas, a Scottish company based in Inverness, began with nine cinemas in the north-east and by 1950 these had increased to 49. Caledonian Associated was the most serious rival in Scotland of Associated British Cinemas (ABC), which also had its origins north of the Border. Janet McBain, *Pictures Past. Scottish Cinemas Remembered* (Edinburgh, 1985), 29, 34.

252. See above, Note 154.

253. The National Health Service was inaugurated in Jul. 1948.

254. Professor Charles T.R. Wilson (1869-1959), a distinguished physicist, born near Glencorse, Penicuik, youngest of eight children, son of a sheep farmer who died when Charles was four years old. The family moved to Manchester from whose University he graduated in science in 1887. He graduated also from Cambridge University in 1892 and four years later was awarded the Clerk Maxwell Fellowship at the Cavendish Laboratory there. He was professor, 1925-34, of Natural Philosophy at Cambridge and was awarded the Nobel Prize for physics in 1927. He returned to Scotland to live at Carlops after his retirement from Cambridge in 1934. Knighted in 1937, he was awarded many honorary degrees, 'a gentle, serene man, keenly enthusiastic about understanding nature, and indifferent to honours and prestige.' Tyler Wasson, ed., *Nobel Prize Winners* (New York, 1987), 1,134-6.

255. Dr Archie Lamont, educated at Rothesay Academy and Glasgow University, became a distinguished geologist and played a very active part in the life of the University, at which he held a number of fellowships. He was also active in the National Party of Scotland, 1928-34, in the election in 1932 of Compton Mackenzie as rector of Glasgow University, and after the 1939-45 War he was a leading figure in the Scottish National Congress. He was a prolific writer on scientific and nationalist subjects. He died aged 77 on 16 Mar. 1985. His obituary is in *Scotsman*, 20 Mar. 1985.

256. For Wendy Wood, see above, Note 208.

257. Janet (Jenny) Armstrong (1903-1985), was born at the farm of Fairliehope, near Carlops, and all her life worked on the lower Pentland Hills. For many years she worked with her three dogs over a large area in that locality as a shepherdess; in her later years she looked after a few orphaned lambs for local farmers. In her last few years she spent many months in hospital recovering from amputation of both her legs, but returned in a wheelchair to her home, where she lived alone, at Monks Cottage near Carlops, and there after suffering a stroke she died. Julie Lawson and Mary Taubman, *A Shepherd's Life. Paintings of Jenny Armstrong by Victoria Crowe* (Scottish National Portrait Gallery, Edinburgh, 2000), 9, 25, 34, 47, 53; *Scotsman*, 23 Nov. 1985.

258. The *Girls' Crystal* (originally, Oct.-Dec. 1935, *The Crystal*), published as a weekly from 1935.

259. The Walt Disney film *Bambi*, made in 1942, concerns a young deer growing up in a forest, and has been described as a classic for all age groups.

260. The Shop Workers' Union – the Union of Shop, Distributive and Allied Workers (USDAW), formed in 1947 from the amalgamation of the National Amalgamated Union

637

of Shop Assistants, Warehousemen and Clerks with the National Union of Distributive and Allied Workers.

261. The *Weekly News*, 10 Dec. 1904, informed its readers that the parents of Mr and Mrs Cowan, the then owners of Auchendinny Laundry, 'had relatives who were officially connected with Holyrood Palace' and the Cowans had secured 'the laundry work of the Royal household in 1855 and they and their family have kept it in their hands ever since. . . . On all occasions when the Royal Family visit Scotland the Cowan family undertake their laundry work.'

262. John Jardine, nephew of Edward Jardine, was a Conservative Midlothian county councillor for Penicuik East ward, 1948-55, then for Penicuik Kirkhill, 1955-71. See also above, Note 8.

263. 'Several thousands of people again assembled at these [Powderhall] grounds yesterday to witness the running in the New Year handicaps . . . The big handicap, in which most interest was centred, again fell to a Border (Kelso) lad, who ran under the name of "J. Change", and who, on account of the form he displayed previously, carried most money at the finish. J. Change came first in the final of the 130 yards handicap.' *Scotsman*, 3 Jan. 1880. J. Change appears not to have won at Powderhall in any other year but 1880.

264. Lieutenant J. Martin, 8th Bn, Royal Scots, failed to return from a raid on the German trenches at Givenchy in France on the night of 10-11 Jun. 1915. Early next day he was seen lying, apparently still alive, on the German trench parapet. L/Cpl Angus, who, like Martin, belonged to Carluke, immediately volunteered to bring him in, although warned it meant certain death. Angus, a rope tied to his waist, and making clever use of the folds in the 50 yards of ground separating the two lines of trenches, reached Martin without the Germans seeing him. But as he raised Martin by the shoulders the Germans then saw Angus and fired at him from only six feet away. Angus's comrades in the Royal Scots trenches, however, kept up an accurate fire on the German parapet. Hand grenades were thrown by the Germans at the two men, but Angus and Martin succeeded in reaching their own trench. Angus suffered about 40 wounds, some of them very serious, during his rescue of Martin. The Victoria Cross awarded to Angus was for 'most conspicuous bravery and devotion to duty'. J. Ewing, *The Royal Scots 1914-1919* (Edinburgh, 1925), vol. I, 104-5, vol. II, 786.

265. Tait's building and joinery business, which then employed 70 or 80 workers, had been established from the mid-19th century in old foundry buildings that had been used as cavalry barracks during the Napoleonic Wars. Wilson, *The Annals of Penicuik*, op. cit., 18, 119. See also above, Note 21.

266. The *Kelso Chronicle* was published from 1832.

267. See above, Note 141. Severe storms so badly interfered with the programme of landings that the advance party of the Guards Armoured Division was unable to land near Courseulles until 22 Jun., and the whole division did not arrive until the end of that month. The heavy fighting in the battle of Caumont south of Caen took place over several days at the end of Jul. and beginning of Aug. 1944 and contributed to the Allied victory in the latter month in the battle of Normandy. See, e.g., Wilmot, *The Struggle for Europe*, op. cit., 394-424 *passim*; Captain the earl of Rosse and Colonel E.R. Hill, *The Guards Armoured Division* (London, 1956), 29, 30, 79.

268. The tragic failure to reach Arnhem in time to support the paratroops landed there on 18 Sep. 1944 in an operation intended to shorten the war cost 7,500 paratroops killed or captured out of the total of 10,000 involved in the fighting to capture the bridge – the 'bridge too far' – over the Lower Rhine. Arnhem was followed by further costly battles, to

several of which Ernest Atack refers, before the war in Europe at last was fought to a finish in early May 1945.

269. Founded c. 1898 as the Scottish Amalgamated Society of House and Ship Painters, the union changed its title c. 1903 to Scottish Painters' Society. The Society amalgamated in 1963 into the Amalgamated Society of Painters and Decorators, which later itself merged into the Union of Construction and Allied Trades and Technicians.

270. The stand fortnight was the annual holiday period for the paper mills.

271. The Empire Exhibition, 'the greatest enterprise of its kind ever undertaken in Scotland', was opened in Glasgow by king George VI on 3 May 1938 and had attracted 12,593,232 visitors by the time it ended on 29 Oct. that year. Lord Elgin, president of the Exhibition, said shortly before it opened that it was 'something practical for peace as well as commerce. It would help people to think about something else besides the forging of armaments and the waging of war.' *Glasgow Herald*, 13 Apr., 4 May, and 31 Oct. 1938.

INDEX

3ERDEEN, 196, 198, 223, 266, 400, 516, 608
*erdeenshire, 3
*ingdon, Berkshire, 199
*crington, Lancashire, 177
*am, R.P., drysalter, 293
*am, William, architect, 615
*elaide, Australia, 129, 202
*riatic Sea, 373, 403
*oplanes, 630; De Havilland Rapides, 141; see also
    arms and armaments
*fleck family, Auchendinny, 75
*fleck, Mrs, hen-keeper, 113
*fleck, Ms, worker, DM, 120
*rica, 86, 630; see also French West Africa; North
    Africa; South Africa; West Africa; War, 1939-45,
    landings in North Africa, North African campaign
    in
*nsley, Mr and Mrs, Penicuik, 323
*rdrie, 560
*rlie, Earl of, 360
*cott, Louisa M., novelist, 505
*dergrove, Antrim, 310
*dershot, Hampshire, 369, 373
*exandria, Dunbartonshire, 342
*exandria, Egypt, 226, 267, 342, 404, 406, 635
*geria, 456, 635, 636
*giers, 531, 629
*ison, Jim, VM, 194
*lenby, Field Marshal Edmund, 369, 628
*lison, W.A., bandmaster, 42, 608, 610
*nwick, Northumberland, 224, 385
*va, 287, 288
*nalgamated Engineering Union, 351, 352, 387, 415,
    416, 421
*nalgamated Union of Foundry Workers, 554, 555
*nble, Northumberland, 224
*nerica: North, 357; South, 129, 357; United States
    of, 76, 135, 251, 374, 395, 397, 405, 428, 617, 624
*nersham, Buckinghamshire, 385
*ncona, Italy, 373
*nderson, Arthur, P. & O. Line, 626
*nderson, Dan, postboy, EM, 178
*nderson family, Penicuik, 589
*nderson, Tommy, Paper Room, VM, 493
*gus, L/Cpl William, VC, 589, 638
*imals, birds, insects, and fish: bugs, 320; bullocks,
    524; calves, 327; camels, 481; cattle, 16, 199, 330,
    541; cod, 635; cows, 81, 327, 328, 335, 490; deer,
    637; dogs, 33, 102, 162, 374, collie, 328, 330,
    huskies, 530, Labradors, 361, sheep, 637, whippets,
    83, wolfhound, 36; donkeys, 139 (mules ?), 617;
    ferrets, 361; fish, 131; fleas, 239, 240; hens, 15, 113,
    251; herrings, 521, 523, 635; horses, 44, 52, 81, 102,
    124, 235, 322, 328, 329, 330, 331, 332, 337, 399,
    552; lambs, 637; larks, 152; lice, 301, 393; mice, 82,
    276, 468, 481; mules, 139 (?), 372, 617; pigs, 322,
    524, 525; ponies, 19, 20, pit, 154, 393; rats, 468,
    549; salmon, 423; sheep, 37, 130, 182, 244, 287,
    290, 291, 292, 327, 328, 330, 471, 472, 637;
    squirrels, 494; wolves, 531

Annan, 360, 361
Antwerp, 386
Anzio, Italy see War, 1939-45, landings in
apprenticeships, 409; baker, 218, 287; bricklayer, 636;
    electrician, 55; engineering, 61, 360, 361, 415;
    foundry, 4, 548, 549-55; grocer, 466, 473;
    housepainter, 590, 591, 592-3, 595, 597, 598, 599;
    joiner, 348; moulders, 550, 551; slaughterman, 524,
    525
Arbroath, 618
Archibald, Lizzie, Co-op clerkess, 433
Archibald, Mrs, dairymaid, 330
Arctic: Circle, 530; Ocean, 635
Ardeer, Ayrshire, 445
Ardennes, Belgium, 597
Argentine, 164, 483, 486, 616
arles, 333, 334, 626
Armadale, 223
armed forces: Air Cadets, 139; Argyll and Sutherland
    Highlanders, 32, 326, 416, 608; Armoured Brigade,
    26th, 370; Armoured Car Company, 19th, 367,
    368, 369; army, 310, 416, 465, physical training
    instructor in, 265, Regular in, 32, 40, 211, 275, 289,
    uniforms in, lack of, 528; ATS (Auxiliary Territorial
    Service), 139, 209, 465, 532, 617; Black Watch,
    385-6, 629, 630; boys' service, 526; British Military
    Mission in Soviet Union, 404; Cameron
    Highlanders, 620; Cameronians, 348, 627;
    Canadian, 635; cavalry, 628; Coldstream Guards,
    618; demobilisation from, 519, 541; Devon and
    Cornwall Yeomanry, 368; Dragoons, 139, Light,
    629; Dublin Fusiliers, 326; Dutch, 139; Fleet Air
    Arm, 417; German fleet, 527, 528; Gordon
    Highlanders, 266, 267, 624, 626; Guards Armoured
    Division, 596, 638; Highland Division, 51st, 266,
    385, 623; Highland Light Infantry, 13, 611; Home
    Guard, 43, 341, 369, 628; Hussars, 368, 370, 629,
    Royal Gloucester, 368; kilted regiment, 54; King's
    Own Scottish Borderers, 171, 289, 310, 619;
    Labour Corps or Bn, 205, 620; Lancers, 370, 629;
    Local Defence Volunteers (LDV), 369, 628;
    Lothian and Border Horse, 294, 367, 368-73;
    married quarters for, 544; medical discharge from,
    294, 385; Military Training Act, 1939, and, 623;
    militiamen (1939), 265, 623; miners' lock-out,
    1921, and, 18; National Service in, 458, 460, 465,
    475, 476, 480, 481, 555, 633; Northampton
    Yeomanry, 368; Northern Command in, 199;
    Norwegian, 635; Palestine Police, 226; paratroops,
    267; pith helmets for, 224; Polish army, 145;
    preliminary medical exam for, 61, 198, 224, 250,
    251, 310, 402, 417, 460, 594; reconnaissance
    infantry, 372; Reconnaissance Regt, 139; reservists,
    138, 535; resettlement after service in, 519, 541;
    Royal Air Force, 3, 4, 60, 61, 139, 171, 213, 310,
    385, 401, 402-5, 406, 416, 421, 460, 466, 480, 481,
    493, 508, 543, 555, 556, 558, 625, 633, air gunner,
    403-5, 417, Coastal Command, 630, football in,
    311; Royal Armoured Corps, 139, 596; Royal Army
    Medical Corps, 16, 587, 619, 632; Royal Army

Ordnance Corps, 342; Royal Army Service Corps, 109, 198, 360; Royal Artillery, 124, 326, 341, 393, 611, 615; Royal Electrical and Mechanical Engineers, 519; Royal Engineers, 224, 519, 608; Royal Flying Corps, 630, 632; Royal Marines, 519, 526-35, Commandos, 529-35; Royal Naval Reserve (RNR), 519, 616; Royal Naval Volunteer Reserve (RNVR), 616; Royal Navy, 43, 126, 236, 251, 253, 414, 416-18, 515, 525, 526, 527-34, 626, 628, 635, champion boxer of, 62, commando, 233, damage control in, 417; Royal Scots, 13, 16, 36, 128, 138, 212, 213, 265, 275, 324, 326, 401, 594, 610, 616, 628, mascot of, 36, pipe band, 224, 2nd Bn, 224, 616, 3rd Bn, 616, 7th Bn, 620, 8th Bn, 69, 608, 625, 638, 12th Bn, 224, 13th Bn, 620, 15th Bn, 36, 608, 617, 16th Bn, 611; Royal Signals, 608; Scots Greys, 624; Scots Guards, 594-7; Scottish Divsion, 9th, 623; Seaforth Highlanders, 326, 625; shooting range for, 182, 401, 547; signallers in, 266, 267, 595, 596, 603; Soviet, 635; Tank Corps, 14; Territorial Army, 36, 54, 69, 294, 310, 367, 368, 481, 593, 608; WAAFs (Women's Auxiliary Air Force), 209, 387, 630; Women's Auxiliary Army Corps (WAAC), 611; women in, 617; WRNS (Women's Royal Naval Service), 514; see also arms and armaments
arms and armaments: aeroplanes: *Avenger*, 417, *Ansons*, 403, 630, *Dakotas*, 141, 199, 404, 631, *Dorniers*, 623, *Enola Gay*, 534, 621, flying boats, 533, German, 265, *Heinkels*, 623, *Liberators*, 403, 630, *Stukas*, 266; ammunition, dummy, 527, 528, lorries, 360; anti-aircraft guns, 341, 342; anti-tank gun, 528; armoured cars, 139, 369, 370, 373; battle axe, 618; Bren gun, 265, 531, 532, carriers, 139; broomsticks, 528; commando knife, 533; Empire Exhibition, 1938, and, 639; frigates, Royal Navy, 357; gas, 36, 37, 608; half-tracks, 139; hand grenades, 372, 532, 638; incendiary bombs, 610; inferior, British, 405; knuckledusters, 533; lance, 618; Lewis guns, 369, 527; machine guns, 171, Browning, 405, light, 372, Vickers, 369, 528; mines, 353, 403, 527, 627, limpet, 533; Molotov coktails, 369, 628; mortars, 225; naval gun, 124; obsolete, 369; Piat gun, 527; revolvers, 531; rifles, 43, lack of, 369, 1904 and 1914 patterns, 369, Lee Enfield, 369, 527; searchlights, 224; submarines, German, 353, 520, 611, 634, 636, HMS *Porpoise*, 636, HMS *Thrasher*, 533, 534; sword, 534; tanks, 54, 267, 369-72, 373, 374, 596, 597, 623, Crusaders, 370, German, 370, 371, 623, Sherman, 371, 372, submersible, 370, 628, 629, 636, Valentine, 370; torpedoes, 417; tracer bullets, 372; see also ships and shipping;
Armstrong, Jenny, shepherdess, 557, 637
Arnhem, Netherlands see War, 1939-45
Arras, France, 266
Arromanches, Normandy, 267, 624
Arthur, Mr, laboratory worker, VM, 137
Associated British Cinemas, 637
assurance and insurance companies: Colonial & Mutual, 540; Prudential, 280; Scottish Widows, 96, 606; Standard Life, 148; Sun Life of Canada, 148
Atack, Ernest, housepainter and EM worker, 587-603; aunts and uncles of, 588, 600; Co-op painter, 602; daughter of, 597; death of, 10; father of, 587, 588, 590, 594, 600; grandparents of, 588; as housepainter, 590, 591, 592-3, 597-601, 602, 603;

juvenile employments of, 591; mother of, 587, 58 590, 591, 592, 594; mother-in-law of, 597; pain at EM, 601, 602; retrospect by, 603; serious accide at EM to, 355, 597, 598; sister of, 588; son of, 59 wife Jean of, 587, 594, 596, 597, 601; years at EM 4; years as housepainter, 4, 602; in 1939-45 W 639, 640
Atlantic, 251, 528, 529, 616, 634
Auchendinny, Midlothian, 77, 111, 112, 114, 115, 11 120, 234, 235, 257, 304, 308, 337, 338, 503, 56 569; Conservative election agent at, 615; courti customs at, 223, 264; distinct from Penicuik, 75, 7 DM tied houses in, 117, 297; emptying of d toilets at, 337, 338; landowners at, 258; Laundry, 209, 257, 567-73, 574, 638; milk delivery in, 56, 8 85; miners living at, 75; places in or Auchendinny House, 490, Brae, The, 75, 112, 11 337, Campbell's shop, 264, Close, The, 112, 61 Dalmore Cottages, 257, 294, Evelyn Terrace, 7 72, 73, 75, 76, 117, 121, 337, Fountainhead, 71, 7 337, Graham's Road, 75, old store, 337, Rams Gardens, 112, 113, 114, 117, 615, Station, 53, 7 Wester Haugh, 297; trade unionists at and 19 strikers and 1926 General Strike, 115, 116, 16 343, 609, 612; tramps at, 76, 77; War, 1914-18, ar 73; workers at DM from, 69, 75, 117, 297, 304
Auckland, New Zealand, 129, 499
Auschwitz concentration camp, 629
Austen, Jane, novelist, 505
Australia, 99, 128, 267, 291, 389, 483, 486, 499, 6(624, 630
Austria, 373, 403, 629, 630
Aviemore, Inverness-shire, 632
Aylesbury paper mill, Buckinghamshire, 174
Ayr, 10, 267
Ayrshire, 613

BADGER, Dr Charles William, 6, 121, 281, 615
Badger, Dr William, 281, 615
Baghdad, 404
Bain, Mary, secretarial worker, EM, 4; confident secretary and shareholder, EM, 47, 97, 431-43, 51 513; aunt of, 434; brother of, 432, 436; character 513; death of, 10; father of, 431, 432, 433, 43 grandparents of, 431; mother of, 431, 432, 433, 43 nephew of, 432; other employments of, 4, 431, 43 8, 442; and safety in the streets, 2; serious accide to at EM, 7, 441; sisters of, 432; unmarried, 4, 51 and 1923 strike at VM, 632
Baku, Azerbaijan, 404
Balaclava, Crimea, battle of, 370, 629
Baldwin, Dr, Penicuik, 254, 255, 597; wife of, 254
Balerno, Midlothian, 26; paper mills, 97, 149, 377, 37 379, 417, 423, 478
Balfour Declaration, 1917, 621
Balkans, 403
Ballantyne, Alexander, engineer at EM, VM, and DP 3, 411-30; brother of, 412; and date establishment of DM, 632; death of, 10; father 411, 412, 413, 416; grandparents of, 411, 41 mother of, 411, 412; other employments of, 41 412, 413; relatives of, 411; retrospect by, 429, 43 in Royal Navy, 1942-5, 414, 416-18, 419; and V machinery for museum, 632; works at DM, 428, 429; works at EM, 413, 414-16, 418, 419-2 works at VM, 424-7
Baltic, 93, 145

...mburgh, Northumberland, 289
...ngour Hospital, West Lothian, 466
...nks: Bank of Scotland, 137, 181, 364, 487; British Linen, 137; Clydesdale, 146, 510, 513, 541
...nnockburn, 321, 322, 336, 337; battle of, 160, 618
...rnato, Barney, circusman, diamond speculator, 617
...rnato, Woolf, son of Barney, 138, 617
...rony House, (Loanhead ?), 125
...rr, Dave, miner, 105
...rr, Maggie, shopkeeper, 105
...ths: pithead, 216; public 87, 156, 395, 591; swimming, 317; see also housing
...yeux, Normandy, 624
...y of Biscay, 528
...ar Gates, Traquair, 263, 623
...dford, 369
...dford, Duke of, 369
...dfordshire, 369
...lfast, 202
...lgium, 386, 597, 623
...ll, Dave, dairyman, 413
...llingham, Northumberland, 404
...ll, Jimmy, dairyman, 55, 56, 84, 85; wife and daughters of, 56, 84
...ll, Miss, schoolteacher, 214, 278
...ll, Tom, carting contractor, 55
...nedict, Saint, 621
...n Line Ltd see ships and shipping
...rnay, France, 266
...rtram, Jimmy, farmworker, 335, 336
...rwick-on-Tweed, 289
...g Eck, foreman labourer, EM, 45
...ggar, 480
...ggin Hill RAF station, Kent, 481
...ggles, 469, 632
...lston, Midlothian, 117, 264, 393, 395, 591, 593; see also hotels, inns and pubs
...lston Glen colliery see collieries
...rmingham, 132, 141, 187, 202
...rrell, John, fatally injured at DM, 120, 316, 340, 355
...ssett, Mr, laundry manager, 572
...ack, Alison, office worker, VM, 501
...ackburn, Lancashire, 177
...ack burn, the, Penicuik, 182
...ack family, Harper's Brae, 562
...ack, James L., Penicuik historian, 616
...ack, Minnie, shop assistant, 244
...ack, Peter, caretaker, 62, 400; wife of, 400
...ackpool, 402, 417
...ack, Robert E., Penicuik historian, 616
...ack's farm, Midlothian see farms
...ack, Willie, clerk, VM, 127, 195, 616
...ack, Willie, union collector, DM, 343
...air, John, joiner, VM and DM, 3, 381-91; in army, 385, 386; death of, 10; father of, 381, 382, 384, 390, 391; grandparents of, 381; mother of, 381, 382, 384, 387; parents-in-law of, 387; retrospect by, 390, 391; sister of, 381, 384; wife of, 387; at DM, 390; at VM, 382, 383-4, 386-90
...air, Johnny, foreman, VM, 161, 162
...air, Mrs, house owner, 396
...um, Léon, French prime minister, 629
...yth Bridge, Peeblesshire, 321
...yton, Enid, children's writer, 563
...at of Garten, Inverness-shire, 342
...hun, Sir Henry de, 160, 618
...olton, James, union representative, EM, 574

Bombay (Mumbai), 199
Bone, Algeria, 370
Bonhill, 266
Bonnyrigg, 17, 62, 112, 144, 311, 364, 371, 605; Rose Athletic FC, 311; see also collieries
Borders, the, 10, 123, 130, 131, 289, 291, 318, 394, 400, 588, 591, 593, 616
Bor-Komorowski, General Tadeusz, 630
Borrowman, Jim, barber, 33, 34, 35
Borrowman, Jim, jun., barber, 34, 35
Borrowman, Peter, barber, 34, 35
Borthwick, Mr, newsagent, 447, 448; wife of, 450
Bournemouth, 310
Bovington, 596
Boyne, battle of the, 627
Bradninch, Devon, 347
Braidwood farm, Midlothian see farms
Brazil, 616
brickwork, Whitehill, Rosewell, 14, 17, 18-20, 605
Bridlington, Yorkshire, 403
Bristol, 294; dock strike at, 633; paper mill, 296
British Legion, 355, 587
British Medical Association, Lothian Branch, 632
British Paper and Board Makers' Association, 416, 627
British Rayon factory, Jedburgh, 131
Brotherstons, laundry owners, 572
Brown, Bill, office worker, VM, 493
Brown, Colin, EM worker, 30
Brown, Davie, farmworker, 333
Brown, George, playmate, 236
Brown, Gracie, officer worker, VM, 498
Brown (Broon), Jackie, Forces' recruit, 250, 251
Brown, James Heriot, father of Helen Weir, 205, 206, 620
Brown, James, owner, EM, 309
Brown, James, 19th century owner, EM, 416, 423, 606
Brown, Mrs, Harper's Brae, 259
Bruce, king Robert the, 160, 618
Brunstane Moor colliery see collieries
Bryden, Miss, schoolteacher, 114
Buchanan, Charles, factor, 126
Buchan, John, author, 505, 547
Buchan, Mrs, dairymaid, 330
Budapest, 373
Buenos Aires, 99, 129, 164, 376, 616
Buffalo Bill, 40
Bulford camp, Wiltshire, 198, 199
Bulgaria, 373
Bull Ring, the, Rouen, 266
Burghead, Moray, 529
Burghlee colliery see collieries
Burma (Myanmar), 199, 224, 617, 619; Road, 172
Burns, Dave, roadman, 546
Burntisland, 196, 262, 263
buroo see Penicuik, places in, Labour Exchange
Bury St Edmunds, Suffolk, 481
bus fares, 55, 108, 119, 145, 446, 452, 453, 459, 460, 518, 564
Bush estate, Midlothian, 272, 624
Bush, Mr, naval warrant officer, 418

CAEN, Normandy, battle of, 385, 386, 596, 638
Caernarvon, 141
Cairngorms, 342, 632
Cairns, Bill, serious accident to at EM, 63, 315, 316, 439
Cairns, 'Coalie', greaser, VM, 144

Cairns, Colie, school pupil, 363
Cairns family, Harper's Brae, 562
Cairns, Jimmy, farmworker, 330, 332, 333
Cairns, Willie, Labour Exchange manager, 445
Cairo, 404
Caithness, 385
Calcutta, 199
Calders (Mid or West Lothian), 427; see also collieries
Caledonian Associated Cinemas, 637
Cambridge, 369; Spicer's paper mill at, 146, 147;
    University, 617, 637; see also publishers
Cameron, Mabel, office worker, EM, 513, 518
Campbell, John, shopkeeper, 264
Canada, 145, 271, 395, 411, 426, 457, 492, 499, 613
Canal Zone, Egypt, 556
Cannes, 630
Cape of Good Hope, 266, 385, 630
Cape Passero, Sicily, 267
Capetown, 267
Carbisdale Castle, Ross and Cromarty, 530
Cardiff paper mill, 3, 450, 461, 462
Carlops, Peeblesshire, 153, 156, 350, 557, 558, 591, 637
Carluke, 638
Carrington, Midlothian, 13, 17
Carron Iron Works, 348; Company, 626
Casablanca, 629
Cassino, Italy, 225; see also War, 1939-45
Castiglione, José (or Giuseppe), Cowans' agent, 129,
    616
Castiglione, Lucas & Calcroft, importers, 616
Castlebar, County Mayo, 544
Castlecraig, Dunblane, 321
Castlelaw, Midlothian, 322
Castlemartin, Pembrokeshire, 370
Castle of Mey, Caithness, 385
Catterick, Yorkshire, 14, 139, 199, 532
Caumont, Normandy, battle of, 596, 638
Century Building Society, 442
Ceylon (Sri Lanka), 171, 199, 200, 533
Chamberlain, Neville, prime minister, 446, 623, 630
Change, J., professional sprinter, 588, 638
Chatham, 417, 526, 527
Cherbourg, 266
Cherry, Mr, laundry van driver and manager, 572, 573
childhood and adolescence, 564; adopted, 82; Boys'
    Brigade, 289, 547; bringing up younger brothers
    and sisters, 559; Brownies, 278, 492, 564; children's
    shelter, 82, 155; child welfare, 613; cinema-going,
    17, 87, 108, 264, 279, 280, 367, 548, 564, 591,
    Bambi, 637; curfew, 279; day nursery, 253;
    employments, 2, baker, apprentice, 411, 412, 413,
    bakehouse odd job boy, 218, barber's shop, 33-5,
    591, clerk, 290, 291, cobbler, 7, Co-op clerkess, 431,
    433, 434, delivery boy, baker's, 211, 215, 216-18,
    butcher's, 152, fruit and flowers, 125, grocer's, 179,
    393, 397-400, 471, 472, 474, milk, 7, 55-6, 84, 85,
    397, 398, 399, 413, 591, newspapers, 217, 305, farm
    work, 16, 21, 22, 327, 328, market garden, 125, mill
    boy, 618, odd jobs, 359, office junior, 506, 507,
    pithead boy, 161, polishing soldiers' equipment,
    326, Post Office messenger, 556, shoe repairer's
    assistant, 85, tattie howking, 16, 55, 215, telegraph
    boy, 258, 393, 397; fostered, 31, 234; games, play,
    activities, 15, 16, billiards, 452, birlers, 301,
    collecting birds' eggs, 50, 126, cycling, 126, 591,
    dooking, 173, 591, fishing, 126, 131, football, 125,
    590, 591, 618, girds, 126, 616, golf caddy, 288, hide

and seek, 104, hoops, 104, kick the can, 10[
    paddling, 50, skipping ropes, 104, stravaiging, 5
    215, 547, 548, swimming, 591, walking, 591; G
    Guides, 492, 564, Girls' Friendly, 278; helping:
    joiner's shop, 397, milk cows, 327, mother at hon
    327; holidays in, 16, 105, 112, 125, 196, 243, 2[
    279, 400, 480, 590; infant mortality, 13, 71(?), 1[
    151(?), 177(?), 288, 490, 560; orphans, 79; outin[
    104, 105, 151, 177, 205, 480, 607, 618, 637; a[
    parental control, 160; picnics, 566; pocket mon
    19, 56, 85, 116, 125, 207, 262, 279, 282, 326, 3[
    359, 399, 453, 458, 495, 514, 550, 591, 592; rad
    Children's Hour, 547, 637; reading, 259, 288, 3[
    363, 451, 452, 469, 505, 547, 548, 563, authors a[
    books, 77, 215, 259, 305, 363, 451, 469, 505, 5[
    563, 632, 633, comics, Adventure, 259, 547, 6[
    Beano, 469, 492, 505, 547, 563, 632, Boys' O[
    Paper, 547, 637, Comic Cuts, 259, 622, Dan[
    469, 492, 505, 547, 563, 632, Film Fun, 547, 5[
    637, Girls' Crystal, 563, 637, Hotspur, 451, 6[
    Radio Fun, 547, 637, Rover, 259, 451, 622, 6[
    unspecified, 17, 77, Wizard, 451, 547, 632, fi[
    magazines, 563, with a torch in bed, 214, 1[
    restriction on number of children, 212; runaw
    boy, 236; Salvation Army Guards, 43
    unemployment in, 215; youth club, 470; youth[
    ambitions, 2, accounting, 471, baker, 211, 215, 21
    bus conductor, 548, business worker, 503, chef, 21
    215, chemist, 233, 237, children's nurse, 566, 5[
    driving, 125, engineering, 55, 177, 179, 412, far
    work, 323, footballer, 191, joiner, 17, 382, 39
    laboratory work, 458, lack of, 71, 79, 84, 160, 25
    288, 305, 349, 359, 363, 365, 452, 470, 473, 4[
    493, 565, to learn to type, 559, 566, to leave scho[
    54, manager, 509, 510, newspaper reporter, 59
    office work, 506, to play the violin, 3
    schoolteacher, 431, 432, 524, shepherd, 3[
    smallholder, 327, tradesman, 590, work in the pi
    161
China, 353, 619
Chindwin river, Burma, 619
Chirnside, Berwickshire, 71, 394; paper mills, 97, 29
    462
Chittagong, India, 171
Christmas and New Year celebrations, 118, 249, 25
    483, 484
Churchill, Winston, 313, 403, 507, 531, 625
Citizens' Advice Bureau, 488
Clapperton, Tommy, union representative, VM, 39
Clapperton, Walter, playmate, 236
Clapperton, Willie, fatal accident to at DM, 316, 34
Clark family, Penicuik, 467
Clark, General Mark, 629
Cleghorn, Mr, gamekeeper, 173
Clerk of Eldin, John, 616
Clerk of Penicuik, Sir George, 6th bart, 610
Clerk of Penicuik, Sir George, 9th bart, 36, 37, 50, 12
    607
Clerk of Penicuik, Sir James, 3rd bart, 615
Clerk of Penicuik, Sir John, 2nd bart, 615
Clerk of Penicuik, Sir John, 10th bart, 124, 125, 12
    331, 558, 616; mother of, 125;
    wife of, 558
Clerks of Penicuik, landowners, 258, 615
Cleves, Germany, 597
Clippens Oil Co., 621; shale mine, Straiton, 219
clothing, 108, 495; adequate, 206; anoraks, 509; apro

108, rubber, 277; blouse, 240; boiler suit, 355; bonnet, 85, bondager's, 331, 626, Sunday, 564; boots, 20, 85, 244, 326, 342, 552, felt, 531, herd's, 85, tackety, 85, 362, 363, wellington, 185, 214, 505; burning of, 240; caps, 85, 100, 144; clogs, 185, 221; coal dust on, 157, 216, 436; coats, 585; concentration camp uniforms, 373, 629; cycling capes, 263; demob, 311, 342, 373, 374; domestic servants', 521; dresses, dance, 198, evening, 197, summer, 572; dressing gown, 217; duffel coat, 530; dungarees, 261; evening dress, 497; fisher lassies', 521; gloves, 120, 185, 250; goggles, 185, 552, 553; hand-downs, 217; handkerchiefs, 249, 567; hats, 123, bowler, 128, cooks', 220; headscarf, 331; ironing of, 278; jackets, 243, 248, 513, burned, 19, sports, 162, wet, 214; jerseys, 85, 124; korsecky, 180; laundry and, 567-73; laundry for Royal household, 572, 638; long johns, 144; mittens, 217; new, 191; old, 564; overalls, 114, 120, 199, 261, 316, 340, 568, 600; overcoat, serge, 509; pants, 568; pinny, 280; plus fours, 161; protective, 19, absence of, 552, 553; pyjamas, 568, 589; ragged, 260; raincoat, 217; ration coupons for, 109, 110; scarf, 240; school blazer and cap, 124; seized, 173; semmit, 144; shirts, 5, 22, 180, 568; shoes, 85, 162, 168, 213, 260, 282, 322, 341, 363, 495; shorts, 632; shredded, 533; skirts, 240, 567, 568; slippers, 505; soaked, 233; stockings, Lisle, 118; suits, 58, 497, bespoke, 311; ties, 513; trousers, 340, 567, long, 217, short, 85, 217, striped, 513; underwear, silk, 530; vests, 568; washing of, 114, 115, 193, 277, 324, 325, 327, 490, 545, 562, 565, *see also* housing, washhouses; waterproof, 530; working, 493, 561

Clydebank, 385, 489; Singer's factory in, 489, 633; *see also* War, 1939-45, bombing

Clyde, Firth of, 224; *see also* Tail o' the Bank

Clyde paper mills, 135, 462, 463

Clydeside, 618

Cobham, Sir Alan, aviator, 401, 630

Cobley, Eric, foundry apprentice, and worker at VM, 4, 453-8; aunts of, 544, 548, 556; brother of, 544, 545, 547, 548; cousin of, 544; grandparents of, 543, 544; mother of, 543, 544, 545, 546, 547, 548, 550; other employments of, foundry apprentice, 4, 548, 549-55, 558, postal worker, 4, 556, 557-8, in RAF, 4, 543, 555, 556, 558; retrospect by, 558; sister of, 544, 545, 547; works at VM, 4, 543, 556, 636

Cochrane, James, Co-op manager, 434, 435, 438

Colchester, Essex, 481

Colinton *see* Edinburgh

collieries: Bilston Glen, Loanhead, 159, 376; Birkiewood, near Penicuik, 83; Bonnyrigg, 153; Brunstane Moor, Midlothian, 131; Burghlee, Loanhead, 62, 157, 219, 551, 607; at Calders, Mid or West Lothian, 153; Cornton, Penicuik, 477; Cowdenbeath, 154; in Fife, 153, 154, 540; Giffnock, 155; Glenbuck, Ayrshire, 153; at Loanhead, 153, 157, 159, 219, 376, 607, seams from, 153; Macbiehill, Peeblesshire, 152, 153; in Midlothian, 2, 625; Mauricewood, Penicuik, 28, 31, 153, 154, 324, 411, 607, disaster, 1889, at, 31, 80, 83, 154, 275, 544, 607, 613, 618; Moat, The, Roslin, 2, 14, 20, 62, 75, 83, 105, 111, 112, 115, 155, 157, 159, 161, 162, 219, 300, 302, 376, 393, 436, 548, 551, 559, 560, 607; Monktonhall, Danderhall, 159; Newbattle, Midlothian, 93, 186, 606; Ormiston, East Lothian, 93; Polton, Midlothian, 605; Ramsay,

Loanhead, 62, 551, 607; redundant workers from VM employed at, 148; wages, post-1945, in, 377; Whitehill, Rosewell, 13, 14, 16, 17, 18, 605, 606, brickwork at, 14, 17-20, 605

Collins, William, founder, publishers, 625

Comilla, India, 199

Coningsby, Lincolnshire, 555

Conwell, Mr, Paper Office, VM, 127

Co-operative Societies: Galashiels, 287; ScotMid, 602; women's guilds, 437; *see also* Penicuik Co-operative Association

Cornwall, 532

Cornwall, Thora, office worker, EM, 518

coronation, 1937, 278, 279

Courseulles, Normandy, 596, 638

Courtaulds, 131

courting, 2, 92, 120, 152, 153, 283, 336, 465, 523, 529, 530, 532, 594, promenades, 109, 198, 223, 264, 285, 286, with Bibles in hand, 250

Cowan, Alastair, director, A.Cowan & Sons Ltd, 130

Cowan, Alexander, (1775-1859), 607, 610

Cowan, Alexander, (1863-1943), managing director and chairman, Alexander Cowan & Sons Ltd, 40, 128, 168, 609; boots made for, 85; and chorus girls, 168, 248, 249; death of, 137, 228, 622; Episcopalian, 218; and extension of VM, 128; as farm owner, 130, 182; and fishing rights, 182; and freemasonry, 166; house of, 216, 217, 249, 283; 'Maister, The', 168, 170; managerial practices at VM of, 128, 188, 248, 249, 283; and parliamentary election, 1931, 8, 9, 168, 229; photograph of, 175; political views of, 168; provost, Penicuik, and county councillor, 98, 143, 609, 613, 622; and Right Club, 619; son of Charles W. Cowan, 628; sons of, and VM dances, 249; and water supply to Penicuik, 51; wife of, 8, 9, 143, 211, 218, 219, 229, 249, 619

Cowan, Alexander Comrie, MC and Bar, son of Alexander Cowan, 129, 130, 616

Cowan, Capt. Charles John Alexander, Royal Scots, 616

Cowan, C.H., director, A. Cowan & Sons Ltd, 616

Cowan, Charles, founder, A. Cowan & Sons Ltd, 609

Cowan, Charles, MP, 609, 619, 628

Cowan, Charles W., (1844-1920), managing director and chairman, A. Cowan & Sons Ltd, 609, 628

Cowan, Councillor David, son of Alexander Cowan, 143, 188, 617

Cowan, Dr James L., Penicuik, 173, 619

Cowan, Duncan, brother of Alexander Cowan (1775-1859), 610

Cowan, John, of Beeslack, 610, 619

Cowan, Katherine, sister of Alexander Cowan (1863-1943), 128, 359, 360, 616

Cowan, Lieut. R.C., Royal Scots, 616

Cowan, Lucy, sister of Alexander Cowan (1863-1943), 128, 359, 360, 616

Cowan, Marjorie, daughter of Robert Craig Cowan, 138, 616

Cowan, Mrs Doris, laundry owner, 567, 570, 571, 572, 638; husband of, 567, 638

Cowan, Robert Craig, brother of Alexander Cowan (1863-1943), 128, 130, 138, 188, 616

Cowan, Ronald, son of Alexander Cowan (1863-1943), 43, 128, 130, 138, 188, 283, 610

Cowans of Musselburgh, 360

Cowans, owners, VM, 2, 40, 85, 98, 99, 126, 143, 145, 275, 281, 284, 359, 462; chauffeur of, 284, 493; and

Cowan Institute, 87, 479, 540; Craigside Envelope Works of, 129; Edinburgh registered office of, 128, 129; end of association with VM of, 147, 536; and Inveresk Mill, Musselburgh, 65; London office of, 129; losses of sons in 1914-18 War, 130; overseas offices of, 128, 499

Cowie, Stirlingshire, 321

Craig & Rose Ltd, paint manufacturers, 617

Craig, William, headteacher, 53

Craster, Major, Wellington School superintendent, 152, 153

Crawley Cottage, Flotterstone, 431, 432

Crerar, Mr, Wages Room, VM, 127

Crichton, John, head book-keeper, EM, 511, 513

Crichton, John, worker, EM, 45

Cripps, Sir Stafford, ambassador to Soviet Union, 530, 531, 635

Crossford, Fife, 123

Croxley paper mill, Thames Valley, 137

Cuiken farm, Penicuik see farms

Culross, 123

Culter paper mill, Peterculter, 97, 356, 357, 358

Cumberland, 361

Cumbrae, isle of, 300

Cunningham, Greta, Penicuik Hunter's Lass, 625

Currie, James, Leith Shipping Co., 627

Currie, Midlothian, 26; Kinleith paper mill, 97, 149, 150, 478

Czechoslovakia, 630

DACHAU concentration camp, 373, 629

Dakar, French West Africa, 531, 532, 636

Daladier, Edouard, French prime minister, 630

Dalcross, Inverness-shire, 403

Dalkeith, 93, 144, 334, 544, 546, 632; cinemas in, 264; High School, 115, 613

Dall, Miss, schoolteacher, 32

Dalmeny, West Lothian, 341

Dalmore paper mill (DM), Auchendinny, 3, 5, 111, 251, 295, 337, 429, 537; accidents and safety at, 120, 315, 316, 317, 340, 341, 345, 355, 615; acquired by American company, 297, 320, 428, 610; agents overseas of, non-existence of, 298; annual production at, 3; anti-competitiveness among women workers at, 117, 118; applications for employment at, 115, 293, 304, 393; canteen at, 583; closure of, 1, 607; cold working conditions at, 585, 586; Company secretaries at, 293, 294, 295-7; comparisons, contacts and relations with EM and VM of, 28, 67, 68, 131, 298, 319, 350, 388, 440, 441, 478, 516; courting customs of workers at, 264; criticism of organisation at, 68, 69; customers of, 295, 296, 582; Dalmore House at, 297, 343; deference at, 586; dismissals of workers from, 234, 344; division of labour by gender at, 74, 116, 117, 295, 581, 585; educational visits to, 429; effects of closure of EM and VM on, 320; Factory Act and, 68; families and generations work at, 74, 75, 111, 112, 116, 117, 257, 258, 322, 344, 503, 559; farm workers employed at, 339; foremen and forewoman at, 75, 119, 148, 297; German ex-prisoner of war at, 144; head paper-maker at, 319; heavy lifting for women workers at, 6, 7, 116, 580, 581, 582; history of, 3, 9, 632; holidays at, annual, 76, 119, 120, 296, 336, 615, 639, Christmas and New Year, 76, 119, 296, 428, 619, 620, Saturday half-day, 609, VJ Day, 1945, 294; hours of labour at, 75, 76, 116, 295, 341,

428, 582, 583, 620; last North Esk mill, 69, 10[0?] 273, 297, 298; length of employment of workers a[t?] 73, 77, 295, 319, 321, 339, 390, 580, 586; Londo[n?] office and agent of, 296, 298, 584; miners' lock-ou[t?] 1921, and, 605; modernisation of, 68, 69, 319, 34[?] 581, 582; North Esk reservoir for, 350; number [of?] paper-making machines at, 41, 67, 68, 74, 230, 42[?] number of workers at, 41, 74, 120, 143, 295, 30[?] 319, 344, 390, 419, 428, 584, 613; office and offic[e?] workers at, 74, 75, 293, 294; owners, directors, an[d?] management styles at, 2, 56, 75, 296, 297, 343, 34[?] 390, 428, 584, 585, 586, 611, 613; part-tim[e?] employment at, 584; pension scheme at, 39[0?] protective clothing at, 340, 341; ratios of male an[d?] female workers in, 6, 74, 120, 585, 613; redundan[t?] workers and machinery from EM and V[M?] employed at, 69, 148, 230, 390, 424, 426, 42[?] 428;retrospective views of, 122, 296, 297, 320, 34[?] 345, 390, 428, 584; Saturday morning off sought a[t?] 8, 119; shifts at, 68, 76, 120, 142, 227, 272, 29[?] 318, 326, 339, 426, 428; short time working at, 21[?] 218, 584; social events at, 77, 344, 429; strikes a[t?] 296, 609, 1926 General Strike, 296, 297, 60[?] survival of, reasons for, 47, 100, 298; tied housing o[f?] 71, 72, 75, 112, 117, 121, 257, 294, 297, 33[?] foremen's, 75; trade unionism at, 7, 76, 120, 20[?] 203, 297, 343, 580, 585, 609; types and quality [of?] paper made at, 295, 319, 320, 428, 478; wages a[t?] 76, 116, 118, 295, 339; War, 1939-45, and, 34[?] 344; where workers at came from, 69, 72, 74, 7[5?] 117, 297, 304; women at cease work on marriage, [?] 72, 78, 120, 121

Damascus, 404, 628

Danube river, 403

Darby, Mrs, wife of Sgt Major, 324

Darby, Sgt Major, Royal Scots, 324

Darlington, Durham, 139

Davers, George, mill manager, EM, 267, 309, 313, 56[?]

Davidson, Oliphant, head paper maker, DM, 319, 34[?]

Deal, Susie, salle worker, VM, 377

de Gaulle, General Charles, 636

Delaney, David, Dalkeith High School pupil, 115

Delaney, Mr, miner, 114, 115

Delaney, Mrs, 114, 115

Dempster, Bob, foreman, VM, 271

Dempster, Robert, jun., victim, Mauricewood Disaste[r?] 618

Dempster, Robert, sen., victim, Mauricewood Disaste[r?] 154(?), 618

Dempster, William, victim, Mauricewood Disaste[r?] 154(?), 618

Denmark, 186, 627

Denmark Straits, 530

Dennis, John, & Co., builders, 636

Denny paper mill, Stirlingshire, 134

Deolali, India, 199

Dervaig, Mull, 242

Desborough, Northamptonshire, 405

De Tree, Philip, manager, VM, 127, 137

Detroit, USA, 504

Devon, 347

Devonport, 527, 528, 529

Devon Valley Paper Mills, 296, 347

Dick, Dorothy, daughter of Provost, 566

Dick, James, Provost and grocer, 177, 179, 188, 234[?] 254, 348, 622; wife of, 234

Dickens, Charles, 453

:kie, Miss, typist, VM, 127
:kie, Mr, manager, VM, 40
:kson, Arthur, plumber, EM, 477
:kson, Bob, union representative, VM, 169, 170, 482
:omano, Italy, 372
:ppe, 623; Raid, 1942, 628
bie (Dobbie ?), Bob, chief engineer, EM, 427, 587, 601, 602
ncaster, 266
nside paper mill, Aberdeen, 135
rnoch, 529
uglas, Philip, Co-op manager, 438
une, Perthshire, 321
:ghorn Barracks, Edinburgh, 224
blin: Guinness's brewery in, 192, 196; paper mill in, 192
mbarton, 266
mfries, 414, 560
nbar, 368
nblane, 321
ncan, Miss, headteacher, 214, 278
ncan's Chocolate, 174
ndas, David J., landlord, 112, 615
ndas, Mrs Winifred H., landlord, 112, 113, 114, 117, 615
ndee, 10, 191, 192, 196, 198, 211, 212, 612
nedin, New Zealand, 499
nfermline, 123, 625
nkirk, 213; see also War, 1939-45
noon, 370
ns, 626
rban, Natal, 171
tchmen, 139
ble, Keith, worker, EM and VM, 4, 11, 519-42; at EM, 519, 535, 537, 539, 540, 541; father of, 519, 520, 521, 522, 523, 525, 526, 527, 535, 634; grandparents of, 520, 521; mother of, 520, 521, 522, 523, 525, 526, 527, 535; other employments of, 524, 525, 536, 540, 541; retrospect by, 541, 542; in Royal Marines, 519, 526-35; sister-in-law of, 533; sisters of, 521; son of, 533, 535; at VM, 519, 535, 536-40, 541, 542; wife Davina of, 519, 520, 523, 524, 532, 533, 535; in 1939-45 War, 528-35, 634, 635, 636
ble, Mr, merchant navy officer, 532

RLSTON, Berwickshire, 626
ter Howgate, Midlothian, 114
t Fortune, East Lothian, 310; hospital, 466
t Grinstead, Sussex, 369
t Lothian, 95, 331
ton, Jean, publican, 152
tside farm see farms
nburgh, 1-638 passim; Armistice Day, 1918, in, 37; Armoured Car Company, 19th, in, 367, 368; Chamber of Commerce, 607; Corporation, 182; dancers from, 168, 197, 198; District Council Direct Labour, 203; evening classes in, 41; journeys and fares to and from Penicuik and Auchendinny, 55, 104, 108, 115, 119, 197, 280, 300, 443, 500, 507, 518, 548, 550; Lord Provost of, 610; Lothian and Border Horse (TA) in, 367, 368; MP for, 619; paper-making machinery preserved in, 632; paper mills and agents in or near, 3, 296, 488, 632; see also paper mills; paper workers' union in, 39, 585, 612; as place of birth, residence or work, 13, 31, 32, 33, 43, 46, 55, 85, 101, 102, 126, 132, 167, 191, 205, 206, 235, 245, 247, 285, 286, 300, 354, 361, 373, 381, 384, 410, 422, 443, 446, 517, 593, 600, 601, 603, 619, 631; places in: Abercromby Place, 442; airport, 97, 141, 441, Albany Street, 123, 442, (see also Leith), Annandale Street, 628, Arcade, 300, architectural office, Sir Basil Spence's, 410, Arthur Street, 129, 560, artificial limb makers, 4, 506, 507, 633, 634, Assembly Rooms, 497, Barclay Church, 145, 177, 618, Beechmount Convalescent Hospital, 598, Beechwood Estate, 490, 491, 492, Bernard Terrace, 620, Boroughmuir Senior Secondary School, 492, Bothwell Street, 625, Bothwell Works, 625, Bowershall Mills, 625, Brandon Street, 617, Bridgeside Printing Works, 617, Broughton, 109, Bruntsfield, 618, Bryson Road, 488, Burdiehouse, 620, Candlemaker Row, 634, Canongate, 615, Canonmills, 617, Carricknowe, 491, 492, Carrickvale Junior Secondary School, 492, Carruber's Close Mission, 437, car showroom (unspecified), 149, Castle, 148, 230, 231, 544, 608, 611, 620, 631, Castle Street, 368, Causewayside, 202, 620, Century Building Society, 442, Chambers Street (Royal Scottish) Museum, 151, 632, children's home (unspecified), 234, City Hospital, 269, Clermiston School, 46, Clyde Street, 625, Coates Crescent, 205, 206, Cockburn Street, 58, 182, Colinton, 26, 97, 149, 462, 620, confectionery factory (unspecified), 423, Constitution Street, 627, Convalescent Home, 341, Corstorphine, 490, 492, 495, 500, 598, Couper Street, 636, Cowans' sales office, 129, Craiglockhart, 465, Craig & Rose Ltd, 617, Craigside Envelope Works, 129, 147, Crewe Toll, 166, Crystal factory see Penicuik, places in, Deaconess Hospital, 634, Dean Village, 196, Dental Hospital, 570, Duke Street, 616, Duncan's saleroom, 58, Duncan Street, 617, Easter Road, 197, 634, Edina Printing Works, 634, Education Office, 46, Empire Theatre, 420, essences shop, 399, Ferrier Street, 123, Ferry Road, 223, Forrest Road, 434, Fountainbridge, 86, 191, 423, 613, General Post Office, 558, George Heriot's School, 193, George IV Bridge, 634, George Street, 198, 224, 402, 436, 594, 632, 634, Glengyle Terrace, 177, Gorgie, 361, Gorgie Market, 330, Granton, 86, 93, 196, 535, Grassmarket Mission, 437, Great Junction Street, 123, Hanover Street, 617, 634, Heriot-Watt College, 136, 415, 420, 440, 459, 460, Heriot-Watt University, 452, 462, High Court, 609, High Street, 634, Hill Place, 434, 624, Holyroodhouse/Palace, 572, 638, Jewel Cottages, 117, Johnston Terrace, 544, Juniper Green, 26, Kennerty Dairies, 487, 488, Lauriston Place, 506, Leith, 10, 123, 124, 149, 151, 194, 353, 457, 529, 530, 618, 627, 634, 636, Albany Street, 123, Leith docks, 10, 86, 90, 93, 98, 186, 202, 213, Leith Hospital, 634, Leith, North, 123, Leith paper mill, 478, Leith Walk, 135, 614, 617, 636, Liberton Brae, 431, Liberton Hospital, 148, London Road, 416, Longmore Hospital, 634, Lothian Road, 628, McDonald Road, 617, 625, Mackay Brothers, travel agents, 517, 518, 634, McVitie & Price, bakers, 300, 625, Manor Place, 431, 500, Maternity Hospitals, 634, Melrose Ltd, tea merchants, 535, 636, Miller's Foundry, 416, model lodging houses, 437, Morningside Laundry, 572, Mortonhall House, 359, 361, 628, Mossy Mill paper mill, Colinton, 97, 149, 462, 620, Mound, The, 364,

Murrayfield golf course, 491, Murrayfield Hospital, 490, Music Hall, 198, 250, 402, 594, Newington Printing and Bookbinding Works, 620, North Bridge, 636, Parkside Works, 606, Patrick Thomson's store, 269, Playhouse cinema, 564, Portland Street, 123, Portobello, 104, 105, 197, 209, 243, 262, 263, 279, 317, 480, 618, Potato Marketing Board, 500, Powderhall, 588, 638, Princess Margaret Rose Hospital, 148, Princes Street, 58, 264, 535, 636, public parks, 230, Queensberry House, 113, 615, Queen's Park, 606, Queen Street, 416, Ramsay Technical College, 209, Ravelston golf course, 491, Redford Barracks, 266, Register Street, 128, 129, Robertson Avenue, 625, Roseburn, 501, Roseburn School, 491, Roseburn Street, 633, Rossleigh's garage, 13, 360, 361, 628, Ross's Confectionery Works, 501, 633, Royal Hospital for Sick Children, 633, 634, Royal Infirmary, 7, 92, 153, 302, 340, 361, 402, 506, 597, 598, 615, 633, Royal Scottish Academy, 631, Royal Scottish Museum, Chambers Street, 151, 632, Royal Terrace, 625, St Andrew Biscuit Works, 625, St David's Place, 191, St David's School, 46, St James' Printing Works, 617, St John's Hill, 634, St Mary's Street, 548, St Patrick Square, 394, sale rooms (unspecified), 115, School of Scottish Studies, 11, Sciennes, 136, 423, 614, Scottish Parliament, 615, Shandwick Place, 628, Sheriff Court, 611, 612, Sighthill, 500, Skerry's College, 237, 275, 279, 280, 434, 624, South Clerk Street, 628, Stevenson FE College, 500, Stockbridge, 550, Tanfield printing works, 617, theatres (unspecified), 248, 367, 368, Tod's flour mill, 123, Trinity Academy, 124, Tweeddale Court, 634, Tynecastle, 197, 361, United Wire Works, 89, University, 11, 288, 615, 624, Wardlaw Street, 361, Warriston Road, 634, Warriston Stationery Manufacturing Works, 634, Waverley Station, 196, 300, 416, 535, wax factory, 634, Wemyss Place, 368, West End, 368, Westfield Avenue, 614, West Register Street, 187, 616, Woolworth's, 119, 187, 280, York Buildings, 628, York Place, 616, 634, Zoo, 491;

printing and publishing in, 1, 381, 382, 477; professors from lecture in Penicuik, 544; rag merchants in, 457; Town Council Parks Dept, 230; Trades Council, 609; Trades Week holidays at, 416; tramping singer to Penicuik from, 301, 302; see also assurance and insurance companies; banks; engineering companies; publishers, printers, and stationers; ships and shipping

Education (Scotland) Act, 1918, 613

Egypt, 139, 226, 267, 342, 404, 555, 556

Eicke, Theodor, concentration camp commandant, 629

Eindhoven, Netherlands, 597

Eisenhower, General Dwight D., 629

El Alamein see War, 1939-45

Elbe river, Germany, 597

Elbeuf, France, 266

elections, 554; Midlothian County Council, 576, 638; parliamentary: Midlothian, 1880, 619, Peebles and South Midlothian, 1931, 9, 167, 168, 169, 229, 618, 1935, 618, 1930s, Conservative election agent in, 615, general, 1945, 405, Glasgow Bridgeton by-election, 631; rectorial, Glasgow University, 637

Elgin, 529

Elgin, Lord, 639

Elliot, Mr, ex-soldier worker, VM, 138

Ellis, Jock (John or Dargie), non-unionist, VM, 1 228, 611, 612

Ellis, 'Poker', worker, VM, 144

Elsrickle, Lanarkshire, 394

Elton, Mr, manager, VM, 147

Elton, Robert J., accountant, VM, 455

Embo, Sutherland, 529

emigration, 76, 374, 395, 411, 504, 621

Empire Exhibition, 1938, 600, 639

Employers' Federation of Papermakers, 66, 631; also British Paper and Board Makers' Associati

employments (other than paper mill): accountants, 1 chartered, 292, 442, 617; advocates, 132; ambula workers, 316; architects, 145, 410, 432, 436, 6 618; artificial limb makers, 4, 506, 633; artist, 1 attendants, 148; bakers, 32, 44, 45, 121, 215, 2 224, 275, 276, 287, 300, 411, 413, 472, 546; ba manager, 510, 513, worker, 348, 364, 565; bar 33, 34, 35, 265, 591; barmaid, 520; bisc manufacturers, 625; blacksmith, 550; bookbind 169, 609; book-keeper, 506, 507; bootmaker, boxmakers, 589; brewery worker, 192, 1 brickwork and brickworkers, 14, 17, 18-20, 1 605, women, 18, 19; builders, and building tra workers, 10, 54, 381, 387, 390, 393, 431, 466, 5 505, 536, 544, 560, 587, 588, 589, 608, 636, 6 bullying in, 442; burgh chamberlain, 348; I conductor, 548; butchers, 152, 411, 5 cabinetmaker, 504; canteen worker, 324; care officers, 566; caretakers, 62, 211, 212, 4 carpenters, 149, 525; carpet factory worker Roslin; carter, 101, 102, 322, 337, 338, 446, 6 carting contractors, 52, 55, 81, 235, 337; cask 292, 442; cellarman, 525; cement worker, 299, 3 chauffeur, 125, 242, 284, 359, 360, 361, 490, 4 chemist, 237, 240; chimney sweeps, 233, 4 chorus girls, 168, 248, 249; church officer, 6 cinema owner, 59, 612; cleaners, 78, 80, 110, 1 206, 209, 254, 255, 449, 544, 560; 'a clean job', 4 453, 548; clerk, 287, 290, 291, 292, chief, 292, 2 colliery, 548; clerkess, 124, 433-5; clothi storeman, 630; coachman, 348; coal: carter, 1 102, 446, 611, man, 14, masters, 606, 6 merchant, 101; see also miners; cobblers, 151, 1 213, 399; coffin makers, 525,589; commer travellers, 399; conductress, bus, 253; confection factory, 423; consul, 618; cooks, 220, 243, 253; also domestic servants; Co-op workers, 4, 10, 44, 80, 213, 215, 233, 322, 359, 393, 394, 399, 411, 4 433-5, 438, 466, 503, 602; see also Penicuik C operative Association; coopers, 32, 452; crofters, crystal workers see Penicuik, places in, Edinbu Crystal; custodians, 148; dairies, 55, 327, 359, 5 dry, 123, 335; dairyman, 322; dancers, 168, 2 249; dentist, 544; directors, company, 471, 507, 5 617; see also DM, EM, VM; dish-washer, 1 dismissal from, 211; diver, 149; dockers, 10, 3 481, 633; doctors, 6, 32, 67, 173, 253, 254, 255, 2 332, 364, 365, 450, 488, 615, 619, 632; dome servants, 10, 13, 14, 36, 80, 152, 153, 177, 191, 2 206, 210, 234, 241, 242-3, 244, 255, 257, 275, 2 300, 323, 336, 360, 361, 432, 467, 521, childr nurse, 242, cooks, 36, 223, 239, 242, 4 draughtsman-engineer, 517; driver, 149, 335-7, 3

394; drysalters, 293; electrician, 213, 285; electronics, 278, 304; engineers, 147, 273, 351, 394, 415, 452, civil, 452, 515, electronic, 547, 625, foundry, 550, garage, 360, maintenance, 423, marine, 347, 352, 353, 357, 358, 452, 606, chief, 149, superintendent, 352, mechanical, 452, 489, 490, plumbing and heating, 632; entertainer, 618; esparto grass merchants, 5, 131; estate: factor, 35, 126, worker, 321; farm workers, 10, 49, 109, 117, 119, 328-37, 626, 630, byreman, 330, 334, 335, grieve or steward, 331, 626, orraman, 330, 331, 626, and paper mill work, 339, 343, 344, 345, ploughmen, 21, 123, 330, 331, 332, 334, 335, 336, 626, women: 331, bondagers, 10, 331, 626, dairy maids and milkers, 322, 324, 326, 327, 330, 334, 335, 336, outbye worker, 331, shepherdess, 557, 637; see also hiring fairs; Scottish Farm Servants' Union; fellmongers, 287, 290-2; film-maker, 628; fisher lassies, 519, 521, 522, 523; fishermen, 381, 431, 522, 523; fishing, 519, 520, 521, 524, boat owner, 519, 520, 525, 634; fish merchants, 521; flax-spinning mill, 618; fly dresser, 587, 588; footballer, professional, 311, 320; foresters, 36; fruiterer, 123; gamekeepers, 126, 173, 359, 361; garages, 473, engineer, 360, mechanic, 13, 149, odd job man, 149, owner, 321, 338; gardeners, 35-7, 360, 489, 490, 491; gas workers, 213, 235; geologist, 637; ghillies, 632; grocer's and garage stores, 4, 177, 179, 192, 193, 348, 397-400, 472, 473, 507, 508, 546, 627; gunpowder mill workers see Roslin; hairdresser, 302; haulier, 155; hawkers, 303, 467; headteachers, 16, 18, 53, 126, 178, 214, 236, 237, 278, 305, 348, 363, 433, 445, 453, 469, 470, 471, 489, 492, 497, 505, 524, 555, 607; hosiery factory, 608; hospital workers, 148, 269; hotel: keeper, 31, workers, 10, 220, 532; house agent, 608; housekeeper, 177, 178, 188, 223; housemaid, 31, 242, 431, 504; houseman, 321; housepainters, 4, 355, 393, 589, 590, 591, 592-3, 597-600, 602; insurance agent, 101, 323; ironmonger's, 4,397-400, 471-3, 507, 508; janitor, 102, 363; joiners, 3, 21, 397, 504, 589, 608, 638; journalists, 10; see also newspaper reporter; jute mills, 211, 212; kitchenmaid, 241, 242-3; labourers, 338, foundry, 550; landlady, 351; landlords, housing see housing, rented privately; laundry: chimney cleaner, 257, owner, 567, 570, 571, 572, 638, workers, 4, 111, 209, 235, 567-73; lawyer, 60; librarians, public, 10, 67; liquidators, 67, 97, 98, 442; lumberjacks, 44, 610; maidservant, 360, 361; maintenance contractors, 571; managers: artificial limb makers, 507, blast furnace, 348, 626, colliery, 153, 154, Co-op, 434, 435, 438, 466, dairy, 31, foundry, 551, 626, gas works, 213, grocery, 472, Labour Exchange, 445, laundry, 571, 572; manageress: canteen, 323, laundry, 567; manufacturing confectioners, 633; market gardeners, 124, 125, 136, 491, 492; medical retirement from, 558; merchant navymen, 10, 149, 347, 352-3, 356, 357, 371, 383; milk delivery, 44, 399; miller, 123; milliner, 123; miners, 10, 14, 17, 105, 111, 112, 115, 117, 143, 151, 152, 153-5, 156-8, 159, 217, 321, 326, 330, 348, 393, 411, 412, 433, 466, 559, 560, 618, accidents to, 115, 300, 302, at Auchendinny, 75, 111, and bathing, 15, 156, 436, barred from buses, 156, 157, 216, 436, and contracting and contractors, 154, 155, 223, 618, dismissal of, 20, Fife, 618, fighting among, 62, 63,

gambling by, 62, Irish, at Rosewell, 617, night out by, 160, in paper mills, 61, 62, political views of, 168, 169, surface workers, 16, 20, victimisation of, 605, from West of Scotland, 83, 158, 159, Yorkshire, 626; see also collieries; Penicuik, communities of in; strikes and lock-outs; ministers, 33, 34, 103, 104, 144, 147, 263, 607; motor mechanic, 548; mould changers, 540; moulder, 213; museum assistant warden, 230, 231; musician, professional, 33; navvies, 435, Irish, 437; newsagent, 447, 448, 450, 547; newspaper reporter, 590; night watchman, 253; nipper, 323; nurses, 276, 282, 546; office workers, 4, 44, 115, 138, 399, 472, 506, 508, 551; Onion Johnnies, 10; paintmakers, 137; panel beaters, 149; parks supervisor, 230; part-time, 110; patternmaker, 551; personal assistant, 147, 148; physicist, 616, 637; pilot, aeroplane, 630; pithead lassie, 14; plan printer, 410; plasterer, 548; plastics workers, 272, 540, 541, 580; see also Penicuik, places in, Thyne's; plumbers, 429, 587, 588, 589, 608; police, 155, 183, 361, 612, 632, special constable, 250; postmen, 4, 258, 316, 397, 426, 556-8; postmistress, 556, 557; Post Office, 543, telegraphist, 348, telegraph messenger, 557, telephones, 267; potato merchant, 123, 124; priest, 144; printers, 169, 214, 227, 375, 376, 381, 382, 390, 391; print worker, 43; rag merchants, 5, 131, 301; railway workers, 10, 466; receiver, 423; rector, church, 212, 213; refuse collectors, 472; roadmen, 322, 323, 324, 327; roads contractor, 322; safety officers, 355; salesman, 211; school attendance officer, 275; schoolteachers, 16, 32, 53, 54, 83, 84, 114, 155, 193, 214, 236, 260, 278, 362, 363, 364, 396, 468, 469, 493, 505, 548, 563, 566, 567, 590, 610; scientists, 534; scrap merchant, 529; sculptor (monumental ?), 431; seamen see merchant navymen; secretary: company, 290, 292, personal, 348, 435, 507; sewing, 205; sheep skin works, 287, 290-2; sheriffs, 610; ship broker, 626; shipyards, 10, 351, 352, 415; shirtmakers, 131; shoemakers, 49, 551; shoe repairer, 85; shops and shopkeepers, 31, 105, 124, 166, 213, 254, 280, 323, 348, 432, 447, 466, 471, 546, 627, 633; shopworkers, 213, 244, 264, 269, 275, 276, 323, 381, 384, 489, 495; singers, 249; solicitors, 132, 615; stationmaster, 53, 54; steam roller driver, 323; stonemasons, 112, 151, 191, 431, 436; storeman, 409, 410; superintendent: marine engineering, 352, reform school, 152, shelter, 155, 301, 302; surgeons, 7, 92, 490, 615, 619, 632; surgical instrument makers, 633; tailor, 588; tanner, 394; tea: boy, 560, wholesaler, 627; teacher: Further Education (FE), 500, of musical instruments in schools, 46, of singing, 33, 436, 437, 632, of violin, 31, 32; technicians, 410, 506; textile mill workers, Peeblesshire, 10; telephonist, 494; timber merchant, 608; travel agents, 313, 517, 518, 625, 634; trawlermen, 431; tweed mill workers, 288, 290, 291, 292, 293, 394; typist, 290, 435, 501, 559, 556, shorthand, 280, 435; undertaker, 608; university: administrator, 462, lecturers, 452, professors, 490, 544, 637; van: men, 44, 322, 434, woman, 348; veterinary surgeon, 432; warehouseman, 630; Water Board inspectors, 50; weavers: cotton, 490, pattern, 287; wireless, 603; women: fields workers, 16, 153, herring gutters, 10, Leith workers, 10; wood pulp merchants, 5, 131; woollen mills, 290, 625; wool merchant, 588; see *also* apprenticeships; armed forces; childhood and adolescence, employments; DM; EM; holidays; hours of labour; VM; wages

engineering companies, 102; Anderson Boyes, 61; Babcock & Wilcox, 133; Bertram (unspecified), Edinburgh, 89, 164, 416, 480; Bertram & Sons Ltd, James,Leith Walk, Edinburgh, 135, 136, 486, 614; Bertram, W. & G., Sciennes, Edinburgh, 135, 136, 353, 423, 424, 614; Birmingham Small Arms (BSA), 138; Findlay Irvine Ltd, Penicuik, 547, 625; MacTaggart, Scott, Loanhead, 149, 209, 415, 421, 452, 453, 517, 551; Mount Hope Machinery Co., 356, 357; Precision Engineering, Newtongrange, 148; Rolls Royce, 360; Rossleigh Ltd, 13, 360, 628; Rowan & Co., David, Glasgow, 351, 352, 353; Simon Carver, 269; Singer's Sewing Machines, Clydebank, 211, 489, 633; Vickers Armstrong, Gateshead, 266; *see also* employments, engineers

English Channel, 266, 623

erles *see* arles

Errington, Major Lancelot, of Beeslack, 241, 242, 243, 244, 360, 628; brother of, 243

Errington, Mrs Elizabeth, of Beeslack, 241, 242, 243, 244, 360, 628

Esk Mills (EM), 2-639 *passim*; accidents at, 7, 9, 23, 45, 63, 91, 92, 101, 107, 108, 262, 315, 316, 317, 355, 416, 421, 422, 439, 441, 538, 597, 598; acquires Springfield Mill, 96, 110, 615, 624; applications for employment at, 21, 22, 49, 79, 84, 92, 105, 179, 206, 260, 306, 347, 349, 393, 411, 413, 473, 508, 535, 573, 587, 600, 601; brosie and canteen at, 474, 510; categories of workers at, 90, 91, 349; chief engineer at, 347, 348, 353, 355, 411, 427, 587, 601, 602; closure of, 4, 8, 22, 98, 149, 203, 269, 271, 298, 358, 602, 607; effect at VM of, 150, 376, 389, reasons for, 28, 29, 47, 64, 66, 69, 96-7, 98, 110, 150, 269, 318, 356, 375, 419, 423, 441, 518, 577, 578; coal supplies for, 93, 94; company secretary at, 438, 439, 440, 441, 442, 511, 512; comparisons, contacts, and relations with DM, VM, and their workers with, 27, 28, 29, 99, 131, 208, 264, 270, 298, 304, 319, 350, 376, 388, 424, 440, 441, 478, 516, 540, 541; costs and profits at, 419, 420; customers for paper from, 27, 29, 65, 99, 132, 187, 202, 270, 353, 440, 476, 477, 480, 515, 516, 625, 634, *see also* publishers, printers, and stationers; deference at, 515, 575, 576, 577; demobilised servicemen return to, 267, 268, 311, 418, 419, 519; and dermatitis, 59, 60, 109; dismissal of worker at, 578, 579, 580; division of labour by gender in, 27, 49, 56, 64, 90, 91, 105, 106, 206, 207, 238, 261, 312, 313, 354, 394, 478, 573, 585; domestic gas supplied from, 51; and Employers' Federation, 416; families and generations work in, 1, 45, 49, 79, 80, 101, 102, 105, 109, 205, 206, 207, 208, 213, 233, 234, 257, 258, 299, 302, 307, 353, 354, 376, 394, 411, 446, 473, 503, 518, 539, 560, 602; fires at, 96; first-aid at, 23, 63, 108; foremen, overseer, and woman chargehand at, 79, 207, 308, 314, 411, 573, 575; former cotton-making machinery in, 240, 241; freemasonry at, 314; head finisher at, 573, 575; heat, dirt and fleas at, 22, 239, 240, 241; 'here for life', 4, 602; holidays at: annual, 257, 416, 420, 421, 440, 480, 514, 599, 615, 639, Christmas and New Year, 416, 420, 619, 620, public, 416, 420, 421; hours of labour at, 23, 60, 106, 107, 110, 207, 237, 238, 260, 261, 262, 264,

268, 306, 312, 349, 350, 413, 414, 420, 438, 4? 476, 509, 514, 574, 587, 601, 620, boys' and gir 207, 237, 238, 260, 261, 306, 349, 350, 413, 4? 474, 509, office workers', 438, 509, 514, overtin 45, 60, 238, 349, 587, time off (funerals), 60; illn and disease and, 59, 60, 109, 312, 439; illustratio of, 274, 443; and industrial tribunal, 5? ironfoundry and, 551; lack of investment at, 1(375; length of employment at, 26, 28, 45, 65, ? 78, 79, 80, 97, 99, 100, 241, 268, 271, 308, 312, 3 353, 423; liquidator at, 67, 97, 98; London office 91, 614; lorries of, 91, 93; management styles a practices at, 94, 95, 98, 99, 110, 208, 239, 268, 3(351, 355, 422, 423, 475, 480, 486, 510, 515, 5 575, 576, 580; and miners' 1921 lock-out, 6(modernisation and expansion of, 93, 96-7, 98, 2(313, 419; number of paper-making machines at, 41, 68, 230, 270, 309, 312, 353, 357, 419; numb of workers pre-1939 at, 41, 88, 90, 91, 93, 141, 1-261, 306, 312, 349, 415, post-1939 at, 45, 93, 1-312, 313, 358, 415, 419, 439, 478, 482, 516, 6(offices at, 510-15; office workers at, 47, 91, 97, 43 42, 478, 509, 510-15, 518; older workers at, 91, 1(312, 314, 421; origins, history, and archives of, 2, 9, 268, 442; owners, directors, and managers of, 25, 26, 271, 309, 310, 313, 423, 480, 575, 606, 6 615; painting of, 355, 597, 598, 599, 601; politi(views at, 317, 354, 422, 515, 576, 577; and polluti(of North Esk river, 478; prisoners of war at, 2, 4? 631; production processes at, 57, 65, 86, 87, 88 93, 261, 262; protective clothing, lack of, at, 27; p engine at, 45, 100, 394, 430; quantity and value paper made at, 313, 419, 420, 578, 579; ratio male and female workers in, 27, 64, 88, 91, 3? 313, 415, 478, 585; recreational facilities at, 2, 99, 108, 208, 307, 314, 350, 479, 480, 502, 517, 5-redundant workers from, 29, 67, 98, 206, 271, 3? 319, 423, 424, 442, 584; and religious affiliatio(308, 354, 422; retrospective views of, 25, 94, ? 208, 210, 239, 255, 271, 272, 273, 307, 320, 3: 354, 391, 422, 443, 517, 539, 542, 575, 586, 6(603; and sense of community, 82, 99, 440; shifts 23, 26, 51, 57, 58, 68, 87, 90, 91, 227, 261, 262, 2(304, 308, 309, 312, 313, 349, 414, 474, sleepi(during night, 25, 474, 475; short-time working 57, 58, 217, 218, 264, 265, 535; smoki(restrictions on, at, 512; stamping house at, 22, ? 91; stocktaking at, 440; straw, nettles, sugar ca(and rags used at, 95, 131, 181, 208, 270, 419; stri(at, 23, 26, 60, 95, 107, 228, 239, 271, 315, 606; 19 General Strike and, 23, 58, 60, 178, 6(superannuation and pensions at, 96, 100, 421; ti(houses of, 25, 28, 51, 52, 80, 81, 82, 99, 102, 1(104, 205, 235, 236, 258, 273, 354, 394, 412, 5: 561, 562, for foremen, 80, number of, 601, painti(of, 601; trade unionism at, 23, 26, 58, 59-60, ? 107, 239, 265, 314, 315, 351, 440, 480, 514, 5(539, 574, 576, 577, 578, 606, 609, Amalgamat(Engineering Union at, 351, 415, 416, 421; traini(and apprenticeships at, 308, 309, 351, 440, 4? 479, 539; types and quality of paper made at, ? 28, 41, 87, 270, 313, 320, 353, 425, 439, 477, 4? 516; wages, pre-1939, at, 23, 56, 57, 58, 87, 88, ? 107, 207, 238, 239, 243, 260, 261, 262, 264, 3(350, 414, 435, post-1939, 45, 61, 64, 67, 271, 3? 414, 420, 438, 439, 465, 475, 476, 482, 509, 5? 514, 517, 574, 578, 579, 587, 601; and War, 193

45, and post-war changes at, 26, 57, 60, 61, 82, 96, 99, 110, 262, 268, 311, 312, 313, 419, 420; washing and drinking at, 241, 261, 537; watchman at, 67, 101, 105, 260; water supply to, 50, 350, 477, 478; where workers at lived, 79, 208, 304, 354, 388, 589; women workers at and marriage, 4, 7, 102, 109, 208, 394, 504, 517, 560; women workers' heavy lifting at, 6, 7, 27, 106, 439; workers' band at, 208; worker-shareholder at, 439, 441, 442; workers' sing-songs at, 239

k Valley College, Midlothian, 222, 621

tonians, at VM, 145

on College, Buckinghamshire, 618

trick river and Head, Selkirkshire, 423

ropean Community, 627

ropean Free Trade Area, 96, 97, 98, 357, 407, 627

eter, Devon, 347, 535

emouth, 520

CTORY Acts, 63, 67, 127; inspectors, 135

rbairn, Mr, newspaper reporter, 590

rley, Jean, worker, EM and DM, 4, 5, 6, 7, 559-86; at EM, 573-80; at DM, 580, 581-6; aunts and uncles of, 559, 560, 561, 567; brother of, 560; father of, 559, 560, 561, 562, 563, 564, 574, 577, 578, 579, 580, 586; grandparents of, 559, 560, 561; mother of, 560, 561, 562, 563, 564, 565, 573, 579; other employments of, 4, 567-73, 580; retrospective view by, 586; schoolgirl ambitions of, 559, 566, 567; unemployed, 573, 580; unmarried, 4; wins industrial tribunal case, 580

rlie family, Penicuik, 303

lconer, Mr, worker, DM, 120

kland Isles, 528

r East, 353; War, 1939-45, in, 533, 616

mers, 123, 327, 328, 330, 331, 332, 333, 334, 335, 337, 338, 341, 399, 471, 508, 541, 626, 637; see also employments, farm workers; hiring fairs

ming, 21, 52, 124, 130, 182, 272, 299, 341, 354, 609, 637; see also employments, farm workers

ms, 55, 336, 354; Black's, Midlothian, 215; Braidwood, Midlothian, 130; Broachrigg, Midlothian, 15, 21; Broomhill, Penicuik, 333, 556; Brunstane, Penicuik, 84; Cornbank, Penicuik, 556; Crosshouse, Penicuik, 472; Cuiken, Penicuik, 333, 334, 556; Eastfield, Penicuik, 556; Eastside, Pentland Hills, 130; Fairliehope, Carlops, 637; Fulford, Midlothian, 334, 335, 336, 337, 338; Greenlaw Mains, Glencorse, 322, 323, 324, 325, 326, 327-34, 335, 336; Hall's, Penicuik, 544; House o' Muir, Midlothian, 135, 335; Kirkhill, Penicuik, 52, 81, 82; Laydwood, Penicuik, 157; London, Crossford, Fife, 123; at Markinch, Fife, 341; Midlothian, Christmas and New Year holidays on, 336; Mount Lothian, Midlothian, 332, 333; Netherton, Midlothian, 49; Newhall, Midlothian, 557; Oatslie, Midlothian, 21, 22; Paterson's, Penicuik, 235; on Pentland Hills, 325; Pomathorn, Penicuik, 55, 56, 130, 472; Ravensneuk, Penicuik, 141, 401; Spittal, Midlothian, 541; Thornton, Midlothian, 14; Walstone, Midlothian, 130; Watson's, Penicuik, 299, 468; Wester Howgate, Midlothian, 334, 335, 336; Woodhouselee, Auchendinny, 337, 338, 341; see also employments, farm workers

rnborough, Hampshire, 596

Fauldhouse, 348

Fenham Barracks, Newcastle-on-Tyne, 532

Ferguson, Calum, Stornoway, 10

Ferrier, Bob, foundry pattern-maker, 549, 551

Ferrier, Jim, foundry owner, 549, 551, 553, 555

Ferrier, Willie, foundry office worker, 549, 551

Fife, 305, 400, 544; miners' union in, 618; paper mills in, 3, 40, 41, 42-3, 76, 86, 134, 135, 146, 298, 356, 378, 477, 607; see also collieries

Fife, Mrs, Harper's Brae, 259

Filey, Yorkshire, 169

Findlay Irvine Ltd see engineering companies

Finland, 86, 457, 530

Firth of Forth, 43, 533

Fletcher, Jack, senior clerk, VM, 453, 455 (?)

Florence, 372

Flotterstone, Midlothian, 263, 322, 431, 432, 472

Foggia, Italy, 403, 404

Folie John Park, Maidenhead, 635

food and drink: adequate, 206; alcohol, 533, abstention from, 87, 318, drinking sessions, 166, heavy drinking of, 216, 305, licence to sell, 398, over-indulgence in, 522, 575, 576, as refreshment, 374, 522; apple, half, 114; bacon, 583; bakeries, 300; bananas, 446, 627; baps, 196; beans, 18, 583; beer, 154, 197, 251, 299, 326, 473, 520, 626; biscuits, 56, 216, 281, 583, 625; chocolate, 216; bread, 44, 167, 301, 322, 329, 435, 471; breakfast in bed, 51; buns, 198, 211, 215, 216; butter, 56; canteen, laundry, and, 569; cakes, 44, 211, 215, 216, 265, 306, 507, 509, 510; carrots, 36, 124; chips, 264, 280, 447, 583; chocolate, 116, 118, 300, 510; Christmas dinner, 593; cocoa, 102; cod, 635; coffee, 442, 512, 560, 569, 584; cookies, 300; corned beef, 199; cream, 82, 243; crisps, 583; dumplings, crusty currant, 326; drunkard, 254; eggs, 56, 471, 583; essences, 399; fish, 519, 521; flour, 565; fruit, 125, tinned, 199; groceries, 435; ham, 398; herring, 635; ice cream, 432; jam, 56, 172; juice, 583; lemonade, 155, 263; maize, 372; marmalade, 55; meat, 525; milk, 44, 55, 56, 82, 84, 85, 123, 243, 327, 330, 335, 398, 399, 413, 435, 591; nectarines, 36; oatmeal and water, 329; onions, 10, 124, 565; oranges, 371; payment for, collecting arrears of, 398; peaches, 36; pheasant, 593; pieces, 20, 27, 35, 76, 102, 153, 329, 342, 343, boiled egg, 16, cheese, 16, jam, 172; pies, 216, 218, 330, 565, 626; plenty, 76; plum duff, 214; porridge, 565; port, 118; potatoes, 15, 50, 111, 124, 328, 330, 447, 538; pudding, 111; rabbit, 284; rice, 200; roast, 152; rolls, 167, 399, 435, 569, 582; salad, 583; sandwiches, 111, 263, 550, 569, jam, 548; sausages, 525, 565; scones, 50, 450, 565; in Scots Guards, 595; scraps, 206; semolina, 114; sherry, 118; shortage of food, 213; sliced sausage, 583; soup, 111, 114, 214, 217, 585; spotted dick, 214; stewing steak, 305; stews, 111, 565; sugar, 550; sweets, 221; tea, 251, 323, 474, 495, 506, 512, 549, 550, 555, 560, 569, 627, cups of, 77, 107, 255, 265, 281, 301, 327, 328, 456, 593, flask, 248, Lyons', 477, morning, 51, pitcher of, 111, 306, urn for, 537, 538; teetotal, 118; temperance 613; tinned foods, 199; toast, 50, 276, 326; tomatoes, 36, 491, 492; tomato sauce, 264, tomato soup, 468; for tramps, 76, 77, 155, 302; turnips, 21, 36, 153; vegetables, 36, 111; whisky, 118, 141, 370, 447, 593, Sanderson's Mountain Dew, 125

Food Commissioner, 617

football clubs: Bonnyrigg Rose Athletic, 311; Cliftonville, 310; Glencorse Amateurs, 197; Heart of Midlothian, 197, 361; Hibernian, 197; Kelso, 311; Liverpool, 311, 625; Penicuik Athletic, 263; Penicuik Thistle, 311; Peebles Rovers, 311; Queen's Park, 321, 626; Vale of Leithen, 311

Ford Motor Co., 485

Forrest, Cecil, Scots Guards, 595

Forsyth, Bob, foreman housepainter, 589, 598, 599, 600

Fort George, Inverness-shire, 139

Forth Bridge (rail), 265, 300, 623

foundry: Miller, Edinburgh, 416; Carron Iron Co., 626; see also Penicuik, places in, Ferrier & Co.

fracas, 62, 63, 158, 216, 303

France, 288, 550, 623, 629, 630; see also War, 1914-18; War, 1939-45

Franco, General Francisco, 629

Fraserburgh, 224, 521, 522

Fraser family, Penicuik, 308

Fraser, John, (Bill? Willie?), victim, Mauricewood disaster, 80, 613

Free Gardeners, 350, 627

freemasonry, 285, 314, 554, 619; see also VM

Freetown, Sierra Leone, 310

Fremantle, Australia, 499

French West Africa, 531, 636

Frew, John Y., engineer, EM, 347-58; aunt and uncle of, 347, 348; brother of, 347, 348, 411, 413, 416, 627; brother-in-law of, 348; cousin of, 383; engineering apprentice and chief engineer, EM, 7, 347, 349-51, 353-6, 427; father of, 7, 347, 348, 349, 350, 351, 352, 353, 358, 383, 411, 413; father-in-law of, 355; forebears of, 348, 626; grandparents of, 7, 347, 348; mother of, 347, 348, 357; other employments of, 3, 351-3, 356-8, 427; remarriage of, 357, 358; retrospect by, 358; sister of, 347, 348; wife of, 353, 357; in 1939-45 War, 351-3

Fulton, Mrs, postmistress, 557

Fyfe, Tom, foreman painter, EM, 601, 602

Fyffe Co., 357, 627

GALAS and festivals: Harper's Brae, 104, 210, 259; Penicuik children's, 259; Penicuik Hunter and Lass, 279, 625; Rosewell, 17; Whitefaugh, 17

Galashiels, 31, 197, 287-93 passim, 360, 361, 588; Boys' Brigade, 289; Co-operative Society, 287; cycle runs to, 262, 263, 317; dry toilets in, 289, 290; Gas Light Company, 290; places in or at: Academy, 288, 289, 290, Bristol Terrace, 290, 293, Buckholm, 288, 290, Buckholmside, 290, Glendinning Terrace Primary School, 288, Halliburton Place, 287, 289, Labour Exchange, 293, Magdala Terrace, 289, 290, 625, public library, 293, sheep skin works, 287, 290, 291-2, Torwoodlee Golf Club, 288, tweed mill, 292, 293, West Parish Church of Scotland, 288, 289, woollen mills, 291, 625; Rugby Club, 289; unemployed in, 293

Gala Water, 290, 263

Galloways, paper mill owners, 417

Galloway, Willie, Co-op milk deliverer and cobbler, 399

gambling see employments, miners

Ganges river, 200

Gateshead, 266

Gattonside, Roxburghshire, 31

Gaza, Palestine, 628

General Board of Control for Scotland, 617

General Strike, 1926, 7, 23, 39, 58, 59, 60, 74, 86, 107, 115, 116, 178, 296, 302, 433, 434, 559, 6[632

Gennon, Jessie, worker, VM, 161

George V, king, 628

George VI, king, 278, 531, 639

Germany, 174; concentration camps in, 629; Olymp Games, 1936, in, 368, 628; pre-war, 1939, in, 6. 630; prisoner of war, 1914-18, in, 13; and Wor War II, 144, 348, 373, 386, 530, 621, 623, 627, 6. 635; see also War, 1939-45

Gibraltar, 224, 225

Giffnock, 151, 155; see also collieries

Gillingham, Kent, 519

Givenchy, France, 638

Gladhouse reservoir, Midlothian, 43, 44, 182, 350

Gladstone, William, prime minister, 619

Glancy, an Edinburgh soldier, 373

Glasgow, 36, 67, 103, 141, 151, 155, 159, 234, 242, 2! 292, 394, 465, 466, 480, 481, 487, 596, 633; raids, 1940-1, on, 352; coal carter in, 101, 102, 4. Empire Exhibition, 1938, in, 600, 639; and E Mills paper, 27; Onion Johnnies based in,] Orangemen in, 158, 159; places in: Bridgeton, 6. Caley (Caledonian) Road, 158, Cheap Jones' sho 158, Clyde Paper Mill Ltd, 97, Craigs & So paper mills, 97, Cumberland Street, 158, Dalsh Paper Co., 97, D. Rowan & Co., 351, 352, 35 Elliot Street, 351, gas works, 235, Hayfie Catholic School, 158, James Street, 102, Jo Collins Ltd, paper mill, 97, Lancefield Street, 1(laundry (unspecified), 235, Leggate, builders(536, 540, Lime Street, 158, Maternity Hospit 632, Sauchiehall Street, 351, school (unspecifie 102, shipyards, 351, 352, 415, Skerry's College, 6. Springburn Training Centre, 61, University, 4(632, 637, Western Infirmary, 632, William Colli publishers, 625; political views in, 159; Queen's Pa FC, 321, 626; rag merchants in, 457; Salvati Army bands in, 36; sectarianism in, 158; Trad Week holidays at, 416

Glassel, Kincardineshire, 616

Glenbuck colliery, Ayrshire see collieries

Glencorse, Midlothian, 84, 112, 114, 119, 326, 6. Barracks, 77, 84, 114, 182, 223, 241, 324, 374, 5. 543, canteen at, 323, 324, ex-soldiers fro employed at VM, 138, 162, 197, militiamen at, 2(266, 623, Royal Scots depot at, 36, 138, 401, 5! 594, in 1914-18 War, 36, 54, 73, 326; see al Penicuik, places in, Targets, The; Church, 73, 3(325, 343, 532; Golf Club, 121, 297, 389; reservo 182; School, 73, 114, 115, 323, 324; Station, 328

Goch, Germany, 597

Gold Beach, Normandy, 624

Gorbachev, Mikhail, Soviet leader, 531, 635

Gordon, Charlie, Wages Room, VM, 127, 160, 161

Gordon, Douglas, foreman, VM, 3, 211-31, 6. brothers of, 211, 212, 213, 215, 217, 228; father o 211, 212, 213, 224, 620; father-in-law of, 223; a Jewish immigration into Palestine, 621; mother o 211, 212, 213, 215; other employments of, 211, 2. 216-18, 230, 231; and parliamentary election, 19. 8, 9, 229; retrospect by, 231; sister of, 211, 212, 2. 215; son of, 226; unemployed, 215, 218; wife o 212, 223, 224, 226; works in VM, 219-22, 22 226-30; in 1939-45 War, 224-6, 621

Gordon, Ella, typist, VM, 127

rdon, Joanna, worker, EM and VM, 4, 233-55; aunts and uncles of, 234, 235, 244, 249; brothers of, 233, 235, 236, 240; brother-in-law of, 254; daughter of, 253; death of, 10; in domestic service, 241-4; father of, 233, 234, 235, 236, 237, 238, 240, 243, 249, 250, 255; father-in-law of, 253, 254; grandparents of, 234, 235, 249; and gunpowder mill, 251; and 'Lord Haw-Haw', 250, 622; marriage and husband of, 4, 250, 251, 252, 253, 254, 255; meets VM director on Mull, 8, 243; mother of, 233, 234, 235, 236, 237, 238, 240, 241, 243, 248, 249, 250, 251, 255; retrospect by, 255; sisters of, 233, 234, 235, 248, 249, 250; son of, 254; wartime work and housing of, 252, 253; works as cleaner, 254, 255; works at EM, 237, 238-41; works at VM, 244, 245-50

rebridge, Midlothian, 145, 305, 394; Greenhall High School at, 46

ths, 372

ubellat Plain, Tunisia, 371

urock, 635

wkshill, Midlothian, 145

ham, Mr, baker and landlord, 121

at Ashfield, Suffolk, 481

at Bitter Lake, Egypt, 556

at Ormsby, Norfolk, 525

at Yarmouth, Norfolk, 519, 520, 521, 522, 523, 526, 627, 634

enland, 357

enlaw Mains farm see farms

enock, 357

oves, Annie, worker, VM, 245

ardbridge, Fife, 76; paper mill, 3, 76, 135, 298, 356, 607

lane, East Lothian, 289

stav Line, Italy, 621

thrie, Messrs, builders, 51

AKON VII, king of Norway, 530, 634, 635

ddington, 593

ggerty (?), Bob, byreman, 335; daughter of, 334, 335

fa, 225

g, Henry, worker, EM, foreman, VM, 4, 377, 465-88; aunts and uncles of, 467, 473, 480; brothers of, 466, 467, 471, 480; children of, 487; and dockers' strikes, 633; at EM, 473, 474-80; father of, 465, 466, 467, 468, 469, 471, 480, 482, 484; grandparents of, 465, 466, 467; mother of, 465, 466, 467, 468, 469, 471; National Serviceman, 480, 481; other employments of, 471-3, 487, 488; retrospect by, 488; at VM, 377, 479, 482-7; wife of, 487

l, Mrs, laundry worker, 569

l's farm, Penicuik see farms

mburg, 386

milton, Aggie, dairymaid, 330

milton, Dr William, 450, 632

milton, James, Lothian Coal Co., 605

milton, Jessie, dairymaid, 330

milton, John, farmer, 327, 328, 330, 331, 332, 333, 334

milton, Mr, wages clerk, VM, 127

nnah, Jean, office worker, EM, 4, 11, 503-18; aunt and uncles of, 503, 504; brother of, 503, 504, 505, 516; at EM, 508, 509-17; father of, 502, 503, 504, 505, 506, 507, 508, 509, 513, 514, 515, 516, 517, 518; grandparents of, 503, 504, 505, 518; marriage and husband of, 4, 504, 517, 518; mother

of, 503, 504, 505, 507, 514; other employments of, 4, 506-8, 517, 518, 633; other forebears of, 504; retrospect by, 518; sister of, 503, 504, 514, 518; son of, 517

Hardengreen, Midlothian, 93

Hardie, James Keir, labour leader, 79, 613

Harlaw Moor, Peeblesshire, 414

Harper, Jock, worker, DM, 343, 344

Harper's Brae see Penicuik, places in

Harrison, Alex, CA, director, VM, 137, 147, 616, 617

Harrow School, Middlesex, 617

'Haw-Haw, Lord' see Joyce, William

Hawick, 289

Heath, Edward, prime minister, 632

Hednesford, Staffordshire, 555

Helmsley paper mill, Yorkshire, 135

Hemsby, Norfolk, 519, 524, 525, 526

Henderson, Bert, grocer, 192, 546

Henderson, Geordie, butcher, 152

Henderson, Mr, head labourer, EM, 510

Henderson, Mrs, tenant, Old Manse, 104

Henderson, Pte William, Royal Scots, 36, 608

Hendry, Effie, office worker, VM, 501

Henry, Will, foundry foreman, 552

Henty, G.A., author, 305, 625

Hereford, 481; Earl of, 618

Heriot-Watt College/University see Edinburgh, places in

Hewitt, Margaret, office worker, EM, 509, 511, 517, 518

Hewitt, Max, wages clerk, VM, 127, 453, 454

Highlands, 629

High Wycombe, Buckinghamshire, 141, 555, 556

Hilton, Mr, foreman, EM, 7, 441

hiring fairs, 333, 334, 626

Hiroshima, Japan, 534, 621

Hislop, David, Paper Room supervisor, VM, 127, 493, 494, 497

Hislop, Law (Lawrence ?), old worker, VM, 144

Hitler, Adolf, 401, 629, 630, 631

HMS Cumberland see ships and shipping

HMSO (His/Her Majesty's Stationery Office) see publishers, printers, and stationers

Hoess, Rudolf, commandant, Auschwitz, 629

holidays, 105, 196, 262, 263, 279, 300, 342, 395, 397, 400, 406, 435, 590; absence of, 112, 336; camps for, 525; carter, 338; Christmas and New Year, 336, 434, 550, 571; farm worker, 336; foundry workers, 550; housepainters, 600; laundry workers, 571; miners, 62; paid and unpaid, 336, 434, 550, 600; public, 76, 389, 421; see also DM; EM; VM

Holland, 386, 533, 597, 627

Home & Colonial Stores, 633

homesickness, 242, 481, 492

Hong Kong, 353, 533, 534, 627

Hood, Archibald, coalmaster, 606

Hood, James A., Lothian Coal Co., 606

Hook, Isa, office worker, EM, 511, 513; father of, 513

Hope, John G., ex-councillor, 615

hotels, inns and pubs, 201, 473, 520, 521, 523, 529, 532, 553; Carnethy Inn, Penicuik, 62, 156, 325, 447; Countryside Inn, Bilston, 223; Craigiebield Hotel, Penicuik, 147, 229, 286; Flotterstone Hotel (Inn ?), Midlothian, 431; Howgate Inn, Midlothian, 121; Jean Easton's Pub, Penicuik, 152; Mill Inn, Penicuik, 432; Mill, The, Penicuik, 466; on Mull, 243; Navaar House Hotel, Penicuik, 229,

283, 304; Railway Inn, Penicuik, 558; Railway Tavern, Penicuik, 473; Roslin Hotel, 201; Royal Hotel, Penicuik, 160, 314, 452; Royal Oak Hotel, Great Ormsby, 525; Town Inn, Penicuik, 473; Wemyss Arms Hotel, Methil, 253

hours of labour, 33; brickworkers, 19; caretaker, 400; carter, 337, 338; cleaners, 78,254; clerk, 291, chief, 292; Co-op clerkess, 438; Co-op, Penicuik, 44; dairymaid, 327; domestic servant, 242, 432; engineer, 352; farm workers, 21, 328, 329, 335, 336; five-day week (foundries), 550; foundry workers, 549, 550; gardener, 35; Home Guard, full-time, 43; jute mill workers, 212; labourer, 338; laundry workers, 569, 574; lorry driver, 394; merchant navy, 356; miners, 154, 155; Mount Hope Machinery Co., 356; museum attendant, 230; plastics workers, 580; postman, 557; secretary, personal, 507; stonemason, 431, 436; tweed mill workers, 394; vanman, Co-op bakery, 44; see also childhood and adolescence, employments; DM; EM; VM

House o' Muir farm, Midlothian see farms

housing: at Aberdeen, 318; attic, 24, 49, 432; backgreen, shared, 193; baths, absence of fixed, 2, 15, 50, 72, 73, 81, 104, 113, 114, 121, 156, 192, 212, 277, 290, 324, 361, 362, 395, 396, 412, 449, 490, 491, 504, 545, 561, fixed, 212, 361, fixed, in council, 396, 449, 450, 468, fortnightly, 81, in relative's house, 277, 449, taken in washhouse tub, 104, weekly, 113, 277; blitzed, 610; bothy, 334, 335, 336; bungalows, 128, 167, 381, 384, 477, 567; but and ben, 258, 466, 467; coalhouses, 14, 104, 212, 448, 545, 561; converted from church, 103; cooking arrangements, 15, 24, 50, 51, 81, 103, 192, 258, 276, 303, 324, 325, 362, 395, 396, 432, 448, 450, 466, 467, 490, 491, 504, 545, 561, 565, 588, 589; council, 25, 188, 212, 254, 255, 354, 387, 395, 396, 432, 449, 450, 467, 468, 472, 491, 504, 597, creosoted, 593; demolished, 16, 234; for destitute people, 615; doors of left unlocked, 236; evictions from, 593, threatened, 333, 334; for fisher lassies, 522; five-roomed, 412; flittings, 20; flooding of, 24; flooring of, 15, earthen, 24; four-roomed, 212, 361, 491; fumigation of, 240, 547; gaffers', 156; gardens, 14, 15, 52, 103, 178, 212, 276, 396; gatehouse, 491; harling of, 51; hens at, 15, 113; for inebriate women, 615; lighting: electricity, 362, 395, 396, 412, 450, 468, 504, 545, 588, gas, 51, 72, 104, 113, 114, 121, 192, 214, 258, 276, 289, 290, 324, 362, 395, 412, 432, 448, 467, 490, 491, 545, 561, 588, paraffin lamps, 2, 15, 24, 72, 103, 104, 113, 114, 258, 276, 322, 324, 325, 398, 468, 588; lodgers, 104, 145, 152, 253, 324, 396, 465, 467; lodgings, 152, 351; midden at, 113; miners', 13, 14-15, 20, 83, 112-14, 155, 156; model lodging houses, 437; overcrowding, 2, 15, 24, 50, 53, 72, 80, 103, 112, 113, 152, 155, 156, 177, 178, 235, 258, 259, 289, 299, 303, 323, 324, 362, 396, 467, 491, 504, 562, 589; poes kept in, 448; prefabs, 491, 495, 593, 597; privacy, lack of, 15; rat-infested, 25; red brick, 447; reform of, 613; renovated and sold, 362; rented privately, 20, 112, 117, 121, 290, 354, 387, 395, 396, 447, 466, 467, 491, 504, 546, 608; rents, 103, 104, 213, 254, 305, 324, 326, 327, 330, 468; room and kitchen, 14, 15, 50, 72, 102, 103, 105, 112, 121, 155, 156, 188, 258, 289, 323, 412, 432, 448, 504, 562; schoolhouse, 236; sheltered, 381, 394, 608; shelter for needy, 155, 301, 302; single end, 49, 103, 303, 305, 561; single storey, 80; sink, shared, 24; sleeping arrangements, 15, 50, 53, 72, 80, 81, 103, 112, 114, 152, 156, 178, 1 192, 212, 235, 236, 258, 259, 276, 289, 303, 3 324, 395, 396, 412, 432, 448, 467, 490, 491, 5 545, 560, 561, 588, 613; struck by lightning, 2 tenements, 158, 588; terraced, 72, 80, 112, 1 three-roomed, 276, 290, 303, 324, 395, 396, 4 490, 491, 544, 560, 588; tied, 13, 20, 211, 212, 2 324, 326, 327, 330, 333, 334, 400, 490, 491, 5 589, 590(?), 607, 626; see also DM, EM, V toilets: absence of, 104, dead man in,589, dry, 2, 15, 51, 52, 72, 81, 103, 104, 113, 121, 178, 235, 2 289, 303, 305, 361(?), 436(?), 561(?), emptying 14, 52, 81, 82, 121, 235, 303, 324, 325, 337, 3 'pail merks', 290, pails for, 81, shared, 324, 447, 4 flush, 51, 82, 104, 121, 212, 258, 290, 395, 396, 4 448, 450, 490, 491, 611, outside, 24, 289, 3 361(?), 412, 561, shared, 121, 156, 192, 277, 4 467, 504, 545, 546, 561, 588, 589, separ arrangements for adults and children, 52, 2 separate for males and females, 51, shared, 2, 1 188, 361, 362, 611, shunkies, 622; washhouses, 104, 114, 121, 240, 277, 490, 545, 562; wa supply: cold, running, 81, 113, 114, 121, 156, 1 258, 277, 290, 412, 432, 447, 448, 490, 504, 5 588, heating it, 15, 50, 51, hot and cold, runni 450, outside, 2, 51, 121, 324, 325, 436, piped, stand pipes, 447, wells, 14, 72, 103, 113, 156, 2 447

Howgate, Midlothian, 16, 20, 21, 102, 223, 286, 2 333, 437, 567, 593; Inn, 121

Humber estuary, 353

Hunter, Stevie, Bonnyrigg, 371

ICELAND, 531

illegitimacy, 523

illness, disease, disabilities, wounds and injuries, 2, 280, 284, 409, 514, 548, 626; amputations, 92, 1 361, 557, 637; appendicitis, 94; arthritis, 4 asthma, 32, 191, 192, 193, 197, 287, 448, 5 Hinkman's Cure for, 192; back trouble or injury, 598; black damp fumes, effects of, 155; blind, 5 breathing troubles, 603; broken: arm, 108, ne 599, wrist, 598; burns, 552, 571, 572; burst art 92; cancer, 353, 438; chickenpox, 546; choki fatal, 442; cholera, 615; concussion, 5 constipation, 450; dementia, 234; Dental Hospi 570; diptheria, 448, 449, 450, 451, 460, 5 diverticulitis, 488; drink problem, 7, 86, 1 duodenal ulcer, 294; dysentery, 199; electric mo chair, 317; eye injuries or troubles, 191, 234, 3 552, 555, 587, 588; eyelid trouble, 216; eye, loss an, 533; fatal, 589; fingers: cracked, 521, loss of, 3 gangrene, 361; go-chair, 450; haemorrhaging, 1 hand injuries, 520; hare lip, 562, 563, 570; head a neck injuries, 598; heart: attack, 293, 294, 297, 4 558, weak, 449, 450, 460; hospital: for elderly, 6 treatment, 244, visitors to, 92, 302, 449, 450, 4 546; hunched back, 335; hypothermia, 373; inf mortality, 13, 101, 177, 490, 560; inoculati against, 449; invalid, 276; legs: amputation of, 3 557, 637, injury to, 161, 559, lame, 514, 5 swollen, 201; malaria, 191; measles, 546; mini accident injuries, 302; morphine for, 371; Natio Health Service, 550, 637; nervous breakdown, 1 173, 309; nervous condition, 209, 233; nervousne 56; nursing home, 205, 432; paralysis of vo chord, 441; perforated ear drum, 61; pleurisy, 153; polio, 213; rheumatics, 112, 387; rheumatoid arthritis, 342; Rosslyn Asylum, 437; scarlet fever, 448, 449, 450, 468, 546; sclerosis, disseminated, 276, multiple, 357; self-inflicted wounds, 253; shelter for sufferers, 155; Spanish 'flu pandemic, 1917-19, 101, 614; starvation, 151; still-birth, 560; stomach troubles, 603; strokes, 136, 138, 144, 431, 586, 637; sugar in the blood, 402; suicide resulting from, 309; terminal, 445; torn rib muscles, 552; travel sickness, 500; tuberculosis, 111, 112, 466, 471, 521; vomiting, 305; waterborne diseases, 369

mingham, Lincolnshire, 627

perial Chemical Industries (ICI), 461, 560

phal, India, 171, 619

lia, 14, 32, 137, 162, 189, 270, 275, 369, 411, 465, 626; in 1939-45 War, 171, 172, 199, 200, 619

lustrial tribunal, 580

glis, Cameron, accordionist, 46

glis of Auchendinny, landowners, 258

glis, Willie, gardener, 35, 37

gman, Joe, foundry engineer, 550

herleithen, 197, 223, 263, 394

nes, W. Arnold, chairman, EM, 607

rercargill, New Zealand, 129

reresk, Musselburgh, 128, 130; paper mill, 65, 97, 360, 424, 478, 607

rergordon, 417, 418, 530

rerkeithing, 42, 43; papermill, 40, 41, 42-3

rerness, 637

rerurie paper mills, 365

q, 621

land, 356, 522, 608; Northern, 202, 310, 311, 356

sh, 22, 322, 335, 544, 617; see also political views and parties

sh Sea, 341

n, Mr, foreman, EM, 313

ine, Mrs, shopkeeper, 432

nailia, Egypt, 556

ly, 175; in 1940, 635; see also War, 1939-45

CK, John, Co-op cashier, 434

k, Mr, landlord, 504

kson, Betty, contralto, 437

obini, Mr, adjudicator, 437

nes VII and II, king, 627

nieson, George, apprentice moulder, 550

an, 175; see also War, 1939-45

dine, Edward, managing director, EM, 25, 26, 27, 61, 110, 208, 306-18 passim, 423, 438, 514, 607; character and managerial style of, 98, 239, 268, 307, 423, 480, 510, 515, 539, 575, 576; Church of Scotland elder, 308; and daily output, 66; death of, 356; and dust in mill, 241; fishing rights of, 423; formal appearance of, 513; freemason, 314; and leisure facilities at EM, 307; photograph of, 502; retirement of, 269, 423, 518, 575; sons of, 518; and waste of coal, 95; and workers' sing-song, 239; in 1914-18 War, 311

dine, James, managing director, EM, 25, 26, 27, 94, 95, 110, 239, 260, 309, 349, 351, 422, 606, 607; death of, 95, 268, 309, 356, 423, 575; son Andrew of, 575, 576

dine, John, marine engineer and manager, EM, 606

dine, John, managing director, EM, 607

dine, John, son of Major William and managing director, EM, 110, 309, 310, 318, 423, 513, 515,

518, 519, 575, 576, 606, 614, 615; personal problems of, 356, 575, 576; photograph of, 502; political activities of, 576, 638; sons of, 576

Jardine, Major William, managing director, EM, 95, 110, 422, 423, 606, 614

Jardines of Esk Mills, 2, 51, 58, 94, 99, 110, 267, 309, 313, 422, 423, 480, 576, 577, 580; cease to control EM, 575; brothers of, 32; Conservative views of, 576; and papermakers' Federation, 416; parsimoniousness of, 355; relations with DM and VM, 440, 441

Jarrow, Durham, 532

Jedburgh, 131

Jeffries, Mr, manager, VM, 537, 540

Jerusalem, 628

Jews, 85, 226, 351, 621; and anti-semitism, 9, 618, 619, 629; see also Balfour Declaration, 1917

Johannesburg, 129, 202

Johns, Capt. W.E., author, 632

Johnstone, George, worker, VM and EM, 3, 9, 10, 31-47, 609; brothers of, 32, 36, 40, 43; cousins of, 32, 33, 34; death of, 10; father of, 31, 32, 33, 34, 37; first wife of, 42, 43, 44; grandparents of, 31, 32; hearsay account by of accident at EM, 9, 45; mother of, 31, 32, 33, 36; other employments of, 3, 33-7, 41, 42-5, 46; photographs of, 100, 430; retrospect by, 47; second wife of, 44, 45, 47; sisters-in-law of, 42; and Territorials, 1914, 36, 608; uncles and aunts of, 9, 31, 32

Johnstone, Jimmy 'Look-up', baker, 216, 217, 218

Jones, Charlie, school pupil, 32

Jordan, Mr, managing director, VM, 147, 498, 536, 538

Joyce, William, 'Lord Haw-Haw', 250, 619, 622

Juniper Green see Edinburgh, places in

Juno Beach, Normandy, 624

KALAMAZOO, Michigan, 132, 609; see also publishers, printers, and stationers

Kassareet, Egypt, 556

Kay, Mr, Inveresk Paper Group, 145

Kay, Steve, Polish office worker, VM, 145

Keiller, Miss, bank manager's daughter, 510, 513

Keiller, Mr, bank manager, 510, 513

Kelso, 123, 360, 361, 587, 588, 590, 591, 600, 626, 638; Football Club, 311

Kemp, Nessie, office worker, grocer's, 508

Kemp, widow and daughter, 25

Kennerty Dairies see Edinburgh, places in

Kent, 536

Kerr, Charlie, Paper Room worker, VM, 493

Ketchen, 'Jabbie' (Jimmy ?), foreman, EM, 25, 422, 437(?), 476, 575

Kilmadock, Perthshire, 321

Kilmarnock, 370

King, Cecil, newspaper magnate, 147

Kingsmuir Hall, Peebles, 244

Kinleith paper mill see Currie

Kips, the, Pentland Hills, 130

Kirkhill see Penicuik, places in

Kirkhope, Jimmy, foreman gardener, 35, 36

Kirkliston, West Lothian, 147

Kohima, India, 171, 172, 619

Korea see War, Korean

LABOUR Exchange (buroo) see Galashiels, places in; Penicuik, places in

Lagos, 310

La Haye Sainte farm, Waterloo, 624
Laing, Jessie, Whitefaugh, 15
Lairig Ghru, Inverness-shire, 632
Lake Ladoga, Russia, 530
Lamancha, Peeblesshire, 322, 328
Lamb, Jimmy 'Pepper', barber, 265
Lamont, Dr Archie, geologist, Scottish Nationalist, 557, 637
Lanark, 124, 152
Lanarkshire, 462, 613
Landale, Rev., 263
landowners (lairds), 125, 130, 258, 331, 587, 610, 615
Lansbury, George, MP, Labour leader, 79, 613
Larne, Northern Ireland, 202
Lasswade: High School, 124, 125, 179, 193, 260, 278, 347, 348, 349, 363-5, 371, 433, 451, 469, 470, 506, 565, 566, 590, 613; paper mill, 5, 28, 97, 269, 296, 477, 607, 608, 609; post office, 348
Lauder, 593
Lauderdale, Earl of, 371
Lauder, Sir Harry, comedian, 144, 617, 618
Law, John A., worker, EM and DM, 3, 49-69, 606; and Armistice Day, 1918, 611; and Bill concerning w.cs, 51, 611; daughters of, 67; death of, 10; father of, 49, 50, 53, 54, 55, 56, 58; grandparents of, 49; mother of, 49, 50, 51, 53, 55, 56; other employments of, 55, 56; and radio mast, 8, 52, 53; retrospect by, 69; sisters of, 49, 50, 53, 56, 62; unemployed, 55, 67; in wartime engineering, 3, 61; wife of, 67; works at DM, 67-9; works at EM, 49, 56, 57-60, 61-7; and 1923 strike at VM, 612
Lawrie, Mr, farmer, 341
Lawson, Jimmy, Wiggins Teape, 147
Leadburn, Midlothian, 153, 286
League of Nations, 621
Leamington Spa, Warwickshire, 141
Leeds, 199
Lee, Mr, schoolteacher, 16
Lee-on-Solent, Hampshire, 417
Leggate, Glasgow, (builders?), 536, 540
Leiper, Mr, baker, 215, 216
Leningrad (St Petersburg), 530, 531, 635
Leuchars, Fife, 61, 76
Leven, 400
Lewis, 10
libraries, public, 17, 27, 77; see also Edinburgh, places in, Corstorphine; Galashiels, places in; Penicuik, places in, Cowan Institute, and public library
Liddell, Billy, footballer, 311, 625
limekilns, 219, 467, 620
Linlithgow, 49; paper mills, 3, 97, 357, 358, 427
Linton, Mr, grocery manager, 400
Lister, Stewart, carting contractor, 337, 338; father of, 338
Lithuanians see VM
Liverpool, 266, 373, 633; Football Club, 311, 625
Livie, Alex, Provost, Penicuik, 399, 508, 634
Livingston, 272
Livingston, Jimmy, shopkeeper, 193, 588
Loanhead, 44, 117, 145, 398, 437, 442, 465, 466, 482, 550, 569, 593, 632; courting customs at, 109, 198, 223, 264, 285; and dancing, 62, 198, 208; engineering apprentices' evening class at, 415; landowners at, 125; Midlothian school sports at, 279; places in: cinema, 564, garage (unspecified), 149, Hospital, 449, 450, 546, 632, Mavisbank House, 125, 615, Penicuik Co-op branch, 434,

Ross's Confectionery Works, 501, 633; pos
deliveries in, 557; Shotts Iron Co. at, 54
Territorial Army, 1914, at, 608; see also bus far
collieries; engineering companies, MacTagga
Scott
Loch an Eilean, Inverness-shire, 632
Lochmill paper mill, Linlithgow, 357, 358, 427
lodgers see housing
Lofoten Islands, Norway, 530, 635
Loganlea reservoir, 182
Logan, Mr, killed, 1914-18 War, 54, 611(?)
London, 168, 174, 292, 337, 338, 377, 527, 536, 58
595, 600, 619; black market in, 373; coronatie
1937, in, 278, 279; dock strikes, 1949, in, 491, 6
places in: Brixton prison, 618, Buckingham Pala
597, Chelsea Barracks, 594, 595, Cowans' off
and warehouse, 129, 130, 202, 499, DM agent a
office, 296, 298, 584, docks, 481, 633, Downi
Street, 97, 441, EM offices, 270, Fleet Street, 21
Fyffe's, 627, Kennet Wharf, 614, Liverpool Str
station, 526, London Bridge, 526, Lord's crick
ground, 403, Paul's Wharf, 202, Right Club, 6
Royal Hospital, Chelsea, 594, Tudor Street, 6
Upper Thames Street, 129, 614, West Ham, 6
Whitehall, 634, Wiggins Teape head office, 46
Polish government in exile in, 403; VM paper se
to, 194; VM strike, 1923, supported in, 612
Long Horsley, Northumberland, 224
Longniddry, East Lothian, 613
Lothian, 46, 431, 593; branch, British Medi
Association, 632; Coal Co., 19, 548, 605, 6
Marquis of, 606; paper mills in, 477; Regio
Council, 488
Louden, Dick, worker, DM, 503
Louden, George, head finisher, VM, 140, 244, 2
246, 248, 282, 283, 284, 402, 406,408, 503
Louden, Guardsman Jack, Glasgow, 596
Louden, Jean, domestic servant, 242, 244
Louden, William, foreman, EM see Hannah, Je
father of
Love, Miss, schoolteacher, 396, 468, 469, 505
Lowestoft, Sussex, 521
Lulworth, Dorset, 596
Lumphinnans, 411
Lumsden, Mr, laundry manager, 572
Luneburg, Germany, 348; Heath, 627
Luxembourg, 623
Lympstone, Devon, 535
Lyneham, Wiltshire, 405
Lyons' Tea Co., 477
Lyttelton, New Zealand, 499

MAASTRICHT, Netherlands, 597
MacBean, Dr Kenneth, chemist and manager, V
136, 137, 147, 377, 460, 461, 617
Macbiehill, Peeblesshire, 153
Macclesfield, Cheshire, 169, 170
MacDonald, George, worker, EM and DM, 3, 29
320; aunts and uncles of, 299, 300; brothers of, 3
302, 303, 306, 307, 310, 313; cousins of, 3
daughter of, 310; death of, 10; father of, 299, 3
303, 305, 306, 307, 310, 314; father-in-law of, 3
freemason, 314; grandparents of, 299, 300, 3
302; marriage and wife of, 308, 310, 311, 314, 3
mother of, 299, 300, 303, 305, 308; retrospect
320; sister of, 302, 303; works at DM, 319-
works at EM, 299, 306-10, 311-18; in 1939-

War, 3, 310
cDonald, Jim, foreman, EM, 580
cDonald, Jim, housepainter, 597
cDonald, Jock, foundry worker, 550, 551, 554, 555, 558
'Dougal, Thomas, owner, EM, 268, 309, 606
cFeat family, Penicuik, 543, 544
cFeat, Freddie, building foreman, 544, 636
cGarva family, Penicuik, 299, 308
cGarva, Pte James, Royal Scots, 299, 625
cGavin, Duncan, union representative, VM, 169, 170
acGregor, Alexander, headteacher, 53, 607
acGregor, George, chief clerk and company secretary, DM, 3, 287-98; brothers of, 288, 289; death of, 10; at DM, 293-8; father of, 287, 288, 289, 290, 292, 293; grandparents of, 287, 288; in Lothian & Border Horse, 294; marriage and wife of, 294; mother of, 287, 288, 289; other employments of, 287, 290-3; retrospect by, 297, 298; sisters of, 288; son George of, 288, 297; uncle of, 289; unemployed, 292, 293
cIntosh, Mr, head of wages, EM, 511, 514
ackay, Ian, chief engineer, VM, 424, 425
ackay, Meg, cook, 242, 243
ackenzie, Sir Compton, author, 632, 637
ackenzie, Willie, union branch secretary, 59, 574
cKerchar, Peter, Cowans' agent, Johannesburg, 129
cKinvey, Mr, pithead foreman, 161
cLafferty, Mrs, newspaper vendor, 109
cLay, Charles, farmworker, and worker, DM, 3, 321-45; brothers of, 322, 323, 324; cousins of, 336; death of, 10; father of, 321, 322, 323, 324, 325, 326, 327, 334, 626; grandparents of, 322; marriage and wife of, 336, 341, 342, 343; mother of, 321, 322, 323, 324, 325, 326, 327, 330, 333, 334; mother-in-law of, 333; retrospect by, 344, 345; sisters of, 322, 323, 324, 327; works at DM, 3, 339-45; works with a contractor, 337, 338; works on farms, 327-37, 341, 626; in 1939-45 War, 341, 342
cLay, David S., footballer, 626
aclean, John, Clydeside revolutionary, 159, 618
acLeod (or Macleod), Miss, schoolteacher, 505, 548
acMillan, William, worker, VM, 3, 191-203; aunts and uncles of, 192, 196; brothers of, 192, 193, 196, 197; cousins of, 196; daughter of, 200; death of, 10; father of, 191, 192, 194, 195, 196, 197; grandparents of, 192; marriage and wife of, 192, 196, 198, 200; mother of, 191, 192, 193, 196, 197; other employment of, 203; retrospect by, 203; son of, 200; works at VM, 3, 191, 194-8, 200, 201-3; in 1939-45 War, 198-200
acQueen, Gordon, headteacher, 178, 179, 237, 305, 363, 445, 469, 505; daughter of, 260
cRobbie, William, worker, EM, 91
acTaggart, Scott, Loanhead see engineering companies
adras, 171
aginot, André, French minister of war, 623
aginot Line, 266, 623
aidenhead, Berkshire, 635
aidstone, Kent, paper mill, 135
air, Wullie, barber, 34
alcolm, Philip, teacher of music, 33, 436, 437, 632
alta, 267, 405
anby RAF station, Lincolnshire, 403
anchester, 141, 370; University, 637
ann, Alex, apprentice painter, 598

Marden Packaging, 272
Markinch, 341; paper mill, 134, 135, 146, 378
Marryat, Capt. Frederick, novelist, 363, 628
Martin, Lieut. J., Royal Scots, 589, 638
Masterman Ready, 365
Matthews, Stanley, footballer, 625
Maundy Money, 526, 634
Mauricewood colliery, Penicuik see collieries
Mavisbank House see Loanhead
Maxwell, James Clerk, physicist, 125, 616
Maypole Dairy, 471, 633
Means Test see unemployment
Mediterranean, the, 342, 371
Medway Technical College, Kent, 519
Melbourne, Australia, 129, 202, 499
Melksham, Wiltshire, 310
Melrose, 490
Melrose, John, worker, VM, 170
Melville, Viscount, 371
Menzies, Jack, worker, VM, 3, 359-79; in army, 1939-46, 367-73, 374, 629; aunts and uncles of, 360, 361; brother of, 359, 361, 362, 365, 367, 368, 375; cousin of wife of, 368; death of, 10; father of, 359, 360, 361, 362, 363, 365, 367; grandparents of, 359, 360, 361; marriage and wife of, 361, 362, 367, 368, 374, 377, 378; mother of, 360, 361, 362, 363, 365; quits VM for Balerno mill, 3, 377, 378, 379; works at VM, 3, 359, 365-7, 373-7
Mercer, Andrew, laboratory worker, VM, 461
Mercer, Jim, husband of Peg, 502
Mercer, Peg, worker, EM, 4, 7, 101-110; brothers of, 101, 103, 105, 107, 108; daughter-in-law of, 110; death of, 10; father of, 101, 102, 103, 104, 105, 107, 108; father-in-law of, 109; grandparents of, 101, 102; marriage and husband of, 4, 7, 104, 106, 107, 109, 110; mother of, 102, 103, 108, 109; other employments of, 109, 110; retrospect by, 110; sisters of, 101, 103, 105, 106, 107, 109; son of, 109, 110; works at EM, 4, 7, 101, 105-8, 109, 110
Mers-el-Kebir, Algeria, 635, 636
Mersey paper mills, 135
Merthyr Tydfil, 613
Messina, Straits of, 267
Methil, 251, 252, 253
Micawber, Mr, 365
Mid and East Lothian Miners' Association, 159, 605, 612, 618
Middle East, 341, 342, 404, 405, 621
Middlesbrough, 352
Middleton, Midlothian, 333
Midlothian, 11, 263, 619; County Council, 79, 609, 613, 638; early paper mill trade unionism in, 608, 609; end of papermaking in, 1; Lord Lieutenant of, 558, 616; Panel, National Health Insurance, 632; school football in, 17, 144, 197, 305, 382; see also collieries; farms; hotels, inns and pubs
Milan, 373
Milford Haven, Pembrokeshire, 370
Millerhill, Midlothian, 86
Miller, Jenny, farm worker, 331
Miller, Miss, headteacher, 53
Miller, Mr, ploughman, 331
Millport, 300
Milne, Miss, schoolteacher, 236, 590
Milton Bridge, Midlothian, 56, 73, 75, 77, 84, 114, 115, 118, 223, 234, 285, 286, 297, 609
miners see employments

Ministry of Defence, 357
Minsk, Russia, 404
Mitchell, Cecil, union organiser, 39, 609, 612
Mitchell, Mr, Paper Office, VM, 127
Moat, the see collieries
Molde, Norway, 635
Molotov, V.M., Soviet foreign minister, 628; see also arms and armaments, Molotov cocktails
Monks Cottage, Carlops, 637
Montevideo, Uruguay, 129, 529, 616, 634
Montgomery, General Sir Bernard, 341, 342, 627
Montreal, 202
Morrison family, Harper's Brae, 566
Moscow, 404, 530
Mossy Mill papermill, Edinburgh, 97, 149, 462, 620
Motherwell, 61
Mount Lothian see farms
Mugiemoss paper mill, Aberdeen, 135, 318, 319, 409
Muirkirk, 153
Mull, 8, 241, 242-4, 248, 255
Munich, Bavaria, 629; Crisis, 1938, 401, 527; Pact, 630
Munro, Enrique, Cowans' agent, South America, 129, 616
Murdoch, Nancy, Moray or Nairn, 529, 530
Murmansk, Russia, 530, 531, 635
Murray, George, Scots Guards, 596
music: accordion, 46; bands, 61, dance, 350, Inverkeithing, 42, master, 249, 255, Orange flute, 158, Penicuik Silver, 183, 608, 610, pipe, 224, 611, Salvation Army, 32, 36, 37, 301, Whitburn Burgh, 46; baritone instrument, 32; brass instruments, 46; choir, church, 211, 215, 436, Penicuik Co-op, 46, 436, Penicuik Male Voice, 46; cornet, 37, 183; drummer, 61; euphonium, 32, 33, 46; fishermen's songs, 520; gramophone record, 119; horn, 183; learning instruments, 255; organ and organist, 195, 241; Penicuik Orchestra, 563; piano accordion, 350; piano and pianist, 61, 183, 350, 436, 437; sacred, 437; saxophone, 61; singing, 7, 221, 236, 248, 436, 437, 441, adjudicator of, 437, by fisher lassies, 522, by tramp, 301, 302, sing-song, 239, 299; trombonist, 437; Trophy, George Johnstone, in, 46; tuba, 183; violinist, 371, 437; whistling, 80, 221
Musselburgh, 65, 128, 263, 311; places in: Edenhall Hospital, 302, Fisherrow, 381, Grammar School, 46, Loretto School, 616, paper mills, 28; see also Inveresk
Mussolini, Benito, 624, 630

NAGASAKI, Japan, 534, 621
Nairn, 529
Naples, 225, 373, 621
Narni, Italy, 372
National Amalgamated Union of Shop Assistants, Warehousemen and Clerks, 637, 638
National Service see armed forces
National Union of Boxmakers, 272
National Union of Clerks, 292
National Union of Distributive and Allied Workers, 638
National Union of Mineworkers, 317, 626, Scottish Area, 618
National Union of Printing, Bookbinding and Paper Workers, 39, 58, 59, 60, 92, 141, 142, 169, 187, 202, 227, 239, 265, 297, 314, 343, 375, 388, 480, 482, 515, 539, 574, 580; East of Scotland organiser, 39,

609, 612; origins of, 606; and 1923 strike at V[ ] 611, 612; see also DM, EM, and VM, tra[ ] unionism at
National Union of Scottish Mine Workers, 618
NCR (No Carbon Required/National Cash Registe[ ] 407
Neil, James, office and laboratory worker, VM, 3, [ ] 445-63; aunt and uncles of, 446, 449; father of, 4[ ] 446, 447, 448, 449, 450, 452, 453; grandparents 445, 446, 448, 450; mother of, 446, 447, 448, 4[ ] 450, 452, 453, 458; other employments of, 3, 4[ ] 3, 620; retrospect by, 462, 463; wife of, 449, 4[ ] works at VM, 445, 453-61
Nelson, Admiral Lord Horatio, 524, 616
Nelson, Mr, headteacher, 16
Nelson & Sons, Thomas see publishers, printers, a[ ] stationers
Newbattle, Midlothian: Abbey Adult Resident College, 427, 632; High School, 46
Newcastle-on-Tyne, 429, 532, 620, 624
New Delhi, 199
Newfoundland, 44, 530, 610
New Guinea, 624
New Hailes, Midlothian, 263
Newlands, Peeblesshire, 153
New Orleans, 504
New South Wales, 99
newspapers and periodicals, 159, 198, 479, 514, 5[ ] Bulletin, The, 492, 633; Daily Express, 213; Da[ ] Herald, 79, 613; Daily Record, 77, 108, 109, 6[ ] Dalkeith Advertiser, 27, 606; Edinburgh Even[ ] Dispatch, 27, 259, 606; Edinburgh Evening Ne[ ] 21, 27, 77, 108, 241, 492, 503, 506, 606; Glasg[ ] Herald, 357; Kelso Chronicle, 590, 638; Natio[ ] Geographic Magazine, 492, 633; People's Frie[ ] 108, 614; Red Letter, 108, 614; Scotsman, T[ ] 293; Scots Pictorial, 633; Scott Taggart - ST, 1[ ] Sunday Post, 27, 259, 492, 505, 606, 633; Wee[ ] News, 638; weekly papers (unspecified), [ ] women's magazines, 409; see also childhood a[ ] adolescence, reading
Newtongrange, Midlothian, 148, 149
New York, 619
New Zealand, 128, 202, 291, 374, 389, 411, 499
Niemoller, Pastor Martin, anti-Nazi, 629
Nile river, 404
Ninemileburn, Midlothian, 153
Nobel Prize winner, 557, 637
Noble, Alec, garage owner, 321, 338, 339
Noble, James, farmer, 337
Noble, William, farmer, 334; brother of, 335; wife 334
Norfolk, 171, 523, 524, 535, 539
Normandy see War, 1939-45, D Day landings a[ ] campaign
North Africa: esparto grass from, 5, 37, 65, [ ] 186, 270, 295, 456; and French navy, 635; see a[ ] War, 1939-45, landings in, North Afric[ ] campaign in
North Berwick, 125, 262, 360, 400, 489, 490, 633
North Camp, Glencorse, 326
Northern Ireland see Ireland, Northern
North Esk river, 195, 337, 394, 412; children wade 50; fishing and 126, 130, 131; illustrations of, 1[ ] 346; and paper mills, 1, 2, 3, 28, 130, 419, 477, 4[ ] 494, 607; pollution of, 50, 52, 65, 81, 88, 130, 1[ ] 136, 167; reservoir, 350, 477

orth Korea, 636
orthumberland, 224
orth Wales, 141
orway, 86, 98, 150, 186, 271, 457; in 1939-45 War, 417, 418, 527, 529, 530, 635
orwich, 275, 526
BAN, 242
'Connell, Daniel, Irish Nationalist leader, 627
lav, Norwegian crown prince, 635
ld, Hugh, Company secretary, DM, 297
ld, James, chief clerk and Company secretary, DM, 293, 294; sons of, 294
ld, Jean, worker, DM, 75; father of, 75
ld, Robert, Company secretary, DM, 293; daughter of, 294; widow of, 293, 294
liver, Daisy, worker, DM, 119
liver, Jimmy, accountant, VM, 500
lympic Games, 1936, 368, 628
ran, Algeria, 532, 629, 635, 636
rangemen, 627; see also Glasgow; Penicuik; religion and churches
range, William of (William III), 627
rkney, 385; and Shetland constituency MP, 626
rmiston see collieries
rmiston, Miss, schoolteacher, 563
rne canal and river, Normandy, 624
slo, 635
swaldtwistle, Lancashire, 177, 178, 179, 188; paper mill at, 177, 178
uistreham, Normandy, 624
tings: to Edinburgh, 280; by motor cycle, 119, 335, 336, 337; to Portobello, 243, 262, 263, 279
wen, Jesse, black American athlete, 628

ACIFIC, the, 405
dgate RAF station, Warrington, 402, 481
isley, Dod, farmworker, 333
lestine, 225, 226, 403, 404, 621, 628
lmer, Isaac, worker, EM and VM, 3, 7, 10, 53, 79-100, 613; brothers of, 53, 80, 90; daughters of, 94; death of, 10; father of, 53, 79, 80, 84, 86, 91, 92; grandparents of, 79, 80; juvenile employments of, 7, 84-6; loss of arm at EM by, 7, 63, 91, 92, 94, 108, 315, 355, 439; mother of, 53, 79, 80, 81, 82, 85, 92; pension from EM of, 100; photograph of, 100; retrospect by, 100; sisters of, 53, 80, 81; uncle of, 80; wife of, 92, 94; works at EM, 7, 86-98, 100; works at VM, 98-100
per Makers' Federation see British
per mills: around Edinburgh, 477; British, and European Free Trade Area, 357; closures of, 97, 98, 149, 298, 376, 409; competition of, British and European, 357; dangerous places for painters, 599; four- and five-shift systems at, 367; hours of labour at, 60, 358; importance of water to, 477; length of employment in, 376; in Lothian, 477; Midlothian, Penicuik foundry and, 625; museum concerning, 427; number, mid-1990s, in Scotland, 357; numbers of women in, 585; post-1914-18 slump at, 54, 55; retrospective view of, 358; trade unionism, early 19th century, in, 608, 609; wages at, 358; see also Aylesbury; Balerno; Bristol; Cambridge; Cardiff; Chirnside; Clyde; Croxley; Culter; Currie; Dalmore; Denny; Devon Valley; Donside; Dublin; Edinburgh, places in, Colinton, Leith; Leith, Water of Leith; Esk Mills; Fife; Glasgow, places in; Guardbridge;Helmsley; Inveresk; Inverkeithing;

Inverurie; Lasswade; Linlithgow; Lochmill; Maidstone; Markinch; Mersey; Midlothian; Mossy Mill; Mugiemoss; Musselburgh; North Esk river; Oswaldtwistle; Penicuik; Peterculter; Polton; Rutherglen; Sawston, Cambridgeshire; Sittingbourne; Spicer's, Cambridge; Springfield; Polton; Sun, Sittingbourne; Thames; Valleyfield; Water of Leith; Watman's, Maidstone; Westfield, Fife; Whiteash, Oswaldtwistle; Wiggins Teape
Parker, Frances, worker, VM, 4, 6, 7, 275-86; aunts of, 275; brothers of, 275, 276, 279; children of, 276, 283, 286; death of, 10; father of, 275, 276, 277, 278, 279,282, 283, 285, 286; grandparents of, 275, 276, 277, 279, 281, 284; marriage and husband of, 4, 276, 285, 286; mother of, 275, 276, 277, 278, 279, 280, 281, 282, 283, 285; sisters of, 275, 276, 279, 280, 281, 282, 285; works at VM, 4, 6, 7, 275,280-5
paternalism, 354, 462
Paterson, Andrew, farmer and contractor, 81, 82, 235
Paterson, Annie, dairywoman, 82
Paterson, Joe, farmer, 235
Paterson, Robert, ('Banker Bob'), farmer, 21, 22; mother, brother and sister of, 21
Paul, Mr, coal merchant, 101
Peaston, George, worker, VM, 3, 393-410; aunts and uncles of, 395, 396, 397; father of, 393, 394, 395, 396, 400; grandparents of, 394, 395, 396, 397; juvenile and other employments of, 392, 393, 397-400, 409, 410; mother of, 6, 394, 395, 396, 399, 400, 402; mother-in-law of, 409; in RAF, 1940-6, 401-6, 631; son of, 409; wife of, 395, 409, 410; works at VM, 401, 406-9
Peebles, 30, 36, 182, 197, 294, 302, 322, 368, 370, 420, 588, 606; cycle runs to, 223, 262, 317, 591; Kingsmuir Hall at, 244; motor bike runs to, 335, 336; Rovers FC, 311; and tramps, 301, 302; see also elections
Peebles, Charlie, worker, VM, 3, 10, 177-89, 619, 620; aunt and uncle of, 177, 178,182; cousins of, 177, 178; death of, 10; father of, 177, 178, 179, 188; grandmother of, 178; housekeeper of father of, 177, 178, 188; mother of, 177; other employments of, 177, 179, 189; retrospect by, 189; sisters of, 177, 178, 188; wife of, 188; works at VM, 3, 179-89
Peeblesshire, 10; see also elections
Pegasus bridge, Normandy, 624
Pembrokeshire, 370
Penicuik, 1-639 passim; airplane flights around, 141; Athletic FC, 263; Auchendinny laundry workers from, 569, 570; band and bandmaster, 36, 42, 46, 54, 69, 183, 249, 255, 610, 612; Black Collection concerning, 127, 616; British Legion in, 102(?), 355, 587; buses and fares to and from, 446, 452, 453, 460; coffin makers in, 589; communities of miners and papermill workers in, 2, 62, 63, 82, 83, 143, 157, 158, 159, 168, 216, 217, 303, 354, 376, 377, 436, 447, 467, 472, 607; Community Council, 442; Co-operative Association, 44, 45, 80, 105, 192, 209, 213, 233, 321, 322, 323, 324, 325, 433, 434, 435, 443, 466, 472, 509, 510, 548, 591, 602, 608, bakery, 44, 215, 411, 413, Board of, 54, 413, branches of, 394, 434, 466, Choir, 46, 436, criticism of, 44, dairy and milk delivery, 359, 397, 398, 399, 503, 591, Hall, 266, house-painting by, 598, 602, membership of, 435, 612, office work in, 4, 431, 433-6, 437, 438, 590, 591, president of, 54, taken

over by ScotMid Co-op, 602, trade union closed shop at, 612; see also childhood and adolescence, employments; hours of labour; wages; Council houses, first, in, 395; courting customs at, 109, 198, 223, 250, 264, 285, 286; Cowan, Alexander, and, 168; Cricket Club, 350; Cycling Club, 223; Daily Herald in, 79; dance band, 350; distinct from Auchendinny, 75, 77; domestic water supply in, 51; employment in and around, 241, 354; evening classes at, 136, 415, 434, 494, 507, 508; five-day week in, 550; fracas in, 62, 63; Free Gardeners' Friendly Society at, 350; freemasonry in, 314, 350; Gas Company, 51; Harriers, 87, 92, 460; hiring fair at, 334, 626; Historical Society, 11, 513; Hunter's Lass, 279, 625; immigrant workers in, 145; Keep Fit Club in, 279; landowners at, 258; 'a law abiding community', 611; mill closures, effects of on, 150, 230, 298, 426, 443, 488; motor bike runs to, 335; Orangemen in, 158, 159; Orchestra, 563; 'outsiders' in, 215, 539; 'Paper Making Town', 1, 30, 298, 376, 603, 607; paper mills at, 1-639 passim, accidents at, 7, capital investment in, 5, comparisons between, and with mills elsewhere, 3, distance between, 28, documentary sources for, 8, 9, end of, 1, major employer, 376, men and women workers in, 6, number of workers employed in, 30, 143, 376, other industries and occupations connected with, 4, production processes at, 5, significance of, 3, tradesmen in, 177, 179, 430,wages at, 60, which ones the 33 veterans worked in, 10, workers' movement between, 388, years covered by veterans' recollections of, 5, years veterans worked in, 3, 4; paper workers' trade unionism, branch, secretary, and office in, 58, 120, 142, 143, 170, 187, 202, 297, 298, 314, 315, 317, 375, 462, 480, 482, 574, 608, 609;

places in or at: Aaron House, 432, Ainslie Place, 81, 234, 235, 236, Angle Park, 597, Back, The, 438, 447, 468, baker's shop (unspecified), 275, 276, Bank Street, 84, 205, 277, 399, barracks, army former, 608, 638, Barrowman's barber shop, 33-5, Beech Place, 230, Beeslack estate, 331, 360, 610, 628, Beeslack House, 177, 241, 432, Bell's, Dave, dairy, 413, Bell's, Jimmy, dairy, 84, 85, Bell's Row, 121, 151, Belmans, 24, bicycle shop, 223, Blair & Fleming, housepainters, 597, Bog Road, 35, 259, 278, 450, 456, 459, 547, 625, Bog Wood, 286, Bonny Well and Cottages, 258, braes, 263, Bridgend United Free Church, 103, Bridge Street, 33, 34, 55, 82, 84, 85, 86, 145, 188, 203, 211, 218, 244, 252, 256, 354, 361, 362, 363, 388, 399, 411, 412, 426, 456, 538, 546, 628, 631, Broomhill Road, 212, Buckless's shoe shop, 244, Burnside, 104, Burnside Cottages, 560, 561, Burnside Place, 589, Buttercup Dairy, 412, Cairnbank, 477, Carlops Avenue, 449, 467, 468, 469, 503, 504, 509, Carlops Crescent, 212, 396, 491, Carlops Road, 156, 381, 384, 387, 451, 505, 607, Catholic Chapel, 143, Catholic School, 32, 259, 260, 613, children's shelter, 82, chip shop, 280, Church House, 620, Church Lane, 323, cinema (Playhouse), 59, 87, 108, 206, 264, 279, 280, 367, 548, 564, 591, 612, Citizens' Advice Bureau, 488, Clydesdale Bank, 510, 513, 541, Concretes, The, 82, 200, 252, 254, 256, 489, 601, Cornbank, 24, 388, Cornbank St James primary school, 613, Cornton, 477, Cowan

Institute, 36, 126, 170, 392, 402, 53[...] administration and funding of, 479, baths at, 8[...] 156, 395, billiards at, 87, 156, 183, 198, 395, 4C[...] 479, 540, building of, 112, 608, card-playing a[...] 198, caretaker at, 400, Christmas party in, 249, 25[...] dancing at, 62, 87, 118, 168, 183, 197, 198, 27[...] 283, 285, 400, description of, 614, fighting in, 6[...] 63, gifted by Cowans, 168, 540, 607, gymnasiu[...] at, 395, history of, 607, 608, lectures in, 544, open[...] to public, 87, private library at, 87, public library [...] 77, 87, 108, 198, 215, 259, 363, 400, 451, 452, 46[...] 479, 547, 563, 613, 614, reading room at, 87, 18[...] 395, snooker at, 183, 198, 479, social club at, 38[...] and VM workers, 59, 87, 148, 183, 479, 61[...] women, admittance of, to, 479, Cowans' House s[...] Valleyfield House, Cranston Street, 252, 381, 38[...] 387, 395, 597, Croft Street, 49, 84, 211, 212, 21[...] 279, 303, 354, 397, 399, 449, 503, 504, 546, 62[...] Cuiken, 135, 159, 367, Cuiken primary school, 36[...] 613, Cuiken Terrace, 255, curling pond, 307, De[...] The, 286, Dick, grocers, 177, 179, 188, 254, 34[...] Dick, J., plumbing and heating engineers, 429, 63[...] Dick Terrace, 254, Dr Badger's surgery, 615, I[...] Baldwin's surgery, 254, 255, Drill Hall, 608, Dub[...] Street, 208, Dunlop Terrace, 51, 52, 56, 237, 35[...] 394, 601, Eastfield Drive, 509, Eastfield Industr[...] Estate, 624, 632, Eastfield primary school, 61[...] Eastfield Station, 328, East Ward, 638, Edinbur[...] Crystal factory, 149, 189, 254, 424, 426, Edinbur[...] Road, 54, 109, 198, 264, 607, 608, 612, Engli[...] Lane, 304, Episcopal (or English) Church, St Jam[...] the Less, 79, 80, 83, 84, 126, 211, 212, 219, 28[...] 304, 308, 547, hall, 211, 212, 213, 279, Episco[...] (or English, Tin or Tin Tabernacle) School, 83, 8[...] 124, 213, 214-15, 259, 278, 304, 547, 548, 613, ne[...] (Bog Road), 259, 278, 279, 304, Esk Bridge, 8[...] 258, 307, 348, 354, 445, 446, 448, 450, 559, 56[...] Station, 103, 108, 263, Eskhill, 438, Esk M[...] House, 441, Eskvale Cottages, 259, ex-serviceme[...] club (British Legion ?), 102, Ferrier & Co., W.N[...] foundry, 4, 121, 213, 299, 300, 354, 548, 549-5[...] 558, 625, Fieldsend, 20, 24, 82, 155, 236, 301, 3C[...] 304, 325, 354, 447, 466, Findlay Irvine, electron[...] engineers, 547, 625, Firth Wood, 107, fish sho[...] 109, foundry, former, 608, 638, Gaffers' Ra[...] (Ainslie Place), 236, gas works, 213, Glaskhill, 8[...] 159, Glebe, The, (i.e., Imrie Place), 56, 205, 24[...] 590, Hamilton Place, 432, Hamilton Ta[...] photographers, 272, Harper's Brae, 28, 56, 81, 8[...] 101-7 passim, 177, 178, 205, 206, 207, 208, 21[...] 217, 257, 258, 259, 354, 413, 535, 541, 542, 56[...] 562, 564, 566, 567, 574, 620, Bonny Well spring a[...] 258, gala at, 104, 210, 259, Maggie Barr's shop a[...] 105, Hay's Park, 276, Hawkers' Raw, 30[...] Heinsberg House, 381, 608, Henderson, butch[...] 152, Henderson, grocers, 192, 546, Henry's garag[...] 473,High Park, 263, High School, 548, buildi[...] and opening of, 259, 278, 381, 382, 412, 469, 63[...] evening classes at, 415, 473, 494, music at, 4[...] pupils at, 304, 305, 381, 382, 412, 413, 415, 46[...] 470, 492, 493, 559, 562, 563, 564, 565, 566, title [...] 613, and VM, 453, 497, High Street, 54, 83, 14[...] 179, 183, 249, 254, 399, 544, 608, 612, hosie[...] factory, former, 608, Imrie Place, 56, 58, 142, 2[...] 276, 277, 278, 279, 285, 387, 395, 396, 587, Islan[...] The, 354, 362, 399, Jackson Street, 87, 472, 54[...] 564, 591, Jackson Street School see John Stre[...]

School, Johnstone's bakery, 216-18, John Street, 84, 143, 188, 276, 323, 381, 399, 432, 438, 446, 447, 509, 590, 608, Catholic Chapel in, 143, surgery in, 254, tied house in, 491, 492, union branch office in, 143, 480, 538, John Street School (also known as Jackson Street School, MacGregor's School, Old Catholic School), 32, 33, 53, 54, 83, 102, 124, 126, 136, 155, 160, 178, 179, 193, 194, 206, 214, 237, 259, 260, 348, 362, 363, 364, 365, 381, 382, 396, 397, 399, 412, 413, 432, 433, 434, 451, 469, 590, 607, Catholic and Episcopalian pupils at, 144, football team, 144, 197, Junior Secondary School, 451, 469, 470, 505, 506, 507, 508, 548, Kirkhill, 49, 54, 79-84 passim, 177, 178, 188, 208, 216, 234-40 passim, 251, 252, 411, 443, 509, 524, 590, EM recreational facilities at, 108, 208, 307, 350, 517, 540, handloom weaversat, 490, lodgings at, 25, tied houses of EM at, 25, 28, 50-3, 80-2, 354, 412, 601, water supply tank at, 258, Kirkhill Brae, 509, 601, Kirkhill cemetery, 80, 193, Kirkhill Gardens, 574, 582, Kirkhill Road, 187, 234, 312, 388, Kirkhill School, 53, 54, 124, 178, 193, 206, 236, 237, 259, 323, 324, 348, 362, 396, 412, 432, 451, 468, 469, 504, 505, 590, acquired by EM for recreation, 99, 138, 540, 479, house, 236, VM workers on short time sign on at, 401, Kirkhill Ward, 638, Kirklands, 466, Labour Exchange (buroo), 58, 251, 359, 445, Ladywood, 560, Leiper's bakery, 215, 216, Leslie Place, 607, Lindsay Place, 607, Livingston, J., grocer's, etc., 193, 588, Loanburn, 24, 25, Loanstone, 102, McDonald, housepainters, 597, MacGregor's School see John Street School, Manderston Place, 155, 156, 157, 303, 607, Masonic Hall, 58, 62, 77, 109, 208, Mauricewood, 30, 152, 301, primary school, 613, see also collieries, Maybank, 120, Maypole Dairy, 471, 633, 'Micky Brae', 82, 'Mill Street' (Croft Street), 354, Miners' Institute, 447, 495, Mission Hall, 82, 'Mount Misery', 24, 25, Mungo Well, 167, Napier Street, 446, 447, 465, 466, 467, 469, Newbigging & Hall, tomato growers, 491, 492, North Church of Scotland, 56, 195, 258, 299, 308, 436, 587, 598, 599, Nunnery, The, 82, 145, 362, 601, Old Manse, the, 25, 28, 103, 104, 107, 109, 258, 259, 273, Palm Place, 230, Park End, 145, 361, 362, 618, 628, Peebles Road, 30, 40, 49, 56, 83, 85, 182, 200, 286, 362, 395-401 passim, 504, 544, 547, 607, Pend, the, 151, 168, 216, 249, 265, 283, 361, 461, Penicuik Estate, 35, 37, 126, 130, 610, 615, factor of, 126, gamekeepers at, 126, 173, market garden in, 124, 125, 126, 131, 136, North Esk river in, Serpentine on, 591, and water supply to paper mills, 50, Penicuik House, 36, 125, 558, 615, 616, gardens at, 31, 35-7, Pentland View, 145, 200, 388, 546, Penycoe Press, 34, 411, 631, 'Pepper' Lamb, Jimmy, barber's, 265, Pike, The, 102, 103, 104, 566, Pomathorn, 117, 197; see also VM, Pomathorn extension to; Pomathorn Brae, 56, Pomathorn dairy, 55-6, 413, postal depot, 557, Post Office, 188, 191, 456, 509, Pryde's Place, 301, 303, 304, 305, 432, 446, 447-50, public library, 67; see also Cowan Institute; public park, the, 152, 264, 304, 395, 432, 466, 472, 495, 594, Queensway, 491, railway station, 176, 186, 195, 202, 328, 354, 391, 494, Ritchie's barber shop, 34, Rosebery Place, 395, Rose Cottage, 394, St James's Gardens, 388, St Mungo's Hall, 564, St Mungo's parish Church of Scotland, 109, 183, 219, 308, 564, 607, St Mungo's View, 145, Salvation Army hall, 480, Shelter, The, 155, 301, 302, Shottstown, 31, 62, 81, 82, 83, 84, 105, 109, 111, 143, 155-68 passim, 216, 260, 303, 304, 323, 324, 325, 354, 362, 377, 433-47 passim, 466-72 passim, 607, Burn, 467, Street, 323, Silver's shoe repair shop, 85, Simpson, newsagent's, 79, 547, South Bank, 28, 102, 177, 178, 394, South Church of Scotland, 145, 230, 308, 362, 618, Square, The, 191, 192, 193, 196, 412, 422, 471, 544, 588, Tait's barber shop, 591, Tait's, builders, 17, 21, 36, 188, 202, 261, 393, 466, 504, 505, 587, 588, 608, 638, boxmakers for paper mills, 588, houses owned by, 412, 588, 589, 590, 608, Tait's Buildings, 381, 588, 589, 590, Targets, The, 182, 401, 547, Thorburn Terrace, 31, 33, 471, 543, 544, 545, 546, 547, Thyne's plastics factory, 272, 273, 424, 426, 540, 541, 580, 624, Tipenny, The, 35, Town Council chambers, 211, 218, offices, 110, Town Hall, 110, 118, 145, 179, 183, 198, 208, 259, 283, 314, 392, 608, see also Cowan Institute, Uttershill House, 391, 454, Valleyfield Brae or Road, 82, 388, Valleyfield (Cowans') House, 216, 217, 249, 265, 283, 461, 493, 497, Walker Place, 607, war memorial, 152, 608, 611, West Street, 192, 211, 218, 325, 399, 445, 546, 547, Hall, 612, Wilson, D.L., housepainters, 393, 590, 591, 592-3, 597, 598-600, 602, Wilson's grain stores, grocer-cum-ironmonger's shop, 4, 138, 393, 397-400, 471-3, 507, 508, 633, Wilson Street, 152, Windsor Square, 25, Woodslee, 128, Wyld's Buildings, 412, YMCA Building, 208;

political views and activity in, 143, 422, 471; population of, 259, 299, 469, 556, 632; postal deliveries in, 557, 558; provosts of, 85, 143, 175, 508, 566, 608, 609, 613, 622, 633, 634; public reading of newspapers to illiterate people in, 544; safety in streets of, 2, 440; Salvation Army band, 36, 301; Scottish Farm Servants' Union branch, 322, 333; Territorial Army at, 36, 54, 69, 608; Thistle FC, 311; Town Council, 79, 83, 143, 298, 301, 348, 539, 608, 611, 612; Trafalgar, battle of, connection of with, 524, 616; tramps at, 301, 302; trombone player at, 437; visits by review chorus girls to, 168, 248, 249; west of Scotland miners, post-1945, in, 83, 158, 159; see also collieries, Mauricewood; DM; EM; farms; hotels, inns and pubs; housing; VM; War, 1914-18; War, 1939-45

Pentland Hills, 26, 115, 119, 126, 130, 153, 250, 263, 325, 431, 557, 624, 637
Perfect, Alex, worker, DM, 316
Perth, 385
Perth, Australia, 129, 499
Peru, 427
Perugia, Italy, 372
Pesaro, Italy, 373
Peterculter paper mill, Aberdeenshire, 97, 356, 357, 358
Peterhead, 521, 522
pickpockets, 230
Pilkington, Frederick T., architect, 618
Pirbright, Surrey, 595
Plate, river, 529, 634
Plummer, Miss, schoolteacher, 563
Plymouth, 527, 635
Poland, 403, 623, 629, 630, 631
Poles, 145

political views and parties, 183; Billy Boys, 627; Bolsheviks, 618, 619; Christian Socialists, 79; Communist Party, 143, 159, 554; Communist Party of the Soviet Union, 635; Conservative and Unionist (Tory) Party, 9, 143, 168, 229, 576, 577, 615, 618, 619, 632, 638; Dans, 627; and EIIR on post boxes, 631; Fascists, Spanish, 629; Independent Labour Party, 613; Irish Nationalists, 627; Jacobites, 623; Labour Party, 47, 79, 159, 168, 287, 317, 405, 515, 554, 576, 577, 613, 618; Left, 159; Liberals, 168, 619; miners and, 168, 169, 354, 577; National Party of Scotland, 631; Nazis, 368, 401, 405, 619, 621, 628, 629; Orangemen; *see also* Glasgow; Penicuik; religion and churches; Right Club, 618, 619; and Scottish Assembly, 632; Scottish Labour Party, 613; Scottish National Congress, 637; Scottish National Party, 422, 554, 557, 576; Scottish Patriots, 631; Scottish Watch, 631; United Irishmen, 627; Whigs, 168

Polton, Midlothian, 419, 601; paper mills, 28, 96, 97, 110, 419, 424, 498, 607, 614, 615, 624; *see also* collieries

Port Darwin, Australia, 624

Port Edgar, West Lothian, 533

Portsmouth, 535, 635

Port Stanley, Falkland Isles, 528

Portugal, 626

Potato Marketing Board, 500

Po Valley, Italy, 403

poverty, 2, 213, 215, 217, 236, 260, 302, 305, 398, 524, 541; in India, 199; at Naples, 225; in West Africa, 310

publishers, printers, and stationers, 1, 477; Arnold, Edward, 270, 624; Bartholomew & Son Ltd, John, 132, 617; Bayliss & Sons, Ebenezer, 376; Cambridge University Press, 201, 202; Cameron & Son Ltd, R.M., 516, 634; Chambers Ltd, W. & R., 99; Clark Ltd, R. & R., 132, 617; Collins, William, 313, 625; Cowan & Sons, Alexander, 129; HarperCollins, 625; His/Her Majesty's Stationery Office (HMSO), 64, 89, 106, 206, 246, 270, 280, 281, 282, 440, 585; Hodder Headline Ltd, 624; Hunter & Foulis Ltd, 132, 617; Hunter & Sons, William, 617; Ibbotson & Co. Ltd, Walter, 515, 516, 634; Johnston Ltd, W. & A. K., 516, 524, 634; Jones (Twinlock) Ltd, Percy, 132, 617; Kalamazoo Ltd, 132, 134, 187, 201, 202, 270, 440, 609, 617; Levy & Co. Ltd, Andrew, 295, 625; McCorquodale (?), 109, 110, 614; McDougall's Educational Co. Ltd, 295, 516, 625; McFarlane & Erskine, 132, 617; Morland & Wimpey Ltd, 132, 201, 617; Morrison & Gibb, 132, 202, 499, 606, 617; Neill & Co. Ltd, 202, 620; Nelson & Sons, Thomas, 27, 65, 99, 132, 187, 202, 270, 295, 296, 313, 353, 376, 440, 476, 477, 480, 511, 515, 516, 606; Oliver & Boyd, 516, 634; Peck Ltd, Thomas H., 516, 634; Penycoe Press, 34, 411; Pillans & Wilson, 202, 499, 620; Reed International *see* Valleyfield mill (VM); Searby, 477; Thomson Organisation, 606; Three-M Paper Co., 141, 498; Twinlock, 132, 617; Waterlow & Sons Ltd, 428; Waterston & Son Ltd, George, 516, 634; Whyte & Son Ltd, Andrew, 295, 625; Windsor & Newton, 181, 187

QUEENISH Estate, Mull, 242

Queen, laundry for the, 572

Queensberry, Duke of, 615

Quinn, John, president, Penicuik Co-op, 54

Quinn, Miss, schoolteacher, 54; brother of, 54

Quin (or Quinn), John, cashier, VM, 127, 194, 19~ 401

RACISM, 171, 310; *see also* Jews, anti-semitism

railway, 440; demurrage, 93, 614; fares, 104, 108, 19~ goods yard, 93

Ramsay, Capt. A.H. Maule, MP, 9, 168, 169, 229, 61~ 618, 619

Ramsay colliery *see* collieries

Rangoon, Burma (Myanmar), 172, 534, 630

Ravensneuk farm, Penicuik *see* farms

recession, 1930s, 58, 306, 395, 397, 519

recreation, sport, games, entertainment, hobbies, an pastimes, 2, 317, 318, 614; angling, 183; *see al* fishing; hunting, shooting and fishing; athletics, 8 92, 158, 279, 460, long distance running, 46 professional sprinting, 588, 638; badminton, 46 515; billiards, 87, 156, 183, 198, 395, 400, 479, 51 540; bowling, 26, 99, 108, 173, 208, 307, 314, 35 404, 424, 479, 514, 540, 587, carpet, 158, 173, 18 350, 479, 540, indoor, 99, 307, 314, 517; Bo~ Brigade, 289; Burns's Suppers, 437; camping, 19 223, 263, 289; caravan camping, 285; cards, 198; s~ *also* whist; cinema, 17, 87, 108, 250, 264, 279, 28 367, 548, *Bambi*, 564; *see also* Associated Briti Cinemas; Caledonian Associated Cinem~ cobbling, 342; concerts, 46, 59, 87; cricket, 250, 35 403; crystal sets, 50, 51; *see also* radio; cuddy lou 182, 183; curling, 83, 307; cycling, 26, 115, 19 223, 224, 262, 263, 268, 317, 318, 382, 400, 48 dances and dancing, 62, 63, 77, 87, 102, 108, 11 118, 168, 183, 197, 198, 208, 239, 240, 249, 25 264, 279, 285, 367, 368, 400, 414, barn, 35 Country and Western, 283, masonic, 350, social a~ dance, 77, spectating at, 87, 279, tap-dancing, 28 do-it-yourself, 396; elocutionists, 437; embroide~ 513; fairground shows, 276; fishing, 157, 182, 35 423, 478; flying circus, 141, 401, 630; folklore, 3C football, 26, 27, 54, 87, 99, 126, 142, 144, 182, 19 263, 264, 304, 307, 310, 311, 317, 318, 321, 35 388, 515, 547, 554, 587, 600; *see also* football clu~ golf, 288, 297, 389, 491, 500, 609; gramophon~ 119; gymnasium, 395, 614; hiking, 450; hi~ climbing, 632; hitch-hiking, 550; hunting, shooti~ and fishing, 128, 138; ice hockey, 497; jumpi~ hennies, 157, 158; keeping fit, 158, 279; knitti~ 108, 500; lectures, public, 544; local history, 12 marquetry, 396; motor cycling, 119, 335, 336, 35 mountaineering, 450; poaching, 157; putting, 9 208, 307, 517; quoits, 83, 157; radio, 8, 50, 51, 26 505, 545, aerial for, 52, 53; *see also* wireless; readi~ 27, 40, 77, 79, 87, 108, 159, 160, 182, 198, 214, 21 227, 259, 288, 304, 305, 363, 393, 451, 452, 46 492, 505, 547, 563, 628, for the blind, 557; rug~ 250, 289; shooting, 609; snooker, 183, 198, 2C 307, 479; swimming, 197, 317, 369; table tenn~ 350; tennis, 99, 108, 158, 183, 197, 208, 307, 31 350, 465, 479, 480, 515, 517, 540; theatre, 367, 36 420; walking, 26, 77, 119, 126, 250, 286, 37 whippets, 83; whist, 336, drives, 77, 279; wirele~ 182; wood-working, 177, 179, 396; writing poet~ 513; youth hostelling, 480; *see also* childhood a~ adolescence

Red Sea, 385

Reed International *see* VM, Reed International

Reed, Norman, Reed International, 426, 427

eggio, Italy, 624
ligion and churches, 217; beadle, 587; Bible Class, 183, 211, 215, 219, 285, 436, teacher, 218; Carruber's Close Mission, 437; choir, 211, 215, 436; Church of England, 278, 285; church-going, 2, 17, 73, 79, 109, 159, 160, 183, 250, 285, 288, 308, 325, 348, 349, 360, 436, 547, 564, hats and, 123, shaving and, 34, 35; Church of Scotland, 144, 160, 288, 325, 436, Barclay Church, Edinburgh, 618, elders in, 308, 325, 343, 348, 438, West Parish, Galashiels, 288, 289, Lord High Commissioner, General Assembly of, 572, in Penicuik, 308, North, St Mungo's, and South Parish Churches *see* Penicuik, places in; churchwomen's guilds, 437; communion, 349; confirmation, 547; criticism of God, 289; discrimination, 218; effigies, 158; Episcopal Church, 79, 126, 211, 212, 278, 285, 304, 547, decline of, 308, Episcopalians, 143, 211, 219, 285; Girls' Friendly, 278; Grassmarket Mission, 437; hymn, 236; Jehovah's Witness, 554; loss of religious belief, 215; ministers, 33, 34, 263; Mission Hall, 82; Orangemen, 158, 159, 335, 627; organist, 195; Pope, the, 144; prayer meetings, 628; Protestants, 17; regimental church, 368; Roman Catholics, 17, 143, 144, 211, 242, 308, 627; Sabbatarianism, 414; Salvation Army, 32, 36, 218, 301, 325, 432, 480, 526, 618, Guards, 436; sectarianism and bigotry, 143, 144, 158; and schooling, 144; Sunday School, 17, 73, 109, 183, 215, 325, 436, 547, 564, picnic, 263, superintendent, 591, teacher, 436; Ulster Protestants, 627; United Free Church, 103; *see also* childhood and adolescence, Boys' Brigade, Brownies, Girl Guides
eykjavik, Iceland, 531
hine river, 386, 597, 638
iefenstahl, Leni, Nazi film-maker, 628
imini, Italy, 373
io de Janeiro, 528
itchie, Jimmy, head joiner, VM, 383
itchie, Mr, barber, 34
obertson, Grace, laundry worker, 568
obertson, Joan, office worker, VM, 4, 489-501; brother of, 490, 491; father of, 489, 490, 491, 492, 493, 499; forebears of, 490; grandparents of, 489, 490, 633; mother of, 489, 490, 491, 492, 493, 495; other employments of, 500, 501; on re-employment course, 500; retrospect by, 501; sisters of, 490, 491, 492, 495, 497; uncles of, 489, 490; unmarried, 4; works at VM, 493-500
obertson, Miss, schoolteacher, 590
obertson, Mr, Cowans' agent, Johannesburg, 129
obertson, William, worker, EM and V, 3, 257-73; brothers of, 258, 259, 260, 262, 263, 267; brother-in-law of, 265; father of, 257, 258, 259, 260, 263; grandparents of, 257, 258; marriage and wife of, 268, 269, 272; mother of, 257, 258, 260, 262, 263; other employments of, 272, 540, 541; retrospect by, 272, 273; sister of, 258, 259, 262, 263, 265; sister in law of, 263; and unemployment benefit, 260, 622, 623; in War, 1939-45, 265-7, 623, 624; works at EM, 257, 260-2, 264-5, 267, 268-71, 624; works at VM, 271
ome, 372, 373, 621, 629
onaldson, Davie, worker, VM, 284, 285
ose, Sir Hugh, director, Cowan Ltd, 137, 617
osewell, Midlothian, 13, 17, 20, 62, 101, 394, 605; brickwork at, 17, 18, 19, 20, 21; gala day, 17; 'Little Ireland', 17, 144, 617, 618; schools at, 16, 17, 18;

sectarian shouts at, 144; *see also* collieries, Whitehill
Roslin, 21, 62, 262, 377, 394, 437, 445, 446, 450, 559, 632; carpet factory at, 14, 445; castle, 264; courting customs at, 109, 198, 223, 250, 264; and dancing, 62, 198; DM workers from, 75, 117, 297; early paper mill trade unionism at, 608, 609; Glen, 21, 264, 393; gunpowder mill, 9, 234, 251, 322, 326, 393, 394, 445, 446, 452, 465, 551, 559, 560, 562, 622; Hotel, 201; housing at, toilets in, 51; Penicuik Co-op branch at, 434; and Penicuik Cycling Club, 223; postal deliveries in, 557; Shotts Iron Co. at, 548; *see also* collieries, Moat, The
Ross, Dr Alan, research chemist, VM, 136, 617
Rosslyn Asylum, Roslin, 437
Ross-shire, 151
Rosyth, 43, 623; dockyard, 191
Rothesay Academy, 637
Rouen, 266
Roy Bridge, Inverness-shire, 530
Rumania, 373
Russell, Betty, grocery office worker, 508
Russia, 521; *see also* Soviet Union
Rutherglen paper mills, 3, 462, 463
Rye, Mr, laundry manager, 572

ST ABBS, 520
St Andrews, 8, 119, 223, 224, 298
St Austell, Cornwall, 96
St Valéry-en-Caux, France, 266, 294, 297, 623
Salisbury Plain, 198
Salonika, 632
Salvesen family, Leith, 530
Sanderson, Mr, Sanderson's Whisky, 125
Sanderson, Mrs Lucy, Galashiels, 289, 625
Sanderson, Pte John, Seaforth Highlanders, 289, 625
Sanderson, William, Galashiels, 625
Sandhurst Royal Military College, 618
Sanford, Mrs, of Beeslack, 241, 628
Sawston paper mill, Cambridgeshire, 487
Saxa Salt, 423
Scandinavia, 5, 457
Scapa Flow, Orkney, 385, 531, 635
Scargill, Arthur, president, National Union of Mineworkers, 317, 626
schooling and later education, 2; age at leaving, 4, 6, 7, 17, 18, 32, 33, 54, 73, 79, 84, 102, 105, 115, 126, 152, 155, 160, 178, 179, 194, 205, 206, 211, 214, 215, 257, 278, 288, 299, 305, 306, 322, 323, 327, 347, 349, 359, 365, 381, 382, 397, 411, 412, 431, 433, 452, 470, 471, 489, 493, 503, 524, 543, 546, 548, 562, 567, 590; aged four at beginning, 236; arithmetic, self-taught, 40; bursaries, 160, 237; chemistry, self-taught, 41; City & Guilds of London certificates, 222, 460, 519, 555, 621; class sizes, 53, 83, 114, 214, 259, 278, 304, 565; corporal punishment, 17, 53, 54, 362, 363, 396; correspondence school, 40; day release, 41, 136, 420, 459; degrees, 67, 288, 360, 364, 432; Episcopal (St James/English/Tin/Tin Tabernacle) School *see* Penicuik, places in or at; Eton College, 618; evening classes, 41, 87, 136, 182, 194, 195, 222, 415, 420, 434, 436, 459-60, 473, 494, 507, 508, 555; external classes, 214; family attitudes to, 73, 79, 115, 125, 160, 179, 237, 260, 275, 288, 305, 365, 432, 433, 452, 459, 469, 471, 493, 503, 506, 524, 548, 590; farm workers' children and, 331; fracas at, 17, 363;

Further Education and Technical Colleges: Esk Valley College, Midlothian, 222, 621, Medway Technical College, Kent, 519; see also Edinburgh, places in, Heriot-Watt College,Ramsay Technical College, Stevenson FE College; graduate, bio-chemistry, 432; Harrow School, Middlesex, 617; Higher Leaving Certificate, 46, 364, 365; Higher National Certificate (HNC), 440, 459, 460, 461, 519; holidays, 16, 21, 446; illiteracy, 544; joint classes, Catholic and non-denominational, 260; leaving, 17, 71, 111, 151, 160, 191, 233, 237, 260, 275, 287, 359, 381, 393, 397, 453, 503, 506; and left-handedness, 469; library in, 259, 452, 469, 563, 564, 614; Loretto School, Musselburgh, 616; Lower Leaving Certificate, 432, 433; for married women returning to work, 500; private, 193, 260, 616, 617, 618; Qualifying exam, 16, 54, 73, 114, 115, 124, 144, 178, 193, 214, 237, 260, 278, 288, 304, 348, 363, 382, 396, 412, 432, 451, 469, 492, 505, 506, 548, 564, 565, 590; and recruitment to paper mills, 445, 489, 497; Roman Catholic schools, 17, 144, 259, 260; Royal Society of Arts certificates, 435; Sandhurst Royal Military College, 618; secondary: absence of, 16, 73, 115, junior, 124, 125, 259, 278, 304, 381, 382, 451, 469, 470, 492, 493, 505, 548, 559, 562, 563, 565-7, 590, 613, senior, 115, 179, 193, 260, 278, 288, 348, 363-5, 433, 451, 469, 470, 492, 506, 565, 566, 590, 613; Skerry's College, 237, 275, 279, 280, 434, 624; sport at school, 16, 17, 144, 197, 279, 300, 301, 305, 364, 382, 493, 524; toilets outside at school, 505; transfers between schools, 83; travelling to and from school, 16, 102, 104, 124, 193, 468, 491; uniforms, 115, 124, 565; university, 67, 288, 364, 432, 470, 506; Wellington Reform School, Midlothian, 49, 85, 138, 152, 264, 286, 610, 615; and 1939-45 War, 446, 471; see also Dalkeith High School; Glencorse School; Lasswade High School; Newbattle Abbey Adult Residential College; Penicuik, places in or at, High School, John Street School, Junior Secondary School, Kirkhill School; Rosewell
Scorgie, Miss, union representative, VM, 169
Scottish Agricultural College, 624
Scottish Amalgamated Society of House and Ship Painters, 639
Scottish Farm Servants' Union, 332, 333, 343, 626
Scottish Painters' Society, 598, 639
Scottish Parliament, 615
Scottish Trades Union Congress, 612
Scottish Working People's History Trust, 1, 9, 10, 11
Scott, Mr, cinema manager, 59, 612
Scott, Mr, Paper Room, VM, 126, 127, 128
Scott, Mr, pay clerk, EM, 238
Scott, Robert, chairman, EM, 607
Scott, Sir Walter, 505
Scroby Sandbank, off Yarmouth, 520
Seaman, Mr, manager, VM, 147
Secretary of State for Scotland, 618
Seine river, 266
Selkirk, 360
Shakespeare, William, 548
shale mining, 219, 620, 621
Sharp, Andrew, union branch secretary, 58, 170, 187
Shaw, Will, worker, VM, 245
Shetland, 385, 626
ships and shipping, 14, 86, 93, 194, 242, 243; HMS Achates, 528; HMS Achilles, 529, 634; HMS Ajax,

529, 634; Altmark, 528, 529, 634; Ben Line L[ ], 149, 347, 352, 353, 618; Ben Macdhui, 352, 3[ ], 627; HMS Bermuda, 616; Canadian, 633; HM[ ], Cossack, 634; HMS Cumberland, 528, 529, 53[ ], 531, 532, 634; Currie Line, 353, 627; Deutschlar[ ], 634; HMS Devonshire, 635; Dundee, Perth [ ], London Shipping Co. Ltd, 353, 627; HM[ ], Edinburgh, 623; Elder Dempster & Co., 62[ ], HMS Exeter, 528, 529, 634; Fyffe's banana boa[ ], 357; HMS Glasgow, 635; Graf Spee, 528, 529, 6[ ], Hull and Leith Steam Packet Co., 627; Leith, H[ ], and Hamburg Steam Packet Co., 627; London [ ], Edinburgh Shipping Co., 202; HMS Mohaw[ ], 623; Peninsular & Orient (P&O), 347, 626; [ ], Perth, 353; HMS Prince of Wales, 616; Que[ ], Mary, 385; HMS Ramillies, 527, 528, 636; HM[ ], Repulse, 616; shipwreck, 520; HMS Southampto[ ], 623; steerage, 395; tankers, 353; Titanic, 409; HM[ ], Vengeance, 533; HMS Warspite, 636; Weath[ ], Monitor, 357; William Muir, paddle steamer, 1[ ], see also armed forces, Fleet Air Arm, Roy[ ], Marines, Royal Navy; strikes and lock-ou[ ], dockers; War, 1939-45, merchant navy in
Shoeburyness, Essex, 197
Shotts, 447; Iron Company, 82, 83, 216, 607
Shottstown see Penicuik, places in or at
Sicily, 371; see also War, 1939-45, landings in
Sickert, Walter, artist, 631
Siegfried Line, 597
Silverburn, Midlothian, 124, 126, 136, 390, 408, 48[ ]
Silver, S.D., shoe repairer, 6, 7, 85, 86, 613; wife of, [ ]
Simpson, Jim, foundry worker and Jehovah's Witne[ ], 554
Simpson, Mr, newsagent, 79
Simson, J.A., managing director, EM, 271, 575, 60[ ], 615
Sinai desert, 267
Sinclair, Norman, boxer, 62, 63
Sinclair, T., killed, 1914-18 War, 54
Sinclair, Thomas, Highland Light Infantry, 611
Sinclair, Thomas, Royal Artillery, 611
Sinclair, Thomas, Royal Scots, 611
Singapore, 199, 200, 533, 534, 636; see also War, 193[ ], 45
Sittingbourne, Kent, 524; Sun paper mill at, 536
Skaggerak, 528
Sked, David, foreman, VM, 426
Skerry, George E., college founder, 624
Smith, Alex, worker, EM and VM, 3, 5, 10, 13-3[ ], brothers of, 13, 14, 15, 16, 19, 20, 24; death of, 1[ ], father of, 13, 15, 16, 17, 18, 20, 21, 24; and Gener[ ], Strike, 1926, at EM, 606; grandparents of, 13; a[ ], miners' lock-out, 1921, 605; mother of, 13, 15, 1[ ], 17, 18, 20, 24, 25; other employments of, 18-2[ ], 605; and paper workers' union, 606; retrospect [ ], 30; sisters of, 14, 20, 24; walking friend of, 26; wor[ ], at EM, 5, 13, 22-30, 606; works at VM, 29, 30
Smith, Bob, foreman, VM, 406
Smith, Charlie, 'The Boar', VM, 166
Smith, George 'Count', union branch secretary, 5[ ], 120, 187, 297, 298, 315(?), 375, 480, 482, 538, 53[ ], 574, 626
Smith, Jenny, office worker, EM, 509
Smith, Mr, watchman, EM, 260
smoking and tobacco, 514; abstention from, 31[ ], chewing tobacco, 162; cigarettes, 199, 294, 37[ ], 398, 530, 549, supplies of, 472, 473, Woodbine, 5[ ]

81, 266; cigars, 507; non-smoking, 87, 118; pipe, 544, 546, clay, 467; tobacco factory,371

ociety of Graphical and Allied Trades (SOGAT), 375, 379, 408, 499, 585

omerville, John, office supervisor, EM, 511, 516

omme, battle of the see War, 1914-18

ommerville, Mr, of William Sommerville & Son Ltd, DM, 296

ommerville, William, founder, DM, 296; sons of, 296

outh Africa, 32, 128, 129, 171, 192, 298, 376, 405, 499, 631

outh Korea, 636

outh Queensferry, 533

outh Wales, 141, 341, 370, 606

oviet Union, 530, 531, 624, 630, 631, 635

pain, 5, 37, 65, 186, 225, 270, 456, 626, 629

pean Bridge, Inverness-shire, 530

pecial Areas (Development and Improvement) Act, Commissioner, 617

peirs, ex-Lieut. Col., engineer (?), VM, 536

pence, Sir Basil, architect, 410

picer's paper mill, Cambridge, 146, 147

pittal farm, Midlothian see farms

pitzbergen, Norway, 530, 635

pringfield paper mill, Polton, 28, 96, 97, 110, 419, 424, 498, 607, 614, 615, 624

talingrad, 404

talin, Josef, 532, 624

tamp Tax, 91

tark, Mr, foreman, EM, 313

tevens, Alex, stonemason, 112, 113

tevenson, Robert Louis, 259, 546

tevenston, 348

teventon, Berkshire, 199

tewart, Davie, ex-soldier worker, VM, 138

tewart, John, worker, DM, 343

tirling, 541; and Falkirk constituency, 618; Royal Infirmary, 632

toddart, Bob, Wages Room, VM, 127, 453, 454

tornoway, 10

tott family, Penicuik, 362

tow, Midlothian, 213, 287

traiton, Midlothian, 219, 465, 467, 620

tranraer, 202

traussler, Nicholas, submersible tanks inventor, 628, 629

treet Singer, The, 301, 302

rikes and lock-outs: dockers, 481, 633; miners, 1921, 18, 605, 1920s, 559, 1930s, 217, 1984-5, 626; Singer's, Clydebank, 633; see also DM; EM; General Strike, 1926; VM

tuarts, royal family of, 623

udetenland, Czechoslovakia, 630

uez, 267, 556

un paper mill, Sittingbourne, 536

utherland, Mr, director, grain stores, 507

weden, 86, 150, 186, 269, 270, 271, 356, 457, 527

windon, Wiltshire, 369

ydney, Australia, 129, 499

yria, 628

'AIL O' THE BANK, Clyde, 224, 266

'ait, Bob, barber, 591

'ait, Cathy, office worker, VM, 500

'ait, Major James, builder, 17, 21, 36, 54, 69, 202, 261, 393, 589, 590, 608

'ait, Mr, head finisher, EM, 575

Takoradi, Gold Coast (Ghana), 310

Tarbrax, Lanarkshire, 20

Tay Bridge, 196

Taylor, A. Eric R., managing director, VM, 137, 140-8 passim, 170, 175, 229, 284, 360, 366, 387-90 passim, 406, 408, 453, 454, 485, 486, 497, 536-40 passim; biog. of, 622; relations of Jardines of EM with, 440, 441; and take-over by Reed International, 147, 148, 229, 498, 536, 537, 540; visit to South America by, 616

Taylor, Aggie, forewoman, VM, 245, 246, 255

Taylor, Agnes, worker, DM, 4, 10, 71-8; aunts of, 72, 76; brother of, 71, 72, 75; daughter of, 78; death of, 10; father of, 71, 72, 73, 74, 76, 77; friends of, 77; grandparents of, 71, 73, 76; husband of, 77, 78; marriage of, 4, 78; mother of, 71, 72, 73, 75, 76, 77; other employment of, 78; retrospect by, 78; sisters of, 71, 72, 75; sister in law of, 77; works at DM, 4, 73, 74-7, 78

Taylor, James, journeyman papermaker (1808), 609

Taylor, Tommy, worker, VM, 366

Tel Aviv, 403

Thames paper mills, 135

theatricals, 168, 248, 249

Thomas Cook, travel agents, 313, 625

Thomley, Jim, union representative, VM, 202

Thomson, Christina, worker, DM, 4, 8, 10, 111-22; aunts and uncles of, 112, 113, 115, 116; children of, 121; cousin of, 115; death of, 10; father of, 111, 112, 113, 114, 115, 118, 119; father-in-law of, 117; grandparents of, 111, 112, 113, 114; marriage and husband of, 4, 111, 113, 117, 119, 120, 121; mother of, 112, 113, 114, 115, 116, 118; motor cycle outing by, 8, 119; other employments of, 121; retrospect by, 122; sisters of, 111, 112, 113, 114, 115; works at DM, 4, 111, 116-20, 122

Thomson, Cpl John, Argyll & Sutherland Highlanders, 608

Thomson, Davie, worker, DM, husband of Christina Thomson, 117, 119, 120, 121

Thomson, Jimmy, Paper Room worker, VM, 493, 494, 497

Thomson, John, cornet player, 37

Thomson, John T., Royal Scots and Royal Signals, 608

Thomson, Rev. Robert, 33, 34, 607, 608

Thomson, Rev. William, 263

Thomson, Robert, office junior, EM, 509, 510, 513

Thomson, Sapper J.T., Royal Engineers, 608

Thomson, Tommy, grain stores representative, 507

Thomson, Willie, grain stores foreman, 508

Thorney Island, Sussex, 403

Thurso, 112, 224, 385

Thyne, William, plastics factory, 272, 273, 424, 426, 540, 541, 580, 624

Tiber valley, Italy, 372

Tidworth, Wiltshire, 294, 368, 369; Plains, 369

Tilburg, Netherlands, 597

Tobruk (Tubruq), Libya, 37

toilets see housing

Tolmie, Scan, chip shop owner, 447

Topple, Robert, office worker, EM, 514, 515, 518

Toronto, 202

Torrance, Sam, Paper Room worker, VM, 493

Toulon, 636

Townsley family, Penicuik, 303

trade unions and trade unionism, 598; closed shop, 314, 480; early, among papermill workers, 608, 609;

home, 169; in laundry, 570; militant, 462; miners and, 354; New Unionism, 609; non-unionism, 18, 20, 593, 597; at Rosyth dockyard, 191; *see also* DM; EM; individual unions; Penicuik, paper workers' trade unionism; strikes and lock-outs; VM

Trafalgar, battle of, 524, 616

tramps, 76, 77, 155, 301, 302, 522

Tranent, 492

Transport & General Workers' Union, Scottish Farm Servants' Section, 626

Traquair, Peeblesshire, 263; Earl of, 623

Trincomalee, Ceylon (Sri Lanka), 533

Trinidad, 86, 270

Tripoli, Libya, 385, 630

Tromso, Norway, 635

Trotter, Mr, Bush Estate, 624

Trotters of Mortonhall, 359

Tunisia, 371, 385, 456, 629

Turkish Empire, 621

Tweed river, 623

ULVERSTON, Lancashire, 171

Ukraine, 404

unemployment, 55, 67, 115, 211, 217, 218, 219, 236, 292, 293, 306, 321, 393, 397, 573, 580; dole, 231, 260, 580, 622; Means Test, 260, 622, 623

Unilever, 633

Union of Construction, Allied Trades and Technicians (UCATT), 639

Union of Postal Workers, 558

Union of Shop, Distributive and Allied Workers (USDAW), 570, 574, 637

United States of America *see* America, United States of

United Wire Works, Edinburgh, 89

Uruguay, 616; *see also* Montevideo

VALE OF LEVEN, 342

Valleyfield mill (VM), Penicuik: accidents at, 246, 284, 285, 389, 538, 539, 598; aged workers at, 144, 166, 179, 390; ailments at, 7, 276, 281, 284, 537, 538; applications for employment at, 21, 22, 43, 126, 160, 161, 179, 194, 208, 211, 218, 219, 244, 249, 280, 356, 359, 365, 366, 393, 401, 424, 445, 452, 453, 465, 482, 489, 497, 535, 573, 590, 591; apprenticeships at, 177, 359, 381, 382-4, 386, 539; Bank Mill at, 137; buildings piecemeal at, 128, 140, 164; canteen or brosie at, 275, 281, 538; caretaker at, 612; cashier at, 194, 195; characters among workers at, 166; chemists, research, at, 617; chief engineer at, 165, 347, 424, 425; chimneys at, 544, 636; clogs worn by workers at, 185, 221; closure of, 8, 97, 100, 150, 189, 201, 203, 229, 230, 271, 272, 298, 390, 499, 500, 540, 607, reasons for, 29, 30, 46, 47, 98, 142, 145-8, 149, 150, 173, 174, 175, 189, 375, 376, 389, 407, 409, 425, 426, 485, 486-7, 536, 537-8, 620, threat of in 1931 parliamentary election, 168, 229; company secretary at, 455; comparisons, contacts, and relations with DM and EM, 29, 98, 99, 131, 208, 233, 234, 270, 271, 298, 304, 350, 376, 388, 424, 440, 441, 478, 516, 540, 541; competition overseas and, 174, 375; Counting Room at, 453, 454; courting customs of workers at, 264; Cowan Institute and workers at, 87, 183, 540; Cowans' connection with ended, 147; Cowans' only paper-making mill, 129; criticism of workers at, 537, 538; customers of, 98, 132, 187, 201, 202, 270, 280, 376, 407, 440, 457, 499, complaints by, 141;

dances for workers at, 198, 249, 283, 497, 54 deference at, 168, 170; and demarcation, 42 demobbed servicemen return to, 140, 172, 200, 20 226, 374, 386, 406; demolition of, 427, 487, 50 540; departments at, 187; despatch clerk at, 19 195, 200, 201; dismissals of workers at, 134, 16 188, 228, 248, 283, 408, threatened, 182, 246, 28 283; division of labour by gender in, 39, 40, 13 180, 186, 187, 208, 244, 245, 280, 281, 365, 47 documentary sources for, 9; Edinburgh office an warehouse of, 187, 616; effects of closure of EM c workers at, 389; engineers' shop at, 167; Estonia workers at, 144, 145; evening classes and, 182, 19 195, 222; ex-soldiers employed at, 40, 138, 19 families and generations employed at, 31, 32, 15 156, 161, 166, 167, 179, 191, 192, 198, 230, 24 248, 249, 250, 276, 359, 361, 365, 376, 381, 38 394, 445, 456, 465, 489, 497, 504, 543; Ferrier foundry and, 551, 552; filter beds at, 130; finishin department at, 126, 140; fire brigade of, 135; fir at, 135, 136, 165, 389, 617; first mill in Britain t use esparto grass and drying cylinders, 65; an 'flexibility' in work, 378; foremen and forewome at, 32, 40, 140, 162, 221, 222, 228, 244, 245, 24 271, 282, 284, 374, 375, 383, 396, 402, 408, 49 503; and freemasonry, 165, 166, 253, 254, 285, 31 409, 483, 484, 498; 'friendly atmosphere' at, 20. 425; garages at, 359, 360; German engineer at, 16 164; German ex-prisoner of war worker at, 144; gi of paper to workers at, 166, 283; 'happy atmospher at, 284; history of, 2, 9; holidays at, 123, 126, 18 196, 197, 227, 248, 359, 367, 389, 408, 480, 48 599, 615, 639, Christmas and New Year, 126, 18 227, 389, 483, 484, 619, 620, public, 389; hours labour, post-1945, at, 140, 201, 386, 388, 406, 45 540, 620, pre-1939, at, 38, 39, 181, 182, 196, 28 365, 366, 367, 383, 384, 609, of office workers a 127, 457, 458, 495, overtime and, 142, 164, 18 181, 182, 201, 226, 281, 384, 406, 495, of part-tim women workers at, 209; housing of, 99; illustration of, 150, 176, 391; intimidation of workers at, 16. 228, 247, 248, 282, 283, 538; 'a job for life', 20 203, 228, 464; joiners at, 165, 234, 349, 382, 38 4, 386-90; laboratory work at, 136, 137, 454, 45 61, 497; lack of investment at, 164; largest employ in Penicuik, 148; largest paper mill in Scotland, length of workers' employment at, 41, 43, 46, 9 100, 148, 149, 180, 187, 189, 202, 203, 209, 23 250, 253, 285, 377, 389, 390, 409, 426, 461, 46 482, 495, 540; Lithuanian workers at, 144, 14. lodgings for girls at, 82, 145, 362, 601, 628; Londo offices of, 129, 130, 499; Low Mill at, 56, 133, 19 197, 467, 636; management styles and practices a 98, 99, 142, 188, 228, 271, 283, 284, 376, 377, 38 388, 390, 407, 408, 453, 485, 487-8, 497, 536, 537 8, 539, 540, 542; and miners' lock-out, 1921, 60 modernisation, lack of, at, 389; North Esk reservo for, 350; number of office and laboratory worke at, 496; number of paper-making machines at, : 41, 135, 136, 164, 174, 189, 222, 229, 230, 386, 38 427, 493, 494; numbers and categories c tradesmen, 1968, at, 424, 425; number of worke at, 143, 187, post-1945, 98, 229, 314, 386, 407, 42 482, 485, 536, 537, pre-1939, 3, 39, 41, 128, 16 180, 227, 228, 306, 376, 386, 609, 611, 619; numbe of workers' recollections concerning, 3; offices an officeworkers at, 45, 46, 127, 129, 136, 137, 13

145, 160, 187, 194-8, 200-3, 254, 445, 453, 454-6, 457-8, 493-500, 609; *see also* hours of labour; 'outsider' at resented, 539; overseas agencies, warehouses, and business of, 98, 128, 129, 202, 229, 270, 298, 389, 486, 499; owners, directors and managers of, 2, 40, 129, 137, 138, 219, 229, 359, 360, 366, 389, 390, 454, 498, 609, 616, 617, 619; *see also* Cowan, Alexander; Taylor, A.E.R.; Wood, R.O.; painting of, 598, 599, 600; paper-making machines at, 3, 183, 184, 185, 188, 230, 270, 380; Paper Room at, 126, 128, 454, 493, 494, 495, 496; and paternalism, 354, 462; and Penicuik High School, 126, 445, 497; pension scheme and workers' superannuation at, 148, 189, 230, 390, 425, 487, 540; Personnel Dept at, 496; pilfering at, 165, 283; Polish office worker at, 145; political views at and parliamentary election, 1931, 143, 167, 168, 169, 229; Pomathorn extension to, 29, 30, 98, 136, 140, 142, 188, 189, 222, 270, 375, 387, 406, 407, 425, 477, 482, 485, 486, 536; closure of, 203, 230, 407, 426, 536, cost of, 175, 620, criticism of, 145, 146, 175, fire at, 389, illustration of, 150, number of workers at, 376, 407, painting at, 599; and pollution of North Esk river, 65, 130, 131, 136; poverty among workers at, 541; Power Sames department at, 496; prisoners of war, 1811-14, at, 2, 41, 167, 195, 501, 610, 631; production processes at, 37-8, 133-4, 162-4, 183, 184-6, 187, 219-21, 222; protective clothing at, 185, 284; rags and other raw materials used at, 3, 5, 6, 27, 49, 131, 132, 179, 180, 187, 208, 209, 220, 276, 320, 456, 457, 487; ratio of male and female workers at, 39, 98, 140, 180, 187, 201, 386, 482, 498, 609, 611, 619; recreational facilities at, 2, 183, 197, 307, 389, 540; redundancy and payment at, 29, 100, 148, 149, 203, 230, 231, 253, 254, 389, 390, 409, 424, 426, 427, 428, 487, 500, 536, 537, 540, 584; Reed International acquires, 100, 146, 147, 174, 188, 189, 229, 375, 376, 377, 389, 407, 409, 425, 427, 440, 486, 487, 498, 499, 536, 610, 622; religious affiliations at, 126, 143, 144, 219, 285, 409, 498; resentment toward young machinemen at, 366; retrospective views of, 100, 149, 174, 175, 189, 203, 210, 231, 255, 391, 488, 501, 542; school, old mill (1829), at, 427; and sense of community, 82; sewer at, 130; shifts at, 38, 39, 127, 142, 167, 181, 192, 196, 222, 226, 227, 365, 366, 367, 556, 619, and evening classes, 41, 182, 222, four shift system, 142, 426, 12 hours, 304, 374, 483, c.1900, 543, 16 hours, 406, sleeping on night, 483, women and, 281; shipping notes at, 194; short-time working at, 164, 170, 171, 217, 218, 227, 401, 408, 483, 484, 535, 536, 622; sickness benefit at, 59; 'a sideline', 229; size of, 135; skilled and unskilled workers at, 40; and smoking, 165, 167; stamping house at, 179, 195; strikes at, 142, 188, 285, 388, 408, 409, 499, 1923, at, 59, 141, 142, 188, 203, 228, 408, 434, 611, 612, 632, and 1926 General Strike, 39, 115, 116, 606, 632, women's sit-down strikes in, 377; tea urn, issue of at, 537, 538; tied houses of, 28, 82, 99, 145, 146, 147, 200, 230, 252, 354, 356, 362, 388, 489, 546, 601, 628, evictions from, 612, for foremen, 362, 388, illustration of, 256, painting of, 601, rent of, 200, 362, for women workers (Nunnery), 362, 628; toilets at for workers, 167, 538; tonnage of paper produced at, 135, 482; trade unionism at, 141, 142, 169-70, 171, 187, 188, 202, 203, 388, before 1914, 609, branch secretary barred

from mill, 538, 539, engineers' and joiners' at, 387, 388, and office workers, 141, 202, 203, 499, post-1945, 141, 142, 189, 203, 226, 227, 375, 377, 462, 482, 487, 539, pre-1939, 39, 59, 169, 170, 187, 188, 227, 247, 285, 375, 408, shop stewards at, 408, union collectors in, 143, 169, 202, 203, 227, 375, 482; training of workers at, 282, 366, 479; types and quality of paper made at, 37, 41, 47, 99, 128, 131, 132, 134, 174, 181, 186, 202, 229, 270, 280, 282, 376, 407, 425, 457, 477, 478, 482, 484, 485, 488, 498, 516, 536, banknote, 5, 137, 165, 181, 440, 478, 516, compared with EM's papers, 270, 320, 425, specialised, 135, 141, 175, 189, 202, 425, 485, watermarks, 132, 133; victimisation at, 59, 253; wages at, laboratory worker's, 461, office workers', 46, 127, 452, 458, 495, 496, 609, for others, post-1945, 98, 169, 170, 173, 174, 201, 203, 226, 356, 374, 375, 376, 377, 386, 387, 465, 482, 496, 540, 541, pre-1939, 34, 39, 40, 42, 168, 169, 181, 196, 227, 245, 281, 282, 367, 384, 435, pre-1914, 167, 543, 619, 620; and War, 1939-45, 6, 43,127, 135, 136, 138, 144, 171, 173, 201, 208, 209, 228, 285, 408; watchmen at, 455; water piped into Penicuik from, 51; water supply at, 50, 477, 478; water for workers at, 247, 248; weddings and funerals, time off for, 383; welfare committee at, 537, 538, 540; where workers at lived, 145, 187, 197, 304, 388, 447, 589; and Wiggins Teape mills, 147; woman worker's recollections from c. 1870 of, 166, 167; women workers at, 4, 6, 39, 43, 208, 209, 210, 234, 244-50, 276, 280-5, 381, 387, 406, 444, 493-500, 504, 543; work study at, 407, 408

Velouty, 615

Visigoths, 372

Vistula river, Poland, 403, 631

WADE, General George, 629

Wadhurst, Sussex, 369

wages: baker, apprentice, 414; barber's boy, 34, 591; brickworkers, 18, 19; caretakers, 213, 400; carters, 101, 102, 338; cellarman, 525; chauffeur, 360; cleaner, 254, 255; clerkess, 433; clerks, 292; Co-op workers, 44, 398, 399, 414, 433; delivery boy, baker's, 216, 217, 218, grocer's, 179, 397, 399, 471, 472, 475, milk, 398, 399, newspaper, 305; domestic servant, 243; electrician, apprentice, 55; farm workers, 21, 22, 23, 329, 330, 333, 334, 335, 336, 337, 338, in kind, meals, milk, potatoes, 330, 334, 338; foundry apprentice, 550, 551, 555; gamekeepers, 173; gardener, 35; given to mother, 18, 85, 399, 550, 592; at gunpowder mills, 251, 564; housepainters, 597, 602, apprentice, 592; joiners, building trades, 388; labourer, 338; laundry workers, 569, 570, 571, 574; market gardener, 125; miners, 157, 377; mining contractors, 154, 155, 223; museum attendant, 231; plan printer, 410; printers, 169, 227; in RAF, 555; at Rosyth dockyard, 191; in Royal Marines, 527; secretary, personal, 436, 437, 438, 507, 509, 514; shelter attendant, 155; shipyard workers, piece work, 352; shop workers, 67, 384, 495; slaughterman, apprentice, 525; stonemasons, 191, 431; travel agents' worker, 518; vanman, furniture, 67; woollen mill workers, 290; *see also* DM; EM; VM

Wales, 366, 465; South, 141, 341, 370, 606

Walkerburn, Peeblesshire, 394

Walker, Joan, office worker, EM, 518

Walker, Mr, laboratory worker, VM, 137
Wallace, C. Gordon, managing director (1913-59), DM, 293, 294, 295, 296, 297, 304, 321, 338, 339, 343, 344, 440, 441, 611
Wallace, Charles G., managing director (1959-80), DM, 68, 69, 296, 318, 319, 344, 428, 440, 441, 582, 584, 586, 611, 613
Wallace, C.S. Gordon, managing director (1980-2004), DM, 296, 320, 344, 428, 584, 586, 611
Wallace, Katie, a director, DM, 584
Wallaces of Dalmore, 2, 297, 584
Wallyford, Midlothian, 323
Walstone farm see farms
Walston, Lanarkshire, 490
Wand, Davie, farm worker and artilleryman, 326
War, Crimean, 370, 625, 629
War, Korean, 535, 633, 636
War, 1914-18, 15, 16, 32, 34, 57, 58, 73, 177, 275, 291, 416, 547, 548, 608, 615, 617, 618, 626, 628, 631, 632; Allenby's desert campaign in, 369, 628; Armistice in, 13, 16, 36, 37, 54, 73, 155, 300, 326, 611; casualties in: gassed, 36, 37, 608, killed, 2, 36, 54, 130, 205, 212, 289, 299, 608, 611, 614, 616, 620, 623, 625, prisoners, 13, 15, 616, shell-shock, 610, wounded, 16, 34, 127, 130, 393, 587, 589, 611, 616, 638; conscription in, 32, 101, 124, 205, 211, 300; demobilisation after, 503; engineering in, 610; and 'flu epidemic, 614; gas-driven buses in, 17; internment during, 215; medals for valour in, 393, 587, 589, 638; minesweeper in, 519; munitions work in, 610; opponent of, 618; outbreak of, 16, 36, 54, 69, 289, 325, 608; reserved occupation in, 257, 554; Somme, battle of the, 212, 620; tanks in, 54, 611; volunteers in, 360, 630, under-age, 13, 101; and Wellington Boys Reformatory School, 610; widow's pension from, 205, 206, 213; see also armed forces; arms and armaments
War, 1939-45, 2, 3, 66, 126, 179, 180, 189, 233, 547, 548, 617; air raid shelters and sirens in, 252, 285; ammunition dump in, 437; Army in, Eighth, 225, 342, 385, 624, 629, 630, First, 386, Fourteenth, 199; Arnhem, battle of, 597, 638; atomic bomb in, 226, 534, 535, 621; atrocities in, 172; Australians in, 267, 623, 624; black market in, 373; black-out pre-, 163; bombing, Allied, in, 144, 621, German, 43, 44, 135, 250, 374, 610, of Clydebank, 44, 135, 352, 610, of Forth Bridge, 265, 623; bridge mined in, 252; Burma campaign in, 171-2, 199, 617, 619; Cassino, battle of, in, 225, 226, 372, 621; casualties in, 627, executed, 534, 636, killed, 2, 171, 172, 213, 225, 311, 348, 368, 371, 372, 373, 386, 404, 529, 531, 533, 534, 596, 597, 610, 619, 621, 623, 627, 629, 631, 636, 638, prisoners, 144, 200, 224, 294, 297, 368, 373, 528, 529, 534, 623, 629, 634, 635, 638, wounded or injured, 171, 225, 267, 353, 386, 532, 533, 597, 610, 623, 636; changes after, 82, 83, 93, 96, 99, 100, 120, 121, 127, 137, 158, 159, 173, 187, 200, 226, 264, 308, 368, 374, 375, 515; coastal defence in, 224; commando raids in, 530, 635, 636; concentration camps in, 373, 629; conscription in, 109, 136, 138, 171, 198, 208, 213, 223, 224, 250, 310, 341, 384, 439, 514, 593, 617, 623; deferment from, 171, 198, and militia, 265, 267, 623, of women, 387; Dakar expeditions in, 531, 532, 636; demobilisation after, 110, 139, 172, 200, 226, 253, 267, 310, 311, 342, 373, 386, 405, 418, 421, 472, 493, 507, 508, 514, 519, 597; Dieppe Raid in, 628;

Dunkirk, evacuation from, 198, 223, 310, 368, 3[?], 528, 594; El Alamein, battle of, 267, 342, 385, 6[?]; end of, 61, 226; engineering in, 2, 3, 61, 209, 4[?]; evacuation in, 491, 492; fall of France in, 213, 2[?], 294, 368, 623, 635; Fire Service in, 491, 4[?]; forestry in, 610; foundry work in, 549; French na[?] in, 635, 636; German preparations for, 163; Germ[?] spies in, 225, 450; gunpowder mill in, 251; Ho[?] Kong in, fall of, 353, 627; importance of Americ[?] supplies in, 405; internment in, 163; invasion thr[?] in, 199, 224, 635; Italy and Italian campaign[?] 225, 226, 267, 372-3, 385, 403, 596, 621, 624, 6[?]; Japanese in, 171-2, 199, 200, 226, 267, 294, 4[?] 418, 533, 534, 535, 616, 619, 621, 623, 624, 6[?] 636; landings in: Anzio, Italy, 348, 621, 627, [?] Day, Normandy, 109, 267, 385, 417, 532, 533, 5[?] 624, 629, 636, 638, Italy, 629, North Africa, 19[?] 370, 371, 531, 532, 629, 636, Sicily, 267, 385, 6[?] 629, south of France, 403, 630; leave during, 4[?] 596; Leningrad, siege of, in, 530, 531; lodgers[?] 465; LordHaw-Haw in, 250, 619, 622; Magir[?] Line in, 266, 623; merchant navy in, 2, 352, 3[?] 627, 634; minefields in, 267, 342; Munich Cri[?] before, 401, 527, 630; munitions work in, 6[?] Nazi-Soviet Non-Aggression Pact, 1939, and, 6[?] Nissen huts in, 224, 385, 632; Normandy campai[?] 1944, in, 596, 638; North African campaign in, 2[?] 267, 341, 342, 371, 384, 385, 596, 623, 624, 6[?] North-West Europe campaign in, 386, 5[?] Orkney and Shetland Defence in, 385; outbreak[?] 43, 57, 60, 136, 138, 265, 285, 294, 310, 367, 3[?] 384, 446, 528, 592, 593, 616, 623, 630, 634; Pacific, 405, 418; pacifism and, 225; paratroops[?] 597, 638; Penicuik in, 135, 252, 374; rationing[?] 44, 109, 110, 446; Regulation 18B in, 9, 229, 6[?] requisition of housing in, 360; reserved occupatic[?] in, 171, 352, 446, 465; resettlement after, 61, 1[?] 173, 200, 226, 267, 268, 374, 418, 535,597; Rhi[?] crossing in, 386, 597; River Plate, battle of the, 5[?] 634; sea convoys in, 251, 266, 353, 530, 532; Seco[?] Front in, 267, 417, 418, 532, 624; ships, sunken,[?] 342; Singapore, fall of, in, 224, 353, 627; snipers[?] 225, 534; supplies parachuted in, 172, 199, 4[?] 404, 405, 631; tanks in, 596, 623, 628, 629; U-bo[?] in, 353, 520, 634, 636; VE Day in, 621, 639; VJ D[?] in, 199, 294, 295, 418, 621; volunteers in, 60, 3[?] 401, 416, under-age, 233; Warsaw Rising in, 4[?] 404, 630, 631; women in, 109, 138, 139, 208, 2[?] 234, 251, 253, 281, 387, 465, 514, 617; see a[?] armed forces; arms and armaments; Far East; sh[?] and shipping
Warkworth, Northumberland, 224
Warnock, Jock, foreman, VM, 425
Warrington, Lancashire, 342, 402, 481
Warsaw see War, 1939-45
Wars, Napoleonic, 267, 524, 616, 624, 638; and pa[?] trade, 610; prisoners in, 2, 41, 167, 195, 411, 4[?] 501, 610, 631
Wars of Scottish Independence, 618
Waterloo, battle of, 267, 624
Water of Leith paper mills, 3, 130, 149, 150, 478
Watman's paper mill, Maidstone, 135
Watson, George, chief electrician, VM, 426
Watson, Mr, farmer and bus owner, 157, 299, 468
Watson, Mr, foreman, DM, 119
Watson's farm see farms
Watson, Sir George, Maypole Dairy, 633

t, Dougie, union branch secretary, 59, 143, 375
t, ex-Regimental Sgt Major, Scots Guards, 594
dings and funerals, 60, 77, 80, 83, 109, 336, 532; in
  ndia, 200
e Hans', German ex-prisoner of war, VM, 144
  r, Helen, worker, EM and VM, 4, 5, 6, 10, 205-10;
  brother of, 205, 206; cousin of, 209; death of, 10;
  father of, 205, 206, 620; marriage and husband of,
  4, 208, 209; mother of, 205, 206, 207, 208, 210;
  other employments of, 206, 209; retrospect by, 210;
  son of, 209, 210; uncles of, 30, 205; works at EM,
  4, 205, 206, 207-8; works at VM, 4, 5, 6, 208, 209;
  see also Weir, Robert
  ir, Mary, Paper Room secretary, VM, 493, 494, 501;
  father of, 493
  ir, Robert, worker, VM, 3, 8, 9, 151-75, 620; aunt
  and great uncles of, 151, 155, 166, 167; brothers of,
  151, 153, 154, 155, 156, 158; father of, 151, 152,
  153, 154, 155, 156, 159, 160, 161, 167;
  grandparents of, 151, 152, 167; mother of, 151, 152,
  153, 154, 155, 156, 158, 159, 160, 161; mother-in-
  law of, 173; sisters of, 151, 155, 156, 161; wife of,
  172, 173; works at VM, 161, 162-71, 173-5, 620;
  in 1939-45 War, 171-3, 619
  llington, New Zealand, 129, 202, 499
  llington Reformatory Farm School see schooling
  and later education
  lsh, Jack, insurance agent and shopkeeper, 323
  st Africa, 310, 311
  ster Howgate farm see farms
  stfield paper mills, Fife, 42
  st Hartlepool, Durham, 360, 403
  st Linton, Peeblesshire, 151, 152, 394, 414, 434,
  437, 557, 591, 593, 600
  ston-super-Mare, Somerset, 596
  stwood, Joseph, MP, 168, 169, 618
  naley, Charlie, gatekeeper, VM, 455
  itburn Burgh Band, 46
  itby, Yorkshire, 139, 342
  iteash paper mill, Oswaldtwistle, 177, 178
  hite, Dr', barman, 138
  itefaugh, Midlothian, 13, 14-16, 17, 18, 19, 20, 21
  itehill colliery see collieries
  hite, Mrs, chargehand, EM, 573, 574, 575, 579
  ck, 431, 434
  ggins Teape paper mills, 147, 461, 462
  lliams, Miss, typist, VM, 127
  lliamson, Alfred, worker, VM, 366
  llocks, Staff Sgt, 402
  lson, David, head finisher, VM, 3, 5, 10, 123-50,
  406, 498, 538, 615, 620; aunts and uncles of, 123,
  124, 126, 149; brother-in-law of, 396; death of, 10;
  father of, 123, 124, 125, 126, 136, 138, 139;
  grandparents of, 123; mother of, 123, 124, 125, 126,
  128, 136, 139; parents-in-law of, 125, 138, 139,
  396; re-employed as garage cleaner, 149; retrospect
  by, 150; sister of, 124, 125; wife of, 138, 149, 399;
  works at VM, 3, 5, 123, 126, 127-38, 140-50, 406,
  498, 538, 615, 620
  lson, David L., master housepainter, 590, 591, 592,
  593, 597, 598, 599, 600, 601, 602, 603
  lson, Harold, prime minister, 97, 441
  lson, Jimmy, landlord, 447
  lson, John, head finisher, EM, 573, 575
  lson, Melville, grain store owner, 398, 399, 507, 508
  lson, Professor Sir Charles T.R., Nobel Prize
  winner, 557, 637

Wilson, Provost Andrew G., shopkeeper, Penicuik,
  160, 471, 633
Wilson, William, shopkeeper, 633
Wimpey & Co, George, builders, 560
Withnell, Isa, worker, VM, 245
Wolverhampton, 213
women: cease paid work on marriage, 43, 72, 78, 94,
  102, 109, 112, 120, 121, 208, 233, 234, 241, 275,
  285, 287, 394, 489, 504, 517, 560; Cowan Institute
  and, 479; inebriate, 615; lack of employment for,
  431; and make-up, 118; no public baths for, 395;
  and unemployment, 622; see also DM;
  employments; EM; VM; War, 1914-18, widow's
  pension from; War, 1939-45
Women's Guilds, 437
Women's Rural Institutes, 437, 613
Wood, A.H.E., father of R.O. Wood, 138, 616
Woodhouselee, Midlothian, 112, 144, 360, 361, 615,
  628
Woodhouselee farm see farms
Wood, Richard Oliver, MC, director, VM, 128, 138,
  143, 161, 162, 197, 243, 248, 391, 454, 616
Wood, Wendy, Scottish Nationalist, 422, 557, 631, 632
Woodworkers, Amalgamated Society of, 388
Woolworth's, 119, 187, 280
Worcester, 375, 376
Workington, Cumberland, 361
Wright, John J., company secretary, EM, 94, 262, 318,
  438, 439, 440, 441, 442, 511, 512, 513
Wright, Regimental Sgt Major, Royal Scots, 594

YAIR HOUSE, Selkirkshire, 360
Yarmouth see Great Yarmouth
Yester, Mr, long-serving worker, VM, 148
York, 199
Yorkshire, 223, 291, 588
Young, Jimmy, worker, EM, 423
Young, Jim, office worker, EM, 513, 515, 516
Young, Tom, despatch manager, EM, 440, 502, 510,
  511, 515, 516
Young, William, Penicuik Historical Society, 54, 515
Yugoslavia, 373